D0785525

(Elle est donnée [...] bet Phonétique International mo[...] s la 14e édition de l'*English Pron*[...] Dent, London, 1977).)

Sons voyelles

[iː] comme dans SEAT
[ɪ] comme dans SIT
[e] comme dans BED
[æ] comme dans CAT
[ɑː] comme dans FATHER
[ɒ] comme dans NOT
[ɔː] comme dans DOOR
[ʊ] comme dans PUT
[uː] comme dans MOON
[ʌ] comme dans DUCK
[ɜː] comme dans BIRD
[ə] comme dans DOCTOR

Diphtongues

[eɪ] comme dans DAY
[əʊ] comme dans BOAT
[aɪ] comme dans MY
[aʊ] comme dans NOW
[ɔɪ] comme dans BOY
[ɪə] comme dans HERE
[eə] comme dans THERE
[ʊə] comme dans POOR

Sons consonnes

[p] comme dans POT
[b] comme dans BOY
[t] comme dans TEA
[d] comme dans DOWN
[k] comme dans CAKE
[g] comme dans GIRL
[tʃ] comme dans CHILD
[dʒ] comme dans JOY
[f] comme dans FAT
[v] comme dans VERY
[θ] comme dans THICK
[ð] comme dans THIS
[s] comme dans SEE
[z] comme dans EASY
[ʃ] comme dans SURE
[ʒ] comme dans PLEASURE
[h] comme dans HOT
[m] comme dans MOTHER
[n] comme dans NOW
[ŋ] comme dans THING
[l] comme dans LOVE
[r] comme dans RICH

Semi-consonnes

[j] comme dans YES
[w] comme dans WITH

Accentuation

ˈ - accent unique ou principal, comme dans MOTHER [ˈmʌðə]
ˌ - accent secondaire, comme dans PHOTOGRAPHIC [ˌfəʊtəˈgræfɪk]

Dans la même collection
Les Langues Pour Tous
dirigée par
J.-P. Berman, M. Marcheteau et M. Savio

Méthodes générales

- L'anglais pour tous en 40 leçons
- L'allemand pour tous en 40 leçons
- L'espagnol pour tous en 40 leçons
  Enregistrements cassettes : chaque méthode, 3 cassettes

- Score. 100 tests pour contrôler et améliorer votre anglais
- Score. 100 tests pour contrôler et améliorer votre allemand
- Score. 100 tests pour contrôler et améliorer votre espagnol

Langue commerciale

- L'allemand économique et commercial
- L'anglais économique et commercial
- L'espagnol économique et commercial
  Enregistrements cassettes : chaque méthode, 3 cassettes
- Dictionnaire de l'anglais économique et commercial
- Dictionnaire de l'allemand économique et commercial
- Correspondance commerciale en anglais

La loi du 11 mars 1957 n'autorisant, aux termes des alinéas 2 et 3 de l'article 41, d'une part, que les « copies ou reproductions strictement réservées à l'usage privé du copiste et non destinées à une utilisation collective » et, d'autre part, que les analyses et les courtes citations dans un but d'exemple et d'illustration, « toute représentation ou reproduction intégrale ou partielle, faite sans le consentement de l'auteur ou de ses ayants droit ou ayants cause, est illicite » (alinéa 1er de l'article 40).
Cette représentation ou reproduction, par quelque procédé que ce soit, constituerait donc une contrefaçon sanctionnée par les articles 425 et suivants du Code pénal.

© Presses Pocket 1982 – ISBN 2-266-01125-1

LES LANGUES POUR TOUS
Collection dirigée par
Jean-Pierre Berman, Michel Marcheteau, Michel Savio

DICTIONNAIRE DE L'ANGLAIS D'AUJOURD'HUI

Anglais-français / français-anglais

par

Denis Girard
Inspecteur général de l'Éducation nationale

William Barrie
M.A. Edinburgh, Docteur 3e cycle
Maître-assistant à l'Université de Paris VII

André Chaptal
Agrégé de l'Université - Professeur de Première supérieure
au lycée P.-de-Fermat de Toulouse

Henri Yvinec
Agrégé de l'Université
Professeur au lycée H.-Berlioz de Vincennes

Presses Pocket

SOMMAIRE

INTRODUCTION

Ce **Dictionnaire de l'anglais d'aujourd'hui** – dictionnaire de poche bilingue anglais-français – se distingue par plusieurs traits d'autres dictionnaires de même type et de dimensions comparables. Comme il s'agit d'un dictionnaire **de poche,** donc de faible volume, commode à manier et peu coûteux, les auteurs ont voulu pouvoir donner le plus d'information possible dans la présentation la plus accessible. Ils se sont assigné deux objectifs fondamentaux : *la clarté et la commodité*.

Les langues de grande communication et de grande culture que sont l'anglais et le français comportent des centaines de milliers de mots et le premier problème qui se pose est celui du choix des mots qu'on pourra inclure, de telle sorte que l'instrument que l'on offre soit le plus utile possible.

En s'interrogeant sur les **besoins** du public qu'on pouvait imaginer pour un tel dictionnaire, les auteurs ont pensé avant tout, mais non pas exclusivement, au francophone adulte ou adolescent désireux de se perfectionner en anglais, d'étendre et de préciser ses connaissances.

Dans l'emploi d'une langue étrangère, il est légitime de distinguer les activités de **compréhension** (ou **reconnaissance**) et les activités de **production,** à l'oral comme à l'écrit. Il n'est pas possible de s'exprimer à coup de dictionnaire, même si l'on peut être amené à vérifier parfois la ou les façons de dire ceci ou cela dans la langue cible. Par contre, le dictionnaire bilingue, à côté du dictionnaire unilingue qu'il ne remplace pas, est l'outil privilégié pour trouver la signification précise des mots et expressions rencontrés pour la première fois lorsqu'on lit ou qu'on écoute de l'anglais, quand le contexte n'est pas suffisamment éclairant. C'est pourquoi le **Dictionnaire de l'anglais d'aujourd'hui** accorde deux fois plus de place à la partie anglais-français qui est celle que l'on consultera le plus souvent, la partie français-anglais constituant surtout un index détaillé qui renvoie à l'autre.

L'anglais et le français ont en commun des milliers de mots d'origine latine qui font qu'un francophone n'a aucune difficulté à les reconnaître, que l'orthographe soit rigoureusement la même – *animal, fracture, fruit, nation, prison, talisman, unique* – ou très voisine : *accept, annex, cinema, elegance, demography, honest, honour, planet, system,* etc. Cela ne prouve évidemment pas qu'on sache prononcer ces mots ! Lorsque la signification de ces **mots communs** et leur emploi sont tout à fait les mêmes dans les deux langues, nous nous sommes dispensés de les faire figurer en anglais-français, ce qui représente une économie de place mise à profit pour donner plus d'exemples et d'expressions idiomatiques pour les mots traités et, d'une manière générale, une présentation plus aérée du dictionnaire. Cependant, les « **faux amis** » (dont la ressemblance est trompeuse dans la mesure où les sens ne se recoupent pas entièrement dans les deux langues) ont été maintenus, précédés d'un symbole de mise en garde contre le non-parallélisme des acceptions (voir ci-dessous au **Mode d'emploi** ce qui concerne le signe ⚠). C'est le cas de mots comme : *denomination, director, engage, grand, large, physician, trouble,* etc.

Le même souci d'économie pour une meilleure utilisation de l'espace disponible nous a fait écarter certains **dérivés** dont la compréhension ne pose aucun problème quand on connaît le mot de départ. C'est le cas de la plupart des adverbes en -LY qu'on ne devra pas s'étonner de ne pas trouver dans ce dictionnaire : *beautifully, calmly, dangerously, equally, generally, magnificently, strongly,* etc. Il suffit de consulter le dictionnaire à l'adjectif dont ces adverbes sont dérivés. On procèdera de même pour les noms abstraits en -NESS qui ne sont pas dans le dictionnaire : *coldness, drunkenness, happiness, meanness, sickness,* etc.[1]

Cette double économie qui constitue une des grandes originalités du **Dictionnaire de l'anglais d'aujourd'hui** permet de satisfaire de la façon suivante les objectifs prioritaires de **clarté** et de **commodité,** donc d'**efficacité :**

1. Consulter à ce sujet le tableau des « Mots dérivés », p. 14.

❶ **chaque** mot retenu pour la partie anglais-français est donné en **entrée séparée** avec sa prononciation (à la seule exception des verbes à particule pour lesquels il suffit de se référer à la prononciation de la base verbale qui figure le plus souvent à la même page). On n'a donc pas à chercher longuement tel ou tel mot à l'intérieur d'un article en comportant plusieurs. Une règle absolue : **un article par mot et un seul mot par article ;**

❷ les **catégories grammaticales** multiples pour un même mot (par exemple *v.* et *n.*) sont nettement séparées, et en paragraphes différents toutes les fois que l'article atteint une certaine longueur ;

❸ les **verbes à particule** (ex. : *bring up ; carry on ; do down ; dop up ; ring up ;* etc.) sont donnés en entrées séparées toutes les fois que leur sens ne peut être facilement induit du sens du verbe et de celui de la particule adverbiale, ce qui facilite considérablement la recherche ;

❹ un nombre important de **mots récents** du domaine des techniques modernes ou de la langue journalistique à pu être retenu ;

❺ **l'usage américain** (qu'il s'agisse de mots spéciaux ou de significations différentes de mots d'anglais britannique) est largement représenté ;

❻ les **exemples** illustrant les diverses acceptions ou différents emplois, notamment idiomatiques, sont exceptionnellement nombreux pour un dictionnaire de ce format. On peut s'en persuader facilement en consultant des mots comme DO, MAKE, TAKE, etc. et en feuilletant le dictionnaire au hasard ;

❼ l'emploi des deux symboles qui opposent les **faux amis** (⚠) et les **vrais amis** (▻) doit contribuer fortement, dans l'esprit des auteurs, à accroître la facilité et la commodité d'utilisation du dictionnaire, donc en définitive son efficacité.

Pour obtenir de cet outil le meilleur service possible, l'utilisateur aura tout intérêt à se conformer au **Mode d'emploi** qui lui est proposé.

Denis GIRARD

MODE D'EMPLOI

I. Avant de consulter le dictionnaire

❶ lire l'**Introduction** ;

❷ parcourir les deux tableaux relatifs aux **Abréviations utilisées** et à la **Transcription phonétique** que l'on prendra l'habitude de consulter autant que de besoin ;

❸ se familiariser avec les autres tableaux, à la fin de la partie anglais-français et en fin de dictionnaire, qui pourront épargner de vaines recherches en fournissant d'utiles renseignements qu'on ne trouverait pas ailleurs ;

❹ lire attentivement le présent **Mode d'emploi.**

II. Utilisation de la partie anglais-français

❶ s'interroger sur ce qu'il convient de chercher : le sens d'un mot isolé (Ex. DAFT dans la phrase « You're daft ! ») ou d'une expression où entre un mot que l'on ne connaît pas (Ex. « Be at **daggers** drawn with... »). Dans le premier cas, le renseignement sera tout de suite trouvé, en début d'article. Dans le deuxième cas, après avoir pris connaissance des traductions proposées (« dague, poignard »), on devra chercher l'expression dans la série d'exemples proposés pour trouver la traduction souhaitée (« être à couteaux tirés avec... ») ;

❷ s'interroger sur la **nature** du mot, sur sa catégorie grammaticale, car ce n'est pas au même endroit que l'on trouvera le renseignement recherché. Si on ne comprend pas le mot DRAW, il faut savoir distinguer le verbe du nom pour pouvoir choisir le bon paragraphe (le paragraphe de *v. intr. irr.* si la phrase est « They say that the play DRAWS well » et le paragraphe de *n.* si la phrase du roman policier que l'on est en train de lire est « He was quick on the DRAW ») ;

❸ la nécessité de tenir compte du **contexte** dans lequel on a rencontré le mot vaut aussi pour prévoir entre plusieurs la signification la plus vraisemblable.

Dans ce dictionnaire, les divers sens sont numérotés (ils vont de 1 à 15 pour le mot DRAW, *v.t.* (verbe transitif). La phrase « Can you **draw** enough money from your bank account ? » conduira tout naturellement vers la traduction n° 10 parmi les quinze proposées.

Cette attention portée au contexte est particulièrement utile quand on est en présence d'homographes (mots de même orthographe mais recouvrant des réalités tout à fait différentes) qui sont traités dans ce dictionnaire dans des articles différents numérotés (Ex. BOX[1] = boîte ; BOX[2] *(Bot.)* = buis ; BOX[3] *(Sp.)* = boxer).

❹ Lorsque le mot cherché **n'est pas** dans le dictionnaire, il peut s'agir :

– soit d'un mot peu courant, savant ou archaïque que les auteurs n'ont pas cru devoir faire figurer dans ce dictionnaire ;

– soit d'un mot « transparent » :

• par identité (ou quasi-identité) de forme et de sens avec un mot français ;

• par dérivation courante d'un mot anglais qui figure au dictionnaire.

Pour les mots qui ressemblent au français, on peut, en cas de doute, consulter la partie français-anglais où l'on trouvera le plus souvent confirmation de cette hypothèse et aussi, en cas de difficulté, la prononciation du mot anglais (Ex. CLIMAT, *n. m.* climate ['klaɪmɪt]).

Pour les dérivés de mots anglais, il suffit de chercher le mot d'origine (pour QUIETLY, chercher QUIET en sachant que c'est forcément l'adverbe formé sur cet adjectif).[1]

1. Consulter le tableau « Mots dérivés », p. 14.

❼ une abréviation **d'usage** (*fam., fig., vulg.* etc.) ou **thématique** (*Aut., Méd., Mil., Sp.* etc.) précède parfois la traduction.

On consultera la liste des **Abréviations utilisées ;**

❽ quand un mot, dans l'un de ses sens, est le raccourci d'un nom composé, ce nom composé est donné d'abord, entre parenthèses, après le signe =. On trouvera également trois autres types de référence à d'autres mots :

– le mot **aussi** annonce un synonyme qui ne figure pas en entrée séparée :

Ex. PLAYMATE........ camarade de jeu, copain, copine (aussi **playfellow**). Le synonyme est donné en caractères gras après la traduction.

– le signe ≠ renvoie de la même façon à un antonyme, ou contraire.

Ex. BLUNT, *adj.* 1. émoussé........ (≠ **sharp**).

Il est, en fait, rarement employé.

– l'abréviation *cf.* (se référer à) a pour but d'indiquer un mot qui est en général d'usage plus courant et qui figure dans le dictionnaire.

Ex. BRASSIÈRE, *n.* .... (*cf.* **bra**).

Il indique aussi l'équivalent en anglais britannique d'un mot qui appartient au vocabulaire américain.

Ex. SIDEWALK........ trottoir (*cf.* **pavement**) ;

❾ **exemple correspondant à l'une des traductions :**

Quand il y en a plusieurs, ils sont donnés dans l'ordre alphabétique du premier mot de la phrase, tout de suite après chaque traduction. Il arrive que l'exemple soit donné tout de suite après le numéro, c'est-à-dire sans la traduction du mot isolé ; c'est que dans ce sens-là le mot est toujours employé dans l'expression donnée ou que la traduction de l'exemple renseigne beaucoup mieux que la traduction du mot isolé ;

Ex. DEEP [di:p] *adj.* .... 4 *(fig.)* ***Deep concern,*** vive préoccupation ;

❿ **exemples idiomatiques :** ils sont tous regroupés en fin d'article ou de paragraphe, dans l'ordre alphabétique. Ils correspondent à des emplois particuliers du mot qui ne se rattachent pas nécessairement à l'une des traductions. Ils sont annoncés par le signe ♦.

Ex. DARK........, paroles mystérieuses. ♦ ***Dark horse,*** outsider ; *(fam.)* ***keep it dark !*** motus ! *(Hist.)* ***the Dark Ages,*** les premiers siècles du Moyen Age.

Les auteurs ont tenu à donner un très grand nombre d'exemples idiomatiques car c'est là que l'on trouve les plus graves problèmes de compréhension pour les non-anglophones.

III. Utilisation de la partie français-anglais

L'utilisateur de ce dictionnaire doit savoir que cette partie a été conçue comme un simple **complément** de l'autre.
Étant francophone, il n'a pas besoin qu'on lui donne la prononciation des mots français. On lui donne par contre, si besoin est, la prononciation des mots anglais difficiles ou qui ne se trouvent pas dans la partie anglais-français.

La catégorie grammaticale est en revanche utile pour distinguer des emplois différents d'un même mot (par ex. BEAU adjectif et BEAU adverbe). Les renseignements fournis sur chaque mot sont volontairement succincts. Ils renvoient à une série de mots et expressions anglais qui correspondent aux différents sens du mot français (séparés par un ;) et figurent le plus souvent dans la partie anglais-français.

La partie français-anglais ne comporte pas d'exemples. Ils seraient inutiles pour un francophone. Mais cette économie considérable a permis d'étoffer la partie anglais-français à laquelle il est vivement conseillé de se reporter pour choisir entre les mots proposés celui qui correspond le mieux à ce que l'on cherche.

Exemple de traitement d'un mot

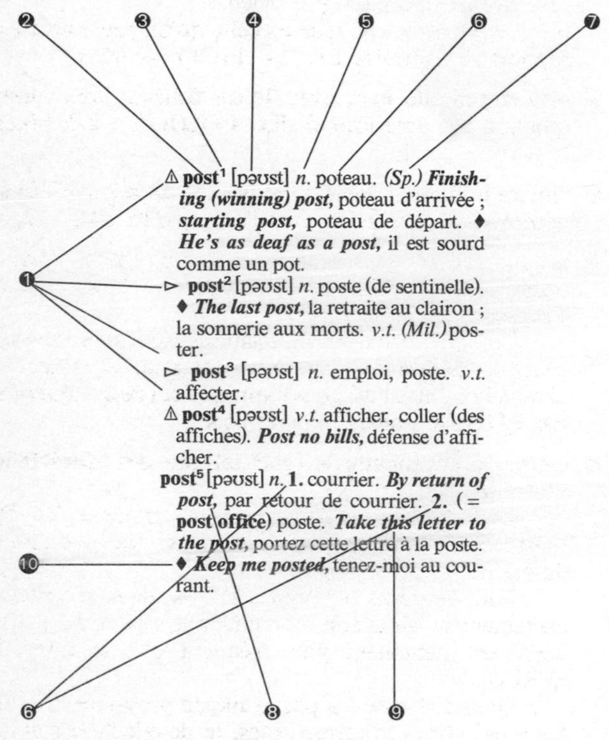

⚠ **post**[1] [pəʊst] *n.* poteau. *(Sp.)* ***Finishing (winning) post,*** poteau d'arrivée ; ***starting post,*** poteau de départ. ♦ ***He's as deaf as a post,*** il est sourd comme un pot.

▻ **post**[2] [pəʊst] *n.* poste (de sentinelle). ♦ ***The last post,*** la retraite au clairon ; la sonnerie aux morts. *v.t. (Mil.)* poster.

▻ **post**[3] [pəʊst] *n.* emploi, poste. *v.t.* affecter.

⚠ **post**[4] [pəʊst] *v.t.* afficher, coller (des affiches). ***Post no bills,*** défense d'afficher.

post[5] [pəʊst] *n.* **1.** courrier. ***By return of post,*** par retour de courrier. **2.** (= **post office**) poste. ***Take this letter to the post,*** portez cette lettre à la poste. ♦ ***Keep me posted,*** tenez-moi au courant.

Légende

❶ **degré de parallélisme de forme et de sens avec le français :**
⚠ = Attention, **faux ami !** (un des sens au moins, parfois l'ensemble, est différent). Ex. ⚠ PHYSICIAN = médecin (et non pas « physicien ») ;
▻ = « vrai ami » (le sens est celui qu'on peut induire par rapport au français). Ex. ▻ PIETY = piété ;

❷ **orthographe du mot,** avec, le cas échéant, une variante (notamment américaine). Ex. COLOUR ['kʌlə] (amér. COLOR) ;

❸ **chiffre indiquant parfois l'existence de plusieurs homographes** (voir plus haut, avec l'exemple de BOX 1, 2, 3) ;

❹ **prononciation** représentée entre crochets dans la transcription phonétique moderne (voir tableau **Transcription phonétique).**

Lorsque deux prononciations courantes existent, elles sont données, notamment pour signaler une divergence entre l'usage britannique et l'usage américain. Ex. EITHER ['aɪðə], amér. ['iːðər];

❺ **catégorie grammaticale** (voir tableau des **Abréviations utilisées**).

Dans les articles d'une certaine longueur, les différentes catégories apparaissent dans des paragraphes différents.

Pour les mots qui sont à la fois **noms** et **verbes,** le traitement se fait le plus souvent dans cet ordre, sauf si le verbe est nettement plus fréquent que le nom (Ex. STRIKE, *v.*).

Quand le mot n'a pas la même prononciation dans deux catégories grammaticales, la deuxième est donnée après l'indication de la catégorie :

(Ex. après TORMENT ['tɔːment], *n.* .... *v.* [tɔː'ment]) ;

❻ **traductions :** elles sont numérotées quand il y en a plusieurs :

Ex. PLUG *n.* 1. bouchon, bonde. 2. prise, fiche. 3. bougie ;

MOTS DÉRIVÉS

Les mots dérivés sont souvent faciles à comprendre quand on connaît le mot de base sur lequel ils sont formés et les terminaisons correspondantes en français. Le tableau ci-dessous a pour but de faciliter cette reconnaissance.

ANGLAIS			FRANÇAIS	
Dérivation en	**Mot dérivé (1)**	**Mot de base (2)**	**Dérivations équivalentes**	**Traduction**
		I NOMS		
-age	marri**age**	marry, *v.*	-age	mariage
-ant	inhabit**ant**	inhabit, *v.*	-ant(e)	habitant(e)
-(e)r/	adventur**er**	adventure, *n.*	-ier(e)	aventurier(e)
-or	advis**er**	advise, *v.*	-er(e)	conseiller(e)
	dream**er**	dream, *v.*	-eur/-euse	rêveur, rêveuse
	instruct**or**	instruct, *v.*	-teur/-trice	instructeur (-trice)
	villag**er**	village, *n.*	-ois(e)	villageois(e)
-ian	musici**an**	music, *n.*	-ien(ne)	musicien(ne)
-ing	clean**ing**	clean, *v.*	-age	nettoyage
	shipp**ing**	ship, *v.*	-ment	chargement, embarquement
	writ**ing**	write, *v.*	-ture	écriture

(1) Certains de ces mots ne sont pas dans le dictionnaire.
(2) Tous ces mots sont dans le dictionnaire, sauf s'ils sont identiques en français.

-ion	impress**ion**	impress, *v.*	-ion	impression
-ism	romantic**ism**	romantic, *adj.*	-isme	romantisme
-ist	physic**ist**	physics, *n.*	-ien(ne)	physicien(ne)
	violin**ist**	violin, *n*	-iste	violoniste
-ment	amend**ment**	amend, *v.*	-ment	amendement
	punish**ment**	punish, *v.*	-tion	punition
-ness	acute**ness**	acute, *adj.*	-té	acuité
	friendli**ness**	friendly, *adj.*	-ance	bienveillance
	kind**ness**	kind, *adj.*	-esse -té	gentillesse, bonté
-ry	refine**ry**	refine, *v.*	-ie	raffinerie
	slave**ry**	slave, *n.*	-age	esclavage
-(t)ion	protect**ion**	protect, *v.*	-tion	protection
	recogni**tion**	recognize, *v.*	-ance	reconnaissance
-y	honest**y**	honest, *adj.*	-té	honnêteté

II ADJECTIFS

-able	comfort**able**	comfort, *n.*	-able	confortable
-al	origin**al**	origin, *n.*	-al(e)	original(e)
	natur**al**	nature, *n.*	-el(le)	naturel(le)
-ant	ignor**ant**	ignore, *v.*	-ant(e)	ignorant(e)
-ary	benefici**ary**	benefice, *n.*	-airc	bénéficiaire
-en	gold**en**	gold, *n.*	-é(e)	doré(e)
	wood**en**	wood, *n.*	pas d'équivalent	en bois
-ent	correspon-**dent**	corres-pond, *v.*	-ant(e)	correspon-dant(e)
	persist**ent**	persist, *v.*	-ant(e)	persistant(e)
-ful	cheer**ful**	cheer, *n.*	-eux (-euse)	joyeux (-euse)
	pain**ful**	pain, *n.*	-ible/-eux (-euse)	pénible/ douloureux (euse)
	piti**ful**	pity, *n.*	-able	pitoyable
	hope**ful**	hope, *n.*	pas d'équivalent	plein d'espoir

-ial	financ**ial**	finance, *n.*	-ier(e)	financier(e)
	provinc**ial**	province, *n.*	-ial(e)	provincial(e)
-ic	magnet**ic**	magnet, *n.*	-ique	magnétique
-ing	interest**ing**	interest, *n.*	-ant(e)	intéressant(e)
-ish	child**ish**	child, *n.*	-in(e) / -il(e)	enfantin(e) puéril(e)
	nightmar**ish**	nightmare, *n.*	-esque	cauchemar- desque
	whit**ish**	white, *adj.*	-âtre	blanchâtre
-(t)ive	exclus**ive**	exclude, *v.*	-if (-ive)	exclusif(-ve)
	sens**itive**	sense, *n.*	-ible	sensible
	forma**tive**	form, *v.*	-teur (-trice)	formateur (-trice)
-less	care**less**	care, *n.*	-in... ant(e)	insouciant(e)
	child**less**	child, *n.*	pas d'équivalent	sans enfant
	hope**less**	hope, *n.*	pas d'équivalent	sans espoir
-ly	dai**ly**	day, *n.*	-ier(e)/ ien(ne)	journalier(e) quotidien(ne)
	friend**ly**	friend, *n.*	-al(e)	amical(e)
	month**ly**	month, *n.*	-el(le)	mensuel(le)
-ory	compuls**ory**	compel, *v.*	-oire	obligatoire
	explanat**ory**	explain, *v.*	-if (-ive)	explicatif(-ive)
-ous	danger**ous**	danger, *n.*	-eux (-euse)	dangereux (-euse)
-y	mudd**y**	mud, *n.*	-eux (-euse)	boueux (-euse)
	rust**y**	rust, *n.*	-é(e)	rouillé(e)

III VERBES

-en	short**en**	short, *adj.*	-ir	raccourcir
	strength**en**	strength, *n.*	-er	renforcer
-ify	just**ify**	just, *adj.*	-ifier	justifier
-ize	central**ize**	central, *adj.*	-iser	centraliser

IV ADVERBES

-ly	quick**ly**	quick, *adj.*	-ment	rapidement

A

A, a [eɪ] **1.** première lettre de l'alphabet. **2.** *(Mus.)* la.

a [eɪ,ə] **an** (devant voyelle ou h muet) [æn,ən,n] *art.* **1.** un, une. ***A man,*** un homme; ***an animal,*** un animal; ***an hour,*** une heure. **2.** par, chaque. ***Twice a day,*** deux fois par jour; ***eighty miles an hour,*** quatre-vingts milles à l'heure.

aback [ə'bæk] *adv.* **1.** en arrière. **2.** *(fig.)* ***Be taken aback,*** être déconcerté, décontenancé.

abacus ['æbəkəs] *n.* boulier.

⊳ **abandon** [ə'bændən] *v.t.* **1.** abandonner, quitter définitivement. **2.** renoncer à. ***The police abandoned the search for the lost child,*** la police a cessé les recherches pour retrouver l'enfant disparu. ♦ ***She abandoned herself to despair,*** elle s'est laissée aller au désespoir.

⚠ **abandoned** [ə'bændənd] *adj.* **1.** abandonné. **2.** débauché, dépravé.

abandonment [ə'bændənmənt] *n.* abandon; cession.

abase [ə'beɪs] *v.t.* avilir, humilier.

abasement [ə'beɪsmənt] *n.* avilissement, humiliation.

abashed [ə'bæʃt] *adj.* confus, décontenancé.

abate [ə'beɪt] *v. intr.* faiblir, tomber. ***The fishermen are waiting for the storm to abate,*** les pêcheurs attendent que la tempête se calme. *v.t.* réduire, supprimer. ***Smoke pollution in our cities must be abated,*** on doit réduire la pollution occasionnée par les fumées dans nos villes.

⚠ **abatement** [ə'beɪtmənt] *n.* réduction, suppression.

abbey ['æbɪ] *n.* abbaye.

abbot ['æbət] *n.* abbé.

abbreviate [ə'bri:vɪeɪt] *v.t.* abréger, raccourcir.

⊳ **abdicate** ['æbdɪkeɪt] *v.t. et intr.* abdiquer, se démettre de (ses fonctions).

abduct [æb'dʌkt] *v.t.* enlever, kidnapper.

⚠ **abduction** [æb'dʌkʃən] *n.* **1.** enlèvement. **2.** *(Anat.)* abduction.

⊳ **abhor** [əb'hɔ:] *v.t.* abhorrer, détester.

abhorrence [əb'hɒrəns] *n.* aversion. horreur.

abide [ə'baɪd] *v. intr. irr.* (p. **abode,** p.p. **abode**) **1.** *(vx.)* demeurer. **2.** rester fidèle (à). ***You must abide by the rules of the game,*** il vous faut respecter les règles du jeu.

ability [ə'bɪlɪtɪ] *n.* capacité, dons intellectuels.

ablaze [ə'bleɪz] *adj.* **1.** en flammes. **2.** *(fig.)* enflammé. ***His face was ablaze with anger,*** il avait le visage enflammé de colère.

able [eɪbl] *adj.* capable (de), à même (de). ***You should be able to do it,*** vous devriez pouvoir le faire.

abnormality [,æbnɔ:'mælɪtɪ] *n.* caractère anormal ou rare, anomalie, difformité.

aboard [ə'bɔ:d] *adv. et prép.* à bord (de). ***All the passengers went aboard the plane,*** tous les passagers s'embarquèrent dans l'avion.

abode [ə'bəʊd] (**abide,** *v.*).

⊳ **abolish** [ə'bɒlɪʃ] *v.t.* abolir, supprimer.

aboriginal [,æbə'rɪdʒənl] *adj. et n.* aborigène, indigène.

⊳ **aborigine** [,æbə'rɪdʒənɪ] *n.* aborigène.

abort [ə'bɔ:t] *v.t. et intr.* **1.** avorter, faire avorter. **2.** mettre un terme (à), interrompre (expérience, vol spatial...).

abortion [ə'bɔ:ʃn] *n.* avortement.

abortive [ə'bɔ:tɪv] *adj.* avorté, manqué. ***They made many abortive attempts,*** ils firent plusieurs tentatives infructueuses.

abound [ə'baʊnd] *v. intr.* abonder. ***Abound in*** (ou ***with***), regorger de.

about [ə'baʊt] *prép.* **1.** autour de. ***He enjoys walking about the streets,*** il aime flâner dans les rues. **2.** au sujet de. ***What is it about?*** de quoi s'agit-il? *adv.* **1.** environ, à peu près. ***He walked about ten miles,*** il a parcouru une dizaine de milles. **2.** ici et là, à l'entour. ***There were many people hanging about,*** beaucoup de gens traînaient par là. ♦ ***Be about to,*** être sur le point de.

above [ə'bʌv] *prép.* au-dessus de. ***Above all,*** par-dessus tout. *adv.* au-dessus,

en haut.
above-board [ə,bʌv'bɔ:d] *adj. et adv.* loyal, franc. ***Play fair and above-board,*** jouer cartes sur tables.
above-mentioned [ə,bʌv'menʃnd] *adj.* ci-dessus, précité.
abreast [ə'brest] *adv.* de front, côte à côte.
abridge [ə'brɪdʒ] *v.t.* abréger, raccourcir. ***Abridged edition (of a book),*** édition abrégée (d'un livre).
abroad [ə'brɔ:d] *adv.* **1.** à l'étranger. **2.** *(vx.)* de tous côtés, au loin.
△ **abrupt** [ə'brʌpt] *adj.* **1.** soudain, inattendu. **2.** brusque, bourru.
absentee [,æbsən'ti:] *n.* absent.
absent-minded [,æbsənt'maɪndɪd] *adj.* distrait.
absolute ['æbsəlu:t] *adj.* absolu, illimité.
absolve [əb'zɒlv] *v. t.* absoudre, acquitter.
abstain [əb'steɪn] *v. intr.* s'abstenir (de). ***Since his accident he has abstained from drinking,*** il ne boit plus d'alcool depuis son accident.
abstainer [əbs'teɪnə] *n.* ***Total abstainer,*** buveur d'eau, personne qui ne boit jamais d'alcool (cf. **teetotaller**).
abstemious [æb'sti:mjəs] *adj.* sobre, frugal.
abstract [æb'strækt] *v. t.* **1.** résumer. **2.** *(lit.)* soustraire (à), dérober. *adj.* et *n.* ['æbstrækt] abstrait.
△ **abstraction** [əb'strækʃn] *n.* **1.** abstraction. **2.** vol, détournement. **3.** distraction, absence.
△ **abuse** [ə'bju:s] *n.* **1.** abus. **2.** insultes, injures. *v.t.* [ə'bju:z] **1.** abuser de. **2.** insulter, injurier.
△ **abusive** [ə'bju:sɪv] *adj.* **1.** abusif. **2.** injurieux, grossier.
abysmal [ə'bɪzməl] *adj.* **1.** sans fond, insondable. **2.** *(fig.)* extrême, sans bornes (ignorance...).
abyss [ə'bɪs] *n.* abîme, gouffre.
△ **academic** [,ækə'demɪk] *adj.* **1.** scolaire, universitaire. **2.** théorique, abstrait. *n.* universitaire.
△ **academy** [ə'kædəmɪ] *n.* **1.** académie, société. **2.** école, collège. ***An academy of music,*** un conservatoire.
△ **accede** [æk'si:d] *v. intr.* **(to) 1.** consentir (à). **2.** succéder (à), monter sur (le trône).
▷ **accelerate** [ək'seləreɪt] *v. t. et intr.* accélérer, précipiter.
acceptance [ək'septəns] *n.* acceptation, approbation.
△ **acceptation** [,æksep'teɪʃn] *n.* acception.
▷ **access** ['ækses] *n.* accès, admission. ***Access card,*** carte de crédit.
△ **accession** [ək'seʃn] *n.* **1.** accession (à un poste,...). **2.** entrée en possession. **3.** accroissement (par addition). **4.** acquiescement, accord.
▷ **acclaim** [ə'kleɪm] *n.* acclamation. *v.t.* acclamer, applaudir (à).
acclimatize [ə'klaɪmətaɪz] *v.t.* acclimater.
△ **accomodate** [ə'kɒmədeɪt] *v.t.* loger, recevoir.
△ **accomodation** [ə,kɒmə'deɪʃn] *n.* logement. ***Have you got accomodation for three persons?*** Avez-vous de la place pour trois personnes?
▷ **accompany** [ə'kʌmpənɪ] *v.t.* accompagner.
accomplice [ə'kʌmplɪs] *n.* complice.
accomplish [ə'kʌmplɪʃ] *v.t.* **1.** accomplir, exécuter. **2.** parfaire (éducation).
accomplished [ə'kʌmplɪʃt] *adj.* talentueux, accompli.
△ **accomplishment** [ə'kʌmplɪʃmənt] *n.* **1.** accomplissement, exécution. **2.** *(pl.)* talents, arts d'agrément.
▷ **accord** [ə'kɔ:d] *n.* accord, consentement. ***Of one's own accord,*** de son plein gré. *v.t. et intr.* accorder, s'accorder.
accordance [ə'kɔ:dəns] *n.* accord, conformité. ***In accordance with,*** conformément à.
accordingly [ə'kɔ:dɪŋlɪ] *adv.* en conséquence, donc.
according to [ə'kɔ:dɪŋtʊ:] *prép.* selon, conformément à.
△ **accost** [ə'kɒst] *v.t.* aborder (un inconnu), s'adresser (à).
account [ə'kaʊnt] *n.* **1.** compte rendu, récit. **2.** considération, importance. ***The judge took the boy's youth into account,*** le juge a tenu compte de la jeunesse du garçon. **3.** profit, avantage. ***Turn to account,*** mettre à profit, tirer parti (de). **4.** comptes. ***Keep the accounts,*** tenir la comptabilité. **5.** (= **current account**) compte cou-

rant.

accountable [ə'kaʊntəbl] *adj.* responsable. ***He's accountable to me only,*** il n'est responsable que vis-à-vis de moi.

accountancy [ə'kaʊntənsɪ] *n.* profession de comptable, comptabilité.

accountant [ə'kaʊntənt] *n.* comptable.

account for, *v. prép.* expliquer, justifier. ***How can you account for his strange conduct?*** Comment expliquez-vous son étrange comportement?

▷ **accumulate** [ə'kju:mjʊleɪt] *v.t. et intr.* accumuler, entasser, s'accumuler.

accuracy ['ækjərəsɪ] *n.* exactitude, précision.

accurate ['ækjərɪt] *adj.* exact, précis.

▷ **accuse** [ə'kju:z] *v.t.* accuser.

▷ **accused** [ə'kju:zd] *n.* ***The accused,*** le prévenu, la prévenue, l'accusé(e).

accustomed [ə'kʌstəmd] *adj.* **1.** habituel. **2.** habitué.

ace [eɪs] *n.* **1.** as. **2.** *(Tennis)* «ace». ♦ ***Within an ace of,*** à deux doigts de.

ache [eɪk] *n.* mal, douleur, algie. ***Headache,*** migraine; ***toothache,*** rage de dents. *v. intr.* faire mal, être douloureux.

⚠ **achieve** [ə'tʃi:v] *v.t.* **1.** réaliser, exécuter. **2.** atteindre (un but).

⚠ **achievement** [ə'tʃi:vmənt] *n.* réalisation, succès, exploit.

acknowledge [ək'nɒlɪdʒ] *v.t.* **1.** reconnaître, admettre (erreur, défaite...). **2.** accuser réception de. **3.** exprimer sa reconnaissance.

acknowledgement [ək'nɒlɪdʒmənt] *n.* **1.** reconnaissance, constatation. **2.** accusé de réception. **3.** *(pl.)* remerciements (d'un auteur,...).

▷ **acoustics** [ə'ku:stɪks] *n.* acoustique.

acquaint [ə'kweɪnt] *v.t.* faire part, informer (de). ***Be acquainted with somebody,*** connaître quelqu'un.

acquaintance [ə'kweɪntəns] *n.* **1.** connaissance. ***Make somebody's acquaintance,*** faire la connaissance de quelqu'un. **2.** relation.

▷ **acquiesce** [,ækwɪ'es] *v. intr.* acquiescer, consentir.

acquiescence [,ækwɪ'esns] *n.* consentement.

acquire [ə'kwaɪə] *v.t.* acquérir, apprendre.

acquisitive [ə'kwɪzɪtɪv] *adj.* âpre au gain.

▷ **acquit** [ə'kwɪt] *v.t.* **1.** acquitter. **2.** régler, s'acquitter (de). ***It was a difficult task but he acquitted himself well,*** la tâche était ingrate mais il s'en est bien acquitté.

acquittal [ə'kwɪtl] *n.* acquittement.

▷ **acre** ['eɪkə] *n.* acre, arpent (environ 40 ares).

acrid ['ækrɪd] *adj.* **1.** âcre. **2.** acerbe.

across [ə'krɒs] *prép.* **1.** d'un côté à l'autre, à travers, sur. **2.** de l'autre côté de. ***He lives just across the street,*** il habite juste en face. ♦***I had never come across this word,*** je n'avais jamais rencontré ce mot. *adv.* **1.** de large. ***The road is 10 yards across,*** la route a une dizaine de mètres de large. **2.** de l'autre côté. ***Just walk across,*** tu n'as qu'à traverser.

⚠ **act** [ækt] *n.* **1.** action. **2.** loi. **3.** acte (d'une pièce). *v.t.* tenir le rôle de. *v. intr.* **1.** agir, se conduire. **2.** jouer (au théâtre), feindre, faire semblant. ***This girl is not really crying, she is only acting,*** cette jeune fille ne pleure pas vraiment, elle fait seulement semblant.

▷ **action** ['ækʃn] *n.* **1.** action. **2.** *(Jur.)* action en justice. ***Bring an action against somebody,*** poursuivre quelqu'un en justice.

activate ['æktɪveɪt] *v.t.* **1.** activer. **2.** rendre radioactif.

▷ **actor** ['æktə] *n.* acteur.

actress ['æktrɪs] *n.* actrice.

⚠ **actual** ['æktʃʊəl] *adj.* réel, véritable.

⚠ **actually** ['æktʃʊəlɪ] *adv.* réellement, effectivement.

actuate ['æktʃʊeɪt] *v.t.* mettre en action, faire agir.

acupuncturist ['ækjʊ,pʌŋktʃərɪst] *n.* acupuncteur.

acute [ə'kju:t] *adj.* aigu, *(fig.)* vif, aigu, intense.

▷ **adapt** [ə'dæpt] *v.t. et intr.* (s') adapter, ajuster (à). ***Adapt oneself,*** s'adapter, s'accommoder.

ad [æd] *n.* (= **advertisement**) annonce, réclame.

adapter [ə'dæptə] *n.* **1.** adaptateur. **2.**

(Elec.) adaptateur, fiche multiple.
add [æd] *v.t.* **1.** ajouter, additionner. **2.** ajouter, dire en outre.
adder ['ædə] *n.* *(Zool.)* vipère.
addict ['ædɪkt] *n.* personne s'adonnant à (drogue...) *v. tr.* [ə'dɪkt] *passif.* ***He is addicted to hashish,*** il s'adonne au hashish.
addiction [ə'dɪkʃn] *n.* goût très fort, penchant, *(Méd.)* dépendance.
addled ['ædld] *adj.* pourri (œuf).
address [ə'dres] *n.* **1.** adresse (postale). **2.** allocution, discours. **3.** *(vx.)* abord. *v.t.* **1.** adresser (une lettre,...) **2.** s'adresser à, aborder. ♦ ***She addressed herself to a difficult task,*** elle s'est attaquée à une rude tâche.
addressee [,ædre'si:] *n.* destinataire.
adequacy ['ædɪkwəsɪ] *n.* **1.** juste proportion. **2.** compétence.
⚠ **adequate** ['ædɪkwɪt] *adj.* **1.** adéquat, suffisant. **2.** compétent, à la hauteur.
⚠ **adhere** [əd'hɪə] *v. intr.* **1.** adhérer, coller. **2.** s'en tenir (à), rester fidèle (à). ***You should always adhere to your decision,*** vous devriez toujours persister dans vos résolutions.
adjoin [ə'dʒɔɪn] *v.t. et intr.* (se) toucher, être contigu.
▻ **adjourn** [ə'dʒɔ:n] *v.t.* ajourner, remettre. *v. intr.* lever la séance.
adjunct ['ædʒʌŋkt] *n.* accessoire, adjoint.
▻ **adjust** [ə'dʒʌst] *v.t.* ajuster, régler. *v. intr.* s'adapter.
adjustment [ə'dʒʌstmənt] *n.* **1.** mise au point, réglage. **2.** rajustement (prix).
▻ **administer** [əd'mɪnɪstə] *v.t.* **1.** administrer, gérer. **2.** faire prêter (serment). **3.** faire prendre (médicament). **4.** administrer (sacrements).
▻ **admiralty** ['ædmərəltɪ] *n.* Amirauté, ministère de la Marine.
▻ **admit** [əd'mɪt] *v.t.* **1.** admettre, faire entrer. **2.** reconnaître (à contrecœur).
admittance [əd'mɪtəns] *n.* accès, admission. ***No admittance,*** défense d'entrer.
admittedly [əd'mɪtɪdlɪ] *adv.* de l'aveu général.
admonish [əd'mɒnɪʃ] *v.t.* **1.** admonester, réprimander. **2.** avertir, exhorter.
admonition [,ædmə'nɪʃn] *n.* **1.** réprimande. **2.** exhortation.
ado [ə'du:] *n.* activité bruyante, agitation, affairement. ♦ ***Much ado about nothing,*** beaucoup de bruit pour rien ; ***without more ado,*** sans plus de façons.
adorn [ə'dɔ:n] *v.t.* orner, parer.
adornment [ə'dɔ:nmənt] *n.* ornement, parure.
adrift [ə'drɪft] *adv.* à la dérive, à l'abandon. ♦ ***Go adrift,*** aller à la dérive, *(fig.)* se laisser aller.
adulterate [ə'dʌltəreɪt] *v.t.* frelater, falsifier (vin, lait, marchandises...).
adulteration [ə,dʌltə'reɪʃn] *n.* frelatage, falsification.
adulterer [ə'dʌltərə] *n.* (*fém.* **adulteress**) adultère (personne).
adultery [ə'dʌltərɪ] *n.* adultère (acte).
▻ **advance** [əd'vɑ:ns] *n.* **1.** avance, mouvement en avant. **2.** avance (de fonds). **3.** *(pl)* avances. ***Make advances,*** faire les premiers pas, des propositions (amitié, amour...).
v.t. avancer, faire progresser. *v. intr.* s'avancer, se porter en avant.
▻ **advancement** [əd'vɑ:nsmənt] *n.* avancement, progrès, promotion.
▻ **advantage** [əd'vɑ:ntɪdʒ] *n.* avantage, intérêt. ***Take advantage of something,*** profiter de, tirer parti de quelque chose ; ***take advantage of someone,*** abuser de quelqu'un.
advent ['ædvənt] *n.* venue (de quelqu'un ou de quelque chose d'important). *(Rel.)* ***Advent,*** l'Avent.
▻ **adventure** [əd'ventʃə] *n.* aventure.
▻ **adventurous** [əd'ventʃərəs] *adj.* aventureux, hardi.
▻ **adversary** ['ædvəsərɪ] *n.* adversaire.
⚠ **adverse** ['ædvɜ:s] *adj.* défavorable, contraire (à).
⚠ **advertise** ['ædvətaɪz] *v.t.* faire de la réclame (pour), insérer (une annonce). *v. intr.* faire de la publicité, rechercher (par voie d'annonce).
⚠ **advertisement** [əd'vɜ:tɪsmənt] *n.* annonce, publicité.
advertiser ['ædvətaɪzə] *n.* annonceur, publicitaire.
advertising ['ædvətaɪzɪŋ] *n.* publicité, réclame. ***Advertising agency,*** agence de publicité.
advice [əd'vaɪs] *n.* conseils, avis. ***A piece*** (ou ***a word***) ***of advice,*** un conseil.

advisable [əd'vaɪzəbl] *adv.* judicieux, opportun.

advise [əd'vaɪz] *v.t.* **1.** conseiller, donner avis (de). **2.** *(Comm.)* aviser. ***Please advise us of the dispatch of our goods,*** prière de nous aviser de l'expédition de nos marchandises.

advocate ['ædvəkɪt] *n.* avocat, défenseur. *v.t.* se faire l'avocat (de), soutenir, préconiser.

aerial ['eərɪəl] *n.* *(Rad. T.V.)* antenne. *adj.* aérien. ***Aerial railway,*** téléphérique.

aerospace ['eərəspeɪs] *adj.* aérospatial (véhicule, industrie...).

▷ **aesthetic** [iːs'θetɪk] *adj.* esthétique.

aesthetics [iːs'θetiks] *n.* esthétique.

afar [ə'fɑː] *adv.* (au) loin.

affably ['æfəblɪ] *adv.* aimablement.

⚠ **affair** [ə'feə] *n.* **1.** affaire. **2.** événement. **3.** liaison amoureuse.

affect [ə'fekt] *v.t.* **1.** affecter. **2.** émouvoir. *v. intr.* feindre, prétendre. ***She affected not to hear,*** elle fit semblant de ne pas entendre.

affected [ə'fektɪd] *adj.* affecté, précieux, prétentieux (style).

affectionate [ə'fekʃənɪt] *adj.* affectueux, aimant.

▷ **affiliate** [ə'fɪlɪəɪt] *v.t.* affilier. ***Affiliated company,*** filiale.

▷ **affirm** [ə'fɜːm] *v.t.* affirmer, soutenir.

affix ['æfɪks] *n.* affixe. *v.t.* [ə'fɪks] apposer (signature), ajouter.

afflict [ə'flɪkt] *v.t.* affliger.

⚠ **affluence** ['æflʊəns] *n.* richesse, abondance, opulence.

⚠ **affluent** ['æflʊənt] *adj.* riche, opulent. ***The affluent society,*** la société d'abondance.

afford [ə'fɔːd] *v.t.* (d'ordinaire avec **can, could,** ou **be able to**). **1.** avoir les moyens de se payer. ***I can't afford a holiday this year,*** je ne peux pas me payer de vacances cette année. **2.** se permettre (sans courir de risques). ***This workman can't afford to displease his boss,*** cet ouvrier ne peut risquer de mécontenter son patron. **3.** *(vx.)* fournir. ***This hut will afford us shelter from the rain,*** cette cabane nous procurera un abri contre la pluie.

afforest [ə'fɒrɪst] *v.t.* boiser, reboiser.

affront [ə'frʌnt] *n.* affront, insultes (publiques). ***Offer an affront to somebody,*** insulter quelqu'un; ***suffer an affront,*** être insulté. *v.t.* insulter.

afire [ə'faɪə] *adv.* en feu.

aflame [ə'fleɪm] *adv.* en flammes.

afloat [ə'fləʊt] *adv.* **1.** à flot (navire). **2.** *(fig.)* en circulation (périodique); qui courent (bruits, rumeurs...).

afoot [ə'fʊt] *adv.* en marche, en route, en train. ***There's something afoot,*** il se prépare quelque chose.

afraid [ə'freɪd] *adj.* **1.** qui a peur, effrayé. ***I'm afraid to take John's car, I'm afraid of damaging it,*** je n'ose pas prendre la voiture de John, j'ai peur de l'abîmer. **2.** (excuse polie) ***I'm afraid you'll have to pay duty on this perfume,*** je suis désolé mais vous devez payer un droit sur ce parfum.

afresh [ə'freʃ] *adv.* de nouveau, de plus belle.

aft [ɑːft] *adv.* à l'arrière.

after ['ɑːftə] *prép.* **1.** après, à la suite de. ***The day after tomorrow,*** après-demain. **2.** selon, d'après. ***A painting after Reynolds,*** un tableau à la manière de Reynolds. **3.** ***be after,*** rechercher, poursuivre. ***The police are after the criminel,*** la police recherche le criminel. ♦ ***He speaks French after a fashion,*** il parle français à sa manière. *conj.* après que. ***She will arrive after you have left,*** elle arrivera après votre départ.

aftermath ['ɑːftəmæθ] *n.* regain; *(fig.)* suites, conséquences lointaines. ***The aftermath of war,*** les séquelles de la guerre.

afternoon [,ɑːftə'nuːn] *n.* après-midi.

aftertaste ['ɑːftəteɪst] *n.* arrière-goût.

afterthought ['ɑːftəθɔːt] *n.* pensée, réflexion après coup.

afterwards ['ɑːftəwədz] *adv.* après, ensuite, plus tard.

again [ə'gen] *adv.* encore, de nouveau. ♦ ***Again and again,*** maintes et maintes fois; ***now and again,*** de temps à autre; ***(the) same again,*** même chose (commande, consommation).

against [ə'genst] *prép.* **1.** contre. **2.** *(vx.)* en prévision de. ***Against my return,*** en prévision de mon retour.

△ **age** [eɪdʒ] *n.* **1.** âge. **2.** longue période. ***The Victorian Age,*** l'époque victorienne ; ***the atomic age,*** l'ère atomique. **3.** *(pl.)(fam.)*longtemps. ***I haven't seen you for ages,*** cela fait une éternité que je ne vous ai vu. **4.** (= **old age**) vieillesse. ***The wisdom of age,*** la sagesse de la vieillesse. ♦ ***Be of age,*** être majeur ; ***come of age,*** devenir majeur. *v.t. et intr.* vieillir.

aged [eɪdʒd] *adj.* âgé (de), très âgé. *n.* ***The aged,*** les vieillards.

ageless ['eɪdʒləs] *adj.* toujours jeune, éternel.

△ **agency** ['eɪdʒənsɪ] *n.* **1.** action, intermédiaire. **2.** *(Comm.)* agence, concessionnaire. ***Travel agency,*** agence de voyages.

△ **agenda** [ə'dʒendə] *n.* ordre du jour. ***The next item on the agenda,*** la prochaine question à l'ordre du jour.

▻ **agent** ['eɪdʒənt] *n.* **1.** agent, représentant. **2.** ***chemical agent,*** agent chimique.

△ **aggravate** ['ægrəveɪt] *v.t.* aggraver, empirer. **2.** *(fam.)* agacer, exaspérer, porter sur les nerfs.

▻ **aggregate** ['ægrɪgeɪt] *v.t.* agréger, rassembler. *n.* ['ægrɪgɪt] ensemble ; (construction, chimie) agrégat.

aggressiveness [ə'gresɪvnɪs] *n.* agressivité.

▻ **agitate** ['ædʒɪteɪt] *v.t.* **1.** agiter, remuer. **2.** émouvoir, troubler. *v. intr.* faire de l'agitation. ***They are agitating for the repeal of the law against abortion,*** ils font campagne pour obtenir l'abrogation de la loi sur l'avortement.

ago [ə'gəʊ] *adv.* (pour évoquer le temps écoulé.) ***He came to Paris two years ago,*** il est venu à Paris il y a deux ans ; ***how long ago?*** il y a combien de temps ? ***long ago,*** il y a longtemps.

△ **agonizing** ['ægənaɪzɪŋ] *adj.* déchirant, angoissant.

△ **agony** ['ægənɪ] *n.* douleur extrême, angoisse. ***I've suffered agonies from headache,*** j'ai souffert le martyre à cause des migraines. ♦ ***Death agony,*** agonie.

agony column ['ægənɪ ˌkɒləm] *n.* annonces personnelles.

agree [ə'grɪ:] *v. intr.* **1.** être d'accord. ***I agree with you,*** je suis de votre avis. **2.** consentir (à). ***Do you agree to my proposal?*** acceptez-vous ma proposition ? **3.** convenir, être convenus (de). ***We agreed on a date,*** nous avons convenu d'une date ; ***we agreed to have dinner together,*** on a prévu de dîner ensemble.

△ **agreeable** [ə'gri:əbl] *adj.* **1.** agréable, aimable. **2.** *(vx.)* consentant. ***Are you agreeable to the proposal?*** acceptez-vous la proposition ?

△ **agreement** [ə'gri:mənt] *n.* **1.** accord. ***They are in agreement on that point,*** ils sont d'accord sur ce sujet. **2.** convention, pacte. ***The two parties have come to an agreement,*** les deux parties sont tombées d'accord.

agricultural [ˌægrɪ'kʌltʃərəl] *adj.* agricole.

aground [ə'graʊnd] *adv.* *(Naut.)* échoué. ***Run aground,*** s'échouer.

ahead [ə'hed] *adv.* en avant, en avance. ♦ ***Be ahead of one's time,*** être en avance sur son époque ; ***get ahead of,*** devancer ; ***plan ahead,*** prévoir l'avenir.

ahoy [ə'hɔɪ] *int.* holà ! ***Ship ahoy!*** ohé du navire !

aid [eɪd] *n.* **1.** aide, assistance, secours. **2.** appareil de secours. ♦ ***Hearing aid,*** appareil de prothèse auditive ; ***visual aids,*** auxiliaires visuels. *v.t.* aider, assister, secourir.

ailment ['eɪlmənt] *n.* malaise, indisposition.

aim [eɪm] *n.* but, objet. ♦ ***Miss one's aim,*** rater son but, son coup ; ***take aim at,*** viser ; ***what's your aim in life?*** que comptez-vous faire dans la vie ? *v.t.* viser. ***He aimed a blow at the boy,*** il lança un coup au garçon. *v. intr.* viser (à), aspirer (à). ***He aims at becoming a teacher,*** il a l'intention de devenir enseignant.

aimless ['eɪmləs] *adj.* sans but, futile.

ain't [eɪnt] *(abrév. très fam. pour)* am not, is not, are not, has not, have not.

▻ **air** [eə] *n.* **1.** air. **2.** *(Mus.)* air. **3.** expression, mine. ♦ ***Be on the air,*** parler à la radio ; ***by air,*** par avion ; ***in the air,*** incertain (projet) ; ***it is still in the air whether or not he will accept the offer,*** il n'est pas certain qu'il ac-

cepte l'offre; ***she gives herself airs,*** elle se donne des airs; ***there's something in the air,*** il se trame quelque chose.
v.t. **1.** faire aérer (pièce, lit...). ***This linen must be aired,*** il faut mettre ce linge à l'air. **2.** faire connaître ouvertement. ***She likes to air her knowledge,*** elle aime étaler son savoir.
airborne ['eəbɔ:n] *adj.* aéroporté.
air-conditioned [,eəkən'dɪʃənd] *adj.* climatisé.
air-conditioning [,eəkən'dɪʃənɪŋ] *n.* climatisation.
aircraft ['eəkrɑ:ft] *n. (sing.* et *pl.)* avion, avions.
air-cushion ['eəkʊʃən] *n. (Tech.)* coussin d'air.
airfield ['eəfi:ld] *n.* terrain d'aviation (souvent militaire).
airily ['eərɪlɪ] *adv.* avec insouciance, désinvolture.
airing ['eərɪŋ] *n.* **1.** aération, ventilation. **2.** promenade. ***He enjoys taking his children for an airing,*** il aime emmener ses enfants faire un petit tour.
airing-cupboard ['eərɪŋ,kʌbəd] *n.* placard chauffant.
airlift ['eəlɪft] *n.* pont aérien.
airline ['eə:laɪn] *n.* ligne aérienne, compagnie d'aviation.
airliner ['eə,laɪnə] *n.* avion de ligne.
airmail ['eəmeɪl] *n.* poste aérienne.
airman ['eəmən] *n.* (*pl.* **-men**) aviateur, pilote.
▷ **airport** ['eəpɔ:t] *n.* aéroport.
air-raid ['eəreɪd] *n.* raid aérien.
airship ['eəʃɪp] *n.* dirigeable.
air-terminal ['eə,tɜ:mɪnəl] *n.* aérogare.
airtight ['eətaɪt] *adj.* imperméable à l'air, hermétique, étanche.
airway ['eəweɪ] *n.* **1.** voie aérienne. **2.** *(pl.)* compagnie aérienne.
airy ['eərɪ] *adj.* **1.** bien aéré (pièce). **2.** *(fig.)* l'air dégagé, insouciant, désinvolte. ♦ ***Airy promises,*** promesses en l'air.
aisle [aɪl] *n. (Rel.)* **1.** bas-côté. **2.** allée centrale.
ajar [ə'dʒɑ:] *adj. et adv.* entr'ouvert, entrebâillé.
akimbo [ə'kɪmbəʊ] *adv. (vx.)* ***With arms akimbo,*** les poings sur les hanches.
akin [ə'kɪn] *adj.* **1.** parent (de), apparenté (à). **2.** *(fig.)* ***akin to,*** qui a rapport avec. ***His thrift is akin to miserliness,*** son esprit d'économie frise l'avarice.
alacrity [ə'lækrɪtɪ] *n.* empressement, promptitude.
alarm [ə'lɑ:m] *n.* **1.** alarme, alerte. ***Give*** (ou ***raise) the alarm,*** donner l'alerte. **2.** inquiétude. ***When the boy fell ill, his mother took alarm,*** quand le garçon tomba malade, sa mère s'inquiéta.
v.t. alarmer, effrayer, faire peur.
alarm-clock [ə'lɑ:mklɒk] *n.* réveil (le)-matin.
▷ **alcohol** ['ækəhɒl] *n.* alcool.
alcoholic [,ælkə'hɒlɪk] *adj. et n.* **1.** alcoolique. **2.** alcoolisé.
ale [eɪl] *n.* bière (surtout blonde).
▷ **alert** [ə'lɜ:t] *adj.* alerte, vif, vigilant. *n.* alerte. ***On the alert,*** sur le qui-vive.
alertness [ə'lɜ:tnɪs] *n.* vicacité, vigilance.
alien ['eɪlɪən] *adj.* **1.** de nationalité étrangère. **2.** éloigné de, contraire à. ***This question is alien to the matter,*** cette question n'a rien à voir avec le sujet. *n.* citoyen étranger.
▷ **alienate** ['eɪlɪəneɪt] *v.t.* aliéner.
alight [ə'laɪt] *adj.* allumé. *v. intr.* **1.** descendre, mettre pied à terre (de cheval, véhicule...). **2.** se poser (oiseau).
align [ə'laɪn] *v.t.* (ou **aline**) aligner; dégauchir. *v. intr.* s'aligner. ***The non-aligned countries,*** les pays non alignés.
alike [ə'laɪk] *adj.* semblable, pareil. *adv.* de la même manière, pareillement.
alive [ə'laɪv] *adj.* **1.** en vie, vivant, vif, au monde. ***More dead than alive,*** plus mort que vif; ***no man alive,*** personne au monde. **2. alive to,** sensible à, conscient de. ***He is fully alive to the dangers of the situation,*** il est pleinement conscient des dangers que présente la situation. **3. be alive with,** fourmiller de. ***The river was alive with fish,*** la rivière grouillait de poissons.
all [ɔ:l] *adj.* tout, tous, toutes. ***All day,*** toute la journée. *adv.* tout, entièrement. ***All right,*** très bien. *n. et pr.*

tout. ♦ ***All along,*** depuis le début ; ***all but,*** presque ; ***all in all, it's a good bargain,*** tout compte fait, c'est une affaire ; *(fam.)* ***be all for (something),*** être tout à fait en faveur de, ne demander qu'à ; *(fam.)* ***be all in,*** être épuisé ; *(fam.)* ***be all there,*** être vif, avoir l'esprit vif ; ***for all I know,*** pour autant que je sache ; ***for all that,*** malgré tout ; ***it's all one to me,*** cela m'est égal ; *(fam.)* ***it's not all that simple,*** ce n'est pas si simple après tout ; *(Tennis)* ***thirty all,*** trente partout.

allay [ə'leɪ] *v.t.* apaiser, calmer (crainte, douleur...).

allege [ə'ledʒ] *v.t.* alléguer, prétendre.

allegedly [ə'ledʒədlɪ] *adv.* à ce qu'on prétend, soi-disant.

alleviate [ə'li:vɪeɪt] *v.t.* alléger, soulager (douleur, souffrances...).

alleviation [ə,li:vɪ'eɪʃn] *n.* soulagement, apaisement.

⚠ **alley** ['ælɪ] *n.* allée, ruelle. ***Blind alley,*** impasse, cul-de-sac.

allied ['ælaɪd] *adj.* allié. ***The Allied Powers,*** les Puissances alliées.

allocate ['æləkeɪt] *v.t.* allouer, attribuer, répartir.

allot [ə'lɒt] *v.t.* répartir, donner en partage.

allotment [ə'lɒtmənt] *n.* **1.** partage, répartition. **2.** lot(issement), lopin de terre.

all-out ['ɔlaʊt] *adj.* *(fam.)* complet, total. ***He is making an all-out effort,*** il se donne à fond.

allow [ə'laʊ] *v.t.* **1.** permettre, autoriser, admettre. ***I will not allow it,*** je ne le permettrai pas. **2.** accorder, allouer. ***His father allows him some pocket money,*** son père lui donne de l'argent de poche.

allowance [ə'laʊəns] *n.* **1.** allocation, indemnité, ration, pension. **2.** *(Comm.)* réduction, remise. ♦ ***We must make allowances for his youth,*** il faut tenir compte de sa jeunesse.

alloy ['ælɔɪ] *n.* alliage.

allude [ə'lu:d] *v. intr.* faire allusion (à).

⚠ **allure** [ə'lʊə] *v.t.* attirer, appâter, séduire.

ally ['ælaɪ] *n.* allié. *v.t.* allier, unir. ***Ally oneself with,*** s'allier à.

almighty [ɔ:l'maɪtɪ] *adj.* tout-puissant. *n. (Rel.).* ***The Almighty,*** le Tout-Puissant.

almond ['ɑ:mənd] *n.* amande.

almost ['ɔ:lməʊst] *adv.* presque, à peu près. ***He almost got drowned,*** il a failli se noyer.

alms [ɑ:mz] *n.* aumône. ***Give alms,*** faire l'aumône.

aloft [ə'lɒft] *adv.* en haut, en l'air. *(Naut.)* dans la mâture.

alone [ə'ləʊn] *adj. et adv.* seul, solitaire. ***I am alone,*** je suis seul. ♦ ***Leave me alone,*** laissez-moi tranquille ; ***let alone,*** sans parler de, sans compter ; ***let well alone,*** le mieux est l'ennemi du bien.

along [ə'lɒŋ] *prép. et adv.* le long de, en avant. ♦ ***All along,*** tout le temps, tout le long du chemin ; ***come along,*** venez donc.

alongside [ə,lɒŋ'saɪd] *prép. et adv.* à côté de, bord à bord. ***The ship came alongside (the quay),*** le navire accosta.

aloof [ə'lu:f] *adj.* distant, à l'écart de. *adv.* à distance, à l'écart. ***Stand*** (ou : ***keep) aloof from,*** se tenir à l'écart de.

aloud [ə'laʊd] *adv.* à haute voix, tout haut.

already [ɔ:l'redɪ] *adv.* déjà.

also ['ɔ:lsəʊ] *adv.* aussi, également.

altar ['ɔ:ltə] *n.* autel.

alter ['ɔ:ltə] *v.t. et intr.* changer, modifier, retoucher.

⊳ **alternate** ['ɔ:ltəneɪt] *v.t. et intr.* alterner, faire alternativement, se succéder. ***Alternating current,*** courant alternatif.

⚠ **alternative** [ɔ:l'tɜ:nətɪv] *adj.* autre. ***For each problem there are alternative answers,*** pour chaque problème il n'y a pas qu'une solution. *n.* autre possibilité. ***There is no (other) alternative,*** il n'y a pas d'autre solution.

although [ɔ:l'ðəʊ] *conj.* quoique, bien que.

altogether [,ɔ:ltə'geðə] *adv.* tout à fait, entièrement, tout bien considéré, somme toute.

always ['ɔ:lweɪz] *adv.* toujours.

amateurish ['æmətərɪʃ] *adj.* d'amateur, de dilettante.

amaze [ə'meɪz] *v.t.* étonner, stupéfier.

amazement [ə'meɪzmənt] *n.* étonnement, stupeur, stupéfaction.

amazing [ə'meɪzɪŋ] *adj.* étonnant, stupéfiant, *(fam.)* renversant.

amber ['æmbə] *n.* ambre. ***Amber light,*** feu orange.

▻ **amble** ['æmbl] *v. intr.* aller (à) l'amble (cheval). *(fig.)* ***He was ambling along,*** il allait son petit bonhomme de chemin. *n.* amble, allure tranquille.

ambush ['æmbʊʃ] *n.* embuscade, guet-apens. ***Lie*** (ou ***wait***) ***in ambush,*** être en embuscade. *v.t.* attirer dans une embuscade.

amenable [ə'mi:nəbl] *adj.* **1.** docile, souple. ***Amenable to reason, advice,*** raisonnable, qui accepte les conseils. **2.** *(Jur.)* responsable. ***We are all amenable to the law,*** nous sommes tous responsables devant la loi.

▻ **amend** [ə'mend] *v.t.* amender, corriger. *v. intr.* s'amender, se corriger.

▻ **amendment** [ə'mendmənt] *n.* amendement, modification.

⚠ **amends** [ə'mendz] *n.* dédommagement, compensation, réparation. ***Make amends for an injury,*** réparer ses torts.

amenity [ə'mi:nɪtɪ] *n.* (pl. **-ies**). **1.** *(pl.)* commodités, agréments. ***This town offers many amenities,*** cette ville présente bien des commodités. **2.** *(sing.)* charme, agrément.

⚠ **amiable** ['eɪmɪəbl] *adj.* aimable, gentil.

amicable ['æmɪkəbl] *adj.* **1.** amical. **2.** à l'amiable.

amid(st) [ə'mɪd(st)] *prép.* parmi, au milieu de.

amiss [ə'mɪs] *adv.* mal, mal à propos, en mauvaise part. ♦ ***Don't take it amiss if I point out your mistake,*** ne le prenez pas mal si je vous fais remarquer votre erreur.

amity ['æmɪtɪ] *n.* amitié, bonne intelligence.

ammonia [ə'məʊnɪə] *n.* ammoniaque.

ammunition [,æmjʊ'nɪʃn] *n.* munitions (de guerre). ***Ammunition dump,*** dépôt de munitions.

amok [ə'mɒk] *adv.* (aussi **amuck**). ***Run amok,*** se déchaîner.

among(st) [ə'mʌŋ(st)] *prép.* entre, parmi, au milieu de.

⚠ **amorous** ['æmərəs] *adj.* **1.** amoureux. **2.** porté à l'amour.

amount [ə'maʊnt] *n.* **1.** montant, total. **2.** quantité, somme. *v. intr.* **1.** s'élever (à), se chiffrer (à). **2.** se réduire (à). ***That amounts to the same thing,*** cela revient au même.

amphibian [æm'fɪbɪən] *n.* amphibie.

amphibious [æm'fɪbɪəs] *adj.* amphibie.

amplifier ['æmplɪfɪə] *n.* *(Rad. et T.V.)* ampli(ficateur).

⚠ **amplify** ['æmplɪfaɪ] *v.t.* **1.** amplifier (son). **2.** expliquer de façon détaillée.

▻ **amputate** ['æmpjʊteɪt] *v.t.* amputer.

amuse [ə'mju:z] *v.t.* amuser, faire rire, divertir.

an [ən ;æn ;n] *art.* un, une.

▻ **anaemia** [ə'ni:mɪə] *n.* anémie.

▻ **anaesthetic** [,ænɪs'θetɪk] *adj. et n.* anesthésique.

▻ **anaesthetize** [ən'i:sθɪtaɪz] *v.t.* anesthésier, insensibiliser.

▻ **analgesic** [,ænəl'dʒi:zɪk] *adj. et n.* analgésique, calmant.

analyse ['ænəlaɪz] *v.t.* analyser, faire l'analyse (de), la psychanalyse (de).

analysis [ə'nælɪsɪs] *n.* (*pl.* **-ses** [-si:z]). **1.** analyse. **2.** psychanalyse, analyse.

▻ **ancestor** ['ænsəstə] *n.* ancêtre, aïeul.

ancestry ['ænsəstrɪ] *n.* ancêtres, ascendance, lignage.

anchor ['æŋkə] *n.* ancre. ♦ ***Drop*** (ou ***cast***) ***anchor,*** jeter l'ancre ; ***ride at anchor,*** être à l'ancre ; ***weigh anchor,*** lever l'ancre. *v.t. et intr.* jeter l'ancre, mouiller.

anchorage ['æŋkərɪdʒ] *n.* mouillage, ancrage.

anchovy ['æntʃəvɪ] *n.* anchois.

ancient ['eɪnʃənt] *adj.* **1.** ancien. **2.** antique.

and [ənd, ən, n, ænd] *conj.* et. ***And so on,*** et ainsi de suite ; ***come and see us,*** venez nous voir.

anecdotal [,ænɪk'dəʊtl] *adj.* anecdotique.

anew [ə'nju:] *adv.* de nouveau, encore.

angel ['eɪndʒəl] *n.* ange.

anger ['æŋgə] *n.* colère, courroux. *v.t.* fâcher, mettre en colère.

▻ **angle**[1] ['æŋgl] *n.* **1.** angle. **2.** point de vue.

▻ **angle**[2] ['æŋgl] *v. intr.* pêcher à la ligne. ***Angle for trout,*** pêcher la truite ; *(fig.)* ***angle for an invitation,*** chercher

à se faire inviter.
angler ['æŋglə] *n.* pêcheur à la ligne.
angrily ['æŋgrɪlɪ] *adv.* avec colère.
angry ['æŋgrɪ] *adj.* en colère, fâché contre. ***I am angry with him,*** je lui en veux; ***she is angry at being kept waiting,*** elle est furieuse qu'on la fasse attendre.
▻ **anguish** ['æŋgwɪʃ] *n.* angoisse, anxiété.
angular ['æŋgjʊlə] *adj.* **1.** angulaire. **2.** anguleux, osseux. **3.** grincheux.
▻ **animate** ['ænɪmeɪt] *adj.* animé, vivant. *v.t.* animer, aviver.
ankle ['æŋkl] *n.* cheville. ***Be ankle-deep in water,*** avoir de l'eau jusqu'à la cheville; ***sprain one's ankle,*** se fouler la cheville.
▻ **annihilate** [ə'naɪəleɪt] *v.t.* annihiler, anéantir.
▻ **annotate** ['ænəʊteɪt] *v.t.* annoter.
▻ **announce** [ə'naʊns] *v.t.* annoncer, proclamer.
announcement [ə'naʊnsmənt] *n.* annonce, proclamation, avis, faire-part.
⚠ **announcer** [ə'naʊnsə] *n.* *(Rad. et T.V.)* présentateur, speaker.
annoy [ə'nɔɪ] *v.t.* ennuyer, importuner, contrarier.
annoyance [ə'nɔɪəns] *n.* ennui, contrariété.
▻ **annul** [ə'nʌl] *v.t.* annuler, abroger.
anoint [ə'nɔɪnt] *v.t.* oindre.
▻ **anonymous** [ə'nɒnɪməs] *adj.* anonyme.
another [ə'nʌðə] *adj. et pr.* autre, un de plus, encore un. ♦ ***One another,*** l'un l'autre, les uns les autres; ***taking one thing with another,*** l'un dans l'autre; ***what will the situation be like in another decade?*** quelle sera la situation d'ici dix ans?
answer ['ɑːnsə] *n.* **1.** réponse. **2.** solution. *v.t.* **1.** répondre à. **2.** satisfaire. *v. intr.* **1.** répondre (de) ***He has a lot to answer for,*** il a une lourde responsabilité. **2.** réussir. ***This plan has not answered,*** ce plan n'a pas réussi. **3.** faire réponse.
answer back *v. part. t. et intr.* répliquer, rétorquer.
answerable ['ɑːnsərəbl] *adj.* **1.** à laquelle on peut répondre (question). **2.** responsable (de).
ant [ænt] *n.* fourmi.
antagonize [æn'tægənaɪz] *v. t.* éveiller l'hostilité (de), se mettre quelqu'un à dos.
antenna [æn'tenə] *n.* (pl. **-nae** [-niː]). **1.** antenne (d'insecte). **2.** *(Rad. et T.V.)* (pl. **-nas**) *(amér.)* antenne. (cf. **aerial**).
anthem ['ænθəm] *n.* hymne. ***National anthem,*** hymne national
anthill ['ænthɪl] *n.* fourmilière.
anti-aircraft [ˌæntɪ'eəɪrkrɑːft] *adj.* *(Mil.)* antiaérien.
▻ **anticipate** [æn'tɪsɪpeɪt] *v.t. et intr.* **1.** anticiper, prévoir. **2.** devancer, prévenir, faire quelque chose avant quelqu'un. **3.** utiliser à l'avance, anticiper (sur les événements...). ***Do not anticipate your earnings,*** n'anticipez pas sur vos revenus.
▻ **anti-climax** [ˌæntɪ'klaɪmæks] *n.* anticlimax, chute (d'intérêt...) après quelque chose de passionnant.
⚠ **antics** ['æntɪks] *n. pl.* bouffonnerie, pitrerie.
⚠ **antipathetic** [ˌæntɪpə'θetɪk] *adj.* antipathique.
▻ **antiquarian** [ˌæntɪ'kweərɪən] *adj. et n.* d'antiquaire, antiquaire.
antiquated ['æntɪkweɪtɪd] *adj.* vieilli, vétuste, suranné.
anvil ['ænvɪl] *n.* enclume.
⚠ **anxiety** [æŋ'zaɪətɪ] *n.* **1.** anxiété, appréhension, inquiétude. **2.** vif désir (de).
⚠ **anxious** ['æŋkʃəs] **1.** anxieux, inquiet. **2.** alarmant, inquiétant. **3.** désireux (de), impatient (de). ***He was anxious for them to go,*** il lui tardait de les voir partir.
any ['enɪ] *adj. et pro. quant.* **1.** du, de la. ***I haven't got any money,*** je n'ai pas d'argent; ***I wonder if he has any change,*** je me demande s'il a de la monnaie. **2.** n'importe (le)quel. ***You can ask any passer-by to show you the way,*** vous pouvez demander votre chemin à n'importe quel passant. ♦ ***In any case,*** en tout cas. *adv.* le moins du monde. ***I can't stay any longer,*** je ne puis m'attarder davantage; ***I don't feel any better for taking this medicine,*** je n'éprouve aucun soulagement à prendre ce médicament.

anybody ['enɪ,bɒdɪ] *pr.* **1.** quelqu'un. ***Was there anybody with you?*** Est-ce qu'il y avait quelqu'un avec vous? **2.** n'importe qui, tout le monde. ***He will do it better than anybody,*** il le fera mieux que quiconque.

anyhow ['enɪhaʊ] *adv.* **1.** n'importe comment. **2.** en tout cas, de toute façon. ***Anyhow, it is too late to do anything now,*** de toute façon, il est trop tard pour faire quoi que ce soit à présent.

anyone ['enɪwʌn] *pr.* (cf. **anybody**).

anything ['enɪθɪŋ] *pr.* **1.** quelque chose. ***Is there anything missing?*** Est-ce qu'il manque quelque chose? **2.** n'importe quoi. ♦ ***He swears like anything,*** il jure tant qu'il peut, comme un charretier; ***this situation is anything but pleasant,*** cette situation n'a vraiment rien d'agréable; ***you can do anything you like,*** vous pouvez faire tout ce qui vous plaira.

anyway ['enɪweɪ] *adv.* (cf. **anyhow**).

anywhere ['enɪweə] *adv.* partout, n'importe où. ***Not anywhere,*** nulle part.

apart [ə'pɑːt] *adv.* à part, séparément, de côté. ***In opinions, those two men are worlds apart,*** ces deux hommes ont des opinions radicalement opposées.

▻ **apartment** [ə'pɑːtmənt] *n.* **1.** appartement. **2.** *(pl.)* appartement d'apparat.

apathetic [,æpə'θetɪk] *adj.* apathique, sans réaction.

ape [eɪp] *n.* grand singe. *v.t.* singer, imiter.

aperture ['æpətʃə] *n.* *(Phot.)* ouverture, trou.

apex ['eɪpeks] *n.* (pl. **-es** ou **apices** ['eɪpɪsiːz]) sommet.

▻ **aphasia** [ə'feɪziə] *n.* *(Méd.)* aphasie.

apiece [ə'piːs] *adv.* chacun, par tête, par personne. ***Oranges cost 10 pence apiece,*** les oranges coûtent 10 pence pièce.

△ **apologetic** [ə,pɒlə'dʒetɪk] *adj.* **1.** apologétique. **2.** qui exprime excuses, regrets...

apologize [ə'pɒlədʒaɪz] *v. intr.* s'excuser (de). ***I apologize for being late,*** veuillez m'excuser d'être en retard.

△ **apology** [ə'pɒlədʒɪ] *n.* (*pl.* **-ies**) **1.** apologie. **2.** excuses. ***I must make an apology for not writing to her,*** je dois la prier de m'excuser de ne pas lui avoir écrit.

▻ **apoplectic** [,æpə'plektɪk] *adj.* apoplectique. ***Apoplectic stroke,*** attaque (d'apoplexie), *(fam.)* coup de sang.

apostle [ə'pɒsl] *n.* apôtre.

appal [ə'pɔːl] *v.t.* épouvanter, consterner.

appalling [ə'pɔːlɪŋ] *adj.* épouvantable, effrayant. ***His ignorance is really appalling,*** il est d'une ignorance vraiment affligeante.

apparatus [,æpə'reɪtəs] *n.* (*pl.* rare **-es** ou **-tus**) *(Tech.)* appareil, dispositif. *(Anat.)* appareil (digestif...).

apparently [ə'pærəntlɪ] *adv.* en apparence, apparemment.

△ **appeal** [ə'piːl] *n.* **1.** supplique, appel. **2.** attrait, pouvoir de séduction. **3.** *(Jur.)* appel. *v. intr.* **1.** appeler, faire appel (à). *(Jur.)* ***They have appealed to the Supreme Court,*** ils se sont pourvus en cassation. **2.** *(fig.)* séduire. ***Modern music doesn't appeal to old people,*** la musique moderne n'intéresse pas les gens âgés.

appealing [ə'piːlɪŋ] *adj.* **1.** suppliant. **2.** séduisant, attirant.

appear [ə'pɪə] *v. intr.* apparaître, paraître, sembler.

△ **appearance** [ə'pɪərəns] *n.* **1.** apparition. **2.** apparence, aspect. ♦ ***He just put in an appearance,*** il n'a fait qu'une petite apparition; ***keep up appearances,*** sauver les apparences.

appease [ə'piːz] *v. t.* apaiser, calmer (faim, soif, colère...).

△ **appeasement** [ə'piːzmənt] *n.* **1.** apaisement. **2.** assouvissement. **3.** *(Polit.)* conciliation humiliante.

appendage [ə'pendɪdʒ] *n.* appendice, accessoire.

▻ **appetite** ['æpɪtaɪt] *n.* **1.** appétit. **2.** *(fig.)* soif, désir. ***He has a good appetite,*** il a bon appétit.

appetizer ['æpɪtaɪzə] *n.* apéritif, *(fam.)* amuse-gueule.

▻ **applaud** [ə'plɔːd] *v.t.* applaudir (à), approuver.

applause [ə'plɔːz] *n.* applaudissements.

apple ['æpl] *n.* pomme. ♦ ***She is the apple of my eye,*** je tiens à elle comme à la prunelle de mes yeux.

apple-cart ['æplkɑ:t] *n.* voiture des quatre-saisons. *(fam.)* ***Upset the apple-cart,*** tout ficher par terre.

apple pie [ˌæpl'paɪ] *n.* tourte aux pommes. ♦ ***In apple-pie order,*** en ordre parfait.

appliance [ə'plaɪəns] *n.* appareil, instrument, dispositif.

applicant ['æplɪkənt] *n.* **1.** candidat, postulant. **2.** *(Jur.)* demandeur.

△ **application** [ˌæplɪ'keɪʃn] *n.* **1.** application (découverte, produit...). ***For external application only,*** usage externe. **2.** sollicitation, demande, candidature.

applied [ə'plaɪd] *adj.* appliqué. *(Tech.)* ***Applied sciences,*** sciences appliquées.

apply [ə'plaɪ] *v.t.* appliquer. *v. intr.* s'adresser (à). ***I will apply to him for a new job,*** je m'adresserai à lui pour obtenir un nouvel emploi. ♦ ***Apply oneself*** (ou **one's mind**), s'appliquer (à), se concentrer (sur).

△ **appoint** [ə'pɔɪnt] *v.t.* désigner, choisir, fixer, installer. ***A new teacher will be appointed soon,*** on nommera bientôt un nouveau professeur. ♦ ***At the appointed time,*** à l'heure dite; ***a well-appointed hotel,*** un hôtel bien installé.

△ **appointment** [ə'pɔɪntmənt] *n.* **1.** rendez-vous. ***The headmaster will only see you by appointment,*** le proviseur ne vous recevra que sur rendez-vous; ***make an appointment (with),*** prendre rendez-vous avec. **2.** nomination, désignation. **3.** emploi. ***A teaching appointment,*** un poste d'enseignant.

apposite ['æpəzɪt] *adj.* juste, pertinent, à propos.

△ **appreciate** [ə'priːʃɪeɪt] *v.t.* **1.** apprécier. **2.** être sensible à, estimer. ***He does not appreciate the dangers of the enterprise,*** il ne se rend pas clairement compte des dangers de l'entreprise.

▷ **apprehend** [ˌæprɪ'hend] *v.t.* **1.** craindre, appréhender. **2.** *(Jur.)* arrêter.

△ **apprehension** [ˌæprɪ'henʃn] *n.* **1.** craintes. **2.** arrestation. **3.** compréhension.

▷ **apprentice** [ə'prentɪs] *n.* apprenti. *v.t.* placer comme apprenti. ***He will be apprenticed to a baker,*** on le mettra en apprentissage chez un boulanger.

apprenticeship [ə'prentɪsʃɪp] *n.* apprentissage.

approach [ə'prəʊtʃ] *n.* **1.** approche. **2.** abords. **3.** façon d'aborder (problème). **4.** ***make approaches,*** faire des avances. *v.t. et intr.* (s') approcher (de).

▷ **appropriate** [ə'prəʊprɪ-ɪt] **adj.** approprié, convenable. *v.t.* [ə'prəʊprɪeɪt] **1.** affecter (à). **2.** s'approprier, s'emparer (de).

appropriation [əˌprəʊpɪ'eɪʃn] *n.* attribution, affectation (de fonds...).

approval [ə'pru:vl] *n.* approbation, assentiment. ***Take goods on approval,*** accepter des marchandises à l'essai, sous condition.

▷ **approve** [ə'pru:v] *v.t.* approuver, agréer officiellement. *v. intr.* approuver. ***I don't approve of lazy men wasting time,*** cela me déplaît beaucoup de voir des paressseux perdre leur temps.

approximate [ə'prɒksɪmɪt] *adj.* approximatif. *v.t. et intr.* [ə'prɒksɪmeɪt] ***The cost will approximate (to) £ 500,*** cela reviendra environ à 500 livres.

April ['eɪprɪl] *n.* avril. ***April showers,*** giboulées de mars.

apron ['eɪprən] *n.* **1.** tablier. **2.** *(Av.)* aire de stationnement. ♦ ***This boy is always tied to his mother's apron strings,*** ce garçon est toujours pendu aux jupes de sa mère.

△ **apt** [æpt] *adj.* **1.** susceptible (de), sujet (à). ***He is apt to forget his duties,*** il a tendance à négliger ses devoirs. **2.** capable, vif, doué. ***This boy is apt at understanding new notions,*** ce garçon est prompt à saisir des idées nouvelles. **3.** juste, approprié. ***Pass an apt remark,*** faire une remarque pertinente.

aqualung ['ækwəlʌŋ] *n.* scaphandre autonome.

▷ **Arab** ['ærəb] *n.* arabe (personne).

Arabian [ə'reɪbɪən] *adj.* arabe, d'Arabie. ***The Arabian Nights,*** les Mille et Une Nuits.

Arabic ['ærəbɪk] *adj.* arabe (langue, écriture) ***Arabic numerals,*** chiffres arabes.

▻**arbitrate** ['ɑ:bɪtreɪt] *v.t. et intr.* arbitrer, décider.

arbitration [,ɑ:bɪ'treɪʃn] *n.* arbitrage.

arbitrator ['ɑ:bɪtreɪtə] *n.* médiateur, arbitre.

arbour ['ɑ:bə] *n.* berceau de verdure, tonnelle.

arch[1] [ɑ:tʃ] *adj.* espiègle, malicieux.

arch[2] [ɑ:tʃ] *n.* arche, arc, voûte, cintre. *v.t.* voûter, cintrer.

arch[3] [ɑ:tʃ] *préf.* archi, fieffé.

archbishop [,ɑ:tʃ'bɪʃəp] *n.* archevêque.

archery ['ɑ:tʃərɪ] *n.* tir à l'arc.

▻**archipelago** [,ɑ:kɪ'pelɪgəʊ] *n.* (pl. **-goes** ou **-gos**), archipel.

archway ['ɑ:tʃweɪ] *n.* passage voûté.

▻**arduous** ['ɑ:djʊəs] *adj.* ardu, difficile, laborieux.

area ['eərɪə] *n.* **1.** zone, étendue. **2.** surface, superficie. **3.** domaine propre, spécialité. ***In the area of medicine,*** dans le domaine de la médecine. **4.** petite cour en sous-sol. ♦ ***Area office,*** agence régionale.

aren't [ɑ:nt] contraction de **are not, am not.**

argue ['ɑ:gju] *v. intr.* argumenter, discuter. ***Don't argue with your father,*** ne réplique pas à ton père. *v.t.* discuter; soutenir; persuader. ♦ ***He argued his case very well,*** il a très bien plaidé sa cause; ***his parents have argued him into taking a new job,*** ses parents ont fini par le persuader de prendre un nouvel emploi.

⚠**argument** ['ɑ:gjʊmənt] *n.* **1.** argument. **2.** raisonnement. **3.** discussion, dispute. **4.** *(Lit.)* résumé, synopsis.

arise [ə'raɪz] *v. intr. irr.* (p. **arose,** pp. **arisen**) se lever, survenir, se présenter.

arisen [ə'rɪzn] (**arise** *v.*).

▻**ark** [ɑ:k] *n.* arche. ***Noah's Ark,*** l'arche de Noë.

⚠**arm** [ɑ:m] *n.* **1.** *(Anat.)* bras. **2.** bras (rivière, fauteuil...). **3.** arme (cf. **weapon**). **4.** arme, forces. ***Air arm,*** forces aériennes; ***arms race,*** course aux armements. ♦ ***At arm's length,*** à bout de bras, à distance; ***be up in arms against somebody,*** s'élever, partir en guerre contre quelqu'un; ***lay down one's arms,*** déposer les armes. *v.t.* armer, fournir des armes (à). *v. intr.* s'armer, prendre les armes.

▻**armament** ['ɑ:məmənt] *n.* armement, force de frappe.

armchair ['ɑ:mtʃeə] *n.* fauteuil. ***Armchair critic,*** critique en chambre.

armlet ['ɑ:mlɪt] *n.* brassard.

armour ['ɑ:mə] *n.* armure; blindage.

armoured ['ɑ:məd] *adj.* blindé. ***Armoured car,*** automitrailleuse.

armourer ['ɑ:mərə] *n.* armurier.

armoury ['ɑ:mərɪ] *n.* arsenal.

armpit ['ɑ:mpɪt] *n.* aisselle.

▻**army** ['ɑ:mɪ] *n.* **1.** armée. ***Join the army,*** s'engager. **2.** *(fig.)* foule, multitude.

▻**aroma** [ə'rəʊmə] *n.* arôme, bouquet.

arose [ə'rəʊz] (**arise** *v.*).

around [ə'raʊnd] *prép.* autour de, environ. *adv.* autour, aux alentours *(fam.).* ***I have been around,*** j'ai roulé ma bosse.

arouse [ə'raʊz] *v.t.* **1.** réveiller. **2.** stimuler, exciter.

arrange [ə'reɪndʒ] *v.t.* **1.** arranger, disposer. **2.** prévoir, organiser. *v. intr.* prendre des dispositions (pour), s'arranger. ***I'll arrange for flowers to be sent,*** je ferai le nécessaire pour qu'on envoie des fleurs.

arrangement [ə'reɪndʒmənt] *n.* **1.** arrangement, disposition. **2.** organisation. ***Make arrangements for a holiday,*** faire des préparatifs de vacances.

array [ə'reɪ] *n.* **1.** ordre, rang. ***In battle array,*** en ordre de bataille. **2.** parure, atours. *v.t.* (souvent au passif). **1.** ranger, déployer (troupes). **2.** *(lit.)* parer. ***She arrayed herself in her finest robes,*** elle s'est parée de ses plus beaux atours.

arrears [ə'rɪəz] *n.* arriéré, arrérages.

arrest [ə'rest] *n.* arrestation. ***Be*** (ou ***place***) ***under arrest,*** être (ou mettre) en état d'arrestation. *v.t.* arrêter.

arrival [ə'raɪvəl] *n.* **1.** arrivée, *(Comm.)* arrivage. **2.** arrivant. ***Several new arrivals,*** plusieurs nouveaux venus.

▻**arrive** [ə'raɪv] *v. intr.* arriver (à). ***Arrive at a decision,*** parvenir à une décision.

arrow ['ærəʊ] *n.* flèche.

arson ['ɑ:sən] *n.* incendie criminel. ***Commit arson,*** provoquer volontairement un incendie.

△ **art** [ɑ:t] *n.* **1.** art. **2.** habileté. **3.** *(pl.) (Ens.)* lettres. ***The arts subjects,*** les disciplines littéraires. ♦ ***Art for art's sake,*** l'art pour l'art; ***arts and crafts,*** artisanat; ***art school,*** école des beaux-arts; ***fine arts,*** beaux-arts; ***the noble art,*** la boxe.

▷ **artery** ['ɑ:tərɪ] *n.* **1.** *(Anat.)* artère. **2.** grande voie de communication, artère.

artful [ɑ:tfəl] *adj.* rusé, malin, astucieux.

▷ **arthritis** [ɑ:'θraɪtɪs] *n.* arthrite.

△ **articulate** [ɑ:'tɪkjʊlɪt] *adj.* **1.** qui s'exprime bien, avec aisance (personne). **2.** clair, bien articulé (discours). *v.t. et intr.* [ɑ:'tɪkjʊleɪt] articuler. ***Articulated vehicle,*** semi-remorque.

artless ['ɑ:tlɪs] *adj.* ingénu, naturel.

as [æz, əz] *prép.* comme, en tant que. ***He is dressed as a clown,*** il est déguisé en clown; ***he was sold as a slave,*** on l'a vendu comme esclave. *conj.* comme, au moment où, à mesure que. ♦ ***As for me,*** quant à moi; ***as it were,*** pour ainsi dire; ***as long as,*** pour autant que; ***as if, as though,*** comme si; ***as I came in, the telephone rang,*** au moment où j'entrais, le téléphone a sonné; ***I have received no answer from him as yet,*** je n'ai pour l'instant aucune réponse de lui. *adv.* aussi (comparaison). ***He's as good as dead,*** il est presque mort; ***he's as tall as you are,*** il est aussi grand que vous; ***take as many*** (ou ***as much***) ***as you like,*** prenez-en autant que vous voulez.

asbestos [æs'bestəs] *n.* amiante.

ascend [ə'send] *v. intr. et tr.* monter (à), gravir, remonter (rivière).

ascendancy [ə'sendənsɪ] *n.* ascendant, influence, empire.

ascent [ə'sent] *n.* **1.** ascension, montée. **2.** pente.

ascertain [,æsə'teɪn] *v. t. et intr.* s'assurer (de), vérifier (un fait...).

ascribe [ə'skraɪb] *v.t.* attribuer, imputer (à).

▷ **asepsis** [eɪ'sepsɪs] *n.* asepsie.

ash[1] [æʃ] *n. (Bot.) (pl.* **-es**) frêne (aussi **ash tree**).

ash[2] [æʃ] *n.* (*pl.* **-es**) cendre (s). ***Ash Wednesday,*** mercredi des Cendres.

ashamed [ə'ʃeɪmd] *adj.* honteux, confus. ***I am ashamed of you,*** vous me faites honte; ***you should be ashamed of yourself,*** vous devriez avoir honte.

ashen ['æʃn] *adj.* **1.** de frêne. **2.** couleur de cendre.

ashore [ə'ʃɔ:] *adv.* à terre, échoué (navire). ***Go ashore,*** débarquer; ***run ashore,*** s'échouer.

ashtray ['æʃtreɪ] *n.* cendrier.

ashy ['æʃɪ] *adj.* couleur de cendre, terreux.

Asian ['eɪʃn] *adj.* asiatique.

aside [ə'saɪd] *adv.* de côté, à part, à l'écart. *n. (Th.)* aparté.

ask [ɑ:sk] *v.t. et intr.* **1.** demander. **2.** s'informer, se renseigner. **3.** inviter. ♦ ***Ask after somebody,*** prendre des nouvelles de quelqu'un; *(fam.)* ***ask for trouble,*** chercher les ennuis; ***he asked a policeman to show him the way,*** il a demandé son chemin à un agent; *(fam.)* ***he was asking for it,*** il l'a bien cherché; ***she has asked a few friends to tea,*** elle a invité quelques amis à dîner.

askance [ə'skæns] *adv.* ***Look askance,*** regarder de travers (avec méfiance).

asleep [ə'sli:p] *adj.* endormi. ***Be sound asleep,*** dormir d'un sommeil profond; ***fall asleep,*** s'endormir.

△ **aspersion** [ə'spɜ:ʃn] *n.* médisance, calomnie. ***Cast aspersions on somebody,*** répandre des calomnies sur quelqu'un.

aspire [ə'spaɪə] *v. intr.* **(after, to)** aspirer à, ambitionner (de).

ass [æs] *n.* âne, personne stupide. ***Make an ass of oneself,*** se ridiculiser; ***she-ass,*** ânesse.

assail [ə'seɪl] *v.t.* assaillir, attaquer.

▷ **assailant** [ə'seɪlənt] *n.* assaillant.

assassination [ə,sæsɪ'neɪʃn] *n.* assassinat (politique).

assault [ə'sɔ:lt] *n.* assaut, agression. *(Jur.)* ***Assault and battery,*** coups et blessures, voies de fait. *v.t.* assaillir, agresser.

▷ **assemble** [ə'sembl] *v.t. et intr.* assembler, réunir; se rassembler, se réunir.

assembly-line [ə'semblɪlaɪn] *n.* chaîne

de montage.
assent [ə'sent] *n.* consentement, assentiment, accord. *v. intr.* **(to)** consentir à.
assert [ə'sɜ:t] *v.t.* affirmer, revendiquer.
▻ **assertion** [ə'sɜ:ʃn] *n.* assertion, affirmation.
assess [ə'ses] *v.t.* évaluer, estimer, fixer.
assessment [ə'sesmənt] *n.* évaluation, estimation, opinion.
asset ['æsɪt] *n.* **1.** (surtout *pl.*) *(Fin.)* avoir, actif. ***Assets and liabilities,*** actif et passif. **2.** avantage. ***Good health is a great asset,*** la santé est un grand atout.
▻ **assiduous** [ə'sɪdjʊəs] *adj.* assidu.
assign [ə'saɪn] *v.t.* **1.** assigner, consacrer (à), attribuer (à). **2.** transférer, faire cession (de).
assignment [ə'saɪnmənt] *n.* **1.** cession, transfert. **2.** affectation, tâche assignée, mission.
▻ **assimilate** [ə'sɪmɪleɪt] *v.t. et intr.* assimiler, s'assimiler.
⚠ **assist** [ə'sɪst] *v.t.* aider. ***I assisted him in drawing up the contract,*** je l'ai aidé à établir le contrat.
⚠ **assistance** [ə'sɪstəns] *n.* aide, secours.
assistant [ə'sɪstənt] *n.* aide, adjoint. ***Assistant cook,*** aide-cuisinier.
▻ **associate** [ə'səʊʃɪɪt] *n.* associé, allié. *v.t. et intr.* [ə'səʊʃɪeɪt] associer, s'associer (avec).
▻ **assortment** [ə'sɔ:tmənt] *n.* assortiment.
assuage [ə'sweɪdʒ] *v.t.* apaiser, calmer, soulager.
⚠ **assume** [ə'sju:m] *v.t.* **1.** supposer, admettre. **2.** assumer (responsabilité), prendre sur soi, s'arroger. **3.** affecter, simuler. ♦ ***Assuming this to be true,*** en supposant que ce soit vrai ; ***under an assumed name,*** sous un nom d'emprunt.
⚠ **assumption** [ə'sʌmpʃn] *n.* **1.** supposition. **2.** appropriation, prétention. **3.** *(Rel.)* ***The Assumption,*** l'Assomption (de la Ste Vierge).
▻ **assure** [ə'ʃʊə] *v.t.* **1.** assurer. **2.** (*cf.* **insure**) assurer (quelqu'un contre des risques).
astern [ə'stɜ:n] *adv.* *(Naut.)* à l'arrière.
astir [ə'stɜ:] *adj.* **1.** éveillé et levé. **2.** excité, en émoi.
astonish [ə'stɒnɪʃ] *v.t.* étonner, surprendre.
astonishment [ə'stɒnɪʃmənt] *n.* grand étonnement. ***To my astonishment,*** à ma grande surprise.
astound [ə'staʊnd] *v.t.* stupéfier, ébahir, abasourdir.
astray [ə'streɪ] *adv.* **1.** égaré. **2.** *(fig.)* débauché. ***I was led astray by a remark of his,*** j'ai été induit en erreur par une remarque qu'il a faite.
astride [ə'straɪd] *adv.* à califourchon.
▻ **astrologer** [ə'strɒledʒə] *n.* astrologue.
▻ **astronautics** [,æstrə'nɔ:tɪks] *n.* astronautique.
▻ **astronomer** [ə'strɒnəmə] *n.* astronome.
astute [ə'stju:t] *adj.* astucieux, fin, avisé.
asunder [ə'sʌndə] *adv.* en deux, éloignés l'un de l'autre.
asylum [ə'saɪləm] *n.* asile, refuge.
at [æt, ət] prép. à, dans, en, chez, dans la direction (de). ♦ ***At home,*** chez soi ; ***at last,*** enfin ; ***at least,*** du moins ; ***at my sister's,*** chez ma sœur ; ***at night,*** le soir ; ***at once,*** tout de suite ; à la fois ; ***at sea,*** en mer ; ***at war,*** en guerre ; ***at work,*** au travail ; ***be always at somebody,*** être toujours après quelqu'un ; ***be hard at it,*** travailler d'arrache-pied ; ***he ran at me with a knife,*** il se jeta sur moi un couteau à la main ; ***we are at one,*** nous sommes d'un même avis ; *(fam.)* ***what are you at?*** qu'est ce que vous manigancez ?
at all [ət'ɔ:l] *adv.* du tout. ***He doesn't drink at all,*** il ne boit pas du tout ; ***not at all,*** pas du tout, en aucune façon.
ate [et, eɪt] **(eat** *v.).*
▻ **atheism** ['eɪθɪ-ɪzm] *n.* athéisme.
atheist ['eɪθɪ-ɪst] *n.* athée.
athletics [ə'θletɪks] *n.* athlétisme, sports.
atmospherics [,ætməs'ferɪks] *n.* *(Rad.)* parasites.
▻ **atom** ['ætəm] *n.* **1.** atome. **2.** *(fig.)* brin (vérité).
atom bomb ['ætəmbɒm] *n.* bombe atomique (aussi **atomic bomb).**
▻ **atomic** [ə'tɒmɪk] *adj.* atomique. ♦ ***Atomic energy,*** énergie atomique ; ***atomic-powered,*** qui fonctionne à l'énergie atomique ; ***atomic power***

station, centrale nucléaire; ***atomic warfare,*** guerre nucléaire.

⚠ **atone** [ə'təʊn] *v. intr.* **(for),** expier, racheter.

▻ **atrocious** [ə'trəʊʃəs] *adj.* affreux, horrible.

▻ **attach** [ə'tætʃ] *v.t. et intr.* attacher, lier (à), s'attacher (à). (lit.) ***No blame attaches to him for this accident,*** il n'est aucunement responsable de cet accident.

⚠ **attack** [ə'tæk] *n.* **1.** *(Mil.)* attaque. **2.** *(Méd.)* accès, crise. *v.t.* attaquer, s'attaquer (à).

attain [ə'teɪn] *v.t.* atteindre, parvenir (à).

attainable [ə'teɪnɪbl] *adj.* à la portée (de), accessible.

attainment [ə'teɪnmənt] *n.* acquisition, réalisation; *(pl.)* connaissances, talents.

attempt [ə'tempt] *n.* tentative, effort, essai. ***Attempt on somebody's life,*** attentat contre quelqu'un. *v.t.* tenter, essayer.

⚠ **attend** [ə'tend] *v.t.* **1.** assister (à). ***Attend a lecture,*** suivre un cours **2.** accompagner (un personnage officiel). *v. intr.* **1.** écouter, faire attention (à). ***Could you attend to me, please!*** Pourriez-vous m'écouter, je vous prie? **2.** s'occuper de, assister. ***Are you being attended to?*** on s'occupe de vous? ***attend to one's business,*** vaquer à ses affaires; ***I was attended (on) by a very good nurse,*** j'avais une très bonne infirmière pour me soigner.

attendance [ə'tendəns] *n.* **1.** assistance, présence. ***School attendance is compulsory,*** la fréquentation scolaire est obligatoire; ***there is a doctor in constant attendance on him,*** un docteur est constamment à son chevet. **2.** public. ***A large attendance at the meeting,*** une nombreuse assistance à la réunion.

attendant [ə'tendənt] *n.* **1.** domestique, serviteur. **2.** gardien, ouvreuse. ***Museum attendant,*** gardien de musée.

▻ **attention** [ə'tenʃn] *n.* attention, soins, prévenances. ♦ *(Mil.)* ***Attention!*** garde à vous! ***he was all attention,*** il était toute oreille; ***pay attention to,*** faire attention à.

attic ['ætɪk] *n.* mansarde, grenier.

attire [ə'taɪə] *n.* parure, atours, vêtements.

attorney [ə'tə:nɪ] *n.* avoué; mandataire. ***Attorney general,*** procureur général; ***power of attorney,*** pouvoir, procuration.

attract [ə'trækt] *v.t.* attirer.

attractive [ə'træktɪv] *adj.* attirant, intéressant, séduisant.

attrition [ə'trɪʃn] *n.* usure. ***War of attrition,*** guerre d'usure.

attune [ə'tju:n] *v.t.* ***Be attuned to,*** être accordé avec, se sentir en harmonie avec.

auction ['ɔ:kʃn] *n.* (= **auction-sale**) enchère, vente aux enchères, à la criée. ***Sell by auction,*** vendre aux enchères. *v.t.* mettre aux enchères.

auctioneer [,ɔ:kʃə'nɪə] *n.* commissaire-priseur.

audacious [ɔ:'deɪʃəs] *adj.* **1.** audacieux, téméraire. **2.** effronté, impudent.

audacity [ɔ:'dæsɪtɪ] *n.* **1.** audace, témérité. **2.** effronterie, impudence.

audibly ['ɔ:dɪblɪ] *adv.* clairement, distinctement.

⚠ **audience** ['ɔ:dɪəns] *n.* assistance, public, auditoire, audience.

audit ['ɔ:dɪt] *n. (Comm.)* apurement, vérification de comptes.

⚠ **auditor** ['ɔ:dɪtə] *n. (Comm.)* vérificateur, expert-comptable.

auditory ['ɔ:dɪtərɪ] *adj. (Méd.)* auditif.

aught [ɔ:t] *n. (vx. et lit.)* quelque chose, quoi que ce soit. ***For aught I know,*** (autant) que je sache; ***for aught I care,*** pour ce qui m'importe.

▻ **augur** ['ɔ:gə] *n.* augure. *v.t. et intr. (lit.)* augurer, présager. ***Augur well*** (ou ***ill***) ***for somebody,*** être de bon (ou de mauvais) augure pour quelqu'un.

August ['ɔ:gəst] *n.* août.

aunt [ɑ:nt] *n.* tante.

auspicious [ɔ:'spɪʃəs] *adj.* de bon augure, propice, favorable.

author ['ɔ:θə] *n.* (*fem.* **-ess**) auteur, écrivain.

authoritative [ɔ:'θɒrətətɪv] *adj.* **1.** autoritaire, impérieux. **2.** autorisé.

▻ **authorize** ['ɔ:θəraɪz] *v.t.* autoriser, permettre.

automaton [ɔ:'tɒmətən] *n.* (*pl.* **-ta, tons**) automate.

▻ **autumn** ['ɔːtəm] *n.* automne.

avail [ə'veɪl] *n.* utilité, service, avantage. ***To no avail,*** sans utilité, en vain. *v.t. et intr. (lit.)*être utile. ***Avail oneself of an opportunity,*** profiter d'une occasion.

availability [a,veɪlə'bɪlɪtɪ] *n.* **1.** disponibilité. **2.** validité.

available [ə'veɪləbl] *adj.* **1.** *(Comm.)*disponible. **2.** visible, disponible (personne). ***The doctor is not available now,*** le docteur ne peut vous recevoir pour l'instant.

avenge [ə'vendʒ] *v.t.* venger.

average ['ævərɪdʒ] *adj.* moyen. ***The average Englishman,*** l'Anglais moyen. *n.* moyenne. *v.t.* atteindre une moyenne (de), établir la moyenne (de).

⚠ **averse** [ə'vɜːs] *adj.* opposé (à), ennemi (de). ***This teacher is averse to inflicting corporal punishment,*** ce maître répugne à infliger un châtiment corporel.

avert [ə'vɜːt] *v.t.* éviter (de), détourner.

aviary ['eɪvɪərɪ] *n.* volière.

avocado [ævə'kɑːdəʊ] *n.* (*pl.* **-dos** ou **does**), avocat (fruit).

avoid [ə'vɔɪd] *v.t.* éviter. ***She always avoids answering my questions,*** elle élude constamment mes questions.

avoidable [ə'vɔɪdəbl] *adj.* évitable.

avow [ə'vaʊ] *v.t.* avouer, admettre, confesser. ***Avowed enemy,*** ennemi déclaré.

avowal [ə'vaʊəl] *n. (lit.)*aveu.

await [ə'weɪt] *v.t.* attendre. *(Comm.)* ***Awaiting your reply,*** dans l'attente d'une réponse de votre part.

awake [ə'weɪk] *adj.* éveillé. ***Wide awake,*** bien éveillé. *v.t. et intr. irr.*(p. **awaked** ou **awoke,** p.p. **awaked** ou **awoken**), éveiller, réveiller; s'éveiller, se réveiller.

awaken [ə'weɪkən] *v.t.* (cf. **awake**) (surtout *fig.*), réveiller.

award [ə'wɔːd] *n.* **1.** récompense, prix. **2.** *(Jur.)* décision, sentence. **3.** *(Ens.)* bourse universitaire. *v.t.* décerner, attribuer.

aware [ə'weə] *adj.* au courant (de), conscient (de), averti (de). ***Be aware of the difficulties,*** ne pas ignorer les difficultés.

away [ə'weɪ] *adv.* **1.** loin, au loin. **2.** absent. **3.** sans. ♦ ***Go away,*** s'en aller; ***he slept away the day,*** il a passé la journée à dormir; ***put away,*** ranger; ***right away,*** tout de suite; ***talk away,*** parler sans arrêt; ***she must be away,*** elle doit être absente.

awe [ɔː] *n.* crainte mêlée de respect, admiration craintive. ***Stand in awe of,*** redouter, craindre. *v.t.* inspirer du respect (à), en imposer (à). ***The children were awed into silence by their father,*** terrifiés devant leur père, les enfants firent silence.

awesome ['ɔːsəm] *adj.* impressionnant, imposant.

awe-struck ['ɔːstrʌk] *adj.* fortement impressionné, frappé de stupeur.

awful ['ɔːfəl] *adj.* terrible, effroyable. *(fam.)* ***Awful weather today!*** quel sale temps aujourd'hui!

awfully ['ɔːfəlɪ] *adv.* terriblement, *(fam.)* énormément. ***I'm awfully sorry,*** je suis vraiment désolé.

awhile [ə'waɪl] adv. *(vx.)* un instant. ***Wait awhile,*** attendez un peu.

awkward ['ɔːkwəd] *adj.* **1.** gauche, maladroit. **2.** peu maniable, peu commode. **3.** gênant, embarrassant. ♦ ***An awkward customer,*** un type pas facile (dans les rapports); ***the awkward age,*** l'âge ingrat.

awning ['ɔːnɪŋ] *n.* auvent (d'une tente), store (de magasin), marquise; *(Naut.)* tendelet.

awoke [ə'wəʊk] (**awake** *v.*).

awoken [ə'wəʊkən] (**awake** *v.*).

awry [ə'raɪ] *adj. et adv. (lit.)* de travers. ***Our plans have gone awry,*** nos plans ont avorté.

axe [æks] *n.* hache. ♦ *(fam.)* ***Get the axe,*** se faire sacquer; *(fam.)* ***give the axe,*** renvoyer, sacquer; ***have an axe to grind,*** agir dans un but intéressé. *v.t. (fam.)*renvoyer, sacquer.

axis ['æksɪs] *n.* (pl. **axes** ['æksɪːz]) axe. ***The Axis Powers,*** les puissances de l'Axe.

axle ['æksl] *n. (Tech.)*axe, arbre, essieu.

ay(e) [aɪ] *adv. (vx.)* oui. *n.* oui (vote). ***Ayes and noes,*** voix pour et contre; ***the ayes have it,*** les voix pour l'emportent, la motion est adoptée.

B

B.b. [bi:] **1.** deuxième lettre de l'alphabet. **2.** *(Mus.)* si.

babble ['bæbl] *n.* **1.** babil, murmure (de voix), bavardage. **2.** murmure, gazouillis (ruisseau). *v. intr.* **1.** bredouiller (des mots sans suite). **2.** murmurer, gazouiller. ♦ ***Babble out a secret,*** laisser échapper un secret.

baby ['beɪbɪ] *n.* bébé.

bachelor ['bætʃələ] *n.* **1.** célibataire, vieux garçon. **2.** *(Ens.)* licencié. ***Bachelor of arts, of science,*** licencié ès lettres, ès sciences.

back [bæk] *n.* **1.** dos, reins. **2.** verso. **3.** fond (pièce). ♦ ***Behind his back,*** à son insu ; ***get somebody's back up,*** irriter quelqu'un ; ***glad to see the back of somebody,*** content d'être débarrassé de quelqu'un ; ***have one's back to the wall,*** être au pied du mur ; ***turn one's back on,*** tourner le dos à.
v.t. et intr. **1.** aller en arrière, reculer. ***Back a car,*** faire marche arrière ; *(fig.)* ***he backed out at the last moment,*** il s'est dédit au dernier moment. **2.** soutenir, renforcer. ***He is always ready to back his friends,*** il est toujours prêt à épauler ses amis. **3.** miser, parier sur.
adv. en arrière, vers l'arrière, de retour. ***Four years back,*** il y a quatre ans.
adj. arrière, de derrière. ***Back door,*** porte de derrière.

backbone ['bækbəʊn] *n.* **1.** épine dorsale, colonne vertébrale. **2.** *(fig.)* fermeté de caractère. ***He has no backbone,*** il manque de caractère.

backer ['bækə] *n.* **1.** partisan. **2.** commanditaire (pièce). **3.** parieur.

backfire [ˌbæk'faɪə] *n.* **1.** *(Aut.)* ratés. **2.** *(amér.)* contre-feu (en forêt). *v. intr.* **1.** pétarader ; faire des ratés. **2.** *(fig.)* avoir un résultat contraire, échouer.

background ['bækgraʊnd] *n.* **1.** fond, arrière-plan. **2.** origines, milieu (familial, professionnel). ♦ ***Background information,*** renseignements essentiels ; ***remain in the background,*** rester dans l'ombre, s'effacer.

backslide [ˌbæk'slaɪd] *v. intr.* récidiver, retomber dans l'erreur.

backstairs ['bæksteəz] *n.* **1.** escalier de service, dérobé. **2.** ***backstairs influence,*** menées secrètes, protections (en haut lieu), piston.

back up *v. part. t.* soutenir, appuyer.

backward ['bækwəd] *adj.* **1.** en arrière, de retour. ***Backward look,*** regard en arrière. **2.** attardé. ***Backward child,*** enfant arriéré. **3.** peu disposé, peu empressé. ***Be backward in doing something,*** hésiter à faire quelque chose.

backwards ['bækwədz] *adv.* en arrière, à reculons. ♦ *(fam.)* ***Know somebody backwards,*** connaître quelqu'un à fond, comme sa poche ; ***walk backwards and forwards,*** aller et venir.

backwater ['bækwɔːtə] *n.* **1.** eau stagnante, bras mort. **2.** coin retiré, retraite.

backyard [ˌbæk'jɑːd] *n.* cour ou petit jardin (derrière la maison).

⚠ **bacon** ['beɪkən] *n.* bacon. ♦ *(fam.)* ***Bring home the bacon,*** décrocher la timbale ; *(fam.)* ***save one's bacon,*** se tirer d'un mauvais pas, sauver sa peau.

bad [bæd] *adj.* (*comp.* **worse,** *superl.* **the worst**) mauvais, méchant, gâté ; fâcheux, malheureux ; grossier (langage). ♦ ***Go from bad to worse,*** aller de mal en pis ; ***go to the bad,*** mal tourner, se dévoyer ; ***that's too bad,*** dommage ; ***the fish has gone bad,*** le poisson est abîmé.

bade [bæd] (**bid 1.** *v.*).

badge ['bædʒ] *n.* insigne, plaque.

badger ['bædʒə] *n.* *(Zool.)* blaireau. *v.t.* harceler, importuner.

badly ['bædlɪ] *adv.* mal, grièvement, gravement, beaucoup. ♦ ***Be badly in need of,*** avoir grand besoin de ; ***be badly off,*** être dans la gêne.

baffle ['bæfl] *n.* **1.** *(Tech.)* déflecteur. **2.** baffle. *v.t.* dérouter, déconcerter. ***Those baffling Englishmen,*** ces Anglais déconcertants.

bag [bæg] *n.* sac, bourse, valise. *(fam.)* ***It's in the bag,*** l'affaire est dans le sac. *v.t. et intr.* **1.** mettre en sac. **2.** *(fam.)* chiper. **3.** gonfler. ***His trousers bag at the knees,*** son pantalon fait des poches aux genoux.

baggage ['bægɪdʒ] *n.* **1.** *(amér.)* bagages (cf. **luggage**). **2.** ***You little baggage!*** petite friponne!

baggy ['bægɪ] *adj.* déformé, qui fait des poches (pantalon).

bagpipe ['bægpaɪp] *n.* cornemuse (aussi **bagpipes**).

⚠ **bail**[1] [beɪl] *n.* caution. ***Go bail for someone,*** se porter garant pour quelqu'un; ***on bail,*** sous caution. *v.t.* ***bail out,*** faire mettre en liberté provisoire, sous caution.

⚠ **bail**[2] [beɪl] *v.t. et intr. (Naut.)* ***Bail (out) the water,*** écoper (aussi **bale**).

bait [beɪt] *n.* appât, amorce. *v.t.* **1.** appâter, amorcer. **2.** harceler, tourmenter (animal, enfant).

bake [beɪk] *v.t. et intr.* cuire au four, faire cuire.

baker ['beɪkə] *n.* boulanger, boulangère. ♦ ***A baker's dozen,*** treize à la douzaine.

baking powder ['beɪkɪŋ,paʊdə] *n.* levure chimique.

⚠ **balance** ['bæləns] *n.* **1.** *(Tech.)* balance. **2.** équilibre. **3.** aplomb. ♦ *(Comm.)* ***Balance of an account,*** solde d'un compte; ***keep one's balance,*** garder son équilibre; ***lose one's balance,*** perdre son équilibre.
v.t. et intr. **1.** (se) balancer. **2.** équilibrer.

balcony ['bælkənɪ] *n.* balcon.

bald [bɔ:ld] *adj.* **1.** chauve. **2.** *(fig.)* sec, sans ambages. ***Bald statement,*** affirmation simple, directe.

baldly ['bɔ:ldlɪ] *adv.* crûment.

bale [beɪl] *n.* balle, ballot.

bale out *v. part. intr. (Av.).* sauter en parachute (aussi **bail out**).

ball[1] [bɔ:l] *n.* balle, ballon, boulet, boulet (canon), bille (billard). ♦ ***Ball of the eye,*** prunelle; *(fam.)* ***he's on the ball,*** il est au courant; *(fam.)* ***keep the ball rolling,*** soutenir la conversation; *(fam.)* ***play ball with somebody,*** coopérer avec quelqu'un; *(fam.)* ***set the ball rolling,*** engager (conversation, affaire...).

ball[2] [bɔ:l] *n.* bal.

ballast ['bæləst] *n.* lest. *v.t.* lester. **2.** *(Rail)* empierrer.

ball-bearing [,bɔ:l'beərɪŋ] *n. (Tech.)* roulement à billes.

balloon [bə'lu:n] *n.* **1.** ballon. **2.** aérostat. *v. intr.* **1.** se ballonner. **2.** ***Go ballooning,*** faire une ascension en ballon.

⚠ **ballot** ['bælət] *n.* **1.** bulletin de vote. **2.** droit de vote. **3.** scrutin. ***Ballot box,*** urne. *v. intr.* voter (au scrutin secret).

ball-point (pen) [,bɔ:lpɔɪnt'pen] *n.* stylo à bille.

balm [bɑ:m] *n.* baume; *(fig.)* réconfort.

ban [bæn] *n.* ban, interdiction; *(Rel.)* interdit. ***Ban on smoking,*** interdiction de fumer. *v.t.* interdire, proscrire.

▻ **banana** [bə'nɑ:nə] *n.* banane.

band[1] [bænd] *n.* **1.** bande, lien, ruban. **2.** *(Radio)* ***Frequency band,*** bande de fréquence. **3.** bande magnétique (magnétophone).

⚠ **band**[2] [bænd] *n.* **1.** groupe, bande. **2.** orchestre, fanfare, clique.

bandage ['bændɪdʒ] *n.* bande, bandeau, pansement. *v.t.* bander, mettre un pansement sur.

bandstand ['bændstænd] *n.* kiosque à musique.

bandy[1] ['bændɪ] *v.t.* renvoyer, échanger. ♦ ***Bandy blows,*** échanger des coups; ***bandy words with,*** se quereller avec.

bandy[2] ['bændɪ] *adj.* arqué. ***Bandy-legged,*** bancal.

bane [beɪn] *n.* fléau, peste.

bang [bæŋ] *n.* grand bruit, détonation; bang supersonique. *v.t.* claquer violemment, faire du vacarme. ***He banged the door shut,*** il a claqué la porte. *adv.* juste, exactement, en plein. ***Bang in the middle of the meeting,*** au beau milieu de la réunion.

banish ['bænɪʃ] *v.t.* bannir, exiler.

banister ['bænɪstə] *n.* rampe d'escalier.

⚠ **bank**[1] [bænk] *n.* **1.** rive, rivage. **2.** talus, remblai. *v.t.* terrasser, remblayer.

▻ **bank**[2] [bæŋk] *n.* banque. ***Savings bank,*** caisse d'épargne. *v. intr.* avoir son compte en banque.

banker ['bæŋkə] *n.* banquier.

bank holiday [,bæŋk'hɒlɪdɪ] *n.* jour férié.

banknote ['bæŋknəʊt] *n.* billet de banque, coupure.

bankrupt ['bæŋkrʌpt] *n.* **1.** en faillite, ruiné. **2.** failli, banqueroutier. ***Go bankrupt,*** faire faillite. *v.t.* mettre en faillite, ruiner.

bankruptcy ['bæŋkrʌptsɪ] *n.* faillite, banqueroute.

▻ **banns** [bænz] *n. pl.* bans (mariage).

banter ['bæntə] *n.* badinage. *v.t. et intr.* badiner, plaisanter.

baptism ['bæptɪzm] *n.* baptême.

⚠ **bar¹** [bɑ:] *n.* **1.** barre, barrière, obstacle. **2.** buvette, bar, zinc. **3.** *(Jur.)* barreau ; barre ; banc des accusés ♦ ***Be called to the Bar,*** devenir avocat. *v.t.* barrer, couper la route, interdire l'accès.

⚠ **bar²** [bɑ:] *prép.* (= **barring**) excepté. ***Bar none,*** sans exception.

barbarian [bɑ:'beərɪən] *adj. n.* barbare. ***A barbarian king,*** un roi barbare.

barbaric [bɑ:'bærɪk] *adj.* barbare, de barbare, cruel.

⚠ **barbarism** ['bɑ:bərɪzm] *n.* **1.** barbarie. **2.** *(Gram.)* barbarisme.

barbarity [bɑ:'bærɪtɪ] *n.* barbarie, cruauté, inhumanité.

barbarous ['bɑ:bərəs] *adj.* *(péj.)* barbare (style,...).

barbed wire [ˌbɑ:bd'waɪə] *n.* (fil de fer) barbelé.

barber ['bɑ:bə] *n.* barbier, coiffeur (hommes).

bare [beə] *adj.* **1.** nu, dénudé. **2.** seul, simple. ♦ ***Lay bare,*** révéler (secret...). *v.t.* **1.** dénuder, découvrir. **2.** dégainer.

barefaced ['beəfeɪst] *adj.* éhonté, effronté.

barefoot ['beəfʊt] *adj. et adv.* nu-pieds.

bareheaded [ˌbeə'hedɪd] *adj. et adv.* nu-tête.

barely ['beəlɪ] *adv.* **1.** à peine, tout juste (cf. **hardly**). **2.** pauvrement (meublé,...).

bargain ['bɑ:gɪn] *n.* marché, affaire, occasion. ♦ ***A good bargain,*** une bonne affaire ; ***into the bargain,*** par-dessus le marché ; ***make a bargain,*** conclure un marché, faire une affaire. *v.t. et intr.* **1.** marchander. **2.** négocier, obtenir par négociation. ♦ *(fam.)* ***I didn't bargain for that,*** je ne m'attendais pas à ça.

barge [bɑ:dʒ] *n.* péniche, chaland. *v. intr.* *(fam.)* ***She barged into the conversation,*** elle a interrompu la conversation.

bark¹ [bɑ:k] *n.* écorce. *v.t.* écorcer, décortiquer.

bark² [bɑ:k] *n.* aboiement. *(fig.)* ***His bark is worse than his bite,*** il fait plus de bruit que de mal. *v. intr.* aboyer. ♦ *(fig.)* ***Bark up the wrong tree,*** accuser à tort ; frapper à la mauvaise porte.

barley ['bɑ:lɪ] *n.* orge.

barn [bɑ:n] *n.* grange ; *(amér.)* étable, écurie.

⚠ **barracks** ['bærəks] *n.* caserne.

barrel ['bærəl] *n.* **1.** baril, tonneau. **2.** canon (fusil). **3.** cylindre, tambour.

barrel-organ ['bærəlˌɔ:gən] *n.* orgue de Barbarie.

barren ['bærən] *adj.* stérile, aride.

barring ['bɑ:rɪŋ] *prép.* excepté (cf. **bar²**) ***Barring accidents,*** sauf imprévu.

barrister ['bærɪstə] *n.* avocat.

barrow ['bærəʊ] *n.* **1.** voiture des quatre saisons. **2.** (= **wheelbarrow**) brouette. **3.** (= **luggage-barrow**) diable.

barter ['bɑ:tə] *n.* échange, troc. *v.t.* échanger, troquer.

▻ **base¹** [beɪs] *n.* base, fondement. *v.t.* baser fonder.

⚠ **base²** [beɪs] *adj.* **1.** bas, vil. **2.** lâche, méprisable.

basement ['beɪsmənt] *n.* sous-sol.

bashful ['bæʃfəl] adj. timide, intimidé.

basic ['beɪsɪk] *adj.* de base, fondamental. ***Basic English,*** anglais de base.

basically ['bəɪsɪklɪ] *adv.* fondamentalement.

basin ['beɪsn] *n.* bassin, bol, cuvette.

basis ['beɪsɪs] *n.* (pl. **bases** ['beɪsɪ:z]) base, fondement. ***What's the basis of all that?*** sur quoi repose tout cela ?

bask [bɑ:sk] *v. intr.* se chauffer (au soleil). *(fig.)* ***Bask in somebody's favour,*** jouir de la faveur de quelqu'un.

basket ['bɑ:skɪt] *n.* panier, corbeille.

▻ **bass** [beɪs] *n.* basse, voix de basse.

bastard ['bɑ:stəd] *n.* **1.** bâtard ; *(Jur.)* enfant naturel. **2.** *(fam.)* sale type, salaud.

bat¹ [bæt] *n.* batte. *v. intr.* *(Cricket)* être au guichet.

bat² [bæt] *n.* chauve-souris.

batch [bætʃ] *n.* **1.** fournée (de pains). **2.**

paquet (lettres). **3.** bande (gens).

bated ['beɪtɪd] *adj.* (= **abated**) affaibli. ***With bated breath,*** en retenant son souffle.

bath [bɑ:θ] *n.* **1.** bain. **2.** baignoire. ♦ ***Bath chair,*** fauteuil roulant (de malade); ***bath towel,*** serviette de bain; ***have a bath,*** prendre un bain; ***shower bath,*** douche.
v.t. et intr. donner, prendre un bain.

bathe [beɪð] *v.t.* baigner (plaie, yeux...) *v. intr.* se baigner, nager (mer, rivière). *n.* bain, baignade.

bathroom ['bɑ:θrʊm] *n.* salle de bains.

bathtub ['bæ:θtʌb] *n. (amér.)* baignoire.

batsman ['bætsmən] *n.* (*pl.* **-men**) *(Cricket)* batteur.

batter ['bætə] *v.t.* battre à coups redoublés; déformer. ***A battered old hat,*** un vieux chapeau tout cabossé.

▷ **battery** ['bætərɪ] *n.* **1.** batterie (canons). **2.** *(Élec.)* pile, batterie, accumulateur. **3.** batterie, série (d'ustensiles).

battle ['bætl] *n.* bataille, combat. *v. intr.* *(lit.)* se battre, combattre.

bauble ['bɔ:bl] *n.* babiole, fanfreluche.

bawl [bɔ:l] *v.t. et intr.* *(fam.)* gueuler, hurler, beugler. ***He bawled himself hoarse,*** il s'est enroué à force de brailler.

▷ **bay¹** [beɪ] *n.* baie, golfe.

bay² [beɪ] *n.* abois. ***At bay,*** aux abois. ♦ *(fig.)* ***Keep somebody at bay,*** tenir quelqu'un à distance. *v. intr.* aboyer. ***Bay at the moon,*** hurler à la lune; *(fig.)* se plaindre sans arrêt.

bay³ [beɪ] *n.* (= **bay-tree**) laurier.

be [bɪ,bi:] *v. aux. irr.* (*p.* **was, were,** *p.p.* **been**) être. ***I'm studying English, I've been studying it for years,*** j'apprends l'anglais, cela fait des années que je l'apprends; ***our house is still being built,*** notre maison est encore en construction; ***the thief has been arrested,*** on a arrêté le voleur; ***their car was damaged,*** leur voiture a été endommagée; ***they are to meet again next week,*** ils doivent se revoir la semaine prochaine.
v. copule être, avoir. ***How old is he? He is 18 (years old),*** quel âge a-t-il? Il a 18 ans; ***I'm cold, hungry, thirsty,*** j'ai froid, faim, soif; ***it's not difficult,*** ce n'est pas difficile; ***the road is 20 feet wide,*** la route a plus de 6 mètres de large; ***you're right, wrong,*** vous avez raison, tort; ***what's the matter with you?*** qu'est-ce que vous avez?
v. d'existence. être, exister, se porter. ***He's an engineer,*** il est ingénieur; ***how are you?*** comment allez-vous? ***if I were you,*** à votre place; ***there is somebody waiting,*** il y a quelqu'un qui attend. ♦ ***I've never been to London,*** je ne suis jamais allé à Londres; ***there's no denying it,*** c'est incontestable.

beach [bi:tʃ] *n.* plage. *v.t.* échouer (un bateau).

beacon ['bi:kən] *n.* fanal, balise, phare.

bead [bi:d] *n.* **1.** perle (collier). ***String of beads,*** collier. **2.** grain (chapelet). **3.** *(fig.)* goutte (sueur).

beak [bi:k] *n.* bec (d'oiseau).

beam [bi:m] *n.* **1.** poutre, solive. **2.** fléau (balance). **3.** rayon (soleil); *(Radio, T.V.)* faisceau. **4.** large sourire. ♦ *(fam.)* ***Be off the beam,*** mal comprendre, dérailler; *(fam.)* ***be on one's beam-ends,*** être à court de ressources.
v. intr. rayonner, s'épanouir en un large sourire (visage).

bean [bi:n] *n.* **1.** haricot. ***Broad beans,*** fèves; ***French beans,*** haricots verts; ***haricot beans,*** haricots blancs (en grains); ***runner beans,*** haricots d'Espagne. **2.** grain (café). ♦ *(fam.)* ***She is full of beans,*** elle déborde d'énergie.

bear¹ [beə] *n.* **1.** ours, ourse. **2.** *(Bourse)* spéculateur à la baisse. ♦ ***Bearskin,*** peau d'ours, bonnet à poil; ***polar bear,*** ours blanc.

bear² [beə] *v.t. et intr. irr.* (*p.* **bore,** *p.p.* **born** sens ¹ ou **borne** sens ²) **1.** porter, produire, donner naissance à. ***I was born in London,*** je suis né à Londres. **2.** supporter, endurer. ♦ ***Bear a child,*** mettre un enfant au monde; ***bear fruit,*** porter des fruits; ***bear hatred against a man,*** haïr, détester un homme; ***bear in mind,*** ne pas oublier; ***bear right,*** prendre sur la droite; ***bear somebody a grudge,*** en vouloir à quelqu'un, lui garder rancune; ***bear the expenses,*** supporter les frais; ***bear with me a little,*** un peu de patience; ***bear witness to,*** témoigner de.

bearable ['beərəbl] *adj.* supportable, tolérable.
beard [bɪəd] *n.* barbe.
bear down *v. part. tr. et intr.* **1.** vaincre (ennemi, opposition). **2.** *(Naut.)* foncer, fondre (sur).
bearer ['beərə] *n.* porteur, porteuse. ♦ *(Bot.)* ***A good bearer,*** qui donne bien (arbre); *(Fin.)* ***payable to bearer,*** payable au porteur.
bearing ['beərɪŋ] *n.* **1.** maintien, port, allure. **2.** relation, rapport. ♦ ***His rudeness is beyond all bearing,*** sa grossièreté est vraiment insupportable; ***lose one's bearings,*** être désorienté, perdre le nord; ***take one's bearings,*** s'orienter.
bear out *v. part. t.* confirmer, corroborer, être du même avis que.
bear up *v. part. intr.* ne pas se laisser abattre. *v.t.* soutenir.
beast [bi:st] *n.* **1.** bête, *(pl.)* bestiaux. **2.** *(fig.)* saleté, salaud. ♦ ***Beast of burden,*** bête de somme; ***beast of prey,*** prédateur; ***wild beasts,*** bêtes sauvages.
beat [bi:t] *v.t. et intr.* (*p.* **beat,** *p.p.* **beaten**) battre, frapper, corriger, vaincre, rabattre. ♦ ***Beat about the bush,*** tourner autour du pot; *(fam.)* ***beat it!*** dégage! ***beat one's breast,*** se frapper la poitrine; ***beat time,*** battre la mesure; ***that beats everything!*** c'est le comble!
n. **1.** coup, son, battement, pulsation. **2.** ronde (policier), tournée (facteur). ♦ *(fam.)* ***It's out of my beat,*** ce n'est pas de mon ressort.
beat up *v. part. t. (fam.)* passer à tabac.
beaten ['bi:tn] (**beat** *v.*) ♦ ***Off the beaten track,*** hors des sentiers battus.
beautiful ['bju:tɪfəl] *adj.* beau, magnifique, superbe.
▻ **beauty** ['bju:tɪ] *n.* beauté.
beauty-parlour ['bju:tɪ,pɑ:lə] *n.* institut de beauté.
beauty spot ['bju:tɪspɒt] *n.* **1.** grain de beauté. **2.** site pittoresque.
beaver ['bi:və] *n.* **1.** castor. **2.** fourrure de castor. ♦ *(fam.).* ***He's an eager beaver,*** c'est un bourreau de travail.
became [bɪ'keɪm] (**become** *v.*).
because [bɪ'kɒz] *conj.* parce que.
because of [bɪ'kɒzəv] *prép.* à cause de.
beck [bek] *n.* signe (doigt, tête). ***She is at his beck and call,*** elle lui obéit au doigt et à l'œil.
beckon ['bekən] *v.t. et intr.* appeler (quelqu'un) d'un signe.
become [bɪ'kʌm] *v. intr. irr.* (*p.* **became** *p.p.* **become**) devenir, commencer (à être). ***Become interested in,*** s'intéresser à; ***what will become of him?*** qu'adviendra-t-il de lui? *v.t.* aller (à), convenir (à). *(lit.)* ***Mourning becomes Electra,*** le deuil sied à Électre.
bed [bed] *n.* **1.** lit. **2.** massif (fleurs). **3.** assise; lit (rivière); fond (mer). **4.** *(Géol.)* gisement, couche. ♦ ***As you make your bed so you must lie on it,*** comme on fait son lit on se couche; ***bed and board,*** pension complète; ***bed and breakfast,*** chambre avec petit déjeuner (aussi ***B and B***); ***be in bed,*** être alité; ***double bed room,*** lit pour deux personnes; ***get out of bed on the wrong side,*** se lever du pied gauche; ***make a bed,*** faire le lit; ***single bed,*** lit pour une personne; ***take to one's bed,*** s'aliter; ***twin beds,*** lits jumeaux. *v.t.* **1.** fixer (machine). **2.** planter, repiquer. **3.** coucher (avec), avoir des relations sexuelles (avec).
bedclothes ['bedkləʊðz] *n.* literie.
bedding ['bedɪŋ] *n.* **1.** litière, couche (animal, personne). **2.** literie.
bedlam ['bedləm] *n.* **1.** *(vx.)* asile de fous. **2.** vacarme, tintamarre.
bedraggled [bɪ'drægld] *adj.* débraillé, ébouriffé, crotté.
bed-ridden ['bed,rɪdn] *adj.* alité, grabataire.
bedsitter [,bed'sɪtə] *n.* studio (aussi **bed-sitting-room**).
bee [bi:] *n.* abeille. ♦ *(fam.)* ***Have a bee in one's bonnet,*** avoir des lubies, une araignée au plafond.
beech [bi:tʃ] *n.* (= **beech tree**) hêtre.
beef [bi:f] *n.* (viande de) bœuf.
beeline ['bi:laɪn] *n.* ligne droite. *(fam.)* ***Make a beeline for,*** se diriger tout droit vers.
been [bɪ:n, bɪn] (**be** *v.*).
beer [bɪə] *n.* bière. ♦ *(fam.)* ***He thinks no small beer of himself,*** il ne se prend pas pour n'importe qui.
beetle ['bi:tl] *n.* scarabée, coléoptère.
befall [bɪ'fɔ:l] *v.t. et intr. irr.* (*p.* **befell,** *p.p.* **befallen**), arriver, survenir à (souvent désagréable).

before [bɪ'fɔː] *prép.* devant, avant, en présence de. *conj.* avant que, plutôt que. *adv.* avant, déjà, auparavant, jusqu'ici. ♦ *(Jur.)* ***Appear before a Court,*** comparaître; ***as before,*** comme par le passé; ***it has never happened before,*** cela ne s'est jamais produit; ***the night before,*** la veille au soir; ***have we met before?*** nous sommes-nous déjà rencontrés?

beforehand [bɪ'fɔːhænd] *adv.* **1.** d'avance, par avance. ***Let me know your plans beforehand,*** faites-moi part de vos projets à l'avance. **2.** trop en avance.

beg [beg] *v.t. et intr.* **1.** mendier, demander l'aumône. **2.** prier (de), solliciter. ♦ ***Beg!*** fais le beau! (à un chien); ***beg the question,*** faire une pétition de principe; ***go begging,*** rester pour compte.

began [bɪ'gæn] (**begin** *v.*).

beget [bɪ'get] *v.t. et irr.* (*p.* **begot,** *p.p.* **begotten**) **1.** engendrer. **2.** *(fig. lit.)* causer, occasionner. ***Idleness begets juvenile delinquency,*** l'oisiveté conduit à la délinquance juvénile.

beggar ['begə] *n.* mendiant, mendiante. ♦ ***Poor beggar,*** pauvre diable; ***you little beggar!*** petit fripon! petit coquin! *v.t.* appauvrir. ♦ *(lit.)* ***It beggars (all) description,*** cela défie toute description.

begin [bɪ'gɪn] *v.t. et intr. irr.* (*p.* **began,** *p.p.* **begun**) commencer, débuter, se mettre à. ♦ ***To begin with,*** d'abord.

beg off *v. part. t. et intr.* excuser (l'absence de); demander l'autorisation de s'absenter, se faire excuser.

begot [bɪ'gɒt] (**beget** *v.*).

begotten [bɪ'gɒtn] (**beget** *v.*).

beguile [bɪ'gaɪl] *v.t.* **1.** tromper, duper, séduire. **2.** occuper (le temps)..

begun [bɪ'gʌn] (**begin** *v.*).

behalf [bɪ'hɑːf] *n.* part, faveur. ***On behalf of somebody*** (ou = ***on somebody's behalf***), en faveur de, au nom de quelqu'un.

behave [bɪ'heɪv] *v. intr.* se conduire, se comporter. ♦ ***Behave yourself!,*** sois sage!

behaviour [bɪ'heɪvjə] *n.* conduite, comportement.

behead [bɪ'hed] *v.t.* décapiter.

beheld [bɪ'held] (**behold** *v.*).

behind [bɪ'haɪnd] *prép. et adv.* derrière, en arrière, en retard (sur). ♦ ***Behind the times,*** démodé, en retard sur son époque; ***behind time,*** en retard; ***I'm a bit behind in my work,*** je suis un peu en retard dans mon travail.
n. (Anat.) derrière.

behold [bɪ'həʊld] *v.t. irr.* (*p.* **beheld,** *p.p.* **beheld**) *(vx.)* voir, contempler.

being [biːɪŋ] *n.* **1.** existence. **2.** être. ***Human being,*** être humain. ♦ ***Bring into being,*** faire naître, susciter. *adj.* ***For the time being,*** pour l'instant.

belated [bɪ'leɪtɪd] *adj.* attardé, tardif.

belch [beltʃ] *v. intr.* roter, avoir des renvois. *(fig.)* ***Belch out,*** vomir (fumée).

belie [bɪ'laɪ] *v.t.* démentir, donner un démenti à.

belief [bɪ'liːf] *n.* croyance, confiance, foi. ♦ ***Beyond belief,*** incroyable; ***to the best of my belief,*** autant que je sache.

believe [bɪ'liːv] *v.t. et intr.* croire; ajouter foi, estimer. ♦ ***He believes in getting plenty of exercise,*** il croit beaucoup aux exercices physiques; ***I believe not,*** je ne crois pas; ***I believe so,*** je crois que oui; ***make believe,*** prétendre, faire semblant.

believer [bɪ'liːvə] *n.* croyant, adepte.

bell [bel] *n.* cloche, clochette, sonnette, grelot, timbre; *(Bot.)* calice (fleur). ♦ ***Ring the bell,*** sonner; *(fig.)* ***this title rings a bell,*** ce titre me dit quelque chose.

bell-bottoms ['bel,bɒtəmz] *n.* pantalon à pattes d'éléphant.

bellboy ['belbɔɪ] *n.* chasseur (d'hôtel) (aussi *amér.* **bellhop**).

bellow ['beləʊ] *v. intr.* **1.** beugler, mugir. **2.** brailler.

bellows ['beləʊz] *n. pl.* soufflet. ***A pair of bellows,*** un soufflet.

belly ['belɪ] *n.* ventre, estomac.

belong [bɪ'lɒŋ] *v. intr.* **1.** appartenir (à), être membre (de). **2.** se sentir chez soi. ***I feel I belong here,*** j'ai l'impression d'être ici chez moi.

belongings [bɪ'lɒŋɪŋz] *n.* affaires, biens.

beloved [bɪ'lʌvd, bɪ'lʌvɪd] *adj. et n.,* bien-aimé.

below [bɪ'ləʊ] *prép. et adv.* sous, au-dessous de; en bas, en aval. ♦ ***Here***

below, ici-bas ; ***speak below one's breath,*** murmurer.

belt [belt] *n.* **1.** ceinture, ceinturon, courroie. **2.** zone. ***The Corn Belt,*** la région de culture du maïs. ♦ ***Hit below the belt,*** porter un coup bas ; ***tighten one's belt,*** se serrer la ceinture.
v.t. et intr. **1.** ceindre. **2.** cingler, donner une correction à. ♦ *(fam.)* ***Belt along,*** foncer.

bench [bentʃ] *n.* **1.** banc, banquette, gradin, établi. **2.** *(Jur.)*cour, tribunal. ***The Bench,*** le juge, la Cour.

bend [bend] *v.t. et intr. irr.* (*p.* **bent** *p.p.* **bent**) courber, plier ; fléchir (genou) ; tendre (arc) ; se courber, s'incliner. ♦ *(fam.)* ***Bend over backwards,*** se mettre en quatre ; ***he is bent on becoming a teacher,*** il est résolu à devenir professeur. *n.* courbe, coude, virage, tournant. ♦ *(fam.)* ***It drives me round the bend,*** ça me rend cinglé.

bended ['bendɪd] *adj.* (surtout *fig.*) ***On bended knee(s),*** à genoux.

beneath [bɪ'ni:θ] *prép. et adv.* sous, au-dessous. ♦ ***It is beneath you,*** c'est indigne de vous.

benefactor ['benɪˌfæktə] *n.* bienfaiteur.

beneficent [bɪ'nefɪsnt] *adj.* bienfaisant, salutaire.

beneficial [ˌbenɪ'fɪʃl] *adj.* salutaire. ***Beneficial to the health,*** bon pour la santé.

⚠ **benefit** ['benɪfɪt] *n.* **1.** profit, avantage. **2.** allocation. ***Sickness benefit,*** prestations de maladie ; ***unemployment benefit,*** allocation de chômage. **3.** représentation (ou match) au bénéfice de. ***A benefit for old actors,*** une soirée au profit des vieux comédiens.

⚠ **benevolent** [bɪ'nevələnt] *adj.* bienveillant, charitable.

benign [bɪ'naɪn] *adj.* **1.** bienfaisant, affable. **2.** *(Méd.)*bénin.

bent [bent] (**bend** *v.*).

bequeath [bɪ'kwɪ:ð] *v.t.* léguer.

bequest [bɪ'kwest] *n.* legs.

bereaved [bɪ'rɪ:vd] *adj.* endeuillé, affligé (aussi **bereft**). ***The bereaved,*** la famille du défunt.

berry ['berɪ] *n.* *(Bot.)*baie, fruit.

berth [bɜ:θ] *n.* **1.** couchette. **2.** *(fam.)* ***A snug berth,*** une planque. **3.** *(Naut.)* mouillage. ♦ ***Give somebody*** (ou ***something)*** ***a wide berth,*** éviter quelqu'un (ou : quelque chose) à tout prix. *v.t. et intr. (Naut.)* amarrer à quai ; mouiller.

beseech [bɪ'sɪ:tʃ] *v.t. irr.* (*p.* **besought,** *p.p.* **besought**) supplier, implorer.

beset [bɪ'set] *v.t. irr.* (*p.* **beset,** *p.p.* **beset**) *(vx.)* entourer, encercler, assiéger. ♦ ***His besetting sin is idleness,*** l'oisiveté constitue son défaut majeur ; ***This issue is beset with difficulties,*** ce problème est hérissé de difficultés.

beside [bɪ'saɪd] *prép.* à côté de, auprès de ; comparé à. ♦ ***He was beside himself,*** il était hors de lui ; ***that's beside the point,*** cela n'a rien à voir avec l'affaire.

besides [bɪ'saɪdz] *prép.* outre, en plus de. *adv.* en outre, d'ailleurs. ***I don't feel like going out, and besides I'm exhausted,*** je n'ai pas envie de sortir, et du reste je suis épuisé.

besiege [bɪ'sɪ:dʒ] *v.t.* assiéger. ♦ ***He was besieged with questions,*** il fut assailli de questions.

besought [bɪ'sɔ:t] (**beseech** *v.*).

best [best] *adj.* (*superl.* de **good**) le meilleur, la meilleure. ***Best man,*** garçon d'honneur. *adv.* *(superl.* de **well**) le mieux. ♦ ***At best,*** au mieux ; ***like best,*** préférer. *n.* le mieux, le meilleur, ce qu'il y a de mieux. ♦ ***Do as you think best,*** faites pour le mieux ; ***dressed in his (Sunday) best,*** sur son trente et un, endimanché ; ***know best,*** être le meilleur juge ; ***make the best of something,*** s'accommoder au mieux de quelque chose ; ***she had*** (ou ***got) the best of him,*** elle l'a emporté sur lui ; ***to the best of my belief,*** autant que je sache.

bestir [bɪ'stɜ:] *v.t.* ***Bestir oneself,*** se remuer, s'activer.

bestow [bɪ'stəʊ] *v.t.* conférer, accorder, consacrer. ***The title was bestowed upon him by the Queen,*** c'est la Reine qui lui a conféré ce titre.

bet [bet] *v.t. irr.* (*p.* **bet,** *p.p.* **bet**) parier. ♦ *(fam.)* ***You can bet your boots that she'll ask you for money,*** je te fiche mon billet qu'elle te demandera de l'argent ; ***will she come? – You bet,*** est-ce qu'elle viendra ? tu peux y compter. *n.* pari, gageure.

betray [bɪ'treɪ] *v.t.* **1.** tromper, trahir. **2.** révéler, divulguer.
betrayal [bɪ'treɪəl] *n.* trahison, perfidie, révélation.
better ['betə] *adj.* (*comp.* de **good**) mieux, meilleur. ♦ ***Better late than never,*** mieux vaut tard que jamais; ***better off,*** plus à l'aise; ***go one better,*** renchérir; ***he was better than his word,*** il a largement tenu ses promesses; ***I am (all) the better for doing it,*** je me trouve bien de l'avoir fait; ***I had better work than go to the pictures,*** je ferais mieux de travailler que d'aller au cinéma; ***I know better than contradict her,*** je me garderai bien de le contredire.
n. mieux. ***A change for the better,*** une amélioration; ***get the better of,*** l'emporter sur; ***so much the better (for that),*** tant mieux.
v.t. améliorer.
between [bɪ'twiːn] *prép.* entre, au milieu de.
beverage ['bevrɪdʒ] *n.* breuvage, boisson.
bevy ['bevɪ] *n.* volée, troupe. ***A bevy of young girls,*** un essaim de jeunes filles.
beware [bɪ'weə] *v. intr.* se garder (de), se méfier (de), prendre garde (à). ***Beware of the dog,*** chien méchant.
bewilder [bɪ'wɪldə] *v.t.* désorienter, égarer, abasourdir.
beyond [bɪ'jɒnd] *prép.* **1.** au-delà de, de l'autre côté de. **2.** au-dessus de. **3.** excepté. ♦ ***Beyond all praise,*** au-dessus de tout éloge; ***beyond doubt,*** hors de doute; ***beyond one's reach,*** hors de portée; ***beyond question,*** indéniable; ***this job is beyond me,*** ce travail me dépasse. *n.* ***The beyond,*** l'au-delà.
bias ['baɪəs] *n.* **1.** biais, penchant. **2.** préjugé, parti pris. *v.t.,* faire pencher, influencer.
bib [bɪb] *n.* bavoir, bavette.
bicker ['bɪkə] *v. intr.* se chamailler.
bicycle ['baɪsɪkl] *n.* bicyclette. ***Ride a bicycle,*** faire de la bicyclette. *v. intr.* aller à bicyclette (cf. **cycle**).
bid[1] [bɪd] *v.t. irr.* (*p.* **bade** ou **bid,** *p.p.* **bidden** ou **bid**). **1.** ordonner, commander. **2.** dire. ***Bid somebody goodbye,*** dire au revoir à quelqu'un.
bid[2] [bɪd] *v.t. et intr. irr.* (*p.* **bid,** *p.p.* **bid**). **1.** faire offre (pour). ***Bid £ 500 for a picture,*** offrir 500 livres d'un tableau. **2.** faire une annonce (cartes).
n. **1.** offre, enchère. ***Make a higher bid,*** surenchérir; ***takeover bid,*** OPA. **2.** demande, annonce (cartes), **3.** tentative. ***Make a bid for power,*** tenter de s'emparer du pouvoir.
bidden ['bɪdn] (**bid** *v.*).
big [bɪg] *adj.* **1.** gros, grand, vaste. **2.** (*fig.*) fier, prétentieux. ♦ (*vx.*) ***Big with child,*** enceinte; (*fam.*) ***he is too big for his boots,*** il ne se prend pas pour rien; ***talk big,*** faire l'important.
bike [baɪk] *n.* (*fam.*) vélo, bécane.
▷ **bilingual** [baɪ'lɪŋgwəl] *adj.* bilingue.
▷ **bilious** ['bɪljəs] *adj.* bilieux, irritable.
bill[1] [bɪl] *n.* bec. *v. intr.* se becqueter. ***Bill and coo,*** se bécoter, s'aimer comme deux tourtereaux.
bill[2] [bɪl] *n.* **1.** note, facture, addition. **2.** (*Comm., Fin.*) effet, traite. ***Bill of exchange,*** lettre de change. **3.** projet de loi. **4.** affiche. ***Stick no bills,*** défense d'afficher. **5.** (*amér.*) billet de banque (cf. **banknote**).
billposter ['bɪl,pəʊstə] *n.* colleur d'affiches.
bin [bɪn] *n.* **1.** boîte, coffre. **2.** (= **dustbin**) poubelle.
bind [baɪnd] *v.t. irr.* (*p.* **bound,** *p.p.* **bound**). **1.** lier, attacher, unir. **2.** relier (livre). **3.** (*Méd.*) panser, ligaturer. **4.** contraindre. ♦ (*vx.*) ***Bind a boy (over) as an apprentice,*** mettre un garçon en apprentissage; ***bind up a sheaf,*** lier une gerbe. *v. intr.* se lier, se durcir.
binder ['baɪndə] *n.* **1.** relieur. **2.** (*Agr.*) lieuse, lieur. **3.** classeur. **4.** (*Tech.*) liant.
binding ['baɪndɪŋ] *n.* reliure.
bingo ['bɪŋgəʊ] *n.* jeu de loto.
binoculars [bɪ'nɒkjʊləz] *n. pl.* jumelles.
birch [bɜːtʃ] *n.* **1.** bouleau (aussi **birch-tree**). **2.** verges. *v.t.* fouetter, rosser.
bird [bɜːd] *n.* **1.** oiseau. **2.** (*fam.*) pépée, nana. ♦ ***A bird in the hand is worth two in the bush,*** un tiens vaut mieux que deux tu l'auras; ***a little bird told me,*** mon petit doigt me l'a dit; ***a queer bird,*** un drôle de type; ***birds of a feather flock together,*** qui se res-

semble s'assemble; ***bird of prey,*** oiseau de proie; *(fam.)* ***give somebody the bird,*** envoyer promener quelqu'un, huer (acteur); ***kill two birds with one stone,*** faire d'une pierre deux coups; ***the early bird catches the worm,*** l'avenir appartient aux «lève-tôt».

bird's-eye view [ˌbɜːdzaɪ'vjuː] *n.* **1.** vue à vol d'oiseau. **2.** *(fig.)* vue d'ensemble (d'un sujet).

bird-watcher ['bɜːdˌwɒtʃə] *n.* observateur d'oiseaux.

birth [bɜːθ] *n.* naissance, accouchement. ***Give birth,*** donner naissance, mettre bas (animal).

birth-control ['bɜːθkənˌtrəʊl] *n.* limitation des naissances.

birthday ['bɜːθdeɪ] *n.* anniversaire.

birthrate ['bɜːθreɪt] *n.* taux de natalité.

bishop ['bɪʃəp] **n. 1.** évêque. **2.** fou (échecs).

bit[1] [bɪt] *n.* **1.** morceau, petite quantité. **2.** pièce de monnaie. **3.** bout de temps. **4.** *(Naut.)* bitte d'amarrage. ♦ ***A bit late,*** un peu en retard; ***bit by bit,*** peu à peu; ***do one's bit,*** y mettre du sien; ***I don't care a bit (about / it),*** cela m'est égal; ***not a bit (of it),*** pas le moins du monde.

bit[2] [bɪt] *n.* **1.** mors. **2.** mèche (outil).

bit[3] [bɪt] (**bite** *v.*).

bite [baɪt] *n.* **1.** morsure, coup de dent, bouchée. **2.** piqûre (insecte). **3.** touche (pêche). **4.** piquant.

v.t. et intr. irr. (*p.* **bit,** *p.p.* **bitten**). **1.** mordre. **2.** piquer. **3.** *(fig.)* mordre. **4.** pincer, couper (vent). ♦ ***Bite one's nails,*** se ronger les ongles; *(fam.)* ***bite somebody's head off,*** rembarrer quelqu'un; ***get bitten,*** se faire mordre, piquer; ***once bitten twice shy,*** chat échaudé craint l'eau froide; ***the dog has bitten him in the calf,*** le chien l'a mordu au mollet; ***what's biting you now?*** quelle mouche vous pique?

bitter ['bɪtə] *adj.* amer, âpre; *(fig.)* cruel. ♦ ***Bitter enemies,*** ennemis acharnés; ***to the bitter end,*** jusqu'au bout.

black [blæk] *adj.* noir, obscur; *(fig.)* sombre (désespoir). ♦ ***Beat somebody black and blue,*** battre quelqu'un comme plâtre; ***black eye,*** œil au beurre noir, poché; ***black sheep,*** brebis galeuse; ***look black,*** avoir une figure d'enterrement; ***things are looking black,*** les choses se présentent mal. *n.* noir, ténèbres. ♦ ***The blacks,*** les Noirs.

v.t. **1.** noircir. **2.** *(G.B.)* boycotter (une entreprise, pour un syndicat).

blackberry ['blækbərɪ] *n.* mûre sauvage. ***Blackberry bush,*** ronces.

blackbird ['blækbɜːd] *n.* merle.

blacken ['blækən] *v.t.* **1.** noircir. **2.** *(fig.)* salir (une réputation, ...).

blackguard ['blægɑːd] *n.* vaurien, canaille.

blacking ['blækɪŋ] *n.* cirage noir.

blackleg ['blækleg] *n.* *(Ind.)* jaune, briseur de grèves.

blackmail ['blækmeɪl] *n.* chantage. *v.t.* faire chanter. ***Blackmail somebody into doing something,*** contraindre quelqu'un à faire quelque chose par chantage.

blackout ['blækaʊt] *n.* **1.** black-out (guerre). **2.** *(Elec.)* panne générale. **3.** étourdissement, perte de connaissance.

black out, *v. part. t. et intr.* **1.** faire le black-out. **2.** s'évanouir.

blacksmith ['blæksmɪθ] *n.* forgeron, maréchal-ferrant.

bladder ['blædə] *n.* **1.** *(Anat.)* vessie, vésicule. **2.** vessie, outre.

blade [bleɪd] *n.* **1.** lame, pale (hélice). **2.** brin (d'herbe).

blame [bleɪm] *n.* **1.** blâme, reproche. **2.** responsabilité, faute. ***He laid the blame for it on his wife,*** il en rejeta la responsabilité sur sa femme. *v.t.* blâmer, reprocher. ***You have only yourself to blame,*** tu l'as bien voulu.

bland [blænd] *adj.* doux, aimable, affable.

blandishment ['blændɪʃmənt] *n.* (surtout au *pl.*) flatteries.

blank [blæŋk] *adj.* **1.** blanc, vierge. **2.** déconcerté, vide, sans expression (regard, visage). ♦ ***Blank cartridge,*** cartouche à blanc; *(Lit.)* ***blank verse,*** vers blancs, sans rimes; ***they gave him a blank cheque,*** ils lui ont donné carte blanche.

n. blanc, espace vide, lacune. ♦ ***Draw a blank,*** faire chou blanc, ne pas trouver ce qu'on cherche.

blanket [ˈblæŋkɪt] *n.* couverture. *(fig.) **Wet blanket,*** rabat-joie, trouble-fête.
blare [bleə] *n.* vacarme, sonnerie (cor). *v.t.* faire retentir. ***The radio was blaring out the latest news,*** on entendait brailler les dernières nouvelles à la radio.
blast [blɑ:st] *n.* **1.** rafale, coup de vent. **2.** souffle (explosion). **3.** son (cuivres). *v.t.* **1.** faire sauter (poudre), foudroyer (foudre). **2.** flétrir, détruire. ***All his hopes have been blasted,*** toutes ses espérances ont été anéanties.
blast furnace [ˈblɑ:st,fɜ:nɪs] *n.* haut-fourneau.
blast off *v. part. intr.* décoller (fusée spatiale).
blast-off [ˈblɑ:stɒf] *n.* blast-off, lancement, mise à feu.
blatant [ˈbleɪtənt] *adj.* éhonté, flagrant.
blaze [bleɪz] *n.* **1.** flammes, flambée. **2.** incendie, brasier. **3.** *(fig.)* éclat, splendeur. ***In a blaze of anger,*** dans un brusque accès de colère. *v. intr.* être en flammes, flamboyer. *v.t.* répandre (nouvelles, rumeurs, ...).
bleach [bli:tʃ] *v.t.* blanchir, décolorer.
bleak [blɪ:k] *adj.* **1.** froid, sans abri, exposé. **2.** morne, triste, désolé.
bled [bled] (**bleed** *v.*).
bleed [bli:d] *v.t. et intr. irr.* (*p.* **bled,** *p.p.* **bled**) saigner, perdre du sang, faire une saignée. ♦ *(fig.) **He bled her white,*** il lui a extorqué jusqu'à son dernier centime; ***the injured man is bleeding to death,*** le blessé perd tout son sang.
blemish [ˈblemɪʃ] *n.* tache, défaut, tare. *v.t.* tacher, gâter, ternir.
blend [blend] *v.t. et intr.* **1.** mélanger, fondre, unir. **2.** se mélanger, se fondre, s'allier, fusionner. *n.* **1.** mélanger. **2.** alliance, fusion.
⚠ **bless** [bles] *v.t.* bénir, accorder sa bénédiction. *(fig.) **She is blessed with many children,*** elle a le bonheur d'avoir de nombreux enfants.
blessing [ˈblesɪŋ] *n.* **1.** bénédiction. **2.** *(fig.)* bonheur. **3.** *(Rel.)* bénédicité.
blew [blu:] (**blow** *v.*).
blight [blaɪt] *n.* **1.** *(Agr.)* nielle, rouille (plantes). **2.** *(fig.)* tache, flétrissure.
blind[1] [blaɪnd] *adj.* **1.** aveugle. **2.** sans visibilité. ♦ ***A blind man,*** un aveugle; ***as blind as a bat,*** myope comme une taupe; ***blind from birth,*** aveugle de naissance; ***blind man's buff,*** colin-maillard; ***the blind,*** les aveugles; ***turn a blind eye to,*** feindre de ne pas voir. *v.t.* **1.** rendre aveugle. **2.** *(fig.)* aveugler, éblouir.
blind[2] [blaɪnd] *n.* store, jalousie.
blindfold [ˈblaɪndfəʊld] *n.* bandeau. *adj.* les yeux bandés. *v.t.* bander les yeux.
blindness [ˈblaɪndnɪs] *n.* **1.** cécité. **2.** *(fig.)* aveuglement.
blink [blɪŋk] *v.t. et intr.* **1.** cligner des yeux. **2.** clignoter, vaciller (lumière). ♦ ***There's no blinking the fact,*** il n'y a pas à se le dissimuler.
bliss [blɪs] *n.* félicité, béatitude.
blister [ˈblɪstə] *n.* ampoule, cloque.
bloated [ˈbləʊtɪd] *adj.* gonflé, bouffi, boursouflé.
⚠ **block** [blɒk] *n.* **1.** bloc, bille, billot. **2.** pâté de maisons. **3.** embouteillage. **4.** billot (exécution). ***Block and tackle,*** palan; ***block of flats,*** immeuble.
blockade [bləˈkeɪd] *n.* blocus. ***Break a blockade,*** forcer un blocus; ***raise the blockade,*** lever le blocus.
blood [blʌd] *n.* sang; *(fig.)* race, parenté. ♦ ***Draw blood,*** faire saigner quelqu'un; ***his blood is up,*** il est très monté; ***in cold blood,*** de sang froid; ***infuse fresh blood,*** donner un sang nouveau, vivifier (entreprise); ***it makes your blood run cold,*** cela vous glace le sang; ***it runs in their blood,*** c'est de famille; *(Méd. vx.) **let blood,*** saigner quelqu'un; ***there is bad blood between them,*** la discorde règne entre eux.
bloodhound [ˈblʌdhaʊnd] *n.* limier.
bloodless [ˈblʌdlɪs] *adj.* **1.** exsangue, anémié. **2.** pacifique, sans effusion de sang (victoire). **3.** *(péj.)* amorphe, insensible.
bloodshed [ˈblʌdʃed] *n.* effusion de sang, carnage.
bloodshot [ˈblʌdʃɒt] *adj.* injectés de sang (yeux).
bloodthirsty [ˈblʌd,θɜ:stɪ] *adj.* assoiffé de sang, sanguinaire.
bloody [ˈblʌdɪ] *adj.* **1.** sanglant, ensanglanté. **2.** *(fam.) **Don't be a bloody fool!*** ne fais pas le crétin!

adv. ***Will you help me? – Not bloody likely!*** tu m'aideras? – tu parles!

bloody-minded [ˌblʌdɪˈmaɪndɪd] *adj.* pas commode, mauvais coucheur.

bloom [bluːm] *n.* fleur; velouté (fruit). ♦ ***In full bloom,*** en pleine floraison; ***in the bloom of youth,*** en pleine jeunesse. *v. intr.* **1.** être en fleurs, s'épanouir. **2.** *(fig.)* être florissant, se développer (amitié).

blossom [ˈblɒsm] *n.* fleur, floraison (arbre, arbuste). *v. intr.* fleurir, être en fleurs.

blossom out, *v. part. intr.* s'épanouir; *(fig.)* se développer.

blot [blɒt] *n.* tache, pâté, souillure. *v.t.* tacher, faire un pâté, souiller; sécher (buvard).

blotch [blɒtʃ] *n.* tache, rougeur.

blot out *v. part. t.* **1.** masquer, effacer, cacher. **2.** exterminer (famille, race).

blotting-paper [ˈblɒtɪŋˌpeɪpə] *n.* buvard.

⚠ **blouse** [blaʊz] *n.* corsage, chemisier.

⚠ **blow** [bləʊ] *v.t. et intr. irr.* (*p.* **blew,** *p.p.* **blown**). **1.** souffler, chasser (air). **2.** sonner (cor). **3.** faire sauter (fusible). **4.** claquer (argent). **5.** s'épanouir (fleur). ♦ ***Blow one's nose,*** se moucher; ***blow someone a kiss,*** envoyer de la main un baiser à quelqu'un.
n. coup; *(fig.)* coup du sort. ***Come to blows,*** en venir aux mains.

blowlamp [ˈbləʊlæmp] *n.* chalumeau, lampe à souder.

blow off, *v. part. t. (fam.)* ***Blow off steam,*** se défouler.

blow out *v. part. t. et intr.* **1.** éteindre, s'éteindre. **2.** éclater (pneu). **3.** s'arrêter (machine électrique). **4.** emporter, faire sauter (par explosion).

blow up *v. part. t. et intr.* **1.** faire sauter, sauter. **2.** gonfler, se gonfler. **3.** agrandir (photo). **4.** *(fig.)* sortir de ses gonds. **5.** se lever (orage).

blue [bluː] *adj.* **1.** bleu. **2.** triste. ♦ ***Blue book,*** livre blanc, rapport officiel; ***blue film,*** film porno; ***feel blue,*** avoir le cafard; ***look blue,*** avoir l'air sombre; ***once in a blue moon,*** la semaine des quatre jeudis; ***scream blue murder,*** crier comme un putois. *n.* bleu, azur. ***Dark blue,*** bleu foncé; ***light blue,*** bleu clair. ♦ *(fig.)* ***Come out of the blue,*** arriver à l'improviste.

blue-collar [ˌbluːˈkɒlə] *adj.* ***Blue-collar workers,*** ouvriers. (≠ **white-collar**).

blueprint [ˈbluːprɪnt] *n.* **1.** *(Tech.)* dessin négatif. **2.** *(fig.)* plan, projet.

blues [bluːz] **1.** *(Mus.)* ***The blues,*** le blues. **2.** cafard. ***Have the blues,*** broyer du noir.

⚠ **bluff**[1] [blʌf] *adj.* **1.** escarpé. **2.** brusque (personne). *n.* à-pic, escarpement.

▷ **bluff**[2] [blʌf] *v.t. et intr.* bluffer. ***He bluffed her into marrying him,*** il l'a amenée à l'épouser en bluffant.
n. bluff. ***Call somebody's bluff,*** inviter l'adversaire à mettre cartes sur table; *(fig.)* relever le défi, prendre au mot.

blunder [ˈblʌndə] *n.* bévue, gaffe, impair. *v. intr.* **1.** commettre un impair, gaffer. **2.** avancer à tâtons.

blunt [blʌnt] *adj.* **1.** émoussé, qui ne coupe plus (≠ **sharp**); *(fig.)* émoussé (sens). **2.** bourru (personne); brutal (fait). *v.t.* émousser.

blur [blɜː] *n.* tache floue, indistincte. *v.t.* brouiller, estomper (contours).

blurt out [ˌblɜːtˈaʊt] *v. part. t.* laisser échapper étourdiment (remarque).

blush [blʌʃ] *v. intr.* rougir (timidité...). ***She blushed for shame,*** elle a rougi de honte. *n.* rougeur.

boar [bɔː] *n.* verrat. ***Wild boar,*** sanglier.

board [bɔːd] *n.* **1.** planche. **2.** (= **blackboard**) tableau. **3.** table, pension. ***Board and lodging,*** le gîte et le couvert; ***full board,*** pension complète. **4.** (= **chessboard**) échiquier. **5.** (= **cardboard**) carton. **6.** comité, conseil. ***Board of administration,*** conseil d'administration; ***be on the board,*** siéger au conseil; ***board of examiners,*** jury d'examen; ***Board of Trade,*** ministère du Commerce. **7.** *(Naut. et Av.)* ***On board,*** à bord; ***go on board,*** s'embarquer; ***on board a ship,*** à bord d'un navire. **8.** *(pl.)(Th.)* scène, planches. ♦ *(fig.)* ***Go by the board,*** échouer, avorter; ***let something go by the board,*** négliger quelque chose; ***sweep the board,*** rafler tout; *(fig.)* remporter un succès complet.
v.t. et intr. **1.** garnir de planches. **2.**

prendre en pension; prendre pension. **3.** monter à bord.

boarder ['bɔːdə] *n.* pensionnaire, interne. ***She takes in a few boarders for a living,*** pour vivre, elle prend quelques pensionnaires.

boarding-card ['bɔːdɪŋkɑːd] *n. (Av. et Naut.)* carte d'embarquement. (aussi **boarding-pass**).

boarding-house ['bɔːdɪŋhaʊs] *n.* pension de famille.

boarding-school ['bɔːdɪŋskuːl] *n.* pensionnat, internat.

boast [bəʊst] *v. intr.* se vanter. ***That's nothing to boast of,*** il n'y a pas de quoi en être fier. *v.t.* se glorifier de. ***Our school boasts a fine library,*** notre école s'énorgueillit de posséder une belle bibliothèque.
n. **1.** vanterie. **2.** légitime fierté.

boastful ['bəʊstfəl] *adj.* vantard.

boat [bəʊt] *n.* bateau, embarcation. ♦ ***Go by boat,*** prendre le bateau; *(fig.)* ***let's not miss the boat,*** ne ratons pas le coche; *(fig.)* ***we're all in the same boat,*** nous sommes tous logés à la même enseigne.
v. intr. se promener en bateau. ***Go boating,*** faire une partie de canotage.

boatman ['bəʊtmən] *n.* (*pl.* **-men**) **1.** passeur. **2.** loueur de canots.

boat train ['bəʊt-treɪn] *n.* train assurant la correspondance du bateau.

bob [bɒb] *v.t. et intr.* **1.** se balancer, osciller. ***The cork was bobbing on the water,*** le bouchon dansait sur l'eau. **2.** faire une petite révérence (aussi: **bob a curtsy**). **3.** couper des cheveux court. ***She has her hair bobbed,*** elle porte les cheveux court.
n. **1.** mouvement vertical, secousse légère. **2.** petite révérence. **3.** coiffure courte. **4.** *(fam.)* shilling.

bobby ['bɒbɪ] *n. (fam.)* flic.

bodily ['bɒdɪlɪ] *adv.* corporellement. ***The drunkard was carried bodily to the door,*** on empoigna l'ivrogne et on le porta jusqu'à la porte. *adj.* corporel, physique. (douleur, peur).

body ['bɒdɪ] *n.* **1.** corps. **2.** cadavre (cf. **corpse**). **3.** grande quantité, bande. ***A large body of people,*** une nombreuse assemblée; ***legislative body,*** corps législatif. **4.** corps (céleste). **5.** *(Aut.)* (= **bodywork**) carrosserie. ♦ ***In a body,*** comme un seul homme, en masse; ***keep body and soul together,*** vivoter, joindre les deux bouts; ***wine with a body,*** vin corsé.

bodyguard ['bɒdɪgɑːd] *n.* garde du corps.

bodywork ['bɒdɪwɜːk] *n.* carrosserie.

boffin ['bɒfɪn] *n. (fam.)* savant.

bog [bɒg] *n.* **1.** marais, fondrières. **2.** *(pl. vulg.)* latrines, chiottes.

bogey man ['bəʊgɪ,mæn] *n.* croque-mitaine.

bogus ['bəʊgəs] *adj.* faux, simulé. ♦ ***Bogus company,*** société fantôme.

boil [bɔɪl] *v. intr.* bouillir, bouillonner. ♦ *(fam.)* ***It boils down to a struggle between the two superpowers,*** cela se réduit à une lutte entre les deux superpuissances. *v.t.* faire bouillir, cuire à l'eau. ***Boiled egg,*** œuf à la coque.
n. ébullition. ***Come to the boil,*** se mettre à bouillir; ***on the boil,*** qui bout.

boiler ['bɔɪlə] *n.* **1.** chaudière. **2.** réservoir d'eau chaude.

boisterous ['bɒɪstrəs] *adj.* **1.** tapageur, turbulent (personne, conduite). **2.** violent, orageux (temps).

bold [bəʊld] *adj.* **1.** hardi, intrépide. **2.** impudent. ***As bold as brass,*** effronté comme un page; ***make bold with somebody,*** prendre des libertés avec quelqu'un; ***put a bold face on it,*** payer d'audace. **3.** escarpé (falaise).

bolster ['bəʊlstə] *n.* traversin.

bolster up *v. part. t. (fam.)* soutenir, encourager.

bolt[1] [bəʊlt] *n.* **1.** *(Tech.)* boulon. **2.** verrou. **3.** éclair, coup de foudre. **4.** flèche (arbalète). *(fig.)* ***A bolt from the blue,*** un événement imprévu. *v.t.* **1.** *(Tech.)* boulonner. **2.** verrouiller, tirer le verrou.

bolt[2] [bəʊlt] *n.* fuite soudaine. ***Make a bolt for the door,*** s'élancer vers la porte. *v. intr.* **1.** *(fam.)* déguerpir, prendre la poudre d'escampette. **2.** s'emballer (cheval). **3.** avaler goulûment. ***Bolt one's dinner,*** engloutir son dîner.

bolt upright [,bəʊlt'ʌpraɪt] *adv.* droit comme un I, tout droit.

▻ **bomb** [bɒm] *n.* bombe. *v.t.* bombarder.

bombard [bɒm'bɑ:d] *v.t.* **1.** bombarder. **2.** *(fig.)* assaillir (de questions). **3.** *(Sc.)* bombarder (atome).

bomber ['bɒmə] *n.* **1.** *(Av.)* bombardier. **2.** plastiqueur, terroriste.

△ **bond** [bɒnd] *n.* **1.** lien. **2.** obligation, engagement. **3.** *(Fin.)* bons, rentes. ***Treasury bonds,*** bons du Trésor. ♦ *(Comm.)* ***In bond,*** à l'entrepôt des douanes; ***take goods out of bond,*** dédouaner (marchandises).
v.t. **1.** entreposer. **2.** coller.

bondage ['bɒndɪdʒ] *n.* esclavage, servitude.

bone [bəʊn] *n.* os; arête; *(pl.)* ossements. ♦ ***Bone of contention,*** pomme de discorde; ***have a bone to pick with somebody,*** avoir un compte à régler avec quelqu'un; ***I can feel it in my bones,*** j'en ai le pressentiment; ***make no bones about (doing) something,*** y aller carrément.

bone-dry [,bəʊn'draɪ] *adj.* *(U.S. fam.)* prohibitionniste (état, ville).

bone-idle [,bəʊn'aɪdl] *adj.* fainéant (aussi **bone-lazy**).

bonfire ['bɒnfaɪə] *n.* **1.** feu de joie; **2.** feu de jardin.

△ **bonnet** ['bɒnɪt] *n.* **1.** bonnet. **2.** *(Aut.)* capot (*amér.* **hood**).

bonny ['bɒnɪ] *adj.* *(dial.)* joli et en bonne santé. ***Bonny baby,*** beau bébé.

▻ **bonus** ['bəʊnəs] *n.* prime, dividende. ♦ ***Bank clerks get a Christmas bonus,*** les employés de banque reçoivent une prime de fin d'année; ***cost-of-living bonus,*** indemnité de vie chère; *(Aut.)* ***no claims bonus,*** bonus pour absence d'accidents (sur prime assurances).

bony ['bəʊnɪ] *adj.* **1.** décharné. **2.** plein d'arêtes (poisson).

boo [bu:] *interj. et n.* **1.** hou! **2.** huée. *v.t. et intr.* huer, conspuer. ***The actor was booed off the stage,*** l'acteur fut contraint de quitter la scène sous les huées.

booby ['bu:bɪ] *n.* nigaud. ***Booby prize,*** prix de consolation (pour le dernier).

booby-trap ['bu:bɪtræp] *n.* **1.** objet piégé. **2.** *(fam.)* attrape-nigaud.

book [bʊk] *n.* **1.** livre, cahier. **2.** *(pl.)* livre de comptes, registre. ***Keep the books,*** tenir la comptabilité. ♦ ***Be in somebody's good books,*** être dans les petits papiers de quelqu'un; ***bring someone to book,*** forcer quelqu'un à rendre des comptes; ***it's a closed book to me,*** je n'y connais absolument rien.
v.t. **1.** prendre un billet, réserver. **2.** enregistrer, porter au compte (de). **3.** ***Be booked,*** attraper une contravention.

bookbinding ['bʊk,baɪndɪŋ] *n.* reliure.

bookcase ['bʊk-keɪs] *n.* bibliothèque (meuble).

book in *v. part. t. et intr.* **1.** réserver (une chambre pour quelqu'un). ***I've booked you in at the Ritz,*** je vous ai réservé une chambre au Ritz. **2.** se présenter à la réception, à l'enregistrement (cf. **check in**).

booking clerk ['bʊkɪŋ,klɑ:k] *n.* préposé aux réservations.

booking-office ['bʊkɪŋ,ɒfɪs] *n.* guichet, bureau (enregistrement) (cf. **box-office).**

bookkeeper ['bʊk,kɪ:pə] *n.* comptable.

booklet ['bʊklɪt] *n.* livret, brochure.

▻ **bookmaker** ['bʊk,meɪkə] *n.* bookmaker (courses de chevaux).

bookseller ['bʊk,selə] *n.* libraire.

bookshop ['bʊkʃɒp] *n.* librairie (*amér.* **book store**).

bookstall ['bʊkstɔ:l] *n.* **1.** bibliothèque (gare). **2.** étalage (bouquiniste).

book up *v. part. t.* (surtout au passif). réserver. ***The hotel is (fully) booked up for August,*** l'hôtel est complet pour le mois d'août.

bookworm ['bʊkwɜ:m] *n.* *(péj.)* rat de bibliothèque.

boom[1] [bu:m] *n.* **1.** *(Naut.)* bout-dehors. **2.** *(Tech.)* bras (grue). **3.** *(Ciné.)* perche. **4.** chaîne de fermeture (port).

boom[2] [bu:m] *n.* **1.** grondement. **2.** *(Comm. et Fin.)* forte hausse soudaine.
v. intr. **1.** gronder. **2.** être en hausse, prospérer. ***Business is booming,*** les affaires sont florissantes.

boon [bu:n] *n.* bienfait, aubaine. (cf. **blessing**) ***A dog is a great boon to a blind man,*** un chien rend de grands services à un aveugle; ***they are boon companions,*** ce sont de joyeux lurons.

boor [bʊə] *n.* *(péj.)* butor, rustre, malotru.

boost [buːst] *v.t.* **1.** pousser de bas en haut. **2.** accroître, favoriser. ***Boost production,*** développer la production; ***he is dejected, he needs something to boost his spirits,*** il est découragé, il lui faut quelque chose pour lui remonter le moral. **3.** faire du battage (pour). **4.** *(Tech.)* survolter. ***The space-craft is boosted by a rocket,*** une fusée augmente la vitesse du vaisseau spatial.

booster [ˈbuːstə] *n.* **1.** *(Tech.)* survolteur. ***Booster rocket,*** fusée d'appoint. **2.** *(Méd.)* piqûre de rappel.

boot[1] [buːt] *n.* **1.** chaussure, botte, boot. **2.** *(Aut.)* coffre (*amér.* **trunk**). **3.** coup. ♦ *(fam.)* ***Get the boot,*** être flanqué à la porte (cf. **get the sack**); ***have one's heart in one's boots,*** ne pas en mener large.
v.t. flanquer des coups de pied à.

boot[2] [buːt] *n.* *(vx.)* (uniquement dans l'expression:) **to boot,** par-dessus le marché.

booth [buːð] *n.* **1.** tente. **2.** baraque foraine. **3.** cabine. ♦ ***Telephone booth,*** cabine téléphonique; ***voting booth,*** isoloir.

boot out *v. part. t.* flanquer à la porte.

booty [ˈbuːtɪ] *n.* butin.

border [ˈbɔːdə] *n.* **1.** lisière, bord. **2.** *(zone)* frontière. *v.t. et intr.* **1.** border. **2.** avoisiner, être limitrophe.

bore[1] [bɔː] *n.* trou. *v.t. et intr.* percer, forer.

bore[2] [bɔː] *n.* **1.** casse-pied, raseur. **2.** ennui. ***It's a real bore having to do homework,*** c'est une vraie corvée que d'avoir à faire des devoirs à la maison. *v.t.* raser. ***Be bored stiff*** (ou ***to death***), s'ennuyer à mourir.

bore[3] [bɔː] (**bear** *v.*).

boredom [ˈbɔːdəm] *n.* ennui.

born [bɔːn] (**bear** *v.*).

borne [bɔːn] (**bear** *v.*).

borough [ˈbʌrə] *n.* **1.** bourg. **2.** circonscription électorale.

borrow [ˈbɒrəʊ] *v.t.* emprunter (à). (≠ **lend**). ***Never borrow money from a friend,*** n'empruntez jamais à un ami.

bosom [ˈbʊzəm] *n.* sein. ***Bosom friend,*** ami intime.

boss [bɒs] *n.* *(fam.)* patron, chef. *v.t.* diriger, régenter. ***This big boy likes to boss new boys about,*** ce grand gaillard prend plaisir à faire marcher les nouveaux.

botany [ˈbɒtənɪ] *n.* botanique.

botch [bɒtʃ] *v.t.* *(fam.)* rafistoler, bousiller. *n.* travail mal fait. ***Make a botch of something,*** saboter quelque chose.

both [bəʊθ] *adj. et pr.* tous (les) deux, l'un et l'autre. ♦ ***Both of us,*** nous deux; ***on both sides,*** des deux côtés; ***they both came,*** ils sont venus tous les deux. *conj.* à la fois. ***I like both classical and modern music,*** j'aime la musique tant classique que moderne.

bother [ˈbɒðə] *v.t. et intr.* ennuyer, tracasser *(fam.)* embêter. ♦ ***Don't bother,*** ne t'en fais pas; ne te donne pas ce mal. *n.* ennui, tracas, embêtement.

bottle [ˈbɒtl] *n.* bouteille, flacon; biberon. ♦ *(fam.)* ***Be on the bottle,*** lever le coude; ***bottle-fed,*** nourri au biberon; ***hot-water bottle,*** bouillotte.
v.t. mettre en bouteille.

bottleneck [ˈbɒtlnek] *n.* **1.** goulot (bouteille). **2.** rétrécissement (voie). **3.** embouteillage. **4.** *(fig.)* ralentissement, obstacle (dans la production).

bottom [ˈbɒtəm] *n.* **1.** fond, bas, pied. **2.** base, origine. **3.** *(Naut.)* carène. ♦ ***Be at the bottom of,*** être l'instigateur, la cause de; *(fam.)* ***bottoms up!*** cul sec!; ***from top to bottom,*** de fond en comble; ***he is at the bottom of it,*** c'est lui l'instigateur; ***knock the bottom out of,*** démolir (argument), ruiner (le marché); ***probe to the bottom of,*** examiner à fond; ***she is a kind soul at bottom,*** elle est brave, au fond; ***sink to the bottom,*** sombrer.

bottomless [ˈbɒtəmlɪs] *adj.* **1.** sans fond. **2.** *(fig.)* inépuisable.

bottom out *v. part. intr.* atteindre le niveau le plus bas.

bough [baʊ] *n.* rameau, branche.

bought [bɔːt] (**buy** *v.*).

boulder [ˈbəʊldə] *n.* rocher arrondi, *(Géol.)* bloc erratique.

bounce [baʊns] *v.t. et intr.* **1.** (re) bondir, sauter. **2.** se précipiter (avec bruit, colère). **3.** faire rebondir (balle). **4.** *(Fin.)* être retourné (chèque sans provision). *n.* re(bond). ***Catch the ball on the bounce,*** attraper la balle au bond. ♦ ***Have a lot of bounce,*** être

très dynamique.
bound[1] [baʊnd] *n.* bond, saut. *v. intr.* bondir, sauter.
bound[2] [baʊnd] (**bind** *v.*).
bound[3] [baʊnd] *adj.* **1.** tenu (de). **2.** certain. ***It was bound to happen,*** cela devait arriver. **3.** *(vx.)* résolu. ***He's bound to do it and nothing can prevent him,*** il est décidé à le faire et rien ne peut l'empêcher. **4.** *(Naut.)* en partance (pour). ♦ ***Bound up with,*** lié avec; *(vx.)* ***he'll be late again, I'll be bound!*** il sera encore en retard, j'en réponds.
bound[4] [baʊnd] *v.t.* (surtout *passif*) border, limiter. *n.* (surtout *pl.*) bornes, limites. ***There are no bounds to his ambition,*** son ambition est sans bornes.
boundary ['baundrı] *n.* limite (d'une ville, d'un comté); *(fig.)* frontière.
boundless ['baʊndlıs] *adj.* sans bornes; illimité (imagination...).
bounty ['baʊntı] *n.* **1.** générosité, libéralité. **2.** don. **3.** *(Comm.)* prime, subvention de l'État.
⚠ **bout** [baʊt] *n.* **1.** reprise d'une activité. ***He's on a drinking bout again,*** il s'est remis à boire. **2.** crise. ***Bout of fever,*** accès de fièvre. **3.** *(Sp.)* combat (boxe), assaut (escrime).
bow[1] [baʊ] *v.t. et intr.* **1.** s'incliner, saluer. **2.** courber, plier. ***Bow the head,*** courber la tête. ♦ ***Bow down to somebody,*** se soumettre à quelqu'un; ***bow to a decision,*** accepter une décision. *n.* salut, révérence. ***Take a bow,*** venir saluer (le public).
bow[2] [baʊ] *n.* *(Naut.)* proue (aussi **bows**). ***In the bows,*** à l'avant.
bow[3] [bəʊ] *n.* **1.** arc. **2.** *(Mus.)* archet. **3.** nœud (lacet, ruban...).
bowels ['baʊəlz] *n.* **1.** entrailles, intestins, boyaux. ***The bowels of the earth,*** les entrailles de la terre. **2.** *(lit.)* ***Bowels of compassion,*** sentiment de compassion.
bower ['baʊe] *n.* berceau de verdure, tonnelle.
bowl[1] [bəʊl] *n.* **1.** bol, vase, coupe. ***Sugar bowl,*** sucrier. **2.** fourneau (pipe).
bowl[2] [bəʊl] *n.* *(Sp.)* boule. *v.t. et intr.* **1.** lancer des boules, jouer aux boules. **2.** *(Cricket)* servir. ♦ ***Bowl along,*** circuler rapidement; *(Cricket)* ***bowl out,*** mettre hors jeu.
bowl over *v. part. t.* **1.** renverser (quilles, quelqu'un). **2.** *(fig.)* stupéfier. ***The news has quite bowled me over,*** la nouvelle m'a sidéré.
bow-legged ['bəʊ,legd] *adj.* aux jambes arquées, bancal (cf. **bandy-legged**).
bowler[1] ['bəʊlə] *n.* joueur de boules; *(Cricket)* lanceur de balle.
bowler[2] ['bəʊlə] *n.* (= **bowler-hat**) (chapeau) melon.
box[1] [bɒks] *n.* **1.** boîte, coffret, coffre. ***Box of chocolates,*** boîte de chocolats; ***cardboard box,*** carton. **2.** box, stalle (écurie). **3.** *(Th.)* loge. ♦ *(fig.)* ***Be in the wrong box,*** se fourvoyer; *(fam.)* ***we saw it on the box,*** on l'a vu à la télé.
box[2] [bɒks] *n.* (= **boxwood**) buis.
box[3] [bɒks] *v.t. et intr.* boxer. ***Box somebody's ears,*** caresser les oreilles de quelqu'un. *n.* claque. ***Give somebody a box on the ear,*** flanquer une taloche à quelqu'un.
boxing ['bɒksıŋ] *n.* boxe.
⚠ **Boxing Day** ['bɒksıŋdeı] *n.* premier jour ouvrable après Noël (jour d'étrennes).
box number ['bɒks,nʌmbə] *n.* boîte postale.
box-office ['bɒks,ɒfıs] *n.* *(Th.)* guichet. (cf. **booking-office**). *adj.* qui attire du public et rapporte gros. ***The play was a box office success,*** cette pièce a attiré les foules.
boy [bɔı] *n.* **1.** garçon. **2.** (jeune) fils. **3.** élève. **4.** gars, ami. ♦ ***Boys will be boys,*** il faut que jeunesse se passe; ***naughty boy,*** polisson, garnement; ***old boy,*** ancien élève; ***old boy!*** mon vieux!
boyfriend ['bɔıfrend] *n.* petit ami.
boyhood ['bɔıhʊd] *n.* enfance, adolescence.
bra [brɑ:] *n.* (= **brassière**) soutien-gorge.
brace [breıs] *n.* **1.** *(Tech.)* armature, entretoise. **2.** *(Méd.)* appareil d'orthodontie. **3.** paire, couple. ***A brace of partridge,*** un couple de perdrix. **4.** accolade. **5.** *(pl.)* bretelles.
v.t. **1.** soutenir, consolider. **2.** fortifier, tonifier. ***The bracing air of the***

mountains, l'air vivifiant des montagnes. ♦ ***Brace yourself for the shock!*** préparez-vous à la surprise!

bracken ['brækən] *n.* fougère.

bracket ['brækɪt] *n.* **1.** support, console. **2.** parenthèse. ***In brackets,*** entre parenthèses. **3.** tranche. ***The 16-20 age bracket,*** les jeunes compris dans la fourchette de 16 à 20 ans.
v.t. mettre entre parenthèses. ♦ *(fig.)* ***Bracket together,*** mettre dans la même catégorie.

brag [bræg] *v. intr.*, se vanter. ***He brags of having won the race,*** il se vante d'avoir gagné la course; ***nothing to brag about,*** il n'y a pas de quoi se vanter. *n.* vantardise.

braid [breɪd] *n.* **1.** tresse, natte. **2.** ganse, lacet, galon. *v.t.* **1.** tresser. **2.** ganser, garnir d'un galon.

brain [breɪn] *n.* **1.** cerveau, cervelle. **2.** jugement, intelligence. ♦ ***Blow one's brains out,*** se faire sauter la cervelle; *(fam.)* ***have something on the brain,*** être obsédé par quelque chose.
v.t. **1.** faire sauter la cervelle (à). **2.** assommer (quelqu'un).

brainchild ['breɪntʃaɪld] *n.* idée personnelle, trouvaille.

braindrain ['breɪndreɪn] *n.* fuite des cerveaux.

brainstrust ['breɪnztrʌst] *n.* groupe de conseillers, spécialistes, techniciens... (*amér.* **braintrust**).

brainwash ['breɪnwɒʃ] *v.t.* faire un lavage de cerveau. ***All those commercials brainwash people into buying shoddy articles,*** toutes ces réclames à la télé conditionnent les gens et leur font acheter de la camelote.

brainwashing ['breɪnwɒʃɪŋ] *n.* lavage de cerveau.

brainwave ['breɪnweɪv] *n.* *(fam.)* trouvaille. ***I've just had a brain-wave,*** je viens d'avoir une idée géniale.

brake[1] [breɪk] *n.* **1.** fourré. **2.** fougère (cf. **bracken**).

brake[2] [breɪk] *n.* frein. ***Put on the brake,*** freiner. *v. intr.* freiner.

bramble ['bræmbl] *n.* ronce.

bran [bræn] *n.* *(Agr.)* son.

branch [brɑːntʃ] *n.* **1.** branche, rameau. **2.** bras (rivière). **3.** *(Rail.)* embranchement. **4.** *(Comm.)* succursale.
v. intr. bifurquer (route), se ramifier.

branch off *v. part. intr.* s'embrancher. ***Take the road that branches off to the left,*** prenez la route qui part sur la gauche.

branch out *v. part. intr. (Comm., Ind.)* créer de nouveaux secteurs d'activité.

brand [brænd] *n.* **1.** *(Comm.)* marque de fabrique. ***A good brand of cigars,*** une bonne marque de cigares. **2.** tison. **3.** marque (au fer).
v.t. **1.** marquer au fer rouge. ***A farmer's cattle are all branded with the same letter,*** on marque tout le bétail d'un fermier de la même lettre. **2.** laisser une trace, graver (dans la mémoire). ***His misfortunes have branded him for ever,*** ses malheurs l'ont marqué de façon indélébile. **3.** stigmatiser. ***He was branded as a swindler,*** il avait la réputation d'être un escroc.

brand-new [ˌbrænd'njuː] *adj.* flambant neuf.

brass [brɑːs] *n.* **1.** laiton, cuivre jaune. **2.** *(Mus.)* les cuivres. **3.** plaque commémorative. **4.** *(vulg.)* fric, pognon. **5.** *(fam.)* toupet (cf. **cheek**). *(fam.)* ***Have the brass to do something,*** avoir le culot de faire quelque chose. ♦ ***Let's get down to brass tacks,*** venons-en aux choses sérieuses.

⚠ **brassiere** ['bræzjə] *n.* soutien-gorge (cf. **bra**).

brawl [brɔːl] *n.* querelle bruyante, rixe. *v. intr.* se chamailler, se bagarrer.

brawny [brɔːnɪ] *adj.* musculeux, vigoureux.

bray [breɪ] *n.* **1.** braiment. **2.** fanfare. *v. intr.* **1.** braire. **2.** résonner, retentir.

brazen ['breɪzn] *adj.* **1.** *(lit.)* d'airain. ***The brazen notes of the horn,*** les notes d'airain du cor. **2.** effronté, impudent.

brazen out, *v. part. t.* ***Brazen it out,*** crâner, payer d'effronterie.

brazier ['breɪzjə] *n.* brasero.

breach [briːtʃ] *n.* **1.** infraction. **2.** brèche. ♦ ***Breach of confidence,*** divulgation d'un secret; *(Jur.)* ***breach of promise,*** manque de parole, rupture de promesse de mariage; ***breach of the law,*** violation de la loi; *(Jur.)* ***breach of the peace,*** attentat à l'ordre public; ***breach of trust,*** abus de confiance.

v.t. ouvrir une brèche dans.

bread [bred] *n.* **1.** pain. **2.** nourriture. ***Daily bread,*** pain quotidien ; ***earn one's bread,*** gagner sa vie. ♦ ***Bread and butter,*** tartine de beurre, *(fig.)* moyen d'existence, gagne-pain ; ***bread-and-butter letter,*** lettre de remerciements (pour hospitalité) ; ***he knows which side his bread is buttered,*** il sait où est son avantage ; ***on bread and water,*** au pain et à l'eau ; ***quarrel with one's bread and butter,*** se quereller avec son patron.

breadbasket ['bred,bɑ:skɪt] *n.* **1.** *(fam.)* grenier à grain. **2.** *(vulg.)* estomac, ventre.

breadcrumbs ['bredkrʌmz] *n. pl.* **1.** miettes de pain. **2.** chapelure. ***Fried in breadcrumbs,*** pané.

breadline ['bredlaɪn] *n.* *(U.S.)* queue de gens qui attendent pour toucher des bons de pain. *(fam.)* ***On the breadline,*** dans la purée.

breadth [bredθ] *n.* largeur.

breadwinner ['bred,wɪnə] *n.* gagne-pain, soutien de famille.

break [breɪk] *v.t. et intr. irr.* (*p.* **broke,** *p.p.* **broken**). **1.** casser, briser. **2.** se rompre, se détacher. **3.** défricher. **4.** violer (loi) ; enfreindre (promesse). **5.** ruiner (quelqu'un) ; détruire (santé). **6.** interrompre. ***We broke our journey for a meal,*** nous avons fait étape pour manger. **7.** faire cesser. ***Break the silence,*** rompre le silence. ♦ ***Break bad news to somebody,*** annoncer de mauvaises nouvelles à quelqu'un avec ménagement ; ***break camp,*** lever le camp ; ***break cover,*** sortir à découvert ; ***break even,*** rentrer juste dans ses fonds ; ***break loose,*** s'échapper ; ***break new*** (ou : ***fresh***) ***ground,*** innover ; ***break one's word,*** manquer de parole ; *(Mil.)* ***break step,*** rompre le pas ; ***break the bank,*** faire sauter la banque ; ***break the Sabbath,*** ne pas observer le jour du Seigneur ; ***break through the sound barrier,*** franchir le mur du son ; ***break with a friend,*** se brouiller avec un ami ; ***day is breaking,*** le jour se lève ; ***scientists have broken through many obstacles,*** les savants ont surmonté bien des obstacles ; ***this woman is trying to break her husband of drinking,*** cette femme essaie de faire perdre à son mari l'habitude de boire.
n. **1.** brèche, trouée, rupture. **2.** interruption, arrêt. **3.** altération (temps). **4.** ***Break of day,*** aube. **5.** fuite, évasion. **6.** *(amér.)* coup de chance. **7.** série (billard). ♦ ***Make a break for it,*** essayer de s'évader ; ***without a break,*** sans interruption.

break away *v. part. intr.* s'enfuir. ***Break away from guards,*** échapper à des gardiens. **2.** se détacher (de). ***The Church of England broke away from Rome in 1529,*** l'Église d'Angleterre a rompu avec Rome en 1529.

breakdown ['breɪkdaʊn] *n.* **1.** *(Aut. et Tech.)* panne. **2.** *(Méd.)* ***Nervous breakdown,*** dépression nerveuse. **3.** interruption brusque. ***There was a breakdown of talks between employers and unions,*** les négociations entre employeurs et syndicats ont été suspendues.

break down *v. part. t. et intr.* **1.** tomber en panne. **2.** détruire. ***Old cars are to be broken down,*** on doit envoyer les vieilles voitures à la casse. **3.** venir à bout (opposition). **4.** échouer. ***The peace talks between the USSR and the US have broken down,*** les pourparlers de paix entre l'URSS et les E.U. se sont soldés par un échec. **5.** s'écrouler, craquer, fondre en larmes.

breakfast ['brekfəst] *n.* petit déjeuner. ***Continental breakfast,*** petit déjeuner léger ; ***English breakfast,*** petit déjeuner copieux ; ***have breakfast,*** prendre son petit déjeuner. *v. intr.* déjeuner.

break in *v. part. intr.* entrer par effraction. **2.** interrompre une conversation. ♦ ***Break in on someone's thoughts,*** troubler les pensées de quelqu'un. *v. part. t.* **1.** enfoncer (porte). **2.** mater (cheval). **3.** *(fam.)* roder (quelqu'un). ***You'll soon be broken in,*** vous serez vite au courant.

break into *v. prép.* **1.** entrer par effraction. **2.** interrompre (conversation). **3.** se mettre brusquement à. ***The horse broke into a trot,*** le cheval prit le trot.

breakneck ['breɪknek] *adj.* rapide et dangereux. ***At breakneck speed,*** à tombeau ouvert.

break off *v. part. t. et intr.* **1.** cesser (relations), s'arrêter de. ***Break off work,*** interrompre le travail. **2.** casser, se casser. ***The branch broke off (the tree); the child did not break it off,*** la branche s'est détachée de l'arbre, ce n'est pas l'enfant qui l'a cassée.

breakout ['breıkaʊt] *n.* **1.** *(Mil.)* percée (de soldats encerclés). **2.** évasion (d'un groupe de prisonniers).

break out *v. part. intr.* **1.** se déclarer (maladie, incendie...). ***When war broke out,*** quand la guerre éclata. **2.** échapper. ***He broke out of prison,*** il s'est évadé de prison.

breakthrough ['breıkθru:] *n.* **1.** *(Mil.)* percée. **2.** *(Sc.)* pas en avant; découverte importante. *(Méd.)* ***Make a breakthrough in a treatment,*** réaliser un progrès spectaculaire dans un traitement.

break through *v. part. t. et intr.* **1.** *(Mil.)* percer, enfoncer (en dépit d'une résistance). **2.** faire une découverte fondamentale. ***Doctors hope to break through in cancer research,*** les docteurs espèrent réaliser un net progrès dans la recherche sur le cancer.

break up *v. part. t. et intr.* **1.** *(Naut.)* mettre à la casse; se briser (navire). **2.** disperser (foule). **3.** craquer (union), se dissoudre (firme). ***Their marriage finally broke up,*** ils se sont finalement séparés. **4.** partir en vacances. ***When will you break up this year?*** quand serez-vous en vacances cette année?

breakwater ['breık,wɔ:tə] *n.* brise-lames.

breast [brest] *n.* **1.** sein, poitrine, poitrail. **2.** cœur, conscience. ♦ ***Baby at the breast,*** bébé au sein; ***breast-fed,*** nourri au sein; ***breast-deep in water,*** avec de l'eau jusqu'à la poitrine; ***make a clean breast of something,*** faire des aveux complets.

breaststroke ['brest-strəʊk] *(Sp.) n.* brasse.

breath [breθ] *n.* **1.** souffle, haleine, respiration. **2.** *(fig.)* vie. **3.** souffle (d'air). ♦ ***Be out of breath,*** être essoufflé; ***go out for a breath of air,*** sortir prendre l'air; ***last breath,*** dernier soupir; ***take breath,*** reprendre haleine; ***waste one's breath,*** parler à un mur.

breathalyser ['breθəlaızə] *n.* alcootest, doseur d'alcool.

breathtaking ['breθ,teıkıŋ] *adj.* ahurissant, extraordinaire. ***Breathtaking beauty,*** une beauté vraiment extraordinaire.

breathe [bri:ð] *v.t. et intr.* **1.** respirer, souffler, reprendre haleine. **2.** murmurer (prière). ♦ ***As long as I breathe,*** tant que je vivrai; ***breathe down someone's neck,*** être toujours sur le dos de quelqu'un; ***breathe new life into somebody,*** insuffler une nouvelle vie à quelqu'un; ***breathe one's last,*** rendre le dernier soupir; ***breathe out,*** exhaler.

bred [bred] (**breed** *v.*).

breeches ['bri:tʃız] *n. pl.* culotte. ***His wife wears the breeches,*** c'est sa femme qui porte la culotte.

breed [bri:d] *n.* race, espèce. *v.t. et intr.* (*p.* **bred,** *p.p.* **bred**). **1.** élever. **2.** se reproduire. **3.** *(fig.)* engendrer. ***Mosquitoes breed many diseases,*** les moustiques provoquent de nombreuses maladies.

breeder ['bri:də] *n.* **1.** éleveur. **2.** *(Agr.)* ***A good breeder,*** un bon reproducteur. **3.** *(Tech.)* générateur, réacteur nucléaire.

breeding ['bri:dıŋ] *n.* **1.** élevage, reproduction. **2.** éducation. ***Good breeding,*** savoir-vivre. **3.** production d'énergie atomique.

▻ **breeze** [bri:z] *n.* brise. *v. intr.* aller d'un air décontracté. *(fam.)* ***He breezed in,*** il entra d'un air désinvolte.

brethren ['breðrən] *n. pl. (Rel.)* frères.

▻ **brevity** ['brevıtı] *n.* brièveté, concision.

brew [bru:] *v.t. et intr.* **1.** brasser (bière). **2.** infuser (thé). **3.** *(fig.)* tramer. ***He's brewing some fresh trouble,*** il mijote quelque ennui de plus. **4.** se tramer, couver. ***A storm is brewing,*** un orage se prépare.

△ **bribe** [braıb] *n.* pot-de-vin. *v.t.* acheter, corrompre. ***The thief bribed his guard into letting him escape,*** le voleur soudoya son gardien pour qu'il le laisse s'enfuir.

bribery ['braɪbərɪ] *n.* corruption.

⚠ **brick** [brɪk] *n.* brique. ♦ ***A brick of ice cream,*** une glace; ***building bricks,*** jeu de cubes; *(fam.)* ***come down on somebody like a ton of bricks,*** attraper quelqu'un; *(fam.)* ***drop a brick,*** faire une gaffe; *(fig.)* ***make bricks without straw,*** faire des miracles.

bricklayer ['brɪk,leɪə] *n.* maçon.

brick up *v. part. t.* murer (aussi **brick in**).

⚠ **bride** [braɪd] *n.* **1.** jeune mariée. **2.** future.

bridegroom ['braɪdgru:m] *n.* jeune marié.

bridesmaid ['braɪdzmeɪd] *n.* demoiselle d'honneur.

⚠ **bridge** [brɪdʒ] *n.* **1.** pont, passerelle. **2.** arête (nez). **3.** bridge (cartes). *v.t.* jeter un pont (sur). *(fig.)* ***Bridge a gap,*** combler une lacune.

bridle ['braɪdl] *n.* bride. *v.t. et intr.* mettre la bride. **2.** réfréner. ***You must bridle your tongue,*** il vous faut tenir votre langue. **3.** se rebiffer. ***She bridled (with anger) at her husband's remark,*** elle se hérissa lorsque son mari lui fit une réflexion.

brief [bri:f] *adj.* bref, concis. *n.* **1.** dossier. **2.** rôle. ♦ ***Hold no brief for,*** ne pas se faire l'avocat de. *v.t.* donner des instructions à.

briefcase ['bri:fkeɪs] *n.* serviette, porte-documents.

briefing ['bri:fɪŋ] *n.* instructions, directives.

briefs [bri:fs] *n. pl.* slip.

bright [braɪt] *adj.* **1.** brillant, clair, vif. **2.** éveillé, intelligent. **3.** gai, heureux. ♦ ***Brighter days,*** des jours meilleurs; ***have a bright future,*** être promis à un brillant avenir; ***look on the bright side of things,*** se monter optimiste; ***mainly cloudy, with bright intervals,*** nuageux, avec quelques éclaircies.

brim [brɪm] *n.* bord. *v. intr.* déborder. ***Eyes brimming with tears,*** des yeux noyés de larmes.

brim over *v. part. intr.* *(fig.)* être débordant (joie, santé, ...). ***He is brimming over (with joy),*** il ne se tient plus de joie.

brimful ['brɪm,fʊl] *adj.* plein jusqu'au bord.

brine [braɪn] *n.* saumure, eau salée.

bring [brɪŋ] *v.t. irr.* (*p.* **brought,** *p.p.* **brought**). **1.** porter, apporter. **2.** amener (à). ***He could not bring himself to blame her,*** il ne pouvait se résoudre à la critiquer; ***what brought her to do it?*** qu'est-ce qui l'a poussée à le faire? **3.** rapporter (vente). ***It has brought him £ 100,*** il en a retiré 100 livres. **4.** *(Jur.)* ***Bring an action against somebody,*** intenter un procès à quelqu'un. ♦ ***Bring something into play,*** faire agir quelque chose; ***bring something to light,*** faire la lumière; ***bring something to mind,*** rappeler quelque chose.

bring about *v. part. t.* amener, provoquer. ***Inflation will bring about more unemployment,*** l'inflation entraînera davantage de chômage.

bring back *v. part. t.* **1.** rapporter, ramener. **2.** *(fig.)* rappeler. ***This tune brings back pleasant memories,*** cet air évoque d'agréables souvenirs.

bring down *v. part. t.* **1.** descendre, faire tomber; abattre (avion); réduire (prix). **2.** *(fig.)* rabaisser (quelqu'un). ♦ *(fig.)* ***Bring the house down,*** faire crouler la salle sous les applaudissements.

bring forward *v. part. t.* **1.** avancer. **2.** suggérer (plan). **3.** produire (preuve). **4.** *(Comm.)* reporter (un total).

bring in *v. part. t.* **1.** rapporter (argent, intérêt). **2.** emmener au poste. **3.** *(Jur.)* rendre (verdict). ***The jury brought in a verdict of not guilty,*** les jurés ont déclaré l'accusé innocent.

bring off *v. part. t.* **1.** tirer d'affaire. **2.** réussir (malgré les difficultés). ***It was a difficult task, but he brought it off,*** la tâche était ardue, mais il s'en est bien tiré.

bring on *v. part. t.* amener, occasionner. **2.** améliorer. ***That fortnight in London has brought your English on a lot,*** ces deux semaines à Londres ont considérablement amélioré ton anglais.

bring out *v. part. t.* produire, lancer (produit). **2.** faire ressortir (sens). **3.** encourager. ***Bring a shy girl out,*** faire sortir une jeune fille timide de sa réserve. **4.** faire mettre en grève (des

ouvriers). **5.** publier (œuvre), représenter (pièce).
bring round *v. part. t.* **1.** ranimer, faire reprendre connaissance. (aussi **bring to**). **2.** *(Naut.)* faire virer de bord. **3.** (ou : **around**) persuader. ***We managed to bring her around to our point of view,*** nous avons réussi à l'amener à notre façon de voir. **4.** ramener (conversation).
bring up *v. part. t.* **1.** élever (enfants). **2.** introduire (sujet). **3.** vomir. **4.** arrêter brusquement. ***She was brought up short by the telephone ringing,*** la sonnerie du téléphone l'arrêta net. ♦ ***Bring up the rear,*** fermer la marche.
brink [brɪŋk] *n.* bord. ***On the brink of,*** à deux doigts de.
brisk [brɪsk] *adj.* **1.** alerte. ***At a brisk pace,*** à vive allure. **2.** vivifiant (air). **3.** *(Comm.)* animé. ***Brisk trade,*** commerce florissant.
bristle [b'rɪsl] *v. intr.* se hérisser. ***This job bristles with difficulties,*** cette tâche est hérissée de difficultés. *n.* poil raide, soie.
brittle ['brɪtl] *adj.* fragile, cassant.
broach [brəʊtʃ] *v.t.* **1.** mettre en perce (tonneau). **2.** aborder (sujet). ***Broach a new topic,*** introduire un nouveau sujet.
broad [brɔ:d] *adj.* **1.** large, grand, gros, vaste. ***The table is 4 feet broad,*** la table a 4 pieds de large. **2.** *(fig.)* libre, hardi. **3.** grossier. ♦ ***Broad accent,*** accent prononcé ; ***broad hint,*** allusion à peine voilée ; ***it's as broad as it's long,*** c'est du pareil au même ; ***it's broad daylight,*** il fait grand jour.
broadcast ['brɔːdkɑːst] *v.t. et intr. irr.* (*p.* **broadcast,** *p.p.* **broadcast**). **1.** répandre, diffuser (nouvelle). **2.** radiodiffuser. **3.** faire une émission. *n.* *(Rad. et T.V.)* émission. ***Live broadcast,*** émission en direct ; ***recorded broadcast,*** émission en différé.
broadly ['brɔ:dlɪ] *adv.* en gros. ***Broadly speaking,*** généralement parlant.
broad-minded [,brɔ:d'maɪndɪd] *adj.* large d'esprit, tolérant.
broke[1] [brəʊk] (**break** *v.*).
broke[2] [breʊk] *adj. (fam.)* fauché.
broken ['brəʊkən] (**break** *v.*).
broker ['brəʊkə] *n.* **1.** *(Comm.)* courtier. **2.** *(Bourse)* (= **stockbroker**) agent de change.
brooch [brəʊtʃ] *n.* broche.
brood [bru:d] *n.* couvée. *v. intr.* **1.** couver. **2.** broyer du noir. **3.** ruminer (plan).
brook [brʊk] *n.* ruisseau.
broom [bru:m] *n.* **1.** balai. **2.** *(Bot.)* genêt. ♦ *(fig.)* ***A new broom sweeps clean,*** tout nouveau tout beau.
broomstick ['bru:mstɪk] *n.* manche à balai.
broth [brɒθ] *n.* bouillon, potage.
brother ['brʌðə] *n.* frère.
brotherhood ['brʌðəhʊd] *n.* **1.** fraternité. **2.** confrérie.
brother-in-law ['brʌðəɪn,lɔ:] *n.* beau-frère.
brought [brɔ:t] (**bring,** *v.*).
brow [braʊ] *n.* **1.** (surtout *pl.*) (= **eyebrows**) sourcils. ***Knit one's brows,*** froncer les sourcils. **2.** front (cf. **forehead**). **3.** *(lit.)* expression (visage). **4.** *(fig.)* bord, sommet (colline, falaise).
browbeat ['braʊbɪ:t] *v.t. irr.* (*p.* **browbeat,** *p.p.* **browbeaten**). **1.** intimider. **2.** brusquer. ***Browbeat someone into doing something,*** contraindre quelqu'un à faire quelque chose en l'intimidant (regard, paroles).
brown [braʊn] *adj.* brun, marron ; châtain (cheveux). ♦ ***Brown bread,*** pain bis ; ***brown paper,*** papier d'emballage ; ***in a brown study,*** plongé dans ses pensées. *n.* brun. *v.t. et intr.* brunir, hâler, se brunir. **2.** faire dorer (cuisine). ♦ *(fam.)* ***Be browned off with somebody,*** en avoir marre de quelqu'un.
browse [braʊz] *v. intr.* **1.** brouter. **2.** butiner (dans des livres).
bruise [bru:z] *n.* contusion, bleu. *v.t. et intr.* contusionner ; abîmer, s'abîmer (fruit).
brunt [brʌnt] *n.* poids, choc. ***Bear the brunt of the expense,*** supporter le gros de la dépense.
brush [brʌʃ] *n.* **1.** brosse, balai, pinceau. **2.** coup de brosse. **3.** effleurement. **4.** taillis (aussi **brushwood**). **5.** escarmouche, altercation. **6.** queue de renard.
v.t. **1.** brosser, balayer. **2.** effleurer.
brush aside, *v. part. t.* ignorer, ne pas

prêter attention à.

brush away *v. part. t.* **1.** enlever d'un coup de brosse. **2.** essuyer furtivement (larmes).

brush off *v. part. t.* **1.** enlever à la brosse. **2.** éconduire (quelqu'un).

brush up *v. part. t.* **1.** ramasser (miettes). **2.** *(fig.)* rafraîchir (sujet). ***I must brush up my English,*** il faut que je me remette un peu à l'anglais.

⚠ **brute** [bru:t] *n.* animal, brute, bête. *adj.* brute, barbare. ***Brute force,*** la force brutale.

bubble ['bʌbl] *n.* **1.** bulle. **2.** *(fig.)* illusion, chimère. *v. intr.* bouillonner, faire des bulles. ***Bubble over,*** déborder ; *(fig.)* ***bubble over with high spirits,*** être plein d'entrain.

buck [bʌk] *n.* **1.** mâle (cervidés, lapin...). **2.** dandy. **3.** *(amér.)* dollar. ♦ ***Pass the buck to somebody,*** laisser la responsabilité de la décision à quelqu'un d'autre.

bucket ['bʌkɪt] *n.* **1.** seau (cf. **pail**). **2.** grande quantité. ***The rain was coming down in buckets,*** il pleuvait à seaux. ♦ *(fam.)* ***Kick the bucket,*** passer l'arme à gauche.

buckle [bʌkl] *n.* **1.** boucle, agrafe. **2.** *(Tech.)* gauchissement (métal). *v. intr.* **1.** (se) boucler. **2.** se gauchir, se voiler (roue). ♦ ***Buckle down to work,*** s'y mettre sérieusement.

buck up *v. part. t. et intr.* **1.** essayer d'améliorer. **2.** encourager, ravigoter.

bud [bʌd] *n.* bourgeon. ***Be in bud,*** être en bourgeon. ♦ ***Nip in the bud,*** tuer dans l'œuf. *v. intr.* bourgeonner.

budding ['bʌdɪŋ] *adj. (fig.)* naissant. ***A budding artist,*** un artiste en herbe.

budge [bʌdʒ] *v.t. et intr.* bouger. ***I couldn't budge him,*** il s'est montré inflexible.

buff [bʌf] *n. et adj.* **1.** peau de buffle, en buffle. **2.** chamois (couleur). ♦ ***In the buff,*** nu comme un ver.

buffalo ['bʌfələʊ] *n.* (*pl.* **-es**) buffle, bison.

buffer ['bʌfə] *n.* **1.** tampon, amortisseur. **2.** ***old buffer,*** vieux bougre. ♦ ***Buffer state,*** État tampon.

⚠ **buffet**[1] ['bʌfɪt] *n. (vx.)* soufflet, coup de poing. ***The buffets of fate,*** les coups du sort. *v.t.* **1.** souffleter, frapper. **2.** frapper à plusieurs reprises. ***The ship was buffeted by the waves,*** le navire était ballotté par les vagues.

⊳ **buffet**[2] ['bʊfeɪ] *n.* buffet (surtout froid).

bug [bʌg] *n.* **1.** punaise. **2.** *(amér.)* insecte. **3.** *(fam.)* microbe (cf. **germ**). **4.** défaut de fonctionnement. **5.** *(argot)* micro clandestin. **6.** mordu, fana. ***A photography bug,*** un fana de photo. *v.t.* **1.** *(argot)* installer un micro secret dans. **2.** *(amér.)* casser les pieds à.

bugbear ['bʌgbeə] *n.* objet d'épouvante, bête noire. ***The bugbear of inflation,*** le cauchemar de l'inflation.

bugle ['bju:gl] *n.* clairon.

build [bɪld] *v.t. irr.* (*p.* **built,** *p.p.* **built**). **1.** bâtir, faire bâtir, construire. ***Our house is being built,*** on est en train de nous construire notre maison. **2.** *(fig.)* baser. ***Build hopes on,*** fonder des espérances sur.

building ['bɪldɪŋ] *n.* bâtiment, édifice. ♦ ***Building blocks,*** jeu de cubes ; ***building contractor,*** entrepreneur (en bâtiment).

build up *v. part. t.* **1.** développer. ***Hard work builds up character,*** travailler dur forme le caractère. **2.** édifier. ***He has built up a big concern,*** il a monté une grande entreprise. **3.** couvrir de constructions. ***A built-up area,*** une zone urbanisée.

built [bɪlt] (**build** *v.*).

⚠ **bulb** [bʌlb] *n.* **1.** bulbe, oignon. **2.** *(Élec.)* ampoule, lampe.

bulge [bʌldʒ] *v. intr.* faire saillie, bomber. ♦ ***Bulging eyes,*** yeux protubérants ; ***bulging wallet,*** portefeuille bien garni. *n.* **1.** renflement, bosse. **2.** *(fig.)* augmentation rapide. ***The population bulge,*** la poussée démographique.

bulk [bʌlk] *n.* **1.** masse, volume. ***Buy*** (ou : ***sell***) ***in bulk,*** acheter (ou : vendre) en gros. **2.** *(Naut.)* charge(ment). ***Break bulk,*** commencer le déchargement ; ***loaded in bulk,*** chargé en grenier (grain), en vrac. *v. intr.* ***Bulk large,*** jouer un grand rôle (aux yeux de quelqu'un).

bulkhead ['bʌlkhed] *n. (Naut.)* cloison.

bulky ['bʌlkɪ] *adj.* volumineux, encombrant.

bull [bʊl] *n.* **1.** taureau ; mâle (éléphant, baleine). **2.** bulle (pape). **3.** *(Bourse)* spéculateur à la hausse (≠ **bear**). ***Bull market,*** marché en hausse. **4.** (= **bull's eye**) mouche, mille (cible). **5.** *(fam.).* ***A lot of bull,*** un tas de foutaises. **6.** *(amér.)* flic. ♦ ***He's like a bull in a china shop,*** on dirait un éléphant dans un magasin de porcelaine.
v.t. (Fin.) ***Bull the market,*** chercher à faire monter les cours.

bullet ['bʊlɪt] *n.* balle (de fusil, de revolver).

▻ **bulletin** ['bʊlɪtɪn] *n.* **1.** bulletin. ***The news bulletin,*** le bulletin d'information. **2.** circulaire.

bulletproof ['bʊlɪtpru:f] *adj.* à l'épreuve des balles.

bullfight ['bʊlfaɪt] *n.* corrida, course de taureaux.

bullion ['bʊljən] *n.* lingot, barre (or, argent).

bull's eye ['bʊlzaɪ] *n.* **1.** centre de cible, mouche. **2.** œil-de-bœuf.

bully ['bʊlɪ] *n.* **1.** brute, tyran. **2.** (= **bully beef**) singe, bœuf en boîte. *v.t. et intr.* **1.** maltraiter, intimider, brimer, bizuter. **2.** faire le matamore.

bulwark ['bʊlwək] *n.* rempart, fortification.

bum [bʌm] *n. (amér.)* vagabond, clochard.

bump [bʌmp] *n.* **1.** bosse. **2.** choc, heurt. *v.t. et intr.* (se) cogner, (se) heurter. ***The car bumped against the kerb,*** l'auto vint heurter le bord du trottoir. ♦ ***Bump along,*** avancer en cahotant.

bumper ['bʌmpə] *n.* **1.** pare-chocs. **2.** *(vx.)* rasade (de vin). ♦ ***Bumper crops,*** récoltes exceptionnelles.

bumptious ['bʌmpʃəs] *adj.* prétentieux, suffisant.

bun [bʌn] *n.* **1.** petit pain au lait. **2.** chignon.

bunch [bʌntʃ] *n.* **1.** botte (radis), bouquet (fleurs), régime (bananes). ***Bunch of grapes,*** grappe de raisins; ***bunch of keys,*** trousseau de clés. **2.** groupe. ***The best of the bunch,*** le meilleur de la bande, du lot.

bundle ['bʌndl] *n.* **1.** paquet; botte (asperges); liasse (papiers); fagot. **2.** ballot, baluchon. ♦ *(fig.)* ***She's just a bundle of nerves,*** ce n'est qu'un paquet de nerfs.
v.t. **1.** expédier, faire partir précipitamment. ***The whole family bundled into the car,*** toute la famille s'est engouffrée dans la voiture. ♦ *(fig.)* ***Bundle somebody off,*** expédier quelqu'un. **2.** entasser négligemment. ***I bundled the papers into my case,*** j'ai fourré les papiers dans ma valise.

bungle ['bʌŋgl] *v.t.* bâcler, bousiller. *v. intr.* s'y prendre mal.

bunk [bʌŋk] *n.* **1.** couchette (bateau, train). **2.** *(fig.)* ***Do a bunk,*** mettre les bouts. *v. intr.* **1.** coucher dans un lit de fortune. **2.** déguerpir, filer sans permission.

bunker ['bʌŋkə] *n.* **1.** soute (charbon). **2.** bunker, blockhaus.

bunny ['bʌnɪ] *n.* **1.** *(fam.)* Jeannot lapin. **2.** (= **bunny girl**) hôtesse de boîte de nuit.

buoy [bɔɪ] *n.* **1.** bouée. **2.** (= **lifebuoy**) bouée de sauvetage.

buoyancy ['bɔɪənsɪ] *n.* **1.** flottabilité, légèreté (sur l'eau). **2.** entrain, allant.

burden ['bɜ:dn] *n.* **1.** fardeau. **2.** refrain. ♦ *(Jur.)* ***Burden of proof,*** obligation de faire la preuve; ***the burden of proof lies on the plaintiff,*** c'est au plaignant d'établir les faits; ***the burden of the story,*** l'essentiel de l'histoire; ***the burden of years,*** le poids des ans.

burdensome ['bɜ:dnsəm] *adj.* fâcheux, ennuyeux.

burglar ['bɜ:glə] *n.* cambrioleur. ***Burglar alarm,*** système d'alarme.

burglary ['bɜ:glərɪ] *n.* cambriolage, vol par effraction.

burial ['berɪəl] *n.* enterrement, obsèques.

burly ['bɜ:lɪ] *adj.* de forte carrure, bien planté.

burn [bɜ:n] *v.t. et intr. irr.* (*p.* **burnt,** *p.p.* **burnt**). **1.** brûler, incendier. **2.** briller (lumière). **3.** brûler (de), être impatient (de). ♦ ***Be burnt alive*** (ou : ***burnt to death***), être brûlé vif; ***burn down,*** détruire par le feu; ***burn with desire,*** brûler de désir; ***burn the candle at both ends,*** brûler la chandelle par les deux bouts; ***burn the midnight oil,***

travailler, étudier fort tard dans la nuit; ***burn up,*** consumer entièrement; ***money burns a hole in his pocket,*** l'argent lui fond dans les mains; ***you are burning,*** vous y êtes presque.
n. brûlure.

burnt [bɜ:nt] (**burn** *v.*).

burrow ['bʌrəʊ] *n.* terrier, trou. *v. intr.* se terrer.

burst [bɜ:st] *v.t. et intr. irr.* (*p.* **burst,** *p.p.* **burst**). **1.** éclater. **2.** ***Burst open a door,*** ouvrir violemment, enfoncer une porte. **3.** être plein à craquer. ***The sacks were bursting with corn,*** les sacs regorgeaient de blé. ♦ ***Burst out laughing,*** éclater de rire.
n. explosion, éclat.

bury ['berɪ] *v.t.* **1.** enterrer, ensevelir. **2.** *(fig.)* cacher. ***She buried her face in her hands,*** elle dissimula son visage dans ses mains.

bus [bʌs] *n.* autobus. ♦ *(fig.)* ***Miss the bus,*** manquer le coche, rater une occasion. *v.t.* **1.** transporter en autobus. **2.** *(U.S.)* ***Bus children to school,*** assurer le transport d'enfants pour une école où Blancs et Noirs sont mélangés.

bush [bʊʃ] *n.* **1.** buisson. **2.** fourré. **3.** bush, brousse (Australie).

bushel ['bʊʃl] *n.* boisseau (grain) = 36,51.

business ['bɪznɪs] *n.* affaires, occupation, devoir. ♦ ***Business college,*** école de commerce; ***business expenses,*** frais généraux; ***business hours,*** heures d'ouverture; ***business is business,*** les affaires sont les affaires; ***do business with,*** être en affaires avec; ***go to Paris on business,*** se rendre à Paris pour affaires; ***he means business,*** il ne plaisante pas; ***it's no business of yours,*** cela ne vous regarde pas; ***let's get down to business,*** revenons aux choses sérieuses; ***make it one's business to do something,*** se faire un devoir de faire quelque chose; ***you had no business to do that,*** vous n'aviez pas le droit de faire cela; ***what's your line of business?*** quelle est votre activité?

businesslike ['bɪznɪslaɪk] *adj.* capable, compétent. ***A business-like person,*** quelqu'un de sérieux, à l'esprit pratique.

bust[1] [bʌst] *n.* buste, poitrine (femme).

bust[2] [bʌst] *adj. (argot)* ***Go bust,*** faire faillite.

bustle ['bʌsl] *n.* animation, agitation, remue-ménage. *v. intr.* s'affairer, se démener.

busy ['bɪzɪ] *adj.* **1.** occupé, affairé. **2.** empressé, diligent. **3.** animé (quartier, ville...). **4.** *(amér.) (Téléph.)* occupé. ♦ ***As busy as a bee,*** très affairé; ***I am busy writing,*** je suis occupé à écrire. *v.t.* ***Busy oneself,*** s'occuper.

busybody ['bɪzɪ,bɒdɪ] *n.* mouche du coche. ***Play the busybody,*** faire l'important.

but [bʌt] *conj.* **1.** mais. **2.** (après certaines négations ou semi-négations) que, sans que. ***Hardly a day passes but I think of her,*** il ne se passe guère de jour sans que je pense à elle; ***there's not one of them but knows,*** il n'y en a pas un qui l'ignore.
prép. excepté. ***Give me any book but that one,*** donne-moi n'importe quel livre sauf celui-là; ***the last but one,*** l'avant-dernier.
adv. (lit.) **1.** seulement. ***She is but a child,*** ce n'est qu'une enfant. **2.** presque. ***My task is all but finished,*** ma tâche est presque terminée. ♦ ***But for him, she would have got drowned,*** sans lui, elle se serait noyée; *(lit.)* ***but yesterday,*** pas plus tard qu'hier.
n. (lit.) ***But me no buts,*** pas tant de raisonnements.

butcher ['bʊtʃə] *n.* boucher. ***At the butcher's,*** chez le boucher. *v.t.* **1.** abattre (animal). **2.** massacrer (gens).

butler ['bʌtlə] *n.* maître d'hôtel, sommelier.

butt [bʌt] *n.* **1.** grand tonneau. **2.** gros bout; crosse. **3.** mégot. **4.** cible, souffre-douleur. ***The poor boy was the butt of the whole class,*** le pauvre gosse était la risée de toute la classe. **5.** coup (tête, corne). **6.** *(pl.)* champ de tir.
v.t. donner un coup.

butter ['bʌtə] *n.* beurre. ♦ ***Butter scotch,*** caramel dur; ***she looks as if butter wouldn't melt in her mouth,*** on lui donnerait le bon Dieu sans confession, elle fait la sainte nitouche.
v.t. beurrer. ♦ ***Butter somebody up,***

passer de la pommade à quelqu'un.

butterfingers ['bʌtəˌfɪŋgəz] *n.* maladroit, empoté.

butterfly ['bʌtəflaɪ] *n.* papillon. ♦ ***I have butterflies in my stomach,*** j'ai le trac.

buttocks ['bʌtəks] *n. pl.* fesses; croupe.

button ['bʌtn] *n.* bouton (de vêtement). *v.t. et intr.* (se) boutonner.

buttonhole ['bʌtnhəʊl] *n.* **1.** boutonnière. **2.** fleur à la boutonnière. *v.t.* cramponner, raccrocher.

buy [baɪ] *v.t. et intr. irr.* (*p.* **bought,** *p.p.* **bought**). **1.** acheter, prendre (billet). **2.** soudoyer. **3.** *(amér. fam.)* accepter. ***She won't buy that nonsense,*** elle ne croira pas à ces balivernes. *n.* achat.

buzz [bʌz] *n.* bourdonnement; brouhaha. *v. intr.* bourdonner. ♦ *(fam.)* ***Buzz off!*** file!

buzzer ['bʌzə] *n.* **1.** sirène. **2.** vibreur.

by [baɪ] *prép.* **1.** à côté de (sans mouvement). ***By the window,*** près de la fenêtre. **2.** à côté de (avec mouvement). ***They walked by me without noticing me,*** ils sont passés près de moi sans me remarquer. **3.** par, au moyen de, ***By train,*** par le train. **4.** d'après, selon. ***Play by the rules,*** respecter les règles du jeu. **5.** par, sur (mesures). ***The table is 9 feet by 6 feet,*** la table a 9 pieds de long sur 6 de large. **6.** à. ***A home help paid by the hour,*** une femme de ménage payée à l'heure. **7.** en. ***He earns his living by teaching,*** il gagne sa vie en enseignant. ♦ ***All by himself,*** tout seul. *adv.* **1.** passé. **2.** près. ♦ ***A lot of time has gone by,*** il s'est écoulé beaucoup de temps; ***be by,*** être à côté, présent.

by and large [ˌbaɪənd'lɑːdʒ] *adv.* d'une façon générale.

bye-bye [ˌbaɪ'baɪ] *interj.* au revoir. *n. pl.* ***Go to bye-byes,*** faire dodo.

by-election ['baɪ-ɪˌlekʃn] *n.* élection partielle.

bygone ['baɪgɒn] *adj. (vx.)* passé. ♦ ***In bygone days,*** jadis. *n. pl.* ***Let bygones be bygones,*** oublions le passé.

bylaw ['baɪlɔː] *n.* arrêté municipal.

bypass ['baɪpɑːs] *n.* **1.** *(Aut.)* bretelle. **2.** *(Tech.)* dérivation. *v.t.* contourner. ***What about bypassing the town?*** et si nous évitions la traversée de la ville?

bypath ['baɪpɑːθ] *n.* chemin de traverse détourné. (aussi **byroad, byway**).

byproduct ['baɪˌprɒdʌkt] *n.* **1.** dérivé, sous-produit. **2.** conséquence secondaire.

bystander ['baɪˌstændə] *n.* témoin (d'une scène).

by the way [ˌbaɪðə'weɪ] *adv.* à propos (aussi **by the bye**).

byword ['baɪwɜːd] *n.* **1.** proverbe. **2.** synonyme (de). ***Harpagon has become a byword for miserliness,*** Harpagon est devenu synonyme d'avarice. **3.** fable. ***She is a byword in the village for generosity,*** sa générosité est proverbiale dans le village.

C

C,c [siː] **1.** troisième lettre de l'alphabet. **2.** lettre romaine pour 100. **3.** *(Mus.)* do, ut.

cab [kæb] *n.* **1.** fiacre. **2.** (surtout *amér.*) taxi. ***Cab rank,*** station de taxis. (aussi ***cab stand***). **3.** cabine (de conducteur, de chauffeur...).

△ **cabaret** ['kæbəreɪ] *n.* **1.** spectacle de cabaret. **2.** cabaret.

cabbage ['kæbɪdʒ] *n.* chou.

cabby ['kæbɪ] *n. (fam.)* chauffeur de taxi.

△ **cabin** ['kæbɪn] *n.* **1.** *(Naut.)* cabine. ***Cabin boy,*** mousse; ***cabin class,*** deuxième classe. **2.** carlingue, poste de pilotage. **3.** hutte, case.

△ **cabinet** ['kæbɪnɪt] *n.* **1.** meuble à tiroirs. **2.** *(Polit.)* cabinet.

▻ **cable** ['keɪbl] *n.* **1.** câble. ***Cable car,*** téléphérique; ***cable railway,*** funiculaire. **2.** *(Naut.)* ***Cable ('s length),*** encablure. **3.** câble, câblogramme.

cackle ['kækl] *n.* **1.** caquet (de poule). **2.** *(fig.)* caquetage. **3.** petit rire sec. *v. intr.* **1.** caqueter (pour une poule). **2.** jacasser. **3.** rire bêtement; ricaner.

△ **cafe** ['kæfeɪ] *n.* restaurant (sans boissons alcoolisées), salon de thé.

cagey ['keɪdʒɪ] *adj. (fam.)* peu communicatif, réservé. ***Women are cagey about their age,*** les femmes font un secret de leur âge.
cake [keɪk] *n.* **1.** gâteau. **2.** tablette (de chocolat); morceau (de savon). ♦ ***It's selling like hot cakes,*** cela part comme des petits pains; *(fam.)* ***that takes the cake!*** (ou ***the biscuit!***), c'est le comble! ***you can't have your cake and eat it,*** on ne peut tout avoir.
v.t. et intr. **1.** recouvrir d'une couche épaisse. **2.** faire croûte, se prendre. ♦ ***Caked with mud,*** encroûté de boue.
calamitous [kə'læmɪtəs] *adj.* désastreux, catastrophique.
▷ **calculate** ['kælkjʊleɪt] *v.t. et intr.* **1.** calculer. **2.** estimer. ***Calculate the cost,*** évaluer le coût. **3.** prévoir, préméditer.
calculating ['kælkjʊleɪtɪŋ] *adj. (péj.)* calculateur, intéressé.
calculation [,kælkjʊ'leɪʃn] *n.* **1.** calcul. **2.** prévisions.
calculator ['kælkjʊleɪtə] *n.* calculatrice (aussi **calculating machine**).
calendar ['kælɪndə] *n.* calendrier.
calf[1] [kɑ:f] *n.* (*pl.* **calves**) **1.** *(Agr.)* veau. **2.** petit d'animal. ***Elephant calf,*** éléphanteau. ♦ ***Calf bound,*** relié en veau.
calf[2] [kɑ:f] *n.* (*pl.* **calves**) mollet.
call [kɔ:l] *n.* **1.** appel, cri. **2.** visite. **3.** demande, invitation, convocation. **4.** appel téléphonique. **5.** vocation. ***The call of the sea,*** l'appel de la mer. **6.** appel, annonce (bridge). ♦ ***Within call,*** à portée de voix; ***you have no call to do so,*** vous n'avez aucune raison de le faire.
v.t. et intr. **1.** appeler, crier. **2.** ***Call on somebody,*** faire une courte visite à quelqu'un. **3.** faire venir quelqu'un. **4.** téléphoner (à). **5.** attirer (quelqu'un ou quelque chose). **6.** faire un appel (aux cartes). **7.** réveiller (quelqu'un). **8.** qualifier (de). ***He called me a liar,*** il m'a traité de menteur. ♦ ***Call a meeting,*** convoquer une assemblée; ***call a strike,*** lancer un ordre de grève; ***call somebody names,*** injurier quelqu'un; ***call the roll,*** faire l'appel.
call back *v. part. t. et intr.* **1.** rappeler, faire revenir. **2.** rendre à nouveau visite (à). **3.** rappeler au téléphone.
call down *v. part. t.* **1.** invoquer. **2.** faire descendre. **3.** critiquer. **4.** *(amér.)* enguirlander.
caller ['kɔ:lə] *n.* **1.** visiteur. **2.** *(Téléph.)* demandeur.
call for *v. prép. t.* réclamer, demander. **2.** passer prendre (quelqu'un).
call in *v. part. t.* **1.** appeler, ***Call in the doctor,*** faire venir le docteur. **2.** retirer de la circulation (billets de banque).
calling ['kɔ:lɪŋ] *n.* **1.** métier. **2.** vocation.
call off *v. part. t.* décommander. ♦ ***Call off a dog,*** rappeler un chien; ***call off a strike,*** annuler un ordre de grève.
call on *v. prép. t.* **1.** rendre visite à. **2.** ***Call on somebody to do something,*** demander à quelqu'un de faire quelque chose.
⚠ **callous** ['kæləs] *adj.* **1.** calleux. **2.** insensible, sans cœur.
call out *v. part. t.* **1.** appeler à l'aide. ***Call out the firemen,*** faire venir les pompiers. **2.** appeler à la grève.
callow ['kæləʊ] *adj.* **1.** sans plumes. **2.** *(fig.)* jeune, inexpérimenté. ***Callow youth,*** blanc-bec.
call-up *n.* appel sous les drapeaux.
call up *v. part. t. et intr.* **1.** évoquer (un souvenir, le passé). **2.** appeler sous les drapeaux. **3.** *(amér.)* téléphoner.
▷ **calm** [kɑ:m] *adj.* calme. *n.* accalmie, calme. *v.t.* calmer.
calm down *v. part. t. et intr.* **1.** s'apaiser. ***The sea has at last calmed down,*** la mer a fini par se calmer. **2.** apaiser, calmer. ***There's no calming down this naughty boy,*** il n'y a pas de moyen de faire tenir tranquille ce polisson.
came [keɪm] (**come,** *v.*).
camel ['kæml] *n.* chameau, chamelle.
⚠ **camera** ['kæmərə] *n.* appareil photo; caméra. ♦ *(Jur.)* ***In camera,*** à huis clos.
campaign [kæm'peɪn] *n.* **1.** *(Mil.)* campagne.
campsite ['kæmpsaɪt] *n.* terrain de camping (aussi **campground**).
campus ['kæmpəs] *n.* **1.** terrain universitaire. **2.** université. ***Campus life,*** vie d'étudiant.

can[1] [kæn; kən; kn] *aux. mod.* (p. **could**). **1.** pouvoir. ***I'll see what can be done,*** je vais voir ce qu'on peut faire; ***you can hear them talking,*** on les entend parler. **2.** savoir. ***He can speak English,*** il parle anglais; ***she can cook,*** elle sait faire la cuisine. **3.** être autorisé (à). ***Can I go out, Mummy?*** est-ce que je peux sortir, maman? ♦ ***You can always try,*** vous pouvez toujours essayer.

can[2] [kæn] *n.* **1.** boîte métallique. **2.** (surtout *amér.*) boîte de conserve. *v.t.* mettre en conserve.

cancel ['kænsl] *v.t.* **1.** annuler (un ordre, une réunion...). **2.** *(Comm.)* résilier (un contrat). **3.** rayer, biffer. **4.** oblitérer (un timbre).

cancellation [ˌkænsə'leɪʃn] *n.* **1.** annulation. **2.** résiliation. **3.** oblitération.

cancel out *v. part. t. et intr.* (s') éliminer, (se) détruire. ***These arguments cancel (each other) out,*** ces arguments s'annulent.

⚠ **candid** ['kændɪd] *adj.* franc, sincère.

candle ['kændl] *n.* bougie, cierge, chandelle. ♦ ***He can't hold a candle to his brother,*** il n'arrive pas à la cheville de son frère.

candour ['kændə] *n.* franchise, sincérité, bonne foi.

candy ['kændɪ] *n.* **1.** sucre candi. **2.** *(amér.)* bonbon (cf. **sweet**).

cane [keɪn] *n.* canne, jonc. **2.** tige (d'arbuste...), cep (de vigne). **3.** verge. *(Ens.)* ***Get the cane,*** être fouetté; *(Ens.)* ***give the cane,*** corriger à coups de canne.
v.t. corriger à coups de canne.

canister ['kænɪstə] *n.* boîte en métal, boîte à thé.

canker ['kæŋkə] *n.* **1.** chancre, ulcère, gangrène. **2.** *(fig.)* fléau (social). *v.t. et intr.* ronger, se gangrener.

canned [kænd] *adj.* en boîte. ♦ *(fam.)* ***Canned music,*** musique enregistrée. **2.** *(argot)* soûl.

cannery ['kænərɪ] *n.* conserverie.

▻ **cannon** ['kænən] *n.* (*pl.* **cannon**) canon.

cannonball ['kænənbɔːl] *n.* boulet de canon.

cannot ['kænət] (négation de **can**).

canny ['kænɪ] *adj.* **1.** prudent, avisé, circonspect. **2.** malin, rusé.

⚠ **canon** ['kænən] *n.* **1.** *(Rel.)* canon. **2.** *(Rel.)* chanoine.

canopy ['kænəpɪ] *n.* **1.** baldaquin, ciel de lit, dais. **2.** *(fig.)* voûte. ***The canopy of the heavens,*** la voûte céleste.

cant [kænt] *n.* **1.** jargon, argot (de métier). **2.** langage hypocrite. *(fam.)* ***That's all cant!*** tout ça c'est du boniment!

can't [kɑːnt] (contraction de **cannot**).

cantankerous [kæn'tæŋkərəs] *adj.* acariâtre, querelleur.

⚠ **canteen** [kæn'tiːn] *n.* **1.** cantine. **2.** gamelle. **3.** ménagère (couverts et couteaux). **4.** bidon, gourde.

canter ['kæntə] *n.* petit galop. ***Win in a canter,*** arriver dans un fauteuil. *v.t. et intr.* (faire) aller au petit galop.

canvas ['kænvəs] *n.* **1.** toile à peindre; tableau. **2.** toile à voiles; voile; toile (de tente, d'espadrilles...). ♦ ***Under canvas,*** sous la tente, *(Naut.)* toutes voiles dehors.

canvass ['kænvəs] *v.t.* **1.** *(Polit.)* parcourir une circonscription pour solliciter des votes. **2.** *(Comm.)* rechercher des commandes. **3.** examiner en détail.

⚠ **cap** [kæp] *n.* **1.** casquette, bonnet, toque (d'étudiant). **2.** capuchon protecteur. **3.** amorce, capsule.

capability [ˌkeɪpə'bɪlɪtɪ] *n.* capacité, aptitude.

capable ['keɪpəbl] *adj.* **1.** capable. **2.** susceptible (de). ***This statement is capable of being misunderstood,*** on peut très bien mal interpréter cette déclaration. **3.** habile, qualifié.

capacious [kə'peɪʃəs] *adj.* spacieux.

▻ **capacity** [kə'pæsɪtɪ] *n.* **1.** capacité. **2.** aptitude. ***He has a great capacity for work,*** c'est un gros travailleur. **3.** qualité. ***Serve in the capacity of,*** remplir la fonction de. ♦ ***The house was filled to capacity,*** la salle était bondée.

cape[1] [keɪp] *n.* *(Géog.)* cap.

▻ **cape**[2] [keɪp] *n.* cape, pèlerine.

caper ['keɪpə] *n.* bond, cabriole. ***Cut capers,*** faire des cabrioles; jouer des tours (à). *v. intr.* faire des cabrioles.

capital ['kæpɪtl] *adj.* **1.** majuscule (lettre). **2.** capital, essentiel. ***Of capital importance,*** d'une importance vitale.

3. ***Capital punishment,*** peine capitale. *n.* **1.** capitale (d'un pays). **2.** capital, argent. **3.** majuscule. ♦ ***Make capital (out) of,*** tirer parti de.

▷ **capricious** [kəˈprɪʃəs] *adj.* capricieux, fantasque.

capsize [kæpˈsaɪz] *v.t. et intr.* (faire) chavirer.

caption [ˈkæpʃən] *n.* **1.** légende (de dessin). **2.** titre (d'article); *(Ciné.)* sous-titre.

captious [ˈkæpʃəs] *adj.* chicanier, pointilleux.

▷ **captive** [ˈkæptɪv] *adj. et n.* captif, captive.

captor [ˈkæptə] *n.* ravisseur.

car [kɑː] *n.* **1.** voiture, auto (*amér.* **automobile**). **2.** *(amér.)* wagon. **3.** cabine, nacelle. ♦ ***Car-park,*** parking (*amér.* **parking lot**).

caravan [ˈkærəvæn] *n.* **1.** caravane. **2.** roulotte (de bohémiens). **3.** *(Aut.)* caravane (*amér.* **trailer**).

carburettor [ˌkɑːbjʊˈretə] *n.* carburateur.

card [kɑːd] *n.* **1.** carte à jouer. ♦ ***He has a card up his sleeve,*** il n'a pas dit son dernier mot; ***it's on the cards that she'll drop in on us,*** il y a gros à parier qu'elle nous rendra visite sans crier gare. **2.** carte postale, de vœux... ***Visiting card,*** carte de visite. **3.** *(fam.)* type. ***He's a queer card!*** c'est un drôle de numéro!

cardboard [ˈkɑːdbɔːd] *n.* carton.

cardpunch [ˈkɑːdpʌntʃ] *n.* perforatrice (de cartes pour ordinateur).

care [keə] *n.* **1.** souci, responsabilité. **2.** soin, attention. ***Take care of somebody,*** prendre soin de quelqu'un; ***that can take care of itself,*** cela s'arrangera tout seul.
v. intr. **1.** vouloir. ***Would you care to go for a stroll?*** cela vous dirait-il d'aller faire un tour? **2.** accorder de l'importance (à). ***She doesn't care at all about it,*** elle ne s'en soucie aucunement.

career [kəˈrɪə] *n.* **1.** carrière. **2.** course folle. ***In full career,*** en pleine course.
v. intr. foncer à toute allure (pour un animal, une voiture...).

care for *v. prép. t.* **1.** aimer. ***Would you care for a cup of tea?*** aimeriez-vous prendre une tasse de thé? **2.** s'occuper (de), soigner.

carefree [ˈkeəfriː] *adj.* insouciant.

careful [ˈkeəfəl] *adj.* **1.** attentif, prudent. **3.** soigneux, méticuleux. **3.** *(péj.)* chiche. ***She is careful with her money,*** elle regarde trop à la dépense.

careless [ˈkeələs] *adj.* **1.** négligent, inattentif. **2.** insouciant.

caretaker [ˈkeəˌteɪkə] *n.* gardien, concierge. ♦ ***Caretaker government,*** gouvernement chargé d'expédier les affaires courantes.

⚠ **cargo** [ˈkɑːgəʊ] *n.* (*pl.* **-es**) cargaison. *(Naut.)* ***Cargo-boat,*** cargo.

carnal [ˈkɑːnl] *adj.* **1.** charnel, sensuel. **2.** (souvent) sexuel.

⚠ **carnation** [kɑːˈneɪʃn] *n.* *(Bot.)* œillet. *adj.* incarnat, rose vif.

carol [ˈkærəl] *n.* **1.** chant de joie. **2.** ***A Christmas carol,*** un noël. *v. intr.* chanter des noëls, célébrer par des chants.

▷ **carp**[1] [kɑːp] *n.* carpe.

⚠ **carp**[2] [kɑːp] *v. intr.* trouver à redire. ***She keeps carping at her poor husband,*** elle ne cesse de critiquer son pauvre mari.

carpenter [ˈkɑːpɪntə] *n.* charpentier.

carpet [ˈkɑːpɪt] *n.* tapis. *(fig.)* ***Be on the carpet,*** être sur le tapis (pour une question); être réprimandé.

carriage [ˈkærɪdʒ] *n.* **1.** voiture. **2.** wagon. **3.** *(Tech.)* ***Carriage forward,*** en port dû.

carriageway [ˈkærɪdʒweɪ] *n.* chaussée.

carrier [ˈkærɪə] *n.* **1.** transporteur. **2.** entreprise de transports. **3.** *(Mil.)* transporteur de troupes. **4.** porte-bagages. **5.** messager. **6.** *(Méd.)* porteur de germes. ♦ ***Carrier bag,*** sac en papier ou plastique.

carry [ˈkærɪ] *v.t. et intr.* **1.** porter, transporter. **2.** *(Méd.)* transmettre (une maladie). **3.** porter (pour la voix). **4.** diffuser (des nouvelles). **5.** emporter l'adhésion de. ***The speaker carried his audience with him,*** l'orateur a enthousiasmé l'auditoire. **6.** adopter (une loi). **7.** *(Comm.)* tenir (un article). ♦ ***Carry the day,*** l'emporter; ***carry weight with,*** avoir de l'influence auprès de; *(fam.)* ***he carries a torch for her,*** il en a le béguin.

carryall ['kærɪɔ:l] *n.* sac à provisions.
carry away *v. part. t.* (au passif) s'exciter. ***He easily gets carried away,*** il s'enthousiasme facilement.
carrycot ['kærɪkɒt] *n.* porte-bébé.
carry forward *v. part. t.* reporter un total (en comptabilité).
carry on *v. part. t. et intr.* **1.** continuer, poursuivre. ***Londoners carried on as usual during the blitz,*** les Londoniens n'ont rien changé à leurs habitudes pendant les bombardements. **2.** faire des histoires. **3.** flirter, avoir une liaison.
carry out *v. part. t.* **1.** mettre à exécution (un projet, une menace...). **2.** réaliser (un programme).
carry through *v. part. t.* exécuter (une tâche); mener à bien (une entreprise).
cart [kɑ:t] *n.* charrette, carriole. ♦ *(fam.)* ***Be in the cart,*** être dans le pétrin. *v.t.* **1.** transporter. **2.** enlever (des ordures...). **3.** *(fam.)* trimbaler (quelque chose).
cartage ['kɑ:tɪdʒ] *n.* port, prix du transport.
carter ['kɑ:tə] *n.* charretier.
cartoon [kɑ:'tu:n] *n.* **1.** dessin humoristique (d'actualité). **2.** *(Ciné.)* dessin animé. **3.** *(Art.)* carton.
cartridge ['kɑ:trɪdʒ] *n.* **1.** cartouche (de fusil). ***Cartridge belt,*** cartouchière. **2.** cartouche (de cassette).
carve [kɑ:v] *v.t.* **1.** sculpter, tailler. **2.** *(Cuis.)* découper. ♦ ***He has carved out a nice career for himself,*** il s'est fait une brillante carrière.
carver ['kɑ:və] *n.* couteau à découper (aussi **carving knife**).
carving ['kɑ:vɪŋ] *n.* **1.** sculpture (art et œuvre). **2.** découpage (de viande).
⚠ **case**[1] [keɪs] *n,* **1.** cas, exemple. **2.** *(Méd.)* cas, malade, blessé. ***Case history,*** antécédents (médicaux, sociaux). **3.** *(Jur.)* affaire, cause. **4.** ensemble des arguments, dossier. ♦ ***A case in point,*** un cas d'espèce; ***as the case may be,*** selon le cas; ***in any case,*** en tout cas; ***in case,*** de peur que; ***it was a case of love at first sight,*** ça été le coup de foudre; ***take your raincoat in case it should rain,*** prenez votre imperméable pour le cas où il pleuvrait; *(Jur.)* ***the case for the Crown,*** l'accusation; ***the case in point,*** le cas qui nous occupe; ***the police have a clear case against this delinquent,*** la police dispose de toutes les preuves nécessaires pour faire inculper ce délinquant.
case[2] [keɪs] *n.* **1.** valise. **2.** étui, écrin, fourreau.
caseworker ['keɪs,wɜ:kə] *n.* assistante sociale (aussi **social worker**).
cash [kæʃ] *n.* argent, espèce, numéraire. ♦ ***Be in cash,*** être en fonds; ***cash desk,*** caisse; ***cash down,*** argent comptant; ***cash on delivery,*** contre-remboursement; ***cash register,*** caisse enregistreuse; ***hard cash,*** espèces sonnantes; ***pay cash,*** payer comptant; ***ready cash,*** argent liquide.
v.t. encaisser, toucher.
cash and carry *n.* supermarché (de gros et demi-gros).
cashier [kæ'ʃɪə] *n.* caissier.
cash in *v. part. intr.* tirer parti. ***Florists cash in on Mother's Day by putting up their prices,*** les fleuristes profitent de la Fête des Mères pour majorer leurs prix.
casing ['keɪsɪŋ] *n.* **1.** gaine (de fil métallique); enveloppe (de pneu). **2.** châssis (de porte, de fenêtre...).
cask [kɑ:sk] *n.* tonneau, barrique, baril.
casket ['kɑ:skɪt] *n.* **1.** coffret, écrin. **2.** *(amér.)* cercueil (cf. **coffin**).
cassock ['kæsək] *n.* soutane.
cast [kɑ:st] *v.t. irr.* (*p.* **cast,** *p.p.* **cast**). **1.** jeter, lancer. **2.** voter. **3.** projeter (une ombre). ***Cast the blame on,*** rejeter la responsabilité sur. **4.** *(Ciné. Th.)* distribuer des rôles. **5.** couler (du métal); mouler. ***Cast iron,*** fonte. **6.** calculer. ***Cast accounts,*** faire des comptes. ♦ ***Cast about for an excuse,*** chercher une excuse; ***cast a horoscope,*** tirer un horoscope; ***cast aside,*** mettre de côté, rejeter.
n. **1.** coup, lancer. **2.** *(Ciné. Th.)* distribution, rôles. **3.** moulage. ***He has his leg in a cast,*** il a la jambe dans le plâtre.
castaway ['kɑ:stəweɪ] *n.* **1.** naufragé. **2.** marin abandonné sur une île.
cast down *v. part. t.* (surtout au passif). ***Be cast down,*** être abattu, déprimé.
caster ['kɑ:stə] (aussi **castor**) *n.* **1.** roulette (de meuble). **2.** saupoudroir.

castigate ['kæstɪgeɪt] *v.t.* **1.** châtier. **2.** condamner, désapprouver.
casting ['kɑːstɪŋ] *n.* **1.** moulage. **2.** distribution (des rôles). **3.** lancer.
castle ['kɑːsl] *n.* **1.** château. ***Build castles in the air,*** bâtir des châteaux en Espagne. **2.** tour (aux échecs).
cast-off *adj.* mis au rebut. ***Cast-off clothes,*** vieilles frusques. (aussi **castoffs**).
cast off *v. part. t. et intr.* **1.** *(Naut.)* larguer les amarres. **2.** mettre au rebut (vêtements). **3.** arrêter (un tricot). **4.** rejeter. ***She was cast off by her family,*** sa famille l'a reniée.
cast out *v. part. t.* expulser.
castrate [kæ'streɪt] *v.t.* châtrer.
casual ['kæʒʊəl] *adj.* **1.** accidentel, par hasard. ***Casual meeting,*** rencontre fortuite ; ***engage in casual conversation,*** parler de la pluie et du beau temps. **2.** insouciant, sans gêne. ***She is really too casual,*** elle en prend vraiment trop à son aise. ♦ ***Casual clothes,*** tenue décontractée ; ***casual labourer,*** journalier.
casualty ['kæʒʊəltɪ] *n.* victime (d'un accident). ***The casualties,*** les victimes (morts et blessés), les pertes.
cat [kæt] *n.* **1.** chat. **2.** *(fig.)* chipie. ♦ ***Cat burglar,*** monte-en-l'air ; ***let the cat out of the bag,*** vendre la mèche ; ***like a cat on hot bricks*** *(amér.* ***like a cat on a hot tin roof),*** très nerveux ; ***live a cat-and-dog life,*** s'entendre comme chien et chat ; *(fam.)* ***there's not enough room to swing a cat,*** il n'y a pas de place pour se retourner ; ***wait for the cat to jump,*** voir d'où vient le vent ; ***when the cat's away the mice will play,*** quand le chat n'est plus là les souris dansent.
catcall ['kætkɔːl] *n.* *(Th.)* sifflet.
catch [kætʃ] *v.t. et intr. irr.* (*p.* **caught,** *p.p.* **caught**). **1.** attraper, saisir. **2.** prendre au piège, surprendre. **3.** atteindre, frapper. ***He caught me a blow,*** il m'a donné un coup. **4.** comprendre. ***Excuse me, I didn't catch what you said,*** veuillez m'excuser, je n'ai pas bien compris ce que vous avez dit. **5.** (se) prendre (feu, ...). ♦ ***Catch a cold,*** s'enrhumer ; ***catch a Tartar,*** trouver à qui parler ; ***catch hold of,*** s'emparer de ; ***catch sight of,*** apercevoir ; ***mind out or you'll catch it!*** fais attention, tu vas recevoir ! *n.* **1.** *(Sp.)* arrêt de volée. **2.** prise, capture. **3.** loquet. **4.** attrape, traquenard. ***There must be a catch in it somewhere!*** il doit y avoir un piège là-dedans !
catch on *v. part. intr.* **1.** réussir, devenir populaire. **2.** saisir, comprendre.
catchphrase ['kætʃfreɪz] *n.* slogan, rengaine.
catch up *v. part. t. et intr.* **1.** rattraper son retard. ***Catch up with one's work,*** se remettre à jour dans son travail ; ***catch up with somebody,*** rejoindre quelqu'un. **2.** ***The audience was caught up in a wave of enthusiasm,*** le public fut saisi d'un enthousiasme irrésistible.
catchword ['kætʃwɜːd] *n.* *(Polit.)* slogan, mot d'ordre.
▻ **catechize** ['kætɪkaɪz] *v.t.* catéchiser.
cater ['keɪtə] *v. intr.* approvisionner ; pourvoir à la nourriture, aux plaisirs. ***TV programs can't possibly cater for all tastes,*** les programmes de télé ne sauraient satisfaire tous les goûts.
caterpillar ['kætəˌpɪlə] *n.* chenille. ***Caterpillar tractor,*** auto-chenille.
⚠ **catholic**[1] ['kæθəlɪk] *adj.* universel, libéral, éclectique.
▻ **Catholic**[2] ['kæθəlɪk] *adj. et n.* catholique.
catnap ['kætnæp] *n.* *(fam.)* petite somme.
cat's eye ['kætsaɪ] *n.* clou lumineux sur la chaussée ; catadioptre.
cattle ['kætl] *n.* bétail, bestiaux. ***This farmer has 120 (head of) cattle on his farm,*** ce fermier possède 120 bovins dans sa ferme.
catty ['kætɪ] *adj.* rosse, méchante (surtout pour une femme) (aussi **cattish**).
caucus ['kɔːkəs] *n.* **1.** comité électoral. **2.** *(U.S.)* réunion d'un comité électoral.
caught [kɔːt] (**catch,** *v.*).
cauldron ['kɔːldrən] *n.* chaudron.
cauliflower ['kɒlɪˌflaʊə] *n.* chou-fleur.
caulk [kɔːk] *v.t.* **1.** *(Naut.)* calfater. **2.** obstruer (des fentes) ; ragréer.
▻ **cause** [kɔːz] *n.* **1.** cause. **2.** raison, motif. ***With good cause,*** à juste titre.

v.t. occasionner, provoquer.
causeway ['kɔːzweɪ] *n.* chaussée, levée, digue.
⚠ **caution** ['kɔːʃn] *n.* **1.** avis, avertissement. ***Caution, road works ahead,*** attention, travaux. **2.** prudence. *v.t.* **1.** avertir, prévenir. **2.** mettre en garde, menacer de sanctions.
cautious ['kɔːʃəs] *adj.* prudent, circonspect.
⚠ **cave** [keɪv] *n.* caverne, grotte.
cave in *v. part. t. et intr.* s'effondrer, s'affaisser. **2.** céder, se soumettre.
caveman ['keɪvmæn] *n.* (*pl.* **-men**) homme des cavernes.
cease [siːs] *v.t. et intr.* s'interrompre. ***Cease work,*** arrêter les travaux.
cease-fire ['siːs,faɪə] *n.* cessez-le-feu.
ceiling ['siːlɪŋ] *n.* plafond.
▻ **celebrate** ['selɪbreɪt] *v.t. et intr.* fêter, célébrer, faire l'éloge (de).
celebrated ['selɪbreɪtɪd] *adj.* fameux.
celestial [sɪ'lestɪəl] *adj.* céleste.
celibacy ['selɪbəsɪ] *n.* célibat.
celibate ['selɪbɪt] *n.* célibataire.
cell [sel] *n.* **1.** cellule, cachot. **2.** cellule (de parti...). **3.** alvéole (de ruche). **4.** *(Elec.)* élément de pile. **5.** *(Anat.)* cellule.
cellar ['selə] *n.* cave, cellier.
▻ **cement** [sɪ'ment] *n.* ciment. *v.t.* cimenter ; *(fig.)* consolider (une amitié, la paix...).
▻ **cemetery** ['semɪtrɪ] *n.* cimetière.
▻ **censor** ['sensə] *n.* censeur. *v.t.* soumettre à la censure, critiquer.
censorious [sen'sɔːrɪəs] *adj.* porté à critiquer, sévère.
censorship ['sensəʃɪp] *n.* censure.
⚠ **censure** ['senʃə] *n.* blâme. *v.t.* blâmer, infliger un blâme à.
census ['sensəs] *n.* recensement.
centenarian [,sentɪ'neərɪən] *n.* centenaire.
▻ **centenary** [sen'tiːnərɪ] *n.* centenaire, centième anniversaire (*amér.* **centennial**).
centipede ['sentɪpiːd] *n.* mille-pattes.
century ['sentʃərɪ] *n.* siècle. ***In the twentieth century,*** au vingtième siècle.
ceremonial [,serɪ'məʊnɪəl] *n.* **1.** cérémonie. **2.** cérémonial, étiquette.
cert [sɜːt] *n. (argot)* certitude. ***This horse will win the race, it's a (dead) cert,*** ce cheval gagnera, c'est couru d'avance.
certainly ['sɜːtnlɪ] *adv.* **1.** certainement. **2.** sans aucun doute. ***Will you help me? – Certainly, I will,*** m'aiderez-vous? – avec plaisir. ♦ ***Certainly not,*** bien sûr que non.
certainty ['sɜːtntɪ] *n.* certitude.
certify ['sɜːtɪfaɪ] *v.t.* **1.** certifier, attester. **2.** déclarer. ***The doctor certified him mad,*** le docteur l'a déclaré atteint d'aliénation mentale.
cesspit ['sespɪt] (aussi **cesspool**), *n.* **1.** puisard, fosse d'aisances. **2.** *(fig.)* cloaque.
chafe [tʃeɪf] *v.t. et intr.* **1.** irriter (par frottement). **2.** frotter, frictionner. **3.** s'irriter, s'exaspérer. ***Chafe under restraint,*** ronger son frein.
chaff[1] [tʃɑːf] *n.* **1.** balle (du grain). **2.** paille hachée. **3.** *(lit.)* vétilles.
chaff[2] [tʃɑːf] *n.* taquinerie, blague. *v.t.* taquiner, blaguer.
chain-smoker ['tʃeɪnsməʊkə] *n.* fumeur invétéré (qui fume cigarette sur cigarette).
chair [tʃeə] *n.* **1.** chaise, fauteuil. ***Chair lift,*** télésiège. **2.** fauteuil présidentiel. **3.** *(Ens.)* chaire. ***Hold the chair of English literature,*** avoir la chaire de littérature anglaise. **4.** *(Rail.)* coussinet. **5.** *(U.S.* = **electric chair**) chaise électrique. ***He got the chair,*** il a été condamné à la chaise électrique.
chairman ['tʃeəmən] *n.* (pl. **-men**) président.
chalk [tʃɔːk] *n.* craie. *v.t.* marquer à la craie.
chalk up *v. part. t.* **1.** inscrire à son score. **2.** porter au compte de. ***Chalk up the drinks,*** inscrire les consommations sur l'ardoise.
challenge ['tʃælɪndʒ] *n.* **1.** défi, provocation. **2.** *(Mil.)* sommation. **3.** *(Jur.)* contestation, récusation (d'un juré). *v.t.* **1.** défier, provoquer. **2.** faire une sommation. **3.** contester, récuser. **4.** poser un problème. ***Each new difficulty only challenges his mind,*** chaque nouvel obstacle ne fait que stimuler son esprit.
championship ['tʃæmpɪənʃɪp] *n.* **1.** *(Sp.)* championnat. **2.** *(Sp.)* titre de champion. **3.** défense (d'une cause).
⚠ **chance** [tʃɑːns] *n.* **1.** hasard. ***By***

chance, par hasard. **2.** occasion, possibilité. **3.** risque. ***Take no chances,*** ne rien laisser au hasard; ***that's a chance we'll have to take,*** c'est un risque que nous devrons courir. ♦ ***He stands a good chance of passing his exam,*** il a de fortes chances de réussir à son examen; ***he went to the ball on the chance of meeting the girl there,*** il est allé au bal dans l'espoir d'y rencontrer peut-être la jeune fille.
adj. fortuit, accidentel. ***A chance meeting,*** une rencontre de hasard.
v.t. et intr. **1.** survenir. ***He chanced to meet her in the pub,*** il l'a rencontrée par hasard au café. **2.** prendre des risques. ***Chance it,*** risquer le coup.

chancel ['tʃɑːnsl] *n. (Arch.)* chœur (d'église).

chancellor ['tʃɑːnsələ] *n.* **1.** chancelier. **2.** ***Lord Chancellor,*** président de la Chambre des Lords; ***Chancellor of the Exchequer,*** le ministre des Finances. **3.** *(Ens.)* recteur.

chancy ['tʃɑːnsɪ] *adj. (fam.)* risqué, hasardeux.

△ **change** [tʃeɪndʒ] *n.* **1.** changement. ***What about going to the pictures for a change?*** et si pour changer nous allions au cinéma? **2.** ***A change of clothes,*** du linge de rechange. **3.** monnaie. ***Don't forget your change!*** n'oubliez pas votre monnaie! **4.** petite monnaie. ♦ *(Méd.)* ***Change of life,*** retour d'âge, ménopause.
v.t. et intr. **1.** changer. **2.** changer (de), se changer. **3.** faire de la monnaie. **4.** changer (de l'argent). ♦ ***All change!*** tout le monde descend! *(Aut.)* ***change down,*** rétrograder; ***change for the better,*** s'améliorer; ***change gear(s),*** changer de vitesse(s); ***change one's mind,*** se raviser; *(Aut.)* ***change up,*** passer la vitesse supérieure.

changeable ['tʃeɪndʒəbl] *adj.* **1.** variable (temps). **2.** changeant, inconstant (humeur).

changeover ['tʃeɪndʒˌəʊvə] *n.* **1.** changement radical (d'un système à un autre); renversement politique. **2.** *(Mil.)* relève.

change over *v. part. intr.* **1.** opérer un changement radical. **2.** *(Mil.)* se relever.

channel ['tʃænl] *n.* **1.** lit (de rivière). **2.** chenal, bras de mer. ***The Channel Islands,*** les îles anglo-normandes; ***the (English) Channel,*** la Manche. **3.** filière. ***Go through official channels,*** suivre la voie hiérarchique. **4.** *(Radio, T.V.)* bande de fréquence. **5.** *(T.V.)* chaîne. **6.** voie, direction. ***A new channel for their activities,*** un nouveau débouché pour leurs activités.
v.t. **1.** canaliser. **2.** creuser un chenal.

△ **chant** [tʃɑːnt] *v.t. et intr.* **1.** psalmodier. **2.** scander (des slogans). *n.* **1.** chant religieux, mélopée. **2.** répétition monotone.

chap[1] [tʃæp] *n. (fam.)* gars. ***He is a nice chap,*** c'est un chic type.

chap[2] [tʃæp] *n.* gerçure, crevasse. *v.t. et intr.* (se) gercer, (se) crevasser.

chaps [tʃæps] *n. pl.* mâchoires, bajoues.

chapter ['tʃæptə] *n.* **1.** chapitre. **2.** *(Rel.)* chapitre.

char[1] [tʃɑː] *v.t. et intr.* (se) carboniser.

char[2] [tʃɑː] *n.* (= **charwoman**) femme de ménage. *v. intr.* faire des ménages.

char[3] [tʃɑː] *n. (argot)* thé. ***Feel like a cup of char?*** ça vous dit une tasse de thé?

character ['kærɪktə] *n.* **1.** caractère (d'imprimerie). **2.** caractère, nature. **3.** personnage (de roman), rôle (de théâtre). **4.** qualité. ***In his character of,*** en sa qualité de. **5.** certificat, référence. **6.** réputation. ♦ ***Character actor,*** acteur de genre; *(fam.)* ***he is quite a character,*** c'est un vrai numéro; ***in character,*** à sa place, dans son rôle; ***out of character,*** déplacé; ***public character,*** personnalité.

▷ **characterize** ['kærɪktəraɪz] *v.t.* **1.** caractériser. **2.** être typique de.

charcoal ['tʃɑːkəʊl] *n.* charbon de bois. ***Charcoal drawing,*** dessin au fusain.

△ **charge** [tʃɑːdʒ] *n.* **1.** prix. **2.** charge, responsabilité. ***John has been put in charge of the new department,*** John est devenu responsable du nouveau service. **3.** personne à charge. **4.** instructions, recommandations. **5.** *(Jur.)* acte d'accusation. ***His neighbour has brought a charge against him,*** son voisin a déposé plainte contre lui. **6.** *(Mil.)* charge, attaque. **7.** charge (d'explosif). **8.** *(Elec.)* charge (d'une batterie).

v.t. et intr. **1.** faire payer. ***How much do you charge for a double-bedded room?*** combien prenez-vous pour une chambre à un grand lit? **2.** porter au compte (de). **3.** ordonner (à). **4.** accuser. ***The police charged him with murder,*** la police l'a inculpé de meurtre. **5.** charger, faire une charge. **6.** charger (un fusil, une batterie...).

▷ **charity** ['tʃærɪtɪ] *n.* **1.** charité. **2.** bienveillance. **3.** aumône. **4.** œuvre de bienfaisance. ♦ ***Charity begins at home,*** charité bien ordonnée commence par soi-même; ***live on charity,*** vivre d'aumônes; ***out of charity*** (ou ***for charity's sake***), par charité.

⚠ **chart** [tʃɑːt] *n.* **1.** *(Naut.)* carte marine. **2.** diagramme, courbe.

⚠ **charter** ['tʃɑːtə] *n.* **1.** *(Hist.)* charte. **2.** location, affrêtement. *(Av.)* ***Charter (flight),*** charter.
v.t. **1.** accorder une charte, un privilège à. ***Chartered accountant,*** expert-comptable. **2.** lover, affrêter.

charwoman ['tʃɑːˌwʊmən] *n.* (*pl.* **-men**), femme de ménage.

chary ['tʃeərɪ] *adj.* **1.** *(lit.)* prudent. ***Be chary of doing something,*** hésiter à faire quelque chose. **2.** chiche. ***Chary of praise,*** avare de louanges.

chase [tʃeɪs] *n.* **1.** chasse, poursuite. ***Give chase to,*** poursuivre. **2.** proie poursuivie. *v.t.* chasser, pourchasser, poursuivre.

chasm ['kæzm] *n.* abîme, gouffre.

chasten ['tʃeɪsn] *v.t.* **1.** amender, assagir (par un châtiment). ***This failure will chasten her pride,*** cet échec rabattra son orgueil. **2.** châtier (le style).

chastise [tʃæ'staɪz] *v.t.* châtier.

⚠ **chat** [tʃæt] *n.* (brin de) causette. ***Have a chat,*** tailler une bavette. *v. intr.* bavarder, faire la causette.

chattel ['tʃætl] *n.* *(Jur.)* bien meuble; *(pl.)* objets mobiliers, meubles. ***Goods and chattels,*** biens et effets.

chatter ['tʃætə] *v. intr.* **1.** jacasser, jaser. **2.** claquer des dents. ***His teeth are chattering,*** il claque des dents.
n. **1.** bavardage, parlotte. **2.** claquement (de dents).

chatterbox ['tʃætəbɒks] *n.* bavard (comme une pie), moulin à paroles.

chatty ['tʃætɪ] *adj.* bavard, causeur.

chauffeur ['ʃəʊfə] *n.* chauffeur (de maître).

cheap [tʃiːp] *adj.* **1.** bon marché. **2.** de qualité médiocre. ♦ ***It's dirt cheap,*** c'est donné; ***feel cheap,*** avoir honte; ***hold something cheap,*** ne pas faire cas de quelque chose; ***she made herself cheap,*** elle n'a pas beaucoup résisté; ***on the cheap,*** au rabais. *adv.* **1.** à bon marché. ***I got this car very cheap,*** j'ai eu cette voiture à bon compte. **2.** d'une manière vulgaire. ***I wish my daughter wouldn't act so cheap,*** je voudrais que ma fille ait un peu plus de tenue.

cheapen ['tʃiːpən] *v.t. et intr.* **1.** faire baisser le prix; devenir moins cher. **2.** ***Cheapen oneself,*** se déprécier.

cheat [tʃiːt] *v.t. et intr.* **1.** duper, tromper. **2.** tricher. *n.* **1.** tricheur, escroc. **2.** fraude.

check [tʃek] *n.* **1.** arrêt, contrôle. **2.** obstacle. **3.** *(Th.)* bulletin de vestiaire. **4.** carreau, tissu à carreaux. **5.** échec (aux échecs). **6.** *(amér.)* addition (au restaurant) (cf. **bill**[2]). **7.** *(amér.)* chèque (cf. **cheque**).
v.t. **1.** arrêter, contrôler. **2.** tester, vérifier. ***She always checks her shopping list,*** elle ne manque pas de pointer la liste de ses commissions. **3.** faire échec à. **4.** *(amér.)* mettre au vestiaire.

check in *v. part. intr.* se présenter à la réception, à l'enregistrement.

checklist ['tʃekˌlɪst] *n.* liste de contrôle.

checkmate ['tʃekmeɪt] *n.* **1.** échec et mat (aux échecs). **2.** *(fig.)* fiasco. *v.t.* **1.** battre par échec et mat. **2.** *(fig.)* contrecarrer, déjouer.

checkout ['tʃekaʊt] *n.* **1.** caisse (de self-service). **2.** heure limite pour libérer la chambre.

check out *v. part. t. et intr.* **1.** régler sa note d'hôtel. **2.** faire enregistrer (un prêt).

checkup ['tʃekʌp] *n.* bilan de santé.

check up *v. part. intr.* vérifier soigneusement. ***The police has checked up on all this information,*** la police a passé au crible tous ces renseignements.

cheek [tʃiːk] *n.* **1.** joue. **2.** *(fam.)* toupet, culot. ♦ ***Cheek by jowl with,*** côte à côte avec.

cheeky ['tʃi:kɪ] *adj. (fam.)* effronté, culotté.

cheer ['tʃɪə] *v.t. et intr.* **1.** acclamer, applaudir. **2.** encourager, réconforter. *n.* **1.** *(souvent pl.)* acclamation, applaudissement, vivat. ***Give three cheers for,*** pousser trois hourras, acclamer. **2.** *(lit.)* bonne humeur.

cheerful ['tʃɪəfəl] *adj.* gai, enjoué.

cheerio [,tʃɪərɪ'əʊ] *interj.* au revoir !

cheers [tʃɪəz] *interj.* à votre santé !

cheer up *v. part. t. et intr.* **1.** prendre courage, retrouver son entrain. **2.** réconforter.

cheese [tʃi:z] *n.* fromage.

chemical ['kemɪkəl] *adj.* chimique. *n.* (surtout *pl.*) produits chimiques.

⚠ **chemist** ['kemɪst] *n.* **1.** chimiste. **2.** pharmacien (*amér.* **druggist**). ***Go to the chemist's,*** aller chez le pharmacien (*amér.* **to the drugstore**).

chemistry ['kemɪstrɪ] *n.* chimie.

cheque [tʃek] *n.* chèque. ***Give somebody a blank cheque,*** donner carte blanche à quelqu'un (*amér.* **check**).

chequebook ['tʃekbʊk] *n.* chéquier (*amér.* **checkbook**).

cherish ['tʃerɪʃ] *v.t.* **1.** chérir, aimer. **2.** entretenir (un espoir, un souvenir...). ***Cherish illusions,*** se bercer d'illusions.

cherry ['tʃerɪ] *n.* **1.** cerise. **2.** (= **cherry-tree**) cerisier. *adj.* rouge cerise.

chess [tʃes] *n.* échecs.

chessboard ['tʃesbɔ:d] *n.* échiquier.

chessman ['tʃesmæn] *n.* (*pl.* **-men**) pièce (aux échecs).

chest [tʃest] *n.* **1.** poitrine. **2.** boîte, coffre. ♦ ***Get something off one's chest,*** dire ce que l'on a sur le cœur.

chestnut ['tʃesnʌt] *n.* **1.** châtaigne. **2.** (= **chestnut-tree**) châtaignier. **3.** (= **chestnut horse**) alezan. **4.** *(fam.)* plaisanterie usée.

chest of drawers [,tʃestəv'drɔ:z] *n.* commode.

chew [tʃu:] *v.t.* mâcher. ♦ *(fam.)* ***Chew over something,*** ressasser quelque chose ; *(argot)* ***chew the fat,*** tailler une bavette ; *(argot)* ***chew the rag,*** rouspéter.

chick [tʃɪk] *n.* **1.** poussin. **2.** oisillon. **3.** *(fam.)* poulet (petit enfant). **4.** *(vulg.)* pépée, poulette.

chicken ['tʃɪkɪn] *n.* **1.** poulet. **2.** oisillon. **3.** *(Cuis.)* du poulet. **4.** *(langage enfantin)* trouillard. ♦ ***Don't count your chickens before they are hatched,*** il ne faut pas vendre la peau de l'ours avant de l'avoir tué ; ***he's chicken-hearted,*** c'est une poule mouillée ; ***she's no chicken,*** elle n'est plus toute jeune.

chidden ['tʃɪdn] (**chide** *v.*).

chide [tʃaɪd] *v.t. et intr. irr.* (*p.* **chided** ou **chid,** *p.p.* **chid** ou **chidden**) gronder, réprimander.

chief [tʃi:f] *n.* **1.** chef. **2.** *(fam.)* patron. *adj.* principal. ***Chief inspector,*** inspecteur principal.

chieftain ['tʃɪ:ftɪn] *n.* chef de clan, de tribu.

child [tʃaɪld] *n.* (*pl.* **children** ['tʃɪldrən]) **1.** enfant. **2.** *(fig.)* fruit, produit. ♦ (*vx* et *lit.*) ***Be with child,*** être enceinte ; ***from a child,*** dès l'enfance.

childbearing ['tʃaɪld,beərɪŋ] *n.* maternité, grossesse.

childhood ['tʃaɪldhʊd] *n.* enfance. ***He's in his second childhood,*** il est retombé en enfance.

childish ['tʃaɪldɪʃ] *adj.* puéril, enfantin.

childlike ['tʃaɪldlaɪk] *adj.* d'enfant, avec la pureté de l'enfance.

chill [tʃɪl] *n.* **1.** refroidissement. ***Catch a chill,*** attraper froid. **2.** *(fig.)* froid. ***Cast a chill over the company,*** jeter un froid sur la réunion.
adj. frais, glacial.
v.t. et intr. **1.** faire rafraîchir. **2.** réfrigérer. **3.** *(fig.)* refroidir. **4.** se refroidir.

chilly ['tʃɪlɪ] *adj.* **1.** frisquet. ***It's rather chilly this morning,*** il fait plutôt frais ce matin. **2.** frileux. **3.** glacial (accueil).

chime [tʃaɪm] *n.* carillon. *v.t. et intr.* carillonner, sonner.

chime in *v. part. intr.* **1.** s'accorder. ***This chimes in with my ideas,*** cela correspond à mes idées. **2.** donner son opinion. ***He keeps chiming in,*** il n'arrête pas de mettre son grain de sel.

⚠ **chimney** ['tʃɪmnɪ] *n.* **1.** conduit de cheminée. **2.** verre de lampe. **3.** *(Géol.)* cheminée.

chimneystack ['tʃɪmnɪstæk] *n.* **1.** souche, corps de cheminée. **2.** cheminée

d'usine.
chimneysweep ['tʃɪmnɪswi:p] *n.* ramoneur (aussi **chimneysweeper**).
chin [tʃɪn] *n.* menton. ♦ ***(Keep your) chin up!*** du courage! tenez bon!
china ['tʃaɪnə] *n.* **1.** porcelaine **2.** (objets de) porcelaine (aussi **chinaware**).
chink[1] [tʃɪŋk] *n.* **1.** fente, crevasse de. **2.** ***Chink (of light),*** jour (fente où passe la lumière). *v.t.* boucher une crevasse.
chink[2] [tʃɪŋk] *n.* tintement (de pièces...) *v.t. et intr.* (faire) tinter.
chinwag ['tʃɪnwæg] *n. (argot)* bavette, bavardage.
chip [tʃɪp] *n.* **1.** débris, éclat, écaille. **2.** ébréchure. **3.** jeton (aux cartes). ♦ ***He has a chip on his shoulder,*** il est très susceptible; ***he is a chip off the old block,*** il est bien le fils de son père; ***when the chips are down,*** dans les moments de crise.
v.t. et intr. **1.** (s') ébrécher, (s') écailler. **2.** couper en lamelles, faire des chips.
chipboard ['tʃɪpbɔ:d] *n.* aggloméré.
chippings ['tʃɪpɪŋz] *n. pl.* **1.** éclats. **2.** gravillons.
chips [tʃɪps] *n. pl. (Cuis.)* chips, frites (*amér.* **french fries**).
chirp [tʃɜ:p] *n.* **1.** pépiement, gazouillement. **2.** cri d'insectes; *v. intr.* **1.** pépier, gazouiller. **2.** crier (pour des insectes).
chisel ['tʃɪzl] *n.* ciseau à bois. *v.t.* **1.** ciseler. **2.** *(fam.)* rouler, filouter.
chivalry ['ʃɪvəlrɪ] *n.* chevalerie.
chive [tʃaɪv] *n. (Bot.)* ciboulette.
chivy ['tʃɪvɪ] *v.t.* harceler, tarabuster (aussi **chivvy**).
choc-ice ['tʃɒkaɪs] *n.* esquimau, chocolat glacé (aussi **choc-bar**).
choice [tʃɔɪs] *n.* choix, assortiment. ***For choice,*** de préférence. ♦ ***It's Hobson's choice,*** c'est la carte forcée.
choir ['kwaɪə] *n.* **1.** chœur, chorale. **2.** *(Arch.)* chœur d'église.
choirboy ['kwaɪəbɔɪ] *n.* enfant de chœur; choriste.
choke [tʃəʊk] *v.t. et intr.* **1.** (s') étouffer. **2.** (se) boucher; *n.* **1.** étranglement, étouffement. **2.** *(Aut.)* starter. ***Give her some choke,*** mets le starter.
choke back *v. part. t.* contenir. ***She could no longer choke back her anger,*** elle ne put réprimer davantage sa colère.
choose [tʃu:z] *v.t. et intr. irr.* (*p.* **chose,** *p.p.* **chosen**). **1.** choisir, préférer. **2.** décider. ***They chose to stay one more week,*** ils ont décidé de prolonger leur séjour d'une semaine. ♦ ***There's little to choose between them,*** ils se valent.
chop [tʃɔp] *n.* **1.** coup (de hache, de hachoir). **2.** *(Cuis.)* côtelette. (mouton...). **3.** clapotis. ♦ *(argot)* ***Get the chop,*** se faire sacquer.
v.t. et intr. **1.** trancher, hacher, fendre. **2.** clapoter. **3.** couper la balle (au tennis). ♦ ***He is always chopping and changing,*** c'est une vraie girouette; ***the wind kept chopping round,*** Le vent tournait sans arrêt.
chophouse ['tʃɒphaʊs] *n.* petit restaurant, gargote.
chopper ['tʃɒpə] *n.* **1.** hachoir. **2.** *(fam.)* hélicoptère. **3.** *(Tech.)* coupe-circuit.
choppy ['tʃɒpɪ] *adj.* **1.** clapoteuse (mer). **2.** variable, changeant (vent).
chopsticks ['tʃɒpstɪks] *n. pl.* baguettes (chinoises).
chord [kɔ:d] *n.* **1.** ligne droite. **2.** *(Mus.)* corde. **3.** *(Mus.)* accord. ♦ ***Touch the right chord,*** toucher la corde sensible.
chore [tʃɔ:] *n.* **1.** tâche. ***Do the chores,*** faire le ménage. **2.** corvée. ***It's such a chore having to commute every day,*** c'est tellement ennuyeux d'avoir à faire la navette tous les jours.
chorus ['kɔ:rəs] *n.* **1.** *(Mus.)* chœur. **2.** refrain. ***Join in the chorus,*** reprendre en chœur le refrain.
chose [tʃəʊz] (**choose,** *v*).
chosen ['tʃəʊzən] (**choose,** *v.*).
chowder ['tʃaʊdə] *n. (Cuis.)* bouillabaisse américaine (poissons et palourdes).
christen ['krɪsən] *v.t.* **1.** baptiser. **2.** donner un prénom à. ***They have christened their daughter Stéphanie,*** ils ont baptisé leur fille Stéphanie. **3.** *(fam.)* étrenner. ***Have you christened your new bike yet?*** as-tu déjà essayé ton vélo neuf?
Christian ['krɪstʃən] *adj.* **1.** chrétien. ***Christian name,*** prénom. **2.** charitable, généreux. *n.* chrétien.
Christianity [ˌkrɪstɪ'ænɪtɪ] *n.* christia-

nisme.

Christmas ['krɪsməs] *n.* Noël. ***Christmas box,*** étrennes; ***Christmas Day,*** jour de Noël; ***Christmas Eve,*** veille de Noël.

▻**chronicle** ['krɒnɪkl] *n. (Hist.)* chronique.

chrysalis ['krɪsəlɪs] *n.* (*pl.* **-es** [i:z]), chrysalide.

chubby ['tʃʌbɪ] *adj.* joufflu, potelé.

chuck [tʃʌk] *v.t.* **1.** jeter. ***He chucked the ball to me,*** il m'a lancé la balle. **2.** *(argot)* abandonner (son travail), plaquer (une fille). ♦ *(argot)* ***Chuck it!*** arrête ton cirque! ***chuck somebody under the chin,*** donner de petites tapes à quelqu'un sous le menton.

chuckle ['tʃʌkl] *n.* gloussement, rire étouffé. *v. intr.* glousser, rire sous cape.

chuck out *v. part. t.* expulser. ***They chucked the drunken man out of the pub,*** ils ont flanqué l'ivrogne à la porte du café.

chum [tʃʌm] *n.* copain. *v. intr.* **1.** faire chambre commune. **2.** ***Chum up with somebody,*** se lier d'amitié avec quelqu'un.

church [tʃɜ:tʃ] *n.* église, temple. **2.** office. ♦ ***Are you church or chapel?*** êtes-vous anglican ou non-conformiste?

churchgoer ['tʃɜ:tʃˌgəʊə] *n.* pratiquant.

churchyard ['tʃɜ:tʃjɑ:d] *n.* cimetière (autour d'une église). ♦ ***Churchyard cough,*** toux qui sent le sapin.

churn [tʃɜ:n] *n.* baratte. *v.t.* **1.** battre (le beurre). **2.** *(fig.)* ***The screw is churning up the water,*** l'hélice brasse l'eau.

cider ['saɪdə] *n.* cidre.

cinder ['sɪndə] *n.* **1.** cendre, bois calciné (cf. **ashes**). **2.** *(pl.)* cendres, scories. **3.** *(Sp.)* cendrée; piste en cendrée (aussi **cinder-track**).

cinnamon ['sɪnəmən] *n.* cannelle.

cipher ['saɪfə] *n.* **1.** zéro. *(fam.)* ***He's a mere cipher,*** c'est une nullité. **2.** chiffre (de 1 à 9) (cf. **figure**). **3.** chiffre, code secret. ***Write a message in cipher,*** coder un message. **4.** monogramme.

▻**circle** ['sɜ:kl] *n.* **1.** cercle. *(fig.)* ***Come full circle,*** revenir au point de départ. **2.** *(Th.)* balcon. **3.** groupe, milieu. ***A circle of admirers,*** un cercle d'admirateurs. *v.t. et intr.* **1.** entourer. **2.** décrire des cercles.

circuitous [sɜ:'kju:ɪtəs] *adj.* détourné. ***Take a circuitous route,*** faire un détour.

▻**circular** ['sɜ:kjʊlə] *adj.* circulaire. *n.* circulaire, prospectus.

circulate ['sɜ:kjʊleɪt] *v.t. et intr.* **1.** circuler. **2.** mettre en circulation. **3.** répandre. ***The union circulated false stories about the boss,*** le syndicat a lancé des calomnies contre le patron. ♦ ***Circulating library,*** bibliothèque de prêt.

⚠**circulation** [ˌsɜ:kjʊ'leɪʃŋ] *n.* **1.** circulation. **2.** tirage. ***Newspaper with a wide circulation,*** journal à grand tirage.

▻**circumstance** ['sɜ:kəmstæns] *n.* circonstance, occasion.

⚠**circumstances** ['sɜ:kəmstænsɪz] *n.* **1.** position, état de choses. ***Under no circumstances,*** sous aucun prétexte. **2.** situation financière, moyens. ***Be in easy circumstances,*** être dans l'aisance; ***be in straitened circumstances,*** être dans la gêne.

⚠**circumstantial** [ˌsɜ:kəm'stænʃəl] *adj.* **1.** détaillé. ***Give a circumstantial account,*** donner tous les détails. **2.** circonstanciel. *(Jur.)* ***Circumstantial evidence,*** preuves indirectes, par présomption.

circumvent [ˌsɜ:kəm'vent] *v.t.* circonvenir, faire échouer. ***Circumvent the law,*** tourner la loi.

circus ['sɜ:kəs] *n.* **1.** cirque. **2.** rond-point. **3.** *(fam.)* boucan de tous les diables.

▻**cistern** ['sɪstən] *n.* citerne, réservoir.

cite [saɪt] *v.t.* **1.** *(Jur.)* citer à comparaître, assigner (un témoin). **2.** faire une citation.

citizen ['sɪtɪzən] *n.* **1.** habitant (d'un lieu). **2.** citoyen. ***Fellow-citizen,*** concitoyen.

citizenship ['sɪtɪzənʃɪp] *n.* citoyenneté. ***Good citizenship,*** civisme.

▻**city** ['sɪtɪ] *n.* cité, grande ville. ***The City,*** la Cité (de Londres).

civic ['sɪvɪk] *adj.* **1.** civique. **2.** municipal. ***Civic centre,*** centre administratif.

civics ['sɪvɪks] *n.* instruction civique.

civil ['sɪvɪl] *adj.* **1.** civil, civique. ♦ ***Civil defence,*** protection civile, défense passive; ***civil rights,*** droits civiques, *(Jur.)*droits civils; ***civil servant,*** fonctionnaire; ***civil service,*** administration. **2.** poli, civil.

civilian [sɪ'vɪlɪən] *adj. et n.* civil.

civility [sɪ'vɪlɪtɪ] *n.* courtoisie, politesse.

▻**civilize** ['sɪvəlaɪz] *v.t.* civiliser.

claim [kleɪm] *n.* **1.** revendication, réclamation. ***Grant the claims,*** satisfaire les revendications; ***reject the claims,*** repousser les revendications; ***set up a claim,*** faire une réclamation. **2.** droit, titre. **3.** affirmation, prétention. ***Lay claim to,*** prétendre à. **4.** demande d'indemnisation. ***Put in a claim,*** faire une déclaration de sinistre. **5.** *(U.S.)* concession minière.
v.t. **1.** revendiquer, réclamer. **2.** solliciter. ***This problem should claim your undivided attention,*** ce problème devrait retenir toute votre attention. **3.** affirmer, prétendre.

clamber ['klæmbə] *v. intr.* grimper (en s'aidant des pieds et des mains). *n.* escalade difficile.

clammy ['klæmɪ] *adj.* visqueux, gluant, moite (main).

clamp [klæmp] *n.* **1.** crampon, attache. **2.** serre-joint. **3.** *(Méd.)*clamp. *v.t.* **1.** cramponner. **2.** serrer.

clang [klæŋ] *n.* fort bruit métallique. *v.t. et intr.* (faire) résonner ou retentir.

clank [klæŋk] *n.* cliquetis, bruit métallique sourd (de chaîne). *v.t. et intr.* (faire) cliqueter.

clap [klæp] *n.* **1.** coup, battement. ***Clap of thunder,*** coup de tonnerre. **2.** applaudissement. **3.** tape amicale.
v.t. et intr. **1.** claquer des mains. **2.** applaudir. **3.** ***Clap somebody (on the back),*** donner une tape amicale à quelqu'un. **4.** *(fam.)* ***Clap somebody in prison,*** mettre quelqu'un en prison.

claret ['klærət] *n.* vin rouge de Bordeaux, bordeaux rouge.

▻**clarify** ['klærɪfaɪ] *v.t. et intr.* (se) clarifier.

clash [klæʃ] *n.* **1.** fracas, cliquetis (d'armes). **2.** opposition. ***Clash of interests,*** conflit d'intérêts. **3.** combat, choc. *v.t. et intr.* **1.** s'entrechoquer. **2.** s'opposer; jurer (pour des couleurs).

clasp [klɑ:sp] *n.* **1.** boucle, fermoir, agrafe. **2.** étreinte. *v.t.* **1.** agrafer. **2.** étreindre, serrer.

▻**class** [klɑ:s] *n.* **1.** classe. ***The lower classes,*** le prolétariat; ***the middle classes,*** la bourgeoisie; ***the upper classes,*** la haute société. **2.** *(Ens.)* cours, classe. ***Evening classes,*** cours du soir. **3.** catégorie, genre. *v.t.* classifier.

classical ['klæsɪkəl] *adj.* **1.** classique. ***Classical education,*** humanités. **2.** *(Mus.)*classique.

▻**classify** ['klæsɪfaɪ] *v.t.* **1.** classifier, classer. **2.** *(surtout amér.)*déclarer secret (pour des raisons de sécurité).

classmate ['klɑ:smeɪt] *n.* camarade de classe.

classroom ['klɑ:srʊm] *n.* (salle de) classe.

clatter ['klætə] *n.* **1.** vacarme, martèlement (de sabots de chevaux.) **2.** activités bruyantes; brouhaha de conversation. *v.t. et intr.* **1.** faire du vacarme; faire résonner. **2.** s'entrechoquer bruyamment.

claw [klɔ:] *n.* **1.** serre (d'oiseau de proie), griffe. **2.** pince (de crabe, ...) *v.t.* griffer, déchiqueter.

clay [kleɪ] *n.* argile, glaise.

clean [kli:n] *adj.* **1.** propre, pur. *(Jur.).* ***Clean record,*** casier judiciaire vierge. **2.** ***Clean copy,*** épreuve corrigée (en imprimerie). **3.** net. ***Clean lines,*** lignes pures. **4.** loyal. ***Clean fighter,*** combattant qui obéit aux règles. **5.** total. ***Clean change,*** changement radical. **6.** *(argot)* non armé. **7.** ***Clean bomb,*** bombe propre, sans retombée radioactive. ♦ ***Make a clean breast of it,*** faire des aveux complets.
adv. *(fam.)*tout à fait. ***I clean forgot,*** j'ai complètement oublié.
v.t. et intr. (se) nettoyer.

cleaner ['kli:nə] *n.* nettoyeur, teinturier.

cleanliness ['klenlɪnɪs] *n.* propreté.

clean out *v. part. t.* **1.** nettoyer à fond. **2.** dévaliser entièrement.

cleanse [klens] *v.t.* **1.** nettoyer, curer. **2.** purifier. ***God cleansed his soul of all stains,*** Dieu a purifié son âme de toute souillure.

clean up *v. part. t. et intr.* **1.** nettoyer à fond, mettre tout en ordre. **2.** *(fam.)* rapporter (un bénéfice). ***This show has cleaned up a lot of money,*** ce spectacle a rapporté une fortune.

clear [klıə] *adj.* **1.** clair, limpide. **2.** lucide. **3.** évident, net. **4.** confiant, sûr. ***I'm not quite clear about it,*** je n'ai pas bien saisi. **5.** innocent. ***Clear conscience,*** conscience tranquille. **6.** dégagé (route, ...). ***The coast is clear,*** la voie est libre. **7.** immaculé, sans tache. **8.** net (bénéfice). **9.** sorti (de). ***The ship was clear of the port,*** le navire avait quitté le port.
adv. 1. nettement. **2.** à l'écart (de). ***Stand clear of the doors!*** dégagez les portes! ***get clear of debt,*** se débarrasser de ses dettes. **3.** (*amér.* intensif) ***Clear around the globe,*** partout dans le monde entier.
v.t. et intr. **1.** (s') éclaircir, (se) clarifier. *(fig.)* ***Let's clear the air,*** dissipons tout malentendu. **2.** déblayer. ***Clear one's conscience,*** décharger sa conscience; ***clear the table,*** débarrasser la table. **3.** innocenter. ***Clear somebody of a charge,*** disculper quelqu'un. **4.** sauter. ***Clear an obstacle,*** franchir un obstacle. **5.** *(Naut.)* quitter (le port). **6.** acquitter (une dette). **7.** dédouaner (des marchandises). **8.** donner le feu vert à (un plan). **9.** faire un bénéfice de. ***He clears £ 20,000 a year,*** il empoche 20 000 livres par an. **10.** virer (un chèque). **11.** décoder (un message).

clearance ['klıərəns] *n.* **1.** déblaiement, dégagement. ***Slum clearance,*** élimination des taudis. **2.** congé, dédouanement. **3.** autorisation de départ. **4.** *(Fin.)* virement. **5.** hauteur limite. ♦ ***Clearance sale,*** soldes.

clear-cut [,klıə'kʌt] *adj.* précis, net.

clearing ['klıərıŋ] *n.* **1.** clairière. **2.** *(Fin.)* virement. ***Clearing-bank,*** banque de virement.

clear off *v. part. t. et intr.* **1.** *(fam.)* décamper. **2.** débarrasser (la table). **3.** *(Comm.)* solder (des marchandises).

clear out *v. part. t. et intr.* **1.** déguerpir. **2.** débarrasser (un grenier, ...). **3.** faire le ménage à fond.

clear-sighted [,klıə'saıtıd] *adj.* clairvoyant.

clear up *v. part. t. et intr.* **1.** éclaircir (un mystère). ***Clear up a matter,*** tirer une affaire au clair. **2.** mettre en ordre. **3.** s'éclaircir (ciel, temps).

clearway ['klıəweı] *n.* route à stationnement interdit.

cleft [kleft] *n.* fissure, crevasse. *adj.* *(fam.)* ***In a cleft stick,*** dans une impasse.

clench [klentʃ] *v.t.* serrer (les poings, les dents); empoigner.

⚠ **clerical** ['klerıkəl] *adj.* **1.** clérical. **2.** ***Clerical work,*** travail de bureau.

⚠ **clerk** [klɑːk] *n.* **1.** employé de bureau. **2.** greffier. **3.** (*amér.* [klɜːrk]) vendeur.

clever ['klevə] *adj.* **1.** intelligent. ***Clever at mathematics,*** fort en maths; ***he is too clever by half,*** il est un peu trop futé! **2.** habile, adroit.

click [klık] *n.* **1.** petit bruit sec, déclic. **2.** claquement (de langue). *v. t. et intr.* **1.** faire un déclic. **2.** claquer (la langue, des talons). **3.** *(fam.)* se plaire du premier coup.

cliff [klıf] *n.* falaise, escarpement.

cliff-hanger ['klıf,hæŋə] *n.* *(Ciné.)* épisode qui finit au moment le plus pathétique.

climax ['klaımæks] *n.* **1.** apogée, point culminant. **2.** orgasme.

climb [klaım] *v.t. et intr.* **1.** grimper, escalader. **2.** s'élever.

climber ['klaımə] *n.* **1.** grimpeur, alpiniste. **2.** plante grimpante. **3.** ***Social climber,*** arriviste.

clinch [klıntʃ] *v.t. et intr.* **1.** river. **2.** ***Clinch a deal,*** conclure un accord. **3.** se prendre corps à corps.

cling [klıŋ] *v. intr. irr.* (*p.* **clung,** *p.p.* **clung**) **1.** se cramponner (à), s'accrocher (à). **2.** rester attaché (à). ***Cling to a hope,*** se raccrocher à un espoir.

clip[1] [klıp] *n.* **1.** attache, trombone. **2.** chargeur (de cartouches). *v.t.* attacher, agrafer.

clip[2] [klıp] *n.* **1.** tonte. **2.** *(fam.)* taloche. *v.t.* **1.** tondre; rogner (les ailes). ***Clip one's words,*** manger ses mots; *(fig.)* ***clip somebody's wings,*** rogner les ailes à quelqu'un. **2.** poinçonner (un billet). **3.** *(fam.)* ***Clip somebody's ear,***

flanquer une taloche à quelqu'un.
clippers ['klɪpəz] *n.* **1.** pince à ongles. **2.** tondeuse.
clipping ['klɪpɪŋ] *n.* **1.** coupure de journal. **2.** rognure (d'ongle, de papier...).
cloak [kləʊk] *n.* cape, manteau.
cloakroom ['kləʊkrʊm] *n.* **1.** vestiaire, consigne (*amér.* **checkroom**). **2.** toilettes.
clock [klɒk] *n.* **1.** pendule, horloge. **2.** *(fam.)* compteur kilométrique. ♦ ***Sleep the clock round,*** faire le tour du cadran; ***work against the clock,*** travailler contre la montre; ***work around the clock,*** travailler 24 heures sur 24.
v.t. **1.** chronométrer. **2.** *(argot)* filer un marron à.
clock in *v. part. intr.* pointer en arrivant (à l'usine, ...) (aussi **clock on**).
clock out *v. part. intr.* pointer à la sortie (de l'usine, du bureau...) (aussi **clock off**).
clockwise ['klɒkwaɪz] *adj. et adv.* dans le sens des aiguilles d'une montre.
clockwork ['klɒkwɜːk] *n.* mouvement d'horlogerie. ♦ ***As regular as clockwork,*** réglé comme du papier à musique; ***clockwork train,*** train mécanique; ***go like clockwork,*** aller comme sur des roulettes.
clod [klɒd] *n.* **1.** motte (de terre). **2.** lourdaud.
clog [klɒg] *n.* **1.** *(pl.)* sabots. **2.** entrave (pour un animal). *v.t. et intr.* **1.** (s') obstruer, (s') encrasser, (se) boucher. **2.** entraver (un animal).
⚠ **close**[1] [kləʊs] *adj.* **1.** proche. ***Close friend,*** ami intime; ***close to me,*** près de moi. **2.** étroit, limité. ***Close space,*** endroit exigu. **3.** de près. ***Keep close watch on somebody,*** ne pas quitter quelqu'un des yeux. **4.** qui sent le renfermé. ***It's close in here,*** ça manque d'air ici. **5.** lourd (pour le temps). **6.** à forces égales. ***Close contest,*** lutte serrée. **7.** peu communicatif. ***Be close about something,*** ne rien dire de quelque chose. ♦ ***In close confinement,*** au secret; ***it was a close shave,*** nous l'avons échappé belle; ***keep close,*** se terrer; ***on closer examination,*** à y regarder de plus près. *adv.* **1.** près. ***Close at hand,*** tout proche; ***close by,*** tout près. **2.** ***She is close on 60,*** elle a près de 60 ans.
n. [kləʊz] fin, conclusion. ♦ ***Bring something to a close,*** achever quelque chose; ***close of the season,*** fermeture (de la chasse, de la pêche...).
v.t. et intr. [kləʊz] **1.** (se) fermer. ***Early closing day,*** jour où les magasins ferment à 13 heures. **2.** conclure. **3.** rapprocher. ♦ ***Close a deal with somebody,*** conclure un marché avec quelqu'un.
close[2] [kləʊs] *n.* enceinte (de cathédrale).
close-cropped [ˌkləʊsˈkrɒpt] *adj.* en brosse (cheveux).
close down *v. part. t. et intr.* **1.** fermer (une usine). **2.** *(Radio, T.V.)* terminer les émissions.
closefisted [ˌkləʊsˈfɪstɪd] *adj.* pingre.
closet ['klɒzɪt] *n.* **1.** *(amér.)* grand placard. **2.** alcôve.
close in *v. part. intr.* **1.** tomber (pour la nuit). **2.** raccourcir (pour le jour). **3.** ***Close in on somebody,*** cerner quelqu'un.
close-up ['kləʊsʌp] *n. (Ciné.)* gros plan.
closing-time ['kləʊzɪŋ-taɪm] *n.* heure de fermeture.
clot [klɒt] *n.* **1.** caillot. ***Clotted cream,*** crème en grumeaux. **2.** *(argot)* idiot.
cloth [klɒθ] *n.* **1.** drap, toile. **2.** nappe, tapis. **3.** ***The Cloth,*** le clergé.
clothe [kləʊð] *v.t.* vêtir, couvrir.
clothes [kləʊðz] *n. pl.* habits, vêtements. ♦ ***Bed-clothes,*** draps et couvertures.
clotheshorse ['kləʊðzhɔːs] *n.* séchoir (à linge).
clothesline ['kləʊðzlaɪn] *n.* corde à linge.
clothespeg ['kləʊðzpeg] *n.* pince à linge.
clothing ['kləʊðɪŋ] *n.* vêtements.
cloud [klaʊd] *n.* **1.** nuage. **2.** nuée (d'insectes). ♦ *(fig.)* ***Be under a cloud,*** être en disgrâce. *v.t. et intr.* **1.** envelopper. **2.** rendre confus (un souvenir...). **3.** se couvrir (ciel).
cloudburst ['klaʊdbɜːst] *n.* trombe d'eau; déluge de pluie.
cloudless ['klaʊdlɪs] *adj.* dégagé (ciel).
cloudy ['klaʊdɪ] *adj.* couvert, nuageux.
clout [klaʊt] *n. (fam.)* taloche. *v.t.* envoyer une taloche (à).

clove [kləʊv] *n.* clou de girofle. ♦ ***Clove of garlic,*** gousse d'ail.
clover ['kləʊvə] *n.* trèfle. ♦ *(fam.)* ***Be in clover,*** vivre comme coq en pâte.
▻ **clown** [klaʊn] *n.* **1.** clown. **2.** pitre.
⚠ **club** [klʌb] *n.* **1.** club, cercle. **2.** matraque, gourdin. **3.** *(Sp.)* club (de golf). **4.** trèfle (aux cartes). ♦ *(fam.)* ***Join the club!*** tu n'es pas le seul! *v. t. et intr.* **1.** matraquer. **2.** ***Club together,*** se cotiser.
clubfoot ['klʌbfʊt] *n.* pied bot.
cluck [klʌk] *n.* gloussement. *v. intr.* glousser.
clue [klu:] *n.* indice. ♦ ***Clues of a crossword (puzzle),*** définitions de mots croisés; *(fam.)* ***I haven't a clue,*** je n'ai pas la moindre idée.
clump [klʌmp] *n.* **1.** bouquet (d'arbres), bosquet. **2.** masse, bloc. **3.** *(Méd.)* agglutination de microbes. **4.** bruit de pas pesant. *v. intr.* **1.** marcher d'un pas pesant. **2.** s'agglutiner.
clumsy ['klʌmzɪ] *adj.* **1.** gauche, maladroit. **2.** lourd, informe. ***Clumsy boots,*** godillots.
clung [klʌŋ] (**cling,** *v.*).
cluster ['klʌstə] *n.* **1.** bouquet (d'arbres, de fleurs...), grappe (de cerises...). **2.** groupe (de personnes, de maisons...). *v.t. et intr.* **1.** croître en bouquets, en grappes. **2.** (se) rassembler, s'attrouper.
clutch [klʌtʃ] *n.* **1.** griffe, serre. *(fig.)* ***Be in somebody's clutches,*** être au pouvoir de quelqu'un. **2.** prise. **3.** *(Aut.)* embrayage. *v.t.* empoigner, étreindre.
clutter [klʌtə] *n.* désordre. *v.t.* mettre en désordre. ***Clutter up one's room,*** encombrer, mettre la pagaille dans sa chambre.
coach [kəʊtʃ] *n.* **1.** carrosse. **2.** autocar. **3.** wagon. **4.** *(Sp.)* entraîneur, *(Ens.)* répétiteur. *v.t.* *(Sp.)* entraîner, *(Ens.)* donner des leçons particulières.
coal [kəʊl] *n.* charbon. ♦ ***Carry coals to Newcastle,*** porter de l'eau à la rivière; ***heap coals of fire on somebody's head,*** rendre le bien pour le mal et faire repentir.
coalfield ['kəʊlfi:ld] *n.* bassin houiller.
coalscuttle ['kəʊl,skʌtl] *n.* seau à charbon.
coarse [kɔ:s] *adj.* **1.** grossier (tissu). **2.** ordinaire (nourriture). **3.** vulgaire. ***Coarse language,*** langage cru.
coast [kəʊst] *n.* côte, littoral. *v.t. et intr.* **1.** faire du cabotage. **2.** ***Coast along,*** descendre en roue libre.
coastal ['kəʊstl] *adj.* côtier.
coastguard ['kəʊstgɑ:d] *n.* garde-côte.
coastwise ['kəʊstwaɪz] *adv.* le long de la côte.
coat [kəʊt] *n.* **1.** manteau, pardessus. **2.** veste. **3.** pelage, fourrure. **4.** couche (de peinture). ♦ ***Cut one's coat according to one's cloth,*** régler ses dépenses sur ses revenus. *v.t.* **1.** couvrir, revêtir. **2.** enduire.
coathanger ['kəʊt,hæŋə] *n.* cintre.
coating ['kəʊtɪŋ] *n.* couche, enduit. ***Rough coating,*** crépi.
coat of arms [,kəʊtəv'ɑ:mz] *n.* blason, armoirie.
coax [kəʊks] *v.t.* cajoler. ***She coaxed money out of her father,*** elle a soutiré de l'argent à son père à force de câlineries.
cobble ['kɒbl] *v.t.* paver avec des pavés ronds. ***Cobbled street,*** rue pavée.
cobblestone ['kɒblstəʊn] *n.* petit pavé rond.
cobweb ['kɒbweb] *n.* toile d'araignée.
cock [kɒk] *n.* **1.** coq. **2.** mâle (d'oiseau). **3.** robinet. **4.** chien (de fusil). ♦ *(fig.)* ***Cock of the walk,*** coq du village. *v.t.* **1.** armer (un fusil). **2.** dresser (les oreilles...). ♦ ***Cock one's eye at somebody,*** cligner de l'œil à quelqu'un; ***cock one's hat,*** incliner son chapeau sur l'oreille.
cock-and-bull story [,kɒkənd'bʊl,stɔ:rɪ] *n.* histoire à dormir debout.
cockcrow ['kɒkrəʊ] *n.* ***At cockrow,*** au petit matin.
cockney ['kɒknɪ] *n.* natif de l'East End de Londres. ***Cockney accent,*** accent faubourien.
cockpit ['kɒkpɪt] *n.* **1.** arène de combats de coqs. **2.** *(Av.)* cockpit, poste de pilotage.
cockroach ['kɒkrəʊtʃ] *n.* cafard, cancrelat.
cocksure [,kɒk'ʃʊə] *adj.* sûr de soi, outrecuidant.
cocky ['kɒkɪ] *adj.* effronté, suffisant.
cocoa ['kəʊkəʊ] *n.* cacao.

coconut ['kəʊkənʌt] *n.* noix de coco. ♦ ***Coconut shy,*** jeu de massacre.

⊳ **cocoon** [kə'kuːn] *n.* cocon.

cod [kɒd] *n.* morue.

⊳ **codify** ['kəʊdɪfaɪ] *v.t.* codifier.

coeducation [ˌkəʊedjuː'keɪʃn] *n.* *(Ens.)* mixité.

coerce [kəʊ'ɜːs] *v.t.* **1.** contraindre. ***The boss coerced the hands into resuming work,*** le patron a obligé les ouvriers à reprendre le travail. **2.** réprimer, contraindre.

coercion [kəʊ'ɜːʃən] *n.* coercition, contrainte.

coercive [kəʊ'ɜːsɪv] *adj.* coercitif. *(Jur.)* ***Coercive measures,*** procédure coercitive.

coffee ['kɒfɪ] *n.* café (en grains ou boisson). ***Black coffee,*** café noir; ***white coffee,*** café au lait.

coffee-pot ['kɒfɪpɒt] *n.* cafetière.

⊳ **coffer** ['kɒfə] *n.* **1.** coffre. ***The coffers of State,*** les fonds publics. **2.** caisson (de plafond).

coffin ['kɒfɪn] *n.* cercueil, bière.

cog [kɒg] *n.* *(Tech.)* dent (de roue dentée). ***Cogwheel,*** roue dentée.

cogent ['kəʊdʒənt] *adj.* irrésistible, convaincant (argument).

coil [kɔɪl] *n.* **1.** ***Coil of rope,*** rouleau de corde. **2.** tour (de corde); anneau (de serpent). **3.** *(Elec.)* bobine. **4.** *(Méd.)* stérilet.
v.t. et intr. (s') enrouler. ***The snake coils itself up,*** le serpent se love.

△ **coin** [kɔɪn] *n.* **1.** pièce de monnaie. **2.** monnaie. *(fig.)* ***Pay somebody back in his own coin,*** rendre à quelqu'un la monnaie de sa pièce. *v.t.* **1.** frapper (de la monnaie). **2.** forger (un mot).

coinage ['kɔɪnɪdʒ] *n.* **1.** frappe (de la monnaie). **2.** monnaie. **3.** système monétaire. **4.** création de mots.

△ **coke** [kəʊk] *n.* coke (charbon). **2.** *(fam.)* coca-cola. **3.** *(argot)* cocaïne.

colander ['kʌləndə] *n.* passoire (aussi **cullander**).

cold [kəʊld] *adj.* **1.** froid. ***I'm cold,*** j'ai froid. **2.** *(fig.)* sans chaleur. ***Cold reception,*** accueil réservé. ♦ *(fig.)* ***Give somebody the cold shoulder,*** battre froid à quelqu'un; *(fam.)* ***have cold feet,*** être dans ses petits souliers; ***in cold blood,*** de sang-froid; ***knock somebody cold,*** assommer quelqu'un.
n. **1.** froid. **2.** refroidissement. ***Catch cold,*** s'enrhumer; ***cold in the head,*** rhume de cerveau. ♦ *(fig.)* ***She was left (out) in the cold at the party,*** on ne s'est pas occupé d'elle à la réunion.

cold-blooded [ˌkəʊld'blʌdɪd] *adj.* **1.** *(Zool.)* à sang froid. **2.** insensible. ***Cold-blooded murder,*** meurtre prémédité.

⊳ **collaborate** [kə'læbəreɪt] *v. intr.* collaborer.

collapse [kə'læps] *v.t. et intr.* **1.** s'affaisser. ***The roof collapsed under the weight of the snow,*** le toit a cédé sous le poids de la neige. **2.** (se) replier (pour une table, une chaise...). **3.** (se) dégonfler (pour un ballon). **4.** s'effondrer (pour les prix). **5.** tomber (pour un ministère). **6.** *(Méd.)* avoir un sérieux malaise.
n. **1.** affaissement. **2.** effondrement, chute. **3.** prostration. ***Suffer from a nervous collapse,*** avoir une dépression nerveuse.

collapsible [kə'læpsəbl] *adj.* pliant.

collar ['kɒlə] *n.* **1.** col. **2.** collier (de perles...). **3.** collier (d'animal).

⊳ **colleague** ['kɒliːg] *n.* collègue.

△ **collect** [kə'lekt] *v.t. et intr.* **1.** (se) rassembler. ***Collect letters,*** faire la levée. **2.** collectionner. **3.** s'accumuler (poussière, ...). **4.** encaisser; faire la quête. ***Collect taxes,*** faire rentrer les impôts. **5.** passer prendre (quelqu'un ou quelque chose). **6.** ***Collect oneself,*** se ressaisir.

△ **collection** [kə'lekʃn] *n.* **1.** rassemblement; levée. **2.** collection. **3.** recouvrement, quête. ***Take the collection,*** faire la quête.

collector [kə'lektə] *n.* **1.** receveur, percepteur. ***Ticket collector,*** contrôleur; **2.** collectionneur. ***Stamp collector,*** collectionneur de timbres.

△ **college** ['kɒlɪdʒ] *n.* **1.** *(Ens.)* établissement d'enseignement supérieur. **2.** collège, société, académie.

collide [kə'laɪd] *v. intr.* **1.** entrer en collision (avec). **2.** *(fig.)* ***Collide with somebody's ideas,*** entrer en conflit avec quelqu'un.

△ **collier** ['kɒlɪə] *n.* **1.** mineur. **2.**

(Naut.) charbonnier.
colliery ['kɒljərɪ] *n.* mine de charbon.
colloquial [kə'ləʊkwɪəl] *adj.* familier. ***Colloquial expression,*** expression de la conversation courante.
▷ **colloquy** ['kɒləkwɪ] *n.* colloque, entretien.
⚠ **colon** ['kəʊlən] *n.* **1.** *(Anat.)* colon. **2.** *(Gram.)* deux points.
▷ **colonize** ['kɒlənaɪz] *v.t.* coloniser.
colour ['kʌlə] (*amér.* **color**) *n.* **1.** couleur. ***What colour is this car?*** de quelle couleur est cette voiture? **2.** couleur, matière colorante. **3.** teint. **4.** caractère (d'un lieu). ♦ ***Be off colour,*** ne pas être dans son assiette; ***colour bar,*** discrimination raciale (*amér.* ***color line***); ***give*** (ou ***lend***) ***colour to a story,*** rendre une histoire vraisemblable; ***give a false colour to something,*** dénaturer quelque chose. *v.t. et intr.* **1.** (se) colorer; colorier. **2.** *(fig.)* colorer (une description); fausser (des faits). **3.** rougir (visage).
coloured ['kʌləd] (*amér.* **colored**) *n.* **1.** ***The coloured,*** les gens de couleur. **2.** métis en Afrique du Sud. (aussi **Cape Coloured**).
colourfast ['kʌləfɑːst] *adj.* grand teint.
colours ['kʌləz] *n. pl.* **1.** drapeau. **2.** couleurs (d'un club). ♦ ***Get one's colours,*** être désigné pour faire partie d'une équipe; ***sail under false colours,*** se faire passer pour quelqu'un d'autre; ***stick to one's colours,*** rester fidèle à ses principes.
⚠ **colt** [kəʊlt] *n.* **1.** poulain. **2.** *(péj.)* novice.
column ['kɒləm] *n.* **1.** colonne (de temple,...). **2.** *(Mil.)* colonne (de soldats,...). **3.** colonne de journal, article. ***Sports column,*** rubrique sportive.
comb [kəʊm] *n.* **1.** peigne. **2.** crête (de coq). **3.** rayon (de miel). *v.t.* **1.** peigner; carder; étriller. **2.** *(fig.)* ratisser. ***The police combed the district,*** la police a passé le quartier au peigne fin.
combination [ˌkɒmbɪ'neɪʃn] *n.* **1.** combinaison, association. **2.** *(pl.)* combinaison (de skieur, de motard...).
combine [kəm'baɪn] *v.t. et intr.* **1.** (se) combiner. **2.** (s') associer, (s') allier. *n.* ['kɒmbaɪn] **1.** *(Comm. Fin.)* entente; cartel; consortium. **2.** *(Agr.)* (= **combine harvester**) moissonneuse-batteuse.
come [kʌm] *v. intr. irr.* (*p.* **came,** *p.p.* **come**). **1.** venir, arriver. ***I'll come and see you,*** je viendrai vous voir; ***where does she come from?*** d'ou vient-elle? **2.** survenir, se produire. ***How do you come to know that?*** comment se fait-il que vous sachiez cela? **3.** devenir. ***His dream finally came true,*** son rêve a fini par se réaliser. **4.** *(Comm.)* être disponible. ***These shoes come in all sizes,*** ces chaussures sont disponibles en toutes tailles. ♦ ***Come home,*** apparaître clairement à l'esprit; *(fam.)* ***come off it!*** ne raconte pas de blague! ***come to blows,*** en venir aux mains; ***come together,*** se réunir; ***come to grief,*** tomber (de cheval, de vélo...), *(fig.)* faire fiasco, échouer; ***come to light,*** se révéler; *(lit.)* ***come to pass,*** avoir lieu; ***come to terms,*** parvenir à un accord; ***come to the same thing,*** revenir au même; ***come what may,*** advienne que pourra; *(amér.)* ***how come you still got your old car?*** comment se fait-il que vous ayez encore votre vieille voiture? ***in the years to come,*** dans les années à venir.
come about *v. part. intr.* **1.** survenir, se produire. **2.** changer de direction (pour le vent). **3.** *(Naut.)* virer de bord.
come across *v. prép.* trouver par hasard. ***I've never come across that word,*** je n'ai jamais rencontré ce mot.
come along *v. part. intr.* **1.** progresser. **2.** arriver par hasard. ♦ ***Come along!*** viens donc!; allons-y! ***come along, answer my question,*** faites un effort, répondez donc à ma question.
come apart *v. part. intr.* se séparer, se détacher.
comeback *n.* **1.** retour en vogue (après éclipse); rentrée politique. **2.** réplique soudaine.
come back *v. part. intr.* **1.** revenir en vogue. **2.** revenir à l'esprit. **3.** répliquer vertement. ***When he criticized her, she came back at him at once,*** quand il se mit à la critiquer, elle lui répliqua aussitôt.
come by *v. part. t.* **1.** se procurer. **2.**

recevoir de façon inattendue. ***How did you come by such a lot of money?*** d'où avez-vous eu tout cet argent?

▻**comedian** [kə'mi:dɪən] *n.* **1.** comédien. **2.** *(fig.)* pitre. **3.** *(Th.)* comique.

comedown ['kʌmdaʊn] *n.* **1.** chute, déchéance. **2.** déception.

come down *v. part. t. et intr.* **1.** descendre. **2.** se transmettre (de génération en génération). **3.** diminuer. **4.** ***Come down in the world,*** déchoir. **5.** s'écrouler. **6.** se réduire (à) (pour une question). **7.** *(Ens.)* quitter l'Université. ♦ ***Come down in favour of,*** se ranger du côté de; *(fam.)* ***come down on somebody like a ton of bricks,*** passer un drôle de savon à quelqu'un; ***come down on someone for something,*** exiger quelque chose de quelqu'un; ***come down to earth,*** revenir à la réalité; ***come down with the flu,*** attraper la grippe.

come forward *v. part. intr.* **1.** se proposer (de). **2.** être disponible (pour).

come in *v. part. intr.* **1.** devenir à la mode. **2.** *(Sp.)* prendre son tour au guichet (au cricket). **3.** monter (pour la marée). **4.** rentrer (pour un revenu). ♦ ***Come in handy*** (ou ***useful***), servir à quelque chose, arriver à point.

come into *v. prép. t.* **1.** ***Come into a fortune,*** hériter. **2.** devenir, s'appliquer. ♦ ***Come into fashion,*** devenir à la mode; ***come into force,*** entrer en vigueur; ***come into one's own,*** recevoir son dû (de l'argent, des éloges...).

come of *v. prép. t.* **1.** descendre (de). **2.** être le résultat (de). ***No harm will come of it,*** cela ne fera aucun tort. **3.** ***Come of age,*** devenir majeur.

come off *v. part. intr.* **1.** se détacher (pour un bouton). **2.** arriver, se produire. **3.** réussir.

come on *v. part. intr.* **1.** entrer en scène. **2.** *(Jur.)* venir devant la Cour. ***This case will come on next week,*** cette affaire passera la semaine prochaine. **3.** commencer. ***The rain has just come on,*** il vient de se mettre à pleuvoir. **4.** faire des progrès. ♦ ***Come on!*** allons! *(péj.)* allons donc!

come out *v. part. intr.* **1.** apparaître. **2.** se révéler. **3.** *(Phot.)* être développée, ou bien réussie (photo). **4.** être publié. ***« Just come out »,*** « vient de paraître ». **5.** débuter; faire son entrée dans le monde (ou sur la scène). **6.** partir, disparaître (pour une tache). **7.** se monter à (pour une somme). **8.** ***Come out on strike,*** se mettre en grève. ♦ ***Come out with,*** laisser échapper (en parlant).

come over *v. part. intr.* **1.** arriver de loin (de l'autre côté de la mer, de la montagne...). **2.** changer (d'avis, de camp...). **3.** *(fam.)* ***Come over funny*** (ou ***dizzy***), se sentir tout drôle.

come round *v. part. intr.* **1.** reprendre connaissance. **2.** se rallier à l'avis (de). **3.** revenir régulièrement. **4.** *(Naut.)* changer de cap. **5.** passer chez quelqu'un (repas, ...). **6.** se calmer.

come up *v. part. intr.* **1.** ***Come up for discussion,*** venir sur le tapis. **2.** survenir. **3.** s'élever. ***Come up in the world,*** gravir l'échelle sociale. **4.** ***Come up to somebody,*** arriver auprès de quelqu'un; ***come up level with somebody,*** rattraper quelqu'un.

⚠**comfort** ['kʌmfət] *n.* **1.** confort, bien-être. **2.** réconfort, sujet de consolation. ***That's cold comfort,*** c'est une piètre consolation. *v.t.* réconforter, consoler.

▻**comfortable** ['kʌmftəbl] *adj.* **1.** confortable. ***Make yourself comfortable,*** mettez-vous à votre aise. **2.** assez important. ***Comfortable income,*** revenu suffisant. **3.** dans l'aisance. ***They are rather comfortable,*** ils sont plutôt aisés. **4.** qui ne souffre pas (pour un malade).

comforter ['kʌmfətə] *n.* **1.** consolateur, consolatrice. **2.** cache-nez. **3.** couvre-pied.

⚠**comic** ['kɒmɪk] *adj.* comique, drôle. ***Comic opera,*** opéra-comique.
n. **1.** comique, comédien de music-hall. **2.** *(amér.)* magazine de bandes dessinées (aussi **comic book**).

comical ['kɒmɪkl] *adj.* comique, risible.

⚠**comics** ['kɒmɪks] *n.* *(amér.)* bandes dessinées (aussi **comic strips**).

coming ['kʌmɪŋ] *adj.* **1.** prochain. **2.** plein d'avenir. ***Coming young man,*** jeune homme plein de promesses. *n.* arrivée. ***Comings and goings,*** allées et venues.

comma ['kɒmə] *n. (Gram.)* virgule. ***Inverted commas,*** (entre) guillemets.

⚠ **command** [kə'mɑ:nd] *n.* **1.** commandement. **2.** ordre. **3.** *(Mil.)* troupe, région militaire. **4.** maîtrise. ***He has a good command of English,*** il connaît bien l'anglais. *v.t.* **1.** commander, ordonner. ***The colonel commanded his men to attack,*** le colonel donna l'ordre à ses hommes d'attaquer. **2.** avoir à sa disposition (une fortune, des ressources...). **3.** mériter. ***This old man commands respect,*** ce vieil homme inspire le respect. **4.** avoir vue (sur).

commander [kə'mɑ:ndə] *n.* **1.** *(Naut.)* capitaine de frégate. **2.** officier; chef.

▻ **commemorate** [kə'meməreɪt] *v.t.* commémorer, célébrer.

⚠ **commend** [kə'mend] *v.t.* **1.** recommander, faire l'éloge (de). **2.** confier (à).

commendable [kə'mendəbl] *adj.* louable, digne d'éloges.

commendation [,kɒmən'deɪʃən] *n.* approbation, éloge.

commensurate [kə'menʃərɪt] *adj. (lit.)* proportionné (à). ***Her success was not commensurate with her industry,*** son succès n'a pas correspondu à son application.

comment ['kɒment] *n.* **1.** appréciation. **2.** explication. ***No comment,*** je n'ai rien à dire. *v. intr.* faire une remarque. ***The boss did not comment on her absence,*** le patron n'a pas fait d'observation à propos de son absence.

commentary ['kɒməntrɪ] *n.* **1.** commentaire. **2.** *(Radio, T.V.)* reportage.

commentator ['kɒmənteɪtə] *n.* **1.** commentateur, annotateur. **2.** *(Radio, T.V.)* reporter.

⚠ **commercial** [kə'mɜ:ʃəl] *adj.* **1.** commercial. ***Commercial traveller,*** voyageur de commerce. **2.** mercantile. *n. (Radio, T.V.)* annonce, spot publicitaire.

⚠ **commission** [kə'mɪʃən] *n.* **1.** délégation de pouvoirs, mandat, *(Mil.)* brevet d'officier. **2.** commission, comité. **3.** perpétration (d'un crime...). **4.** commission, pourcentage. **5.** *(Naut.)* armement (d'un navire). *v.t.* **1.** déléguer, donner pouvoir à; *(Mil.)* nommer à un commandement. ***Commissioned officer,*** officier. **2.** *(Art.)* passer commande de (tableau, ...). **3.** *(Naut.)* armer (un navire de guerre).

commissioner [kə'mɪʃənə] *n.* **1.** membre d'une commission. **2.** commissaire (du gouvernement). ***Commissioner of police,*** préfet de police.

commit [kə'mɪt] *v.t.* **1.** commettre (un crime, une faute...). ***Commit suicide,*** se suicider. **2.** *(vx.)* confier (enfant...). **3.** *(Méd.)* faire interner (quelqu'un). **4.** engager (sa parole d'honneur, sa réputation...). ♦ ***Commit oneself on something,*** s'engager sur quelque chose; ***committed writer,*** écrivain engagé.

commitment [kə'mɪtmənt] *n.* **1.** engagement. **2.** responsabilité. **3.** internement.

▻ **committee** [kə'mɪtɪ] *n.* comité, commission.

⚠ **commodity** [kə'mɒdɪtɪ] *n.* (*pl.* **-ies**) produit, denrée. ***Household commodities,*** produits de ménage.

common ['kɒmən] *adj.* **1.** commun, ordinaire. **2.** vulgaire, trivial. *n.* pré communal. ♦ ***Hold in common,*** partager.

commonplace ['kʌmənpleɪs] *adj.* commun, banal. *n.* banalité, platitude.

Commons ['kɒmənz] *n.* Communes. ***The House of Commons,*** la Chambre des Communes.

⚠ **commotion** [kə'məʊʃən] *n.* **1.** agitation, tumulte. **2.** révolte, troubles.

⚠ **commune** ['kɒmju:n] *n.* **1.** communauté (hippie). **2.** commune (en France...). *v. intr.* communier (avec), se recueillir. **2.** *(amér., Rel.)* communier.

⚠ **communicate** [kə'mju:nɪkeɪt] *v.t. et intr.* **1.** communiquer; exprimer (son opinion). **2.** transmettre (une maladie). **3.** *(Rel.)* recevoir la communion.

community [kə'mju:nɪtɪ] *n.* **1.** communauté. **2.** identité (de goûts, d'intérêts...). **3.** propriété collective. ♦ ***Community centre,*** foyer socio-éducatif; ***community singing,*** chant en chœur.

commute [kə'mju:t] *v.t. et intr.* **1.** *(Jur.)* commuer (une peine). **2.** échanger (un mode de paiement...). **3.** faire la navette quotidiennement (pour un banlieusard).

commuter [kə'mju:tə] *n.* banlieusard qui fait la navette entre son domicile et son lieu de travail.

▷ **compact¹** [kəm'pækt] *adj.* **1.** compact. **2.** concis (style).

⚠ **compact²** ['kɒmpækt] *n.* **1.** poudrier. **2.** *(amér.)* petite voiture.

⚠ **compact³** ['kɒmpækt] *n.* accord, convention.

⚠ **companion** [kəm'pænɪən] *n.* **1.** compagnon, compagne. **2.** dame de compagnie. **3.** pendant. ***We had a companion to this vase but unfortunately we broke it,*** nous avions le vase correspondant à celui-ci, mais nous l'avons malheureusement cassé. **4.** guide, manuel.

companionship [kəm'pænɪənʃɪp] *n.* camaraderie.

company ['kʌmpənɪ] *n.* **1.** compagnie. **2.** invités. ***We have company to dinner tonight,*** nous avons du monde à dîner ce soir. **3.** groupe (de touristes). **4.** *(Th.)* troupe. **5.** *(Mil.)* compagnie. **6.** *(Comm.)* société, firme. ***Limited company,*** société à responsabilité limitée. ♦ ***Keep company with somebody,*** sortir ensemble (pour un couple); ***part company with,*** cesser de fréquenter.

▷ **comparative** [kəm'pærətɪv] *adj.* **1.** comparatif, comparé. **2.** relatif. *n.* *(Gram.)* comparatif.

compare [kəm'peə] *v.t. et intr.* **1.** comparer, rapprocher. **2.** *(Gram.)* former les degrés de comparaison (de). **3.** se comparer, être comparable (à).

▷ **comparison** [kəm'pærɪsən] *n.* comparaison.

▷ **compartment** [kəm'pɑ:tmənt] *n.* compartiment.

⚠ **compass** ['kʌmpəs] *n.* **1.** boussole; *(Naut.)* compas. **2.** limite, étendue. ***It's beyond the compass of the human mind,*** l'esprit humain ne saurait concevoir cela.

compasses ['kʌmpæsɪz] *n. pl.* ***(A pair of) compasses,*** un compas.

compassionate [kəm'pæʃənɪt] *adj.* compatissant. ♦ *(Mil.)* ***Compassionate leave,*** permission exceptionnelle (pour convenance personnelle).

compel [kəm'pel] *v.t.* **1.** contraindre, obliger à. **2.** forcer (le respect, l'admiration...).

compelling [kəm'pelɪŋ] *adj.* **1.** irrésistible (curiosité). **2.** qui emporte la conviction (pour un orateur).

compendium [kəm'pendɪəm] *n.* abrégé, précis.

compensate ['kɒmpənseɪt] *v.t. et intr.* **1.** dédommager. **2.** remplacer, racheter. ***Nothing can compensate for the loss of one's health,*** rien ne peut compenser la perte de la santé.

compete [kəm'pi:t] *v. intr.* rivaliser (avec).

⚠ **competition** [ˌkɒmpɪ'tɪʃən] *n.* **1.** concurrence. **2.** *(Sp.)* concours, épreuve, compétition.

⚠ **competitive** [kəm'petɪtɪv] *adj.* **1.** ***Competitive spirit,*** esprit de concurrence. **2.** ***Competitive exam,*** concours.

compile [kəm'paɪl] *v.t.* compiler, recueillir.

complacency [kəm'pleɪsənsɪ] *n.* *(péj.)* suffisance, contentement de soi-même (aussi **complacence**).

complacent [kəm'pleɪsənt] *adj.* *(péj.)* suffisant. ***Complacent optimism,*** optimisme béat.

complain [kəm'pleɪn] *v. intr.* **1.** se plaindre. **2.** porter plainte ; adresser une réclamation.

⚠ **complaint** [kəm'pleɪnt] *n.* **1.** plainte. **2.** sujet de plainte, grief. **3.** plainte, réclamation. *(Jur.)* ***They decided to lodge a complaint against their noisy neighbours with the police,*** ils ont décidé de porter plainte à la police contre leurs voisins bruyants. **4.** *(Méd.)* mal.

complete [kəm'pli:t] *adj.* **1.** complet. **2.** achevé. ***When will your work be complete ?*** quand en aurez-vous fini avec votre travail ? **3.** total, parfait. ***It was a complete surprise to her,*** elle a été tout à fait surprise.
v.t. compléter, achever.

completion [kəm'pli:ʃn] *n.* **1.** exécution, accomplissement. **2.** achèvement. ***Near completion,*** près d'être achevé.

⚠ **complexion** [kəm'plekʃn] *n.* **1.** teint. **2.** *(fig.)* caractère. ***The affair has now***

assumed quite a different complexion, l'affaire a pris à présent un tour tout à fait différent.

compliance [kəm'plaɪəns] *n.* **1.** acquiescement, soumission. **2.** action de se conformer. *(Jur.)* ***Compliance with the law,*** obéissance à la loi.

compliant [kəm'plaɪənt] *adj.* soumis, complaisant, docile.

▻ **complicate** ['kɒmplɪkeɪt] *v.t.* compliquer, embrouiller.

complimentary [,kɒmplɪ'mentərɪ] *adj.* **1.** flatteur. **2.** à titre gracieux. ***Complimentary ticket,*** billet de faveur.

comply [kəm'plaɪ] *v. intr.* se soumettre (à), se conformer (à). ***If you don't comply with the law, you'll be prosecuted,*** si vous n'observez pas la loi, vous serez poursuivi.

component [kəm'pəʊnənt] *adj.* ***Component parts,*** éléments constitutifs. *n.* **1.** composant (chimique). **2.** *(Tech.)* pièce, élément. ***Components factory,*** usine de pièces détachées.

△ **compose** [kəm'pəʊz] *v.t.* **1.** constituer. **2.** composer (une œuvre d'art). **3.** régler (un différend). **4.** *(Tech.)*composer (en typographie). **5.** calmer, tranquilliser. ***Compose yourself,*** calmez-vous.

composer [kəm'pəʊzə] *n.* *(Mus.)* compositeur.

△ **compositor** [kəm'pɒzɪtə] *n.* *(Tech.)* typographe.

composure [kəm'pəʊʒə] *n.* calme, sang-froid.

compound[1] ['kɒmpaʊnd] *adj.* composé. ***Compound interest,*** intérêts composés.

n. **1.** composé. **2.** *(Gram.)* mot composé.

v.t. et intr. [kəm'paʊnd] **1.** combiner. **2.** *(Fin.)* calculer des intérêts composés. **3.** régler à l'amiable. ***Compound with one's creditors,*** s'arranger avec ses créanciers.

compound[2] ['kɒmpaʊnd] *n.* *(vx.)* enceinte fortifiée (aux colonies).

comprehend [,kɒmprɪ'hend] *v.t.* **1.** comprendre, se rendre compte de. **2.** comprendre, englober.

△ **comprehensive** [,kɒmprɪ'hensɪv] *adj.* **1.** complet, détaillé. ***Comprehensive (insurance) policy,*** assurance tous risques; ***comprehensive study,*** étude d'ensemble. **2.** *(Ens.)* sans filières. ***Comprehensive school,*** collège et lycée d'enseignement général.

▻ **compress** ['kɒmpres] *n.* compresse. *v.t. et intr.* [kəm'pres] **1.** (se) comprimer. **2.** *(fig.)* condenser (un récit); concentrer (son style).

comprise [kəm'praɪz] *v.t.* comprendre, être constitué de.

compromise ['kɒmprəmaɪz] *n.* compromis, transaction. *v.t. et intr.* **1.** transiger, parvenir à un arrangement. **2.** compromettre (son honneur, sa réputation...).

compulsion [kam'pʌlʃn] *n.* contrainte. ***Be under compulsion to do something,*** être astreint à faire quelque chose. **2.** désir immodéré.

compulsive [kəm'pʌlsɪv] *adj.* coercitif. ***Compulsive smoking is a real plague,*** c'est une vraie calamité que de ne pouvoir s'empêcher de fumer.

compulsory [kəm'pʌlsərɪ] *adj.* obligatoire.

compunction [kəm'pʌŋkʃn] *n.* remords. ***Without the slightest compunction,*** sans le moindre scrupule.

computation [,kɒmpjʊ'teɪʃn] *n.* calcul; estimation.

compute [kəm'pju:t] *v.t. et intr.* calculer; estimer.

computer [kəm'pju:tə] *n.* *(Tech.)* ordinateur.

computerize [kəm'pju:təraɪz] *v.t. et intr.* **1.** *(Tech.)* traiter par ordinateur (de l'information). **2.** gérer par ordinateur. ***Many firms have recently computerized,*** de nombreuses entreprises ont adopté depuis peu l'ordinateur.

comrade ['kɒmrɪd] *n.* **1.** *(Mil.)* camarade. **2.** *(Polit.)*camarade.

comradeship ['kɒmrɪdʃɪp] *n.* camaraderie.

con [kɒn] *adv.* contre, opposé. ***The reasons pro and con,*** les raisons pour et contre. *n.* contre. ***The pros and cons,*** le pour et le contre.

concatenation [kɒn,kætɪ'neɪʃn] *n.* **1.** enchaînement. **2.** série. ***Concatenation of events,*** suite d'événements.

conceal [kən'si:l] *v.t.* cacher, dissimuler. ***There's no concealing the truth from him,*** il n'y a pas moyen de lui dissimuler la vérité. ♦ ***Concealed turning,*** virage masqué.

concealment [kən'si:lmənt] *n.* dissimulation. ***The kidnappers stayed in concealment for a few days,*** les ravisseurs sont restés terrés pendant quelques jours.

concede [kən'si:d] *v.t. et intr.* **1.** concéder, admettre. ***Concede defeat,*** reconnaître sa défaite. **2.** céder, faire une concession. **3.** s'avouer vaincu.

conceit [kən'si:t] *n.* **1.** vanité, suffisance. **2.** trait d'esprit. ♦ *(Lit.)* ***Conceits,*** concetti.

conceited [kən'si:tɪd] *adj.* vaniteux, suffisant.

▻ **conceivable** [kən'si:vəbl] *adj.* concevable, imaginable.

▻ **conceive** [kən'si:v] *v.t. et intr.* **1.** concevoir (un enfant), devenir enceinte. **2.** imaginer.

▻ **concentrate** ['kɒnsəntreɪt] *v.t. et intr.* (se) concentrer.

concern [kən'sɜ:n] *n.* **1.** intérêt. ***It's no concern of mine,*** ce n'est pas mon affaire. **2.** souci, préoccupation. ***She showed deep concern at the news,*** la nouvelle l'a profondément affectée. **3.** *(Comm. Ind.)* entreprise, affaire. **4.** *(Fin.)* participation.
v.t. concerner. ***As concerns,*** quant à; ***as far as I am concerned,*** quant à moi; ***where the education of children is concerned,*** quand il s'agit de l'éducation des enfants. **2.** inquiéter. ***Be concerned,*** s'inquiéter; ***concern oneself about,*** s'inquiéter de.

⚠ **conciliate** [kən'sɪlɪəɪt] *v.t.* **1.** apaiser (quelqu'un). **2.** se concilier (quelqu'un, la faveur de quelqu'un).

conciliatory [kən'sɪlɪətrɪ] *adj.* conciliant (ton,...).

▻ **concise** [kən'saɪs] *adj.* concis.

conclude [kən'klu:d] *v.t. et intr.* **1.** conclure, achever. **2.** arriver à une conclusion, estimer. ***The jury concluded that the accused was not guilty,*** les jurés déclarèrent l'accusé innocent. **3.** se terminer (par).

concoct [kən'kɒkt] *v.t.* **1.** confectionner (un plat); préparer (un repas). **2.** imaginer; forger (un mensonge). ***This boy keeps concocting excuses for being late,*** cet élève ne cesse d'inventer des excuses à son retard.

concord ['kɒŋkɔ:d] *n.* **1.** concorde. ***Live in concord,*** vivre en harmonie. **2.** *(Gram.)* concordance.

⚠ **concourse** ['kɒŋkɔ:s] *n.* *(lit.)* foule. ***Large concourse of people,*** grande affluence. **2.** lieu de rassemblement.

▻ **concrete**[1] ['kɒŋkri:t] *adj.* concret. *(Jur.)* ***Concrete case,*** cas d'espèce.

⚠ **concrete**[2] ['kɒŋkri:t] *n.* béton. *v.t. et intr.* bétonner.

⚠ **concurrence** [kən'kʌrəns] *n.* **1.** similitude d'opinion. **2.** concours de circonstances.

concussion [kən'kʌʃn] *n.* **1.** *(Méd.)* commotion cérébrale. **2.** choc, ébranlement.

condemn [kən'dem] *v.t.* **1.** désapprouver, blâmer. **2.** déclarer coupable. **3.** *(Tech.)* condamner à la démolition (un taudis, ...).

condense [kən'dens] *v.t. et intr.* (se) condenser; (se) concentrer.

▻ **condescend** [,kɒndɪ'send] *v. intr.* **1.** condescendre, s'abaisser. **2.** faire preuve de condescendance. ***I hate being condescended to,*** je déteste qu'on me traite de haut.

▻ **condition** [kən'dɪʃn] *n.* **1.** condition. ***On condition that,*** pourvu que. **2.** état, forme physique. ***In a condition to,*** en état de.
v.t. **1.** mettre en condition, en forme. **2.** conditionner (des réflexes).

condole [kən'dəʊl] *v. intr.* ***Condole with somebody,*** partager la douleur de quelqu'un; lui exprimer ses condoléances.

▻ **condolences** [kən'dəʊlənsɪz] *n.* condoléances.

condone [kən'dəʊn] *v.t.* pardonner, trouver des excuses à.

conduct ['kɒndʌkt] *n.* conduite.
v.t. et intr. [kən'dʌkt] **1.** conduire (des affaires); guider (une personne). ***Conducted tour,*** visite organisée. **2.** *(Mus.)* diriger (un orchestre). **3.** *(Tech.)* être conducteur (de chaleur, d'électricité...). **4.** ***Conduct oneself,*** se comporter.

⚠ **conductor** [kən'dʌktə] *n.* **1.** accompagnateur, guide. **2.** chef d'orchestre. **3.** *(Tech.)* conducteur. ***Lightning conductor,*** paratonnerre. **4.** receveur d'autobus. **5.** *(amér.)* chef de train.

cone [kəʊn] *n.* **1.** cône. **2.** pomme de pin. **3.** ***Ice-cream cone,*** cornet de glace.

⚠ **confectioner** [kən'fekʃənə] *n.* confiseur, pâtissier.

confectionery [kən'fekʃənərɪ] *n.* confiserie ; bonbons ; pâtisserie.

confederacy [kən'fedərəsɪ] *n.* **1.** confédération. *(amér.)* ***The Southern Confederacy,*** les États Confédérés. **2.** conspiration.

▻ **confederate** [kən'fedərɪt] *adj.* confédéré. *n.* **1.** confédéré. **2.** complice. *v.t. et intr.* (se) confédérer.

▻ **confer** [kən'fɜ:] *v.t. et intr.* **1.** conférer, accorder. **2.** s'entretenir (avec).

confess [kən'fes] *v.t. et intr.* **1.** avouer. **2.** *(Rel.)* (se) confesser.

confide [kən'faɪd] *v.t. et intr.* **1.** confier (un secret, ses intentions..). **2.** se confier ; mettre sa confiance (en). ***Confide in somebody about something,*** s'ouvrir à quelqu'un de quelque chose.

⚠ **confidence** ['kɒnfɪdəns] *n.* **1.** confiance. ***Confidence man,*** escroc ; ***confidence trick,*** abus de confiance, escroquerie ; *(Polit.)* ***motion of no confidence,*** motion de censure. **2.** assurance. **3.** confidence. ***Take somebody into one's confidence,*** mettre quelqu'un dans le secret.

⚠ **confident** ['kɒnfɪdənt] *adj.* confiant, sûr de soi.

⚠ **confidential** [ˌkɒnfɪ'denʃəl] *adj.* **1.** confidentiel. ***Confidential information,*** renseignements secrets. **3.** de confiance. ***Confidential friend,*** ami intime ; ***confidential secretary,*** secrétaire particulier.

confine [kən'faɪn] *v.t.* **1.** emprisonner. **2.** confiner. ***He was confined to his room,*** il a dû garder la chambre ; ***we are confined for space,*** nous sommes à l'étroit. **3.** ***His wife is confined at present,*** sa femme est en train d'accoucher.

confinement [kən'faɪnmənt] *n.* emprisonnement, détention. **2.** accouchement.

▻ **confirm** [kən'fɜ:m] *v.t.* **1.** confirmer, corroborer. **2.** affermir, fortifier. **3.** approuver (une nomination). **4.** *(Rel.)* confirmer.

confirmed [kən'fɜ:md] *adj.* invétéré (ivrogne, menteur...). ***Confirmed bachelor,*** célibataire endurci.

▻ **confiscate** ['kɒnfɪskeɪt] *v.t.* confisquer.

conflagration [ˌkɒnflə'greɪʃn] *n.* incendie, sinistre.

▻ **conflict** ['kɒnflɪkt] *n.* **1.** conflit, lutte. **2.** désaccord. *v. intr.* [kən'flɪkt] **1.** être en conflit (avec). **2.** être en désaccord (avec), s'opposer (à).

conform [kən'fɔ:m] *v.t. et intr.* **1.** conformer à, adapter. **2.** se conformer (à).

conformable [kən'fɔ:məbl] *adj.* **1.** soumis, docile; **2.** en accord (avec).

⚠ **confound** [kən'faʊnd] *v.t.* **1.** déconcerter, troubler. **2.** confondre. ***Confound something with something else,*** prendre quelque chose pour quelque chose d'autre. ♦ ***Confound him!*** que le diable l'emporte ! ***confound it!*** zut alors !

confounded [kən'faʊndɪd] *adj.* **1.** déconcerté, troublé. **2.** satané (cf. **damned**). ***It's a confounded nuisance!*** c'est la barbe !

confront [kən'frʌnt] *v.t.* **1.** confronter. **2.** affronter, faire face (à).

⚠ **confuse** [kən'fju:z] *v.t.* **1.** rendre confus, embrouiller. **2.** troubler, déconcerter. **3.** confondre, se méprendre sur.

confute [kən'fju:t] *v.t.* **1.** réfuter (un argument). **2.** réfuter les arguments de.

▻ **congeal** [kən'dʒi:l] *v.t. et intr.* (se) congeler ; (se) coaguler.

congenial [kən'dʒi:nɪəl] *adj.* **1.** de la même nature. ***They have congenial tastes,*** ils ont des goûts communs. **2.** qui convient ; sympathique. ***Congenial weather,*** temps agréable ; ***this job is quite congenial to me,*** ce travail me convient.

⚠ **congestion** [kən'dʒestʃən] *n.* **1.** *(Méd.)* congestion. **2.** embouteillage.

congratulate [kən'grætʃʊleɪt] *v.t.* féliciter. ***Allow me to congratulate you,*** laissez-moi vous féliciter ; ***you can congratulate yourself on having passed your test,*** vous pouvez vous féliciter d'avoir réussi votre examen.

congratulation [kən,grætʃʊ'leɪʃn] *n.* (souvent *pl.*) félicitations. ***Congratulations!*** toutes mes félicitations!

congregation [,kɒŋgrɪ'geɪʃn] *n.* **1.** *(lit.)* rassemblement. **2.** *(Rel.)* assemblée de fidèles.

▻ **congress** ['kɒŋgres] *n.* congrès. *(U.S.)* ***Congressman,*** membre du Congrès; parlementaire.

congruent ['kɒŋgrʊənt] *adj.* conforme (à), convenable.

▻ **conjunction** [kən'dʒʌŋktʃn] *n.* **1.** *(Gram.)* conjonction. **2.** conjonction. ***Conjunction of circumstances,*** concours de circonstances. ♦ ***In conjunction with,*** conjointement avec.

conjure ['kʌndʒə] *v.t. et intr.* **1.** conjurer, supplier. **2.** faire surgir (par magie). ***He conjured a rabbit out of his top-hat,*** il a fait sortir un lapin de son haut-de-forme.♦ ***A name to conjure with,*** un nom magique, prestigieux.

conjurer ['kʌndʒərə] *n.* **1.** prestidigitateur, illusionniste. **2.** conjurateur d'esprits.

conjure up *v. part. t.* **1.** imaginer. **2.** évoquer. **3.** *(fig.)* ***She can conjure up a nice meal in no time,*** elle est capable de vous servir un bon repas en un clin d'œil.

connect [kə'nekt] *v.t. et intr.* **1.** relier. **2.** être apparenté (à). ***Be connected with a crime,*** être impliqué dans un meurtre. **3.** *(Elec.)* brancher. **4.** assurer la correspondance (avec).

connection [kə'nekʃən] *n.* **1.** connexion, rapport, liaison. (aussi **connexion**). **2.** *(pl.)* famille, parenté. **3.** branchement. **4.** correspondance, changement. **5.** relation (d'affaires), clientèle. ♦ ***In connection with,*** en ce qui concerne; ***in this connection,*** à ce propos.

▻ **connivance** [kə'naɪvəns] *n.* connivence. ***Connivance at a crime,*** complicité dans un crime.

connive [kə'naɪv] *v.t. et intr.* **1.** être complice (de). **2.** fermer les yeux (sur).

⚠ **conquer** ['kɒŋkə] *v.t.* **1.** conquérir. **2.** vaincre, dominer.

conqueror ['kɒŋkərə] *n.* **1.** conquérant. **2.** vainqueur.

▻ **conquest** ['kɒŋkwest] *n.* conquête.

▻ **conscience** ['kɒnʃəns] *n.* conscience. ***Be conscience-smitten,*** être pris de remords; ***for conscience's sake,*** par acquit de conscience; ***have a clear conscience,*** avoir la conscience tranquille; ***matter of conscience,*** cas de conscience.

conscientious [,kɒnʃɪ'enʃəs] *adj.* **1.** consciencieux. **2.** ***Conscientious objector,*** objecteur de conscience.

conscious ['kɒnʃəs] *adj.* **1.** conscient. ***He is still fully conscious after the accident,*** il a conservé toute sa connaissance après son accident. **2.** capable de comprendre. ***Man is a conscious animal,*** l'homme est un animal conscient. **3.** intentionnel, délibéré.

consciousness ['kɒnʃəsnɪs] *n.* **1.** connaissance. ***Lose consciousness,*** s'évanouir; ***regain consciousness,*** revenir à soi. **2.** conscience.

▻ **conscript** ['kɒnskrɪpt] *n.* conscrit. *v.t.* [kən'skrɪpt] enrôler.

▻ **consecrate** ['kɒnsɪkreɪt] *v.t.* consacrer, bénir (une église, une hostie...). **2.** *(fig.)* ***Consecrate one's life to somebody,*** vouer sa vie à quelqu'un.

consent [kən'sent] *n.* consentement. ♦ ***Age of consent,*** âge nubile; *(lit.)* ***with one consent,*** d'un commun accord.
v. intr. consentir (à).

⚠ **consequence** ['kɒnsɪkwəns] *n.* **1.** conséquence. ***In consequence of,*** par suite de. **2.** importance. ***It is of no consequence,*** cela ne fait rien.

⚠ **conservation** [,kɒnsə'veɪʃn] *n.* **1.** préservation. **2.** protection de l'environnement.

conservative [kən'sɜːvətɪv] *adj.* **1.** conservateur. ***The Conservative Party,*** le parti conservateur. **2.** modeste. **3.** prudent. ***At a conservative estimate,*** au bas mot.
n. **1.** *(Polit.)* conservateur. **2.** personne à l'esprit conservateur.

⚠ **conservatory** [kən'sɜːvətrɪ] *n.* **1.** serre (en horticulture). **2.** *(Mus. Th.)* conservatoire.

▻ **conserve** [kən'sɜːv] *v.t.* **1.** préserver. **2.** *(Cuis.)* mettre en conserve.
n. ['kɒnsɜːv] *(Cuis.)* (souvent *pl.*) conserves de fruits, confitures.

△ **consider** [kən'sɪdə] *v.t.* considérer. ***He considers him a foolish boy,*** il le tient pour un petit imbécile. **2.** envisager de. ***She is considering changing her job,*** elle songe à changer d'emploi. ♦ ***All things considered,*** tout bien considéré ; ***it's my considered opinion that you should give up,*** après mûre réflexion, je vous conseille d'abandonner.

considerate [kən'sɪdrɪt] *adj.* prévenant, plein d'égards. ***It's very considerate of you,*** c'est très aimable de votre part.

▻ **consideration** [kən,sɪdə'reɪʃn] *n.* **1.** considération. **2.** égards. ***Out of consideration for you,*** par égard pour vous. **3.** rétribution. ***He'll do it for you for a small consideration,*** si vous lui donnez la pièce, il fera cela à votre place. **4.** importance.

considering [kən'sɪdrɪŋ] *prép.* étant donné, vu que. *adv. (fam.)* ***His performance was quite good, considering,*** tout compte fait, sa performance était remarquable.

consign [kən'saɪn] *v.t.* **1.** *(Comm.)* expédier (des marchandises). **2.** confier (à). ***At his parents' death, the child was consigned to his aunt's care,*** à la mort de ses parents, on confia l'enfant aux soins de sa tante.

consignee [,kɒnsaɪ'ni:] *n.* consignataire, destinataire.

consignment [kən'saɪnmənt] *n.* **1.** *(Comm.)* expédition (de marchandises). **2.** *(Comm.)* envoi, marchandises expédiées. ♦ *(Comm.)* ***On consignment,*** en dépôt permanent.

consist [kən'sɪst] *v. intr.* **1.** ***Consist in,*** reposer sur. ***His happiness consists in being content with little,*** son bonheur consiste à se contenter de peu. **2.** **Consist of,** se composer de. ***A football team consists of 11 players,*** une équipe de football comprend 11 joueurs.

△ **consistency** [kən'sɪstnsɪ] *n.* **1.** esprit de suite (aussi **consistence**). ***His actions always lack consistency,*** ses actions manquent toujours de logique. **2.** consistance, fermeté.

△ **consistent** [kən'sɪstnt] *adj.* **1.** logique. **2.** compatible (avec). ***His behaviour is not consistent with moral principles,*** sa conduite n'est pas conforme aux principes moraux.

consonant ['kɒnsənənt] *adj. (lit.)* en accord (avec). ***This is consonant with your duty,*** ceci est conforme à votre devoir. *n. (Gram.)* consonne.

consort ['kɒnsɔ:t] *n.* époux, épouse (d'un monarque). ***Prince Consort,*** Prince Consort. ♦ ***In consort with,*** de concert avec ; *(Naut.)* ***Sail in consort,*** naviguer de conserve.
v. intr. [kən'sɔ:t] **1.** fréquenter. ***She consorts with disreputable people,*** on la voit en compagnie de gens peu recommandables. **2.** *(lit.)* s'accorder.

conspicuous [kən'spɪkjʊəs] *adj.* bien visible, manifeste. ♦ ***Make oneself conspicuous,*** se faire remarquer, se singulariser ; ***she was conspicuous by her absence at the party,*** à la réunion, elle a brillé par son absence.

conspiracy [kən'spɪrəsɪ] *n.* conspiration, complot. ***Conspiracy of silence,*** conspiration du silence.

conspire [kən'spaɪə] *v. intr.* **1.** conspirer, comploter. **2.** concourir (à). ***All these circumstances conspired to bring about his ruin,*** toutes ces conditions ont contribué à sa perte.

constable ['kɒnstəbl] *n.* gardien de la paix, agent de police. ♦ ***Chief constable,*** commissaire (de police) ; ***rural constable,*** garde champêtre.

constancy ['kɒnstənsɪ] *n.* **1.** fermeté. **2.** fidélité, loyauté.

constantly ['kɒnstəntlɪ] *adv.* constamment, continuellement.

constituency [kən'stɪtʃʊənsɪ] *n.* **1.** circonscription électorale. **2.** collège électoral.

▻ **constituent** [kən'stɪtʃʊənt] *adj.* constituant. ***The constituent elements of water,*** les éléments constitutifs de l'eau. *n.* **1.** *(Polit.)* électeur, électrice. **2.** composant.

▻ **constitute** ['kɒnstɪtju:t] *v.t.* **1.** constituer, établir. **2.** nommer.

constrain [kən'streɪn] *v.t.* contraindre.

constrained [kən'streɪnd] *adj.* embarrassé. ***In a constrained manner,*** d'un air gêné.

constraint [kən'streɪnt] *n.* **1.** contrainte. **2.** gêne. **3.** retenue. ***Without***

constraint, à cœur ouvert.

constrict [kən'strɪkt] *v.t.* rétrécir, resserrer (un vaisseau sanguin, des tissus). *(fig.)* ***A constricted point of view,*** un point de vue étriqué.

▷ **construct** [kən'strʌkt] *v.t.* construire.

⚠ **construction** [kən'strʌktʃn] *n.* **1.** construction. **2.** bâtiment. **3.** interprétation. ***Don't put the wrong construction on my words,*** n'allez pas mal interpréter mes paroles.

construe [kən'stru:] *v.t.* **1.** interpréter (les paroles, la conduite de quelqu'un). **2.** analyser (un texte ancien). ***Construing of a Latin author,*** explication d'un auteur latin.

▷ **consulate** ['kɒnsjʊlɪt] *n.* consulat.

consult [kən'sʌlt] *v.t. et intr.* **1.** consulter (un dictionnaire, un docteur, un homme de loi...). **2.** se consulter. **3.** ***Consult for a firm,*** être expert-conseil pour une entreprise.

consultant [kən'sʌltnt] *n.* **1.** expert-conseil. **2.** *(Méd.)* spécialiste.

consulting [kən'sʌltɪŋ] *adj.* **1.** qui donne des conseils spécialisés. ***Consulting engineer,*** ingénieur conseil. **2.** de consultation. *(Méd.)* ***Consulting room,*** cabinet de consultation.

⚠ **consume** [kən'sju:m] *v.t.* **1.** consommer. **2.** détruire par le feu.

⚠ **consumer** [kən'sju:mə] *n.* consommateur. ***The consumer society,*** la société de consommation.

consummate [kən'sʌmɪt] *adj.* **1.** parfait (bonheur); fieffé (menteur, coquin...). **2.** maître de son art. ***Consummate musician,*** virtuose. *v.t.* ['kɒnsəmeɪt] **1.** rendre parfait. **2.** consommer (une union).

⚠ **consumption** [kən'sʌmpʃn] *n.* **1.** consommation. ***Unfit for human consumption,*** non comestible. **2.** *(Méd.)* phtisie.

▷ **contact** ['kɒntækt] *n.* **1.** contact. **2.** relation, connaissance. **3.** *(Elec.)* contact. ***Make contact,*** faire passer le courant. *(fig.)* établir le contact. *v.t.* contacter.

▷ **contain** [kən'teɪn] *v.t.* **1.** contenir. **2.** refréner (sa colère), maîtriser (son émotion). ***He couldn't contain himself for joy,*** il ne se sentait pas de joie. **3.** être divisible (par).

container [kən'teɪnə] *n.* **1.** récipient. **2.** *(Tech.)* conteneur.

▷ **contaminate** [kən'tæmɪneɪt] *v.t.* contaminer.

⚠ **contemplate** ['kɒntəmpleɪt] *v.t.* **1.** contempler. **2.** projeter. ***Contemplate suicide,*** songer à se suicider. **3.** prévoir, s'attendre (à).

▷ **contemporary** [kən'temprərɪ] *adj.* contemporain, moderne. *n.* contemporain. ***He is my contemporary,*** nous avons le même âge.

contempt [kən'tempt] *n.* mépris, dédain. ♦ ***Hold somebody in contempt,*** mépriser quelqu'un; *(Jur.)* ***Contempt of Court,*** offense à la Cour; refus de comparaître.

contemptible [kən'temptɪbl] *adj.* méprisable, vil.

contemptuous [kən'temptʃʊəs] *adj.* méprisant, dédaigneux.

contend [kən'tend] *v.t. et intr.* **1.** lutter (contre). ***Contend with somebody for something,*** disputer quelque chose à quelqu'un. **2.** prétendre, soutenir.

content[1] [kən'tent] *adj.* satisfait. ***She is content to be a housewife,*** elle se satisfait de son rôle de femme d'intérieur. *v.t.* contenter, satisfaire. ***He contented himself with watching T.V. on Sunday,*** il s'est borné à regarder la télé dimanche dernier.

⚠ **content**[2] ['kɒntent] *n.* **1.** contenu (d'un récipient, d'une lettre...). ***Table of contents,*** table des matières. **2.** *(Tech.)* teneur.

contention [kən'tenʃn] *n.* **1.** lutte, démêlé. **2.** affirmation. ***My contention is that this lazy boy will not pass,*** ce que j'affirme c'est que ce paresseux ne sera pas reçu.

⚠ **contest** ['kɒntest] *n.* **1.** combat, lutte. **2.** concours (de beauté...).
v.t. et intr. [kən'test] **1.** disputer. ***Contest a seat in Parliament,*** se porter candidat au parlement. **2.** ***Contest for a prize,*** concourir; se mettre sur les rangs pour un prix. **3.** se disputer. **4.** contester (une décision...).

⚠ **contestant** [kən'testnt] *n.* **1.** concurrent. **2.** adversaire.

contingency [kən'tɪndʒənsɪ] *n.* **1.** éventualité. **2.** événement incertain. ***In***

contingency, en cas d'imprévu.

▻**continue** [kən'tɪnjuː] *v.t. et intr.* **1.** continuer, se poursuivre. **2.** reprendre. ***To be continued,*** à suivre. **3.** rester (en un lieu). **4.** dire ensuite. **5.** maintenir (quelqu'un en fonction).

⚠**continuity** ['kɒntɪ'njuːɪtɪ] *n.* **1.** continuité. **2.** *(Ciné. Radio. T.V.)* découpage ; scénario.

continuous [kən'tɪnjʊəs] *adj.* continu. ***Continuous performance,*** spectacle permanent.

contort [kən'tɔːt] *v.t. et intr.* (se) contracter. ***His face was contorted by pain,*** il avait le visage crispé de douleur.

contract ['kɒntrækt] *n.* contrat. *v.t. et intr.* [kən'trækt] **1.** passer un contrat. **2.** *(Méd.)* contracter (une maladie). **3.** se contracter (pour des muscles, la pupille...) ♦ ***Contract out,*** renoncer par contrat à certaines dispositions.

⚠**contractor** [kən'træktə] *n.* entrepreneur.

▻**contradict** [,kɒntrə'dɪkt] *v.t.* contredire. ***Your behaviour contradicts your principles,*** votre conduite dément vos principes.

▻**contradictory** [,kɒntrə'dɪktrɪ] *adj.* contradictoire, opposé (à).

contraption [kən'træpʃn] *n. (fam.)* machine, invention baroque.

contrary[1] ['kɒntrərɪ] *adj.* **1.** opposé (à). ***Contrary to nature,*** contre nature. **2.** ***Contrary winds,*** vents contraires. *adv.* à l'encontre (de). ***Contrary to my expectations,*** contre mon attente. *n.* contraire. ***Quite the contrary,*** tout au contraire. ♦ ***If you don't hear to the contrary,*** à moins d'avis contraire ; ***on the contrary,*** au contraire.

contrary[2] [kən'treərɪ] *adj.* entêté, qui a l'esprit de contradiction.

▻**contrast** ['kɒntrɑːst] *n.* contraste. *v.t. et intr.* [kən'trɑːst] **1.** (faire) contraster. **2.** faire contraste (avec).

contravene [,kɒntrə'viːn] *v.t.* **1.** enfreindre. **2.** mettre en doute.

▻**contribute** [kən'trɪbjuːt] *v.t. et intr.* **1.** contribuer (à), cotiser. **2.** collaborer (à un journal...).

contributor [kən'trɪbjʊtə] *n.* donateur. **2.** collaborateur (d'un journal...).

▻**contrite** ['kɒntraɪt] *adj.* contrit, repentant.

contrivance [kən'traɪvns] *n.* **1.** dispositif, adaptation. **2.** artifice, machination. **3.** invention.

contrive [kən'traɪv] *v.t. et intr.* **1.** combiner, inventer. **2.** s'arranger (pour). ***The prisoner finally contrived to escape,*** le prisonnier a finalement trouvé moyen de s'enfuir.

⚠**control** [kən'trəʊl] *n.* **1.** direction, autorité. **2.** moyen de contrôle. **3.** *(Tech.* souvent *pl.)* ***Be at the controls,*** être aux commandes. ♦ *(Méd.)* ***Control case,*** cas témoin.
v.t. **1.** diriger, commander. ♦ ***Control one's tears,*** retenir ses larmes ; ***control oneself,*** se dominer ; ***control the traffic,*** régler la circulation. **2.** contrôler (le mouvement d'une machine). **3.** vérifier (des comptes). **4.** *(Méd.)* faire un test comparé.

controversial [,kɒntrə'vɜːʃl] *adj.* **1.** discutable. **2.** discuté, controversé. ***Controversial decision,*** décision contestée.

▻**controversy** ['kɒntrəvɜːsi, kən'trɒvəsɪ] *n.* controverse, polémique.

conundrum [kə'nʌndrəm] *n.* devinette, énigme.

▻**conurbation** [,kɒnɜː'beɪʃn] *n.* conurbation, agglomération d'unités urbaines.

convene [kən'viːn] *v.t. et intr.* **1.** s'assembler. **2.** convoquer ; *(Jur.)* citer.

convenience [kən'viːnɪəns] *n.* **1.** commodité, convenance. ***At your earliest convenience,*** dès qu'il vous sera possible. **2.** *(pl.)* commodités. ***Fitted with all modern conveniences,*** muni de tout le confort moderne. **3.** ***Public conveniences,*** toilettes.

convenient [kən'viːnɪənt] *adj.* **1.** commode, pratique. **2.** qui donne un accès facile. ***The house is convenient for the shops and buses,*** la maison est à proximité des magasins et des autobus.

convent ['kɒnvnt] *n.* couvent.

convention [kən'venʃn] *n.* **1.** convention, accord. **2.** usage, convenance. **3.** *(U.S.)* congrès national d'un parti pour désigner le candidat à la présidence des États-Unis.

⚠**conventional** [kən'venʃnəl] *adj.* **1.** conventionnel. **2.** *(péj.)* sans originalité. **3.** *(Mil.)* ***Conventional weapons,*** armes classiques (opposées à atomiques).

⚠ **conversant** [kən'vɜːsnt] *adj.* familier (avec). ***One man can't possibly be conversant with all techniques,*** un seul homme ne peut vraiment connaître toutes les techniques.

⚠ **converse**[1] ['kɒnvɜːs] *adj.* contraire (pour des opinions, une déclaration...). *n.* contraire.

▻ **converse**[2] [kən'vɜːs] *v. intr.* converser.

convert ['kɒnvɜːt] *n.* converti. *v.t. et intr.* [kən'vɜːt] **1.** (se) convertir. **2.** transformer (une maison). **3.** passer (à). ***Convert to solar energy,*** se mettre à l'énergie solaire. **4.** *(Fin.)* convertir, changer (de l'argent). **5.** *(Sp.)* transformer un essai (au rugby).

⚠ **convertible** [kən'vɜːtəbl] *adj.* **1.** convertible. **2.** *(Aut.)* décapotable. **3.** transformable (canapé). *n.* *(Aut.)* décapotable.

convey [kən'veɪ] *v.t.* **1.** porter, transporter. **2.** communiquer (des idées, un sentiment). ***I can't think of a word to convey my meaning to you,*** je ne trouve pas de mot pour vous exprimer ce que je veux dire. **3.** *(Jur.)* transférer, faire cession (d'un bien...).

conveyance [kən'veɪəns] *n.* **1.** transport. **2.** communication, transmission. **3.** *(Jur.)* acte de cession (de propriété). **4.** véhicule.

conveyer [kən'veɪə] (aussi **conveyor**) *n.* **1.** transporteur, convoyeur. **2.** *(Tech.)* ***Conveyer (belt),*** bande transporteuse.

convict ['kɒnvɪkt] *n.* forçat, bagnard. *v.t.* [kən'vɪkt] déclarer coupable. ***He was convicted of murder,*** on l'a condamné pour meurtre.

⚠ **conviction** [kən'vɪkʃn] *n.* **1.** *(Jur.)* condamnation. **2.** conviction.

convince [kən'vɪns] *v.t.* convaincre, persuader.

convivial [kən'vɪvɪəl] *adj.* **1.** jovial, bon vivant. **2.** gai (pour une réunion...).

convoy ['kɒnvɔɪ] *n.* *(Naut. Mil.)* convoi, escorte. *v.t.* convoyer, escorter.

convulse [kən'vʌls] *v.t.* **1.** convulsionner. **2.** *(fig.)* bouleverser, ébranler.

cook [kʊk] *n.* cuisinier, cuisinière. ♦ ***Too many cooks spoil the broth,*** trop de cuisinières gâtent la sauce. *v.t. et intr.* **1.** (faire) cuire. **2.** *(fam.)* falsifier (les comptes).

cooker ['kʊkə] *n.* **1.** cuisinière, fourneau. **2.** ***Cookers,*** fruits à cuire (surtout des pommes) (aussi **cooking apples,** ...).

cookery ['kʊkrɪ] *n.* (art de la) cuisine.

cookie ['kʊkɪ] *n.* *(surtout amér.)* petit gâteau, biscuit (aussi **cooky**).

cook up *v. part. t.* inventer de toutes pièces. ***The man cooked up a story to explain his absence,*** l'homme a forgé une histoire pour justifier son absence.

cool [kuːl] *adj.* **1.** frais, rafraîchissant. **2.** calme. ***As cool as a cucumber,*** avec un sang-froid imperturbable; ***keep cool!*** gardez votre sang-froid. **3.** froid, inamical. ***A very cool reception,*** un accueil glacial. **4.** *(péj.)* sans gêne. **5.** (emphatique) ***He earns a cool £ 2000 a month,*** il gagne au bas mot 2000 livres par mois.
adv. ***Play it cool!*** ne vous emballez pas!
n. **1.** fraîcheur. **2.** calme.
v.t. et intr. **1.** (se) rafraîchir. **2.** ***Cool it!*** du calme! ♦ *(fam.)* ***Cool one's heels,*** faire le pied de grue.

coolant ['kuːlənt] *n.* *(Tech.)* agent de refroidissement.

cool down *v. part. t. et intr.* (se) calmer (aussi **cool off**).

⚠ **coop** [kuːp] *n.* cage. ***Chicken coop,*** poulailler. *v.t.* *(fam.)* ***Coop up,*** enfermer, cloîtrer (quelqu'un).

▻ **cooperate** [kəʊ'ɒpəreɪt] *v. intr.* coopérer, collaborer.

▻ **co-opt** [kəʊ'ɒpt] *v.t.* coopter. ***He was not elected, he was co-opted to the committee,*** on ne l'a pas élu mais choisi comme membre coopté du comité.

cop [kɒp] *n.* *(fam.)* flic.

cope [kəʊp] *v. intr.* se débrouiller, s'en sortir. ***Cope with a situation,*** faire face à une situation.

copper ['kɒpə] *n.* **1.** cuivre (rouge). **2.** petite pièce de monnaie. **3.** chaudron, lessiveuse. ♦ *(Naut.)* ***Copper-bottomed,*** à fond de cuivre; *(fig.)* offrant toute garantie.

copy ['kɒpɪ] *n.* **1.** copie, reproduction.

2. exemplaire (de livre); numéro (de journal). 3. *(Tech.)* sujet d'article. ***Good copy,*** bon article. ♦ ***Copy machine,*** machine à photocopier.
v.t. et intr. 1. copier, reproduire. 2. imiter. 3. *(péj.)* copier. ***This pupil keeps copying his homework off his neighbours,*** cet élève copie toujours ses devoirs sur ses voisins.

copywriter ['kɒpɪraɪtə] *n.* rédacteur publicitaire.

⚠ **cord** [kɔːd] *n.* 1. corde, cordon. *(Rail.)* ***Communication cord,*** signal d'alarme. 2. *(Anat.)* ***Vocal cords,*** cordes vocales. 3. *(Elec.)* fil.

⚠ **cords** [kɔːdz] *n. pl. (fam.)* pantalon en velours côtelé (aussi **corduroys**).

corduroy ['kɔːdərɔɪ] *n.* velours côtelé.

core [kɔː] *n.* 1. cœur (d'un fruit); partie centrale. 2. *(fig.)* cœur, centre. ***To the core,*** profondément. 3. *(Elec.)* noyau (d'un aimant).

cork [kɔːk] *n.* 1. liège. 2. bouchon (de liège). *v.t.* ***Cork (up),*** boucher.

corkscrew ['kɔːkskruː] *n.* tire-bouchon.

corn[1] [kɔːn] *n.* 1. blé. 2. *(amér.)* maïs. *(Cuis.)* ***Corn on the cob,*** épi de maïs.

corn[2] [kɔːn] *n. (Méd.)* cor (au pied). *(fig.)* ***Tread on somebody's corns,*** froisser quelqu'un.

corn[3] [kɔːn] *v.t.* conserver de la viande (par salaison). ***Corned beef,*** corned beef, bœuf de conserve.

⚠ **corner** ['kɔːnə] *n.* 1. coin, angle. 2. angle de rue, carrefour. 3. *(pl.)* ***From all the corners of the world,*** des quatre coins du monde. 4. *(Comm.)* monopole. ***Make a corner in wheat,*** accaparer le marché du blé. 5. *(Sp.)* corner. ♦ ***Be in a tight corner,*** être dans le pétrin; ***turn the corner,*** passer le moment critique.

cornerstone ['kɔːnəstəʊn] *n.* 1. pierre angulaire. 2. *(fig.)* ***His efficiency was the cornerstone of his success,*** son efficacité constitua la raison majeure de son succès.

cornucopia [ˌkɔːnjʊ'kəʊpɪə] *n.* corne d'abondance.

coronary ['kɒrənrɪ] *adj.* *(Méd.)* coronaire, coronarien. *n. (fam.)* (= **coronary thrombosis**) infarctus.

coronation [ˌkɒrə'neɪʃn] *n.* couronnement, sacre.

▷ **coroner** ['kɒrənə] *n. (Jur.)* coroner. ***Coroner's inquest,*** enquête judiciaire après une mort suspecte.

coronet ['kɒrənɪt] *n.* 1. couronne (de noble). 2. diadème.

⚠ **corporal**[1] ['kɔːprəl] *n. (Mil.)* caporal.

corporal[2] ['kɔːprəl] *adj.* corporel. ***Corporal punishment,*** châtiment corporel.

corporate ['kɔːprɪt] *adj.* collectif, en commun. ♦ ***Body corporate,*** corps constitué (aussi ***corporate body***); *(Comm.)* ***corporate name,*** raison sociale; *(Comm.)* ***corporate responsibility,*** responsabilité morale (d'un groupe).

⚠ **corporation** [ˌkɔːpə'reɪʃn] *n.* 1. corporation, corps constitué. 2. conseil municipal. 3. *(Comm.)* compagnie, société commerciale. 4. *(fam.)* brioche, bedaine.

⚠ **corpse** [kɔːps] *n.* cadavre.

correct [kə'rekt] *adj.* 1. exact. 2. convenable, bien élevé. *v.t.* 1. corriger (des erreurs). 2. punir, infliger une correction à.

▷ **correspond** [ˌkɒrɪ'spɒnd] *v. intr.* 1. correspondre (à), s'accorder (avec). 2. s'écrire, correspondre.

corrugated ['kɒrəgeɪtɪd] *adj.* ridé, plissé. ***Corrugated iron,*** tôle ondulée.

corrupt [kə'rʌpt] *adj.* 1. corrompu, dépravé. 2. malhonnête. 3. altéré (pour un texte). *v.t.* 1. corrompre, dépraver. 2. *(Jur.)* soudoyer, suborner (un témoin). 3. altérer (un texte, une langue...).

⚠ **cosmetic** [kɒz'metɪk] *adj.* 1. cosmétique. 2. ***Cosmetic surgery,*** chirurgie esthétique. 3. *(fig. et péj.)* qui cache une chose désagréable.
n. (surtout *pl.*) produits de beauté.

cost [kɒst] *n.* 1. (souvent *pl.*) coût. ♦ ***Cost of living,*** coût de la vie; ***production costs,*** coûts de production; ***to my cost,*** à mes dépens. 2. prix. ***Sell at cost,*** vendre à prix coûtant. 3. *(Jur.)* dépens. ***Ordered to pay costs,*** condamné aux dépens.
v. intr. irr. (*p.* **cost,** *p.p.* **cost**) coûter. ***How much does it cost?*** combien cela coûte-t-il? *v.t. rég.* (*p.* **costed,** *p.p.* **costed**) *(Comm. et Ind.)* calculer le prix de revient de.

costly ['kɒstlɪ] *adj.* **1.** coûteux. **2.** précieux.
cosy ['kəʊzɪ] *adj.* douillet, confortable.
cot [kɒt] *n.* **1.** lit d'enfant. **2.** *(amér.)* lit de camp.
cottage ['kɒtɪdʒ] *n.* maisonnette (surtout à la campagne). ♦ ***Cottage cheese,*** fromage blanc.
♦ **cotton** ['kɒtn] *n.* coton.
cotton wool [ˌkɒtn'wu:l] *n.* *(Méd.)* coton (hydrophile), ouate.
⚠ **couch** [kaʊtʃ] *n.* canapé, divan, sofa. *v.t. et intr.* **1.** se coucher, être couché (pour un animal). **2.** exprimer. ***The request was couched in these terms,*** la demande était formulée en ces termes.
cough [kɒf] *n.* toux. *v.t. et intr.* **1.** tousser. **2.** cracher (en toussant), expectorer. ***Cough up blood,*** cracher le sang; *(argot)* ***cough up money,*** cracher de l'argent.
could [kʊd] *aux. mod.* (**can,** *aux. mod.*). **1.** (passé de **can**) ***He could play the violin at 5,*** il savait jouer du violon à 5 ans. **2.** (valeur de conditionnel) ***He could if he wanted to,*** il pourrait s'il le voulait. **3.** (irréel du passé) ***I could have cried,*** j'en aurais pleuré. **4.** (suggestion) ***We could play chess,*** si nous faisions une partie d'échecs? **5.** (demande polie) ***Could I borrow your pen?*** soyez gentil, prêtez-moi votre stylo.
couldn't ['kʊdnt] **(could not).**
council ['kaʊnsl] *n.* conseil. ***Council chamber,*** salle du conseil; ***council flats,*** H.L.M.
counsel ['kaʊnsl] *n.* **1.** conseil, avis. **2.** *(Jur.)* avocat. conseil. ♦ ***Keep one's own counsel,*** garder ses projets pour soi; ***take counsel with somebody,*** consulter quelqu'un.
counsellor ['kaʊnslə] *n.* **1.** conseiller. ***Marriage guidance counsellor,*** conseiller conjugal. **2.** *(amér.)* avocat.
count [kaʊnt] *n.* **1.** compte, calcul. **2.** *(Jur.)* chef d'accusation. ♦ *(Boxe)* ***He went out for the count,*** il est resté au tapis; ***take no count of,*** négliger.
v.t. et intr. **1.** compter, calculer. **2.** estimer. ***Count somebody as dead,*** considérer quelqu'un comme mort. **3.** importer. ***Every minute counts,*** il n'y a pas une minute à perdre. ♦ ***Can I count on you coming?*** je peux compter sur vous? vous viendrez?
countdown ['kaʊntdaʊn] *n.* *(Tech.)* compte à rebours.
count down *v. part. intr.* *(Tech.)* faire le compte à rebours (surtout avant la mise à feu d'une fusée).
⚠ **countenance** ['kaʊntɪnəns] *n.* **1.** expression, mine. ***Keep one's countenance,*** ne pas se laisser décontenancer. **2.** approbation. ***Her father won't give countenance to her marriage plans,*** son père n'approuvera pas ses projets de mariage.
v.t. **1.** autoriser (une action). **2.** approuver (une décision).
counter ['kaʊntə] *n.* **1.** comptoir. ***Buy a medicine under the counter,*** acheter un médicament sans ordonnance; ***sell under the counter,*** vendre illégalement.
v.t. et intr. **1.** s'opposer à. **2.** parer (un coup) et riposter. *adv.* en sens inverse. ***Run counter to all conventions,*** aller à l'encontre de toutes les idées reçues.
counteract [ˌkaʊntə'rækt] *v.t.* neutraliser.
▻ **counterbalance** [ˌkaʊntə'bæləns] *v.t.* contrebalancer.
counterfeit ['kaʊntəfɪt] *v.t.* **1.** contrefaire (de l'argent). **2.** simuler, feindre. *adj.* faux (billet, pièce...).
counterfoil ['kaʊntəfɔɪl] *n.* talon, souche (de chèque, de mandat...).
countermand [ˌkaʊntə'mɑ:nd] *v.t.* **1.** annuler (un ordre...). **2.** *(Comm.)* décommander.
▻ **counterpart** ['kaʊntəpɑ:t] *n.* **1.** contre-partie. **2.** duplicata, double.
countersign ['kaʊntəsaɪn] *v.t.* contresigner (un ordre). *n.* *(Mil.)* mot de passe.
countless ['kaʊntləs] *adj.* innombrable.
count out *v. part. t.* **1.** compter (de l'argent, pièce à pièce, un billet après l'autre). **2.** *(Sp.)* éliminer. **3.** ***Count out the House,*** ajourner la séance à la Chambre des députés (quand le quorum n'est pas atteint). ♦ *(fam.)* ***You can count me out,*** ne comptez pas sur moi.
country ['kʌntrɪ] *n.* **1.** (*pl.* **-ies**) pays. **2.**

patrie. **3.** campagne. ***In the country,*** à la campagne. ***Country seat,*** château. ♦ *(Polit.)* ***Go to the country,*** appeler les électeurs aux urnes.

countryman ['kʌntrɪmən] *n.* (*pl.* **-men**). **1.** compatriote. **2.** habitant de la campagne, campagnard.

countryside ['kʌntrɪsaɪd] *n.* ***The countryside,*** la campagne.

county ['kaʊntɪ] *n.* comté.

⚠ **couple** ['kʌpl] *n.* paire. **1.** couple. **2.** *(fam.)* quelques, un petit nombre. ***We'll have a couple of drinks before going back home,*** nous allons prendre quelques pots avant de rentrer.

coupling ['kʌplɪŋ] *n.* **1.** accouplement. **2.** *(Tech.)* assemblage. **3.** *(Rail.)* attelage (de wagons).

▻ **coupon** ['ku:pɒn] *n.* coupon. ***(Free-) gift coupon,*** bon-prime; ***international reply coupon,*** coupon-réponse international. **2.** *(Fin.)* ***Interest coupon,*** coupon d'intérêt. **3.** coupon détachable (de commande, de concours de pronostics, ...).

▻ **courageous** [kə'reɪdʒəs] *adj.* courageux.

⚠ **course** [kɔ:s] *n.* **1.** cours. **2.** voie, route; **3.** *(Sp.)* champ. ***Golf course,*** terrain de golf. **4.** solution. ***Course of action,*** ligne de conduite. **5.** *(Ens.)* (série de) cours. **6.** série (de soins, ...). **7.** *(Cuis.)* plat. ***We'll have a three-course meal,*** nous commanderons trois plats. **8.** assise (de briques, de pierres...). ♦ ***As a matter of course,*** comme de juste; ***in due course,*** en temps voulu; ***in the course of time,*** avec le temps; ***of course,*** bien sûr.

v.t. et intr. **1.** couler (pour un liquide). **2.** courir, chasser (le lièvre, ...).

⚠ **court** [kɔ:t] *n.* **1.** *(Jur.)* salle d'audience. **2.** *(Jur.)* cour, tribunal. **3.** Cour (royale). **4.** *(Sp.)* terrain, court. **5.** ruelle, impasse. ♦ *(Jur.)* ***Be ruled out of court,*** être débouté de sa demande; *(Jur.)* ***take somebody to court,*** poursuivre quelqu'un en justice.

v.t. et intr. **1.** flatter (quelqu'un). **2.** courtiser, faire la cour (à). **3.** solliciter (quelque chose). ***Court popularity,*** chercher à être populaire. **4.** s'exposer (à). ***He is courting disaster,*** il va au-devant d'un échec.

courteous ['kɜ:tɪəs] *adj.* courtois, poli.

courtesy ['kɜ:tɪsɪ] *n.* **1.** courtoisie, politesse. **2.** *(pl.)* gentillesses, politesses. ***Exchange of courtesies,*** échange de bons procédés. ♦ ***By courtesy of,*** avec la gracieuse permission de.

⚠ **courtier** ['kɔ:tɪə] *n.* courtisan.

courtroom ['kɔ:t-rʊm] *n.* *(Jur.)* salle d'audience.

courtship ['kɔ:tʃɪp] *n.* cour. ***He married her after a few months' courtship,*** il l'a épousée après lui avoir fait la cour quelques mois.

courtyard ['kɔ:tjɑ:d] *n.* cour (de maison, de château, de ferme...).

cove [kəʊv] *n.* *(Géog.)* anse, petite baie.

covenant ['kʌvnənt] *n.* **1.** *(Jur.)* convention, contrat. **2.** pacte, traité.

cover ['kʌvə] *n.* **1.** couverture, protection. **2.** couvercle. **3.** couverture (de livre, de magazine...). ***Read from cover to cover,*** lire de la première à la dernière page. **4.** couverture (de lit). **5.** enveloppe. *(Comm.)* ***Under separate cover,*** sous pli séparé. **6.** couvert (pour le gibier); *(Mil.)* couvert, abri. ***Break cover,*** sortir de son terrier, de sa retraite; ***take cover,*** s'embusquer, s'abriter. **7.** assurance. ***Cover against fire,*** assurance contre l'incendie. **8.** *(fig.)* couverture. ***Under cover of darkness,*** à la faveur de la nuit. **9.** couvert (de table). ***Covers were laid for four,*** on avait mis quatre couverts.

v.t. et intr. **1.** couvrir, revêtir. **2.** parcourir (une distance). **3.** assurer le compte rendu (d'un événement, d'un procès...). **4.** couvrir (des dépenses). ***Cover a deficit,*** combler un déficit. **5.** assurer (des biens). **6.** couvrir (quelqu'un à l'aide d'une arme à feu). **7.** braquer une arme (sur quelqu'un). **8.** commander, protéger (un lieu stratégique). **9.** *(Sp.)* marquer (un adversaire). **10.** cacher. ***She burst out laughing to cover her confusion,*** elle éclata de rire pour dissimuler sa confusion. **11.** englober. ***Such an explanation does not cover all the facts,*** une telle explication ne rend pas compte de tous les faits. ♦ ***Cover up,*** dissimuler (la vérité...); *(Sp.)* se couvrir (en boxe); *(fig.)*servir de couverture à.

coverage ['kʌvrɪdʒ] *n.* **1.** champ d'application, d'action. **2.** reportage, couverture (d'un événement). ***News coverage,*** informations. **3.** couverture, provision. ***Insurance coverage,*** couverture (par une assurance).

covert ['kʌvət] *adj.* secret, caché. ***Covert threats,*** menaces voilées. *n.* fourré, couvert.

covet ['kʌvɪt] *v.t.* convoiter (le bien d'autrui).

cow [kaʊ] *n.* vache. **2.** femelle (d'éléphant, de baleine...). ***A cow seal,*** un phoque femelle. ♦ ***Till the cows come home,*** quand les poules auront des dents.

v.t. intimider. ***A cowed look,*** un air de chien battu.

coward ['kaʊəd] *adj.* lâche, poltron.

cowardice ['kaʊədɪs] *n.* lâcheté (aussi **cowardliness**).

cowardly ['kaʊədlɪ] *adj.* lâche.

cower ['kaʊə] *v. intr.* se tapir; se faire tout petit (devant quelqu'un).

cowhand ['kaʊhænd] *n.* **1.** vacher. **2.** cow-boy.

cowhide ['kaʊhaɪd] *n.* **1.** cuir de vache. **2.** gros fouet (en cuir de vache).

cowslip ['kaʊslɪp] *n.* *(Bot.)*coucou, primevère.

cox [kɒks] (= **coxswain** ['kɒksn]) *n.* **1.** *(Sp.)*barreur. **2.** patron de chaloupe. *v.t. et intr.* *(Sp.)*barrer.

coy [kɔɪ] *adj.* timide, réservé, qui fait la sainte nitouche.

▻**crab**[1] [kræb] *n.* crabe. *v. intr.* ramasser des crabes.

△**crab**[2] [kræb] *n.* (= **crab-apple**) pomme sauvage.

△**crab**[3] [kræb] *n.* *(fam.)*rouspéteur, râleur. *v. intr.* *(fam.)*râler. ***She's always crabbing about something,*** elle rouspète toujours pour quelque chose.

crabbed ['kræbɪd] *adj.* **1.** irascible. **2.** illisible. ***Crabbed hand,*** écriture de chat; ***crabbed writer,*** écrivain au style pénible.

crabwise ['kræbwaɪz] *adv.* comme un crabe; de côté.

crack[1] [kræk] *adj.* excellent, de premier ordre. ♦ ***Crack player,*** champion; ***crack shot,*** tireur d'élite.

crack[2] [kræk] *n.* **1.** craquement; détonation (de fusil). **2.** fente, fissure. **3.** ***Crack on the head,*** taloche. **4.** *(fam.)* essai. ***Have a crack at doing something,*** tenter de faire quelque chose. **5.** remarque spirituelle, astuce. ♦ ***At the crack of dawn,*** au point du jour; ***the crack of doom,*** la fin du monde.

v.t. et intr. **1.** faire claquer (un fouet). **2.** fêler. ***Crack a safe,*** fracturer un coffre-fort. **3.** se casser (pour la voix). **4.** ***Crack a joke,*** faire une plaisanterie. **5.** se fendre (le crâne). **6.** *(fam.)* déboucher (une bonne bouteille). **7.** *(Tech.)* faire le craquage (de l'huile lourde). ***Cracking plant,*** installation de craquage..

crack down *v. part. intr.* agir énergiquement. ***The authorities cracked down on delinquents,*** les autorités ont sévi contre les délinquants.

cracker ['krækə] *n.* **1.** biscuit salé. **2.** pétard. **3.** *(amér.)* Blanc pauvre du Sud. **4.** ***(Christmas-) cracker,*** papillote à pétard (pour Noël). **5.** *(pl.)* (= **nut-crackers**) casse-noix; *(fam.)* cinglé.

crackle ['krækl] *n.* **1.** craquement, crépitement. **2.** *(Radio, T.V., Téléph.)*friture, crachements. *v. intr.* **1.** crépiter, pétiller (pour le feu...). **2.** *(Radio, T.V., Téléph.)*crachoter.

crack up *v. part. intr.* *(fam.)* craquer (moralement). *v.t.* (au passif) ***He's not as clever as he's cracked up to be,*** il n'est pas aussi futé qu'on le prétend.

cradle ['kreɪdl] *n.* **1.** berceau. **2.** *(fig.)* ***Greece was the cradle of Western culture,*** la Grèce a été le berceau de la culture occidentale. **3.** *(Tech.)* berceau, support, arceau.

v.t. bercer (un enfant dans ses bras).

craft[1] [krɑːft] *n.* embarcation. **2.** (= **aircraft**) avion. **3.** (= **spacecraft**) vaisseau spatial.

craft[2] [krɑːft] *n.* **1.** habileté manuelle. **2.** métier manuel; art. ***Craft union,*** association professionnelle. **3.** corps de métier. ***The Craft,*** la franc-maçonnerie. **4.** *(péj.)*ruse, artifice.

craftsman ['krɑːftsmən] *n.* (*pl.* **-men**) artisan.

crafty ['krɑːftɪ] *adj.* rusé, astucieux.

crag [kræg] *n.* rocher escarpé ou à pic.

cram [kræm] *v.t. et intr.* **1.** fourrer, bourrer. **2.** ***Cram oneself with food,*** s'empiffrer. **3.** s'entasser. **4.** ***Cram for an exam,*** bachoter.

⚠ **cramp** [kræmp] *n.* **1.** crampe. **2.** *(Tech.)* crampon, agrafe, serre-joint. *v.t.* **1.** donner des crampes (à); *(fig.)* gêner, entraver. ♦ ***Be cramped for room,*** être à l'étroit; *(fig.)* ***cramp somebody's style,*** priver quelqu'un de ses moyens. **2.** *(Tech.)* agrafer, cramponner.

cranberry ['krænbrɪ] *n. (Bot.)* airelle.

⚠ **crane** [kreɪn] *n.* **1.** grue (échassier). **2.** *(Tech.)* grue. *v.t.* ***Crane one's neck to see somebody in a crowd,*** se hausser pour apercevoir quelqu'un dans une foule.

crank [kræŋk] *n.* **1.** *(Tech.)* manivelle. **2.** maniaque. ***He's a bit of a crank,*** il est un peu excentrique; ***he's a fresh air crank,*** il a la manie d'ouvrir les fenêtres. *v.t.* tourner une manivelle. ***Crank (up) a car,*** faire partir une voiture à la manivelle.

cranky ['kræŋkɪ] *adj.* **1.** *(fam.),* bizarre (personne, etc...). **2.** *(amér.)* désagréable, acariâtre. **3.** *(fam.)* déglingué.

cranny ['krænɪ] *n.* fissure, lézarde.

crap [kræp] *n.* **1.** *(vulg.)* merde, crotte. **2.** *(fig.)* foutaises. ***Talk a lot of crap,*** dire des bêtises sans arrêt. **3.** fatras. ***Couldn't you clear all the crap in your room?*** tu ne pourrais pas débarrasser ta chambre de toutes les saletés qui y traînent?

crape [kreɪp] *n.* crêpe noir (de deuil).

crash [kræʃ] *n.* **1.** fracas. **2.** collision. ***Car crash,*** accident d'auto. **3.** faillite, effondrement.
v.t. et intr. **1.** fracasser. **2.** entrer en collision (avec), s'écraser (contre). *(Tech.)* ***Crash barrier,*** glissière. **3.** faire un bruit de tonnerre. **4.** faire faillite. **5.** ***Crash a party,*** se rendre sans invitation dans une réunion.
adj. qui doit être rapidement exécuté. ***Crash course,*** cours intensif; *(Av.)* ***crash landing,*** atterrissage forcé; ***crash programme,*** programme accéléré.

crass [kræs] *adj.* grossier. ***Crass ignorance,*** ignorance crasse.

crate [kreɪt] *n.* **1.** cageot, caisse (à claire-voie). **2.** *(hum.)* vieux zinc; vieille bagnole.

crave [kreɪv] *v.t. et intr.* **1.** désirer immodérément. ***A miser craves for money,*** un avare a un appétit insatiable d'argent. **2.** rechercher (l'indulgence, des compliments...).

⚠ **crawl** [krɔːl] *v. intr.* **1.** ramper, se traîner. **2.** avancer au pas. **3.** fourmiller (de). ***The floor is crawling with cockroaches,*** le plancher grouille de cafards. ♦ ***It makes my flesh crawl,*** cela me donne la chair de poule; ***crawl to somebody,*** lécher les bottes de quelqu'un.
n. **1.** allure lente. **2.** *(Sp.)* crawl. ***Do the crawl,*** nager le crawl.

⚠ **crayon** ['kreɪən, 'kreɪɒn] *n.* pastel, fusain. *v.t. et intr.* dessiner au crayon (pastel); esquisser (un portrait).

craze [kreɪz] *n.* engouement, toquade. ***It's all the craze,*** cela fait fureur.

crazy ['kreɪzi] *adj.* **1.** fou, cinglé. **2.** stupide (idée). **3.** entiché (de). ***He's crazy about roller-skating,*** il ne rêve que de patinage à roulettes. **4.** *(Tech.)* ***Crazy paving,*** dallage irrégulier.

creak [kriːk] *n.* grincement. *v. intr.* grincer (pour une porte...). ***The bike creaked to a halt,*** le vélo s'est arrêté dans un grincement.

cream [kriːm] *n.* **1.** crème (du lait). **2.** crème (de toilette). ***Cold cream,*** crème de beauté. **3.** ***Shoe cream,*** cirage. **4.** *(fig.)* ce qu'il y a de mieux. ***The cream of society,*** la fine fleur de la société; ***the cream of the joke,*** le plus drôle de l'histoire.

crease [kriːs] *n.* faux pli. **2.** pli (du pantalon). **3.** *(Sp.* surtout Cricket*)* ligne blanche (de délimitation). *v.t. et intr.* **1.** (se) froisser. **2.** repasser le pli (d'un pantalon).

create [krɪ'eɪt] *v.t. et intr.* **1.** créer; produire (un effet...). **2.** *(fam.)* faire une scène, du tapage.

creative [krɪ'eɪtɪv] *adj.* créateur, créatif.

⊳ **creator** [krɪ'eɪtə] *n.* créateur. *(Rel.)* ***The Creator,*** le Créateur.

⊳ **creature** ['kriːtʃə] *n.* **1.** être vivant, créature. ***Dumb creatures,*** les bêtes. **2.** ***He was the creature of a political leader,*** il était l'âme damnée d'un chef de parti. ♦ ***Creature comforts,*** aisance

matérielle (nourriture, boissons, ...).
credentials [krɪ'denʃlz] *n. pl.* lettres de créance.
credible ['kredɪbl] *adj.* croyable, digne de foi.
▻ **credit** ['kredɪt] *n.* **1.** crédit, confiance. **2.** crédit, réputation. ***He's losing credit with the public,*** ses actions auprès du public sont en baisse; ***this boy is a credit to his family,*** ce garçon fait honneur à sa famille. **4.** *(Comm.)* crédit. ***Buy something on credit,*** acheter quelque chose à crédit. **5.** *(Fin.)* crédit, actif.
v.t. **1.** croire, ajouter foi à. **2.** attribuer. ***I credited him with more sense,*** je lui croyais plus de jugement. **3.** *(Fin.)* ***Credit somebody with a sum,*** porter une somme au crédit de quelqu'un.
creditable ['kredɪtəbl] *adj.* honorable, estimable.
creditor ['kredɪtə] *n.* créancier.
▻ **credulous** ['kredjʊləs] *adj.* crédule.
creed [kri:d] *n.* **1.** *(Rel.)* credo, profession de foi. **2.** croyance, confession. ♦ ***Political creed,*** profession de foi politique.
creek [kri:k] *n.* **1.** crique. **2.** *(amér.)* ruisseau.
creep [kri:p] *v. intr. irr.* (*p.* **crept,** *p.p.* **crept**). **1.** ramper. **2.** avancer lentement, se traîner. **3.** grimper. ***Creeping plant,*** plante grimpante. **4.** s'insinuer. ***A feeling of uneasiness crept over her,*** une impression de malaise commença à la gagner. ♦ ***This story makes my flesh creep,*** cette histoire me donne la chair de poule.
creeper ['kri:pə] *n.* plante grimpante. **2.** oiseau grimpeur. **3.** *(pl.) (amér.)* souliers à grosses semelles souples.
creeps [kri:ps] *n. pl. (fam.)* ***The creeps,*** la chair de poule.
cremate [krɪ'meɪt] *v.t.* incinérer.
crept [krept] (**creep,** *v.*).
crescent ['kresnt] *n.* **1.** croissant (de lune). **2.** *(Rel.)* Croissant. ***The Turkish Crescent,*** le Croissant turc. **3.** rue en arc de cercle.
crest [krest] *n.* **1.** crête (d'oiseau). **2.** cimier. **3.** crête (de montagne, de vague...). **4.** armoiries.
crestfallen ['krest,fɔ:ln] *adj.* penaud. ***Look crestfallen,*** avoir l'oreille basse.
crevice ['krevɪs] *n.* fente, fissure.
crew[1] [kru:] *n.* **1.** *(Naut. Av.)* équipage; **2.** équipe. **3.** *(Sp.)* équipe (de rameurs). **4.** groupe. ***A cheerful crew,*** une bande joyeuse. ♦ ***Crew cut,*** coupe de cheveux en brosse; ***crew neck sweater,*** pull à col ras du cou.
v. intr. faire partie de l'équipage.
crew[2] [kru:] (**crow,** *v.*).
crib [krɪb] *n.* **1.** mangeoire, râtelier. **2.** crèche (de Noël) (*amér.* **creche**). **3.** berceau. **4.** *(amér.)* coffre (à maïs). **5.** plagiat. **6.** *(Ens.)* corrigés de traductions qu'utilisent les étudiants. **7.** *(argot)* maison qu'on va cambrioler. ***Crack a crib,*** faire un casse.
v.t. et intr. copier le devoir d'un camarade; se servir de corrigés. ***The boy cribbed the answers off his neighbour,*** l'élève a plagié sur son voisin.
⚠ **crime** [kraɪm] *n.* **1.** *(Jur.)* délit, infraction. **2.** crime. **3.** *(fig.)* honte. ***It's a crime to waste food when young kids are starving,*** c'est scandaleux de voir gaspiller la nourriture alors que des gosses crèvent de faim.
▻ **criminal** ['krɪmɪnl] *adj.* **1.** criminel. **2.** honteux. *n.* criminel.
crimson ['krɪmzn] *adj.* cramoisi.
cringe [krɪndʒ] *v. intr.* **1.** se dérober, se faire tout petit. **2.** *(fig.)* se mettre à plat ventre (devant quelqu'un).
crinkle ['krɪŋkl] *v.t. et intr.* (se) froisser, (se) plisser. *n.* fronce, pli.
cripple ['krɪpl] *n.* infirme. *v.t.* **1.** estropier. **2.** *(fig.)* faire dépérir, paralyser (une industrie...).
crisis ['kraɪsɪs] (*pl.* **-ses** ['kraɪsi:z]) *n.* crise.
crisp [krɪsp] *adj.* **1.** croquant, croustillant. **2.** tranchant (ton, style, ...). **3.** neuf (billet de banque). **4.** vif (air). **5.** crépu (cheveux).
n. ***(Potato) crisps,*** chips.
v.t. et intr. rendre croustillant; devenir croustillant.
crisscross ['krɪskrɒs] *adj.* entrecroisé. ***In a crisscross pattern,*** en croisillons. *n.* entrecroisement. *v.t. et intr.* (s') entrecroiser.
criterion [kraɪ'tɪərɪən] (*pl.* **-ria** ou **-rions**) *n.* critère.
⚠ **critic** ['krɪtɪk] *n.* **1.** critique (per-

sonne). **2.** censeur.

⊳**critical** ['krɪtɪkl] *adj.* **1.** critique, qui condamne. ***With a critical eye,*** d'un œil critique. **2.** crucial, dangereux. ***Critical stage of an illness,*** période critique de la maladie. **3.** *(Lit. Art.)* de critique. ***Critical reviews,*** comptes rendus critiques. **4.** *(Tech.)* limite. ***Critical temperature,*** température critique.

criticism ['krɪtɪsɪzm] *n.* critique (acte, activité).

⊳**criticize** ['krɪtɪsaɪz] *v.t. et intr.* **1.** critiquer, condamner. **2.** faire la critique (de).

croak [krəʊk] *v.t. et intr.* **1.** coasser, croasser. **2.** grogner, ronchonner. **3.** *(vulg.)* mourir, claquer; descendre (quelqu'un). *n.* coassement, croassement. ♦ ***Speak with*** (ou ***in***) ***a croak,*** parler d'une voix rauque.

crockery ['krɒkrɪ] *n.* poterie, faïence.

crook [krʊk] *n.* **1.** crochet. **2.** houlette (de berger); crosse (d'évêque). **3.** coude (de la route...). **4.** escroc, filou. *v.t. et intr.* courber. ***He crooked his arm,*** il replia le bras.

crooked ['krʊkɪd] *adj.* **1.** de travers, tortueux (pour un chemin). **2.** *(fig.)* malhonnête.

crooner ['kru:nə] *n.* chanteur de charme.

crop [krɒp] *n.* **1.** *(Agr.)* moisson, récolte. **2.** jabot (d'oiseau). **3.** cravache. **4.** cheveux ras. *v.t. et intr.* brouter. **2.** couper court (des cheveux, une queue de cheval...). **3.** *(Agr.)* planter en; **4.** *(Agr.)* donner une récolte.

cropper ['krɒpə] *n.* **1.** *(Agr.)* plante portant une récolte. **2.** *(fam.)* ***Come a cropper,*** ramasser une bûche; échouer complètement.

crop up *v. part. intr.* **1.** survenir (inopinément). ***Some fresh difficulties have cropped up,*** de nouvelles difficultés ont surgi. **2.** affleurer.

cross [krɒs] *n.* **1.** croix. **2.** *(fig.)* épreuves. **3.** croisement (de races), mélange. **4.** biais (en couture). ***On the cross,*** en biais.
v.t. et intr. **1.** traverser. **2.** (se) croiser. **3.** contrarier (quelqu'un, des plans, ...). **4.** *(Fin.)* barrer (un chèque). **5.** *(Rel.)* ***Cross oneself,*** se signer. **6.** croiser (des races). ♦ ***Cross somebody's path,*** rencontrer quelqu'un; *(fam.)* ***cross my heart (and swear to die),*** croix de bois croix de fer, si je mens je vais en enfer; ***keep your fingers crossed,*** faites une petite prière pour moi.
adj. de méchante humeur. ***She is cross with him,*** elle lui en veut.

cross-examine [,krɒsɪg'zæmɪn] *v.t. et intr.* **1.** *(Jur.)* faire subir un contre-interrogatoire (à un témoin). **2.** mettre sur la sellette (aussi **cross-question**).

crossfire ['krɒsfaɪə] *n.* *(Mil.)* feu croisé. ***Exposed to crossfire,*** pris entre deux feux.

crossing ['krɒsɪŋ] *n.* **1.** traversée. **2.** croisement, carrefour. *(Rail.)* ***Level crossing,*** passage à niveau; ***zebra crossing,*** passage clouté.

cross out *v. part. t.* rayer.

cross-purposes [,krɒs'pɜ:pəsɪz] *n. pl.* ***We're (talking) at cross-purposes,*** il y a un malentendu entre nous.

cross-reference [,krɒs'refrəns] *n.* renvoi, référence (à).

crossroad ['krɒsrəʊd] *n.* rue transversale.

crossroads ['krɒsrəʊdz] *n.* croisement (cf. **crossing**). ♦ *(fig.)* ***We are now at the crossroads,*** nous avons atteint à présent le tournant décisif.

cross-section ['krɒs-sekʃn] *n.* **1.** coupe transversale. **2.** *(fig.)* profil. ***Cross-section of the electorate,*** échantillon du corps électoral.

crossword ['krɒs,wɜ:d] *n.* (= **cross-word puzzle**) mots croisés.

crouch [kraʊtʃ] *v. intr.* s'accroupir, se tapir.

crow[1] [krəʊ] *n.* corneille. ♦ ***As the crow flies,*** à vol d'oiseau; *(amér.)* ***eat crow,*** être contraint de s'excuser de façon humiliante.

crow[2] [krəʊ] *v. intr.* **1.** chanter comme le coq. **2.** gazouiller (pour un bébé). **3.** *(fig.)* chanter victoire. ***Crow over someone's defeat,*** se réjouir méchamment de l'échec de quelqu'un.
n. **1.** chant du coq. **2.** gazouillis (de bébé).

crowbar ['krəʊbɑ:] *n.* **1.** levier. **2.** pied-de-biche.

crowd [kraʊd] *n.* **1.** foule. **2.** groupe, bande. **3.** *(fam.)* grand nombre (de), tas (de). **4.** *(Ciné.)* ***The crowd,*** les figurants.
v.t. et intr. remplir en foule; affluer. **2.** s'assembler, s'entasser. ♦ ***Crowd a debtor,*** relancer un débiteur; *(Naut.)* ***crowd (on) sail,*** faire force de voiles.

crown [kraʊn] *n.* **1.** couronne. **2**. *(fam.)* tête, caboche. **3.** couronne (de dent). **4.** comble (de bonheur...).
v.t. **1.** couronner (quelqu'un). **2.** frapper sur la tête de. **3.** couronner (une dent). ♦ ***To crown it all,*** pour comble (de bonheur, de malheur), pour couronner le tout.

crow's foot ['kraʊzfʊt] (*pl.* **-feet)** *n.* patte d'oie.

crucible ['kru:sɪbl] *n.* **1.** creuset. **2.** *(fig.)* épreuve terrible.

crude [kru:d] *adj.* **1.** brut. ***Crude oil,*** pétrole brut. **2.** grossier. ***Crude people,*** des gens frustes. **3.** qui manque de fini. ***Crude cabin,*** hutte rudimentaire. **4.** rude. ***Crude statement of the facts,*** exposition brutale des faits.
n. pétrole brut.

△ **crudity** ['kru:dɪtɪ] *n.* **1.** crudité (aussi **crudeness**). **2.** grossièreté (d'une remarque, de la conduite...).

▻ **cruelty** ['kru:əltɪ] *n.* **1.** cruauté. **2.** acte de cruauté.

cruet ['kru:ɪt] *n.* **1.** huilier (aussi **cruet stand**). **2.** burette, flacon.

cruise [kru:z] *n.* croisière. *v. intr.* **1.** faire une croisière. **2.** *(Tech.)* aller à une vitesse de croisière. ***Cruising speed,*** vitesse de croisière.

crumb [krʌm] *n.* **1.** miette. **2.** *(fig.)* brin (de). ***Crumbs of information,*** des bribes d'information. **3.** *(amér., argot)* pòuilleux.

crumble ['krʌmbl] *v.t. et intr.* **1.** (s') émietter. **2.** *(fig.)* tomber en ruine; s'écrouler (pour des espérances).

crumple ['krʌmpl] *v.t. et intr.* **1.** (se) froisser, (se) chiffonner. **2.** *(fig.)* se désagréger, s'effondrer (armée, opposition...) (aussi **crumple up**).

crunch [krʌntʃ] *n.* **1.** craquement, crissement. **2.** *(fig.)* crise. ***When it comes to the crunch, they'll stand by us,*** au moment de la crise, ils nous soutiendront.
v.t. et intr. **1.** s'écraser, croquer (avec les dents). **2.** craquer, produire un craquement. ***His feet crunched on the frozen snow,*** ses pas faisaient crisser la neige gelée.

crusade [kru:'seɪd] *n.* **1.** *(Hist.)* croisade. **2.** *(fig.)* croisade.

crush [krʌʃ] *n.* **1.** presse, cohue. **2.** réunion mondaine où il y a une forte affluence. **3.** jus. ***Orange crush,*** orange pressée. **4.** béguin. ***Have a crush on somebody,*** s'enticher de quelqu'un.
v.t. et intr. **1.** écraser. **2.** broyer. **3.** se bousculer, se presser en foule. **4.** anéantir. ***Crush a rebellion,*** réprimer une révolte. **5.** se froisser (pour des vêtements).

crust [krʌst] *n.* **1.** croûte (du pain). **2.** croûton. **3.** croûte (terrestre, de glace...). *v. intr.* ***Crust over,*** se couvrir d'une croûte.

crusty ['krʌstɪ] *adj.* **1.** croustillant. **2.** revêche, irritable.

crutch [krʌtʃ] *n.* **1.** béquille. **2.** *(Tech.)* support, béquille. **3.** *(fig.)* soutien moral.

crux [krʌks] *n.* point crucial. ***The crux of the matter,*** le nœud de la question.

△ **cry** [kraɪ] *n.* **1.** cri. **2.** accès de larmes. ***The little girl had a good cry,*** la petite fille pleura tout son soûl. ♦ ***It's a far cry from what it was,*** c'est bien différent de ce que c'était.
v. t. et intr. **1.** pleurer. ***Cry for joy,*** pleurer de joie. **2.** crier. ***Cry out with pain,*** pousser des cris de douleur. **3.** ***Cry out for,*** réclamer à grands cris. **4.** pousser un cri (pour un animal). **5.** proclamer à grands cris. ♦ ***Cry one's eyes out,*** pleurer à chaudes larmes; ***I'll give him something to cry about,*** il ne pleurera pas pour rien; ***the baby cried itself to sleep,*** le bébé s'est endormi à force de pleurer.

cry down *v. part. t.* décrier (quelque chose).

cry off *v. part. intr.* se dédire.

▻ **crystallize** ['krɪstəlaɪz] *v. t. et intr.* **1.** (se) cristalliser. **2.** *(fig.)* se fixer (pour des opinions); se concrétiser (pour des idées). **3.** *(Cuis.)* confire (des fruits).

cub [kʌb] *n.* **1.** petit (d'animal). **2.** (= **cub scout**) louveteau. **3.** jeune homme inexpérimenté. ***Cub reporter,*** jeune journaliste.

cubbyhole ['kʌbɪhəʊl] *n.* **1.** cagibi, niche. **2.** retraite. **3.** *(Aut.)* vide-poches.

▻**cubic** ['kju:bɪk] *adj.* **1.** cubique. **2.** *(Tech.)* ***Cubic equation,*** équation du 3ᵉ degré; ***cubic measures,*** mesures de volume; ***cubic metre,*** mètre cube.

cubicle ['kju:bɪkl] *n.* **1.** box, alcôve. **2.** cabine (dans une piscine).

cuckoo ['kʊku:] *n.* *(Zool.)* coucou. *adj.* *(fam.)* toqué.

cucumber ['kju:kʌmbə] *n.* concombre.

cud [kʌd] *n.* bol alimentaire (d'un ruminant). ***Chew the cud,*** ruminer; *(fig.)* ruminer, ressasser.

cuddle ['kʌdl] *v.t. et intr.* câliner, cajoler. ***Cuddle up to somebody,*** se blottir contre quelqu'un. *n.* caresse, câlin.

cudgel ['kʌdʒl] *n.* bâton, gourdin. ♦ ***They took up the cudgels for him,*** ils ont pris fait et cause pour lui.
v.t. frapper à coups de trique. ♦ ***Cudgel one's brains,*** se creuser la cervelle.

cue¹ [kju:] *n.* *(Th.)* fin d'une tirade, réplique. *(fig.)* ***That's your cue,*** à vous de jouer. ♦ *(fam.)* ***He takes his cue from his brother,*** il emboîte le pas à son frère.

cue² [kju:] *n.* queue de billard.

cuff¹ [kʌf] *n.* manchette (de vêtement), poignet (de chemise). **2.** *(amér.)* revers de pantalon. **3.** *(pl.)* (= **handcuffs**) menottes.

cuff² [kʌf] *n.* calotte, baffe. *v.t.* calotter (quelqu'un).

culminate ['kʌlmɪneɪt] *v. intr.* **1.** culminer. **2.** se terminer (par). ***All his efforts culminated in failure,*** tous ses efforts se soldèrent par un échec.

culmination [,kʌlmɪ'neɪʃn] *n.* **1.** culmination (d'un astre). **2.** *(fig.)* sommet, apogée.

culprit ['kʌlprɪt] *n.* *(Jur.)* coupable, accusé(e).

▻**cultivate** ['kʌltɪveɪt] *v.t.* **1.** cultiver, exploiter. **2.** *(fig.)* développer avec soin. ***He tries to cultivate as many connections as possible,*** il s'efforce de développer autant de relations que possible.

cultivation [,kʌltɪ'veɪʃn] *n.* mise en culture. ***Land under cultivation,*** terre cultivée.

cultivator ['kʌltɪveɪtə] *n.* **1.** cultivateur. **2.** motoculteur.

cumbersome ['kʌmbəsm] *adj.* gênant, peu facile à remuer. ***Cumbersome case,*** valise encombrante.

cunning ['kʌnɪŋ] *adj.* **1.** rusé (comme un renard). *(fig.)* ***A cunning fox,*** un fin renard, un madré. **2.** *(amér.)* mignon (bébé). *n.* **1.** ruse. **2.** fourberie.

cup [kʌp] *n.* **1.** tasse. **2.** *(Sp.)* coupe. **3.** *(Bot.)* calice. **4.** *(Rel.)* calice (cf. **chalice**). ♦ ***He's in his cups,*** il est éméché; ***that's not my cup of tea,*** ce n'est pas du tout de mon goût.
v.t. mettre ses mains en forme de coupe. ***Cup one's hand behind one's ear,*** mettre la main en cornet.

cupboard ['kʌbəd] *n.* placard. *(fig.)* ***Cupboard love,*** amour intéressé.

cur [kɜ:] *n.* chien bâtard, roquet. **2.** être vil, malotru.

⚠**curate** ['kjʊrɪt] *n.* *(Rel.)* vicaire (Église anglicane).

curator [kjʊ'reɪtə] *n.* **1.** conservateur (de musée, de bibliothèque...). **2.** *(Jur.)* curateur, tuteur.

curb [kɜ:b] *n.* **1.** gourmette. **2.** *(fig.)* frein. **3.** *(amér.)* bord du trottoir (cf. **kerb**). *v.t.* **1.** mettre la gourmette (à un cheval). **2.** refréner. ***Curb one's impatience,*** modérer son impatience.

curd [kɜ:d] *n.* (surtout *pl.*) caillé.

curdle ['kɜ:dl] *v.t. et intr.* **1.** cailler. **2.** se figer. ♦ *(fig.)* ***My blood curdled at the sight,*** à ce spectacle, mon sang s'est glacé.

⚠**cure** [kjʊə] *n.* **1.** cure. **2.** remède. **3.** guérison. **4.** *(Rel.)* cure. *v. t.* **1.** guérir. ***Cure somebody of a bad habit,*** corriger quelqu'un d'une mauvaise habitude. **2.** *(fig.)* ***Cure an evil,*** porter remède à un mal. **3.** *(Cuis.)* saler, fumer. ***Cured ham,*** jambon salé.

curfew ['kɜ:fju:] *n.* couvre-feu.

curio ['kjʊrɪəʊ] *n.* objet d'art, bibelot.

▻**curious** ['kjʊrɪəs] *adj.* **1.** curieux. **2.** indiscret. **3.** étrange, singulier.

curl [kɜ:l] *n.* **1.** boucle (de cheveux). **2.** volute (de fumée); spirale. *v.t. et intr.* **1.** boucler. **2.** friser. **3.** s'élever en spirales. ♦ ***Curl (oneself) up,*** se coucher en chien de fusil; ***curl up one's lip,*** faire une moue méprisante.

curler ['kɜ:lə] *n.* bigoudi.

currant ['kʌrənt] *n.* **1.** raisin sec (de Corinthe). **2.** groseille. ***Black currant,*** cassis.

currency ['kʌrənsɪ] *n.* **1.** circulation (de l'argent). **2.** unité monétaire d'un pays; *(pl.)* ***foreign currencies,*** monnaies étrangères. ***I want to buy some currency,*** je veux acheter des devises. ♦ *(fig.)* ***Give currency to a rumour,*** ajouter foi à un bruit; ***this news is gaining currency,*** la nouvelle s'en répand.

⚠ **current** ['kʌrənt] *adj.* **1.** courant. *(Fin.)* ***Current account,*** compte courant. **2.** actuel. ***Current events,*** actualité. **3.** qui a cours (pour de l'argent). *n.* **1.** courant. **2.** *(Elec.)* courant. **3.** *(fig.)* tendance.

⚠ **currently** ['kʌrəntlɪ] *adv.* **1.** actuellement. **2.** couramment.

curriculum [kə'rɪkjʊləm] *n.* *(Ens.)* programme.

⚠ **curry**¹ ['kʌrɪ] *v.t.* **1.** *(Tech.)* étriller (un cheval). **2.** ***Curry favour with somebody,*** s'insinuer dans les bonnes grâces de quelqu'un.
n. **(= curry-comb)** étrille.

⊳ **curry**² ['kʌrɪ] *n.* *(Cuis.)* curry.

curse [kɜ:s] *n.* **1.** malédiction. **2.** fléau, malheur. **3.** juron. **4.** *(fam.)* ***Have the curse,*** avoir ses règles.
v.t. et intr. **1.** maudire. **2.** jurer, blasphémer. **3.** être affligé. ***She is cursed with a violent temper,*** elle a, pour son malheur, un fichu caractère.

cursory ['kɜ:srɪ] *adj.* superficiel, fait à la hâte.

curt [kɜ:t] *adj.* **1.** concis. ***Curt answer,*** réponse sèche. **2.** bourru, cassant.

curtail [kɜ:'teɪl] *v. t.* **1.** raccourcir. **2.** abréger, restreindre.

curtain ['kɜ:tn] *n.* **1.** rideau, voilage. **2.** *(Th.)* rideau. ***Curtain-call,*** rappel (d'un acteur) devant le rideau; ***curtain raiser,*** lever de rideau.
v.t. garnir de rideaux.

curve [kɜ:v] *n.* **1.** courbe. **2.** tournant. ***Take a curve,*** négocier un virage. **3.** *(Tech.)* cambrure, voussure. *v.t. et intr.* (se) courber.

cushion ['kʊʃn] *n.* **1.** coussin. **2.** *(Sp.)* bande (de billard). *v.t.* **1.** garnir de coussins. **2.** amortir (un coup). *(fig.)* ***Cushion the effects of unemployment,*** amortir les effets du chômage. **3.** protéger (de).

custard ['kʌstəd] *n.* crème anglaise.

custodian [kʌ'stəʊdɪən] *n.* **1.** gardien, conservateur. **2.** *(Jur.)* personne qui a la garde (d'un enfant...).

custody ['kʌstədɪ] *n.* *(Jur.)* garde. ***In most cases, the mother is given custody of the children,*** c'est la mère qui se voit le plus souvent confier la garde des enfants. **2.** emprisonnement. ***Take somebody into custody,*** arrêter quelqu'un.

custom ['kʌstəm] *n.* **1.** coutume, usage. **2.** habitude. **3.** clientèle, pratique. ♦ ***Custom-made,*** fait sur commande.

customary ['kʌstəmrɪ] *adj.* **1.** habituel, usuel. **2.** *(Jur.)* coutumier.

customer ['kʌstəmə] *n.* **1.** client. **2.** type. *(fam.)* ***He's a queer customer!*** c'est un drôle d'oiseau!

⚠ **customs** ['kʌstəmz] *n.* **1.** douane. **2.** ***Customs (duty),*** droit de douane. ♦ ***Customs officer,*** douanier; ***go through the customs,*** passer à la douane.

cut [kʌt] *v.t. et intr. irr.* (*p.* **cut,** *p.p.* **cut**). **1.** (se) couper. ***I had my hair cut,*** je me suis fait couper les cheveux. **2.** ***Cut prices,*** réduire les prix. **3.** (se) découper. **4.** faire des coupures. **5.** ***Cut one's teeth,*** faire ses dents. **6.** couper, interrompre (la fourniture d'eau, d'électricité...). **7.** *(fig.)* offenser (quelqu'un). **8.** ***Cut a lecture,*** sécher un cours. **9.** couper (aux cartes). **10.** *(Sp.)* couper (une balle). **11.** *(Ciné.)* cesser de filmer. ***Cut!*** coupez! **12.** prendre un raccourci. **13.** *(Tech.)* ***Cut a record,*** graver un disque. ♦ ***Cut a fine figure,*** avoir belle allure; ***cut and run,*** filer en vitesse; ***cut a poor figure,*** avoir piètre allure; ***cut it fine,*** ne pas se laisser beaucoup de marge; ***cut one's losses,*** sauver les meubles; ***cut one's teeth on something,*** se faire les dents sur quelque chose (pour acquérir de l'expérience); ***cut one's way through the woods,*** se frayer un chemin à travers bois; ***cut somebody dead,*** faire semblant de ne pas voir quelqu'un; ***cut somebody short,*** interrompre quelqu'un; ***cut a speech short,*** abréger un discours; ***cut the***

ground from under somebody's feet, couper l'herbe sous le pied de quelqu'un ; ***it cuts both ways,*** c'est à double tranchant ; ***it cuts no ice with me,*** cela ne me fait aucun effet ; ***to cut a long story short,*** bref, pour dire la chose en deux mots.
n. **1.** coupure. **2.** blessure. **3.** réduction. **4.** coupe (d'un vêtement). **5.** coup (avec une arme blanche). **6.** coupure (dans un film, une pièce...). **7.** *(Fin.)* part de bénéfice. **8.** *(Sp.)* coup de raquette, de batte... coupé. **9.** couper (aux cartes). **10.** remarque blessante. ***It's a cut at me,*** c'est une pierre dans mon jardin. ♦ ***He considers himself a cut above the others,*** il se croit supérieur aux autres ; *(fam.)* ***that's a cut above me,*** ça me dépasse.

cut-and-dried [ˌkʌtən'draɪd] *adj.* tout préparé. ***Cut-and-dried programme,*** programme réglé d'avance.

cut down *v. part. t.* **1.** abattre (un arbre). **2.** restreindre. ***He's cut down (on) drinking,*** il boit moins. **3.** tuer (d'un coup d'épée). **4.** terrasser (par la maladie). **5.** persuader de réduire le prix. **6.** raccourcir (un vêtement, un article, ...).

cute [kjuːt] *adj.* **1.** astucieux, finaud. **2.** *(amér.)* charmant.

cut in *v. part. intr.* **1.** interrompre, mettre son grain de sel. **2.** *(Aut.)* ***Cut in on a car,*** faire une queue de poisson à une voiture.

cutlery ['kʌtlərɪ] *n.* **1.** coutellerie. **2.** couverts.

cutlet ['kʌtlɪt] *n.* côtelette (veau...) (cf. **chop**).

cut off *v. part. t.* **1.** couper, découper. **2.** couper (une conversation, le courant...). **3.** couper, isoler (une armée, une ville...). **4.** déshériter. ***Cut somebody off without a penny,*** déshériter quelqu'un. ♦ *(fig.)* ***He was cut off in his prime,*** il est mort à la fleur de l'âge.

cut out *v. part. t. et intr.* **1.** découper. **2.** renoncer (à). ***Cut out smoking,*** cesser de fumer. **3.** supprimer. **4.** *(Aut.)* déboîter. **5.** *(Aut.)* caler. ♦ *(fam.)* ***Be cut out for something,*** avoir des dispositions pour quelque chose ; ***cut it out !*** ça suffit !

cutout ['kʌtaʊt] *n.* coupure (de journal) (cf. **cutting**). **2.** *(Th.)* coupure (d'une pièce). **3.** *(Elec.)* coupe-circuit.

cut-price ['kʌtˌpraɪs] *adj.* à prix réduit, au rabais.

cutter ['kʌtə] *n.* **1.** coupeur, tailleur (de pierre). **2.** *(Naut.)* cotre ; garde-côte. **3.** *(Tech.)* couteau, tranchet. ***Wire-cutters,*** pince coupante.

cutting ['kʌtɪŋ] *n.* **1.** coupage (d'une branche) ; taille (d'une haie, d'un diamant...). **2.** bouture. **3.** coupon (d'étoffe) ; **4.** coupure (de journal) (*amér.* **clipping**). **5.** tranchée ; percée. **6.** *(Ciné.)* montage. *adj.* **1.** coupant. **2.** *(fig.)* blessant, sévère.

cut up *v. part. t.* **1.** couper en morceaux, débiter. **2.** tailler en pièces, anéantir. **3.** *(argot)* éreinter, faire une critique cinglante. **4.** *(au passif)* ***She was cut up,*** elle a été démoralisée.

cycle ['saɪkl] *v. intr.* aller à bicyclette. ***She cycled to the village,*** elle s'est rendue au village à bicyclette.

▻ **cynic** ['sɪnɪk] *n.* cynique.

cynical ['sɪnɪkl] *adj.* cynique.

cynicism ['sɪnɪsɪzm] *n.* cynisme.

D

D, d [diː] **1.** quatrième lettre de l'alphabet. **2.** chiffre romain pour 500. **3.** abréviation pour **died. 4.** *(Mus.)* ré.

dab [dæb] *n.* **1.** touche légère. **2.** coup de peinture... **3.** *(fam.)* ***Dabs,*** empreintes digitales. *v.t.* **1.** tamponner. ***Dab a burn with ointment,*** appliquer de l'onguent sur une brûlure. **2.** donner un coup (de peinture...).

dabble ['dæbl] *v. intr.* **1.** barboter. **2.** *(fam.)* ***Dabble in politics,*** faire de la politique en amateur.

dad [dæd] *n.* (= **daddy**) papa. ♦ ***Daddy longlegs,*** cousin, faucheux.

daffodil ['dæfədɪl] *n.* jonquille.

daft [dɑːft] *adj.* *(fam.)* cinglé.

dagger ['dægə] *n.* dague, poignard. ♦ ***Be at daggers drawn with,*** être à couteaux tirés avec ; ***he looked daggers at me,*** il m'a foudroyé du regard.

daily ['deɪlɪ] *adj.* journalier, quotidien. *adv.* quotidiennement. *n.* **1.** quotidien. **2.** *(fam.)*(= **daily help**), femme de ménage.

dainty ['deɪntɪ] *adj.* **1.** délicat. **2.** difficile. *n.* petit morceau de choix, friandise.

dairy ['deərɪ] *n.* **1.** laiterie. **2.** crémerie.

dairymaid ['deərɪmeɪd] *n.* fille de laiterie.

⚠ **dais** [deɪs] *n.* estrade.

daisy ['deɪzɪ] *n.* marguerite, pâquerette. *(hum.)* ***Push up the daisies,*** manger les pissenlits par la racine.

dale [deɪl] *n.* *(lit.)* vallon.

dally ['dælɪ] *v. intr.* **1.** lambiner. **2.** s'amuser (avec une idée). ♦ ***Dally with a girl,*** folâtrer avec une jeune fille.

dam [dæm] *n.* barrage. *v.t.* **1.** construire un barrage. **2.** endiguer (un flot...).

damage ['dæmɪdʒ] *n.* **1.** dégât. **2.** préjudice, tort. **3.** *(pl.)* *(Jur.)* dommages-intérêts. **4.** *(fam.)* ***What's the damage?*** ça fait combien ?
v.t. **1.** endommager. **2.** nuire à.

damn [dæm] *n.* **1.** juron. **2.** ***I don't care a damn,*** je m'en fiche pas mal. *v.t.* **1.** damner. **2.** condamner, critiquer. **3.** maudire. ♦ ***I'll be damned if I will!*** je ne le ferai pas, tu peux courir ! *interj.* ***Damn it!,*** Bon Dieu ! *adv.* ***Damn all,*** absolument rien.

damnable ['dæmnəbl] *adj.* **1.** damnable. **2.** détestable, odieux.

damp [dæmp] *adj.* humide, moite. *n.* humidité, moiteur. *v.t.* **1.** étouffer les sons (d'un instrument). **2.** (= **dampen**) humecter.

dampen ['dæmpən] *v.t. et intr.* **1.** humecter. **2.** s'humidifier. **3.** *(fig.)* ***Dampen the spirits,*** refroidir l'ardeur.

⚠ **dance** [dɑ:ns] *n.* **1.** danse. **2.** bal. ♦ *(fig.)* ***She led him a dance,*** elle lui en a fait voir de toutes les couleurs.
v.t. et intr. (faire) danser. ♦ ***He danced attendance on her,*** il était toujours aux petits soins avec elle.

dandelion ['dændɪlaɪən] *n.* pissenlit.

dandruff ['dændrʌf] *n.* pellicules (du cuir chevelu).

▷ **dangerous** ['deɪndʒrəs] *adj.* dangereux. ♦ ***On dangerous ground,*** sur un terrain glissant.

dangle ['dæŋgl] *v.t.* **1.** laisser pendre. **2.** *(fig.)* ***Dangle something in front of somebody,*** faire miroiter quelque chose aux yeux de quelqu'un. *v. intr.* pendre, pendiller. ♦ *(fam.)* ***She kept him dangling,*** elle l'a laissé mijoter ; ***with his legs dangling,*** les jambes ballantes.

dank ['dæŋk] *adj.* humide et froid.

dapper ['dæpə] *adj.* **1.** pimpant, tiré à quatre épingles. **2.** vif, leste.

dappled ['dæpld] *adj.* **1.** tacheté. **2.** pommelé (cheval, ciel...).

dare[1] [deə] *aux mod.* oser. ***Dare I make a suggestion?*** puis-je faire une suggestion ? ***how dare you say so?*** comment oses-tu dire cela ? ***she daren't go there,*** elle n'ose pas y aller.

dare[2] [deə] *v.t.* **1.** avoir le courage (de). ***He doesn't dare (to) argue with his wife,*** il ne se risque pas à raisonner avec sa femme. **2.** braver (un danger). **3.** défier. *n.* défi.

daredevil ['deədevl] *adj.* téméraire. *n.* casse-cou, risque-tout.

daresay [deə'seɪ] *v. intr.* (seulement *1re personne sing*). ***I daresay she'll come,*** j'ai idée qu'elle viendra ; ***you're right, I daresay,*** vous avez sans doute raison.

daring ['deərɪŋ] *adj.* **1.** audacieux, hardi. **2.** choquant. ***Daring dress,*** robe provocante. *n.* audace.

dark [dɑ:k] *adj.* **1.** sombre. **2.** foncé (couleur...). **3.** brun (cheveux). **4.** triste. ***Dark prospects,*** sombres perspectives. **5.** secret. ***Dark words,*** paroles mystérieuses. ♦ ***Dark horse,*** outsider ; *(fam.)* ***keep it dark!*** motus ! *(Hist.)* ***the Dark Ages,*** les premiers siècles du Moyen Age.
n. **1.** obscurité. **2.** tombée de la nuit. **3.** *(fig.)* ***Keep somebody in the dark about something,*** laisser quelqu'un dans l'ignorance de quelque chose.

darken ['dɑ:kən] *v.t. et intr.* (s') assombrir. ♦ ***Never darken my door again,*** ne remettez plus les pieds chez moi.

darling ['dɑ:lɪŋ] *n.* chéri(e). ***She's a darling,*** c'est un amour. *adj.* **1.** chéri(e), bien-aimé(e). **2.** *(fam.)* ravissant. ***A darling little hat,*** un adorable bibi.

darn[1] [dɑ:n] *n.* reprise. *v.t.* repriser.
darn[2] [dɑ:n] *interj.* euphémisme pour **damn.** ***Darn it!*** zut!
dart [dɑ:t] *n.* **1.** fléchette. **2.** mouvement brusque. ***He made a dart for the door,*** il s'élança vers la porte. **3.** pince (d'un vêtement). *v.t. et intr.* **1.** lancer (un regard...), darder (des rayons...). **2.** foncer (sur).
dartboard ['dɑ:tbɔ:d] *n.* cible (de jeu de fléchettes).
dash [dæʃ] *n.* **1.** course précipitée. **2.** *(Sp.)* course de vitesse. ***The 100-yard dash,*** le 100 mètres. **3.** fougue. **4.** *(Gram.)* tiret. **5.** trait (en morse). ♦ ***Give me a dash of whisky,*** donnez-moi une goutte de whisky; ***she cut a dash with her new dress,*** sa nouvelle robe a fait sensation.
v.t. et intr. **1.** (se) précipiter. **2.** (se) briser. **3.** ruiner (les espérances); refroidir (l'ardeur, le courage...). ♦ ***He dashed his letter off,*** il a écrit sa lettre en vitesse.
dashboard ['dæʃbɔ:d] *n. (Aut.)* tableau de bord.
dashing ['dæʃɪŋ] *adj.* plein d'allant ou de panache.
data ['deɪtə,dɑ:tə] *n.* données, renseignements. ♦ *(Inf.)* ***Data bank,*** fichier central; ***data processing,*** informatique, traitement de l'information; ***data-processing card,*** carte perforée; ***data-processing department,*** service mécanographique; ***weather data,*** renseignements météorologiques.
△ **date**[1] [deɪt] *n.* **1.** datte. **2.** (= **date palm**) dattier.
△ **date**[2] [deɪt] *n.* **1.** date. ♦ ***Out of date,*** démodé; ***to date,*** à ce jour; ***up to date,*** à jour. **2.** rendez-vous. ***Make a date,*** fixer un rendez-vous. **3.** *(amér.)* ami(e).
v.t. et intr. **1.** dater. ***This church dates back to the 15th century,*** cette église remonte au XVe siècle. **2.** (faire) paraître démodé. ***Her clothes date her,*** ses vêtements font démodé. **3.** *(fam.)* donner rendez-vous à.
daub [dɔ:b] *n.* **1.** enduit, torchis. **2.** *(Art.)* croûte. *v.t.* **1.** enduire, barbouiller. **2.** *(Art.)* barbouiller (une toile).
daughter ['dɔ:tə] *n.* fille.
daughter-in-law ['dɔ:tərɪnlɔ:] *n.* belle-fille.
dawdle ['dɔ:dl] *v. intr.* lambiner.
dawn [dɔ:n] *n.* aube, aurore. *v. intr.* **1.** poindre. (pour le jour). **2.** se faire jour. ***It dawned on me that,*** il m'est venu à l'esprit que.
day [deɪ] *n.* **1.** jour (opposé à nuit). **2.** journée. **3.** période. ***In those days,*** en ce temps-là. ♦ ***By day,*** de jour; ***day in day out,*** jour après jour; ***day return (ticket),*** billet aller-retour pour la journée; ***it's all in a day's work,*** cela fait partie de la routine; ***I've had my day,*** j'ai eu mon heure; ***it was 5 years ago to the day,*** c'était il y a 5 ans jour pour jour; ***let's call it a day,*** assez travaillé pour aujourd'hui; ***let's make a day of it,*** allons faire la fête; *(fam.)* ***name the day,*** fixer le jour du mariage; ***she's fifty if she's a day,*** elle a cinquante ans bien sonnés; ***this day week,*** d'aujourd'hui en huit.
dayboy ['deɪbɔɪ] *n. (Ens.)* externe. (≠ **boarder**).
daybreak ['deɪbreɪk] *n.* point du jour.
daylight ['deɪlaɪt] *n.* **1.** lumière du) jour. *(amér.)* ***Daylight saving time,*** heure d'été; ***in broad daylight,*** au grand jour. **2.** aube.
daytime ['deɪtaɪm] *n.* le jour. ***In the daytime,*** de jour.
daze [deɪz] *v.t.* hébéter, abasourdir. *(Méd.)* ***In a dazed condition,*** commotionné. *n.* stupéfaction. ***In a daze,*** ahuri.
dazzle ['dæzl] *v.t.* éblouir, aveugler. *(fig.)* ***Dazzling success,*** succès éclatant. *n.* éblouissement, aveuglement.
D-day ['di:deɪ] *n.* **1.** le 6 juin 1944 (premier jour du débarquement). **2.** *(fig.)* jour «J».
dead [ded] *adj.* **1.** mort. ♦ ***A dead man,*** un mort; ***the dead,*** les morts. **2.** *(fig.)* épuisé. **3.** insensible (à). **4.** inactif. ***Dead season,*** morte-saison; ***the dead hours,*** la nuit. **5.** hors d'usage. ***The line has gone dead,*** le téléphone est en dérangement. **6.** sourd (bruit). **7.** terne (couleur). **8.** complet. ***Be in dead earnest,*** être tout à fait sérieux; *(Naut.)* ***dead calm,*** calme plat; ***dead letters,*** lettres tombées au rebut; ***dead silence,*** silence absolu; ***dead stop,*** arrêt brusque; ***dead to the***

world, profondément assoupi, sans connaissance, *(fam.)* ivre mort.
n. ***In the dead of night,*** au cœur de la nuit; ***in the dead of winter,*** au plus fort de l'hiver.

dead-beat [ded'bi:t] *adj.* fourbu, vanné.

deaden ['dedn] *v.t.* **1.** amortir (un coup, un son...). **2.** émousser (des sensations...). ***Deaden the pain,*** calmer la douleur.

deadline ['dedlaın] *n.* **1.** ligne de délimitation. **2.** *(fig.)* date ou heure limite.

deadlock ['dedlɒk] *n.* situation insoluble. ***Come to a deadlock,*** aboutir à une impasse.

deadly ['dedlı] *adj.* **1.** mortel (arme, coup...). **2.** implacable (ennemi, haine...). **3.** *(Rel.)* ***The seven deadly sins,*** les sept péchés capitaux. *adv.* **1.** qui suggère la mort. ***Be deadly pale,*** être d'une pâleur mortelle. **2.** terriblement. ***I'm deadly serious about it,*** je suis tout à fait sérieux sur ce point.

deadpan ['dedpæn] *adj.* pince-sans-rire.

deaf [def] *adj.* **1.** sourd. ***A deaf man,*** un sourd; ***the deaf,*** les sourds; ***the deaf and dumb,*** les sourds-muets. **2.** insensible (à). ***Turn a deaf ear to,*** faire la sourde oreille à.

deafen ['defn] *v.t.* casser les oreilles à.

deaf-mute [ˌdef'mju:t] *n.* sourd-muet.

deal[1] [di:l] *n.* **1.** quantité. ***A great deal of,*** beaucoup de. **2.** donne (aux cartes). ***Your deal,*** à vous de donner.
v.t. irr. (*p.* **dealt** [delt], *p.p.* **dealt**). **1.** ***Deal out,*** distribuer, répartir. **2.** donner (les cartes). **3.** ***Deal somebody a blow,*** assener un coup à quelqu'un.

deal[2] [di:l] *n.* *(Comm.)* marché, transaction. ***Deal on the Stock Exchange,*** coup en Bourse. **2.** *(Polit.)* accord.
v. intr. **1.** *(Comm.)* ***Deal with somebody,*** faire des affaires avec quelqu'un. **2.** se comporter avec quelqu'un. ***Young delinquents are not easy to deal with,*** on ne sait comment s'y prendre avec de jeunes délinquants. **3.** s'occuper (de), traiter. ***Deal with a subject,*** traiter un sujet.

deal[3] [di:l] *n.* bois blanc.

dealer ['di:lə] *n.* **1.** négociant. **2.** donneur (aux cartes). **3.** *(argot)* trafiquant de drogue.

dealing ['di:lıŋ] *n.* **1.** commerce, opérations; *(Fin.)* négociations (en Bourse). **2.** *(pl.)* relations (d'affaires); rapports (personnels).

dealt [delt] (**deal,** *v.*).

dean [di:n] *n.* *(Rel., Ens.)* doyen.

dear [dıə] *adj.* **1.** cher. **2.** (sur une lettre) ***Dear Sir,*** Monsieur. **3.** coûteux. *adv.* cher, chèrement.
n. cher, chère. ***(My) dearest,*** (mon) chéri, (ma) chérie. ♦ ***Do it for me, there's a dear!*** fais çà pour moi, tu seras un ange! *interj.* ***Dear me!*** pas possible; ***oh dear!*** oh là là!

death [deθ] *n.* **1.** mort. **2.** *(fig.)* ruine. ♦ ***Be at death's door,*** être à l'article de la mort; ***be sick to death,*** être malade à en mourir; *(fig.)* en avoir par-dessus la tête; ***die a natural death,*** mourir de sa belle mort; ***put to death,*** exécuter.

deathly ['deθlı] *adj.* de mort. *adv.* comme la mort. ***Deathly pale,*** d'une pâleur mortelle.

debase [dı'beıs] *v.t.* **1.** avilir (quelqu'un). **2.** *(Fin.)* déprécier (la monnaie).

debatable [dı'beıtəbl] *adj.* contestable, discutable.

debate [dı'beıt] *n.* discussion organisée, débat. *v.t. et intr.* **1.** discuter, débattre. **2.** examiner (une question).

debauchery [dı'bɔ:tʃrı] *n.* débauche.

debt [det] *n.* dette. ♦ ***Be in debt,*** être endetté; ***run into debt,*** s'endetter.

debtor ['detə] *n.* débiteur.

debunk [dı'bʌŋk] *v.t.* *(fam.)* **1.** déboulonner (un homme célèbre). **2.** démystifier (une croyance). ***The rumours of war were quickly debunked,*** on ne tarda pas à dissiper les bruits de guerre.

⚠ **decade** ['dekeıd] *n.* décennie.

decanter [dı'kæntə] *n.* carafe (à vin, whisky...).

decay [dı'keı] *v.t.* faire pourrir (du bois...); faire carier (des dents). *v. intr.* **1.** pourrir, se carier. **2.** se délabrer (pour la santé); tomber en ruine, en décadence. **3.** *(fig.)* s'évanouir (pour un espoir). **4.** *(Tech.)* se désintégrer.
n. **1.** pourriture, carie. **2.** décadence, dépérissement. **3.** ruine (des espérances). **4.** *(Tech.)* désintégration.

deceased [dı'si:st] *adj.* *(lit.)* défunt, décédé. *n.* *(Jur.)* ***The deceased,*** le défunt.

deceit [dɪ'si:t] *n.* **1.** tromperie (cf. **deception**). **2.** *(Jur.)* fraude.

deceitful [dɪ'si:tfəl] *adj.* trompeur, fourbe.

⚠ **deceive** [dɪ'si:v] *v.t.* abuser (quelqu'un). ***He was deceived into buying this old car,*** on l'a amené par duperie à acheter ce vieux tacot. *v. intr.* tromper.

⊳ **December** [dɪ'sembə] *n.* décembre.

decency ['di:snsɪ] *n.* **1.** décence, bienséance. **2.** *(pl.)* convenances. ♦ ***In common decency,*** par simple savoir-vivre.

⚠ **decent** ['di:snt] *adj.* **1.** décent, convenable. **2.** assez bon. ***A decent meal,*** un repas convenable. **3.** *(fam.)* bon. ***He's a decent fellow,*** c'est un brave garçon; ***it's very decent of you,*** c'est très gentil de votre part.

⚠ **deception** [dɪ'sepʃn] *n.* **1.** tromperie. **2.** duperie, supercherie.

deceptive [dɪ'septɪv] *adj.* trompeur, mensonger.

⊳ **decide** [dɪ'saɪd] *v.t. et intr.* **1.** trancher (une question); statuer (sur un cas). **2.** se décider, opter (pour). ***Decide against something,*** se prononcer contre quelque chose.

decided [dɪ'saɪdɪd] *adj.* **1.** résolu. **2.** très marqué (différence, changement...). ***Decided superiority,*** supériorité incontestable.

deciduous [dɪ'sɪdʒʊəs] *adj.* *(Bot.)* caduque (feuilles, arbre...).

decipher [dɪ'saɪfə] *v.t.* déchiffrer (un code...).

⚠ **decisive** [dɪ'saɪsɪv] *adj.* **1.** décisif. **2.** décidé (personne).

deck[1] [dek] *n.* **1.** *(Naut.)* pont. **2.** plateforme. ***Top deck,*** impériale (d'autobus). **3.** *(amér.)* jeu de cartes. **4.** *(Tech.)* platine. ***Cassette deck,*** lecteur de cassette.

deck[2] [dek] *v.t.* ***Deck (out),*** orner, décorer. ***Deck oneself out,*** s'endimancher.

deckchair ['dektʃeə] *n.* chaise longue, transat.

deckhand ['dekhænd] *n.* matelot.

⊳ **declare** [dɪ'kleə] *v.t. et intr.* **1.** (se) déclarer. **2.** faire connaître publiquement. **3.** déclarer (des marchandises). ♦ ***Well, I declare!*** ça alors!

⊳ **decline** [dɪ'klaɪn] *v.t.* **1.** refuser (une invitation, un honneur...). **2.** *(Gram.)* décliner. *v. intr.* **1.** être en pente, s'incliner. **2.** décliner (pour la santé, le jour...); baisser (pour les prix). *n.* **1.** déclin. **2.** *(Méd.)* dépérissement. **3.** *(fig.)* ***On the decline,*** en baisse.

declutch [ˌdi:'klʌtʃ] *v. intr.* *(Aut.)* débrayer.

⊳ **decode** [ˌdi:'kəʊd] *v.t.* déchiffrer, décoder.

⚠ **decorate** ['dekəreɪt] *v.t.* **1.** décorer. **2.** peindre; tapisser. **3.** *(Mil.)* décorer.

decorator ['dekəreɪtə] *n.* **1.** décorateur. **2.** peintre, tapissier.

decoy ['di:kɔɪ] *n.* **1.** leurre, appeau. **2.** *(fig.)* compère (d'escroc); piège. *v.t.* [dɪ'kɔɪ] **1.** leurrer (des oiseaux). **2.** *(fig.)* ***Decoy somebody into a trap,*** attirer quelqu'un dans un piège.

decrease ['di:kri:s] *n.* diminution. ***Decrease in price,*** baisse de prix. *v.t.* [dɪ'kri:s] faire baisser. *v. intr.* [dɪ'kri:s] diminuer.

decree [dɪ'kri:] *n.* **1.** décret, arrêté. **2.** *(Jur.)* arrêt. *v.t.* **1.** décréter. **2.** *(Jur.)* arrêter.

dedicate ['dedɪkeɪt] *v.t.* dédier, consacrer (à).

dedication [ˌdedɪ'keɪʃn] *n.* **1.** dédicace, consécration. **2.** dévouement.

deduct [dɪ'dʌkt] *v.t.* déduire, retrancher.

deed [di:d] *n.* **1.** action d'éclat. ***Deed of valour,*** acte de bravoure. **2.** *(Jur.)* acte notarié, contrat.

deem [di:m] *v.t.* *(lit.)* estimer. ***I deemed it necessary not to reply,*** j'ai jugé bon de ne pas répliquer.

deep [di:p] *adj.* **1.** profond. ***Deep end,*** bout le plus profond (d'une piscine). **2.** intense (couleur). **3.** grave (son). **4.** *(fig.)* ***Deep concern,*** vive préoccupation. ♦ *(fig.)* ***Be in deep water,*** avoir de sérieux ennuis; ***deep in debt,*** criblé de dettes; ***deep-freeze,*** congélateur (cf. **freezer**); *(fam.)* ***go off the deep end,*** s'emporter. *adv.* **1.** profondément. **2.** tard. ***He read deep into the night,*** il continua à lire très avant dans la nuit. *n.* *(lit.)* ***The deep,*** les profondeurs; ***the ocean deeps,*** les grands fonds.

deepen ['di:pən] *v.t.* approfondir; augmenter. *v. intr.* devenir plus profond.

deer [dɪə] *n. inv.* cervidé. ♦ ***Fallow deer,*** daim ; ***(red) deer,*** cerf ; ***roe deer,*** chevreuil.

deface [dɪ'feɪs] *v.t.* défigurer, dégrader.

⚠ **defeat** [dɪ'fi:t] *n.* **1.** défaite, échec. **2.** *(Jur.)* rejet. *v.t.* **1.** vaincre. **2.** faire échouer ; *(Polit.)* mettre en minorité.

defect ['di:fekt] *n.* insuffisance, imperfection. *v. intr.* [dɪ'fekt] *(Mil.)* passer à l'ennemi.

⚠ **defective** [dɪ'fektɪv] *adj.* **1.** défectueux. **2.** *(Gram.)* défectif. **3.** *(Méd.)* déficient ; faible d'esprit.

▷ **defence** [dɪ'fens] (*amér.* **defense**) *n.* **1.** défense, protection. **2.** *(Mil.)* ouvrage de défense. **3.** *(Jur.)* ***The defence,*** la défense ; ***counsel for the defence,*** défenseur. **4.** *(Sp.)* défense. **5.** justification. ***Speak in defence of somebody,*** faire l'apologie de quelqu'un.

▷ **defend** [dɪ'fend] *v.t.* **1.** défendre, protéger. **2.** *(Jur.)* assurer la défense de. **3.** *(Sp.)* défendre (son but). **4.** faire l'apologie (de quelqu'un) ; justifier (une opinion). **5.** *(Ens.)* soutenir (une thèse).

⚠ **defendant** [dɪ'fendənt] *n.* *(Jur.)* prévenu, accusé.

defer[1] [dɪ'fɜ:] *v.t.* **1.** ajourner. ***Defer doing something,*** remettre quelque chose à plus tard ; *(Comm.)* ***deferred payment,*** paiement échelonné. **2.** *(amér.)* mettre en sursis d'incorporation.

defer[2] [dɪ'fɜ:] *v. intr.* s'en remettre à. ***He deferred to my opinion,*** il s'est rangé à mon avis.

▷ **deference** ['defrəns] *n.* respect (des opinions, des décisions...). ***Out of deference to,*** par égard pour.

⚠ **defiance** [dɪ'faɪəns] *n.* défi. ♦ ***In defiance of the law,*** au mépris de la loi ; ***set the law at defiance,*** agir contre la loi.

⚠ **defiant** [dɪ'faɪənt] *adj.* **1.** provocant. **2.** intraitable.

⚠ **deficiency** [dɪ'fɪʃnsɪ] *n.* **1.** manque, insuffisance. **2.** imperfection. **3.** *(Comm.)* déficit, découvert. **4.** *(Méd.)* ***Deficiency disease,*** maladie de carence.

defile[1] [dɪ'faɪl] *n.* défilé (en montagne).

⚠ **defile**[2] [dɪ'faɪl] *v.t.* souiller, profaner.

▷ **define** [dɪ'faɪn] *v.t.* **1.** définir. **2.** délimiter.

definite ['defɪnɪt] *adj.* **1.** précis. ***Definite intentions,*** intentions bien arrêtées. **2.** *(Gram.)* défini.

definitely ['defɪnɪtlɪ] *adv.* **1.** d'une manière précise. ***He's definitely coming,*** il sera bien là. **2.** nettement, manifestement.

deflate [dɪ'fleɪt] *v.t. et intr.* **1.** (se) dégonfler. ***Deflated tyre,*** pneu à plat. **2.** *(fam.)* ***Deflate somebody,*** rabattre le caquet à quelqu'un. **3.** *(Fin.)* ***Deflate the currency,*** provoquer la déflation de la monnaie.

deflect [dɪ'flekt] *v.t. et intr.* détourner ; (faire) dévier.

⚠ **deform** [dɪ'fɔ:m] *v.t.* **1.** déformer. **2.** défigurer. **3.** enlaidir.

defraud [dɪ'frɔ:d] *v.t.* **1.** frauder. ***Defraud somebody of something,*** escroquer quelque chose à quelqu'un. **2.** *(Jur.)* frustrer (des créanciers).

defrost [,di:'frɒst] *v.t.* **1.** dégivrer. **2.** décongeler. **3.** *(amér.)* désembuer.

deft [deft] *adj.* habile, adroit.

defuse [,di:'fju:z] *v.t.* **1.** *(Tech.)* désamorcer (une bombe). **2.** *(fig.)* ***Defuse a crisis,*** dénouer une crise.

⚠ **defy** [dɪ'faɪ] *v.t.* **1.** défier, braver. **2.** dépasser (les moyens dont on dispose). ***This situation really defies description,*** cette situation est vraiment indescriptible.

▷ **degrade** [dɪ'greɪd] *v.t. et intr.* **1.** dégrader, avilir. **2.** *(Géol., Techn.)* (se) dégrader (pour des rochers, des corps...).

⚠ **degree** [dɪ'gri:] *n.* **1.** degré, échelon. **2.** *(Tech.)* degré (de mesure). **3.** *(Ens.)* diplôme, grade. ***He took a degree in science,*** il a une licence de science.

deity ['di:,tɪ, 'deɪtɪ] *n.* **1.** divinité (d'un dieu). **2.** (*pl.* **-ies**) dieu, déesse, divinité.

⚠ **dejected** [dɪ'dʒektɪd] *adj.* abattu. ***You look dejected,*** vous avez l'air découragé.

⚠ **dejection** [dɪ'dʒekʃn] *n.* découragement.

⚠ **delay** [dɪ'leɪ] *n.* **1.** délai, sursis. **2.** retardement. ***Traffic delays,*** ralentissement de circulation. *v.t.* **1.** différer. **2.** retarder (le progrès...) ; arrêter provisoirement (quelque chose). *v. intr.* tarder. ***Don't delay!*** ne traînez pas!

▷ **delegate** ['delɪgɪt] *n.* délégué . *v.t.* ['delɪgeɪt] déléguer. ***Delegate somebody to perform something,*** désigner un remplaçant pour accomplir quelque chose.

delete [dɪ'li:t] *v.t.* barrer, biffer. ♦ *(Tech.)* ***Delete,*** à supprimer (en typographie); ***delete where inapplicable,*** rayez les mentions inutiles.

deletion [dɪ'li:ʃn] *n.* **1.** suppression (d'un passage). **2.** passage supprimé, rature.

deliberate [dɪ'lɪbrɪt] *adj.* **1.** délibéré, réfléchi. **2.** intentionnel, prémédité. **3.** lent (discours, pas...).
v.t. et intr. [dɪ'lɪbəreɪt] **1.** ***Deliberate (over) a question,*** discuter d'une question. **2.** *(Jur.)* délibérer.

⚠ **deliberation** [dɪ,lɪbə'reɪʃn] *n.* **1.** délibération. ***After due deliberation,*** après mûre réflexion. **2.** circonspection. **3.** lenteur.

delicacy ['delɪkəsɪ] *n.* **1.** délicatesse, sensibilité. **2.** *(pl.)* mets délicats.

delicatessen [,delɪkə'tesn] *n.* **1.** plats cuisinés. **2.** boutique de traiteur.

delight [dɪ'laɪt] *n.* grand plaisir, ravissement. ***Much to the delight of the children,*** à la grande joie des enfants.
v.t. enchanter, faire les délices de. *v. intr.* se faire un plaisir. ***She delights in gardening,*** elle adore jardiner.

delightful [dɪ'laɪtfəl] *adj.* ravissant.

⚠ **delinquency** [dɪ'lɪŋkwənsɪ] *n.* **1.** délinquence. ***Juvenile delinquency,*** délinquence juvénile. **2.** manquement à un devoir; délit. **3.** *(Fin.)* défaut de paiement.

delirious [dɪ'lɪrɪəs] *adj.* **1.** délirant. *(Méd.)* ***Be delirious,*** délirer. **2.** *(fig.)* ***Delirious with joy,*** fou de joie.

⚠ **deliver** [dɪ'lɪvə] *v.t.* **1.** délivrer. *(Rel.)* ***Deliver us from evil,*** délivre-nous du mal. **2.** distribuer (du courrier); livrer (des marchandises). **3.** *(Méd.)* accoucher (une femme). **4.** prononcer (un discours). **5.** ***Deliver a blow,*** porter un coup. **6.** ***Deliver up,*** restituer (des biens volés...). ♦ ***Be delivered of,*** donner naissance à.

deliverance [dɪ'lɪvrəns] *n.* délivrance, libération.

delivery [dɪ'lɪvrɪ] *n.* **1.** délivrance (cf. **deliverance**). **2.** distribution (de courrier), livraison (de marchandises). ***Delivery man,*** livreur; ***pay on delivery,*** payer à la livraison. **3.** *(Méd.)* accouchement. **4.** débit; diction (d'un orateur).

delude [dɪ'lu:d] *v.t.* induire en erreur, duper. ***Don't delude yourself,*** ne vous bercez pas d'illusions.

delusion [dɪ'lu:ʒn] *n.* **1.** action de tromper, de duper. **2.** illusion; *(Méd.)* hallucination. ♦ ***Delusion of grandeur,*** folie des grandeurs; ***she is under the delusion that she is a beauty,*** elle se figure être belle; *(Méd.)* ***suffer from delusions,*** être en proie à ses fantasmes.

delusive [dɪ'lu:sɪv] *adj.* illusoire, trompeur.

⚠ **demand** [dɪ'mɑ:nd] *n.* **1.** exigence. ***The workers' demand,*** les revendications des ouvriers. **2.** *(Comm.)* demande. ***Supply and demand,*** l'offre et la demande; ***there's a great demand for these goods,*** ces articles se vendent bien.
v.t. **1.** réclamer (comme un droit). ***We demand higher wages,*** nous exigeons une augmentation de salaire. **2.** nécessiter, exiger. ***The economic situation demands great care,*** la situation économique nécessite beaucoup d'attention.

demanding [dɪ'mɑ:ndɪŋ] *adj.* **1.** exigeant, revendicatif (personne). **2.** astreignant (tâche...).

demist [,di:'mɪst] *v.t.* *(Aut.)* désembuer (*amér.* **defrost**).

demo ['deməʊ] *n.* (= **demonstration**) *(fam.)* manif.

demolish [dɪ'mɒlɪʃ] *v.t.* démolir.

⚠ **demonstrate** ['demənstreɪt] *v.t. et intr.* démontrer (une vérité...). **2.** *(Comm.)* expliquer le fonctionnement (d'un appareil ménager...). **3.** *(Polit.)* prendre part à une manifestation.

⚠ **demonstration** [,demən'streɪʃn] *n.* **1.** démonstration (d'une vérité...). **2.** démonstration (d'un appareil ménager...). **3.** *(Polit.)* manifestation. **4.** *(pl.)* témoignages de tendresse.

⚠ **demonstrator** ['demənstreɪtə] *n.* **1.** démonstrateur; *(Ens.)* préparateur. **2.**

manifestant(e).
demure [dɪ'mjʊə] *adj.* modeste, réservé. *(Péj.)* ***Demure look,*** air de sainte nitouche.
den [den] *n.* **1.** tanière. **2.** repaire (de voleurs). ***Gambling den,*** tripot; ***opium den,*** fumerie d'opium. **3.** *(fam.)* cabinet de travail; *(fam.)* turne.
denial [dɪ'naɪəl] *n.* **1.** dénégation. ***Give a flat denial to a statement,*** opposer un démenti formel à une affirmation. **2.** *(Jur.)* refus. ***Denial of justice,*** déni de justice.
⚠ **denomination** [dɪˌnɒmɪ'neɪʃn] *n.* **1.** dénomination, appellation. **2.** *(Rel.)* confession, secte. **3.** *(Tech.)* dénominateur, unité (de poids, de mesures...). **4.** ***Coins of all denominations,*** pièces de toutes valeurs.
denominational [dɪˌnɒmɪ'neɪʃnəl] *adj.* *(Ens.)* confessionnel (enseignement, école...).
▻ **denote** [dɪ'nəʊt] *v.t.* **1.** signifier. **2.** dénoter, indiquer.
denounce [dɪ'naʊns] *v.t.* dénoncer (quelqu'un, un traité...); s'élever (contre un abus...).
⚠ **dense** [dens] *adj.* **1.** dense, épais; **2.** *(fam.)* stupide (esprit, personne...).
⚠ **dent** [dent] *n.* marque de coup, bosselure. *v.t.* cabosser, bosseler; ébrécher (une lame).
dental ['dentl] *adj.* **1.** dentaire. ***Dental surgeon,*** chirugien-dentiste. **2.** dental. ***Dental consonant,*** dentale.
⚠ **denture** ['dentʃə] *n.* dentier.
denude [dɪ'nju:d] *v.t.* **1.** dénuder. **2.** *(fig.)* dépouiller.
deny [dɪ'naɪ] *v.t.* **1.** nier, démentir. **2.** renier. **3.** refuser (quelque chose à quelqu'un). ***The boss denied him admittance,*** le patron ne voulut pas le recevoir. ♦ ***They deny themselves for their children,*** ils se privent pour leurs enfants.
⚠ **depart** [dɪ'pɑ:t] *v. intr.* **1.** *(lit.)* s'en aller. ***Depart from a place,*** quitter un lieu; ***depart (from) this life,*** quitter ce monde. **2.** s'écarter (de). ***Depart from one's subject,*** sortir de son sujet.
⚠ **department** [dɪ'pɑ:tmənt] *n.* **1.** bureau, service. *(Ens.)* ***The English department,*** la section d'anglais. **2.** *(Géog.)* département. **3.** *(Comm.)* rayon (dans un magasin). ***Department store,*** grand magasin. **4.** ministère. *(U.S.)* ***War department,*** Ministère de la Guerre. **5.** *(fam.)* ***That's not my department,*** ce n'est pas mon domaine.
departure [dɪ'pɑ:tʃə] *n.* **1.** départ. **2.** déviation, dérogation. ***A (new) departure,*** une nouvelle orientation.
⚠ **depend** [dɪ'pend] *v. intr.* **1.** avoir confiance (en): ***You can depend on what I say,*** vous pouvez vous fier à ce que je vous dis. **2.** dépendre. ***It depends on you,*** Il ne tient qu'à vous. ♦ ***Depend on it,*** n'en doutez pas.
dependable [dɪ'pendəbl] *adj.* digne de confiance. **2.** sûr, fiable (chose).
dependant [dɪ'pendənt] *n.* personne à charge; *(pl.)* charges de famille.
⚠ **dependence** [dɪ'pendəns] *n.* **1.** dépendance. **2.** confiance (en quelque chose). **3.** *(Méd.)* ***Drug dependence,*** dépendance à la drogue.
dependent [dɪ'pendənt] *adj.* **1.** qui dépend (de). **2.** à charge (enfant...).
depict [dɪ'pɪkt] *v.t.* décrire, dépeindre.
deplete [dɪ'pli:t] *v.t.* diminuer, épuiser (des ressources, des réserves...).
deport [dɪ'pɔ:t] *v.t.* déporter; expulser (un étranger). ♦ *(lit.)* ***Deport oneself,*** se comporter.
deportee [ˌdi:pɔ:'ti:] *n.* déporté.
deposit [dɪ'pɒzɪt] *n.* **1.** dépôt, gisement. *(Géol.)* ***Alluvial deposits,*** alluvions. **2.** *(Fin.)* dépôt de fonds. **3.** cautionnement, arrhes, acompte. **4.** *(Tech.)* précipité. *v.t.* **1.** déposer (quelque chose). **2.** *(Fin.)* déposer (de l'argent en banque). **3.** verser des arrhes.
depositor [dɪ'pɒzɪtə] *n.* *(Fin.)* déposant.
depravity [dɪ'prævɪtɪ] *n.* dépravation, perversité.
deprecate ['deprɪkeɪt] *v.t.* désapprouver, déplorer.
deprecatory ['deprɪkeɪtrɪ] *adj.* **1.** de désapprobation (paroles). **2.** ***Deprecatory smile,*** sourire d'excuse.
depreciate [dɪ'pri:ʃɪeɪt] *v.t.* **1.** déprécier, dénigrer. **2.** *(Fin.)* dévaloriser (une monnaie). *v. intr.* se dévaloriser.
depress [dɪ'pres] *v.t.* **1.** baisser (quelque chose); appuyer (sur un bouton...). **2.** faire baisser, réduire. **3.** déprimer.
deprive [dɪ'praɪv] *v.t.* priver de. ♦ ***De-***

prived people, des déshérités.

depth [depθ] *n.* **1.** profondeur. **2.** hauteur (d'eau...). ***Be out of one's depth,*** ne pas avoir pied, *(fig.)* ne pas être à la hauteur. **3.** gravité (d'un son); intensité (d'une couleur). **4.** *(pl.)* ***The depths,*** les grands fonds; *(fig.)* ***be in the depths of despair,*** toucher le fond du désespoir. ♦ *(Naut.)* ***Depth charge,*** grenade sous-marine; ***in the depth of night,*** au milieu de la nuit; ***in the depth of winter,*** au plus fort de l'hiver.

⚠ **deputy** ['depjʊtɪ] *n.* **1.** représentant, délégué; *(Fin.)* fondé de pouvoir; *(Jur.)* suppléant. **2.** *(Polit.)* député (au Parlement français). **3.** *(amér.)* adjoint (au shérif).

derail [ˌdiː'reɪl] *v.t. et intr.* (faire) dérailler.

deranged [dɪ'reɪndʒd] *adj.* détraqué (cerveau...).

derelict ['derɪlɪkt] *adj.* abandonné (maison, navire...). *n.* **1.** *(Jur.)* épave; *(Naut.)* navire abandonné. **2.** *(fig.)* épave humaine.

⚠ **deride** [dɪ'raɪd] *v.t.* tourner en dérision, ridiculiser.

derisive [dɪ'raɪsɪv] (aussi **derisory** [dɪ'raɪsrɪ]) *adj.* **1.** ironique. ***Derisive laughter,*** rire moqueur. **2.** ridicule. ***Derisive offer,*** offre dérisoire.

derive [dɪ'raɪv] *v.t. et intr.* **1.** tirer (de), retirer (de). **2.** ***This word derives from Latin,*** ce mot vient du latin.

derogatory [dɪ'rɒgətrɪ] *adj.* dépréciateur. ♦ ***Derogatory comment,*** commentaire désobligeant; ***derogatory word,*** mot péjoratif.

desalinize [diː'sælɪnaɪz] *v.t.* dessaler (l'eau de mer). (aussi **desalinise, desalinate, desalt**).

⚠ **descent** [dɪ'sent] *n.* **1.** descente. **2.** irruption. ***The police made a descent on the gambling den,*** la police a fait une descente dans le tripot. **3.** descendance. **4.** *(Jur.)* transmission (de biens) par héritage.

describe [dɪ'skraɪb] *v.t.* **1.** décrire, dépeindre. **2.** tracer (un cercle...). **3.** ***Describe as,*** représenter comme. ***She describes herself as an actress,*** elle se prétend actrice.

⚠ **description** [dɪ'skrɪpʃn] *n.* **1.** description. **2.** représentation. ***Answer to the description,*** répondre au signalement. **3.** espèce. ***Cars of every description,*** des voitures de tous genres.

descry [dɪ'skraɪ] *v.t.* *(lit.)* apercevoir dans le lointain, discerner.

desecrate ['desɪkreɪt] *v.t.* profaner (un lieu saint); violer (une sépulture).

▷ **desert** ['dezət] *adj. et n.* désert. ***Desert island,*** île déserte. *v.t.* [dɪ'zɜːt] **1.** déserter (un lieu...). **2.** abandonner (une personne). *v. intr.* *(Mil.)* déserter.

⚠ **deserts** [dɪ'zɜːts] *n. pl.* mérites, dû, châtiment mérité. ***She has only got her deserts,*** elle n'a que ce qu'elle mérite.

deserve [dɪ'zɜːv] *v.t.* mériter. ***This pupil deserves praise,*** cet élève est digne d'éloges. ♦ ***As you deserve,*** selon vos mérites. *v. intr.* ***He deserves well of his country,*** il a bien mérité de la patrie.

deserving [dɪ'zɜːvɪŋ] *adj.* méritant, méritoire.

design [dɪ'zaɪn] *n.* **1.** dessein, plan. **2.** dessin, avant-projet. **3.** conception, création. ***Design office,*** bureau d'études. **4.** *(Comm.)* type, modèle. **5.** intention. ***Was it done by chance or design?*** est-ce que cela a été fait par hasard ou exprès?
v.t. **1.** projeter. **2.** destiner à. **3.** concevoir; lancer. ***Well designed,*** bien étudié. *v. intr.* dessiner.

designer [dɪ'zaɪnə] *n.* **1.** dessinateur, projeteur. ***Dress designer,*** couturier, modéliste. **2.** décorateur (en ameublement), styliste. *(Th.)* ***Stage designer,*** décorateur.

designing [dɪ'zaɪnɪŋ] *adj.* intrigant, rusé. *n.* (cf. **design**).

desk [desk] *n.* **1.** bureau, pupitre, secrétaire. **2.** *(Comm.)* caisse. **3.** *(amér.)* réception (d'un hôtel).

desolate ['desələt] *adj.* abandonné, solitaire. *v.t.* ['desəleɪt] désoler.

despair [dɪ'speə] *n.* désespoir. ***Be in despair,*** être désespéré. *v. intr.* désespérer. ***His life is despaired of,*** on a perdu tout espoir de le sauver.

desperate ['desprɪt] *adj.* **1.** prêt à tout. ***A desperate man,*** un homme aux abois; ***this jobless man is desperate for work,*** ce chômeur veut absolu-

ment trouver du travail. **2.** désespéré. ***Desperate remedy,*** remède de la dernière chance. **3.** terrible. ***Desperate struggle,*** lutte acharnée.
desperation [ˌdespəˈreɪʃn] *n.* rage du désespoir. ♦ ***Drive somebody to desperation,*** pousser quelqu'un à bout; ***in sheer desperation,*** en désespoir de cause.
despicable [dɪˈspɪkəbl] *adj.* méprisable, abject.
despise [dɪˈspaɪz] *v.t.* mépriser.
despite [dɪˈspaɪt] *prép.* en dépit de, malgré.
despondency [dɪˈspɒndənsɪ] *n.* découragement, abattement.
despondent [dɪˈspɒndənt] *adj.* découragé.
destitute [ˈdestɪtjuːt] *adj.* **1.** indigent, sans ressources. ***The destitute,*** les miséreux. **2.** dénué (de), dépourvu (de). ***A tyrant is destitute of pity,*** un tyran n'a aucune pitié.
⚠ **destitution** [ˌdestɪˈtjuːʃn] *n.* dénuement.
destroy [dɪˈstrɔɪ] *v.t.* **1.** détruire; *(fig.)* anéantir (des espérances...). **2.** abattre, faire piquer (un animal).
desultory [ˈdesəltrɪ] *adj.* décousu, sans suite. ***Desultory chat,*** conversation à bâtons rompus.
detached [dɪˈtætʃt] *adj.* détaché, séparé. ***Detached house,*** maison individuelle. **2.** objectif. **3.** indifférent.
⚠ **detail** [ˈdiːteɪl] *n.* **1.** détail, particularité. ***Go into detail(s),*** entrer dans le détail. **2.** *(Mil.)* détachement (en corvée).
v.t. (Mil.) ***Detail soldiers for a parade,*** désigner des soldats pour un défilé.
detain [dɪˈteɪn] *v.t.* **1.** détenir (en captivité). **2.** retarder, retenir.
detainee [ˌdiːteɪˈniː] *n.* détenu.
▷ **detect** [dɪˈtekt] *v.t.* découvrir, détecter. ***Detect an escape of gas,*** localiser une fuite de gaz; *(Méd.)* ***detect an illness,*** dépister une maladie.
⚠ **deter** [dɪˈtɜː] *v.t.* détourner (de). ***Nuclear weapons will deter the enemy from attacking us,*** les armes nucléaires dissuaderont l'ennemi de nous attaquer.
⚠ **determine** [dɪˈtɜːmɪn] *v.t.* **1.** décider, se résoudre (à). **2.** déterminer, fixer.
determined [dɪˈtɜːmɪnd] *adj.* décidé.
deterrent [dɪˈterənt] *adj.* de dissuasion. ***The deterrent effect of bad weather on holiday makers,*** l'effet dissuasif du mauvais temps sur les vacanciers.
n. effet préventif; *(Mil.)* force de dissuasion.
detract [dɪˈtrækt] *v. intr.* **1.** amoindrir, nuire. ***It detracted a good deal from my pleasure,*** cela a bien gâché mon plaisir. **2.** dénigrer.
deuce [djuːs] *n.* **1.** deux (aux cartes ou aux dés). **2.** *(Tennis) 40-40.* ♦ *(fam.)* ***What the deuce happened?*** que diable est-il arrivé? *(fam.)* ***a deuce of a row,*** une drôle de scène de ménage.
devastating [ˈdevəsteɪtɪŋ] *adj.* **1.** destructeur. **2.** accablant (argument). **3.** *(fam.)* irrésistible (plaisanterie, femme...). ***You really look devastating tonight,*** vous avez vraiment un charme fou ce soir.
⚠ **develop** [dɪˈveləp] *v.t.* **1.** développer. **2.** expliquer (une idée...). **3.** *(Phot.)* développer. **4.** mettre en valeur (une région...). ***Developing countries,*** pays en voie de développement. **5.** contracter (une maladie).
v. intr. **1.** se développer. **2.** se produire.
⚠ **development** [dɪˈveləpmənt] *n.* **1.** développement. **2.** *(Phot.)* développement. **3.** mise en valeur (d'une région). ***Development area,*** Z.U.P. (zone à urbaniser en priorité); ***national development,*** développement du territoire. **4.** lotissement. **5.** déroulement (des événements). ***A new development,*** un fait nouveau; ***await further developments,*** attendre la suite des événements.
deviate [ˈdiːvɪeɪt] *v. intr.* s'écarter (de). ***Deviate from the rules,*** ne pas respecter les règles.
▷ **deviation** [ˌdiːvɪˈeɪʃn] *n.* **1.** écart (par rapport à la norme); *(Polit.)* déviation. ***Sexual deviation,*** déviation sexuelle. **2.** *(Tech.)* déviation (d'une aiguille de boussole).
device [dɪˈvaɪs] *n.* **1.** dispositif, appareil, mécanisme. **2.** figure (de style); emblème, devise. **3.** expédient, ruse. ♦ ***It left him to his own devices,*** il se trouva livré à lui-même.

devil ['devɪl] *n.* **1.** diable. ***Devil's advocate,*** avocat du diable. **2.** *(fig.)* démon. ***Poor devil!*** pauvre diable!. **3.** (intensif). ***Kick up a devil of a row,*** faire un vacarme de tous les diables. **4.** apprenti (d'un imprimeur); nègre (d'un écrivain, d'un avocat...). ♦ ***He's going to the devil,*** il court à sa perte; ***there'll be the devil to pay,*** ce sera lourd de conséquences; ***to give the devil his due,*** pour être honnête; ***whisky plays the devil with your liver,*** le whisky t'abîme le foie.
v.t. **1.** *(Cuis.)* faire griller (une viande très épicée...). ***Devilled chicken,*** poulet grillé à la diable. **2.** *(fam.)* ***Devil for somebody,*** servir de nègre à quelqu'un.

devil-may-care [ˌdevɪlmeɪ'keə] *adj.* insouciant, casse-cou.

devious ['di:vɪəs] *adj.* **1.** tortueux. ***By devious ways,*** par des voies détournées. **2.** retors; d'une honnêteté douteuse.

devise [dɪ'vaɪz] *v.t.* **1.** concevoir, imaginer. **2.** *(Jur.)* léguer (des biens immobiliers).

devoid [dɪ'vɔɪd] *adj.* dénué (de). ***Devoid of human feelings,*** dépourvu de tout sentiment humain.

devolution [ˌdi:və'lu:ʃn] *n.* **1.** délégation (de pouvoir). **2.** décentralisation administrative. **3.** *(Jur.)* transmission par succession.

devolve [dɪ'vɒlv] *v. t. et intr.* **1.** déléguer (des pouvoirs). **2.** incomber. ***The duty devolved on me,*** la tâche m'est échue. **3.** *(Jur.)* être dévolu (à).

devote [dɪ'vəʊt] *v. t.* consacrer à. ***Devote oneself to,*** se vouer à.

devoted [dɪ'vəʊtɪd] *adj.* **1.** dévoué, loyal (ami...). **2.** ***Devoted to,*** qui se consacre à.

devotee [ˌdevə'ti:] *n.* **1.** *(Rel.)* dévôt. **2.** passionné, fanatique (de sport...). ***He's a devotee of music,*** c'est un fervent de la musique.

△ **devotion** [dɪ'vəʊʃn] *n.* *cf.* ..œ; dévouement. **2.** vive affection. **3.** *(Rel.)* dévotion, piété. **4.** *(pl.)* prières.

devour [dɪ'vaʊə] *v. t.* **1.** dévorer. **2.** *(fig.)* ***Devoured by anxiety,*** en proie à l'inquiétude.

devout [dɪ'vaʊt] *adj.* **1.** *(Rel.)* pieux. **2.** fervent. ***It's my devout wish that she'll succeed,*** je souhaite sincèrement qu'elle réussisse.

dew [dju:] *n.* rosée.

dexterous ['dekstrəs] *adj.* adroit.

diagnose ['daɪəgnəʊz] *v. t.* diagnostiquer. ***The doctor diagnosed her illness as cancer,*** le docteur l'a déclarée atteinte d'un cancer.

diagnosis [ˌdaɪəg'nəʊsɪs] *n.* (*pl.* **-ses** [-si:z]) diagnostic.

diagram ['daɪəgræm] *n.* diagramme, schéma. ***Working diagram,*** graphique de marche.

dial ['daɪəl] *n.* cadran (d'horloge, de téléphone, d'instrument,...).
v.t. *(Téléph.)* composer (un numéro). ♦ ***Dialling code,*** indicatif départemental *(amér.* ***dial code); dialling tone,*** tonalité. *(amér.* ***dial tone).***

diamond ['daɪəmənd] *n.* **1.** diamant. ***Rough diamond,*** diamant brut, *(fig.)* brave type sous des dehors bourrus. **2.** losange. **3.** carreau (aux cartes). **4.** *(Sp.)* terrain de baseball.

diary ['daɪərɪ] *n.* **1.** journal intime. **2.** agenda.

dice [daɪs] *n.* (*pl.* **dice,** *ancien sing.* **die**) **1.** dé (à jouer). ***Play dice,*** jouer aux dés. **2.** *(Cuis.)* dé, cube. ♦ ***The die is cast,*** le sort en est jeté. *v. intr.* jouer aux dés. ***Dice with death,*** risquer sa vie; ***he diced away his fortune,*** il a dilapidé sa fortune aux dés.
v. t. *(Cuis.)* couper (des légumes, de la viande...) en cubes.

dicey ['daɪsɪ] *adj.* *(fam.)* risqué, périlleux.

▷ **dictate** [dɪk'teɪt] *v. t. et intr.* **1.** dicter. **2.** dicter (ses conditions...). ***I won't be dictated to,*** je n'ai d'ordres à recevoir de personne.

dictation [dɪk'teɪʃn] *n.* dictée. ***Write from dictation,*** écrire sous la dictée.

dictatorship [dɪk'teɪtəʃɪp] *n.* *(Polit.)* dictature.

▷ **dictionary** ['dɪkʃənrɪ] *n.* dictionnaire.

did [dɪd] (**do,** *v.*).

die [daɪ] *v. intr.* **1.** mourir. ***Die by inches,*** mourir à petit feu; ***die from*** (ou ***of) a wound,*** mourir des suites d'une blessure; ***die of grief,*** mourir de chagrin; ***die through neglect,*** mourir faute de soins. **2.** *(fig.)* ***I'm simply***

dying with sleep, je tombe littéralement de sommeil. ♦ *(fig.)* ***Be dying to do something,*** mourir d'envie de faire quelque chose; *(fig.)* ***die hard,*** avoir la vie dure (pour des idées, des superstitions...); ***die in harness,*** mourir en pleine activité; ***die with one's boots on,*** mourir de mort violente; ***never say die!*** courage! ***to my dying day,*** jusqu'à mon dernier souffle.

die down *v. part. intr.* **1.** baisser (pour le feu); se calmer (pour la tempête). ***The wind is dying down,*** le vent tombe. **2.** se flétrir. **3.** *(fig.)* s'apaiser. ***Her excitement has died down,*** elle s'est calmée.

diehard ['daɪhɑːd] *n. (Polit.)* réactionnaire à tous crins. ♦ ***Diehard policy,*** immobilisme.

die off *v. part. intr.* mourir l'un après l'autre.

die out *v. part. intr.* **1.** s'éteindre (pour le feu). **2.** *(fig.)* disparaître. ***This family has died out,*** cette famille s'est éteinte.

⚠ **diet** [daɪət] *n.* **1.** alimentation, nourriture. **2.** *(Méd.)* régime alimentaire. ♦ ***Be on a diet,*** être au régime; ***go on a milk diet,*** se nourrir exclusivement de lait; ***put on a diet,*** mettre au régime. *v. intr.* être au régime.

differ ['dɪfə] *v. intr.* **1.** différer (de). **2.** ne pas être d'accord (avec). ♦ ***Agree to differ,*** s'en tenir chacun à son opinion; ***differ from somebody,*** n'être pas du même avis que quelqu'un; ***I beg to differ,*** je ne partage pas votre façon de voir.

⚠ **difference** ['dɪfrəns] *n.* différence, divergence. ***Difference in price,*** écart de prix; ***split the difference,*** couper la poire en deux; ***that makes all the difference,*** voilà qui change tout; ***he is a teacher but with a difference,*** c'est un enseignant mais pas comme les autres. **2.** différend. ***Have a difference with somebody about something,*** être en désaccord avec quelqu'un au sujet de quelque chose; ***settle a difference,*** régler un litige.

differentiate [ˌdɪfə'renʃɪeɪt] *v. t. et intr.* (se) différencier. ***I can't differentiate (between) those two vintages,*** je n'arrive pas à distinguer ces deux crus.

difficult ['dɪfɪkəlt] *adj.* **1.** difficile, ardu. **2.** peu commode (personne). ***She's difficult to get on with,*** elle est difficile à vivre.

▷ **difficulty** ['dɪfɪkəltɪ] *n.* difficulté. ***I have difficulty in understanding him,*** j'ai du mal à le comprendre. **2.** (*pl.* **-ies**) embarras. ***We're having difficulties,*** nous avons des ennuis. **3.** (*pl.* **-ies**) obstacle. ***Raise difficulties,*** soulever des objections.

diffidence ['dɪfɪdəns] *n.* manque de confiance, d'assurance (en soi).

diffident ['dɪfɪdənt] *adj.* qui manque de confiance en soi. ***Diffident tone,*** ton hésitant.

diffuse [dɪ'fjuːs] *adj.* **1.** diffus. **2.** *(péj.)* prolixe (style). *v.t.* [dɪ'fjuːz] diffuser (la lumière), répandre (des nouvelles...). *v. intr.* se diffuser (pour un gaz).

dig [dɪg] *v. t. et intr. irr.* (*p.* **dug,** *p.p.* **dug**) **1.** creuser, bêcher, faire des fouilles. **2.** *(fig.)* ***He often digs at me,*** il me lance souvent des pointes. **3.** *(fam.)* loger en garni. **4.** *(argot)* piger. ***I don't dig abstract painting,*** je ne pige rien à la peinture abstraite. *n.* **1.** coup de bêche; *(Tech.)* fouilles. ***Go on a dig,*** faire des fouilles. **2.** *(fam.)* coup. ***A dig in the ribs,*** un coup de coude dans les côtes; *(fig.)* coup de patte. ***It's a dig at him,*** c'est une pierre dans son jardin.

▷ **digest** ['daɪdʒest] *n.* **1.** sommaire, abrégé; recueil (de lois). **2.** condensé, digest. *v.t. et intr.* [daɪ'dʒest] digérer.

dig in *v. part. t. et intr.* **1.** *(Mil.)* se creuser un abri. **2.** *(Agric.)* ***Dig in manure,*** incorporer du fumier. ♦ *(fig.)* ***Dig oneself in,*** s'incruster; ***dig one's heels in,*** s'entêter, se braquer.

digit ['dɪdʒɪt] *n.* **1.** chiffre de 0 à 9 (*cf.* **figure**). **2.** *(Anat.)* doigt, orteil.

dignified ['dɪgnɪfaɪd] *adj.* digne, plein de dignité.

▷ **dignity** ['dɪgnɪtɪ] *n.* **1.** dignité. ***Stand on one's dignity,*** garder ses distances. **2.** dignité, haut rang.

digress [daɪ'gres] *v. intr.* faire une digression. ***Digress from the subject,*** s'écarter du sujet.

digs [dɪgz] *n. (fam.)* chambre meublée, piaule.

dike [daɪk] (aussi **dyke**) *n.* **1.** digue,

chaussée. **2.** fossé, chenal. *v. t.* **1.** endiguer. **2.** protéger (un terrain) par des digues ; drainer par des fossés.

⚠ **dilapidated** [dɪ'læpɪdeɪtɪd] *adj.* delabré (bâtiment, voiture...).

dilate [daɪ'leɪt] *v. t. et intr.* **1.** (se) dilater. **2.** *(fig.) **Dilate on a topic,*** s'étendre sur un sujet.

dilatory ['dɪlətrɪ] *adj.* **1.** lent (personne) ; tardif (action). **2.** *(Jur.)* dilatoire.

⚠ **dilemma** [dɪ'lemə ; daɪ'lemə] *n.* dilemme. ♦ ***Be in a dilemma,*** être fort embarrassé ; ***be on the horns of a dilemma,*** être enfermé dans un dilemne.

dillydally ['dɪlɪ,dælɪ] *v. intr. (fam.)* **1.** lambiner. **2.** tergiverser.

dilute [daɪ'lu:t] *adj.* dilué, étendu (acide, peinture...). *v. t.* **1.** diluer, étendre (un acide...). **2.** couper (d'eau...). **3.** *(fig.)* atténuer l'effet (d'un discours...).

dim [dɪm] *adj.* **1.** faible (lumière). **2.** indistinct (contours...). **3.** trouble (vue). **4.** stupide. ♦ *(fam.)* ***Take a dim view of something,*** avoir une piètre opinion de quelque chose.
v.t. et intr. **1.** réduire. *(Th.)* ***Dim the lights,*** baisser les lumières. **2.** estomper (les contours). **3.** obscurcir ; se troubler (pour la vue). **4.** affaiblir (l'intelligence).

diminish [dɪ'mɪnɪʃ] *v.t. et intr.* diminuer, décroître.

dimple ['dɪmpl] *n.* **1.** *(Anat.)* fossette. **2.** ride (sur l'eau).

dimwitted [,dɪm'wɪtɪd] *adj.* stupide, idiot.

din [dɪn] *n.* tapage. *(fam.)* ***Kick up a din,*** faire un boucan de tous les diables.
v.t. et intr., assourdir, casser les oreilles (à). ***It dins in my ears,*** j'en suis tout étourdi.

dine [daɪn] *v.t.* offrir un dîner à. *v. intr.* dîner. ♦ ***Dining car,*** voiture-restaurant ; ***dining room,*** salle à manger.

⚠ **diner** ['daɪnə] *n.* **1.** dîneur. **2.** *(amér.)* petit restaurant (en bordure de route). **3.** *(amér.)* voiture-restaurant (cf. **dining car**).

▷ **dinghy** ['dɪŋgɪ] *n.* *(Naut.)* dinghy, youyou.

dingy ['dɪŋdʒɪ] *adj.* **1.** défraîchi, terne. ***Dingy white,*** d'un blanc douteux. **2.** qui ne paie pas de mine, sale. ***Dingy room,*** chambre d'une propreté douteuse.

▷ **dinner** ['dɪnə] *n.* **1.** dîner. **2.** ***Dinner (party),*** dîner (sur invitation). ♦ ***Dinner jacket,*** smoking. (*amér.* **tuxedo**).

dint [dɪnt] *n. (lit.)* ***By dint of hard work,*** à force de labeur.

dioxide [daɪ'ɒksaɪd] *n.* *(Sc.)* bioxyde. ***Carbon dioxide,*** bioxyde de carbone.

dip [dɪp] *n.* **1.** *(fam.)* baignade. ***I'm going for a dip,*** je vais faire trempette. **2.** *(Tech.)* bain parasiticide pour moutons. **3.** *(Cuis.)* sauce (pour légumes crus,...). **4.** déclivité.
v.t. **1.** plonger dans un liquide. **2.** baisser brusquement. *(Aut.)* ***Dip the headlights,*** se mettre en code. *v. intr.* **1.** s'abaisser (pour le sol, le soleil,...). **2.** *(fig.)* se plonger dans (le passé, un sujet,...).

dipstick ['dɪp,stɪk] *n.* *(Aut.)* jauge.

dire [daɪə] *adj.* *(lit.)* terrible. ♦ ***Be in dire need of food,*** avoir absolument besoin de nourriture ; ***in dire distress,*** dans la misère noire.

direct [dɪ'rekt, daɪ'rekt] *adj.* direct. *adv.* directement.
v.t. **1.** orienter. ***Can you direct me to the post-office?*** pouvez-vous m'indiquer le chemin de la poste ? ***may I direct your attention to it?*** puis-je attirer votre attention là-dessus ? **2.** diriger (un travail, le tournage d'un film,...). **3.** ordonner. ***A policeman directs the traffic,*** un agent contrôle la circulation ; ***as directed,*** selon les instructions données. **4.** adresser (une lettre, des observations...). **5.** influencer.

⚠ **direction** [dɪ'rekʃn, daɪ'rekʃn] *n.* **1.** contrôle, administration. **2.** direction. ***In the opposite direction,*** en sens inverse ; ***sense of direction,*** sens de l'orientation. **3.** *(pl.)* instructions. ***Directions (for use),*** notice, mode d'emploi ; *(Th.)* ***stage directions,*** indications scéniques.

⚠ **directly** [dɪ'rektlɪ, daɪ'rektlɪ] *adv.* **1.** directement. ***Go directly to the point,*** aller droit au but. **2.** tout de suite. **3.** dans un moment. *conj.* aussitôt que. ***I'll come directly I've finished my work,*** je viendrai dès que j'aurai fini mon travail.

directness [dɪ'rektnɪs, daɪ'rektnɪs] *n.* **1.** franchise. **2.** manière directe (sans détours).

△ **director** [dɪ'rektə, daɪ'rektə] *n.* **1.** directeur, gérant, administrateur. ***Board of directors,*** conseil d'administration. **2.** *(Ciné. Th.)* metteur en scène; *(Ciné. T.V.)* réalisateur.

directory [daɪ'rektrɪ, dɪ'rektrɪ] *n.* répertoire d'adresses, de rues; *(Téléph.)* annuaire, bottin.

dirt [dɜ:t] *n.* **1.** saleté, crasse. ***Dog dirt,*** crotte (de chien); ***it shows dirt,*** c'est salissant. **2.** terre. *(amér.)* ***Dirt farmer,*** exploitant agricole; *(Sp.)* ***dirt track,*** piste en cendrée. **3.** obscénités, pornographie. **4.** *(fam.)* calomnies. ***Spread dirt,*** colporter des cancans; ***throw dirt at somebody,*** traîner quelqu'un dans la boue. ♦ ***I got it dirt cheap,*** je l'ai eu pour rien; ***he treated me like dirt,*** il m'a traité comme le dernier des derniers.

dirty ['dɜ:tɪ] *adj.* **1.** sale, crasseux. **2.** salissant; **3.** ***Dirty books,*** livres porno; ***dirty stories,*** cochonneries. **4.** désagréable. ***Dirty trick,*** sale tour; ***dirty weather,*** vilain temps. **5.** *(Tech.)* ***Dirty A-bomb,*** bombe atomique à retombées importantes. ♦ *(fam.)* ***Do the dirty on somebody,*** jouer un tour de cochon à quelqu'un; ***he gave me a dirty look,*** il m'a regardé d'un sale œil.
v.t. **1.** salir, crotter. **2.** *(Tech.)* contaminer par des retombées radioactives. *v. intr.* être salissant (tissu).

disability [,dɪsə'bɪlɪtɪ] *n.* incapacité. ***Disability pension,*** pension d'invalidité.

disable [dɪs'eɪbl] *v.t.* **1.** estropier (quelqu'un), mutiler. **2.** *(Jur.)* frapper d'incapacité légale.

disabled [dɪs'eɪbld] *adj.* infirme. *(Mil.)* ***Disabled ex-serviceman,*** mutilé de guerre; ***the disabled,*** les mutilés.

disadvantage [,dɪsəd'vɑ:ntɪdʒ] *n.* inconvénient. ♦ ***Be at a disadvantage,*** être désavantagé.

△ **disaffected** [,dɪsə'fektɪd] *adj.* *(Polit.)* mal disposé (envers), mécontent (de).

disafforest [,dɪsə'fɒrɪst] *v.t.* déboiser (aussi **disforest,** *amér.* **deforest**).

disagree [,dɪsə'gri:] *v. intr.* **1.** ne pas être d'accord (avec). **2.** se brouiller (avec quelqu'un). **3.** ne pas concorder. **4.** ne pas convenir. ***The climate disagrees with her,*** elle ne supporte pas le climat.

▷ **disagreeable** [,dɪsə'gri:əbl] *adj.* **1.** désagréable. ***Disagreeable accident,*** accident fâcheux. **2.** déplaisant, désobligeant.

△ **disagreement** [,dɪsə'gri:mənt] *n.* **1.** désaccord. ***They are in disagreement about it,*** ils ne sont pas d'accord là-dessus. **2.** brouille. **3.** discordance (entre deux affirmations).

disappear [,dɪsə'pɪə] *v. intr.* **1.** disparaître. **2.** cesser d'exister.

disappearance [,dɪsə'pɪərəns] *n.* disparition.

disappoint [,dɪsə'pɔɪnt] *v.t.* **1.** décevoir. ***She's disappointed with him,*** il l'a déçue. **2.** tromper (l'attente, les espérances... de).

disappointed [,dɪsə'pɔɪntɪd] *adj.* déçu.

disappointment [,dɪsə'pɔɪntmənt] *n.* déception, déboire. ♦ ***Disappointment in love,*** chagrin d'amour.

disapproval [,dɪsə'pru:vl] *n.* désapprobation.

▷ **disapprove** [,dɪsə'pru:v] *v.t.* désapprouver. *v. intr.* être contre. ***He disapproves of his daughter going out at night,*** il trouve à redire que sa fille sorte le soir.

▷ **disaster** [dɪ'zɑ:stə] *n.* désastre, catastrophe. ***Disaster area,*** zone de sinistre.

disband [dɪs'bænd] *v.t.* licencier (des troupes); dissoudre (une organisation). *v. intr.* **1.** *(Mil.)* se débander. **2.** être dissous.

disbelieve [dɪsbɪ'li:v] *v.t. intr.* refuser de croire (à).

discard [dɪs'kɑ:d] *v.t.* **1.** laisser de côté, mettre au rebut. **2.** se défausser de (une carte). *v. intr.* se défausser.

discharge [dɪs'tʃɑ:dʒ] *v.t. et intr.* **1.** décharger, débarquer. **2.** déverser (un liquide); émettre (un gaz); se déverser. **3.** libérer (un prisonnier, un malade...). **4.** congédier. **5.** accomplir (un devoir). **6.** acquitter (une dette). **7.** lancer (un projectile). **8.** *(Méd.)* suppurer. **9.** *(Élec.)* décharger (une batterie). **10.** *(Jur.)* annuler (un arrêt).
n. **1.** déchargement, débarquement. **2.** déversement, dégagement. **3.** sor-

tie (d'un malade...). **4.** renvoi. **5.** accomplissement (d'un devoir). **6.** acquittement (d'une dette). **7.** décharge (d'arme à feu). **8.** *(Méd.)* suppuration. **9.** *(Élec.)* décharge.

disciplinarian [ˌdɪsɪplɪˈneərɪən] *n.* partisan d'une stricte discipline.

disc-jockey [ˈdɪskˌdʒɒkɪ] *n.* *(Radio, T.V.)* présentateur de disques.

disclaim [dɪsˈkleɪm] *v.t.* refuser d'admettre (un droit); désavouer.

disclose [dɪsˈkləʊz] *v.t.* **1.** laisser apercevoir, révéler. **2.** *(fig.)* divulguer (un secret).

disclosure [dɪsˈkləʊʒə] *n.* **1.** révélation. **2.** *(fig.)* divulgation.

discolour [dɪsˈkʌlə] (*amér.* **discolor**) *v.t.* *(péj.)* décolorer. ***Discoloured teeth,*** des dents jaunies. *v. intr.* se décolorer, se ternir.

discomfort [dɪsˈkʌmfət] *n.* **1.** manque de confort. **2.** gêne, malaise. **3.** inconvénients (matériels).

disconnect [ˌdɪskəˈnekt] *v.t.* **1.** *(Tech.)* disjoindre, désaccoupler. **2.** *(Téléph.)* débrancher. ***We've been disconnected,*** on a coupé la communication.

disconsolate [dɪsˈkɒnsəlɪt] *adj.* inconsolable.

discontent [ˌdɪskənˈtent] *n.* **1.** mécontentement. **2.** grief.

discontinue [ˌdɪskənˈtɪnjuː] *v.t. et intr.* cesser, s'interrompre. ***Discontinue a subscription,*** suspendre un abonnement.

discord [ˈdɪskɔːd] *n.* **1.** désaccord, désunion. **2.** *(Mus.)* dissonance.

discount [ˈdɪskaʊnt] *n.* *(Comm.)* remise, ristourne. ***At a discount,*** au rabais; ***give discount for cash,*** faire un escompte au comptant; *(fig.)* ***honesty is at a discount today,*** on fait peu de cas de l'honnêteté de nos jours.
v.t. [dɪsˈkaʊnt] **1.** *(Fin.)* escompter. **2.** ne pas tenir compte de. ***You must discount half of what she says,*** il y a à prendre et à laisser dans ce qu'elle dit.

discourage [dɪsˈkʌrɪdʒ] *v.t.* **1.** décourager (quelqu'un). ***He discouraged his son from joining the army,*** il a dissuadé son fils de s'engager. **2.** rebuter.

▻ **discover** [dɪsˈkʌvə] *v.t.* **1.** découvrir. **2.** se rendre compte de.

discovery [dɪsˈkʌvrɪ] *n.* découverte.

⚠ **discreet** [dɪsˈkriːt] *adj.* **1.** discret. **2.** avisé, prudent.

discrepancy [dɪsˈkrepənsɪ] *n.* différence, écart, divergence. ***There's a discrepancy in our accounts,*** nos comptes ne tombent pas juste.

⚠ **discrete** [dɪsˈkriːt] *adj.* **1.** discontinu. **2.** *(Math.)* discret.

⚠ **discretion** [dɪsˈkreʃn] *n.* discrétion, réserve. **2.** sagesse, jugement. ***At the age of discretion,*** à l'âge de raison. **3.** liberté d'action. ***Use your own discretion,*** faites comme bon vous semblera.

discriminate [dɪsˈkrɪmɪneɪt] *v.t. et intr.* distinguer, faire la différence. ♦ *(péj.)* ***Discriminate against somebody,*** défavoriser quelqu'un.

discus [ˈdɪskəs] *n.* *(Sp.)* disque.

discuss [dɪsˈkʌs] *v.t.* discuter, débattre.

disdain [dɪsˈdeɪn] *n.* dédain. *v.t.* dédaigner.

disease [dɪˈziːz] *n.* **1.** maladie. **2.** *(fig.)* mal, désordre. ***Diseases of the mind,*** dérèglements de l'esprit.

disembark [ˌdɪsɪmˈbɑːk] *v.t. et intr.* débarquer (aussi **debark**).

▻ **disfigure** [dɪsˈfɪgə] *v.t.* défigurer.

⚠ **disgrace** [dɪsˈgreɪs] *n.* **1.** défaveur. ***Be in disgrace,*** être en disgrâce. **2.** honte. ***He brought disgrace on his family,*** il a déshonoré sa famille.
v.t. **1.** disgracier. **2.** déshonorer. ***He disgraced himself,*** il s'est couvert de honte.

disgruntled [dɪsˈgrʌntld] *adj.* contrarié, de méchante humeur.

disguise [dɪsˈgaɪz] *n.* **1.** déguisement. ***In disguise,*** déguisé. **2.** *(fig.)* fausse apparence. ***Under the disguise of charity,*** sous le masque de la charité.
v.t. **1.** déguiser. ***Disguise oneself,*** se déguiser. **2.** *(fig.)* farder (la vérité...) ***Disguise one's feelings,*** dissimuler ses sentiments.

▻ **disgust** [dɪsˈgʌst] *n.* **1.** dégoût, aversion. **2.** écœurement. *v.t.* **1.** dégoûter. **2.** écœurer, révolter. ***Be disgusted at something,*** être indigné par quelque chose.

dish [dɪʃ] *n.* **1.** plat. ***Dish rack,*** égouttoir; ***wash the dishes,*** faire la vaisselle. **2.** *(Cuis.)* plat, mets. **3.** *(argot)* fille bien roulée. *v.t.* *(fam.)* enfoncer,

achever (quelqu'un).
dishearten [dɪs'hɑ:tn] *v.t.* décourager.
dishevelled [dɪ'ʃevld] *adj.* **1.** échevelé, ébouriffé. **2.** débraillé.
dishonest [dɪs'ɒnɪst] *adj.* **1.** malhonnête, indélicat. **2.** déloyal.
dish out *v.t. part. (fam.)* distribuer (documents, conseils...).
dish up *v. part. t. et intr.* **1.** servir (de la nourriture). **2.** *(fig., fam.)* ***He dished up a lot of excuses,*** il a donné tout un tas d'excuses.
dishwasher ['dɪʃ,wɒʃə] *n.* **1.** plongeur (de restaurant). **2.** lave-vaisselle.
disillusion [,dɪsɪ'lu:ʒn] *v.t.* désillusionner, désabuser.
disillusionment [,dɪsɪ'lu:ʒnmənt] *n.* désillusion, désenchantement.
disincentive [,dɪsɪn'sentɪv] *n.* source (ou facteur) de découragement. (≠ **incentive**). ***Taxes are a disincentive to investments,*** les impôts ne favorisent pas les investissements.
disinclination [,dɪsɪnklɪ'neɪʃn] *n.* répugnance. ***He has some disinclination for work,*** il éprouve une certaine aversion pour le travail.
disinherit [,dɪsɪn'herɪt] *v.t.* déshériter.
disinter [,dɪsɪn'tɜ:] *v.t.* déterrer.
▻ **disinterested** [dɪs'ɪntrɪstɪd] *adj.* désintéressé.
disjointed [dɪs'dʒɔɪntɪd] *adj.* décousu, incohérent (discours, propos...).
dislike [dɪs'laɪk] *n.* antipathie, répugnance. ♦ ***Take a dislike to somebody,*** prendre quelqu'un en grippe. *v.t.* ne pas aimer, détester. ***He dislikes getting up early,*** il a horreur de se lever tôt.
dislodge [dɪs'lɒdʒ] *v.t.* détacher, déloger, débusquer.
dismal ['dɪsml] *adj.* lugubre. ***Dismal weather,*** temps maussade.
dismantle [dɪs'mæntl] *v.t.* **1.** démonter (une machine). **2.** démanteler.
dismay [dɪs'meɪ] *n.* consternation, effroi. ***In dismay,*** consterné ; ***the unexpected news struck them with dismay,*** ils ont été atterrés par cette nouvelle inattendue. *v.t.* consterner, épouvanter.
dismiss [dɪs'mɪs] *v.t.* **1.** renvoyer, révoquer. **2.** donner la permission de partir. **3.** *(fig.)* éloigner, chasser. ***Dismiss something from one's thoughts,*** chasser quelque chose de ses pensées ; ***let's dismiss the subject,*** n'en parlons plus. **4.** *(Jur.)* ***Dismiss a case,*** classer une affaire, rendre une ordonnance de non-lieu. **5.** *(Cricket)* mettre hors jeu.
dismissal [dɪs'mɪsl] *n.* **1.** renvoi, révocation. **2.** *(Jur.)* rejet, acquittement.
dismount [dɪs'maʊnt] *v. intr.* descendre de cheval. *v.t.* **1.** désarçonner (un cavalier). **2.** démonter (un canon...).
disobedience [,dɪsə'bi:dɪəns] *n.* désobéissance.
disobedient [,dɪsə'bi:dɪent] *adj.* désobéissant.
disobey [,dɪsə'beɪ] *v. t.* désobéir à. ***He always disobeys his parents,*** il ne cesse de désobéir à ses parents.
▻ **disorder** [dɪs'ɔ:də] *n.* désordre, confusion. **2.** désordre, trouble. **3.** *(Méd.)* affection, troubles.
disordered [dɪs'ɔ:dɪd] *adj. (Méd.)* dérangé (estomac, esprit...).
disorderly [dɪs'ɔ:dəlɪ] *adj.* **1.** en désordre (chambre). **2.** tumultueux (foule). **3.** déréglé (vie...).
disown [dɪs'əʊn] *v.t.* désavouer, renier. *(Jur.)* ***Disown a child,*** refuser de reconnaître la paternité d'un enfant.
disparage [dɪs'pærɪdʒ] *v.t.* dénigrer.
dispassionate [dɪs'pæʃnɪt] *adj.* **1.** sans passion, calme. **2.** impartial.
dispatch [dɪs'pætʃ] *n.* **1.** expédition, envoi. **2.** dépêche. **3.** *(lit.)* promptitude, célérité. ***With the utmost dispatch,*** au plus vite. *v.t.* **1.** expédier. **2.** avaler à la hâte, expédier. **3.** achever (un animal) ; liquider (quelqu'un).
dispel [dɪs'pel] *v.t.* chasser, dissiper (le brouillard, des craintes...).
dispensable [dɪs'pensɪbl] *adj.* superflu.
dispensary [dɪs'pensrɪ] *n.* **1.** *(Méd.)* dispensaire. **2.** pharmacie.
dispensation [,dɪspən'seɪʃn] *n.* **1.** distribution. **2.** providence. **3.** *(Rel.)* dispense.
dispense [dɪs'pens] *v.t. et intr.* **1.** distribuer. **2.** préparer (des médicaments). ***Dispensing chemist,*** pharmacien. **3.** ***Dispense with,*** se passer de, rendre superflu. **4.** *(Rel.)* accorder une dispense à.
dispersal [dɪs'pɜ:sl] *n.* dispersion.

▻ **disperse** [dɪs'pɜːs] *v.t. et intr.* **1.** (se) disperser. **2.** éparpiller.

displace [dɪs'pleɪs] *v.t.* **1.** déplacer. ***Displaced persons,*** personnes déplacées. **2.** évincer (quelqu'un).

displacement [dɪs'pleɪsmənt] *n.* **1.** déplacement. **2.** *(Naut.)* déplacement, poids (d'un navire).

display [dɪs'pleɪ] *n.* **1.** étalage, exposition. ***Display of force,*** déploiement de force ; ***on display,*** exposé. **2.** démonstration.
v.t. étaler, exposer. *(fig.)* ***Display one's feelings,*** manifester ses sentiments.

displeased [dɪs'pliːzd] *adj.* mécontent, contrarié.

disposable [dɪs'pəʊzəbl] *adj.* **1.** *(Fin.)* disponible. **2.** qui ne sert qu'une fois, jetable. ***Disposable nappies,*** couches à jeter.

disposal [dɪs'pəʊzl] *n.* **1.** disposition. ***I'm at your disposal,*** je suis à votre disposition (aussi **disposition**). **2.** mise au rebut ; évacuation, décharge (des ordures...) ; enlèvement (des bombes non éclatées). ***Bomb disposal squad,*** équipe de déminage ; ***waste disposal unit,*** broyeur à ordures. **3.** cession, vente.

⚠ **dispose** [dɪs'pəʊz] *v.t. et intr.* **1.** disposer, arranger. **2.** ***Dispose of,*** se débarrasser de, mettre au rebut ; *(Comm.)* écouler (des marchandises) ; régler (une affaire).

⚠ **disposition** [ˌdɪspə'zɪʃn] *n.* **1.** disposition, arrangement. **2.** naturel. ***He's of a kindly disposition,*** il a un bon fond. **3.** penchant, prédisposition. **4.** disposition (cf. **disposal**).

dispossess [ˌdɪspə'zes] *v.t.* déposséder, exproprier.

disprove [dɪs'pruːv] *v.t.* démontrer la fausseté de ; réfuter.

⚠ **dispute** [dɪs'pjuːt] *n.* **1.** discussion, contestation. **2.** querelle, litige. ♦ ***Beyond dispute,*** incontestable ; ***industrial dispute,*** conflit social ; ***without dispute,*** sans contredit.
v.t. **1.** contester, débattre de. **2.** disputer la possession de.

⚠ **disqualify** [dɪs'kwɒlɪfaɪ] *v.t.* **1.** rendre inapte à. **2.** *(Jur.)* frapper d'incapacité. ***His weak eyesight disqualified him from driving,*** à cause de la faiblesse de sa vue, on lui a retiré le permis. **3.** *(Sp.)* disqualifier.

disquiet [dɪs'kwaɪət] *n.* inquiétude. *v.t.* inquiéter, troubler.

disregard [ˌdɪsrɪ'gɑːd] *n.* **1.** indifférence, insouciance. **2.** négligence, irrespect. ♦ ***Disregard of the law,*** inobservation de la loi. *v.t.* **1.** faire peu de cas de. **2.** négliger. ***Disregard an order,*** enfreindre un ordre.

disreputable [dɪs'repjʊtəbl] *adj.* **1.** peu recommandable. **2.** *(fig.)* minable (habits).

disrupt [dɪs'rʌpt] *v.t.* désorganiser, perturber.

disruption [dɪs'rʌpʃn] *n.* perturbation, interruption.

disruptive [dɪs'rʌptɪv] *adj.* perturbateur, néfaste.

dissatisfied [dɪ'sætɪsfaɪd] *adj.* mécontent, insatisfait.

dissect [dɪ'sekt, daɪ'sekt] *v.t.* **1.** disséquer. **2.** *(fig.)* éplucher (un ouvrage, un article).

dissemble [dɪ'sembl] *v.t. et intr.* dissimuler (ses sentiments...).

dissent [dɪ'sent] *n.* désaccord, avis contraire. *v. intr.* être en désaccord. ***I dissent from such an opinion,*** je ne suis pas de cet avis.

dissenter [dɪ'sentə] *n.* **1.** dissident. **2.** *(Rel.)* non-conformiste (n'appartenant pas à l'Église anglicane).

disservice [dɪ'sɜːvɪs] *n.* mauvais service. ***Do somebody a disservice,*** desservir quelqu'un.

dissimilar [dɪ'sɪmɪlə] *adj.* dissemblable, différent.

dissipate ['dɪsɪpeɪt] *v.t. et intr.* **1.** dissiper (de la fumée, des nuages...) ; se dissiper. **2.** gaspiller (une fortune). **3.** *(Tech.)* dégrader (de l'énergie) ; se dégrader.

dissipated ['dɪsɪpeɪtɪd] *adj.* dissipé, débauché (vie, personne...).

▻ **dissolute** ['dɪsəluːt] *adj.* dissolu, débauché (vie, personne...).

dissolve [dɪ'zɒlv] *v.t.* **1.** (faire) dissoudre, (faire) fondre. **2.** dissiper (un nuage, des illusions...). **3.** dissoudre (un mariage, des illusions...). *v. intr.* **1.** se dissoudre, fondre. **2.** *(Polit.)* se dissoudre. **3.** se séparer, se disperser.

n. (Ciné.) fondu.

▷**dissuade** [dɪ'sweɪd] *v.t.* dissuader. ***He dissuaded his daughter from marrying her boyfriend,*** il a persuadé sa fille de ne pas épouser son petit ami.

distance ['dɪstəns] *n.* **1.** distance. ***In the distance,*** au loin. **2.** *(fig.)* distance. ***Keep somebody at a distance,*** se tenir à distance de quelqu'un; *(fig.)* ***will he go the distance?*** est-ce qu'il tiendra jusqu'au bout?
v.t. distancer (un concurrent).

distaste [dɪs'teɪst] *n.* dégoût, répugnance.

distend [dɪs'tend] *v.t. et intr.* (se) dilater, (se) distendre.

distinguish [dɪs'tɪŋgwɪʃ] *v.t. et intr.* **1.** distinguer, discerner. **2.** faire une distinction. **3.** ***He distinguished himself,*** il s'est distingué.

distort [dɪs'tɔ:t] *v.t.* **1.** déformer, défigurer. **2.** *(fig.)* altérer, dénaturer (un texte, des faits, des propos...). **3.** *(Tech.)* déformer (une réception radiophonique, un champ visuel...); dévier (un champ magnétique).

distract [dɪs'trækt] *v.t.* distraire, détourner (l'esprit, l'attention...). ***Don't distract him from working,*** ne le dérange pas dans son travail.

distracted [dɪs'træktɪd] *adj.* affolé, éperdu. ***She was quite distracted,*** elle était dans tous ses états.

⚠**distraction** [dɪs'trækʃn] *n.* **1.** distraction, divertissement. **2.** affolement. ***Drive somebody to distraction,*** faire perdre la tête à quelqu'un; ***he loves his wife to distraction,*** il aime sa femme à la folie.

▷**distress** [dɪ'stres] *n.* **1.** détresse, affliction. **2.** misère, gêne. **3.** *(Naut.)* ***Ship in distress,*** navire en détresse.
v.t. affliger, peiner.

distribute [dɪ'strɪbju:t] *v.t.* **1.** distribuer, répartir. **2.** éparpiller. **3.** *(Comm.)* être le concessionnaire de.

⚠**district** ['dɪstrɪkt] *n.* **1.** région, territoire, district. **2.** quartier.

distrust [dɪs'trʌst] *n.* méfiance, défiance. *v.t.* se méfier de, se défier de. ***He distrusted his own eyes,*** il n'en croyait pas ses yeux.

distrustful [dɪs'trʌstfəl] *adj.* méfiant, soupçonneux.

disturb [dɪs'tɜ:b] *v.t.* **1.** troubler, agiter. **2.** déranger. ***Please, do not disturb,*** prière de ne pas déranger. **3.** inquiéter.

disturbance [dɪs'tɜ:bns] *n.* trouble, agitation. ***Cause a disturbance,*** troubler l'ordre public; ***political disturbances,*** troubles politiques, soulèvement.

disused [dɪs'ju:zd] *adj.* désaffecté, hors d'usage. ***Disused mine,*** mine abandonnée.

ditch [dɪtʃ] *n.* fossé, rigole. *v.t. (argot)* plaquer (quelqu'un); mettre au rancart (quelque chose).

dive [daɪv] *v. intr.* **1.** plonger, faire un plongeon. **2.** *(Naut.)* plonger; *(Av.)* piquer. **4.** ***Dive into one's pocket,*** fouiller dans sa poche.
n. **1.** plongeon. **2.** *(Naut.)* plongée; *(Av.)* piqué. ***Dive bombing,*** bombardement en piqué. **3.** course précipitée. ***He made a dive for the shelter,*** il s'est rué vers l'abri. **4.** *(fam.)* tripot.

⚠**diversion** [daɪ'vɜ:ʃn, dɪ'vɜ:ʃn] *n.* **1.** déviation, détournement. **2.** diversion. ***Create a diversion,*** faire diversion. **3.** distraction, divertissement.

divert [daɪ'vɜ:t, dɪ'vɜ:t] **1.** dévier, détourner (un cours d'eau...). **2.** distraire (l'attention); détourner (la conversation). **3.** divertir.

divest [daɪ'vest, dɪ'vest] *v.t.* **1.** *(lit.)* dévêtir (quelqu'un). **2.** *(fig.)* dépouiller (de son autorité).

divide [dɪ'vaɪd] *v.t.* **1.** diviser, partager, morceler. **2.** opposer. **3.** *(G.B.)* faire voter (la Chambre). *v. intr.* **1.** se diviser (sur une question). **2.** *(G.B.)* procéder à un scrutin (à la Chambre).
n. (Géog.) ligne de partage des eaux.

⚠**divine**[1] [dɪ'vaɪn] *adj.* **1.** divin. **2.** *(fam.)* adorable (toilette...). *n. (vx.)* théologien.

divine[2] [dɪ'vaɪn] *v.t. et intr.* **1.** présager, pressentir. **2.** trouver par radiesthésie.

diviner [dɪ'vaɪnə] *n.* sourcier, radiesthésiste.

divingboard ['daɪvɪŋbɔ:d] *n.* plongeoir, tremplin.

▷**divulge** [daɪ'vʌldʒ, dɪ'vʌldʒ] *v.t.* divulguer.

dizzy ['dɪzɪ] *adj.* pris d'étourdissement. ***Feel dizzy,*** avoir le vertige.

do[1] [du:] *v. aux irr. (3ᵉ pers. sing.* **does,**

p. **did***)* **1.** (Conjugaison interrogative, négative et interro-négative.) ***Do you speak English? – No I don't,*** parlez-vous anglais? – Non; ***don't you think it looks like rain?*** ne croyez-vous pas qu'il va pleuvoir? **2.** (Impératif négatif.) ***Don't be silly!*** ne soyez pas stupide! **3.** (Forme d'insistance.) ***I do like cakes,*** j'aime vraiment les gâteaux. **4.** (Demande de confirmation = n'est-ce pas?) ***He doesn't work very hard, does he?*** il ne travaille pas beaucoup, n'est-ce pas? ***your children enjoyed the film, didn't they?*** vos enfants ont bien aimé le film, n'est-ce pas? **5.** (Remplacement d'un verbe déjà exprimé.) ***I like watching T.V. – so do I,*** j'aime regarder la télé – moi aussi; ***she said so, did she?*** elle a dit ça, vraiment? **6.** (Construction interrogative avec négation, semi-négation en tête de phrase.) ***Not only does he smoke but he is a confirmed drunkard,*** il ne se contente pas de fumer, mais c'est un ivrogne invétéré.

do² [du:] *v.t. irr.* (*3ᵉ pers. sing.* **does,** *p.* **did** *p.p.* **done**). **1.** faire, être occupé à. ***What are you doing?*** que fais-tu? ***what's to be done?*** que faire? ***what do you do for a living?*** qu'est-ce que vous faites dans la vie? ***will you be doing medecine?*** est-ce que tu feras ta médecine? **2.** nettoyer, arranger. ***Do the housework, a room,*** faire le ménage, une chambre; ***do the dishes,*** faire la vaisselle; ***do one's teeth,*** se laver les dents; ***do one's hair,*** se peigner. **3.** préparer, cuisiner, servir. ***Do the cooking,*** faire la cuisine; ***how do you like your steak done?*** comment préférez-vous votre bifteck? ***the barber will do you next,*** le coiffeur va vous prendre ensuite; *(fam.)* ***this landlady does her lodgers proud,*** cette patronne de pension de famille est aux petits soins avec ses pensionnaires. **4.** *(Ens.)* faire, résoudre (un problème...). ***Do sums,*** faire du calcul. **5.** *(fam.)* faire, visiter (un lieu, un musée...). **6.** *(Th.)* jouer, représenter. **7.** *(fam.)* punir. ***Don't be naughty, or I'll do you,*** sois sage, ou tu vas écoper. **8.** *(fam.)* duper. ***He has already done me out of £ 10,*** il m'a déjà refait de 10 livres. ♦ ***Do it yourself,*** bricolage; ***do what we might,*** malgré tous nos efforts; ***he has been hard done by,*** on l'a durement traité; *(fam.)* ***I'm done in,*** je n'en peux plus; ***it's as good as done,*** c'est comme si c'était fait; *(fam.)* ***I've been done (in the eye),*** j'ai été refait; *(fam.)* ***that's done it!*** ça c'est le bouquet!

v. intr. irr. **1.** agir, se comporter. ***Do as you would be done by,*** ne faites pas aux autres ce que vous ne voudriez pas qu'on vous fasse. **2.** aller (bien ou mal), progresser. ***How do you do?*** enchanté de faire votre connaissance; *(amér.)* ***how are you doing?*** ça va bien? *(Méd.)* ***the patient is doing very well,*** le malade se remet bien. **3.** convenir. ***You'll have to make do with £ 20,*** vous devez vous débrouiller avec 20 livres. **4.** finir. ***Have you done with that book?*** en avez-vous terminé avec ce livre? **5.** faire le ménage. ***The doorkeeper's wife does for me,*** c'est la femme du concierge qui me tient la maison. **6.** avoir lieu. **4.** ***There's nothing doing on Sunday in a Scottish town,*** il ne se passe rien le dimanche dans une ville écossaise. ♦ ***Be up and doing,*** être debout et s'activer; ***do away with something,*** supprimer quelque chose; *(fam.)* ***he's done for,*** c'est un homme mort; ***I could do with another cup of tea,*** je boirais volontiers une autre tasse de thé; ***she couldn't do with waiting any longer,*** elle ne pouvait supporter d'attendre davantage; ***that will do,*** cela fera l'affaire; ***that will do!*** ça suffit comme ça! *(Comm.)* ***there's nothing doing,*** c'est le marasme; ***there was nothing doing,*** il n'y a rien eu à faire; ***what has that got to do with it?*** quel est le rapport? *(fam.)* ***will you lend me £ 10? – nothing doing!*** veux-tu me prêter 10 livres? – tu peux toujours courir! ***you'll have to do without,*** il faudra vous en passer.

do³ [du:] *n.* (*pl.* **dos, do's** [du:z] réunion, soirée. *(fam.)* ***They are having a big do at the Browns' tonight,*** c'est le grand jeu ce soir chez les Brown. **2.** escroquerie, attrape. **3.** manière de traiter. ***You get a poor do in that restaurant,*** on est bien mal servi dans ce restaurant. ♦ *(fam.)* ***Fair dos!*** à chacun son dû ! ***the dos and don'ts of society,*** ce qui se fait et ce qui ne se fait pas dans le monde.

dock[1] [dɒk] *n.* *(Bot.)* patience. ***Sour dock,*** oseille.

dock[2] [dɒk] *v.t.* **1.** couper la queue de (un cheval, un chien...). **2.** rogner (un traitement, une ration...).

⚠ **dock**[3] [dɒk] *n.* *(Naut.)* bassin. *v.t.* **1.** faire entrer (un navire) au bassin ou en cale sèche. **2.** *(Tech.)* arrimer (deux vaisseaux spatiaux) ; garer (un train). *v. intr.* **1.** passer dans le bassin ou en cale sèche. **2.** *(Tech.)* s'arrimer.

⚠ **dock**[4] [dɒk] *n.* *(Jur.)* banc des accusés.

dockyard ['dɒkjɑːd] *n.* chantier de constructions navales (cf. **shipyard**).

doctor ['dɒktə] *n.* **1.** médecin, docteur. **2.** *(Ens.)* docteur. ***Doctor of Philosophy,*** docteur en philosophie. **3.** *(fam.)* réparateur, raccommodeur. ♦ *(fam.)* ***He is under the doctor,*** il suit un traitement.
v.t. **1.** soigner ; *(fam.)* droguer. **2.** réparer, rafistoler. **3.** frelater (du vin) ; falsifier (des comptes...). **4.** *(fam.)* châtrer (un animal).

▻ **documentary** [,dɒkjʊ'mentrɪ] *adj. et n.* documentaire.

dodge [dɒdʒ] *n.* **1.** mouvement de côté, *(Sp.)* esquive. **2.** *(fig.)* ruse, ficelle. *v.t. et intr.* **1.** (s') esquiver. **2.** ruser, user d'artifices. ***He dodges income tax,*** il trompe le fisc.

dodger ['dɒdʒə] *n.* roublard ; *(Mil.)* embusqué. ***Draft dodger,*** (conscrit) réfractaire.

do down *v. part. t.* **1.** tricher, rouler. **2.** médire de (quelqu'un).

dog [dɒg] *n.* **1.** chien. **2.** type, gaillard. ***Lucky dog,*** veinard. **3.** *(Tech.)* cliquet, agrafe, valet... **4.** ***Fire dog,*** chenet. **5.** *(argot)* ***Dogs,*** pieds, pinceaux. ♦ ***Dog days,*** canicule ; ***every dog has his day,*** à chacun son heure de gloire ; ***give a dog a bad name (and hang him),*** qui veut noyer son chien l'accuse de la rage ; *(fam.)* ***he doesn't stand a dog's chance,*** il n'a pas la moindre chance ; ***let sleeping dogs lie,*** ne réveillez pas le chat qui dort ; ***you can't teach an old dog new tricks,*** on n'apprend pas à un vieux singe à faire des grimaces.
v.t. **1.** filer (quelqu'un). ***Dog somebody's steps,*** ne pas quitter quelqu'un d'une semelle. **2.** *(fig.)* poursuivre. ***He is dogged by bad luck,*** la malchance s'acharne contre lui.

dog-eared ['dɒg,ɪəd] *adj.* écorné (page).

dogged ['dɒgɪd] *adj.* obstiné, persévérant ; tenace.

do-gooder [,duː'gʊdə] *n.* *(péj.)* âme charitable, brave personne.

dog-tired [,dɒg'taɪəd] *adj.* fourbu.

doily ['dɔɪlɪ] *n.* petit napperon.

do in *v. part. t.* *(fam.)* **1.** éreinter. ***I'm done in,*** je suis vanné. **2.** *(argot)* estourbir, descendre.

doldrums ['dɒldrʌmz] *n.* *(Naut.)* zone des calmes, *(fam.)* pot au noir. ♦ ***Be in the doldrums,*** *(Naut.)* être encalminé ; *(Comm.)* être dans le marasme, *(fig.)* broyer du noir.

dole [dəʊl] *n.* **1.** don charitable. **2.** ***(Unemployment) dole,*** allocation de chomage ; ***go on the dole,*** s'inscrire au chômage. *v.t.* ***Dole out,*** distribuer avec parcimonie.

doleful ['dəʊlfəl] *adj.* **1.** plaintif. **2.** triste, lugubre.

doll [dɒl] *n.* **1.** poupée. **2.** *(argot)* jolie fille.

dolphin ['dɒlfɪn] *n.* *(Zool.)* dauphin.

▻ **dominate** ['dɒmɪneɪt] *v.t.* dominer. ***Be dominated by somebody,*** subir la loi de quelqu'un.

domineer [,dɒmɪ'nɪə] *v. intr.* se montrer autoritaire (envers). ***Domineer over somebody,*** tyranniser quelqu'un.

don[1] [dɒn] *n.* *(Ens.)* professeur d'université (Oxford ou Cambridge).

don[2] [dɒn] *v.t.* *(lit.)* revêtir (un uniforme).

donate [dəʊ'neɪt] *v.t.* faire un don de, une donation de.

done [dʌn] (**do,** *v.*).

donkey ['dɒŋkɪ] *n.* **1.** âne(sse), baudet. **2.** *(fig.)* âne, imbécile.

donkeywork ['dɒŋkɪwɜːk] *n.* ***Do the donkeywork,*** faire les corvées.

donor ['dəʊnə] *n.* **1.** *(Jur.)* donateur. **2.** *(Méd.)* donneur. ***Blood donor,*** donneur de sang.

doodle ['du:dl] *v. intr. (fam.)* gribouiller distraitement.

doom [du:m] *n.* destin funeste. ***Meet one's doom,*** trouver la mort. *v.t.* condamner (à). ***He is doomed,*** il est perdu ; ***many writers are doomed to oblivion,*** bien des écrivains sont voués à l'oubli.

Doomsday ['du:mzdeɪ] *n.* (jour du) Jugement dernier. ***Till Doomsday,*** jusqu'à la fin des temps.

door [dɔ:] *n.* **1.** porte. ***Back door,*** porte de service ; ***front door,*** porte d'entrée. **2.** portière (de voiture, de wagon...). ♦ ***Answer the door,*** aller ouvrir ; *(fig.)* ***do not lay the accident at my door,*** ne me rendez pas responsable de l'accident ; *(fig.)* ***shut the door to,*** rendre impossible.

doorkeeper ['dɔ:,ki:pə] *n.* concierge, portier.

doormat ['dɔ:mæt] *n.* **1.** paillasson. **2.** *(fam.)* chiffe (molle).

doorstep ['dɔ:step] *n.* **1.** pas de la porte, seuil. **2.** *(argot)* épaisse tranche de pain.

doorway ['dɔ:weɪ] *n.* encadrement de la porte.

do out *v. part. t.* nettoyer à fond (une pièce...).

do over *v. part. t.* **1.** repeindre. **2.** *(amér.)* refaire. **3.** *(argot)* agresser (quelqu'un).

dope [dəʊp] *n.* **1.** liquide visqueux. **2.** *(Av.)* enduit ; *(Aut.)* laque. **3.** drogue. ***Dope peddlar,*** trafiquant de stupéfiant ; ***dope racket,*** trafic de drogue. **4.** *(argot)* tuyau, renseignement.
v.t. faire prendre un narcotique à (quelqu'un). **2.** doper (un cheval). **3.** *(amér., fam.)* ***Dope out the winners,*** se procurer des tuyaux sur les gagnants.

dormitory ['dɔ:mɪtrɪ] *n.* **1.** dortoir. **2.** *(amér.)* foyer d'étudiants.

dot [dɒt] *n.* **1.** point (sur un i). ***Three dots,*** points de suspension. **2.** ***Dots and dashes,*** points et traits (en morse). ♦ ***5 o'clock on the dot,*** à 5 h pile.
v.t. **1.** mettre un point (sur un i). ***Dotted line,*** pointillé, ligne discontinue ; *(fig.)* ***dot one's i's (and cross one's t's),*** mettre les points sur les i. **2.** parsemer de. **3.** *(fam.)* ***He dotted me one,*** il m'a flanqué une beigne.

dote [dəʊt] *v. intr.* **1.** radoter. **2.** *(fig.)* raffoler. ***He simply dotes on her,*** il est absolument fou d'elle.

dotty ['dɒtɪ] *adj. (fam.)* piqué, timbré.

⚠ **double** ['dʌbl] *adj.* **1.** double. ***Double bed,*** grand lit ; ***double room,*** chambre pour deux personnes. **2.** en deux. ***Fold a sheet double,*** plier en deux une feuille.
adv. **1.** double. ***Sleep double,*** coucher à deux. **2.** deux fois. ***His wages are double what they were,*** il gagne deux fois plus qu'autrefois.
n. **1.** double. **2.** sosie ; *(Th. Ciné.)* doublure. **3.** pari couplé (aux courses) ; contre (au bridge). **4.** *(Tennis)* ***Men's doubles,*** double messieurs. ♦ ***At the double,*** au pas gymnastique ; ***double or quits,*** quitte ou double.
v.t. **1.** doubler, plier en deux. **2.** *(Th. Ciné.)* ***Double a part,*** servir de doublure pour un rôle ; ***double parts,*** jouer deux rôles. **3.** doubler (un cap). **4.** doubler la mise (aux courses) ; contrer (au bridge). *v. intr.* **1.** doubler. **2.** *(Mil.)* prendre le pas gymnastique. **3.** ***Double back,*** revenir sur ses pas, faire un brusque crochet. **4.** *(Th.)* ***Double for somebody,*** doubler quelqu'un.

double-breasted [,dʌbl'brestɪd] *adj.* croisé (pour un vêtement).

double-cross [,dʌbl'krɒs] *v.t. (fam.)* doubler (un associé). *n.* duperie.

double-dealer [,dʌbl'di:lə] *n.* fourbe.

double-decker [,dʌbl'dekə] *n.* **1.** autobus à impériale. **2.** *(Av.)* deux-ponts. **3.** *(fam.)* sandwich à double garniture.

double-dutch [,dʌbl'dʌtʃ] *n. (fam.)* baragouin. ***That's double-dutch to me,*** pour moi, c'est de l'hébreu.

double-park [,dʌbl'pɑ:k] *v. intr. (Aut.)* stationner en double file.

double-quick [,dʌbl'kwɪk] *n.* pas gymnastique. *adj. et adv.* ***(In) double-quick (time),*** en vitesse.

double up *v. part. t. et intr.* **1.** (faire) partager à deux personnes (une chambre, une cabine...). **2.** se plier (en deux); faire plier quelqu'un (en deux).

doubt [daʊt] *n.* **1.** doute. ***His reputation is beyond doubt,*** sa réputation est indiscutée ; ***in doubt,*** dans le doute, douteux; ***no doubt,*** sans doute; ***without doubt,*** sans aucun doute. **2.** incertitude. ***I've my doubts whether she'll come,*** je ne suis pas sûr qu'elle vienne.

v.t. **1.** douter de. **2.** mettre en doute. ***I doubted my own eyes,*** je n'en croyais pas mes yeux. *v. intr.* ***I no longer doubted,*** je n'hésitais plus.

doubtful ['daʊtfəl] *adj.* **1.** douteux. **2.** incertain, indécis (personne). ***I'm doubtful about his succeeding,*** je ne suis pas certain de son succès. **3.** louche.

doubtless ['daʊtləs] *adv.* très probablement; sans doute (cf. **no doubt**).

dough [dəʊ] *n.* **1.** *(Cuis.)* pâte. **2.** *(argot, surtout amér.)* fric, galette.

doughnut ['dəʊnʌt] *n. (Cuis.)* beignet.

do up *v. part. t.* **1.** attacher. ***Do me up, please?*** veux-tu m'agrafer ma robe, je te prie? **2.** réparer, retaper; décorer (une maison). **3.** empaqueter. **4.** ***Do oneself up,*** se faire une beauté; ***do up one's face,*** se farder. **5.** *(fam.)* éreinter. ***I'm done up,*** je n'en peux plus.

dour [dʊə] *adj.* **1.** austère, peu démonstratif. **2.** buté.

douse [daʊs] *v.t.* **1.** plonger (dans l'eau). **2.** *(fam.)* éteindre.

dove [dʌv] *n.* **1.** colombe. **2.** *(Polit.)* ***The doves and the hawks,*** les colombes et les faucons.

dovetail ['dʌvteɪl] *n. (Tech.)* queue-d'aronde. *v.t. et intr.* **1.** assembler en queue-d'aronde. **2.** *(fig.)* se raccorder (pour des plans).

down[1] [daʊn] *adv.* **1.** vers le bas. ***Go down,*** descendre. **2.** en bas. ***Down below,*** là en bas. **3.** (par rapport à la capitale ou une grande ville) ***Every week-end we go down (from London) to the seaside,*** nous quittons Londres chaque week-end pour aller au bord de la mer. **4.** ***Down to,*** jusqu'à. ***Can you walk down to the bus with me?*** peux-tu m'accompagner jusqu'à l'arrêt d'autobus? **5.** par écrit. ***Put down my telephone number,*** notez mon numéro de téléphone. **6.** *(Comm.)* ***£ 10 down,*** 10 livres comptant (en premier versement). **7.** en moins. ***Be two down,*** avoir deux de chute (aux cartes). ♦ ***Down with the tyrant!*** à bas le tyran! ***he's down in the mouth,*** il est déprimé; ***he's down with flu,*** il est grippé; ***he went down from Oxford in 1980,*** il est sorti d'Oxford en 1980; ***it suits me down to the ground,*** cela me convient parfaitement; ***they are down and out,*** ils sont sur la paille.

adj. **1.** par terre. **2.** venant de la capitale. ***The down train,*** le train de Londres. **3.** en baisse (rivière, prix...). **4.** déprimé. ♦ ***Be down on somebody,*** avoir une piètre opinion de quelqu'un; avoir une dent contre quelqu'un.

prép. **1.** en descendant. ***He ran down the slope,*** il dévala la pente. **3.** plus bas. ***Our friends live down the road,*** nos amis habitent plus loin dans la rue. **3.** le long de. *n.* ***Ups and downs,*** hauts et bas, vicissitudes.

v.t. **1.** terrasser (un adversaire); abattre (un avion). **2.** vaincre. ♦ *(fam.)* ***Down a drink,*** vider un pot; ***down tools,*** débrayer, se mettre en grève.

down[2] [daʊn] *n.* **1.** duvet (d'oiseau). **2.** velouté (d'un fruit).

down-and-out [ˌdaʊnən'aʊt] *adj.* sans le sou. *n.* clochard (aussi **down-and-outer**).

down-at-heel [ˌdaʊnət'hiːl] *adj.* **1.** éculé (soulier). **2.** miteux (personne).

downcast ['daʊnkɑːst] *adj.* **1.** abattu, déprimé. **2.** ***Downcast eyes,*** yeux baissés.

downfall ['daʊnfɔːl] *n.* **1.** chute brutale (de pluie, de neige...). **2.** *(fig.)* chute (d'une personne); écroulement (des espérances). ***Drink was his downfall,*** c'est la boisson qui l'a perdu.

downpour ['daʊnpɔː] *n.* pluie diluvienne.

downright ['daʊnraɪt] *adj.* **1.** franc. ***Downright fellow,*** honnête gaillard. **2.** absolu. ***Downright lie,*** pur mensonge. *adv.* **1.** tout à fait. ***That's downright good of you!*** c'est vraiment très gentil de votre part! **2.** catégoriquement. ***He refused downright,*** il a carrément refusé.

downs [daʊnz] *n.* dunes, collines.

downstage [ˌdaʊn'steɪdʒ] *adv. (Th.)* sur le devant de la scène.

downstairs [ˌdaʊn'steəz] *adv.* en bas (de l'escalier); au rez-de-chaussée. ***Go***

downstairs, descendre.
downtown [ˌdaʊnˈtaʊn] *adv.* vers le centre de la ville ; dans le quartier des affaires. ***Go downtown,*** aller en ville (≠ **uptown**).
down-trodden [ˈdaʊnˌtrɒdn] *adj.* opprimé.
downward [ˈdaʊnwəd] *adj.* descendant. ***Downward glance,*** coup d'œil vers le bas. ♦ *(fig.)* ***He's on the downward path,*** il est sur la pente fatale.
downwards [ˈdaʊnwədz] *adv.* **1.** vers le bas. ***Lie face downwards,*** être couché sur le ventre. **2.** ***From the 18th century downwards,*** à partir du XVIIIe siècle.
dowry [ˈdaʊrɪ] *n.* dot.
doze [dəʊz] *n.* petit somme. ***Have a doze,*** faire un petit somme. *v. intr.* sommeiller. ***Doze off,*** s'assoupir.
dozen [ˈdʌzn] *n.* **1.** *(inv.)* douzaine(s). ***A dozen eggs,*** une douzaine d'œufs ; ***how many dozen do you want?*** combien en voulez-vous de douzaines ? **2.** *(pl.)* ***Dozens of times,*** maintes et maintes fois. ♦ ***Daily dozen,*** gymnastique quotidienne ; *(fam.)* ***she talks nineteen to the dozen,*** elle a la langue bien pendue.
drab [dræb] *adj.* **1.** gris ou brun terne (vêtement). **2.** morne (vie).
draft [drɑːft] *n.* **1.** brouillon. **2.** *(Fin.)* effet, traite. **3.** *(Mil.)* détachement de troupes ; *(amér.)* conscription. ***Draft board,*** conseil de révision. **4.** *(amér.)* courant d'air (cf. **draught**).
v.t. **1.** faire le brouillon (de). **2.** *(amér.)* incorporer.
draftsman [ˈdrɑːftsmən] *n.* (pl. **-men**). **1.** *(Arch. Tech.)* dessinateur (aussi **draughtsman**). **2.** rédacteur (d'un acte). **3.** *(amér. Art.)* dessinateur.
drag [dræg] *v.t. et intr.* **1.** tirer avec effort. ***Drag one's feet,*** traîner les pieds ; *(fig.)* (ou ***drag one's heels***), se faire tirer la manche. **2.** entraîner (quelqu'un) contre son gré. **3.** rester en arrière. **4.** traîner par terre (d'un vêtement, rideau...). **5.** languir. ***The conversation is dragging,*** la conversation languit. **6.** *(Tech.)* draguer ; pêcher à la drague.
n. **1.** drague, herse. **2.** *(fig.)* entrave. ***His wife is a drag on him,*** il traîne sa femme comme un boulet. **3.** *(Av.)* résistance à l'avancement. **4.** *(fam.)* bouffée. ***Have a drag (on a cigarette),*** tirer une bouffée. **5.** *(argot)* corvée. ***What a drag!*** quelle barbe ! **6.** ***In drag,*** en travesti.
dragnet [ˈdrægnet] *n.* **1.** drague, filet. **2.** *(fig.)* ratissage, quadrillage (par la police).
drain [dreɪn] *n.* **1.** drain, canal (de décharge) ; *(pl.)* égoût. **2.** *(fig.)* saignée. ***Brain drain,*** exode des chercheurs ; ***drain on the income,*** ponction sur le revenu. ♦ ***Throw money down the drain,*** gaspiller son argent.
v.t. et intr. **1.** drainer, évacuer. **2.** égoutter. ***Draining board,*** égouttoir. **3.** assécher (un terrain). **4.** vider (un verre...). **5.** *(fig.)* épuiser (les forces, l'argent...). **6.** s'écouler.
▷ **drainage** [ˈdreɪnɪdʒ] *n.* **1.** drainage, assèchement. **2.** eaux d'égoût. **3.** système d'égoûts. ♦ *(Géog.)* ***Drainage area,*** bassin hydrographique.
drainpipe [ˈdreɪnpaɪp] *n.* tuyau d'écoulement, drain.
⚠ **drama** [ˈdrɑːmə] *n.* *(Th.)* pièce (tragédie ou comédie). **2.** ***(The) drama,*** l'art dramatique. **3.** *(fig.)* ***Make a drama out of an incident,*** dramatiser un incident.
dramatist [ˈdræmətɪst] *n.* auteur dramatique.
⚠ **dramatize** [ˈdræmətaɪz] *v.t. et intr.* **1.** *(Th.)* adapter à la scène (un roman...), ou pour l'écran, la télévision. **2.** *(fig.)* dramatiser. ***It's a trifle, there's no need to dramatize (it),*** c'est sans importance, il n'y a pas de quoi faire un drame.
drank [dræŋk] (**drink,** *v.*).
draper [ˈdreɪpə] *n.* marchand de nouveautés.
drastic [ˈdrɑːstɪk] *adj.* énergique. ***Make drastic cuts,*** faire des coupes sombres.
draught [drɑːft] (*amér.* **draft**) *n.* **1.** courant d'air. **2.** tirage (d'une cheminée). **3.** gorgée. **4.** potion. ***Sleeping draught,*** somnifère. **5.** *(Naut.)* tirant d'eau. **6.** ***Beer on draught,*** bière à la pression. **7.** traction. ***Draught horse,*** cheval de trait. **8.** (= **draughtsman**)

pion (aux dames) (*amér.* **checker**).

draughtboard ['drɑːftbɔːd] *n.* damier (*amér.* **checkerboard**).

draughts [drɑːfts] *n.* jeu de dames (*amér.* **checkers**).

draughtsman ['drɑːftsmən] *n.* (*pl.* **-men**). **1.** pion (aux dames). **2.** dessinateur (*amér.* **draftsman**).

draw [drɔː] *v.t. irr.* (*p.* **drew,** *p.p.* **drawn**). **1.** tirer; tendre (un arc); remorquer. **2.** attirer (une foule...). **3.** aspirer. ***Draw breath,*** inspirer. **4.** faire couler. ***Draw blood,*** verser le sang. **5.** tirer (une carte, de l'eau d'un puits...). **6.** arracher (un clou, une dent...). **7.** vider (une volaille). **8.** dégainer. **9.** *(Fin.)* rapporter (de l'intérêt). **10.** retirer (de l'argent d'une banque...). **11.** recevoir (une ration...). ***Draw wages,*** percevoir un salaire. **12.** *(Sp.)* ***Draw a game with somebody,*** faire match nul avec quelqu'un. **13.** tracer (une ligne), dessiner. ***Draw a character,*** créer, peindre un personnage. **14.** tirer (une leçon, une conclusion...); établir (une comparaison). **15.** *(Naut.)* ***Draw 10 feet of water,*** avoir 10 pieds de tirant d'eau. *v. intr. irr.* **1.** infuser (pour le thé). **2.** *(Sp.)* (faire match nul). **3.** dessiner. **4.** tirer (pour une cheminée). ♦ ***Draw apart,*** se séparer; ***draw (lots) for something,*** tirer quelque chose au sort; ***draw near (to) somebody,*** se rapprocher de quelqu'un; ***draw on your imagination,*** faites appel à votre imagination; ***the play is drawing well,*** la pièce fait recette. *n.* **1.** tirage au sort, loterie, tombola. **2.** bouffée. **3.** *(Sp.)* match nul. **4.** attraction; *(Th.)* pièce à succès. ♦ *(fam.)* ***He is quick on the draw,*** il a la gâchette facile; *(fig.)* il a la répartie facile.

draw back *v. part. t. et intr.* **1.** tirer (quelque chose) en arrière. **2.** retirer (la main...); *(Sp.)* rompre. **3.** se retirer, rester à l'écart. ***Draw back from an agreement,*** refuser de signer un contrat.

drawback ['drɔːbæk] *n.* inconvénient, désavantage.

drawbridge ['drɔːbrɪdʒ] *n.* **1.** pont-levis. **2.** *(Tech.)* pont à bascule.

draw down *v. part. t.* **1.** baisser (des stores...). **2.** attirer (la colère, le blâme...).

drawer ['drɔːə] *n.* tiroir. ♦ *(fig.)* ***Bottom drawer,*** trousseau (de mariage); ***cash drawer,*** tiroir-caisse; *(fam.)* ***they're not out of the top drawer,*** ce n'est pas le gratin.

draw in *v. part. t.* **1.** rentrer (les griffes...); aspirer (de l'air). **2.** ***Draw one's car in to the kerb,*** ranger sa voiture le long du trottoir. **3.** ***The play is drawing in huge returns,*** la pièce fait des recettes énormes. *v. part. intr.* **1.** arriver (pour un train). **2.** *(Aut.)* se serrer contre le trottoir. **3.** raccourcir. ***Days are drawing in,*** les jours diminuent.

drawing ['drɔːɪŋ] *n.* **1.** (le) dessin. ***A drawing,*** un dessin; ***drawing board,*** planche à dessin; ***drawing pin,*** punaise. **2.** tirage au sort. ♦ ***Drawing room,*** salon (cf. **living room**); *(amér. Rail.)* voiture salon.

drawl [drɔːl] *n.* voix traînante. *v.t. et intr.* dire (quelque chose) ou parler d'une voix traînante.

drawn[1] [drɔːn] (**draw,** *v.*).

drawn[2] [drɔːn] *adj.* **1.** hagard. ***With drawn features,*** les traits tirés. **2.** *(Sp.)* nul. ***Drawn match,*** match nul.

draw on *v. part. t.* **1.** enfiler (des gants...). **2.** ***Draw somebody on to do something,*** encourager quelqu'un à faire quelque chose. *v. part. intr.* s'approcher. ***Night was drawing on,*** la nuit arrivait.

draw out *v. part. t.* **1.** allonger (un fil, un cordage...); *(fig.)* faire traîner (un discours). **2.** retirer (de l'argent). **3.** tracer les grandes lignes (d'un plan). **4.** faire sortir de sa réserve. ***He managed to draw her out,*** il est parvenu à la faire parler. *v. part. intr.* **1.** ***Days are drawing out,*** les jours s'allongent. **2.** *(Rail.)* partir. ***The train drew out,*** le train quitta la gare.

draw up *v. part. t.* **1.** dresser (un plan, un acte notarié...). **2.** *(Mil.)* aligner (des troupes). **3.** approcher, avancer (une chaise). **4.** ***Draw oneself up,*** se redresser fièrement. *v. part. intr.* **1.** ***Draw up to the table,*** s'approcher de la table. **2.** s'arrêter (pour un véhicule).

dread [dred] *n.* crainte, terreur. *v.t.* craindre, redouter.

dreadful ['dredfəl] *adj.* **1.** terrible, épouvantable. **2.** désagréable. ***Dreadful weather today!*** quel sale temps!

dream [dri:m] *n.* **1.** rêve. **2.** chose dont on rêve. ***A dream of a car,*** la voiture idéale.
v.t. et intr. irr. (*p.* **dreamt,** *p.p.* **dreamt**). **1.** rêver. **2.** s'aviser (de). ***I wouldn't dream of doing that,*** il ne me viendrait pas à l'idée de faire cela. ♦ *(fam.)* ***Dream up,*** imaginer, inventer.

dreamy ['dri:mɪ] *adj.* **1.** songeur. **2.** vague (souvenir). **3.** *(argot)* magnifique.

dreary ['drɪərɪ] *adj.* **1.** lugubre. **2.** morne.

dredge[1] [dredʒ] *v.t.* saupoudrer (de sucre, de farine...).

dredge[2] [dredʒ] *n.* *(Naut.)* drague. *v.t. et intr.* draguer.

dredger ['dredʒə] *n.* dragueur (bateau ou ouvrier).

dregs [dregz] *n. pl.* **1.** lie. **2.** *(fig.)* ***Dregs of society,*** rebut de la société.

drench [drentʃ] *v.t.* mouiller. ***Drenched to the skin,*** trempé jusqu'aux os.

dress [dres] *n.* **1.** vêtement. **2.** robe. **3.** toilette. *(Th.)* ***Dress circle,*** premier balcon; ***evening dress,*** tenue de soirée.
v.t. et intr. **1.** habiller (quelqu'un); s'habiller. **2.** se mettre en tenue de soirée. **3.** vêtir. ***Dressed in black,*** vêtue de noir. **4.** *(Mil.)* aligner (des troupes). **5.** préparer (le sol, les peaux...); parer (des pierres). **6.** *(Cuis.)* apprêter (une volaille, de la viande); assaisonner (une salade). **7.** *(Méd.)* panser (une blessure). **8.** décorer (un arbre de Noël...). ***Dress the window,*** faire l'étalage.

dress down *v. part. t.* **1.** panser (un cheval). **2.** *(fam.)* passer un savon à.

dresser[1] ['dresə] *n.* **1.** buffet de cuisine, vaisselier. **2.** *(amér.)* table de toilette, coiffeuse.

dresser[2] ['dresə] *n.* **1.** *(Th.)* habilleur, habilleuse. **2.** (en composé) qui s'occupe de. ***Leather dresser,*** mégissier; ***window dresser,*** étalagiste.

dressing ['dresɪŋ] *n.* **1.** habillement. **2.** *(Cuis.)* assaisonnement. **3.** *(Méd.)* pansement. ♦ ***Dressing gown,*** robe de chambre; ***dressing table,*** coiffeuse.

dressmaker ['dresmeɪkə] *n.* couturière.

dress up *v. part. t. et intr.* s'habiller, se parer, se costumer.

dressy ['dresɪ] *adj.* **1.** tiré à quatre épingles (personne). **2.** habillé (vêtement).

drew [dru:] (**draw,** *v.*).

⚠ **dribble** ['drɪbl] *n.* **1.** égouttage. **2.** petite quantité. ***A dribble of rain,*** quelques gouttes de pluie. **3.** bave. **4.** *(Sp.)* dribble.
v.t. et intr. **1.** (laisser) tomber goutte à goutte, dégoutter. **2.** ***Dribble in,*** entrer par petits groupes. **3.** baver. **4.** *(Sp.)* dribbler.

drift [drɪft] *n.* **1.** mouvement. **2.** dérive. ***Drift sand,*** sable mouvant; ***policy of drift,*** politique de laisser-faire. **3.** *(Géog.)* amoncellement, congère. **4.** sens général, portée. ***She didn't catch the drift of what he was saying,*** elle n'a pas compris où il voulait en venir.
v.t. et intr. **1.** aller à la dérive, être charrié. ***Drift with the current,*** se laisser aller au fil de l'eau; ***drift wood,*** flotter du bois. **2.** charrier. **3.** (s') amonceler. **4.** tendre vers un but (pour des événements). ***This couple are drifting apart,*** ce couple se sépare peu à peu.

drill[1] [drɪl] *n.* **1.** perceuse, foreuse. **2.** roulette (de dentiste). *v.t. et intr.* **1.** percer, forer. **2.** fraiser; passer la roulette.

drill[2] [drɪl] **1.** *(Mil.)* exercice. *(fam.)* ***Know the drill,*** savoir ce qu'il faut faire. **2.** *(Gram.)* exercice.
v.t. et intr. **1.** entraîner (des soldats), faire l'exercice. **2.** *(Ens.)* faire faire des exercices (aux élèves).

drill[3] [drɪl] *n.* **1.** *(Agr.)* semoir, semeuse. **2.** sillon. *v.t.* semer en sillons.

drill[4] [drɪl] *n.* coutil, treillis.

drill[5] [drɪl] *n.* grand singe.

drink [drɪŋk] *n.* **1.** boisson, breuvage. *(fam.)* ***Be the worse for drink,*** être ivre. **2.** consommation. **3.** *(argot)* mer.
v.t. et intr. irr. (*p.* **drank,** *p.p.* **drunk**). **1.** boire. ***Will you have something to drink?*** voulez-vous prendre quelque chose? **2.** ***Drink somebody's health,***

boire à la santé de quelqu'un. **3.** s'adonner à la boisson. ♦ ***Drink like a fish,*** boire comme un trou ; ***drink off,*** avaler d'un trait ; ***drink up !*** videz vos verres ! *(fig.)* ***the children drank in the story,*** les enfants n'ont pas perdu un seul mot de l'histoire.

drinkable ['drɪŋkəbl] *adj.* **1.** buvable. **2.** potable (aussi **drinking**).

drip [drɪp] *n.* **1.** dégouttement. ***The drip drip of the water,*** le bruit de l'eau qui tombe goutte à goutte. **2.**petite goutte. **3.** *(Méd.)* perfusion. **4.** *(argot)* ***He's a drip !*** c'est une nouille !
v.t. et intr. laisser tomber goutte à goutte ; dégoutter. ♦ ***Sweat was dripping from his forehead,*** son front ruisselait de sueur ; *(fam.)* ***he's dripping with money,*** l'argent lui sort par tous les pores.

drip-dry [ˌdrɪp'draɪ] *adj.* qui ne nécessite aucun repassage.

dripping ['drɪpɪŋ] *n.* **1.** égouttement. **2.** *(Cuis.)* graisse de rôti. ***Dripping pan,*** lèchefrite.

drive [draɪv] *n.* **1.** trajet, course. **2.** conduite (du bétail) ; battue (du gibier). **3.** *(Sp.)* drive, coup droit. **4.** allée privée (cf. **driveway**). **5.** *(Mil.)* offensive. **6.** campagne publicitaire. **7.** tournoi (aux cartes). **8.** pulsion (sexuelle...). **9.** dynamisme. ***Lack drive,*** manquer d'énergie. **10.** *(Aut.)* conduite. ***Left-hand drive,*** conduite à gauche. **11.** *(Aut.)*prise, transmission. ***With front wheel drive,*** à traction avant.
v.t. irr. (*p.* **drove,** *p.p.* **driven**). **1.** conduire (une voiture...). **2.** pousser devant soi, rabattre. **3.** emmener (quelqu'un) en voiture... **4.** actionner (une machine). **5.** percer (un tunnel). **6.** pousser à faire. ***She drives me wild,*** elle me pousse à bout. **7.** chasser (pour le vent, la pluie...). **8.** amonceler (pour la neige). *v. intr. irr.* **1.** être charrié (pour des nuages). **2.** s'amonceler (pour la neige). **3.** rouler en voiture. ***This car drives well,*** cette voiture est facile à conduire. ♦ *(fig.)* ***Drive something home,*** enfoncer le clou ; ***driving licence*** *(amér.* ***driver's licence)*** permis de conduire ; *(fam.)* ***what are you driving at ?*** où voulez-vous en venir ?

drive-in ['draɪvɪn] *n.* cinéma ou restaurant en plein air (où l'on reste dans sa voiture).

drivel ['drɪvl] *n. (fam.)* bêtises, balivernes. *v. intr.* radoter.

driven ['drɪvn] (**drive,** *v.*).

driver ['draɪvə] *n.* **1.**conducteur, chauffeur, mécanicien. **2.** *(Golf)* driver.

driveway ['draɪvweɪ] *n.* allée privée (d'une résidence).

drizzle ['drɪzl] *n.* bruine, crachin. *v. intr.* bruiner.

drone [drəʊn] *n.* **1.** abeille mâle. **2.** *(fig.)* parasite. **3.**bourdonnement (d'abeilles) ; ronronnement (de moteur). **4.** *(Av. Naut.)* avion-cible, bateau-cible (télécommandé).
v.t. ***Drone out a prayer,*** débiter une prière d'un ton monotone. *v. intr.* **1.** bourdonner. **2.** parler d'un ton monotone.

drool [dru:l] *v. intr.* radoter. ***Drool over something,*** s'extasier béatement devant quelque chose.

droop [dru:p] *n.* **1.** attitude penchée (de la tête). **2.** langueur. *v.t. et intr.* **1.** (se) pencher. **2.** s'alanguir. ***His spirits drooped,*** il fut pris de découragement.

drop [drɒp] *n.* **1.** goutte ; *(pl. Méd.)* gouttes. **2.** petite quantité ; filet (de vinaigre) ; larme (de vin). **3.** ***Fruit drops,*** bonbons acidulés. **4.** chute (des prix, de la température...). **5.** parachutage.
v.t. **1.** verser (des larmes...). **2.** laisser tomber (des parachutistes...). *(Rugby)* ***Drop a goal,*** marquer un « drop » ; ***drop a remark,*** laisser échapper une réflexion. **3.** perdre (de l'argent). **4.** *(Aut.)* déposer (quelqu'un). **5.** omettre. **He drops his aitches,** il ne prononce pas les h. **6.** baisser (le ton, les yeux...). **7.** abandonner (un sujet) ; laisser tomber (des amis...). ♦ ***Drop a line,*** mettre un mot (à quelqu'un).
v. intr. **1.** tomber goutte à goutte. **2.** se laisser tomber. **3.** baisser (pour les prix, la température...). **4.** s'interrompre (pour une conversation). ♦ ***Drop to the rear,*** être dépassé.

drop in *v. part. intr.* faire une petite visite inopinée.

dropkick ['drɒp,kɪk] *n.* *(Rugby)* drop.
droplet ['drɒplɪt] *n.* gouttelette.
drop off *v. part. t. et intr.* **1.**diminuer. **2.** déposer (quelqu'un). **3.** s'assoupir (cf. **doze off**).
dropout ['drɒpaʊt] *n.* **1.** *(Ens.)* étudiant qui abandonne définitivement ses études. **2.** marginal.
drop out *v. part. intr.* **1.** se retirer d'une compétition. **2.** *(Ens.)*cesser de suivre les cours. **3.** vivre en marge de la société.
droppings ['drɒpɪŋz] *n.* crottes, fiente.
dross [drɒs] *n.* **1.** *(Tech.)*scories, crasse, mâchefer. **2.**déchets; *(fig.)* rebut.
drought [draʊt] *n.* sécheresse.
drove[1] [drəʊv] (**drive,** *v.*).
drove[2] [drəʊv] *n.* **1.** troupeau (en marche). **2.** multitude; grande bande.
drown [draʊn] *v.t. et intr.* **1.** (se) noyer. ***He (was) drowned, he didn't drown himself,*** il s'est noyé accidentellement, il ne s'est pas suicidé. **2.** inonder, submerger. **3.** *(fig.)* couvrir (un son).
drowsy ['draʊzɪ] *adj.* **1.** assoupi, somnolent. **2.** qui assoupit, lourd (temps).
drub [drʌb] *v.t.* *(fam.)* rosser. ***Give an opponent a good drubbing,*** battre un adversaire à plate couture.
drudge [drʌdʒ] *n.* homme (ou femme) de peine; *(fig.)*esclave. *v. intr.* trimer, suer sang et eau.
drudgery ['drʌdʒərɪ] *n.* travail ingrat, corvées; *(fig.)*esclavage.
drug [drʌg] *n.* **1.** *(Méd.)* produit pharmaceutique. **2.** drogue. ***Drug addict,*** toxicomane.
druggist ['drʌgɪst] *n.* *(amér.)* pharmacien. (cf. **chemist**).
drugstore ['drʌgstɔ:] *n.* *(U.S.)* magasin qui vend des produits pharmaceutiques mais aussi des articles divers (pellicules, papeterie, journaux).
drum [drʌm] *n.* **1.** tambour. ***The drums,*** la batterie. **2.** tambourinage (de la pluie). **3.** (= **eardrum**) *(Anat.)* tympan. **4.** tonnelet.
v.t. et intr. **1.** battre du tambour. **2.** tambouriner. ♦ ***Drum something into somebody's ears,*** seriner quelque chose aux oreilles de quelqu'un; *(Mil.)* ***drum out,*** dégrader (un militaire); ***drum up,*** racoler (des clients, des partisans...).
drummer ['drʌmə] *n.* **1.**tambour. **2.** batteur (de jazz). **3.** *(argot amér.)* voyageur de commerce. (cf. **commercial traveller**).
drumstick ['drʌmstɪk] *n.* **1.** baguette de tambour. **2.** *(Cuis.)*pilon (de volaille).
drunk[1] [drʌŋk] (**drink,** *v.*).
drunk[2] [drʌŋk] *adj.* ivre, soûl. ♦ *(Jur.)* ***Drunk and disorderly,*** ivre et auteur de troubles sur la voie publique; ***drunk as a lord,*** soûl comme un polonais; *(fig.)* ***drunk with joy,*** ivre de joie; ***get drunk,*** s'enivrer. *n.* ivrogne; *(Jur.)* homme pris de boisson.
drunkard ['drʌŋkəd] *n.* ivrogne; poivrot.
drunken ['drʌŋkən] *adj.* **1.** ivre. **2.** *(Jur.)*en état d'ivresse.
dry [draɪ] *adj.* **1.** sec. ***Dry cleaning,*** nettoyage à sec. **2.** *(fam.)* ***Feel dry,*** avoir la gorge sèche. **3.** *(U.S.)* ***Dry State,*** état sec (où la consommation des boissons alcooliques est prohibée). **4.** aride (sujet). **5.** simple. ***The dry facts,*** les faits purs et simples. **6.** froid (manières...). ***Dry humour,*** humour pince-sans-rire. ♦ *(fam.)* ***As dry as a bone,*** sec comme une allumette.
v.t. et intr. **1.** (faire) sécher, essorer. ***Dry the dishes,*** essuyer la vaisselle. **2.** se dessécher. ♦ *(fam.)* ***Dry out an alcoholic,*** faire subir une cure de désintoxication à un alcoolique; *(vulg.)* ***dry up!*** la ferme!
dryer ['draɪə] (aussi **drier**). *n.* **1.** essuyeur (de vaisselle). **2.** sèche-cheveux. ♦ ***Clothes dryer,*** séchoir; ***spin-dryer,*** essoreuse.
dual ['dju:əl] *adj.* **1.** double. **2.** à double usage. ***Dual carriageway,*** route à quatre voies.
dub[1] [dʌb] *v.t.* *(hum.)* donner un surnom à.
dub[2] [dʌb] *v.t.* *(Ciné.)* doubler, postsynchroniser (un film étranger).
dubious ['dju:bɪəs] *adj.* **1.** douteux, incertain. **2.** qui doute, hésitant. **3.** louche.
duck[1] [dʌk] *n.* **1.** canard. **2.** *(fam.)* amour. ***Good night, duck,*** bonne nuit, chérie; ***you're a duck,*** vous êtes un chou. ♦ ***He plays ducks and drakes with his money,*** il jette son argent

par les fenêtres ; ***I took to skiing like a duck to water,*** j'ai appris à skier comme par enchantement ; ***it's like water off a duck's back,*** c'est un emplâtre sur une jambe de bois ; ***sitting duck,*** cible facile.

duck² [dʌk] *n.* coutil, toile fine.

duck³ [dʌk] *n.* **1.** bain rapide (aussi **ducking**). **2.** *(Sp.)* esquive. *v.t. et intr.* **1.** plonger dans l'eau. **2.** baisser la tête, esquiver. **3.** *(fig.)* se dérober.

duckling ['dʌklɪŋ] *n.* caneton.

duct [dʌkt] *n.* **1.** *(Anat. Bot.)* canal, vaisseau. **2.** conduit, canalisation.

dude [du:d] *n.* **1.** *(amér.)* snob, dandy. **2.** *(U.S.)* touriste venu de l'est des États-Unis. ***Dude ranch,*** ranch d'opérette.

due [dju:] *adj.* **1.** dû, exigible. **2.** mérité. ***With due care,*** avec tout le soin qui convient. **3.** attendu. ***The train is due to arrive at 4 p.m.,*** le train doit arriver à 16h. **4.** provoqué, causé (par). ***It was due to his negligence,*** c'est sa négligence qui en est la cause.
adv. directement. ***Due north,*** droit vers le nord. *n.* dû. ***Give the devil his due,*** à chacun son dû ; *(pl.)* droit, cotisation.

duet [dju:'et] *n.* duo.

duffer ['dʌfə] *n.* *(fam.)* ballot, empoté.

dug¹ [dʌg] (**dig,** *v.*).

dug² [dʌg] *n.* mamelle, pis (cf. **udder**).

dugout ['dʌgaʊt] *n.* **1.** pirogue. **2.** *(Mil.)* abri souterrain.

duke [dju:k] *n.* duc.

dull [dʌl] *adj.* **1.** terne (couleur). **2.** sourd (son, douleur...). **3.** sombre, morne (temps). **4.** peu sensible. **5.** émoussé (lame). **6.** obtus (esprit). **7.** ennuyeux. **8.** *(Comm.)* languissant. ***The dull season,*** la morte-saison.
v.t. et intr. **1.** hébéter, engourdir, émousser. **2.** s'engourdir, se ternir.

duly ['dju:lɪ] *adv.* **1.** en temps voulu. **2.** comme il convient.

dumb [dʌm] *adj.* **1.** muet (de naissance). **2.** muet, qui se tait. ***I was struck dumb,*** j'en fus frappé de mutisme. **3.** *(fam.)* bêta, niais. ♦ ***Dumb show,*** pantomime.

dumbbell ['dʌmbel] *n.* **1.** haltère. **2.** *(amér.)* sot, imbécile.

dumbfounded [dʌm'faʊndɪd] *adj.* abasourdi.

dumbwaiter [,dʌm'weɪtə] *n.* **1.** servante, desserte. **2.** monte-plats.

dummy ['dʌmɪ] *n.* **1.** objet factice. ***Dummy box (of chocolates),*** boîte factice (de chocolats). **2.** mannequin (de vitrine). **3.** tétine (*amér.* **pacifier**). **4.** ***Be dummy,*** faire le mort (au bridge). **5.** *(argot, surtout amér.)* ***Stuffed dummy,*** empoté. **6.** homme de paille, prête-nom. ♦ *(fam.)* ***Dummy run,*** coup d'essai.

dump [dʌmp] *n.* **1.** tas d'ordures, décharge. **2.** dépôt. ***Ammunition dump,*** parc à munitions. **3.** *(fig.)* dépotoir. *v.t. et intr.* **1.** décharger, déposer. **2.** *(fam.)* laisser quelqu'un en plan. **3.** *(Comm.)* faire du dumping. ***Dump goods on a foreign market,*** écouler des marchandises à bas prix à l'étranger.

dumpling ['dʌmplɪŋ] *n.* **1.** boulette de pâte, bouillie. **2.** ***Apple dumpling,*** pomme enrobée de pâte. **3.** *(fam.)* personne boulotte.

dumps [dʌmps] *n.* *(fam.)* cafard. ***She's in the dumps,*** elle a des idées noires.

dumpy ['dʌmpɪ] *adj.* courtaud, boulot.

dunce [dʌns] *n.* *(Ens.)* cancre.

dung [dʌŋ] *n.* fumier, crottin (cf. **manure**).

⚠ **dungeon** ['dʌndʒən] *n.* **1.** cachot. **2.** donjon.

dunghill ['dʌŋ,hɪl] *n.* tas de fumier.

duplicate ['dju:plɪkɪt] *adj.* (en) double. *n.* double, duplicata. *v.t.* ['dju:plɪkeɪt] **1.** faire le double de. **2.** reproduire (un document).

duration [djʊ'reɪʃn] *n.* durée.

during [djʊərɪŋ] *prép.* pendant, durant.

dusk [dʌsk] *n.* crépuscule. ***At dusk,*** à la nuit tombante.

dust [dʌst] *n.* poussière. ♦ *(fig.)* ***Kick up a dust,*** faire du raffut ; *(fig.)* ***throw dust in somebody's eyes,*** jeter de la poudre aux yeux de quelqu'un.
v.t. **1.** enlever la poussière de. **2.** saupoudrer.

dustbin ['dʌstbɪn] *n.* poubelle. (*amér.* **garbage can**).

dustbowl ['dʌstbəʊl] *n.* *(Géog.)* zone semi-désertique.

dustcart ['dʌstkɑ:t] *n.* camion d'enlèvement des ordures ménagères (*amér.*

garbage truck).
duster ['dʌstə] *n.* chiffon (à poussière). ***Feather duster,*** plumeau.
dustman ['dʌstmən] *n.* (*pl.* **-men**) éboueur, boueux.
dustpan ['dʌstpæn] *n.* pelle à main.
dustsheet ['dʌstʃi:t] *n.* housse de protection (contre la poussière).
dusty ['dʌstɪ] *adj.* **1.** poussiéreux. **2.** sans intérêt. ♦ *(fam.)* ***He gave me a dusty answer,*** il m'a envoyé promener.
dutiable ['dju:tɪəbl] *adj.* passible de droits, taxable.
dutiful ['dju:tɪfəl] *adj.* respectueux, soumis. ***Dutiful husband,*** mari plein d'égards.
duty ['dju:tɪ] *n.* **1.** devoir. **2.** (*pl.* **-ies**) fonctions, attributions. **3.** service. ***Be off duty,*** ne pas être de service; ***do duty for somebody,*** remplacer quelqu'un; ***do duty for something,*** tenir lieu de quelque chose; ***on duty,*** de service. **4.** *(pl.)* droits. ***Customs duties,*** droits de douane; ***death duties,*** droits de succession. ♦ *(Tech.)* ***Heavy duty,*** à grand rendement, robuste.
duty-free [,dju:tɪ'fri:] *adj.* exempt de droit, en franchise.
dwarf [dwɔ:f] *n.* nain. *v.t.* **1.** empêcher de croître (une plante). **2.** rapetisser (par contraste). ***The sky-scrapers dwarf the old church,*** les gratte-ciel écrasent la vieille église.
dwell [dwel] *v. intr. irr.* (*p.* **dwelt,** *p.p.* **dwelt**). **1.** *(lit.)* demeurer, vivre. **2.** *(fig.)* ***Dwell on,*** s'étendre sur. ***We had better not dwell on that,*** mieux vaut ne pas insister là-dessus.
dwindle ['dwɪndl] *v. intr.* diminuer, s'amenuiser.
dye [daɪ] *n.* (la) teinture. **2.** matière colorante, teinture. *v.t. et intr.* (se) teindre.
dyeworks ['daɪwɜ:ks] *n.* teinturerie.
dyke [daɪk] *n.* (*cf.* **dike**)

E

E, e [i:] **1.** cinquième lettre de l'alphabet. **2.** *(Mus.)* mi.
each [i:tʃ] *adj. quant.* chaque. ***Each day,*** chaque jour. *pr. quant.* **1.** chacun. ***Each of them wants to do it,*** chacun d'eux veut le faire. **2.** ***Each other,*** l'un l'autre, les uns les autres.
eager ['i:gə] *adj.* vif, ardent, passionné. ***He is eager to see her again,*** il brûle de la revoir; ***this boy is eager for knowledge,*** cet élève a soif de savoir.
eagle ['i:gəl] *n.* *(Zool.)* aigle.
ear[1] [ɪə] *n.* **1.** oreille. ♦ ***Be all ears,*** être tout ouïe; ***catch somebody's ear,*** s'assurer l'attention bienveillante de quelqu'un; ***have an ear for music,*** avoir l'oreille musicale; ***he's over head and ears in love,*** il est éperdument amoureux; ***prick up one's ears,*** dresser l'oreille; ***set people by the ears,*** semer la discorde entre les gens; ***turn a deaf ear,*** faire la sourde oreille; ***up to the ears in work,*** débordé de travail; ***your ears must have burnt,*** les oreilles ont dû vous tinter. **2.** *(Tech.)* objet en forme d'oreille (oreille, anse de vase...).
ear[2] [ɪə] *n.* épi.
earache ['ɪəreɪk] *n.* mal d'oreille.
eardrum ['ɪədrʌm] *n.* *(Anat.)* tympan.
earl ['ɜ:l] *n.* comte.
early ['ɜ:lɪ] *adj.* **1.** matinal, de bonne heure. **2.** précoce, prématuré. ***At an early age,*** tout jeune; ***early retirement,*** pré-retraite; ***early vegetables,*** primeurs. **3.** prochain. ♦ ***At your earliest convenience,*** le plus tôt possible. *adv.* de bonne heure. ***Rise early,*** se lever tôt. ♦ ***Early on in the year,*** tout au début de l'année.
earmark ['ɪəmɑ:k] *n.* **1.** marque à l'oreille (d'un mouton). **2.** *(fig.)* marque distinctive. *v.t.* **1.** marquer à l'oreille (des moutons). **2.** *(fig.)* réserver, mettre de côté. ***Earmark funds for a purpose,*** affecter des fonds à un projet.
earn [ɜ:n] *v.t.* **1.** gagner (de l'argent...). ***He earns his living by teaching,*** il gagne sa vie à enseigner. **2.** mériter.

His gallant behaviour earned him praise, sa conduite courageuse lui a valu des éloges.

earnest ['ɜːnɪst] *adj.* sérieux, sincère. *n.* ***In earnest,*** sérieux. ***Are you in earnest?*** parlez-vous sérieusement? ***it's raining in real earnest,*** il pleut pour de bon.

earnings ['ɜːnɪŋz] *n. pl.* **1.** gain, salaire. **2.** *(Comm.)* bénéfice.

earphone ['ɪəfəʊn] *n.* **1.** *(Téléph. Radio)* écouteur. **2.** *(pl.)* casque.

earshot ['ɪəʃɒt] *n.* ***Within earshot,*** à portée de voix.

earth [ɜːθ] *n.* **1.** terre, monde, globe terrestre. **2.** terre, sol. **3.** *(Elec.)* terre. ***Earth wire,*** fil de terre. **4.** terrier, tanière. ♦ ***What on earth are you doing here?*** que diable fais-tu là? *v.t.* **1.** *(Elec.)* mettre à la masse. *v. intr.* se terrer (pour un renard).

earthenware ['ɜːθnweə] *n.* **1.** poterie (en argile cuite). **2.** faïence.

earthly ['ɜːθlɪ] *adj.* **1.** terrestre, de ce monde. ***Earthly possessions,*** biens terrestres. **2.** *(fam.)* possible. ***There's no earthly reason for her to come,*** elle n'a pas la moindre raison de venir; *(fam.)* ***he hasn't an earthly (chance),*** il n'a pas la moindre chance.

earthquake ['ɜːθkweɪk] *n.* tremblement de terre.

earth up *v. part. t.* *(Agr.)* butter, recouvrir de terre.

ease [iːz] *n.* **1.** bien-être, confort. ***Ill at ease,*** mal à l'aise; ***take one's ease,*** prendre ses aises. **2.** tranquillité d'esprit. ***Set your mind at ease,*** rassurez-vous. **3.** aisance, facilité. **4.** *(Mil.)* ***Stand at ease,*** se mettre au repos. *v.t.* **1.** soulager (la douleur...). **2.** détendre (un cordage), donner de l'ampleur (à un vêtement). ♦ ***Ease speed,*** ralentir. *v. intr.* se détendre. ***The situation has eased,*** la situation s'est dénouée.

easel ['iːzl] *n.* chevalet.

ease up *v. part. intr.* se relâcher, travailler moins dur (aussi **ease off**).

East [iːst] *adj.* d'est, de l'est. ***The East End (of London),*** les bas quartiers de la partie est (de Londres). *adv.* vers l'est. ***East of the town,*** à l'est de la ville. *n.* est, orient. ***The Far East,*** l'Extrême-Orient; ***the Middle East,*** le Moyen-Orient.

Easter ['iːstə] *n.* Pâques.

eastern ['iːstən] *adj.* de l'est, oriental.

eastwards ['iːstwədz] *adv.* à l'est, vers l'est.

easy ['iːzɪ] *adj.* **1.** facile, aisé. ***She's easy to please,*** elle n'est pas difficile à contenter. **2.** tranquille. ***Easy life,*** vie sans soucis. **3.** *(Comm.)* ***On easy terms,*** avec facilités de paiement. ♦ ***Be in easy circumstances,*** être dans l'aisance; ***by easy stages,*** par petites étapes; ***easy victim,*** proie facile; ***I'm easy,*** ça m'est égal. *adv.* doucement, tranquillement. ♦ ***Easier said than done,*** c'est plus facile à dire qu'à faire; ***go easy on the wine!*** allez-y doucement avec le vin! *(Mil.)* ***stand easy!*** repos! ***take it easy!*** détends-toi! doucement!

easygoing ['iːzɪˌgəʊɪŋ] *adj.* **1.** insouciant, qui prend les choses du bon côté. **2.** accommodant, d'humeur facile.

eat [iːt] *v.t. irr.* (*p.* **ate** [et, eɪt], *p.p.* **eaten**). **1.** manger. **2.** ronger (pour la corrosion, un acide). *v. intr. irr.* faire un repas. ♦ *(fig.)* ***Be eaten up with jealousy,*** être dévoré de jalousie; ***eat away the coast,*** éroder la côte; ***eat it up!*** finis de manger cela! *(fam.)* ***eat one's words,*** se rétracter; ***she eats out of his hand,*** elle fait ses quatre volontés; ***this car eats up petrol,*** cette voiture consomme beaucoup.

eatable ['iːtəbl] *adj.* mangeable, comestible. *n.* *(pl.)* vivres, victuailles.

eaten ['iːtn] (**eat,** *v.*).

eats [iːts] *n.* *(fam.)* boustifaille, bouffe.

eaves [iːvz] *n.* avant-toit.

eavesdrop ['iːvzdrɒp] *v. intr.* écouter aux portes. ***Eavesdrop on a conversation,*** écouter indiscrètement une conversation.

ebb [eb] *n.* **1.** reflux. ***Ebb and flow,*** flux et reflux; ***ebb tide,*** marée descendante. **2.** *(fig.)* décadence, déclin. ***The patient is at a low ebb,*** le malade est très bas. *v. intr.* **1.** refluer. **2.** *(fig.)* décliner.

ebony ['ebənɪ] *n.* ébène

▷ **eccentric** [ɪk'sentrɪk] *adj.* **1.** excentrique (personne). **2.** *(Tech.)* excentrique (cercle...). *n.* excentrique, original.

economics [ˌiːkəˈnɒmɪks] *n.* économie politique.

ecstasy [ˈekstəsɪ] *n.* **1.** transport (de joie...). ***Be in an ecstasy of joy,*** être absolument ravi. **2.** *(Rel.)* extase.

eddy [ˈedɪ] *n.* tourbillon, remous. *v. intr.* tourbillonner, faire des remous.

edge [edʒ] *n.* **1.** tranchant (d'une lame, d'un outil...). **2.** bord, arête, lisière. ♦ ***Be on edge,*** avoir les nerfs en pelote; ***have the edge on somebody,*** être supérieur à quelqu'un; ***it sets my teeth on edge,*** cela me crispe; ***put an edge on,*** aiguiser; ***take the edge off something,*** émousser; *(fig.)* gâcher quelque chose. *v.t. et intr.* **1.** aiguiser, affûter. **2.** border (une étoffe, un vêtement...). ♦ ***Edge away,*** s'éloigner peu à peu; ***edge (one's way) out of a room,*** se glisser hors d'une pièce.

edgeways [ˈedʒweɪz] *adv.* latéralement, de côté (aussi **edgewise** [ˈedʒwaɪz]). ♦ *(fam.)* ***I couldn't get a word in edgeways,*** impossible de placer un mot.

edgy [ˈedʒɪ] *adj.* énervé, crispé.

edible [ˈedəbl] *adj.* comestible.

edibles [ˈedəblz] *n. pl.* comestibles.

edict [ˈiːdɪkt] *n.* *(Hist.)* édit.

⚠ **edit** [ˈedɪt] *v.t.* **1.** préparer la publication (de). **2.** *(Ciné.)* monter (un film).

⚠ **editor** [ˈedɪtə] *n.* **1.** rédacteur en chef. **2.** chroniqueur. ***Sports editor,*** rédacteur sportif. **3.** annotateur.

▻ **educate** [ˈedjʊkeɪt] *v.t.* éduquer, instruire.

educationist [ˌedjʊˈkeɪʃnɪst] *n.* spécialiste en matière d'enseignement.

▻ **educator** [ˈedjʊkeɪtə] *n.* éducateur, éducatrice.

eel [iːl] *n.* anguille.

effect [ɪˈfekt] *n.* **1.** effet, action, influence. **2.** *(pl.)* ***Personal effects,*** biens personnels. ♦ ***Give effect to,*** donner suite à; ***in effect,*** en réalité, *(Jur.)* en vigueur; ***of no effect,*** inutile; ***put into effect,*** mettre à exécution; ***take effect,*** entrer en vigueur, produire un effet; ***words to that effect,*** quelque chose d'analogue. *v.t.* effectuer, accomplir, réaliser.

⚠ **effective** [ɪˈfektɪv] *adj.* **1.** efficace. **2.** effectif, réel. **3.** frappant. ***Effective speaker,*** orateur convaincant. *n. pl.* *(Mil.)* ***Effectives,*** effectifs.

effectual [ɪˈfektʃʊəl] *adj.* efficace (action...).

▻ **effeminate** [ɪˈfemɪnɪt] *adj.* efféminé.

▻ **efficacious** [ˌefɪˈkeɪʃəs] *adj.* *(Méd.)* efficace (surtout pour un traitement, des remèdes...).

efficacy [ˈefɪkəsɪ] *n.* efficacité (aussi **efficacity** [ˌefɪˈkæsɪtɪ]).

efficiency [ɪˈfɪʃənsɪ] *n.* **1.** efficacité (d'une chose); rendement (d'une machine). **2.** capacités, valeur professionnelle (d'une personne).

efficient [ɪˈfɪʃənt] *adj.* **1.** qui a du rendement. **2.** capable, compétent.

effusive [ɪˈfjuːsɪv] *adj.* démonstratif, expansif.

egg [eg] *n.* œuf. ♦ *(fam.)* ***As sure as eggs is eggs,*** aussi sûr que deux et deux font quatre; *(fam.)* ***bad egg,*** propre à rien; *(fam.)* ***don't teach your grandmother to suck eggs,*** n'apprends pas à un vieux singe à faire des grimaces.

eggcup [ˈegkʌp] *n.* coquetier.

egghead [ˈeghed] *n.* *(péj.)* intellectuel, grosse tête.

egg on *v. part. t.* encourager, pousser (à). ***Egg somebody on to do something,*** inciter quelqu'un à faire quelque chose.

eggshell [ˈegʃel] *n.* coquille d'œuf. ♦ ***Eggshell china,*** (porcelaine) coquille d'œuf; **eggshell paint,** peinture presque mate.

eiderdown [ˈaɪdədaʊn] *n.* édredon.

either [ˈaɪðə] *amér.* [ˈiːðər] *adj.* **1.** l'un ou l'autre (de deux). ***You can do it either way,*** vous pouvez le faire d'une façon ou de l'autre. **2.** l'un et l'autre (de deux). ***On either side,*** des deux côtés. *pr.* l'un ou l'autre (de deux). ***I don't want either of them,*** je ne veux aucun des deux. *conj.* ***Either... or,*** soit... soit, ou... ou. *adv.* (avec une négation) non plus. ***You don't smoke, I don't either,*** vous ne fumez pas, moi non plus.

▻ **eject** [ɪˈdʒekt] *v.t.* éjecter, expulser.

eke out *v. part. t.* faire durer (des provisions..); ménager (son argent...). ♦ ***Eke out a living,*** subsister chichement.

⚠ **elaborate** [ɪ'læbərɪt] *adj.* **1.** compliqué, fouillé, minutieux. **2.** soigné, raffiné. *v.t. et intr.* [ɪ'læbəreɪt] **1.** donner davantage de détails. ***Don't elaborate (on it),*** ne vous perdez pas dans les détails. **2.** compliquer.

elapse [ɪ'læps] *v. intr.* s'écouler (pour le temps).

elated [ɪ'leɪtɪd] *adj.* transporté (de joie).

elation [ɪ'leɪʃn] *n.* transport de joie, ivresse.

elbow ['elbəʊ] *n. (Anat.)* coude. ♦ ***At my elbow,*** à mes côtés; ***out at the elbows,*** percé aux coudes, *(fig.)* miteux. *v.t.* pousser du coude. ***He elbowed his way through the crowd,*** il se fraya un passage dans la foule.

elbowroom ['elbəʊrʊm] *n.* **1.** place pour se retourner. **2.** *(fig.)* ***I like to have enough elbowroom,*** j'aime avoir les coudées franches.

elder[1] ['eldə] *n. (Bot.)* sureau.

elder[2] ['eldə] *adj.* (*comp. irr.* de **old**) aîné (de deux). ***My elder brother is much older than I,*** mon frère aîné est bien plus âgé que moi. *(Polit.)* ***Elder statesmen,*** hommes d'État chevronnés. *n.* **1.** aîné (de deux). **2.** *(Rel.)* ancien (Église presbytérienne).

elderly ['eldəlɪ] *adj.* d'un certain âge.

elect [ɪ'lekt] *adj.* élu (mais pas encore en fonctions). ***The Mayor elect,*** le futur maire. *n. pl. inv. (Rel.)* ***The elect,*** les élus. *v.t.* **1.** choisir. **2.** *(Polit.)* élire.

▻ **elector** [ɪ'lektə] *n.* électeur.

electrify [ɪ'lektrɪfaɪ] *v.t.* **1.** électriser (un fil, un corps...). **2.** *(Rail.)* électrifier (une ligne). **3.** *(fig.)* choquer profondément (quelqu'un); galvaniser (un public, son auditoire).

▻ **electronics** [ɪ,lek'trɒnɪks] *n. (Tech.)* électronique. ***Electronics technician,*** électronicien.

elemental [,elɪ'mentl] *adj.* **1.** qui appartient aux éléments, aux forces de la nature. ***The elemental violence of an earthquake,*** la violence naturelle d'un tremblement de terre. **2.** élémentaire, primitif. **3.** fondamental. ***Elemental truths,*** vérités premières.

▻ **elementary** [,elɪ'mentərɪ] *adj.* élémentaire.

▻ **elevate** ['elɪveɪt] *v.t.* **1.** élever (l'esprit, l'âme...) **2.** exalter (quelqu'un). **3.** hausser (le ton).

⚠ **elevator** ['elɪveɪtə] *n.* **1.** *(amér.)* ascenseur (cf. **lift**). **2.** *(Tech.)* élévateur, convoyeur, monte-charge. **3.** *(Av.)* gouvernail de profondeur. **4.** *(Agr.)* silo (à élévateur).

elevenses [ɪ'levenzɪz] *n. (fam.)* collation (thé et biscuits) prise à 11 h.

▻ **elf** [elf] *n.* (*pl.* **elves** [elvz]), elfe, lutin.

elicit [ɪ'lɪsɪt] *v.t. (lit.)* découvrir (la vérité); mettre en lumière (des faits).

⚠ **eligible** ['elɪdʒəbl] *adj.* **1.** éligible. **2.** digne d'être choisi, acceptable. ***He's an eligible young man,*** c'est un bon parti.

▻ **eliminate** [ɪ'lɪmɪneɪt] *v.t.* **1.** éliminer. **2.** supprimer (quelqu'un).

elk [elk] *n. (Zool.)* élan.

elm [elm] *n. (Bot.)* orme.

elongate ['i:lɒŋgeɪt] *v.t. et intr.* allonger, prolonger; s'allonger.

elope [ɪ'ləʊp] *v. intr.* s'enfuir de chez soi (avec un amant); se faire enlever.

else [els] *adv.* autre; d'autre; de plus. ***What else can I do?*** que puis-je faire d'autre? ♦ ***Nobody else,*** personne d'autre; ***or else,*** autrement, sinon; ***somewhere else,*** quelque part ailleurs; ***there's little else to be done,*** il n'y a pas grand-chose d'autre à faire.

elsewhere [,els'weə] *adv.* ailleurs.

▻ **elucidate** [ɪ'lu:sɪdeɪt] *v.t.* élucider, tirer au clair.

⚠ **elude** [ɪ'lu:d] *v.t.* **1.** éluder (une question); échapper à (un danger); se soustraire à (ses ennemis). **2.** ***Her name eludes me,*** son nom m'échappe.

elusive [ɪ'lu:sɪv] *adj.* **1.** insaisissable, fuyant. **2.** évasif (réponse).

▻ **emaciated** [ɪ'meɪʃɪeɪtɪd] *adj.* émacié, décharné.

▻ **emancipate** [ɪ'mænsɪpeɪt] *v.t.* émanciper, affranchir.

embankment [ɪm'bæŋkmənt] *n.* **1.** talus, remblai. **2.** digue, berge.

▻ **embark** [ɪm'bɑ:k] *v.t. et intr.* (s') embarquer; *(fig.)* s'embarquer, entreprendre.

▻ **embarrass** [ɪm'bærəs] *v.t.* embarrasser, gêner.

embarrassment [ɪm'bærəsmənt] *n.* **1.** embarras, gêne. **2.** ***Financial embarrassments,*** ennuis d'argent.

embassy ['embəsɪ] *n.* ambassade.
embed [ɪm'bed] *v.t.* enfoncer, enchâsser. ♦ *(Tech.)* ***Embedded in concrete,*** noyé dans le béton.
▻ **embellish** [ɪm'belɪʃ] *v.t.* **1.** embellir, orner. **2.** enjoliver (un récit, un style...).
ember ['embə] *n.* (surtout *pl.)* braise, charbons ardents.
embezzle [ɪm'bezl] *v.t.* détourner, s'approprier (des fonds...). *v. intr.* commettre des détournements.
embitter [ɪm'bɪtə] *v.t.* **1.** aigrir, remplir d'amertume (quelqu'un). **2.** envenimer (une querelle).
embodiment [ɪm'bɒdɪmənt] *n.* incarnation, personnification. ***She is the embodiment of kindness,*** elle est la bonté même.
embody [ɪm'bɒdɪ] *v.t.* **1.** incarner, personnifier. **2.** donner forme à (un esprit). **3.** renfermer, comprendre.
embolden [ɪm'bəʊldən] *v.t.* enhardir (quelqu'un).
embolism ['embəlɪzm] *n.* *(Méd.)* embolie.
embossed [ɪm'bɒst] *adj.* travaillé en relief; repoussé (métal, cuir); gaufré (papier); frappé (velours). ♦ ***Embossed paper,*** papier à en-tête en relief.
▻ **embrace** [ɪm'breɪs] *v.t.* **1.** embrasser, étreindre, donner une accolade à. **2.** englober, inclure. **3.** accepter d'emblée (une offre...). **4.** *(Rel.)* embrasser (une religion).
v. intr. s'embrasser, s'étreindre.
embroider [ɪm'brɔɪdə] *v.t.* **1.** broder. **2.** *(fig.)* enjoliver (un récit). *v. intr.* faire de la broderie.
embroidery [ɪm'brɔɪdərɪ] **1.** broderie. **2.** *(fig.)* broderie (d'un récit); enjolivure.
▻ **embryo** ['embrɪəʊ] *n.* embryon. *(fig.)* ***His plans are still in embryo,*** ses projets sont encore à l'état d'ébauche.
emend [ɪ'mend] *v.t.* corriger (un texte).
emendation [ˌiːmen'deɪʃn] *n.* correction. ***List of emendations,*** corrigenda.
▻ **emerald** ['emərəld] *n.* émeraude. *adj.* vert émeraude.
▻ **emerge** [ɪ'mɜːdʒ] *v. intr.* **1.** émerger (de l'eau). **2.** sortir (de quelque chose, de quelque part). **3.** apparaître, se faire jour.
emergence [ɪ'mɜːdʒəns] *n.* apparition (d'un nouveau leader politique, d'une nation...).
emergency [ɪ'mɜːdʒənsɪ] *n.* cas de nécessité, circonstance critique. ♦ *(Méd.)* ***An emergency case,*** une urgence; ***emergency exit,*** sortie de secours; *(Méd.)* ***emergency operation,*** intervention (chirurgicale) à chaud; ***emergency ration(s),*** vivres de réserve; ***in case of emergency,*** en cas d'urgence.
▻ **emigrate** ['emɪgreɪt] *v. intr.* émigrer.
emit [ɪ'mɪt] *v.t.* émettre, dégager (chaleur, fumée...).
▻ **emperor** ['empərə] *n.* empereur.
⚠ **emphasis** ['emfəsɪs] *n.* force, accentuation. ***Lay emphasis on a fact,*** souligner un fait.
emphasize ['emfəsaɪz] *v.t.* accentuer, souligner, mettre en valeur.
⚠ **emphatic** [ɪm'fætɪk] *adj.* **1.** énergique (ton, réponse...). **2.** net, catégorique (refus, avis...).
▻ **employ** [ɪm'plɔɪ] *v.t.* **1.** employer, utiliser. **2.** prendre à son service.
▻ **employee** [ɪm'plɔɪiː] *n.* employé(e).
employer [ɪm'plɔɪə] *n.* employeur, patron.
employment [ɪm'plɔɪmənt] *n.* **1.** emploi. **2.** emploi, situation. **3.** occupation. ♦ ***Employment agency,*** bureau de placement; ***employment exchange*** (ou ***labour exchange***), bourse du travail.
empower [ɪm'paʊə] *v.t.* *(Jur.)* donner pouvoir à. ***Empower somebody to do something,*** autoriser quelqu'un à faire quelque chose.
empress ['emprɪs] *n.* impératrice.
empty ['emptɪ] *adj.* vide, inoccupé, désert. ♦ *(fig.)* ***Empty threats,*** menaces en l'air; *(fam.)* ***feel empty,*** avoir faim; ***on an empty stomach,*** à jeun. *n.* ***Empties,*** emballages (caisses ou bouteilles vides). *v.t.* se vider, se déverser.
emulate ['emjʊleɪt] *v.t.* imiter (quelqu'un); rivaliser avec (quelqu'un).
enable [ɪ'neɪbl] *v.t.* permettre à, mettre (quelqu'un) à même de.
enact [ɪ'nækt] *v.t.* *(Jur.)* promulguer (une loi).
enamel [ɪ'næml] *n.* **1.** émail (*pl.* émaux). **2.** *(Tech.)* émail, laque. **3.** *(Anat.)*

émail (des dents). *v.t.* **1.** émailler. **2.** *(Tech.)* laquer, vernir; *(Phot.)* satiner (une épreuve).

▻ **enchant** [ɪn'tʃɑːnt] *v.t.* **1.** enchanter, ravir. **2.** ensorceler.

▻ **encircle** [ɪn'sɜːkl] *v.t.* encercler, cerner.

enclose [ɪn'kləʊz] *v.t.* **1.** clôturer, clore. **2.** joindre (à une lettre). ***Please find enclosed,*** veuillez trouver ci-joint.

enclosure [ɪn'kləʊʒə] *n.* **1.** clôture. **2.** enclos, enceinte; pesage (aux courses). **3.** pièce jointe (à une lettre...).

encompass [ɪn'kʌmpəs] *v.t. (lit.)* **1.** environner. **2.** *(fig.)* assaillir. ***Encompassed with doubts,*** assailli de doutes. **3.** renfermer, comprendre.

△ **encore** ['ɒŋkɔː] *n. (Th.)* bis. ***Call for an encore,*** bisser. *v.t.* bisser.

encounter [ɪn'kaʊntə] *n.* **1.** rencontre inattendue (d'amis). **2.** rencontre, combat, lutte. *v.t.* **1.** rencontrer inopinément (un ami). **2.** rencontrer (un obstacle, une résistance...); affronter (un ennemi).

▻ **encourage** [ɪn'kʌrɪdʒ] *v.t.* **1.** encourager, inciter (quelqu'un). **2.** favoriser (quelque chose).

encroach [ɪn'krəʊtʃ] *v. intr.* gagner, empiéter (sur). ***The sea keeps encroaching on the land,*** la mer ne cesse de gagner (du terrain); ***they encroach on my time,*** ils me font perdre mon temps.

encroachment [ɪn'krəʊtʃmənt] *n.* **1.** *(Jur.)* usurpation. **2.** empiètement.

▻ **encumber** [ɪn'kʌmbə] *v.t.* **1.** encombrer. **2.** *(fig.)* ***Encumbered with debts,*** grevé de dettes.

encumbrance [ɪn'kʌmbrəns] *n.* embarras, fardeau (personne ou chose).

end [end] *n.* **1.** bout, extrémité, fin. **2.** limite. **3.** fin (d'une période), terme. **4.** mort. **5.** but, dessein. **6.** bout, restes. ***Cigarette end,*** mégot. ♦ ***Be at a loose end,*** être désœuvré; ***come*** (ou ***draw) to an end,*** se terminer; ***end on,*** nez à nez; ***four hours on end,*** quatre heures de suite; ***go off the deep end,*** s'emporter; ***he's the absolute end,*** il n'y a que lui pour faire ça; ***he thinks no end of himself,*** il a une haute idée de sa personne; ***his hair was standing on end,*** il avait les cheveux qui se dressaient sur sa tête; ***keep your end up,*** ne vous laissez pas abattre; ***make (both) ends meet,*** joindre les deux bouts.

v.t. et intr. (se) terminer.

endanger [ɪn'deɪndʒə] *v.t.* mettre en danger, risquer, compromettre.

endear [ɪn'dɪə] *v.t.* rendre cher. ***He has endeared himself to all his schoolmates,*** il s'est fait aimer de tous ses camarades.

endearment [ɪn'dɪəmənt] *n.* mots doux.

endeavour [ɪn'devə] *n.* tentative, effort. *v. intr.* essayer, s'efforcer.

ending ['endɪŋ] *n.* **1.** fin, dénouement. **2.** *(Gram.)* terminaison, désinence.

endless ['endləs] *adj.* **1.** infini, interminable. **2.** *(Tech.)* sans fin (vis, courroie...).

endorse [ɪn'dɔːs] *v.t.* **1.** endosser (un chèque, un document...). **2.** ***Endorse a driving licence,*** inscrire un délit sur le permis de conduire. **3.** souscrire à. ***I fully endorse your opinion,*** je m'associe pleinement à votre façon de voir.

endorsement [ɪn'dɔːsmənt] *n.* **1.** *(Fin.)* endossement (d'un chèque...). **2.** adhésion, approbation.

endow [ɪn'daʊ] *v.t.* **1.** doter (une institution, un hôpital...). **2.** ***She was endowed with great beauty,*** elle était dotée d'une grande beauté.

endowment [ɪn'daʊmənt] *n.* **1.** dotation, fondation. **2.** don naturel.

end up *v. part. intr.* **1.** se terminer. ***End (up) in smoke,*** finir en fumée, avorter. **2.** se retrouver. ***He ended up (as) an engineer,*** il a fini ingénieur.

△ **endure** [ɪn'djʊə] *v.t.* endurer, supporter. *v. intr.* **1.** durer. **2.** survivre.

endways ['endweɪs] (aussi **endwise** ['endwaɪz]) *adv.* **1.** ***Endways on,*** avec le bout en avant. **2.** bout à bout.

△ **energetic** [ˌenə'dʒetɪk] *adj.* énergique.

enfold [ɪn'fəuld] *v. t.* **1.** prendre dans ses bras. **2.** envelopper.

enforce [ɪn'fɔːs] *v. t.* **1.** appliquer (la loi). ***The master enforces obedience,*** le maître se fait obéir. **2.** appuyer, faire valoir (un argument...).

enforcement [ɪn'fɔːsmənt] *n. (Jur.)* application, mise en vigueur (d'une loi).

enfranchise [ɪn'fræntʃaɪz] *v. t.* **1.** *(Polit.)* donner le droit de vote à. **2.** affranchir (un esclave).

⚠ **engage** [ɪn'geɪdʒ] *v. t. et intr.* **1.** engager (du personnel). **2.** engager (sa parole). **3.** réserver (une chambre). **4.** retenir (l'attention). **5.** *(Mil.)* attaquer (un ennemi). **6.** *(Tech.)* ***Engage with,*** s'engrener, s'enclencher (avec); *(Aut.)* ***engage in first (gear),*** passer la première.

⚠ **engaged** [ɪn'geɪdʒd] *adj.* **1.** pas libre (pour une personne). **2.** occupé, réservé. **3.** *(amér. Téléph.)* pas libre, occupé (cf. **busy**). **4.** fiancé(e). ***Get engaged,*** se fiancer.

⚠ **engagement** [ɪn'geɪdʒmənt] *n.* **1.** fiançailles. **2.** rendez-vous. **3.** engagement, promesse, obligation. **4.** *(Mil.)* bataille.

⊳ **engender** [ɪn'dʒendə] *n.* engendrer, produire.

engine ['endʒɪn] *n.* **1.** moteur. **2.** *(Rail.)* locomotive. ***Engine driver,*** conducteur mécanicien. **3.** ***(Fire) engine,*** pompe à incendie.

engineer [ˌendʒɪ'nɪə] *n.* **1.** ingénieur. ***Civil engineer,*** ingénieur des travaux publics (ou des ponts et chaussées). **2.** *(amér.)* conducteur mécanicien. **3.** *(Naut.)* mécanicien; *(Av.)* ***flight engineer,*** mécanicien navigant; *(Mil.)* soldat du génie.

engineering [ˌendʒɪ'nɪərɪŋ] *n.* **1.** ingénierie, technique. ♦ ***Aeronautical engineering,*** constructions aéronautiques; ***engineering and design department,*** bureau d'études; ***engineering department,*** service technique; ***engineering works,*** atelier de constructions mécaniques; ***management engineering,*** organisation de la gestion des entreprises. **2.** *(péj.)* machinations.

engraft [ɪn'grɑːft] *v.t.* **1.** *(Agr.)* greffer. **2.** *(Méd.)* greffer.

engrave [ɪn'greɪv] *v. t.* **1.** graver. **2.** *(fig.)* graver (dans la mémoire...).

engraving [ɪn'greɪvɪŋ] *n.* **1.** (la) gravure. **2.** gravure, estampe.

⚠ **engross** [ɪn'grəʊs] *v. t.* absorber (le temps, l'attention...).

engulf [ɪn'gʌlf] *v. t.* engouffrer, engloutir.

enhance [ɪn'hɑːns] *v. t.* rehausser, mettre en valeur.

enjoin [ɪn'dʒɔɪn] *v. t.* **1.** enjoindre, ordonner. **2.** *(Jur.)* interdire, prohiber.

enjoy [ɪn'dʒɔɪ] *v. t.* **1.** jouir de. ***Did you enjoy the film?*** le film vous a plu? ***she enjoys going to the theatre,*** elle aime aller au théâtre. **2.** posséder. ***Enjoy health,*** avoir une bonne santé. **3.** ***Enjoy oneself,*** s'amuser, prendre du bon temps.

enjoyable [ɪn'dʒɔɪəbl] *adj.* agréable. ***Enjoyable evening,*** excellente soirée.

enjoyment [ɪn'dʒɔɪmənt] *n.* **1.** plaisir, jouissance. **2.** possession. **3.** *(Jur.)* jouissance (d'un droit).

enlarge [ɪn'lɑːdʒ] *v. t.* **1.** agrandir, étendre, accroître. ***Enlarged edition,*** édition augmentée. **2.** *(Phot.)* agrandir (un cliché). *v. intr.* s'agrandir, s'accroître. *(fig.)* ***Enlarge (up)on a subject,*** s'étendre sur un sujet.

enlargement [ɪn'lɑːdʒmənt] *n.* **1.** agrandissement, accroissement. **2.** *(Phot.)* agrandissement.

enlighten [ɪn'laɪtn] *v. t.* *(fig.)* éclairer (quelqu'un).

enlightenment [ɪn'laɪtnmənt] *n.* éclaircissement. ***Age of Enlightenment,*** siècle des lumières; ***for your enlightenment,*** pour votre édification.

enlist [ɪn'lɪst] *v. t.* **1.** *(Mil.)* enrôler. **2.** rallier, recruter. ***Enlist somebody's support,*** s'assurer le concours de quelqu'un. *v. intr.* s'enrôler.

enlistment [ɪn'lɪstmənt] *n.* *(Mil.)* enrôlement, engagement.

enliven [ɪn'laɪvn] *v. t.* animer, stimuler.

enmity ['enmɪtɪ] *n.* inimitié, hostilité.

⚠ **enormity** [ɪ'nɔːmɪtɪ] *n.* **1.** énormité, horreur (d'un crime...). **2.** caractère démesuré (d'une tâche...). **3.** *(pl.)* ***Enormities,*** atrocités.

⊳ **enormous** [ɪ'nɔːməs] *adj.* énorme.

enough [ɪ'nʌf] *adj. et pr. quant.* assez (de). ***Have enough money,*** avoir suffisamment d'argent; ***he's had enough of her,*** il ne peut plus la sentir; ***there was enough and to spare,*** il y en avait de reste.
adv. assez. ♦ ***Curiously enough,*** chose curieuse; ***she writes well enough,*** elle n'écrit pas mal; ***sure enough,*** comme on pouvait prévoir.

enquire [ɪn'kwaɪə] (cf. **inquire)** *v. t. et intr.* **1.** demander. **2.** se renseigner, faire des investigations.
enrage [ɪn'reɪdʒ] *v. t.* rendre furieux, exaspérer.
enrapture [ɪn'ræptʃə] *v. t.* ravir, enchanter.
enrich [ɪn'rɪtʃ] *v. t.* **1.** enrichir. **2.** *(Agr.)* fertiliser, amender.
enrol(l) [ɪn'rəʊl] *v. t.* **1.** *(Mil.)* enrôler. **2.** embaucher, immatriculer. *v. intr.* **1.** *(Mil.)* s'enrôler. **2.** se faire inscrire.
enrolment [ɪn'rəʊlmənt] *n.* **1.** *(Mil.)* enrôlement, engagement. **2.** embauche. **3.** effectif. ***Our school has an enrolment of 500 pupils,*** il y a 500 élèves dans notre école.
ensign ['ensaɪn] *n.* **1.** *(Naut.)* pavillon. **2.** *(Mil.)* porte-drapeau. **3.** *(amér.)* enseigne de vaisseau de 2ᵉ classe.
enslave [ɪn'sleɪv] *v. t.* asservir, réduire à l'esclavage.
ensnare [ɪn'sneə] *v. t.* prendre au piège.
ensue [ɪn'sju:] *v intr. (lit.)* résulter, s'ensuivre.
ensure [ɪn'ʃʊə] *v. t.* **1.** assurer (un résultat). **2.** garantir (à quelqu'un un résultat).
entail [ɪn'teɪl] *v. t.* entraîner, imposer. ***This will entail a lot of work,*** ceci nécessitera beaucoup de travail.
entangle [ɪn'tæŋgl] *v. t.* **1.** emmêler, embrouiller. **2.** empêtrer. ♦ ***Get entangled,*** s'embrouiller, s'empêtrer.
entanglement [ɪn'tæŋglmənt] *n.* **1.** embrouillement, enchevêtrement. *(pl.)* ***Emotional entanglements,*** complications sentimentales. **2.** ***He's had an entanglement with a married woman,*** il a eu une affaire avec une femme mariée.
enter ['entə] *v. t.* **1.** entrer dans **2.** devenir membre de. ***Enter the army,*** s'enrôler ; ***enter the university,*** devenir étudiant. **3.** inscrire, enregistrer. ***Enter a horse for a race,*** engager un cheval dans une course ; ***enter one's name,*** s'inscrire. *v. intr.* **1.** entrer. **2.** s'inscrire. ***Enter for an exam,*** se présenter à un examen. ♦ ***Enter into the spirit of the game,*** entrer dans le jeu.
⚠ **enterprise** ['entəpraɪz] *n.* **1.** entreprise hasardeuse. **2.** esprit d'entreprise, initiative. **3.** *(Comm.)* entreprise. ***Private enterprise,*** secteur privé.
enterprising ['entəpraɪzɪŋ] *adj.* entreprenant, hardi.
⚠ **entertain** [,entə'teɪn] *v. t. et intr.* **1.** recevoir (des invités). **2.** distraire. **3.** réserver un accueil favorable à (une idée) ; nourrir (un espoir, des craintes...).
entertainer [,entə'teɪnə] *n.* artiste de music-hall, fantaisiste.
entertaining [,entə'teɪnɪŋ] *adj.* amusant, divertissant.
entertainment [,entə'teɪnmənt] *n.* **1.** ***Entertainment expenses,*** frais de représentation. **2.** divertissement, amusement. **3.** *(Th.)* spectacle, divertissement.
enthral(l) [ɪn'θrɔ:l] *v. t.* ensorceler, captiver.
enthrone [ɪn'θrəʊn] *v. t.* mettre (quelqu'un) sur le trône.
enthusiastic [ɪn,θju:zɪ'æstɪk] *adj.* enthousiaste, enragé.
entice [ɪn'taɪs] *v. t.* séduire, allécher.
enticement [ɪn'taɪsmənt] *n.* **1.** séduction. **2.** appât. **3.** attrait, charme.
entire [ɪn'taɪə] *adj.* entier, complet, intact.
entitle [ɪn'taɪtl] *v. t.* **1.** intituler (un livre). **2.** autoriser (quelqu'un à). ***You are entitled to appeal,*** vous avez le droit de faire appel.
entrance¹ ['entrəns] *n.* **1.** entrée. **2.** action d'entrer. **3.** admission. *(Ens.)* ***Entrance exam,*** examen d'entrée.
entrance² [ɪn'trɑ:ns] *v. t.* plonger dans l'extase. ***She was entranced,*** elle était dans le ravissement.
entreat [ɪn'tri:t] *v. t. et intr.* supplier. ***She entreated him to help her,*** elle implora son aide.
entreaty [ɪn'tri:tɪ] *n.* prières, supplications.
entrench [ɪn'trentʃ] *v. t. (Mil.)* retrancher (une ville...). ***Entrench oneself,*** se retrancher.
entrust [ɪn'trʌst] *v. t.* **1.** confier (quelqu'un à). ***She entrusted the child to her aunt,*** elle a confié l'enfant à sa tante. **2.** laisser (quelque chose) aux soins (de). ***He entrusted his friend with a large sum of money,*** il a confié une grosse somme à son ami.

⚠ **entry** ['entrɪ] *n.* **1.** entrée. **2.** entrée (dans une liste, un dictionnaire...). **3.** *(Sp.)* inscription des concurrents.
▷ **enumerate** [ɪ'nju:məreɪt] *v. t.* énumérer.
enunciate [ɪ'nʌnsɪeɪt] *v. t. et intr.* **1.** prononcer. **2.** exprimer (des vues, des opinions...).
▷ **envelop** [ɪn'veləp] *v. t.* envelopper.
▷ **envelope** ['envələʊp] *n.* enveloppe.
▷ **envious** ['envɪəs] *adj.* envieux.
envoy ['envɔɪ] *n.* **1.** envoyé, messager; représentant. **2.** *(Lit.)* envoyé.
▷ **envy** ['envɪ] *n.* **1.** envie, jalousie. **2.** objet d'envie. *v. t.* envier.
⚠ **epic** ['epɪk] *adj.* épique. *n.* **1.** épopée. **2.** film à grand spectacle.
⚠ **epidemic** [ˌepɪ'demɪk] *adj.* épidémique. *n.* épidémie.
epistle [ɪ'pɪsl] *n.* **1.** *(Rel.)* ***Epistle,*** épître. **2.** missive, épître.
epitome [ɪ'pɪtəmɪ] *n.* **1.** modèle parfait. ***She is the epitome of charity,*** elle est la charité même. **2.** *(Lit.)* résumé, abrégé.
⚠ **epoch** ['i:pɒk] *n.* **1.** époque. **2.** événement marquant.
epoch-making ['i:pɒkˌmeɪkɪŋ] *adj.* qui fait date, marquant (événement...).
equable ['ekwəbl] *adj.* régulier, uniforme. ***Equable temperament,*** humeur égale.
equal ['i:kwəl] *adj.* égal. ***He was equal to the task,*** il a été à la hauteur de la tâche; ***she's on equal terms with everybody,*** elle est sur un pied d'égalité avec tout le monde. *n.* égal, pair. ***They won't find his equal,*** on ne trouvera pas son pareil. *v. t.* égaler.
▷ **equality** [ɪ'kwɒlɪtɪ] *n.* égalité.
equanimity [ˌi:kwə'nɪmɪtɪ] *n.* égalité d'âme, sérénité.
equate [ɪ'kweɪt] *v. t.* égaler, mettre sur le même plan (que).
▷ **equator** [ɪ'kweɪtə] *n.* équateur.
equilibrium [ˌi:kwɪ'lɪbrɪəm] *n.* équilibre.
▷ **equip** [ɪ'kwɪp] *v. t.* équiper, installer, outiller. *(fig.)* ***He's well equipped for the job,*** il est bien apte à faire ce travail.
▷ **equity** ['ekwɪtɪ] *n.* équité, justice.
▷ **era** ['ɪərə] *n.* ère, époque.
eradicate [ɪ'rædɪkeɪt] *v. t.* extirper, faire disparaître (des préjugés, la délinquance...).
erase [ɪ'reɪz] *v. t.* effacer, gommer.
eraser [ɪ'reɪzə] *n.* *(amér.)* **1.** gomme (cf. **rubber**). **2.** (= ***blackboard eraser***) tampon effaceur.
erect [ɪ'rekt] *adj.* bien droit, dressé. *v. t.* ériger, dresser.
▷ **ermine** ['ɜ:mɪn] *n.* **1.** *(Zool.)* hermine. **2.** fourrure d'hermine.
▷ **erode** [ɪ'rəʊd] *v. t.* éroder, ronger.
erotica [ɪ'rɒtɪkə] *n.* publications ou photos érotiques.
eroticism [ɪ'rɒtɪsɪzm] *n.* érotisme.
⚠ **err** [ɜ:] *v. intr.* **1.** se tromper. ***Err from the straight path,*** quitter le droit chemin. **2.** pécher. ***Err on the side of mercy,*** pécher par (excès d') indulgence.
errand ['erənd] *n.* commission. ***Run errands for somebody,*** faire des courses pour quelqu'un.
erroneous [ɪ'rəʊnɪəs] *adj.* erroné, faux.
▷ **error** ['erə] *n.* erreur, méprise, faute.
erupt [ɪ'rʌpt] *v. intr.* entrer en éruption.
escalator ['eskəleɪtə] *n.* escalier roulant (aussi **moving staircase**).
escape [ɪ'skeɪp] *n.* fuite, évasion. ♦ ***Fire escape,*** échelle de secours; ***they had a narrow escape,*** ils l'ont échappé belle. *v.t.* **1.** éviter (un danger). ***He escaped being run over,*** il a failli se faire écraser. **2.** passer inaperçu. ***Her name escapes me,*** son nom m'échappe. *v. intr.* s'échapper.
escapee [ˌeskeɪ'pi:] *n.* évadé.
escapism [ɪ'skeɪpɪzm] *n.* désir d'évasion (de la réalité).
escapist [ɪ'skeɪpɪst] *adj.* *(Lit.)* ***Escapist literature,*** littérature d'évasion. *n.* personne qui cherche à fuir la réalité.
escort ['eskɔ:t] *n.* **1.** escorte, suite. **2.** garde du corps; cavalier (pour une femme). **3.** *(Naut. Av.)* escorteur, d'escorte. *v.t.* [ɪ'skɔ:t] escorter. ***Escort a lady home,*** raccompagner une femme chez elle.
▷ **essay** ['eseɪ] *n.* **1.** *(vx.)* tentative. **2.** *(Lit.)* essai. **3.** *(Ens.)* essai, dissertation. *v.t.* [e'seɪ] essayer, mettre à l'épreuve.
essence ['esəns] *n.* **1.** essence, nature profonde. **2.** *(Cuis. Sc.)* essence, extrait.

▷ **essential** [ɪ'senʃl] *adj.* essentiel, indispensable. *n. (pl.)* choses, qualités indispensables.

establish [ɪ'stæblɪʃ] *v.t.* **1.** établir, fonder. ***Establish oneself,*** s'installer, s'établir ; ***the Established Church,*** la religion d'État. **2.** instaurer (une règle...). **3.** démontrer, prouver. ***He established his innocence,*** il a prouvé son innocence.

▷ **establishment**[1] [ɪ'stæblɪʃmənt] *n.* **1.** établissement, création. **2.** *(Comm.)* établissement. ***Business establishment,*** maison de commerce.

⚠ **establishment**[2] [ɪ'stæblɪʃmənt] *n.* ***The Establishment,*** les milieux dirigeants, les institutions en place.

estate [ɪ'steɪt] *n.* **1.** domaine, biens. ♦ ***Estate agent,*** agent immobilier ; *(Aut.)* ***estate car,*** break (*amér.* ***station wagon***) ; ***personal estate,*** biens meubles ; ***real estate,*** biens immobiliers. **2.** ***(Housing) estate,*** lotissement, cité ouvrière, H.L.M.

▷ **esteem** [ɪ'sti:m] *n.* estime ; considération. *v.t.* **1.** estimer. **2.** considérer. ***She esteems herself happy,*** elle se trouve heureuse.

estimate ['estɪmɪt] *n.* estimation, appréciation, évaluation. ♦ *(fam.)* ***At a rough estimate,*** à vue de nez ; *(Comm.)* ***rough estimate,*** devis approximatif. *v.t.* ['estɪmeɪt] estimer, évaluer.

estrange [ɪ'streɪndʒ] *v.t.* s'aliéner l'affection de. ***They have become estranged,*** ils ne se parlent plus.

estrangement [ɪ'streɪndʒmənt] *n.* aliénation, brouille.

▷ **estuary** ['estʃʊərɪ] *n.* estuaire.

etch [etʃ] *v.t. et intr.* graver à l'eau-forte.

▷ **eternal** [ɪ'tɜ:nl] *adj.* **1.** éternel. **2.** sans fin. ***Eternal rows,*** des querelles incessantes.

ethical ['eθɪkl] *adj.* éthique, moral.

ethics ['eθɪks] *n.* éthique, morale.

eulogy ['ju:lədʒɪ] *n. (lit.)* éloge, panégyrique.

▷ **evacuate** [ɪ'vækjʊeɪt] *v.t.* évacuer.

⚠ **evade** [ɪ'veɪd] *v.t.* **1.** échapper à ; déjouer la vigilance de. **2.** éviter, éluder. ***Evade a duty,*** se soustraire à un devoir ; ***evade income tax,*** frauder le fisc.

▷ **evaluate** [ɪ'væljʊeɪt] *v.t.* évaluer.

evaporate [ɪ'væpəreɪt] *v.t. et intr.* **1.** (faire) évaporer. **2.** s'évaporer. **3.** *(fig.)* disparaître comme par enchantement.

⚠ **evasion** [ɪ'veɪʒn] *n.* **1.** fuite. **2.** *(Fin.)* ***Tax evasion,*** fraude fiscale. **3.** fauxfuyant, détour.

⚠ **evasive** [ɪ'veɪsɪv] *adj.* **1.** évasif. **2.** de dérobement. ***Take evasive action,*** *(Mil.)* se replier, *(fig.)* prendre la tangente.

eve [i:v] *n.* veille, soir. ***On New Year's Eve,*** le soir de la St-Sylvestre. ♦ *(fig.)* ***On the eve of,*** à la veille de.

even[1] ['i:vn] *adj.* **1.** plat, uni, plan. **2.** régulier, égal. **3.** à égalité. *(Comm.)* ***Even bargain,*** marché équitable. **4.** pair (nombre) (≠ **odd**). ♦ ***I'll get even with him,*** je lui revaudrai ça.

even[2] ['i:vn] *adv.* **1.** même. **2.** encore. ***She knows this even less than her sister,*** elle connaît encore moins ceci que sa sœur. ♦ ***Even as,*** au moment même où ; ***even if*** (ou ***even though***), même si, bien que ; ***even now,*** à l'instant même.

even-handed [ˌi:vn'hændɪd] *adj.* impartial, équitable.

evening ['i:vnɪŋ] *n.* **1.** soir. **2.** soirée. ***Evening dress,*** robe de soirée, tenue de soirée.

even out *v. part. t. et intr.* (s') égaliser.

event [ɪ'vent] *n.* **1.** événement. **2.** *(Sp.)* épreuve. **3.** cas. ♦ ***At all events,*** en tout cas ; ***in any event,*** de toute façon ; ***in the event of,*** pour le cas où, dans l'éventualité de.

eventful [ɪ'ventfəl] *adj.* **1.** riche en événements, mémorable.

⚠ **eventual** [ɪ'ventʃʊəl] *adj.* final.

⚠ **eventually** [ɪ'ventʃʊəlɪ] *adv.* en fin de compte, finalement, à la longue.

ever ['evə] *adv.* **1.** jamais (à un moment quelconque), déjà. ***Have you ever been to England?*** êtes-vous déjà allé en Angleterre ? ***now if ever is the moment to go,*** c'est maintenant le moment où jamais d'y aller. **2.** à tout jamais. ***They lived happily ever after,*** ils vécurent heureux le reste de leur vie. **3.** ***Ever since,*** depuis lors. ***It's been raining ever since,*** il n'a pas cessé de pleuvoir depuis. **4.** toujours.

He drives as fast as ever, il conduit toujours aussi vite; ***she's for ever complaining,*** elle ne cesse de se plaindre; ***yours ever,*** bien cordialement. **5.** (intensif) ***I did it as fast as ever I could,*** je l'ai fait aussi vite que je l'ai pu; *(fam.)* ***it's ever so cold,*** il fait tellement froid; ***what ever do you mean?*** que diable voulez-vous dire?

evergreen ['evəgri:n] *adj. (Bot.)* toujours vert. *n. (Bot.)* arbre à feuilles persistantes.

everlasting [,evə'lɑ:stɪŋ] *adj.* éternel.

every ['evrɪ] *adj.* **1.** chaque, tous (les). ***Every three days,*** tous les trois jours; ***every week,*** chaque semaine. **2.** tous, tout (sans exception). ***I enjoyed every minute of the concert,*** le concert m'a plu d'un bout à l'autre; ***I have every reason to believe,*** j'ai tout lieu de croire. **3.** *(lit)* le moindre. ***I'll try to meet her every wish,*** j'essaierai de combler tous ses désirs. ♦ ***Every bit as good as,*** tout aussi bon que; ***every now and again*** (ou ***every now and then***), de temps à autre; ***every other day,*** tous les deux jours; ***he's every inch a gentleman,*** c'est un gentleman jusqu'au bout des ongles; ***in every way,*** à tous égards.

everybody ['evrɪbɒdɪ] *pr.* chacun, tout le monde (aussi **everyone**).

everyday ['evrɪdeɪ] *adj.* **1.** quotidien, banal. **2.** de tous les jours. ***Everyday clothes,*** vêtements de la semaine.

everything ['evrɪθɪŋ] *pr.* tout. ***What with unemployment and everything,*** avec le chômage et tout le reste.

everywhere ['evrɪweə] *adv.* partout.

evict [ɪ'vɪkt] *v.t.* expulser, chasser.

△ **evidence** ['evɪdəns] *n.* **1.** preuve (s), témoignage. ***Show evidence of intelligence,*** faire preuve d'intelligence. **2.** *(Jur.)* témoignage. ***Give evidence,*** témoigner. **3.** *(pl.)* marques révélatrices, traces. **4.** évidence. ***In evidence,*** en vue. ***She likes to be in evidence,*** elle aime se faire remarquer.

evil ['i:vl] *adj.* **1.** mauvais, malfaisant. **2.** néfaste. ***In an evil hour,*** dans un moment funeste. *n.* mal, maux (≠ **good**). ***Social evils,*** plaies sociales.

evildoer [,i:vl'du:ə] *n. (lit.)* méchant, gredin.

△ **evince** [ɪ'vɪns] *v.t. (lit)* témoigner de, faire preuve de. ***Evince curiosity,*** manifester de la curiosité.

△ **evoke** [ɪ'vəʊk] *v.t.* **1.** évoquer (un souvenir). **2.** provoquer, susciter (une réaction). ***Evoke a smile,*** faire naître un sourire.

evolve [ɪ'vɒlv] *v.t.* développer (un plan, un système...). *v. intr.* se développer, évoluer.

ewe [ju:] *n.* brebis.

△ **exact** [ɪg'zækt] *adj.* **1.** exact. ***The exact word,*** le mot juste. **2.** précis. *v.t.* **1.** exiger (l'obéissance, la discipline...); extorquer (des fonds). **2.** requérir, réclamer.

exacting [ɪg'zæktɪŋ] *adj.* **1.** exigeant (personne). **2.** astreignant (tâche).

▻ **exaggerate** [ɪg'zædʒəreɪt] *v.t. et intr.* exagérer.

△ **exalt** [ɪg'zɔ:lt] *v.t.* **1.** élever (à un rang, à une dignité...). **2.** exalter, porter aux nues.

△ **exalted** [ɪg'zɔ:ltɪd] *adj.* **1.** haut placé (personne...). **2.** élevé (sentiment...). **3.** exalté, surexcité.

exam [ɪg'zæm] (= **examination**), *n.* examen. *(Ens.)* ***Competitive exam,*** concours.

examination [ɪg,zæmɪ'neɪʃn] *n.* **1.** fouille, inspection, examen. ***Medical examination,*** examen médical; ***on further examination,*** après un examen approfondi; ***under examination,*** à l'examen. **2.** *(Ens.)* examen. **3.** *(Jur.)* interrogatoire (d'un accusé); audition (de témoins).

▻ **examine** [ɪg'zæmɪn] *v.t.* **1.** examiner (un malade); fouiller (des bagages); inspecter (une machine). **2.** *(Ens.)* faire passer un examen à, interroger (un candidat). **3.** *(Jur.)* faire subir un interrogatoire à.

▻ **example** [ɪg'zɑ:mpl] *n.* **1.** exemple. **2.** exemple à imiter, modèle. ♦ ***For example,*** par exemple; ***hold somebody up as an example,*** citer quelqu'un en exemple; ***set a good example,*** donner le bon exemple; ***without example,*** sans précédent.

▻ **exasperate** [ɪg'zɑ:spəreɪt] *v.t.* exaspérer. ***Exasperated at the noise,*** irrité par le bruit.

excavate ['ekskəveɪt] *v.t.* excaver, creuser. ***Excavate (a site),*** faire des fouilles.

excavator ['ekskəveɪtə] *n.* **1.** excavateur, excavatrice, pelleteuse. **2.** fouilleur, fouilleuse.

exceed [ɪk'si:d] *v.t.* excéder. ***Exceed the speed limit,*** commettre un excès de vitesse.

exceedingly [ɪk'si:dɪŋlɪ] *adv.* extrêmement, excessivement.

excel [ɪk'sel] *v.t.* surpasser (quelqu'un). *v. intr.* exceller.

except [ɪk'sept] *prép.* **1.** sauf, excepté. ***You can come any day, except Sunday,*** venez quand vous voudrez sauf le dimanche. **2.** ***Except for,*** à l'exception de. *conj.* **1.** si ce n'est. **2.** à moins que, à moins de. *v.t.* exclure, faire des objections (à).

⚠ **exception** [ɪk'sepʃn] *n.* **1.** exception. **2.** *(Jur.)* ***Exception!*** Objection! ♦ ***Take exception to something,*** s'offusquer (de), se formaliser (de); ***with the exception of,*** sauf.

exceptionable [ɪk'sepʃnəbl] *adj.* blâmable, répréhensible.

⊳ **exceptional** [ɪk'sepʃənl] *adj.* exceptionnel.

excerpt ['eksɜ:pt] *n.* *(Lit.)* extrait.

excess [ɪk'ses] *n.* **1.** excédent. **2.** excès. ***In excess of,*** dépassant. **3.** *(pl.)* excès, actes de cruauté. *adj.* ['ekses] en supplément. ♦ *(Rail.)* ***Excess fare,*** supplément; *(Fin.)* ***excess profits tax,*** impôt sur les bénéfices exceptionnels; ***excess weight,*** excédent de poids.

exchange [ɪks'tʃeɪndʒ] *n.* **1.** échange. **2.** *(Téléph.)* ***Telephone exchange,*** central téléphonique. **3.** *(Comm.)* ***Corn exchange,*** bourse des céréales. **4.** *(Fin.)* change. ***(Rate of) exchange,*** taux de change, cours. *v.t.* **1.** échanger, troquer. ***Exchange blows,*** en venir aux mains. **2.** *(Fin.)* changer (des devises) (cf. **change**).

exchequer [ɪks'tʃekə] *n.* ***The Exchequer,*** le Trésor public, le ministère des Finances. ***Chancellor of the Exchequer,*** ministre des Finances.

excise[1] ['eksaɪz] *n.* contributions indirectes. ***Excise duties,*** droit de régie.

⊳ **excise**[2] [ɪk'saɪz] *v.t.* **1.** *(Méd.)* exciser, faire l'ablation (d'un organe). **2.** retrancher (un passage d'un livre).

excite [ɪk'saɪt] *v.t.* **1.** exciter. **2.** provoquer (l'envie, l'intérêt...).

excitement [ɪk'saɪtmənt] *n.* excitation, agitation, vive émotion. ***It caused great excitement,*** cela a fait sensation.

⚠ **exciting** [ɪk'saɪtɪŋ] *adj.* passionnant, captivant, palpitant.

exclaim [ɪk'skleɪm] *v.t.* s'exclamer. ***«Thank Heaven!», he exclaimed,*** «Dieu merci!», s'écria-t-il. *v. intr.* se récrier.

exclude [ɪk'sklu:d] *v.t.* **1.** exclure. **2.** rejeter, écarter (une possibilité, des soupçons...).

⚠ **exclusive** [ɪk'sklu:sɪv] *adj.* **1.** exclusif (usage...). **2.** sélect, très fermé (club). ♦ *(Comm.)* ***Exclusive of post and packing,*** emballage et port en sus; ***rent, £ 200, exclusive,*** loyer, 200 livres, charges non comprises.
n. **1.** article de journal en exclusivité. **2.** *(Comm.)* produit en exclusivité.

⊳ **excommunicate** [ˌekskə'mju:nɪkeɪt] *v.t.* excommunier.

excruciating [ɪk'skru:ʃɪeɪtɪŋ] *adj.* atroce, horrible (douleur...).

exculpate ['ekskʌlpeɪt] *v.t.* disculper.

excuse [ɪk'skju:s] *n.* **1.** excuse. ***In excuse of his lateness,*** pour excuser son retard. **2.** prétexte, faux-fuyant.
v.t. [ɪk'skju:z] **1.** excuser, pardonner. ***If you'll excuse me,*** si vous me le permettez. **2.** dispenser, exempter. ♦ ***Excuse oneself,*** s'excuser; ***he excused himself from the meeting,*** il a demandé l'autorisation de quitter la réunion; *(Ens.)* ***may I be excused?*** puis-je sortir?

⊳ **execute** ['eksɪkju:t] *v.t.* **1.** exécuter (un plan, des ordres...). **2.** *(Jur.)* exécuter (un jugement, un testament...); signer (un acte). **3.** exécuter (un condamné). **4.** *(Mus.)* exécuter, jouer (un morceau).

executioner [ˌeksɪ'kju:ʃnə] *n.* bourreau.

⚠ **executive** [ɪg'zekjʊtɪv] *adj.* exécutif. *(Ciné.)* ***Executive producer,*** producteur délégué; ***executive secretary,*** secrétaire de direction.
n. **1.** *(Polit.)* (pouvoir) exécutif; direction. **2.** cadre, chef de service, directeur. **3.** *(Comm.)* ***Sales executive,*** directeur commercial.

executor [ɪg'zekjʊtə] *n. (Jur.)* exécuteur testamentaire.

exemplify [ɪg'zemplɪfaɪ] *v.t.* **1.** démontrer par des exemples. **2.** servir d'exemple.

exemption [ɪg'zempʃn] *n.* **1.** *(Mil.)* exemption, dispense. **2.** *(Fin.)* exonération.

exercise ['eksəsaɪz] *n.* **1.** exercice (d'une faculté, de ses fonctions...). **2.** *(Sp.)* exercice. **3.** *(Ens.)* exercice. ***Exercise book,*** cahier. **4.** *(Mil.)* exercice, manœuvre.
v.t. **1.** exercer (une faculté, des fonctions, un métier...). **2.** exercer (le corps, l'esprit). *v. intr.* faire de l'exercice.

exert [ɪg'zɜːt] *v. t.* exercer (une pression, une influence...); employer (sa force). ***Exert yourself!*** remue-toi!

exertion [ɪg'zɜːʃn] *n.* effort.

▻ **exhale** [eks'heɪl] *v.t. et intr.* **1.** (s') exhaler. **2.** expirer (de l'air).

exhaust [ɪg'zɔːst] *v.t.* user, épuiser (les forces, les réserves, un sujet...); expulser (des gaz).
n. **1.** *(Tech.)* échappement (aussi **exhaust pipe**). **2.** gaz d'échappement (aussi **exhaust fumes**).

exhaustion [ɪg'zɔːstʃən] *n.* épuisement.

▻ **exhaustive** [ɪg'zɔːstɪv] *adj.* exhaustif, approfondi.

exhibit [ɪg'zɪbɪt] *n.* **1.** objet exposé. **2.** *(Jur.)* pièce à conviction. **3.** *(amér.)* exposition. (cf. **exhibition**). *v.t. et intr.* **1.** exposer. **2.** faire preuve de (courage...).

⚠ **exhibition** [egsɪ'bɪʃn] *n.* **1.** exposition. **2.** manifestation, démonstration. **3.** *(Ens.)* bourse. ♦ ***Make an exhibition of oneself,*** se donner en spectacle; ***on exhibition,*** exposé.

exhilarated [ɪg'zɪləreɪtɪd] *adj.* émoustillé.

exhilarating [ɪg'zɪləreɪtɪŋ] *adj.* vivifiant, émoustillant.

exhilaration [ɪg,zɪlə'reɪʃn] *n.* joie débordante, ivresse.

▻ **exhort** [ɪg'zɔːt] *v.t.* exhorter, encourager.

⚠ **exile** ['eksaɪl] *n.* **1.** exil. **2.** exilé, banni. *v.t.* exiler.

⚠ **exist** [ɪg'zɪst] *v. intr.* **1.** exister. **2.** subsister.

exit ['egzɪt] *n.* **1.** sortie. **2.** *(Th.)* sortie de scène. *v. intr.* (*pl.* **exeunt**) *(Th.)* ***Exit Othello,*** Othello sort.

▻ **exodus** ['eksədəs] *n.* exode.

⚠ **exonerate** [ɪg'zɒnəreɪt] *v.t.* **1.** dispenser (d'une obligation). **2.** disculper, justifier (quelqu'un).

expand [ɪk'spænd] *v.t. et intr.* **1.** (se) dilater. *(Tech.)* ***Expanded polystyrene,*** polystyrène expansé. **2.** se développer. ***Our business is expanding,*** notre affaire prend de l'extension.

expanse [ɪk'spæns] *n.* étendue.

⚠ **expansive** [ɪk'spænsɪv] *adj.* **1.** *(Tech.)* expansible, dilatable (gaz). **2.** expansif (personne).

expatiate [ɪk'speɪʃɪeɪt] *v. intr.* ***Expatiate on a subject,*** s'étendre longuement sur un sujet.

expect [ɪk'spekt] *v.t.* **1.** attendre. ***She is expecting a baby,*** elle attend un bébé; ***we're expecting him to dinner,*** nous l'attendons pour le dîner. **2.** espérer. ***He expects his men to do their duty,*** il compte que ses hommes feront leur devoir. **3.** supposer, croire.

expectancy [ɪk'spektənsɪ] *n.* attente.

expectant [ɪk'spektənt] *adj.* **1.** qui attend. **2.** ***Expectant mother,*** future maman.

expectation [,ekspek'teɪʃn] *n.* **1.** attente, prévision. ♦ ***Alan came up to everybody's expectations,*** Alan a répondu à l'attente de tous; ***expectation of life,*** espérance de vie; ***fall short of somebody's expectations,*** tromper l'attente de quelqu'un; ***succeed beyond expectation(s),*** réussir au-delà de toutes les espérances. **2.** *(pl.)* espérances (d'héritage).

expediency [ɪk'spiːdɪənsɪ] *n.* **1.** opportunité, convenance. **2.** *(péj.)* opportunisme.

⚠ **expedient** [ɪk'spiːdɪənt] *adj.* **1.** opportun. **2.** commode, pratique. *n.* expédient.

⚠ **expedition** [,ekspɪ'dɪʃn] *n.* **1.** expédition. ***Be on an expedition,*** prendre part à une expédition. **2.** célérité, promptitude.

expel [ɪk'spel] *v.t.* **1.** chasser (de l'air, un gaz, un liquide...). **2.** *(Ens.)* renvoyer (un élève, un étudiant).

expend [ɪk'spend] *v.t.* dépenser (de l'argent); épuiser (des forces, des ressources).

expendable [ɪk'spendəbl] *adj.* **1.** non réutilisable (bouteilles, emballages...). **2.** *(Mil.)* sacrifiable (troupes).

expenditure [ɪk'spendɪtʃə] *n.* **1.** dépense(s). **2.** dépense (de temps, d'énergie...).

expense [ɪk'spens] *n.* dépenses, frais. ♦ *(fig.)* ***At my expense,*** à mes dépens; ***at the expense of,*** au prix de (sa vie, sa santé...); ***expense account,*** indemnité pour frais professionnels; ***go to great expense,*** faire beaucoup de frais; ***I cannot go to that expense,*** je n'en ai pas les moyens.

expensive [ɪk'spensɪv] *adj.* coûteux.

⚠ **experience** [ɪk'spɪərɪəns] *n.* **1.** expérience, sagesse. **2.** expérience, aventure personnelle. *v.t.* éprouver (un sentiment, une douleur...); faire l'expérience de.

experiment [ɪk'sperɪmənt] *n.* *(Sc.)* expérience. *v. intr.* *(Sc.)* expérimenter. ***Experiment on dogs,*** faire des expériences sur des chiens; ***experiment with new materials,*** tester de nouveaux matériaux.

⚠ **expertise** [ˌekspɜː'tiːz] *n.* **1.** adresse, habileté (aussi **expertness**). **2.** expertise.

▻ **expire** [ɪk'spaɪə] *v. intr.* **1.** expirer, arriver à terme. **2.** *(lit.)* mourir.

explain [ɪk'spleɪn] *v. t. et intr.* **1.** expliquer. **2.** justifier (sa conduite...). ***Explain oneself,*** s'expliquer; ***he explained it away,*** il en a donné une explication convaincante; ***will you explain it to me?*** voulez-vous m'expliquer?

explanation [ˌeksplə'neɪʃn] *n.* explication, justification.

⚠ **explode** [ɪk'spləʊd] *v. t. et intr.* **1.** (faire) exploser; faire explosion. **2.** démontrer la fausseté (d'une croyance...).

▻ **exploit**[1] ['eksplɔɪt] *n.* exploit, haut fait.

▻ **exploit**[2] [ɪk'splɔɪt] *v. t.* **1.** exploiter. **2.** *(péj.)* exploiter (quelqu'un à son profit).

▻ **explore** [ɪk'splɔː] *v. t.* **1.** explorer. **2.** examiner. **3.** *(Méd.)* sonder.

explorer [ɪk'splɔːrə] *n.* explorateur.

exponent [ɪk'spəʊnənt] *n.* **1.** interprète (qui explique un système, une théorie). **2.** *(Math.)* exposant.

export ['ekspɔːt] *n.* **1.** exportation. **2.** *(Comm.)* article, marchandise d'exportation. *v.t. et intr.* [ɪk'spɔːt] exporter.

⚠ **expose** [ɪk'spəʊz] *v. t.* **1.** découvrir. **2.** abandonner, laisser sans abri (un nouveau-né). **3.** démasquer (quelqu'un); dénoncer (un abus...). **4.** *(Comm.)* étaler en vitrine (des marchandises). **5.** *(Phot.)* exposer (un film)

expostulate [ɪk'spɒstjʊleɪt] *v. intr.* faire des remontrances. ***Her mother expostulated with her for being late,*** sa mère lui a reproché son retard.

exposure [ɪk'spəʊʒə] *n.* **1.** exposition (aux intempéries, au danger...). ***Die of exposure,*** mourir de froid. **2.** dénonciation (de quelqu'un); dévoilement (d'un complot...). **3.** *(Comm.)* étalage (de marchandises). **4.** *(Phot.)* pose. ***Exposure time,*** temps de pose. **5.** *(Tech.)* ***Exposure (to radiation),*** irradiation. **6.** exposition, orientation (d'un lieu).

expound [ɪk'spaʊnd] *v. t.* exposer, interpréter (une doctrine, une théorie...).

⚠ **express**[1] [ɪk'spres] *adj.* **1.** exprès, explicite. **2.** exact, fidèle (image). **3.** ***Express letter,*** lettre exprès; ***express train,*** (train) rapide. *adv.* par service exprès.

⚠ **express**[2] [ɪk'spres] *v. t.* **1.** exprimer. ***She expresses herself well,*** elle s'exprime bien. **2.** envoyer par exprès.

▻ **expurgate** ['ekspəgeɪt] *v. t.* expurger.

exquisite [ɪk'skwɪzɪt] *adj.* **1.** exquis. **2.** aigu, atroce (douleur). **3.** très sensible, délicat.

ex-serviceman [ˌeks'sɜːvɪsmən] *n.* (*pl.* **men**) ancien combattant.

extant [ɪk'stænt] *adj.* qui existe encore.

extempore [ɪk'stempərɪ] *adj.* improvisé (discours). *adv.* ***Speak extempore,*** parler sans préparation; improviser.

extend [ɪk'stend] *v. t.* **1.** étendre, allonger. **2.** prolonger (une visite, une échéance...). **3.** *(lit.)* ***Extend a warm welcome to somebody,*** accueillir quelqu'un chaleureusement. *v. intr.* s'étendre; se prolonger.

△ **extension** [ɪk'stenʃn] *n.* **1.** prolongement, allongement. **2.** accroissement, extension (des affaires...). **3.** *(Tech.)* (r)allonge. ***Extension light,*** baladeuse. **4.** *(Téléph.)* poste (supplémentaire). **5.** *(Ens.)* ***University extension course,*** télé-enseignement universitaire.

△ **extensive** [ɪk'stensɪv] *adj.* **1.** vaste. **2.** important (dégâts...).

△ **extensively** [ɪk'stensɪvlɪ] *adv.* beaucoup, considérablement.

extent [ɪk'stent] *n.* **1.** étendue. **2.** degré. ♦ ***To a large extent,*** en grande partie; ***to some extent,*** jusqu'à un certain point; ***to such an extent that,*** à tel point que.

△ **extenuate** [ɪk'stenjʊeɪt] *v. t.* diminuer la gravité de. ***Extenuating circumstances,*** circonstances atténuantes.

△ **extenuation** [ɪk,stenjʊ'eɪʃn] *n.* atténuation (d'une faute...). ***In extenuation of,*** pour excuser.

▷ **exterior** [ɪk'stɪərɪə] *adj.* extérieur. *n.* **1.** extérieur, dehors. **2.** *(Th. Ciné.)* extérieur.

▷ **exterminate** [ɪk'stɜːmɪneɪt] *v. t.* exterminer.

external [ɪk'stɜːnl] *adj.* externe. ***External student,*** étudiant libre. *n. (pl.)* ***Judge people by externals,*** juger les gens sur les apparences.

extinct [ɪk'stɪŋkt] *adj.* **1.** disparu (race). **2.** éteint (volcan).

extinguish [ɪk'stɪŋgwɪʃ] *v. t.* **1.** éteindre (un feu...). **2.** *(fig.)* mettre fin à, anéantir (des espérances...).

extol [ɪk'stəʊl] *v. t. (lit.)* porter aux nues.

extort [ik'stɔːt] *v. t.* extorquer (de l'argent, un secret...).

extortionate [ɪk'stɔːʃnɪt] *adj.* exorbitant (prix...).

△ **extra** ['ekstrə] *adj.* **1.** supplémentaire. **2.** en supplément, en sus. *adv.* **1.** extra, plus que la moyenne. **2.** en supplément. *n.* **1.** supplément. **2.** édition spéciale. **3.** extra; *(Ciné.)* figurant. **4.** *(pl.)* frais supplémentaires.

extract ['ekstrækt] *n.* **1.** extrait. **2.** *(Lit.)* ***Extracts,*** morceaux choisis. *v. t.* [ɪk'strækt] **1.** extraire, arracher. **2.** ***Extract a passage from a book,*** tirer un passage d'un livre.

extraneous [ɪk'streɪnɪəs] *adj.* étranger; sans rapport avec le sujet (considérations, détails...).

▷ **extraordinary** [ɪk'strɔːdnrɪ] *adj.* **1.** extraordinaire. **2.** prodigieux.

△ **extravagance** [ɪk'strævəgəns] *n.* **1.** prodigalité, gaspillage, dépenses folles. **2.** extravagance, exagération.

△ **extravagant** [ɪk'strævəgənt] *adj.* **1.** dépensier, prodigue. **2.** exorbitant (prix); hors de prix (article). **3.** extravagant, exagéré.

▷ **extreme** [ɪk'striːm] *adj.* **1.** extrême. **2.** dernier. *n.* extrême. ♦ ***Go to extremes,*** pousser les choses à l'extrême; ***in the extreme,*** au plus haut degré.

△ **extremity** [ɪk'stremɪtɪ] *n.* **1.** dernier degré, point extrême. **2.** gêne. ***We are reduced to the last extremity,*** nous sommes aux abois. **3.** (*pl.* **-ies**) *(Anat.)* les extrémités du corps. ♦ ***He drove the men to extremities,*** il poussa les hommes à bout.

extricate ['ekstrɪkeɪt] *v. t.* extirper, dégager.

▷ **extrovert** ['ekstrəvɜːt] *adj. et n.* extroverti, extraverti (aussi **extravert**).

▷ **exult** [ɪg'zʌlt] *v. intr.* se réjouir, exalter.

exultant [ɪg'zʌltənt] *adj.* joyeux, en liesse.

eye [aɪ] *n.* **1.** œil (*pl.* les yeux). **2.** regard. **3.** chas (d'aiguille). **4.** *(Agr.)* œil, germe (de pommes de terre). **5.** *(Sc.)* œil, centre (d'un typhon). **6.** *(Phot.)* ***Electric eye,*** cellule photo-électrique. ♦ ***Catch somebody's eye,*** attirer l'attention de quelqu'un; ***cry one's eyes out,*** pleurer comme une madeleine; ***have an eye for,*** s'y connaître en; ***have an eye to the main chance,*** ne pas perdre de vue ses intérêts; ***he's in the public eye,*** c'est une personnalité en vue; ***I'm up to the eyes in work,*** je suis débordé de travail; ***in my mind's eye,*** en imagination; ***in the eyes of the law,*** au regard de la loi; *(fam.)* ***keep an eye on,*** surveiller soigneusement; ***keep an eye out for it,*** ouvrir l'œil et le bon; ***make eyes at somebody,*** lancer des œillades à quelqu'un; *(fam.)* ***that's one in the eye for him,*** ça lui fait les pieds; ***there's more in it than meets the eye,*** c'est plus compliqué que cela n'en a

l'air; ***with an eye to the future,*** en prévision de l'avenir; ***with half an eye,*** au premier coup d'œil.
v. t. regarder; reluquer. ***Eye somebody from head to foot,*** toiser quelqu'un .

eyeball ['aɪbɔːl] *n.* *(Anat.)* globe de l'œil. ♦ *(fam.)* ***Eyeball to eyeball,*** face à face.

eyebrow ['aɪbraʊ] *n.* sourcil. ***Raise one's eyebrows,*** sourciller, tiquer.

eyeful ['aɪfʊl] *n.* *(fam.)* **1.** spectacle attirant. **2.** joli brin de fille. ♦ ***Get an eyeful,*** recevoir un jet dans l'œil, *(fig.)* se rincer l'œil.

eyelash ['aɪlæʃ] *n.* cil.

eyelid ['aɪ,lɪd] *n.* paupière. *(fam.)* ***Hang on by one's eyelids,*** tenir tout juste par un fil.

eye-opener ['aɪ,əʊpnə] *n.* *(fam.)* révélation. ***You'll get an eye-opener,*** vous allez être bigrement surpris.

eyepiece ['aɪpiːs] *n.* *(Optique)* oculaire.

eyesight ['aɪsaɪt] *n.* vue. ***She has poor eyesight,*** elle a une mauvaise vue.

eyesore ['aɪsɔː] *n.* horreur; quelque chose qui choque la vue.

eyestrain ['aɪstreɪn] *n.* fatigue de l'œil. ***Suffer from eyestrain,*** avoir la vue fatiguée.

eyewash ['aɪwɒʃ] *n.* **1.** collyre. **2.** *(fig.)* frime, poudre aux yeux. ***It's all eyewash,*** tout ça c'est du vent.

eyewitness ['aɪ,wɪtnɪs] *n.* témoin oculaire.

eyrie ['ɪərɪ] *n.* aire d'aigle (aussi **eyry** ['eərɪ]).

F

F, f [ef] **1.** sixième lettre de l'alphabet. **2.** *(Mus.)* fa.

△ **fabric** ['fæbrɪk] *n.* **1.** tissu. **2.** structure (d'un immeuble...), édifice (social).

△ **fabricate** ['fæbrɪkeɪt] *v. t.* **1.** inventer (une histoire); forger (un document). **2.** fabriquer.

△ **fabrication** [,fæbrɪ'keɪʃn] *n.* **1.** invention. **2.** fabrication.

▻ **fabulous** ['fæbjʊləs] *adj.* **1.** prodigieux. **2.** *(fam.)* formidable, fou. **3.** légendaire.

face [feɪs] *n.* **1.** visage. **2.** expression. **3.** face. ***Lose face,*** perdre la face. **4.** surface; côté; paroi. ***Coal face,*** front de taille. **5.** cadran (d'horloge). **6.** *(fam.)* audace, toupet. ***He had the face to deny the facts,*** il a eu le toupet de nier les faits. ♦ ***He flew in the face of facts,*** il a nié l'évidence; ***he took it at its face value,*** il s'est fié aux apparences; ***on the face of it,*** apparemment; ***pull faces at somebody,*** faire des grimaces à quelqu'un; ***put a bold face on the matter,*** payer d'audace; ***set one's face against something,*** se refuser à faire quelque chose; ***wear a long face,*** avoir l'air triste.
v. t. et intr. **1.** donner (sur) (maison, ...). **2.** affronter. **3.** *(Tech.)* revêtir (une surface). ♦ *(fam.)* ***He'll have to face the music,*** il va écoper! ***let's face it,*** il faut voir les choses comme elles sont.

face-lift ['feɪs,lɪft] *n.* **1.** chirurgie esthétique, lifting. **2.** *(fam.)* rénovation (d'un immeuble...).

face out, *v. part. t.* **1.** surmonter (une difficulté...). **2.** ***Face it out,*** soutenir hardiment (ce qu'on a affirmé).

face-saving ['feɪs,seɪvɪŋ] *adj.* qui permet de sauver la face.

facetious [fə'siːʃəs] *adj.* facétieux.

face up, *v. part. intr.* ***Face up to,*** affronter.

△ **facile** ['fæsaɪl] *adj.* **1.** aisé. **2.** superficiel.

▻ **facilitate** [fə'sɪlɪteɪt] *v. t.* faciliter.

△ **facility** [fə'sɪlɪtɪ] *n.* **1.** facilité. **2.** aptitude. **3.** aménagement, infrastructure. ***Cooking facilities,*** possibilité de faire la cuisine; *(Fin.)* ***facilities for payment,*** facilités de paiement; ***sports facilities,*** équipement sportif; ***transport facilities,*** moyens de transport.

facing ['feɪsɪŋ] *n.* **1.** revêtement. **2.** revers, parement.

fact [fækt] *n.* **1.** fait, réalité. **2.** *(Jur.)* fait, action. ♦ ***As a matter of fact,*** en réalité ; *(fam.)* ***fact finder,*** enquêteur.

factitious [fæk'tɪʃəs] *adj.* faux, factice.

factor ['fæktə] *n.* **1.** facteur. ***Human factor,*** élément humain. **2.** *(Math.)* facteur. **3.** *(Comm.)* agent, mandataire, courtier.

factory ['fæktərɪ] *n.* (pl. **-ies**) usine, fabrique. ♦ ***Canning factory,*** conserverie ; ***factory farming,*** élevage industriel.

fad [fæd] *n.* marotte, manie. ***Passing fad,*** caprice.

fade [feɪd] *v. intr.* **1.** se faner, se flétrir. **2.** diminuer, s'affaiblir.

fade away, *v. part. intr.* **1.** dépérir, disparaître. **2.** *(fam.)* se volatiliser, s'éclipser.

fade in, *v. part. t. et intr. (Ciné.)* (faire) apparaître dans un fondu.

fade out, *v. part. t. et intr. (Ciné.)* (faire) disparaître dans un fondu.

fag [fæg] *n.* **1.** corvée. **2.** *(Ens. vx.)* jeune élève au service d'un grand. **3.** *(argot)* sèche. ***Fag end,*** mégot. **4.** *(amér. argot)* pédéraste. *v. intr.* **1.** s'échiner. **2.** *(Ens. vx.)* faire les corvées d'un grand.

fail [feɪl] *v. t.* **1.** *(Ens.)* échouer à (un examen). **2.** recaler (un candidat). **3.** trahir. ***Don't fail me,*** ne me laissez pas tomber. *v. intr.* **1.** échouer. **2.** faire défaut. *(Elec.)* ***The power has failed,*** il y a une panne. **3.** omettre, négliger. ***He failed to turn up,*** il n'est pas venu. **4.** s'affaiblir. ***His sight is failing,*** sa vue commence à baisser. **5.** *(Comm.)* faire faillite.

failing[1] ['feɪlɪŋ] *n.* défaut ; faiblesse.

failing[2] ['feɪlɪŋ] *prép.* à défaut de. ***Failing a reply,*** faute de réponse.

failure ['feɪljə] *n.* **1.** échec. **2.** ***He's a failure,*** c'est un raté. **3.** manque(ment). **4.** faillite. **5.** *(Elec.)* ***Power failure,*** panne. **6.** *(Méd.)* ***Heart failure,*** syncope.

faint [feɪnt] *adj.* **1.** faible. ***Feel faint,*** avoir un malaise. **2.** délavé (couleur) ; léger (odeur, son). ♦ ***I haven't the faintest idea,*** je n'en ai pas la moindre idée. *n.* évanouissement. *v. intr.* défaillir, s'évanouir.

faint-hearted [,feɪnt'hɑːtɪd] *adj.* peureux, timoré.

fair[1] [feə] *adj.* **1.** honnête, loyal. ***Fair competition,*** concurrence loyale ; ***fair play,*** franc jeu. **2.** beau. ***The fair sex,*** le beau sexe. **3.** blond ; blanc (teint). **4.** assez bon. *(fam.)* ***Fair to middling,*** couci-couça. **5.** important. ***I paid a fair price for it,*** je l'ai payé passablement cher. **6.** net. ***Fair copy,*** copie au net. ♦ ***Fair enough!*** d'accord ! ***he's in a fair way to do it,*** il y a de fortes chances qu'il le fasse ; ***it's all fair and square,*** tout est parfaitement régulier.

fair[2] [feə] *adv.* **1.** loyalement. **2.** avec courtoisie. **3.** en plein.

fair[3] [feə] *n.* **1.** foire. **2.** exposition.

fairly ['feəlɪ] *adv.* **1.** honnêtement. **2.** équitablement. **3.** assez, moyennement. **4.** bel et bien.

fair-minded ['feə'maɪndɪd] *adj.* impartial, équitable.

fairway ['feəweɪ] *n.* **1.** chenal, passe. **2.** *(Golf)* fairway.

fair-weather ['feə,weðə] *adj.* ***Fair-weather friends,*** amis des beaux jours.

fairy ['feərɪ] *n.* **1.** fée. ***Fairy tale,*** conte de fées ; *(fam.)* ***that's but a fairy tale,*** c'est un conte à dormir debout. **2.** *(argot, péj.)* homosexuel.

fairyland ['feərɪlænd] *n.* **1.** royaume des fées. **2.** féerie, enchantement.

faith [feɪθ] *n.* **1.** confiance. **2.** foi. ***Faith healer,*** guérisseur. **3.** promesse, parole d'honneur. ***Keep faith with somebody,*** être fidèle à ses engagements envers quelqu'un.

faithful ['feɪθfəl] *adj.* **1.** fidèle, loyal. **2.** *(Rel.)* ***The faithful,*** les fidèles. **3.** exact, vrai.

faithfully ['feɪθfəlɪ] *adv.* **1.** loyalement. **2.** exactement. ♦ ***Yours faithfully,*** veuillez agréer l'expression de mes sentiments distingués.

faithless ['feɪθləs] *adj.* **1.** infidèle. **2.** déloyal, perfide.

fake [feɪk] *n.* **1.** article maquillé. **2.** imposteur. **3.** contrefaçon. *v. t.* **1.** maquiller, falsifier. **2.** simuler (la maladie...).

falcon ['fɔːlkən] *n. (Zool.)* faucon.

fall [fɔːl] *n.* **1.** chute. **2.** baisse, pente. **3.** chute, cataracte. **4.** *(amér.)* automne. ♦ ***Fall guy,*** bouc émissaire.
v. intr. irr. (*p.* **fell,** *p.p.* **fallen**) **1.** tom-

ber. **2.** baisser (pour la température); tomber (pour le vent). **3.** aller en pente. **4.** tomber (pour une forteresse); être vaincu ou tué. **5.** devenir. ***Fall asleep,*** s'endormir. **6.** ***His face fell,*** il a eu l'air dépité. ♦ ***Fall for a trick,*** se laisser prendre au piège; ***fall for somebody,*** s'amouracher de quelqu'un; ***he was falling over himself to please her,*** il se mettait en quatre pour lui plaire; ***the résult fell short of my expectations,*** le résultat n'a pas répondu à mon attente.

fall about, *v. part. intr.* ***Fall about laughing,*** se tordre de rire.

fallacy ['fæləsɪ] *n.* **1.** fausse croyance. **2.** sophisme, raisonnement erroné.

fall back, *v. part. intr.* **1.** *(Mil.)* se replier. **2.** ***Fall back on,*** se rabattre sur.

fall behind, *v. part. intr.* **1.** se laisser distancer. **2.** être en retard. ***Fall behind with the rent,*** être en retard pour payer son loyer.

fall down, *v. part. intr.* échouer. ***Fall down on a job,*** ne pas être à la hauteur d'une tâche.

fallen ['fɔ:lən] (**fall,** *v.*)

▻ **fallible** ['fæləbl] *adj.* faillible.

fall in, *v. part. intr.* **1.** *(Mil.)* former les rangs. **2.** expirer (pour un bail, une dette...). **3.** ***Fall in with,*** rencontrer par hasard, se ranger de l'avis de.

fall off, *v. part. intr.* diminuer, baisser.

fall-out[1] ['fɔ:laʊt] *n.* **1.** poussières radio-actives. ***Fall-out shelter,*** abri antiatomique. **2.** *(fig.)* retombées économiques. **3.** (personne) qui abandonne une activité.

fall out[2] *v. part. intr.* **1.** *(Mil.)* rompre les rangs. **2.** survenir. **3.** ***Fall out with somebody,*** se quereller avec quelqu'un.

fallow ['fæləʊ] *adj. et n.* (en) jachère. ***Lie fallow,*** être en jachère.

fall through, *v. part. intr.* échouer, avorter.

fall to, *v. part. intr.* se mettre à manger; se mettre au travail; attaquer.

false [fɔ:ls] *adj.* **1.** faux. **2.** perfide. **3.** artificiel. ***False hair,*** postiche. *adv.* ***Play somebody false,*** trahir quelqu'un.

falsehood ['fɔ:lshʊd] *n.* **1.** fausseté. **2.** mensonge.

▻ **falsify** ['fɔ:lsɪfaɪ] *v. t.* falsifier, altérer.

falsity ['fɔ:lsɪtɪ] *n.* fausseté.

falter ['fɔ:ltə] *v. intr.* **1.** trébucher. **2.** hésiter. **3.** flancher. *v. t.* bredouiller.

fame [feɪm] *n.* renom(mée), célébrité.

familiar [fə'mɪlɪə] *adj.* familier, intime. ***Be familiar with a subject,*** connaître à fond un sujet. *n.* ami intime.

⚠ **familiarity** [fəmɪlɪ'ærɪtɪ] *n.* **1.** familiarité, intimité. **2.** connaissance profonde.

▻ **family** ['fæmɪlɪ] *n.* famille. ♦ ***Family allowance,*** allocations familiales; ***family man,*** père de famille, homme d'intérieur; *(fam.)* ***she's in the family way,*** elle est enceinte.

▻ **famous** ['feɪməs] *adj.* fameux, célèbre.

⚠ **fan**[1] [fæn] *n.* **1.** éventail. **2.** ventilateur. *v. t.* **1.** éventer. **2.** ventiler. **3.** *(fig.)* attiser (une querelle...).

▻ **fan**[2] [fæn] *n.* amateur passionné, supporter, fan.

fanaticism [fə'nætɪsɪzm] *n.* fanatisme.

fancier ['fænsɪə] *n.* **1.** amateur de. **2.** marchand de. ♦ ***Dog fancier,*** cynophile.

fanciful ['fænsɪfəl] *adj.* **1.** qui témoigne d'imagination. **2.** fantastique, fantasque. **3.** chimérique, imaginaire.

fancy ['fænsɪ] *n.* **1.** imagination, fantaisie. **2.** caprice. ***Take a fancy to somebody,*** s'enticher de quelqu'un. **3.** chimère. *v. t.* **1.** (s') imaginer. ***Fancy meeting you!,*** quelle surprise de vous rencontrer!; ***he fancies himself,*** il ne se prend pas pour rien. **2.** avoir envie de. ***What do you fancy for your dinner?,*** qu'aimeriez-vous manger pour dîner? *adj.* **1.** de fantaisie; de luxe. ***Fancy dress,*** déguisement; ***fancy goods,*** nouveautés; *(fam.)* ***fancy man,*** bon ami, jules. **2.** exorbitant (prix).

fancy-free [ˌfænsɪ'fri:] *adj.* ***He is fancy-free,*** c'est un cœur à prendre.

fang [fæŋ] *n.* croc; crochet (de vipère...).

fanlight ['fænlaɪt] *n.* imposte.

fan out, *v. part. intr.* (se) déployer en éventail.

⚠ **fantastic** [fæn'tæstɪk] *adj.* **1.** fantastique. **2.** excentrique. **3.** énorme (somme). **4.** irréalisable.

fantasy ['fæntəsɪ] *n.* **1.** fantaisie, imagination. **2.** idée fantasque.

far [fɑ:] *adv.* (*comp.* **farther, further,** *superl.* **farthest, furthest**). **1.** loin (dans l'espace ou le temps). **2.** beaucoup trop. ***I'm far too busy,*** je suis bien trop occupé. ♦ ***By far the best,*** de loin le meilleur ; ***far and away,*** infiniment ; ***far and near***(ou ***far and wide***), partout ; ***in as far as***(ou ***in so far as***), pour autant que ; ***so far,*** jusqu'à présent ; ***so far so good,*** jusqu'ici tout va bien. *adj.* **1.** lointain, éloigné. ***The Far East,*** l'Extrême-Orient. **2.** le plus éloigné. ***The far side of the street,*** l'autre côté de la rue. ♦ ***It's a far cry from what he promised,*** c'est loin de correspondre à ses promesses.

faraway ['fɑ:rəweɪ] *adj.* **1.** lointain. **2.** vague (regard...).

farcical ['fɑ:sɪkl] *adj.* ridicule, grotesque, risible.

fare [feə] *n.* **1.** prix de la course. ***Half fare,*** demi-tarif. **2.** *(fam.)* client (d'un taxi). **3.** chère, régime. *v. intr.* **1.** aller (bien ou mal). **2.** se trouver dans une certaine situation. **3.** survenir, se passer.

farewell [feə'wel] *n.* adieu.

far-fetched [ˌfɑ:'fetʃt] *adj.* tiré par les cheveux, forcé.

far-gone [fɑ:'gɒn] *adj.* dans un état bien avancé. ***He was far-gone in debt,*** il était endetté jusqu'au cou.

farm [fɑ:m] *n.* ferme, exploitation (agricole). *v. t.* cultiver, exploiter. *v. intr.* être agriculteur.

farmer ['fɑ:mə] *n.* fermier, cultivateur. ***Farmer's wife,*** fermière.

farmhand ['fɑ:mhænd] *n.* ouvrier agricole.

farmhouse ['fɑ:mhaʊs] *n.* ferme.

farming ['fɑ:mɪŋ] *n.* **1.** agriculture. ***Mixed farming,*** polyculture. **2.** élevage. ***Poultry farming,*** aviculture.

farm out, *v. part. t.* *(Comm.)* confier (une fabrication) à un sous-traitant.

farmyard ['fɑ:mjɑ:d] *n.* cour de ferme.

far-off [ˌfɑ:'ɒf] *adj.* lointain.

farrago [ˌfə'rɑ:gəʊ] *n.* (*pl.* **-es**) méli-mélo, fatras.

far-reaching [ˌfɑ:'ri:tʃɪŋ] *adj.* d'une portée incalculable (événement...).

far-seeing [ˌfɑ:'si:ɪŋ] *adj.* prévoyant.

farther ['fɑ:ðə] *adv.* **1.** plus éloigné. ***Walk farther on,*** poursuivre son chemin. **2.** plus loin (dans un sujet). ***Don' let us go any farther,*** tenons-nous en là.

farthest ['fɑ:ðɪst] *adj.* *et adv.* le plus loin, le plus lointain.

⊳ **fascinate** ['fæsɪneɪt] *v.t.* fasciner, captiver.

fashion ['fæʃn] *n.* **1.** mode. ***Fashion designer,*** créateur, grand couturier ; ***in fashion,*** à la mode ; ***out of fashion,*** démodé. **2.** manière de faire. ***After a fashion,*** tant bien que mal. *v.t.* **1.** façonner. **2.** confectionner.

fashionable ['fæʃnəbl] *adj.* à la mode, en vogue.

fast[1] [fɑ:st] *adj.* **1.** rapide. *(Rail.)* ***Fast train,*** rapide. **2.** solide, bien fixé ; grand teint. **3.** facile, de mœurs légères. **4.** *(Phot.)* rapide (pellicule). **5.** ***My watch is fast,*** ma montre avance. **6.** *(Tech.)* ***Fast breeder (reactor),*** surrégénérateur. *adv.* **1.** fermement. ***Be fast asleep,*** dormir d'un profond sommeil. **2.** rapidement. ♦ ***Play fast and loose with somebody,*** abuser de l'affection de quelqu'un.

fast[2] [fɑ:st] *v. intr.* jeûner. *n.* **1.** jeûne. **2.** *(Méd.)* diète.

fasten ['fɑ:sn] *v. t.* assujettir. *(Av.)* ***Fasten your seat belts!,*** attachez votre ceinture ! ; *(fig.)* ***fasten the blame on somebody,*** rejeter la responsabilité sur quelqu'un. *v. intr.* **1.** s'attacher. **2.** *(fig.)* ***Fasten on a pretext,*** saisir un prétexte.

fastener ['fɑ:snə] *n.* **1.** attache, fermeture. **2.** espagnolette. **3.** (= **zip fastener**) fermeture Éclair. **4.** (bouton à) pression.

fastening ['fɑ:snɪŋ] *n.* **1.** attache, fixation, amarrage. **2.** fermeture (cf. **fastener**).

⚠ **fastidious** [fæs'tɪdɪəs] *adj.* difficile à contenter, délicat.

fastness ['fɑ:stnɪs] *n.* **1.** place-forte. **2.** rapidité. **3.** solidité (d'une couleur).

⚠ **fat** [fæt] *adj.* **1.** gras. **2.** corpulent. **3.** bien garni (portefeuille). *(amér.)* ***Fat cat,*** riche qui subventionne un parti politique. **4.** fertile, riche. *(fam.)* ***Fat job,*** sinécure, bon fromage. ♦ *(fam.)* ***A fat chance you have of seeing her!*** comme si tu risquais de la rencon-

trer! *(fam.)* ***a fat lot of good that'll do you!*** ça te fera une belle jambe!
n. **1.** graisse. **2.** gras. ♦ *(fam.)* ***Chew the fat,*** ronchonner; ***live off the fat of the land,*** vivre comme un coq en pâte; *(fam.)* ***the fat's in the fire!*** ça va barder!
⚠ **fatality** [fə'tælɪtɪ] *n.* **1.** fatalité, destinée. **2.** caractère néfaste. **3.** accident mortel.
fate [feɪt] *n.* destin, sort. ***Meet one's fate,*** trouver la mort.
fateful ['feɪtfəl] *adj.* **1.** fatidique. **2.** décisif, fatal.
fathead ['fæthed] *n.* imbécile, andouille.
father ['fɑːðə] *n.* père. ♦ ***Father's Day,*** fête des Pères; ***like father like son,*** tel père tel fils. *v. t.* **1.** engendrer. **2.** *(fig.)* concevoir (un projet...).
fatherhood ['fɑːðəhʊd] *n.* paternité.
father-in-law ['fɑːðərɪnlɔː] *n.* beau-père.
fatherly ['fɑːðəlɪ] *adj.* paternel.
fathom ['fæðəm] *n.* *(Naut.)* brasse. *v. t.* *(Naut.)* sonder. *(fig.)* ***Fathom a mystery,*** percer un mystère.
⚠ **fatigue** [fə'tiːg] *n.* **1.** fatigue. **2.** *(Tech.)* ***Metal fatigue,*** fatigue, résistance des métaux. **3.** *(Mil.)* ***Be on fatigue duty,*** être de corvée. **4.** *(pl. Mil.)* treillis.
v. t. fatiguer (quelqu'un, un métal...).
fatten ['fætn] *v. t.* engraisser.
fatuous ['fætjuəs] *adj.* imbécile, niais.
faucet ['fɔːsɪt] *n.* *(amér.)* robinet. (cf. **tap**).
⚠ **fault** [fɔːlt] *n.* **1.** défaut (d'une personne). **2.** imperfection, vice de construction. **3.** *(Géol.)* faille. **4.** *(Sp.)* faute. ♦ ***Be at fault,*** avoir tort; ***find fault with,*** trouver à redire; ***to a fault,*** à l'excès.
v. t. blâmer, prendre (quelqu'un) en défaut. *v. intr.* se disloquer.
fault-finder ['fɔːlt,faɪndə] *n.* censeur systématique; grincheux.
faultless ['fɔːltlɪs] *adj.* **1.** parfait. **2.** irréprochable.
faulty ['fɔːltɪ] *adj.* défectueux. ***Faulty construction,*** construction vicieuse.
▻ **fauna** ['fɔːnə] *n.* faune.
favour ['feɪvə] *n.* (*amér.* **favor**) **1.** faveur, approbation. **2.** partialité. **3.** ruban. ♦ ***Find favour in someone's eyes,*** s'attirer les bonnes grâces de quelqu'un. *v. t.* **1.** approuver. **2.** favoriser. **3.** tenir de.
fawn [fɔːn] **1.** *(Zool.)* faon. **2.** beige clair.
fawn on, *v. part. intr.* **1.** ramper (pour un chien). **2.** *(fig.)* lécher les bottes de quelqu'un.
fear [fɪə] *n.* **1.** peur, crainte. **2.** risque, danger. ♦ ***For fear,*** de crainte que; ***for fear of,*** en cas de; ***no fear!*** pas de danger! *v. t.* **1.** avoir peur (de), craindre. **2.** redouter, appréhender. ♦ ***I fear I don't know,*** je le regrette, mais je l'ignore. ***I fear not,*** je crains que non.
fearful ['fɪəfəl] *adj.* **1.** effrayant. **2.** peureux, craintif.
fearless ['fɪəlɪs] *adj.* intrépide.
fearsome ['fɪəsəm] *adj.* *(hum.)* effroyable.
feasible ['fiːzɪbl] *adj.* **1.** réalisable, possible. **2.** vraisemblable.
feast [fiːst] *n.* **1.** festin, régal. **2.** fête. *v. t. et intr.* **1.** se régaler, festoyer. **2.** régaler (quelqu'un). *(fig.)* ***Feast one's eyes on,*** contempler avec délices.
feat [fiːt] *n.* exploit, prouesse.
feather ['feðə] *n.* plume. ♦ ***Be in high feather,*** être plein d'entrain; ***birds of a feather flock together,*** qui se ressemble s'assemble; *(fam.)* ***show the white feather,*** être lâche; ***that's a feather in your cap!,*** vous pouvez en être fier! v. t. **1.** empenner (une flèche). **2.** *(Sp.)* ***Feather one's nest,*** faire son beurre; *(U.S.)* ***tar and feather,*** passer au goudron et à la plume.
featherbed ['feðəbed] *n.* lit de plumes.
v. t. subventionner à l'excès.
featherbrained ['feðəbreɪnd] *adj.* stupide, écervelé.
feature ['fiːtʃə] *n.* **1.** trait caractéristique. **2.** *(pl.)* traits (du visage). **3.** *(Tech.)* grand reportage. **4.** *(Ciné.)* long métrage. **5.** *(Comm.)* spécialité.
v. t. **1.** caractériser. **2.** *(Ciné.)* avoir (un acteur) en vedette. **3.** *(Tech.)* mettre (une nouvelle) en manchette. **4.** *(Comm.)* faire du battage (pour un produit).
February ['februərɪ] *n.* février.
feckless ['fekləs] *adj.* **1.** mou. **2.** incapa-

ble.
fed [fed] (**feed**, *v.*).
▻ **federate** ['fedəreɪt] *v. t. et intr.* (se) fédérer.
fed up [ˌfed'ʌp] *adj. (fam.) **Be fed up,*** en avoir marre.
fee [fi:] *n.* **1.** honoraires, cachets, jeton. **2.** *(Ens.)* frais de scolarité. **3.** droit, cotisation. ***Entrance fee,*** droit d'entrée; ***union fees,*** cotisations syndicales.
feeble ['fi:bl] *adj.* **1.** faible. **2.** piètre (argument, excuse...).
feed [fi:d] *v. t. irr.* (*p.* **fed,** *p.p.* **fed**). nourrir, donner à manger à. ***Feed a baby,*** allaiter un bébé. *v. intr.* manger, s'alimenter. ***They feed on grass,*** ils se nourrissent d'herbe. *n.* **1.** nourriture, aliment; repas. **2.** *(Tech.)* alimentation (en combustible).
feedback ['fi:dbæk] *n. (Tech.)* **1.** rétroaction. **2.** information en retour.
feeder ['fi:də] *n.* **1.** mangeur. ***Heavy feeder,*** gros mangeur. **2.** *(Tech.)* chargeur, alimenteur. *(Elec.)* ***Feeder line,*** câble d'alimentation (d'un réseau); ***feeder road,*** route (ou ligne) secondaire. **3.** bavoir.
feel [fi:l] *v. t. irr.* (*p.* **felt,** *p.p.* **felt**) **1.** tâter, palper. *(fig.)* ***You must feel your way in conversation,*** vous devez faire attention à ce que vous dites. **2.** sentir, éprouver, ressentir. **3.** avoir l'impression de. *v. intr.* se sentir. ♦ ***Feel for somebody,*** se mettre à la place de quelqu'un; ***feel like a cup of tea?,*** ça vous dit une tasse de thé?; ***this chair feels comfortable,*** ce fauteuil me paraît confortable.
n. **1.** toucher. **2.** sensation.
feeler ['fi:lə] *n.* **1.** *(Zool.)* antenne. **2.** *(Zool.)* tentacule. *(fig.)* ***Put out feelers,*** tâter le terrain.
feeling ['fi:lɪŋ] *n.* **1.** sensation. **2.** sentiment, impression. ***Bad feeling,*** animosité. **3.** émotion. ***She has a feeling for music,*** elle est sensible à la musique.
feet [fi:t] (**foot,** *n.*)
feign [feɪn] *v. t.* **1.** feindre. **2.** inventer (une excuse...).
feint [feɪnt] *n.* feinte. *v. intr. (Sp.)* feinter.
felicitous [fɪ'lɪsɪtəs] *adj.* heureux, bien choisi, à propos.
fell[1] [fel] (**fall,** *v.*).
fell[2] [fel] *v. t.* abattre (un arbre, un homme...).
fellow ['feləʊ] *n.* **1.** gaillard, type. **2.** membre de société. **3.** camarade, collègue. ***Fellow being*** (ou ***fellow creature***), semblable; ***fellow sufferer,*** compagnon d'infortune.
fellowship ['feləʊʃɪp] *n.* **1.** communion d'idées. **2.** camaraderie. **3.** titre de membre d'une association. **4.** association. **5.** *(Ens.)* fonctions d'un professeur d'université.
⚠ **felony** ['felənɪ] *n. (Jur.)* délit grave.
felt[1] [felt] (**feel,** *v.*).
felt[2] [felt] *n.* feutre.
felt-tip (pen) [ˌfelt'tɪp] *n.* (stylo) feutre.
female ['fi:meɪl] *adj.* **1.** femelle. **2.** du sexe féminin. *n.* **1.** femelle. **2.** femme.
fence[1] [fens] *n.* clôture, barrière. **2.** *(fam.)* receleur. ♦ ***Sit on the fence,*** ménager la chèvre et le chou. *v.t.* clôturer.
fence[2] [fens] *v. intr.* **1.** faire de l'escrime. **2.** *(fig.)* ***Fence with a question,*** éviter de répondre à une question.
fence in, *v. part. t.* clôturer (un jardin).
fencing ['fensɪŋ] *n.* **1.** escrime. **2.** matériaux pour clôture. ***Wire fencing,*** treillage métallique.
fend [fend] *v. intr.* ***He can fend for himself,*** il peut se débrouiller tout seul.
fender ['fendə] *n.* **1.** garde-feu. **2.** garde-boue. **3.** pare-chocs.
fend off, *v. part.* parer, détourner.
⚠ **ferment** ['fɜ:ment] *n.* **1.** ferment. **2.** fermentation. **3.** *(fig.)* agitation. *v. t. et intr.* [fə'ment] (faire) fermenter.
fern [fɜ:n] *n.* fougère.
▻ **ferocious** [fə'rəʊʃəs] *adj.* féroce.
ferret ['ferɪt] *n. (Zool.)* furet. *v. intr.* **1.** chasser au furet. **2.** *(fig.)* fureter.
ferret out, *v. part. (fig.)* ***Ferret out a secret,*** découvrir un secret.
ferroconcrete ['ferəʊ'kɒnkri:t] *n.* béton armé.
▻ **ferry** ['ferɪ] *n.* bac, ferry. *v. t.* **1.** passer (au moyen d'un bac). **2.** transporter (des écoliers...).
▻ **ferryboat** ['ferɪbəʊt] *n.* bac.
ferryman ['ferɪmən] *n.* (*pl.* **-men**) passeur.

▻ **fertilize** ['fɜːtɪlaɪz] *v. t.* fertiliser; amender.
fertilizer ['fɜːtɪlaɪzə] *n.* engrais.
fester ['festə] *v. intr.* s'infecter, suppurer.
festival ['festɪvl] *n.* **1.** fête. **2.** festival.
festive ['festɪv] *adj.* de fête. ***The festive season,*** la période des fêtes (de fin d'année).
▻ **festivity** [fes'tɪvɪtɪ] *n.* réjouissances.
▻ **festoon** [fe'stuːn] *n.* feston *v. t.* garnir de festons.
fetch [fetʃ] *v. t.* **1.** aller chercher. **2.** rapporter (une somme); atteindre (un prix). **3.** tirer (des larmes...). **4.** ***Fetch a sigh,*** pousser un soupir. **5.** *(fam.)* ***Fetch somebody a blow,*** flanquer une beigne à quelqu'un. ♦ ***Fetch and carry for somebody,*** accomplir de menus travaux pour quelqu'un.
fetch up, *v. part. intr.* arriver, parvenir.
▻ **fetish** ['fetɪʃ] *n.* fétiche. *(fig.)* ***Make a fetish of,*** être obsédé par.
fetter ['fetə] *n.* (souvent *pl.*) fers, liens. *v. t.* enchaîner, entraver.
feud [fjuːd] *n.* querelle, inimitié (entre deux familles).
feudal ['fjuːdl] *adj.* féodal.
feudalism ['fjuːdlɪzəm] *n.* féodalité.
fever ['fiːvə] *n.* fièvre. ♦ *(fig.)* ***Fever of excitement,*** excitation fébrile.
feverish ['fiːvərɪʃ] *adj.* fiévreux, fébrile.
few [fjuː] *adj. quant.* **1.** peu de. ***Few books,*** peu de livres. **2.** quelques. ***A few books,*** quelques livres. ♦ ***Every few days,*** tous les deux ou trois jours. *pr.* **1.** peu. **2.** quelques-uns. ***A few (of them) wanted to stay,*** quelques-uns désiraient rester. ♦ ***Few and far between,*** rare, espacé; ***quite a few*** (ou ***a good few***) ***came,*** ils sont venus en assez grand nombre; ***the few,*** la minorité.
fewer ['fjuːə] (*comp.* de **few**) moins de. ***He has fewer coins than you,*** il a moins de pièces que vous.
fib [fɪb] *n.* petit mensonge; *(fam.)* blague. *v. intr. (fam.)* raconter des blagues.
fibreglass ['faɪbəglɑːs] *n.* laine de verre.
fickle ['fɪkl] *adj.* inconstant, volage.
⚠ **fiction** ['fɪkʃn] *n.* **1.** *(lit.)* le roman. **2.** fiction, invention.
fictional ['fɪkʃnəl] *adj.* romanesque.
fictitious [fɪk'tɪʃəs] *adj.* imaginaire, inventé, fictif.
fiddle ['fɪdl] *n.* **1.** *(fam.)* violon. *(fig.)* ***Play second fiddle,*** jouer un rôle secondaire. **2.** *(fam.)* combine. ♦ ***Have a face as long as a fiddle,*** avoir une tête d'enterrement; ***he's fit as a fiddle,*** il se porte comme un charme. *v. intr.* **1.** jouer du violon. **2.** tripoter (nerveusement). **3.** ***Fiddle away one's time,*** perdre son temps, bricoler. **4.** frauder; *(fam.)* fricoter (une comptabilité...).
fidget ['fɪdʒɪt] *v. intr.* **1.** s'agiter, tripoter (nerveusement). **3.** s'énerver. *v. t.* agacer (quelqu'un). *n.* **1.** personne nerveuse. ***This child is a fidget,*** ce gosse ne tient pas en place. **2.** *(pl. fam.)* impatience, énervement. ***It gave me the fidgets,*** je ne tenais plus en place.
fidgety ['fɪdʒɪtɪ] *adj.* remuant, agité.
field [fiːld] **1.** champ. **2.** *(Sp.)* terrain. **3.** *(Mil.)* champ de bataille, front. **4.** *(fig.)* domaine, compétence. ***It's outside my field,*** ce n'est pas de mon ressort. *v. t. et intr.* **1.** *(Cricket)* attraper une balle. **2.** *(Cricket)* occuper le champ. **3.** engager (une équipe, une armée...). ♦ ***Field day,*** journée de manœuvres, *(fig.)* grand jour; *(Sp.)* ***field event,*** concours; ***field glasses,*** jumelles; ***field hospital,*** antenne chirurgicale; ***field operator,*** homme de terrain; ***field survey,*** étude sur le terrain.
fieldwork ['fiːldwɜːk] *n.* travail ou enquête sur le terrain.
fiend [fiːnd] *n.* **1.** démon. **2.** *(fig.)* enragé. ***Drug fiend,*** toxicomane.
fiendish ['fiːndɪʃ] *adj.* diabolique.
fierce [fɪəs] *adj.* **1.** féroce. **2.** farouche, violent. **3.** intense. ***Fierce heat,*** chaleur insupportable.
fiery ['faɪərɪ] *adj.* **1.** ardent. **2.** emporté.
fifties ['fɪftɪz] *n.* ***In the fifties*** (ou ***the 1950s***), entre 1950 et 1960.
fifty-fifty [ˌfɪftɪ'fɪftɪ] *adj. et adv.* moitié moitié. ***Go fifty-fifty with somebody,*** participer de moitié avec quelqu'un.
fig [fɪg] *n.* figue. ♦ *(Art.)* ***Fig leaf,*** feuille de vigne; *(fam.)* ***I don't care a fig,*** je m'en moque.
fight [faɪt] *n.* **1.** combat, lutte. **2.** cœur au ventre. ♦ ***He put up a good fight,*** il

s'est bien défendu; ***show fight,*** montrer les dents. *v. t. et intr.* combattre, lutter; se battre (avec). ♦ ***Fight one's way out,*** se frayer un passage (de force) jusqu'à la sortie; ***fight shy of something,*** éviter quelque chose à tout prix.

fighter ['faɪtə] *n.* **1.** combattant. **2.** *(Mil.)* avion de chasse.

fighting ['faɪtɪŋ] *adj.* **1.** de combat. **2.** militant. *n.* combat. ***Fighting chance,*** chance limitée mais réelle.

fight off, *v. part. t.* résister à (un refroidissement, à un adversaire...).

fight out, *v. part. t.* régler (un différend) par la lutte. ***They'll have to fight it out,*** ils vont devoir vider leur querelle.

figment ['fɪgmənt] *n.* invention. ***It's a figment of his imagination,*** il a inventé cela de toutes pièces.

figurative ['fɪgjʊrətɪv] *adj.* figuré. ***In the figurative sense,*** au figuré.

⚠ **figure** ['fɪgə] *n.* **1.** silhouette. **2.** personnage, personnalité. **3.** chiffre. **4.** prix. **5.** *(Math.)* figure. **6.** figure (de danse...). ♦ ***Cut a fine figure,*** avoir belle allure; ***cut a poor figure,*** faire piètre figure.
v. t. et intr. **1.** (se) représenter, (s')imaginer. **2.** calculer. **3.** prendre part à. ♦ *(fam.)* ***That figures!*** ça me botte!

figurehead ['fɪgəhed] *n.* **1.** *(Naut.)* figure de proue. **2.** *(fig.)* prête-nom, homme de paille.

figure in, *v. part. t. (amér.)* prendre en compte.

figure out, *v. part. t.* (surtout *amér.)* comprendre, résoudre. ***I can't figure it out,*** ça me dépasse.

filch [fɪltʃ] *v. t.* chiper, barboter.

⚠ **file**[1] [faɪl] *n.* lime. *v. t.* limer.

⚠ **file**[2] [faɪl] *n.* **1.** fichier, classeur. **2.** dossier. ***On file,*** au dossier. *v. t.* **1.** classer. **2.** *(Jur.)* déposer (une réclamation...); enregistrer (une requête).

▻ **file**[3] [faɪl] *n.* file, colonne. *v. intr.* marcher en file. ***In single file,*** en file indienne.

filibuster ['fɪlɪbʌstə] *n.* **1.** flibustier. **2.** *(Polit.)* obstruction. *v. intr.* **1.** faire le flibustier. **2.** *(Polit.)* pratiquer l'obstruction parlementaire.

filings ['faɪlɪŋz] *n. pl.* limaille (de fer).

fill [fɪl] *v.t.* **1.** emplir, remplir. **2.** plomber (une dent). **3.** exécuter (un ordre, une ordonnance...). ♦ ***Fill a vacancy,*** nommer (quelqu'un) à un poste; *(fam.)* ***that will fill the bill,*** ça fera l'affaire. *v. intr.* se remplir, se garnir. *n.* **1.** plein, charge. **2.** suffisance. ***I drank my fill at the party,*** j'ai bu tout mon soûl à la réunion.

filler ['fɪlə] *n.* **1.** matériau de remplissage. **2.** mastic (à bois).

fill in, *v. part. t.* **1.** combler. **2.** remplir (un formulaire...). **3.** *(fam.)* mettre au parfum, tuyauter. ***Fill somebody in on something,*** mettre quelqu'un au courant de quelque chose.

filling ['fɪlɪŋ] *n.* **1.** remplissage. ***Filling station,*** station-service. **2.** plombage. **3.** *(Cuis.)* garniture, farce. *adj.* substantiel, bourratif.

fillip ['fɪlɪp] *n.* **1.** chiquenaude. **2.** *(fig.)* coup de fouet, stimulant.

fill out, *v. part. t. et intr.* **1.** grossir, engraisser. **2.** (surtout *amér.)* remplir (un formulaire...).

fill up, *v. part. t. et intr.* **1.** faire le plein. **2.** *(fam.)* remplir (un formulaire...).

⚠ **film** [fɪlm] *n.* **1.** mince couche, pellicule. **2.** *(Phot.)* pellicule, film. **3.** *(Ciné.)* film. *v. t. et intr.* **1.** filmer. **2.** être filmé. ***She films well,*** elle est photogénique. **3.** ***Film (over),*** se voiler.

filmstrip ['fɪlm,strɪp] *n. (Phot.)* film fixe.

filmy ['fɪlmɪ] *adj.* **1.** ténu, léger. **2.** embué.

▻ **filter** ['fɪltə] *n.* **1.** filtre. **2.** *(Phot.)* filtre. *v. t. et intr.* **1.** filtrer. **2.** se déplacer en petits groupes. **3.** *(fig.)* filtrer (pour des nouvelles). **4.** *(Aut. G.B.)* tourner à gauche à la flèche.

filter out, *v. part. t.* éliminer (par filtrage).

filth [fɪlθ] *n.* **1.** crasse, saleté. **2.** grossièretés, obscénités.

filthy ['fɪlθɪ] *adj.* **1.** crasseux, dégoûtant. **2.** ordurier (langage). *(fam.)* ***Filthy lucre,*** fric, pognon.

⚠ **fin** [fɪn] *n.* nageoire, aileron. **2.** *(pl.)* palmes (de nageur). **3.** *(Naut. Av.)* dérive, empennage.

⚠ **finality** [faɪ'nælɪtɪ] *n.* caractère définitif. ***With finality,*** d'un ton péremptoire.

financial [fɪ'nænʃl] *adj.* financier.
find [faɪnd] *v. t. irr.* (*p.* **found,** *p.p.* **found**) **1.** trouver, découvrir. **2.** s'apercevoir de, se rendre compte de. **3.** estimer, considérer. ***I find it difficult to believe it,*** j'ai peine à le croire. **4.** procurer. ♦ ***Find oneself,*** trouver sa voie ; ***he gets £ 500 all found,*** il gagne 500 livres nourri, logé, chauffé, blanchi ; *(Jur.)* ***he was found guilty,*** on l'a déclaré coupable. *n.* découverte, trouvaille.
finding ['faɪndɪŋ] *n.* **1.** *(Jur.)* décision, conclusion. **2.** découverte, révélation. ***The findings of an enquiry,*** les résultats d'une enquête.
find out, *v. part. t. et intr.* **1.** établir (des faits, la vérité...). **2.** démasquer (quelqu'un). **3.** se renseigner (sur).
fine[1] [faɪn] *adj.* **1.** beau. ***Fine weather,*** beau temps. **2.** délicat (tissu). **3.** en forme. **4.** fin, pur (or...) ♦ ***A fine thing!*** c'est du propre ! ***not to put too fine a point on it,*** pour parler franc ; ***one of these fine days,*** un de ces quatre matins. *adv.* **1.** fin(ement). **2.** *(fam.)* très bien. ***It suits me fine,*** cela me convient parfaitement. ♦ ***Cut it fine,*** calculer un peu juste.
fine[2] [faɪn] *n.* amende. *v. t.* infliger une amende.
finery ['faɪnərɪ] *n.* parure.
finger ['fɪŋgə] *n.* doigt. ♦ ***He has a finger in every pie,*** il se mêle de tout ; ***his fingers are all thumbs,*** il est très maladroit ; ***keep your fingers crossed!*** touchez du bois ! ***she never laid a finger on her child,*** elle n'a jamais levé la main sur son enfant ; ***pull one's finger out,*** en mettre un coup.
v. t. **1.** manier, toucher ; *(fam.)* tripoter. **2.** tapoter (un piano).
fingerprint ['fɪŋgə,prɪnt] *n.* empreinte digitale. *v. t.* prendre les empreintes (de).
fingertip ['fɪŋgə,tɪp] *n.* bout du doigt. ♦ ***Fingertip control,*** commande au doigté ; ***he is a gentleman to his fingertips,*** c'est un parfait gentleman.
finicky ['fɪnɪkɪ] *adj.* méticuleux à l'excès, maniaque (aussi **finical**).
finish ['fɪnɪʃ] *v. t.* finir, terminer. *v. intr.* se terminer, s'achever. *n.* **1.** fin (de course). **2.** fini(tion).
finished ['fɪnɪʃt] *adj.* **1.** fini. ***Finished goods,*** produits finis. **2.** soigné. **3.** épuisé. *(fam.)* ***He's finished,*** il est fichu.
finish off, *v. part. t.* donner le coup de grâce à, acheter.
finite ['faɪnaɪt] *adj.* **1.** limité (ressources...). **2.** *(Gram.)* à un mode fini.
fir [fɜ:] *n.* (bois de) sapin.
fire [faɪə] *n.* **1.** feu. **2.** incendie. **3.** *(Mil.)* feu, tir. **4.** ardeur, enthousiasme. ♦ *(fam.)* ***He'll never get the Thames on fire,*** il n'a pas inventé la poudre ; ***he would go through fire and water for her,*** il se mettrait en quatre pour elle ; ***our plan is hanging fire,*** notre projet marque le pas ; ***the house is on fire,*** il y a le feu à la maison.
v.t. et intr. **1.** faire feu, tirer (sur). *(fig.)* ***Fire a question,*** poser une question à brûle-pourpoint. **2.** mettre le feu (à), incendier. ***Fire a rocket,*** lancer une fusée. **3.** cuire (des briques...). **4.** alimenter (une chaudière...). **5.** *(fam.)* saquer (quelqu'un). **6.** susciter (chez), communiquer (à). ***He fired the audience with enthusiasm,*** il souleva l'enthousiasme du public.
firearm ['faɪərɑ:m] *n.* arme à feu.
fire away, *v. part. intr.* **1.** *(Mil.)* tirer à feu continu. **2.** *(fam.)* se mettre à parler.
fireball ['faɪəbɔ:l] *n.* boule de feu, aérolithe.
firebomb ['faɪəbɒm] *n.* bombe incendiaire.
firebreak ['faɪəbreɪk] *n.* pare-feu.
firebug ['faɪəbʌg] *n.* incendiaire, pyromane.
firedamp ['faɪədæmp] *n.* grisou. ***Firedamp explosion,*** coup de grisou.
firedog ['faɪədɒg] *n.* chenêt.
fire engine ['faɪə,endʒɪn] *n.* pompe à incendie.
fireman ['faɪəmən] *n.* (*pl.* **-men**) pompier.
fireplace ['faɪəpleɪs] *n.* cheminée, foyer.
fireproof [,faɪəpru:f] *adj.* ininflammable, ignifugé. ***Fireproof dish,*** plat qui va au feu.
fire station ['faɪə,steɪʃn] *n.* poste, caserne de pompiers.
firewood ['faɪəwʊd] *n.* bois de chauf-

fage.

fireworks ['faɪewɜːks] *n.* feu d'artifice. ***Let off fireworks,*** tirer un feu d'artifice.

firm¹ [fɜːm] *n.* entreprise, maison de commerce.

firm² [fɜːm] *adj.* **1.** ferme, solide. **2.** *(Fin.)* ferme (cours...). **3.** résolu, inébranlable. *v.t. et intr.* affermir, (se) raffermir.

first [fɜːst] *adj.* premier, (le) premier, (la) première. *pr. et n.* commencement, innovation, première. ♦ ***At first,*** d'abord; ***first aid,*** premiers soins; ***first thing in the morning,*** dès le réveil, au saut du lit; ***I haven't the first idea what you mean,*** je n'ai pas la moindre idée de ce que vous voulez dire. *adv.* **1.** premièrement, d'abord. **2.** pour la première fois. **3.** au commencement. **4.** plutôt. ♦ ***First and foremost,*** en tout premier lieu; ***first and last,*** avant tout; ***I'll die first!*** plutôt mourir!

firsthand [ˌfɜːst'hænd] *adj.* de première main.

first-rate [ˌfɜːst'reɪt] *adj.* de premier ordre; excellent.

fish [fɪʃ] *n.* (le plus souvent *inv.*) poisson. ♦ *(fam.)* ***Have other fish to fry,*** avoir d'autres chats à fouetter; ***he's a queer fish,*** c'est un drôle de numéro; ***he used to drink like a fish,*** il buvait comme un trou.
v.t. et intr. pêcher. ***Fish for trout,*** pêcher la truite; *(fig.)* ***fish for compliments,*** rechercher les félicitations.

fisherman ['fɪʃəmən] *n.* (*pl.* **-men**) pêcheur.

fishery ['fɪʃərɪ] *n.* **1.** pêche. **2.** pêcherie.

fishing-rod ['fɪʃɪŋrɒd] *n.* canne à pêche.

fishmonger ['fɪʃmʌŋgə] *n.* poissonnier.

fishwife ['fɪʃwaɪf] *n.* (*pl.* **-ves**) marchande de poisson; harengère.

fishy ['fɪʃɪ] *adj.* **1.** de poisson (goût, odeur...). **2.** *(fig.)* louche, pas catholique.

fissionable ['fɪʃnəbl] *adj.* *(Tech.)* fissile.

fist [fɪst] *n.* poing. ***Clench your fists,*** serrez les poings.

fit¹ [fɪt] *n.* accès, crise. ***Work by fits and starts,*** travailler par à-coups.

fit² [fɪt] *adj.* **1.** convenable. ***He thought fit to do it,*** il a jugé bon de le faire. **2.** capable. ***She's quite fit for the job,*** elle est tout à fait qualifiée pour ce travail. **3.** en bonne santé. ***Keep fit,*** se maintenir en forme. **4.** prêt à. ***I feel fit to drop,*** je tombe littéralement de fatigue.

fit³ [fɪt] *v.t. et intr.* **1.** aller (bien ou mal). **2.** ajuster, adapter. **3.** convenir. *(fam.)* ***Fit the bill,*** faire l'affaire. *n.* ajustement, ajustage. ***Her dress is a perfect fit,*** sa robe lui va à merveille.

fit in, *v. part. t. et intr.* **1.** (faire) concorder. **2.** ***The doctor will manage to fit you in tomorrow,*** le docteur s'arrangera pour vous caser demain.

fitness ['fɪtnɪs] *n.* **1.** à-propos, justesse. **2.** santé, bonne forme. **3.** aptitude (à).

fit out, *v. part. t.* équiper, aménager.

fitter ['fɪtə] *n.* **1.** ajusteur, monteur. **2.** essayeur (en couture).

fitting ['fɪtɪŋ] *adj.* approprié. *n.* **1.** ajustement, adaptation. **2.** essayage. **3.** *(pl.)* appareillage électrique.

fit up, *v. part. t.* aménager.

fiver ['faɪvə] *n.* *(fam.)* billet de 5 livres ou de 5 dollars.

fix [fɪks] *v. t.* **1.** fixer, établir. **2.** se mettre d'accord sur. **3.** fixer (des couleurs, une pellicule...). **4.** *(amér.)* préparer. **5.** *(amér.)* réparer. **6.** truquer (un résultat). **7.** *(fam.)* graisser la patte (à). **8.** *(argot)* ***I'll fix him,*** je lui ferai son affaire.
n. **1.** *(fam.)* pétrin. **2.** *(argot)* injection de drogue. ***Give oneself a fix,*** se shooter. **3.** *(Naut.)* relèvement, position.

fixed [fɪkst] *adj.* **1.** fixe, immobile. **2.** invariable. **3.** *(Sp.)* truqué (match). **4.** décidé. ♦ ***How are you fixed for tonight?*** que faites-vous ce soir?

fixture ['fɪkstʃə] *n.* (surtout *pl.*) appareil fixe, installation. ***Fixtures and fittings,*** accessoires. **2.** *(Sp.)* rencontre prévue.

fix up, *v. part. t. et intr.* **1.** arranger. **2.** procurer. ***I can fix you up for the night,*** je peux vous loger pour cette nuit. **3.** *(amér.)* se mettre sur son trente-et-un.

fizz [fɪz] *n.* **1.** pétillement. **2.** *(fam.)* champagne. *v. intr.* pétiller.

fizzle out, *v. part. intr.* faire fiasco, échouer.

fizzy ['fɪzɪ] *adj.* pétillant, gazeux.

flabbergasted ['flæbɔgɑ:stɪd] *adj. (fam.)* abasourdi, époustouflé.

flabby ['flæbɪ] *adj.* **1.** mou, flasque. **2.** *(fig.)* mollasse, faible de caractère.

flaccid ['flæksɪd] *adj.* mou, flasque.

flag[1] [flæg] *n.* **1.** drapeau. **2.** *(Naut.)* pavillon. ***Flag of convenience,*** pavillon de complaisance; ***fly a flag,*** battre pavillon. ♦ *(fam.)* ***Keep the flag flying,*** ne pas se laisser abattre, *(fig.)* ***show the flag,*** faire acte de présence. *v.t.* **1.** pavoiser. **2.** faire des signaux à. ***Flag down a taxi,*** arrêter un taxi.

flag[2] [flæg] *n.* dalle (de pierre).

flag[3] [flæg] *v. intr.* **1.** pendre mollement. **2.** languir (pour la conversation); faiblir.

flag[4] [flæg] *n. (Bot.)* iris des marais.

flagpole ['flægpəʊl] *n.* **1.** hampe (de drapeau). **2.** mât (de pavillon). (aussi **flagstaff**).

flail [fleɪl] *n.* fléau. *v. t.* **1.** battre (au fléau). **2.** agiter (les bras...) *v. intr.* s'agiter, se débattre.

flak [flæk] *n.* flocon, paillette. *v.t. et intr.* (s') écailler.

flame [fleɪm] *n.* **1.** flamme. **2.** *(fig.)* ***Old flame,*** ancien béguin. *v. intr.* **1.** flamber. **2.** rougir, s'enflammer.

flame-thrower ['fleɪm,θrəʊə] *n.* lance-flammes.

flank [flæŋk] *n.* flanc, côté. *v. t.* **1.** flanquer, encadrer. **2.** *(Mil.)* prendre l'ennemi de flanc, contourner.

⚠ **flannel** ['flænl] *n.* **1.** flanelle. **2.** *(pl.)* pantalon (ou costume) de flanelle. **3.** gant de toilette. **4.** *(fam.)* sornettes.

flap [flæp] *n.* **1.** battement (d'ailes...). **2.** tape. **3.** rabat, pan. **4.** agitation, confusion. ***Get into a flap,*** s'affoler. *v.t.* agiter (ses ailes). *v. intr. (fam.)* paniquer.

flare [fleə] *n.* **1.** flamme aveuglante, flamboiement. **2.** fusée éclairante, signal. **3.** évasement (d'un orifice, d'une jupe...). *v. intr.* s'enflammer, flamboyer. *v. t.* évaser (une jupe...).

flare-up ['fleərʌp] *n.* **1.** flambée soudaine, recrudescence. **2.** accès de colère.

flare up, *v. part. intr.* **1.** s'enflammer brusquement. **2.** *(fig.)* s'emporter.

flash [flæʃ] *n.* **1.** éclair, éclat. ***Flash of lightning,*** éclair. **2.** dépêche, flash (d'information). **3.** *(Phot.)* flash. ♦ *(fig.)* ***Flash in the pan,*** feu de paille; ***flash point,*** point d'ignition, *(fig.)* situation explosive; ***in a flash,*** en un clin d'œil. *v.t. et intr.* **1.** jeter une lueur... **2.** envoyer une dépêche. **3.** passer rapidement. ***It flashed through my mind,*** l'idée m'est soudain venue.

flashlight ['flæʃlaɪt] *n.* **1.** torche électrique. **2.** *(Phot.)* ampoule de flash. **3.** lumière intermittente (de phare).

flashy ['flæʃɪ] *adj.* voyant, de mauvais goût.

flask [flɑ:sk] *n.* **1.** fiole. **2.** flacon. **3.** bouteille. ***(Thermos) flask,*** thermos.

flat[1] [flæt] *adj.* **1.** (à) plat. **2.** sans intérêt. **3.** net. ***Flat refusal,*** refus catégorique. **4.** à plat (pneu, batterie...). **5.** éventé (bière...). **6.** uniforme. ***Flat rate,*** taux fixe. **7.** *(Mus.)* bémol. ♦ ***Fall flat,*** rater son effet; *(fam.)* ***that's flat!*** un point c'est tout! *adv.* **1.** complètement. **2.** *(Mus.)* faux.
n. **1.** plat (de la main...). **2.** plat pays. **3.** (surtout *amér.*) pneu à plat. **4.** *(Mus.)* bémol. **5.** *(Th.)* châssis, coulisses.

flat[2] [flæt] *n.* appartement.

flat-bottomed [,flæt'bɒtəmd] *adj.* à fond plat (bateau).

flatly ['flætlɪ] *adv.* **1.** d'une voix monotone. **2.** carrément, de façon catégorique.

flat out ['flæt'aʊt] *adj. (fam.)* éreinté. *adv.* **1.** *(fam.)* à toute allure. ***Work flat out,*** travailler d'arrache-pied. **2.** *(fam.)* carrément.

flatten ['flætn] *v. t. et intr.* **1.** (s')aplatir, (s')aplanir. **2.** *(Mus.)* bémoliser (une note).

flaunt [flɔ:nt] *v.t.* faire étalage de (sa richesse...).

flavour ['fleɪvə] *n. (amér.* **flavor**) saveur, bouquet. *v.t. (Cuis.)* assaisonner, relever.

flavouring ['fleɪvərɪŋ] *n.* assaisonnement; parfum.

flaw [flɔ:] *n.* **1.** défaut, imperfection. **2.** *(Jur.)* vice de forme.

flawless ['flɔ:lɪs] *adj.* sans défaut, parfait.

flax [flæks] *n.* lin.

flaxen ['flæksən] *adj.* **1.** de lin. **2.** blond filasse.

flay [fleɪ] *v.t.* **1.** écorcher (un animal). **2.** *(fig.)* éreinter (quelqu'un).
flea [fli:] *n.* puce. ***Flea market,*** marché aux puces.
fleabite ['fli:baɪt] *n.* **1.** piqûre de puce. **2.** *(fig.)* bagatelle.
fleck [flek] *n.* **1.** petite tache. **2.** brin (de poussière) *v.t.* tacheter, moucheter.
fled [fled] (**flee,** *v.*).
fledged [fledʒd] *adj.* qui a toutes ses plumes.
fledgling ['fledʒlɪŋ] *n.* **1.** oisillon. **2.** *(fig.)* novice.
flee [fli:] *v.t. et intr. irr.* (p. **fled,** *p.p.* **fled**) fuir, s'enfuir.
fleece [fli:s] *n.* toison. *v.t. (fam.)* estamper (quelqu'un).
fleecy ['fli:sɪ] *adj.* floconneux, laineux.
fleet[1] [fli:t] *n.* **1.** *(Naut.)* flotte. **2.** flotte aérienne. **3.** grand nombre, parc (d'autocars).
fleet[2] [fli:t] *adj. (lit.)* au pied léger, agile.
fleeting ['fli:tɪŋ] *adj.* passager, éphémère.
flesh [fleʃ] *n.* **1.** chair. **2.** pulpe. ♦ ***Flesh wound,*** blessure superficielle; *(fam.)* ***go the way of all flesh,*** mourir; ***in the flesh,*** en personne.
fleshy ['fleʃɪ] *adj.* charnu.
flew [flu:] (**fly,** *v.*).
flex [fleks] *n.* cordon, câble souple, fil électrique. *v. t.* fléchir (les membres...).
flextime ['fleks,taɪm] *n.* horaires libres.
flick [flɪk] *n.* **1.** pichenette. **2.** petit mouvement brusque (du poignet...). *v.t.* **1.** effleurer (du fouet...); donner un petit coup (de torchon...), une pichenette. **2.** *(Aut.)* ***Flick on the lights,*** allumer les phares.
flicker ['flɪkə] *v. intr.* trembloter, vaciller. *n.* **1.** battement (de paupières). **2.** *(fig.)* ***Flicker of hope,*** lueur d'espoir.
flicks [flɪks] *n. (fam.)* ciné.
flier ['flaɪə] (aussi **flyer**) *n.* aviateur. **2.** prospectus. **3.** *(amér.)* train rapide. **4.** *(Fin.)* opération risquée en Bourse.
flies [flaɪz] *n. pl.* braguette.
flight [flaɪt] *n.* **1.** vol. **2.** bande, vol (d'oiseaux...). **3.** fuite. **4.** élan. **5.** escalier. **6.** passage (du temps). ♦ ***In the first flight,*** à l'avant-garde; ***put to flight,*** mettre en déroute; ***take flight,*** s'enfuir; ***take one's flight,*** s'enfuir, prendre son vol.
flighty ['flaɪtɪ] *adj.* capricieux, volage.
flimsy ['flɪmzɪ] *adj.* **1.** léger, fragile. **2.** peu convaincant (argument). *n.* papier pelure; copie (de reportage).
flinch [flɪntʃ] *v. intr.* broncher, tressaillir. ***Flinch from doing something,*** reculer devant une tâche.
fling [flɪŋ] *v.t. et intr. irr.* (*p.* **flung,** *p.p.* **flung**). **1.** lancer violemment. **2.** s'élancer. *n.* **1.** jet, coup. **2.** danse écossaise. **3.** *(fam.)* noce, bringue. ***Have one's fling,*** prendre du bon temps.
fling off, *v. part. t.* secouer le joug, s'évader (de).
flint [flɪnt] *n.* silex.
flinty ['flɪntɪ] *adj.* **1.** de silex, dur. **2.** *(fig.)* de pierre; cruel, insensible.
flip [flɪp] *n.* **1.** chiquenaude. **2.** cocktail (aux oeufs battus). *v.t. intr.* **1.** donner une chiquenaude. **2.** ***Flip over,*** retourner (quelque chose). **3.** *(argot)* perdre la boule. **4.** *(argot)* s'exciter.
flippant ['flɪpənt] *adj.* irrévérencieux, cavalier.
flipper ['flɪpə] *n.* **1.** nageoire, aileron. **2.** *(pl.)* palmes (de natation).
flit [flɪt] *v. intr.* **1.** voleter, voltiger. **2.** passer rapidement. **3.** *(fam.)* déménager à la cloche de bois. *n. (fam.)* ***Do a moonlight flit,*** déménager à la cloche de bois.
float [fləʊt] *n.* **1.** flotteur, radeau. **2.** char de cavalcade. **3.** *(fam.)* pelote. **4.** *(Fin.)* flottement d'une monnaie. *v. t. et intr.* **1.** flotter. **2.** mettre à flot. **3.** *(Comm.)* lancer (une société, un emprunt).
floatation [fləʊ'teɪʃn] *n.* **1.** *(Comm.)* lancement (d'une société). **2.** émission (d'un emprunt).
flock [flɒk] *n.* **1.** troupeau (de moutons, d'oies...). **2.** foule. **3.** *(Rel.)* les ouailles. *v. intr.* affluer, s'attrouper.
floe [fləʊ] *n.* (surtout *pl.*) glaces flottantes; banquise.
flog [flɒg] *v. t.* **1.** fouetter, fustiger. **2.** *(fam.)* bazarder. ♦ ***Flog a dead horse,*** se dépenser en pure perte; ***flog a subject to death,*** se montrer intarissable et lassant sur un sujet.
flood [flʌd] *n.* **1.** inondation. ***In flood,*** en crue. **2.** déluge. ***The Flood,*** le Dé-

luge. **3.** *(fig.)* flot, déluge (de paroles...) *v. t. et intr.* **1.** inonder. **2.** déborder. **3.** *(fig.)* submerger.

floodgate ['flʌdgeɪt] *n.* (surtout *pl.*) vannes.

floodlight ['flʌdlaɪt] *n.* projecteur. *v.t.* illuminer, embraser.

floor [flɔ:] *n.* **1.** plancher, parquet. **2.** fond (de la mer...). **3.** étage, palier. ***First floor,*** premier étage, *(amér.)* rez-de-chaussée. **4.** *(Comm.)* prix plancher. **5.** enceinte (d'une assemblée législative). ♦ *(Fin.)* ***Floor trader,*** boursier; ***take the floor,*** se mettre à danser, prendre la parole; *(fig.)* ***wipe the floor with somebody,*** battre quelqu'un à plate couture.
v.t. **1.** garnir d'un parquet. **2.** terrasser. **3.** *(fam.)* clouer le bec à.

floorwalker ['flɔ:,wɔ:kə] *n.* *(Comm.)* inspecteur, chef de rayon.

flop [flɒp] *v. intr.* **1.** s'affaler. **2.** *(fig.)* faire un four. *n.* **1.** bruit mat (de chute). **2.** *(fig.)* four, fiasco. *adv.* ***He fell flop,*** il est tombé comme une masse.

floppy ['flɒpɪ] *adj.* **1.** mou, flasque. **2.** avachi.

florid ['flɒrɪd] *adj.* **1.** orné (à l'excès). **2.** coloré, rubicond (teint).

▻ **florist** ['flɒrɪst] *n.* fleuriste.

flotsam ['flɒtsəm] *n.* épave flottante. ***Flotsam and jetsam,*** épaves; *(fig.)* épaves humaines.

flounce[1] [flaʊns] *n.* volant (de vêtement) *v.t.* garnir de volants.

flounce[2] [flaʊns] *v. intr.* avoir un mouvement d'humeur, s'emporter.

flounder[1] ['flaʊndə] *v. intr.* **1.** patauger. **2.** avancer péniblement. **3.** *(fig.)* s'empêtrer dans (un discours, une explication...).

flounder[2] ['flaʊndə] *n.* *(Zool.)* carrelet.

flour [flauə] *n.* farine. *v.t.* (en) fariner.

flourish [,flʌrɪʃ] *n.* **1.** grand geste (du bras). **2.** parafe. **3.** fioriture. **4.** *(Th.)* sonnerie (de trompettes).
v.t. brandir. *v. intr.* **1.** bien venir (pour une plante). **2.** être en pleine forme. **3.** prospérer.

floury ['flaʊərɪ] *adj.* **1.** enfariné. **2.** farineux.

flout [flaʊt] *v. t.* **1.** faire fi (de). **2.** se moquer (de).

flow [fləʊ] *n.* **1.** écoulement, cours. **2.** flux. ♦ *(Comm.)* ***Flow diagram*** (ou ***flow chart***) organigramme; ***flow production,*** production à la chaîne.
v. intr. **1.** couler, s'écouler. **2.** abonder. **3.** flotter (pour la chevelure). **4.** monter (pour la marée).

flower ['flaʊə] *n.* **1.** fleur. **2.** *(lit.)* fine fleur, élite. ♦ ***Flower children*** (ou ***people***), hippies; ***flower girl,*** petite marchande de fleurs; **flower power,** idéal des hippies.
v. intr. **1.** fleurir. **2.** se développer.

flowerbed ['flaʊəbed] *n.* parterre, platebande.

flowery ['flaʊərɪ] *adj.* **1.** couvert de fleurs. **2.** orné de fleurs. ***Flowery pattern,*** motif de fleurs. **3.** *(fig.)* fleuri, orné (style).

flown [fləʊn] (**fly,** *v.*).

flu [flu:] (= **influenza**) *n.* grippe.

▻ **fluctuate** ['flʌktʃʊeɪt] *v. intr.* fluctuer, varier.

flue [flu:] *n.* conduit de cheminée.

fluency ['flu:ənsɪ] *n.* aisance, facilité de parole.

fluent ['flu:ənt] *adj.* **1.** qui parle avec aisance. ***He's fluent in English,*** il parle couramment l'anglais. **2.** coulant, sans hésitations. ***He speaks fluent English,*** son anglais est aisé.

fluff [flʌf] *n.* **1.** duvet, peluche; fourrure douce. **2.** moutons (sous le lit). **3.** *(Th.)* loup. *v.t.* **1.** ébouriffer (ses plumes). **2.** faire bouffer (ses cheveux); **3.** *(Th.)* ***Fluff one's entrance,*** louper son entrée.

fluffy ['flʌfɪ] *adj.* duveteux, pelucheux.

fluke[1] [flu:k] *n.* **1.** *(Naut.)* patte (d'ancre). **2.** nageoire (de baleine). **3.** barbillon (d'hameçon).

fluke[2] [flu:k] *n.* coup de veine inattendu.

flung [flʌŋ] (**fling,** *v.*).

flunk [flʌŋk] *v.t.* *(amér.)* recaler (un candidat). *v. intr.* échouer (à un examen).

flurry ['flʌrɪ] *n.* **1.** risée, grain; rafale (de neige). **2.** *(fig.)* agitation. ***In a flurry,*** en émoi. *v.t.* effarer. ***Get flurried,*** perdre la tête.

flush[1] [flʌʃ] *n.* **1.** flot soudain; chasse (d'eau). **2.** rougeur. **3.** pousse, croissance (brusque). **4.** *(fig.)* élan. ***Flush of***

anger, accès de colère. ♦ ***In the first flush of youth,*** dans le premier éclat de la jeunesse. *v.t. et intr.* **1.** jaillir. **2.** tirer la chasse. **3.** (faire) rougir ; s'empourprer.
flush² [flʌʃ] *adj.* **1.** au même niveau. ***Flush with the wall,*** au ras du mur. **2.** *(fam.)* ***Flush (with money),*** plein aux as.
flush³ [flʌʃ] *n.* (cartes) floche, flush.
flush⁴ [flʌʃ] *v.t. et intr.* (se) lever (pour un gibier).
flush out, *v. part.* faire sortir (de sa cachette).
fluster ['flʌstə] *v.t.* agiter, troubler. *n.* agitation, trouble.
flutter ['flʌtə] *n.* **1.** battement (d'ailes). **2.** émoi. ***Be in a flutter,*** être troublé. **3.** *(Fin.)* petite spéculation. ***Have a flutter,*** risquer de petits enjeux. **4.** *(Radio. T.V.)* pleurage ; scintillation. **5.** palpitation. *v.t. et intr.* **1.** voltiger. **2.** flotter, claquer (au vent). **3.** battre (des paupières). **4.** palpiter. **5.** *(fig.)* ***Flutter about,*** papillonner.
fly¹ [flaɪ] *v. intr. irr.* (*p.* **flew,** *p.p.* **flown)** **1.** voler. **2.** voyager en avion. **3.** s'envoler. **4.** passer rapidement. **5.** (s'en)fuir. *v.t. irr.* **1.** *(Naut.)*battre (pavillon). **2.** piloter, faire voler. ***Fly a kite,*** faire voler un cerf-volant ; *(fig.)* lancer un ballon d'essai. **3.** transporter (en avion) ; franchir (une mer) en avion. **4.** ***Fly the country,*** s'enfuir. ♦ ***Fly into a passion,*** s'emporter ; ***let fly at,*** s'en prendre violemment à ; ***make the feathers fly,*** mettre le feu aux poudres.
fly² [flaɪ] *n.* (*pl.* **flies**) mouche. *(fam.)* ***There are no flies on him,*** il n'est pas né d'hier.
fly³ [flaɪ] *n.* (*pl.* **flies**) **1.** auvent (de tente). **2.** *(vx.)* fiacre. **3.** (parfois **flies**) braguette.
fly-blown ['flaɪbləʊn] *adj.* **1.** couvert de chiures de mouche. **2.** *(fig.)* entaché (pour une réputation).
fly-by-night ['flaɪbaɪnaɪt] *adj.* **1.** véreux, sans scrupule. **2.** en fuite (devant des créanciers).
flyleaf ['flaɪli:f] *n.* feuille de garde.
flysheet ['flaɪʃi:t] *n.* **1.** feuille volante. **2.** prospectus. **3.** double toit (d'une tente).
flywheel ['flaɪwi:l] *n.* *(Tech.)* volant.
foal [fəʊl] *n.* poulain, pouliche.
foam [fəʊm] *n.* écume, mousse. ♦ ***Foam bath,*** bain moussant ; ***foam fire extinguisher,*** extincteur (à neige carbonique) ; ***foam rubber,*** caoutchouc mousse. *v. intr.* écumer, moutonner.
foamy ['fəʊmɪ] *adj.* écumeux.
fob off, *v. part. t.* *(fam.)* ***Fob something off on somebody,*** refiler quelque chose à quelqu'un.
focus ['fəʊkəs] *n.* ((*pl.* **-ses** ou **-ci** [-kaɪ]). **1.** *(Opt.)* foyer. ***In focus,*** au point. **2.** *(fig.)* centre d'intérêt. *v.t. et intr.* **1.** *(Opt.)* focaliser. **2.** mettre au point. **3.** concentrer l'intérêt sur. **4.** *(fam.)* piger.
fodder ['fɒdə] *n.* fourrage.
foe [fəʊ] *n.* *(vx.)* ennemi. ***Who goes there? Friend or foe?,*** qui va là ? ami ou ennemi ?
fog [fɒg] *n.* **1.** brouillard. *(fig.)* ***I'm in a fog,*** je ne sais pas où j'en suis. **2.** *(Phot.)*voile. *v.t. et intr.* **1.** embrumer. **2.** brouiller les idées. **3.** *(Phot.)*se voiler.
fogbank ['fɒgbæŋk] *n.* banc de brume.
fogbound ['fɒgbaʊnd] *adj.* pris dans le brouillard.
foggy ['fɒgɪ] *adj.* **1.** brumeux. **2.** *(Phot.)* voilé. **3.** vague (idée) ; confus (esprit). ♦ *(fam.)* ***I haven't the foggiest (idea),*** je n'en ai pas la moindre idée.
foghorn ['fɒghɔ:n] *n.* sirène de brume.
foible ['fɔɪbl] *n.* point faible, petit travers.
foil¹ [fɔɪl] *v.t.* faire échouer, déjouer.
foil² [fɔɪl] *n.* fleuret.
foil³ [fɔɪl] *n.* **1.** fine feuille, lame (de métal précieux). **2.** *(fig.)* repoussoir ; *(Th.)* faire-valoir. ***Serve as a foil,*** servir de repoussoir.
foist [fɔɪst] *v. t.* **1.** refiler (une marchandise). ***Foist something on somebody,*** refiler quelque chose à quelqu'un. **2.** imposer (une personne). ***Foist oneself on somebody,*** s'imposer à quelqu'un.
fold¹ [fəʊld] *n.* **1.** parc à moutons. **2.** *(fig.)* bercail, sein de l'Eglise. ♦ ***Return to the fold,*** rentrer au logis, *(Polit. Rel.)*revenir au bercail.
fold² [fəʊld] *n.* **1.** pli. **2.** *(Géol.)* plissement. *v.t. et intr.* **1.** (se) plier, (se) replier. **2.** croiser. ***With folded arms,*** les

bras croisés. **3.** envelopper.

folder ['fəʊldə] *n.* **1.** classeur. **2.** *(Comm.)* dépliant, brochure.

fold in, *v. part. t. (Cuis.)* mélanger, incorporer.

fold up, *v. part. intr. (Comm.)* fermer boutique, liquider.

foliage ['fəulɪɪdʒ] *n.* feuillage, frondaison.

folk [fəʊk] *n.* gens. (*amér.* **folks**). ♦ ***Country folk,*** campagnards; **folk dancing,** danses villageoises; ***folk song,*** chanson folklorique; ***my folk,*** les miens, ma famille.

follow ['fɒləʊ] *v.t. et intr.* **1.** suivre. **2.** accompagner. **3.** s'ensuivre. **4.** ***Follow a trade,*** exercer un métier. **5.** suivre (des yeux); écouter (attentivement). **6.** comprendre clairement. ♦ ***As follows,*** comme suit.

follower ['fɒləʊə] *n.* partisan, disciple, admirateur.

following ['fɒləʊɪŋ] *adj.* qui suit, suivant. *n.* partisans, supporters.

follow-up ['fɒləʊʌp] *adj. (Méd.)* complémentaire. ***Follow-up care,*** soins post-hospitaliers; *(Comm.)* ***follow-up letter,*** lettre de relance. *n.* suite, poursuite; *(Comm.)* relance.

follow up, *v. part. t.* **1.** suivre, poursuivre. ***Follow up an advantage,*** exploiter un avantage. **2.** *(Comm.)* relancer.

⚠ **folly** ['fɒlɪ] *n.* **1.** stupidité, folie. **2.** *(pl.)* frasques, folies.

▷ **foment** [fəʊ'ment] *v.t.* fomenter (des troubles...).

fond [fɒnd] *adj.* **1.** aimant. ***Be fond of,*** aimer beaucoup. **2.** trop indulgent. **3.** ***Fond hope,*** fol espoir (dont on se berce).

fondle ['fɒndl] *v.t.* câliner, caresser.

fondly ['fɒndlɪ] *adv.* **1.** naïvement. **2.** tendrement.

food [fu:d] *n.* nourriture, aliment. ***Food chain,*** chaîne alimentaire. ♦ *(fig.)* ***Food for thought,*** matière à réflexion.

foodstuff ['fu:dstʌf] *n.* (surtout *pl.*) aliments.

⚠ **fool** [fu:l] *n.* **1.** imbécile. **2.** *(vx.)* bouffon. **3.** mousse (de fruits). ♦ ***Go on a fool's errand,*** y aller pour le roi de Prusse; ***he made a fool of himself,*** il s'est ridiculisé; ***more fool you!,*** comme c'est stupide de votre part!; ***play the fool,*** faire l'imbécile. *v.t.* duper, rouler. *v. intr.* **1.** faire l'imbécile. **2.** plaisanter.

fool about, *v. part. intr.* (aussi **fool around**) baguenauder.

foolhardy ['fu:lhɑ:dɪ] *adj.* **1.** téméraire. **2.** imprudent.

foolish ['fu:lɪʃ] *adj.* stupide, insensé.

foolproof ['fu:lpru:f] *adj.* **1.** sûr, infaillible. ***Foolproof plan,*** plan infaillible. **2.** indéréglable. **3.** facile à utiliser.

foot [fʊt] *n.* (*pl.* **feet**) **1.** *(Anat.)* pied (humain); patte (d'animal). **2.** pied, bas, base. **3.** pied (= 30,5 cm). **4.** pas. **5.** pied (en prosodie). ♦ *(fam.)* ***Have cold feet,*** avoir la frousse; *(fam.)* ***my foot!*** mon oeil! ***put one's feet up,*** se reposer; ***put one's foot down,*** dire son fait à quelqu'un; ***put one's foot in it,*** mettre les pieds dans le plat. *v.t. (fam.)* ***Foot the bill,*** régler l'addition; *(fam.)* ***foot it,*** y aller à pied.

footage ['fʊtɪdʒ] *n.* **1.** longueur. **2.** *(Ciné.)* métrage.

footboard ['fʊtbɔ:d] *n.* marchepied.

footbridge ['fʊtbrɪdʒ] *n.* passerelle.

footfall ['fʊtfɔ:l] *n.* (bruit de) pas.

foothill ['fʊt,hil] *n.* (surtout *pl.*) contreforts, collines basses.

foothold ['fʊthəʊld] *n.* **1.** prise (pour le pied), appui. **2.** *(fig.)* implantation. *(Comm.)* ***Get a foothold,*** s'implanter.

footing ['fʊtɪŋ] *n.* pose (du pied). ***Lose one's footing,*** perdre pied. **2.** situation, position. ***Be on an equal footing with,*** être sur un pied d'égalité avec; *(Comm.)* ***gain a footing,*** prendre pied, s'implanter. **3.** *(Mil.)* ***On a war footing,*** sur le pied de guerre.

footlights ['fʊtlaɪts] *n. pl.* **1.** *(Th.)* rampe. **2.** théâtre; profession d'acteur; planches.

footnote ['fʊtnəʊt] *n.* note explicative (en bas de page).

footpath ['fʊtpɑ:θ] *n.* sentier.

footprint ['fʊt,prɪnt] *n.* empreinte (de pas).

footsore ['fʊtsɔ:] *adj.* aux pieds endoloris.

footstep ['fʊtstep] *n.* **1.** empreinte (ou bruit) de pas. **2.** pas, traces. *(fig.)* ***Their children are following in their father's footsteps,*** leurs enfants sui-

vent les traces de leur père.
footwear ['fʊtweə] *n. (Tech.)* chaussures.
for [fə, fɔː] *prép.* **1.** pour, à l'intention de, à destination de. **2.** en faveur de. **3.** à cause de. ***He couldn't speak for laughing,*** il riait tellement qu'il ne pouvait parler. **4.** si l'on considère. ***He's tall for his age,*** il est grand pour son âge. **5.** malgré. ***For all his efforts,*** en dépit de tous ses efforts. **6.** pendant. ***Walk (for) a mile,*** parcourir un mille; ***talk (for) ten minutes,*** parler dix minutes. **7.** depuis. ***They've been talking for half-an-hour,*** ils parlent depuis une demi-heure. ♦ ***As for me,*** quant à moi; ***but for him,*** sans lui; ***for all that,*** malgré tout; ***for one thing,*** pour ce qui est de cela; ***for pity's sake,*** par pitié; ***holidays, what for?*** les vacances, pourquoi? ***it's not for you to do it,*** ce n'est pas à vous de le faire; *(fam.)* ***you'll be for it!*** tu vas écoper!
conj. parce que, car. ***I must go now, for it's getting late,*** il faut que je parte, car il se fait tard.
△ **forage** ['fɒrɪdʒ] *n.* **1.** fourrage. **2.** recherche. ♦ *(Mil.)* ***Forage cap,*** calot. *v. intr.* **1.** fourrager, chercher maladroitement. **2.** être en quête (de ravitaillement...).
foray ['fɒreɪ] *n.* **1.** *(Mil.)* sortie. **2.** *(fig.)* incursion. *v. intr.* **1.** *(Mil.)* tenter une sortie. **2.** *(fig.)* faire une incursion.
forbade [fə'beɪd] ou **forbad** [fə'bæd] (**forbid,** *v.*).
forbear ['fɔːbeə] *v. intr. irr.* (*p.* **forbore,** *p.p.* **forborne**) *(vx.)* s'abstenir (de), éviter (de).
forbearance [fɔː'beərəns] *n.* patience, tolérance.
forbid [fə'bɪd] *v.t. irr.* (*p.* **forbade** ou **forbad,** *p.p.* **forbidden**). **1.** empêcher (de), interdire (à). **2.** interdire l'accès ou l'usage (de). ♦ ***God forbid!*** Dieu me préserve!
forbidden [fə'bɪdn] (**forbid,** *v.*).
forbidding [fə'bɪdɪŋ] *adj.* **1.** rébarbatif, rebutant. **2.** inhospitalier.
forbore [fɔː'bɔː] (**forbear,** *v.*).
forborne [fɔː'bɔːn] (**forbear,** *v.*).
force [fɔːs] *n.* force. ***In force,*** en grand nombre, *(Jur.)* en vigueur. *v.t.* **1.** obliger, contraindre. **2.** ***Force one's way,*** se frayer un chemin. **3.** *(Agr.)* hâter la croissance de.
forceful ['fɔːsfəl] *adj.* plein de force, énergique.
forcible ['fɔːsəbl] *adj.* **1.** de force, par force. **2.** vigoureux, énergique.
ford [fɔːd] *n.* gué. *v.t.* passer à gué.
fore [fɔː] *adj.* antérieur, de devant. *n.* avant. *(fig.)* ***Come to the fore,*** se mettre en évidence. *adv. (Naut.)* à l'avant.
forearm [ˌfɔːr'ɑːm] *n. (Anat.)* avant-bras.
forebear ['fɔːbeə] *n.* (surtout *pl.*) ancêtres (cf. **forefather**).
forebode [fɔː'bəʊd] *v.t.* **1.** présager. **2.** pressentir.
foreboding [fɔː'bəʊdɪŋ] *n.* pressentiment.
forecast ['fɔːkɑːst] *n.* **1.** prévision. ***Weather forecast,*** bulletin météorologique. **2.** *(Comm.)* prédiction, estimation. *v.t. rég.* ou *irr.* (*p.* **-cast,** *p.p.* **-cast**) prévoir, prédire.
forecastle ['fəʊksl] *n. (Naut.)* gaillard d'avant (aussi **fo'c'sle**).
foreclose [fɔː'kləʊz] *v.t. et intr. (Jur.)* forclore, saisir (une hypothèque).
forefather ['fɔːˌfɑːðə] *n.* (surtout *pl.*) ancêtre(s).
forefinger ['fɔːˌfɪŋgə] *n. (Anat.)* index.
forefront ['fɔːfrʌnt] *n.* premier rang; première ligne.
foregoing ['fɔːgəʊɪŋ] *adj.* précédent, susdit.
foregone ['fɔːgɒn] *adj.* prévu. ***It was a foregone conclusion,*** l'issue ne faisait aucun doute.
foreground ['fɔːgraʊnd] *n.* premier plan.
forehead ['fɒrɪd] *n. (Anat.)* front.
foreign ['fɒrɪn] *adj.* étranger. ♦ ***Foreign exchange market,*** marché des échanges.
foreigner ['fɒrɪnə] *n.* étranger.
foreland ['fɔːlənd] *n.* cap, promontoire.
foreleg ['fɔːleg] *n.* patte de devant.
foreman [fɔːmən] *n.* (*pl.* **-men**) **1.** contremaître, chef d'équipe. **2.** *(Jur.)* président des jurés.
foremost ['fɔːməʊst] *adj.* le plus en vue.
forensic [fə'rensɪk] *adj. (Tech.)* judiciaire. ***Forensic medicine,*** médecine légale.

forerunner ['fɔː,rʌnə] *n.* avant-coureur, précurseur.

foresaw [fɔː'sɔː] (**foresee,** *v.*).

foresee [fɔː'siː] *v. t. irr.* (*p.* **-saw,** *p.p.* **-seen**) prévoir, entrevoir.

foreseeable [fɔː'siːəbl] *adj.* prévisible. ***In the foreseeable future,*** dans un avenir prévisible.

foreseen [fɔː'siːn] (**foresee,** *v.*).

foresight ['fɔːsaɪt] *n.* **1.** prévision. **2.** prévoyance. **3.** *(Tech.)* bouton de mire.

▻ **forest** ['fɒrɪst] *n.* forêt.

forestall [fɔː'stɔːl] *v.t.* anticiper, devancer, prévenir.

forester ['fɒrɪstə] *n.* garde forestier.

forestry ['fɒrɪstrɪ] *n.* sylviculture.

foretaste ['fɔːteɪst] *n.* avant-goût.

foretell [fɔː'tel] *v.t. irr.* (*p.* **-told,** *p.p.* **-told**) prévoir, présager.

forethought ['fɔːθɔːt] *n.* prévoyance.

foretold [fɔː'təʊld] (**foretell,** *v.*).

forever [fə'revə] *adj.* **1.** à jamais. **2.** sans cesse, continuellement.

forewarn [fɔː'wɔːn] *v.t.* prévenir, avertir.

foreword ['fɔːwɜːd] *n.* avis au lecteur, avant-propos.

forfeit ['fɔːfɪt] *v.t.* **1.** perdre (quelque chose) par confiscation. **2.** *(fig.)* perdre (la vie, l'honneur...). *n.* prix. *adj.* confisqué.

forfeitable ['fɔːfɪtəbl] *adj.* confiscable.

forfeiture ['fɔːfɪtʃə] *n.* **1.** perte de biens, confiscation. **2.** *(Jur.)* déchéance (d'un droit).

forgave [fə'geɪv] (**forgive,** *v.*).

⚠ **forge**[1] [fɔːdʒ] *n.* **1.** forge. **2.** atelier de forge. *v.t. et intr.* **1.** forger. **2.** *(Jur.)* contrefaire.

⚠ **forge**[2] [fɔːdʒ] *v. intr.* *(Sp.)* foncer. ***Forge ahead,*** se porter en tête, *(fig.)* faire des progrès réguliers.

forger ['fɔːdʒə] *n.* faussaire; contrefacteur.

forgery ['fɔːdʒərɪ] *n.* **1.** contrefaçon. **2.** faux.

forget [fə'get] *v.t. et intr. irr.* (*p.* **forgot,** *p.p.* **forgotten**). **1.** oublier, perdre le souvenir de. **2.** omettre, négliger. ♦ ***Forget it!,*** n'en parlons plus! ; ***I forgot myself!,*** ça m'a échappé!

forgetful [fə'getfəl] *adj.* **1.** oublieux. **2.** négligent.

forget-me-not [fə'getmɪnɒt] *n.* *(Bot.)* myosotis.

forgive [fə'gɪv] *v.t. et intr. irr.* (*p.* **forgave,** *p.p.* **forgiven**) **1.** pardonner. **2.** faire cadeau (d'une dette).

forgiven [fə'gɪvn] (**forgive,** *v.*).

forgiveness [fə'gɪvnɪs] *n.* **1.** pardon. **2.** indulgence, clémence.

forgot [fə'gɒt] (**forget,** *v.*).

forgotten [fə'gɒtn] (**forget,** *v.*).

fork [fɔːk] *n.* **1.** fourchette. **2.** fourche. **3.** embranchement. **4.** fourche (de bicyclette, d'arbre...). *v.t. et intr.* **1.** enlever, retourner (à la fourche). **2.** bifurquer. ***Fork right,*** prenez à droite.

fork out, *v. part. t. et intr.* *(fam.)* casquer, cracher.

forlorn [fə'lɔːn] *adj.* *(lit.)* abandonné, délaissé. ***Forlorn hope,*** cause perdue d'avance.

⚠ **form** [fɔːm] *n.* **1.** forme, aspect. **2.** formes, formalité. **3.** condition physique. **4.** formulaire. ***Fill in a form,*** remplir un questionnaire. **5.** banc. **6.** *(Ens.)* classe. **7.** *(argot)* ***He's got form,*** il a fait de la taule.
v.t. et intr. **1.** (se) former. **2.** constituer, organiser. **3.** éduquer (un enfant); contracter (une habitude).

formal ['fɔːml] *adj.* **1.** officiel, de cérémonie. **2.** guindé. **3.** superficiel, conventionnel.

⚠ **formalize** ['fɔːməlaɪz] *v.t.* **1.** *(Jur.)* formaliser, préciser. **2.** donner un caractère officiel à.

formative ['fɔːmətɪv] *adj.* formateur. ***Formative years,*** années de formation.

former ['fɔːmə] *adj. et pr.* précédent, antérieur. ***In former times,*** autrefois; ***the former... the latter,*** le premier (ou celui-là)... le dernier (ou celui-ci).

formerly ['fɔːməlɪ] *adv.* autrefois, jadis.

▻ **formula** ['fɔːmjʊlə] *n.* (*pl.* **-las** ou **-lae**). **1.** formule. **2.** recette.

⚠ **formulate** ['fɔːmjʊleɪt] *v.t.* **1.** formuler. **2.** concevoir (un plan...).

forsake [fə'seɪk] *v.t. irr.* (*p.* **forsook,** *p.p.* **forsaken**) **1.** abandonner. **2.** renoncer à.

forsaken [fə'seɪkən] (**forsake,** *v.*)

forsook [fə'sʊk] (**forsake,** *v.*)

forte ['fɔːteɪ] *n.* fort, spécialité.

forth [fɔːθ] *adv.* *(lit.)* vers l'avant. ♦***And***

so forth, et ainsi de suite; ***back and forth,*** de long en large.

forthcoming [ˌfɔːθ'kʌmɪŋ] *adj.* **1.** imminent. **2.** qui ne se fait pas attendre. **3.** ouvert, ferme. ***He was not forthcoming on his intentions,*** il ne dit pas grand-chose de ses intentions.

forthright ['fɔːθraɪt] *adj.* franc, direct.

▻ **fortify** ['fɔːtɪfaɪ] *v.t.* **1.** fortifier. **2.** encourager.

fortitude ['fɔːtɪtjuːd] *n.* force d'âme, courage.

fortnight ['fɔːtnaɪt] *n.* quinzaine. (*amér.* **two weeks**).

⚠ **fortunate** ['fɔːtʃnət] *adj.* **1.** chanceux, heureux. **2.** propice.

⚠ **fortune** ['fɔːtʃən] *n.* **1.** chance, hasard. ***Tell fortunes,*** dire la bonne aventure. **2.** bonne chance, bonheur. **3.** fortune. ***Come into a fortune,*** faire un gros héritage.

fortune-teller ['fɔːtʃənˌtelə] *n.* diseuse de bonne aventure, cartomancienne.

forward ['fɔːwəd] *adj.* **1.** en avant, de devant. **2.** précoce. **3.** effronté. **4.** empressé. **5.** avancé (opinion). **6.** *(Comm.)* ***Forward prices,*** prix à terme. *adv.* **1.** en avant. **2.** vers l'avenir. **3.** en évidence. ***Bring forward,*** avancer une théorie; ***come forward,*** se proposer. *n. (Sp.)* avant.
v.t. **1.** faire suivre (du courrier). ***Please forward,*** faire suivre. **2.** *(Comm.)* expédier, acheminer.

forwarding ['fɔːwədɪŋ] *n.* **1.** *(Comm.)* expédition. **2.** avancement (d'une affaire).

forward-looking ['fɔːwədˌlʊkɪŋ] *adj.* tourné vers l'avenir, progressiste.

foster ['fɒstə] *v.t.* **1.** favoriser le développement de. **2.** entretenir (des idées, des sentiments...). **3.** s'occuper de.

foster-father ['fɒstəˌfɑːðə] *n.* père adoptif.

fought [fɔːt] (**fight,** *v.*)

foul [faul] *adj.* **1.** nauséabond. **2.** malpropre, impur. **3.** engorgé, encrassé. **4.** emmêlé. **5.** ***Foul weather,*** temps de chien. **6.** contraire (vent). **7.** atroce (acte). **8.** *(Sp.)* ***Foul play,*** jeu irrégulier (langage). ♦ ***By fair means or foul,*** de gré ou de force; ***fall foul of the law,*** tomber sous le coup de la loi; ***run foul of,*** entrer en collision avec. *n. (Sp.)* faute, coup irrégulier. ***Through fair and foul,*** à travers toutes les épreuves.
v.t. et intr. **1.** salir, polluer. **2.** engorger, encrasser. **3.** *(Sp.)* commettre une faute (contre un adversaire). **4.** entrer en collision. **5.** s'emmêler.

foul-mouthed [ˌfaʊl'maʊðd] *adj.* très grossier, mal embouché.

found[1] [faʊnd] (**find,** *v.*)

found[2] [faʊnd] *v.t.* **1.** établir (sur). **2.** fonder. **3.** subventionner.

found[3] [faʊnd] *v.t.* fondre (un métal).

⚠ **foundation** [faun'deɪʃn] *n.* **1.** création. **2.** institution, fondation. **3.** fondement. ***What's the foundation of all this?,*** sur quoi repose tout cela? **4.** *(pl.)* fondations; *(fig.)* base. **5.** ***Foundation (cream),*** fond de teint.

founder[1] ['faundə] *n.* fondateur.

founder[2] ['faundə] *v. intr.* **1.** *(Naut.)* sombrer. **2.** *(fig.)* avorter (pour un plan).

foundry ['faʊndrɪ] *n. (Ind.)* fonderie.

fountain ['faʊntɪn] *n.* **1.** fontaine. ***Drinking fountain,*** jet d'eau potable. **2.** *(lit.)* source.

fountainhead ['faʊntɪnhed] *n.* *(lit.)* source.

fourfold ['fɔːfəʊld] *adj.* quadruple.

four-letter ['fɔːletə] *adj.* ***Four-letter word,*** gros mot, obscénité.

fours [fɔːz] *n. pl.* ***On all fours,*** à quatre pattes.

fowl [faʊl] *n.* volaille.

fox [fɒks] *n.* **1.** renard. **2.** *(fig.)* ***Old fox,*** vieux malin. *v.t. et intr.* **1.** duper. **2.** laisser perplexe. ***This question foxed me,*** cette question m'a dépassé. **3.** feindre.

⚠ **fracas** ['frækɑː] *n.* (*pl.* **-ses**) *(amér.)* rixe, échauffourée.

⚠ **fractional** ['frækʃənl] *adj.* **1.** infime. **2.** fractionnel.

fractious ['frækʃəs] *adj.* **1.** irritable, revêche. **2.** rétif, indocile.

fragrance ['freɪgrəns] *n.* odeur, senteur.

fragrant ['freɪgrənt] *adj.* odorant, odoriférant.

frail [freɪl] *adj.* **1.** fragile. **2.** faible.

frailty ['freɪltɪ] *n.* **1.** fragilité. **2.** faiblesse (de caractère).

frame [freɪm] *n.* **1.** charpente (de

construction). **2.** *(Aut.)* châssis; cadre (de bicyclette...). **3.** ossature. **4.** *(Phot.)* cadre. **5.** *(Ciné.)* image. ♦ ***Frame of mind,*** état d'esprit; ***frame of reference,*** système de référence. *v.t.* **1.** construire. **2.** encadrer. **3.** concevoir (des idées, des phrases...). **4.** monter (une accusation).

frame-up ['freɪmʌp] *n.* coup monté.

framework ['freɪmwɜːk] *n.* charpente, ossature.

△ **franchise** ['fræntʃaɪz] *n.* **1.** *(Polit.)* droit de vote. **2.** *(amér.)* droit exclusif (de vente, d'exploitation...).

▻ **frank¹** [fræŋk] *adj.* franc, sincère.

frank² [fræŋk] *v.t.* **1.** affranchir (une lettre, un paquet...). **2.** mettre une franchise (de port).

frantic ['fræntɪk] *adj.* frénétique, délirant. ***Frantic with grief,*** fou de chagrin.

△ **fraternity** [frə'tɜːnɪtɪ] *n.* **1.** confrérie. **2.** association. **3.** fraternité.

▻ **fraternize** ['frætənaɪz] *v. intr.* fraterniser.

△ **fraud** [frɔːd] *n.* **1.** fraude. **2.** imposteur. **3.** attrape-nigaud.

fraudulent ['frɔːdjʊlənt] *adj.* frauduleux.

fraught [frɔːt] *adj.* **1.** chargé de. ***Fraught with difficulties,*** riche en difficultés. **2.** *(fam.)* soucieux.

fray¹ [freɪ] *n.* querelle. ***Eager for the fray,*** prêt à la bagarre.

fray² [freɪ] *v.t. et intr.* **1.** (s')effilocher. **2.** *(fig.)* ***My nerves are frayed,*** je suis à bout (de nerfs).

freak [friːk] *n.* **1.** monstre; phénomène (de foire). **2.** *(fig.)* original, drôle de numéro. **3.** caprice, lubie. *adj.* invraisemblable. ***We're having freak weather,*** il fait un drôle de temps pour la saison.

freakish ['friːkɪʃ] *adj.* **1.** monstrueux. **2.** capricieux, fantasque.

freak out, *v. part. intr.* s'exciter sous l'effet de la drogue.

freckle ['frekl] *n.* tache de rousseur.

free [friː] *adj.* **1.** libre. ***Free trade,*** libre-échange; ***free will,*** libre arbitre. **2.** inoccupé. **3.** gratuit. ***Admission free,*** entrée gratuite; ***free of charge,*** gratuit; ***post free,*** franco de port. **4.** généreux. **5.** sans gêne. **6.** à l'état pur. ♦ ***Have a free hand,*** avoir pleine liberté d'action; ***make free with somebody,*** prendre des libertés avec quelqu'un; ***make free with something,*** se servir sans façon de quelque chose. *adv.* **1.** librement. **2.** gratuitement.

v.t. (*p.* et *p.p.* **freed**) **1.** libérer, affranchir (un esclave). **2.** dégager (quelqu'un). **3.** exempter (d'une obligation).

freedom ['friːdəm] *n.* **1.** liberté. ***Freedom of speech,*** liberté d'expression. **2.** droit de jouissance. ***He's given me the freedom of his flat,*** il m'a autorisé à disposer de son appartement.

freehand ['friːhænd] *adj. et adv.* à main levé. ***Draw freehand,*** dessiner à main levée.

freehanded ['friːhændɪd] *adj.* libéral, généreux.

freehold ['friːhəʊld] *adj.* *(Jur.)* en propriété perpétuelle et libre.

freelance ['friːlɑːns] *adj.* indépendant. ***Freelance (journalist),*** journaliste indépendant.

freemason ['friːmeɪsn] *n.* franc-maçon.

freemasonry ['friːˌmeɪsnrɪ] *n.* franc-maçonnerie.

freeze [friːz] *v.t. et intr. irr.* (*p.* **froze,** *p.p.* **frozen**). **1.** geler. **2.** prendre. **3.** rester figé. **4.** congeler. **5.** *(Fin.)* geler (des crédits); bloquer (des salaires). *n.* **1.** période de gel, gelée. **2.** *(fig.)* ***Wage freeze,*** blocage des salaires.

freeze-drying [ˌfriːz'draɪɪŋ] *n.* lyophilisation.

freeze out, *v. part. t.* *(fam.)* évincer (quelqu'un); éliminer (un concurrent).

freezer ['friːzə] *n.* congélateur (aussi **deep freeze**).

freight [freɪt] *n.* **1.** fret. **2.** marchandises. ***Freight car,*** wagon de marchandises. *v.t.* **1.** charger (un navire). **2.** envoyer (des marchandises).

freightage ['freɪtɪdʒ] *n.* **1.** affrètement. **2.** fret, cargaison. **3.** transport (de marchandises).

freighter ['freɪtə] *n.* **1.** cargo. **2.** avion-cargo.

French [frentʃ] *adj.* français. ***French dressing,*** vinaigrette; ***French fries,*** frites; *(fam.)* ***take French leave,*** filer à l'anglaise; ***French window,*** porte-

fenêtre; ***the French,*** les Français.
frenzied ['frenzɪd] *adj.* frénétique.
frenzy ['frenzɪ] *n.* frénésie, délire.
▻ **frequency** ['frɪ:kwənsɪ] *n.* **1.** fréquence, répétition. **2.** *(Radio)* fréquence.
fresh [freʃ] *adj.* **1.** frais. **2.** nouveau. ***Fresh attempt,*** nouvelle tentative. **3.** propre; inutilisé. **4.** en forme. **5.** pur (air). **6.** ***Fresh water,*** eau douce. **7.** fort (vent). **8.** novice. **9.** effronté. ♦ ***Break fresh ground,*** innover; *(fam.)* ***get fresh with a girl,*** prendre des libertés avec une fille; ***he's fresh from college,*** il est frais émoulu de l'Université; *(fam.)* ***she's fresh from the country,*** elle débarque.
freshen ['freʃn] *v. intr.* se lever, fraîchir (pour le vent).
freshen up, *v. part. t. et intr.* **1.** (se) rafraîchir; faire un brin de toilette. **2.** raviver (une couleur...).
fresher ['freʃə] *n.* *(Ens.)* étudiant(e) de première année. (aussi **freshman**).
freshly ['freʃlɪ] *adv.* récemment.
⚠ **fret** [fret] *v.t. et intr.* **1.** user (par frottement). **2.** s'irriter. ♦ ***Fret and fume,*** se ronger d'impatience; ***you shouldn't fret yourself,*** vous ne devriez pas vous tourmenter.
n. inquiétude. ***She's in a fret,*** elle se fait du mauvais sang.
fretful ['fretfəl] *adj.* irritable, maussade.
friar ['fraɪə] *n.* *(Rel.)* frère, moine.
▻ **friction** ['frɪkʃn] *n.* **1.** friction, frottement. **2.** *(fig.)* désaccord.
Friday ['fraɪdɪ] *n.* vendredi. *(Rel.)* ***Good Friday,*** Vendredi Saint.
fridge [frɪdʒ] *n.* frigidaire, réfrigérateur (cf. **refrigerator**).
friend [frend] *n.* **1.** ami(e). ***Make friends with somebody,*** se lier d'amitié avec quelqu'un. **2.** compagnon, compagne. **3.** bienfaiteur. **4.** *(Rel.)* quaker. ***The Society of Friends,*** les quakers.
friendly ['frendlɪ] *adj.* amical.
friendship ['frendʃɪp] *n.* amitié.
frieze [fri:z] *n.* frise.
fright [fraɪt] *n.* **1.** peur, crainte. *(Th.)* ***Stage fright,*** trac. **2.** *(fam.)* ***She looks a fright tonight,*** elle est drôlement ficelée ce soir.
frighten ['fraɪtn] *v.t.* effrayer. ♦ ***She was frightened to death,*** elle était morte de peur; ***you frightened me out of my wits,*** vous m'avez fait une peur bleue.
frightful ['fraɪtfəl] *adj.* **1.** effrayant. **2.** désagréable. ***Frightful weather, isn't it?*** sale temps, n'est-ce pas?
⚠ **frigid** ['frɪdʒɪd] *adj.* **1.** glacial. **2.** ***Frigid stare,*** regard fixe. **3.** *(Méd.)* frigide.
frill [frɪl] *n.* **1.** fanfreluche. **2.** volant. **3.** *(pl.)* airs. ***Put on frills,*** faire des façons.
fringe [frɪndʒ] *n.* **1.** frange. **2.** bordure. **3.** lisière (de forêt). **4.** groupe de marginaux. ***Live on the fringe of society,*** vivre en marge de la société. ♦ ***Fringe benefits,*** indemnités, avantages sociaux. *v.t.* border.
frisk [frɪsk] *v. intr.* folâtrer, gambader. *v.t.* *(fam.)* palper (un suspect, pour trouver des armes). *n.* cabriole, gambade.
frisky ['frɪskɪ] *adj.* folâtre, plein d'ardeur.
fritter ['frɪtə] *n.* *(Cuis.)* beignet (de fruits...).
fritter away, *v. part. t.* gaspiller (du temps, de l'argent...).
▻ **frivolous** ['frɪvələs] *adj.* **1.** frivole. **2.** évaporé, stupide.
frizzle[1] ['frɪzl] *v.t. et intr.* crêper, frisotter.
frizzle[2] ['frɪzl] *v.t. et intr.* **1.** *(Cuis.)* grésiller. **2.** faire trop frire; brûler.
fro [frəʊ] *adv.* ***Go to and fro,*** aller et venir.
frock [frɒk] *n.* **1.** robe. **2.** sarrau. **3.** *(Rel.)* froc. ♦ ***Frock coat,*** redingote.
frog [frɒg] *n.* **1.** grenouille. **2.** *(péj.* ***Froggy)*** Français. ♦ *(fam.)* ***I've a frog in my throat,*** j'ai un chat dans la gorge.
frogman ['frɒgmən] *n.* (*pl.* **-men**) homme-grenouille.
frolic ['frɒlɪk] *v. intr.* folâtrer, gambader. *n.* ébats, gambades.
frolicsome ['frɒlɪksəm] *adj.* folâtre, espiègle.
from [frəm; frɒm] *prép.* **1.** de, depuis, à partir de. **2.** originaire de. **3.** à cause de. **4.** d'après. ***From her appearance,*** à la voir. ♦ ***From no fault of my own,*** sans que j'y sois pour quelque chose; ***she's from home,*** elle est sortie.

△ **front** [frʌnt] *n.* **1.** devant, avant; tête (de train). ***In front of,*** devant. **2.** façade. **3.** début (d'un livre). **4.** ***(Sea) front,*** front de mer. **5.** audace, toupet. ***Have the front to do something,*** avoir le toupet de faire quelque chose; ***he put on a bold front,*** il a payé d'audace. **6.** devant (de corsage..). **7.** premier rang. *(Mil.)* front. ***The home front,*** l'arrière. **8.** *(fig.)* prête-nom.
v.t. **1.** faire face à; donner sur. **2.** garnir (une façade).
adj. **1.** de devant, antérieur. ***Front door,*** porte d'entrée. **2.** de face. **3.** premier. ♦ ***Front organization,*** organisation prête-nom.
frontage ['frʌntɪdʒ] *n.* devanture, façade.
front-page ['frʌntpeɪdʒ] *adj.* *(fam.)* sensationnel. ***Front-page news,*** nouvelle à la une.
front-runner [ˌfrʌnt'rʌnə] *n.* *(fam.)* favori.
frost [frɒst] *n.* **1.** gel, gelée. ***Black frost,*** verglas; ***five degrees of frost,*** 5° au-dessous de zéro; ***hard frost,*** forte gelée; ***hoar frost,*** givre; ***Jack Frost,*** le bonhomme Hiver; ***white frost,*** gelée blanche.
v.t. et intr. **1.** geler. **2.** couvrir de givre. **3.** dépolir. ***Frosted glass,*** verre dépoli. **4.** *(Cuis.)* glacer (un gâteau).
frostbite ['frɒstbaɪt] *n.* gelure.
frostbitten ['frɒstˌbɪtn] *adj.* gelé (mains, plante...).
frostbound ['frɒstbaʊnd] *adj.* gelé (sol).
frosty ['frɒstɪ] *adj.* **1.** glacial. **2.** *(fig.)* froid, glacial (accueil, réception...).
froth [frɒθ] *n.* **1.** écume. **2.** *(fig.)* paroles creuses, vent. *v.t. et intr.* écumer, (faire) mousser.
frothy ['frɒθɪ] *adj.* **1.** écumeux, mousseux. **2.** vide, superficiel.
frown [fraʊn] *n.* froncement de sourcils. *v. intr.* **1.** ***Frown at,*** regarder d'un air sévère. **2.** *(fig.)* ***Frown on,*** désapprouver (un projet, une idée...).
frowzy ['fraʊzɪ] *adj.* **1.** sale, négligé. **2.** qui sent le renfermé.
froze ['frəʊz] (**freeze,** *v.*)
frozen ['frəʊzn] (**freeze,** v.)
fruit [fru:t] *n.* **1.** fruit, fruits. ***I want to buy some fruit,*** je veux acheter des fruits. **2.** *(fig.)* fruit, résultat. **3.** *(pl.)* récompense. ♦ ***Fruit machine,*** machine à sous. *v. intr.* porter des fruits.
fruiterer ['fru:tərə] *n.* fruitier.
fruitful ['fru:tfəl] *adj.* fécond, fructueux.
fruition [fru:'ɪʃn] *n.* réalisation (d'un projet).
fruitless ['fru:tlɪs] *adj.* stérile, vain.
fruity ['fru:tɪ] *adj.* **1.** fruité. **2.** *(fig.)* corsé (histoire). **3.** riche (voix); gras (rire).
frump [frʌmp] *n.* femme mal fagotée.
frustrate [frʌ'streɪt] *v.t.* **1.** priver de, frustrer. **2.** irriter.
fry [fraɪ] *v.t.* frire. ♦ *(fam.)* ***He has other fish to fry,*** il a d'autres chats à fouetter. *n.* petits poissons, alevins. *(fam.)* ***Small fry,*** menu fretin, gosses.
fuddle ['fʌdl] *v.t.* embrouiller (l'esprit). *n.* *(fam.)* confusion (d'esprit). ***He often gets in a fuddle,*** il a souvent l'esprit confus...
fudge[1] [fʌdʒ] *n.* friandise fondante.
fudge[2] [fʌdʒ] *v.t.* **1.** bâcler (article, rapport...). **2.** éluder. ***Fudge the issue,*** noyer le problème.
fuel [fjʊəl] *n.* **1.** combustible, carburant. **2.** *(fig.)* aliment. ♦ ***Add fuel to the flames,*** jeter de l'huile sur le feu. *v.t.* alimenter, ravitailler (en carburant...). *v. intr.* se ravitailler.
fulfil [fʊl'fɪl] *v.t.* **1.** accomplir, exécuter. **2.** satisfaire (des désirs); remplir (un devoir); réaliser (un plan). **3.** ***Fulfil oneself,*** trouver sa voie.
fulfilment [fʊl'fɪlmənt] *n.* accomplissement, réalisation.
full [fʊl] *adj.* **1.** plein. **2.** complet. *(Ciné. Th.)* ***Full house,*** complet. **3.** ***Full (up),*** repu. **4.** maximum (vitesse). **5.** titulaire (membre). **6.** pénétré de. ***He's full of himself,*** il est imbu de sa personne; ***she was full of the news,*** elle était impatiente d'annoncer la nouvelle. **7.** ample (manche); en forme (jupe). **8.** rond (visage, poitrine...). ♦ *(Sp.)* ***At full time,*** à la fin du temps réglementaire; ***come to a full stop,*** s'arrêter net; ***full stop,*** point.
adv. en plein. ♦ ***Full in the face,*** en pleine figure; ***full out,*** à plein gaz; ***full well,*** parfaitement. *n.* apogée. ***The moon is at the full,*** la lune est dans son plein. ♦ ***In full,*** intégrale-

ment; ***to the full,*** tout à fait.

full-blooded ['fʊl'blʌdɪd] *adj.* **1.** de race pure. **2.** vigoureux (argument).

full-blown ['fʊl'bləʊn] *adj.* **1.** épanoui (rose). **2.** qui a tous ses diplômes.

full-bodied [ˌfʊl'bɒdɪd] *adj.* qui a du corps (vin).

full-face [ˌfʊl'feɪs] *adj. et adv.* de face.

full-grown [ˌfʊl'grəʊn] *adj.* **1.** complètement développé (arbre...). **2.** adulte.

full-length [ˌfʊl'leŋθ] *adj.* **1.** en pied (portrait). **2.** longue (robe). **3.** de longueur normale. ***Full-length*** (film), long métrage.

fullness ['fulnɪs] *n.* **1.** plénitude. **2.** ampleur. ♦ ***In the fullness of time,*** en temps voulu.

full-scale [ˌfʊl'skeɪl] *adj.* **1.** grandeur nature. **2.** complet (récit). **3.** sur tous les fronts (attaque).

full-time [ˌfʊl'taɪm] *adj.* à plein temps (travail). *(fam.)* ***A full-time job,*** un travail absorbant.

fully-fledged [ˌfʊlɪ'fledʒd] *adj.* **1.** qui a toutes ses plumes. **2.** expérimenté *(amér.* **full-fledged***).*

fulsome ['fulsəm] *adj.* *(fig.)* écœurant. ***Fulsome praise,*** éloge excessif.

fumble ['fʌmbl] *v. intr.* fouiller; farfouiller. ***He fumbled for his key in his pocket,*** il fouilla dans sa poche pour trouver sa clé. *v. t.* manier maladroitement (une balle...).

⚠ **fume** [fju:m] *n.* gaz d'échappement; émanations. *v. intr.* **1.** dégager des vapeurs. **2.** *(fig.)* fulminer, rager.

fumigate ['fju:mɪgeɪt] *v.t.* désinfecter par des fumigations.

fun [fʌn] *n.* plaisir, amusement. ♦ ***Fun person,*** rigolo; ***have fun,*** prendre du bon temps; ***have fun and games,*** s'en donner à cœur joie; ***I did it for fun,*** je l'ai fait pour rire; ***make fun of,*** se moquer de.

⚠ **function** ['fʌŋkʃn] *n.* **1.** fonction. **2.** réunion publique, cérémonie. **3.** *(Math.)* fonction. *v. intr.* fonctionner. ***Function as,*** faire fonction de.

functionary ['fʌŋkʃənərɪ] *n.* *(péj.)* fonctionnaire (cf. **civil servant**).

fund [fʌnd] *n.* **1.** fond. **2.** *(pl.)* argent, fonds. **3.** *(Fin.)* dette publique. *v.t.* **1.** financer. **2.** *(Fin.)* consolider (la dette publique).

▻ **funeral** ['fju:nərəl] *n.* funérailles, enterrement. ***Funeral parlour,*** établissement de pompes funèbres; chapelle ardente. ♦ *(fam.)* ***It's your funeral!*** ça, c'est ton affaire!

funereal [fju'nɪərɪəl] *adj.* funèbre, lugubre.

funfair ['fʌnfeə] *n.* foire, parc d'attractions.

fungus ['fʌngəs] *n.* (*pl.* **fungi** ['fʌndʒaɪ] ou **funguses**) champignon, moisissure (cf. **mushroom**).

funk [fʌŋk] *n.* **1.** *(fam.)* trouille, frousse. ***Be in a blue funk,*** avoir la frousse. **2.** froussard. *v. intr.* **1.** *(fam.)* se dégonfler. **2.** avoir la trouille.

funnel ['fʌnl] *n.* **1.** cheminée (de bateau). **2.** entonnoir. *v.t.* **1.** verser avec un entonnoir. **2.** canaliser.

funnies ['fʌnɪz] *n. pl.* *(fam.* surtout *amér.)* pages comiques (d'un périodique); bandes dessinées.

funny ['fʌnɪ] *adj.* **1.** drôle, amusant. **2.** étrange (bruit); louche (affaire). ♦ *(fam.)* ***I feel a bit funny,*** je ne me sens pas dans mon assiette.

fur [fɜ:] *n.* **1.** fourrure, peau. **2.** manteau de fourrure. **3.** dépôt, tartre (sur la langue). ♦ *(fam.)* ***Make the fur fly,*** provoquer du grabuge.
v.t. et intr. *(Méd.)* charger (la langue); se charger; être chargé.

furbish ['fɜ:bɪʃ] *v.t.* **1.** fourbir. **2.** *(fig.)* mettre à neuf. ***Furbish up your English,*** remettez un peu votre anglais à jour.

▻ **furious** ['fjʊərɪəs] *adj.* furieux, violent.

furl [fɜ:l] *v. t.* **1.** *(Naut.)* serrer, ferler (des voiles). **2.** rouler (un parapluie...).

furnace ['fɜ:nɪs] *n.* foyer, fourneau. ***Blast furnace,*** haut fourneau.

furnish ['fɜ:nɪʃ] *v.t.* **1.** fournir. **2.** meubler.

furnishings ['fɜ:nɪʃɪŋz] *n. pl.* ameublement complet.

⚠ **furniture** ['fɜ:nɪtʃə] *n. inv.* meubles, mobilier.

furrier ['fʌrɪə] *n.* fourreur.

furrow ['fʌrəʊ] *n.* **1.** sillon. **2.** ride profonde (cf. **wrinkle**). *v.t.* **1.** labourer. **2.** rider.

further ['fɜ:ðə] *(comp. de* **far***). adj.* **1.**

autre. **2.** supplémentaire. ***Any further questions?,*** avez-vous d'autres questions? **3.** plus éloigné. *adv.* **1.** plus loin. **2.** davantage. **3.** plus éloigné.

furthermore [ˌfɜːðəˈmɔː] *adv.* en outre.

furthermost [ˈfɜːðəməʊst] *adj.* le plus éloigné.

furthest [ˈfɜːðɪst] *adj. (superl. de* **far***)* le plus éloigné.

fury [ˈfjuərɪ] *n.* fureur, acharnement.

fuse [fjuːz] *n.* **1.** *(Elec.)* fusible. ***There's been a fuse,*** un plomb a sauté. **2.** mèche, cordeau. **3.** détonateur, fusée. *v.t. et intr.* **1.** fondre, s'amalgamer. **2.** *(Elec.)* faire sauter les plombs. **3.** *(fig.)* fusionner.

fuss [fʌs] *n.* **1.** histoires, agitation. ***Make a fuss over something,*** faire tout un plat à propos de quelque chose. **2.** façons, cérémonies. ***Don't make such a fuss!*** ne faites donc pas tant de manières!
v.t. et intr. **1.** *(fam.)* faire un plat de. ***Fuss over somebody,*** être aux petits soins pour quelqu'un. **2.** tracasser. ♦ ***I'm not fussed,*** cela m'est égal.

fusspot [ˈfʌspɒt] *n.* *(fam.)* faiseur d'embarras.

fussy [ˈfʌsɪ] *adj.* **1.** nerveux. **2.** tatillon. **3.** difficile. ***I'm not fussy,*** cela m'est égal.

fusty [ˈfʌstɪ] *adj.* **1.** qui sent le renfermé. **2.** *(fig.)* vieux jeu (conceptions, idées).

future [ˈfjuːtʃə] *n.* **1.** avenir. **2.** *(Gram.)* futur. **3.** avenir, perspective. ***Job with a future,*** situation d'avenir. ♦ ***In the future,*** dorénavant; ***in the distant future,*** à longue échéance; ***in the near future,*** dans un proche avenir, à brève échéance.

fuzz[1] [fʌz] *n.* **1.** bourre, peluche, duvet. **2.** cheveux frisottés, bouffants.

fuzz[2] [fʌz] *n.* *(argot)* ***The fuzz,*** les flics.

fuzzy [ˈfʌzɪ] *adj.* **1.** pelucheux. **2.** frisotté, bouffant (pour les cheveux). **3.** flou. **4.** *(fam.)* pompette, paf.

G

G, g [dʒiː] **1.** septième lettre de l'alphabet. **2.** *(Mus.)* sol. **3.** *(argot, amér.)* *abrév.* de **grand** (= 1 000 dollars). **4.** *(Sc.)* *abrév.* de **gravity,** pesanteur.

gab [gæb] *n.* *(fam.)* bagout. ***Have the gift of the gab,*** avoir la langue bien pendue.

gabble [ˈgæbl] *v.t. et intr.* bredouiller. *n.* bredouillement; charabia.

gadabout [ˈgædəbaʊt] *n.* *(fam.)* vadrouilleur.

gad about *v. part. intr.* vadrouiller.

▷ **gaff**[1] [gæf] *n.* gaffe. *v.t.* sortir (un poisson) à l'aide d'une gaffe.

⚠ **gaff**[2] [gæf] *n.* *(argot)* ***Blow the gaff,*** vendre la mèche; *(fam.)* ***stand the gaff,*** payer les pots cassés.

⚠ **gaffer** [ˈgæfə] *n.* *(argot)* patron, chef.

⚠ **gag** [gæg] *n.* **1.** bâillon. **2.** bon mot, gag. **3.** *(Th.)* improvisation comique. *v.t. et intr.* **1.** bâillonner. *(fig.)* ***Gag the press,*** museler la presse. **2.** faire des gags. **3.** *(fam.)* avoir des haut-le-cœur.

gaily [ˈgeɪlɪ] *adv.* **1.** gaiement. **2.** ***Gaily dressed,*** habillé de couleurs vives.

gain [geɪn] *n.* **1.** gain, profit. **2.** accroissement. ***Gain (on weight),*** augmentation de poids. *v.t. et intr.* **1.** gagner; réaliser un profit. **2.** prendre (du poids). **3.** avancer (pour une montre). **4.** atteindre. ♦ ***Gain ground,*** progresser.

gait [geɪt] *n.* allure, démarche.

gaiter [ˈgeɪtə] *n.* guêtre.

⚠ **gale** [geɪl] *n.* **1.** coup de vent. ***It's blowing a gale,*** le vent souffle en tempête. **2.** *(fig.)* ***Gales of laughter,*** grands éclats de rire.

gall [gɔːl] *n.* **1.** bile. ***Gall bladder,*** vésicule biliaire. **2.** *(fig.)* amertume. **3.** *(fig.)* effronterie. **4.** écorchure (par frottement). *v.t.* froisser, humilier.

⚠ **gallant** [ˈgælənt] *adj.* **1.** courageux. **2.** superbe (bateau, cheval...).

▷ **gallery** [ˈgælərɪ] *n.* **1** galerie. **2.** tribune. **3.** galerie, musée. **4.** galerie (de mine). **5.** *(Th)* galerie, amphithéâtre. ♦ ***Shooting gallery,*** stand de tir.

galley [ˈgælɪ] *n.* **1.** galère. ***Galley slave,***

galérien. **2.** *(Naut.)* cuisine. **3.** *(Tech.)* gallée. ***Galley proof,*** placard.
▷ **gallop** ['gæləp] *n.* **1.** galop, galopade. *v.t. et intr.* (faire) galoper.
gallows ['gæləʊz] *n.* potence, gibet.
galore [gə'lɔː] *adv.* en abondance. ***Whisky galore,*** whisky à gogo.
galoshes [gə'lɒʃɪz] *n. (pl.)* caoutchoucs; couvre-chaussures (cf. **overshoes**).
▷ **galvanize** ['gælvənaɪz] *v.t.* **1.** galvaniser, zinguer, étamer. **2.** *(fig.)* galvaniser.
gambit ['gæmbɪt] *n.* **1** *(Echecs)* gambit. **2.** manœuvre, ruse.
gamble ['gæmbl] *v. intr.* **1.** jouer (pour de l'argent). **2.** miser (sur). ***Gamble on the stock exchange,*** spéculer, agioter. *n.* spéculation; entreprise risquée.
gamble away *v. part. t.* ***He has gambled away his fortune,*** il a dilapidé sa fortune au jeu.
gambol ['gæmbl] *n.* gambade. *v. intr.* gambader.
game[1] [geɪm] *n.* **1.** jeu. ***Ball game,*** jeu de ballon; ***card game,*** jeu de cartes. **2.** sport. ***Olympic Games,*** jeux Olympiques. **3.** *(Sp.)* partie, jeu. **4.** *(fig.)* manège, manigance. ***What's her game?*** où veut-elle en venir? ♦ ***He's off his game,*** il n'est pas en forme; ***she's making game of us,*** elle se moque de nous; *(fam.)* ***the game's up,*** l'affaire est dans le lac.
game[2] [geɪm] *n.* gibier.
game[3] [geɪm] *adj.* **1.** courageux, crâne. *(fam.)* ***He was game,*** il a eu de l'estomac. **2.** disposé à. ***Who's game for it?*** qui est prêt à faire cela?
gamekeeper ['geɪm,kiːpə] *n.* garde-chasse.
gammon ['gæmən] *n.* **1.** jambon fumé. **2.** quartier de porc fumé.
gamut ['gæmət] *n.* **1.** *(Mus.)* gamme. **2.** *(fig.)* ***Run the whole gamut of pleasures,*** connaître tous les plaisirs
gander ['gændə] *n.* **1.** jars. **2.** *(fam.)* coup d'oeil.
⚠ **gang** [gæŋ] *n.* **1.** équipe (d'ouvriers...). **2.** gang (de voleurs). **3.** *(péj.)* bande.
gangling ['gæŋglɪŋ] *adj.* dégingandé.
gangplank ['gæŋplæŋk] *n.* *(Naut.)* passerelle; traversière.
gang up, *v. part. intr.* ***Gang up on somebody,*** se liguer contre quelqu'un.
gangway ['gæŋweɪ] *n.* **1.** *(Naut.)* (coupée de) passerelle. **2.** passage, allée centrale (autobus, salle de spectacle...).
gap [gæp] *n.* **1.** trouée, brèche. **2.** intervalle, écart. ***Bridge the gap,*** combler un fossé, un déficit. **3.** lacune. ♦ ***Credibility gap,*** divergence; ***generation gap,*** conflit de générations.
gape [geɪp] *v.intr.* bayer aux corneilles. ***Gape at something,*** rester bouche bée devant quelque chose.
garbage ['gɑːbɪdʒ] *n.* **1.** *(amér.)* détritus, déchets. ***Garbage can,*** poubelle; ***garbage collector,*** éboueur. **2.** *(fig.)* rebuts.
garble ['gɑːbl] *v.t.* dénaturer (des faits). ***Garbled account,*** compte rendu mensonger.
garden ['gɑːdn] *n.* **1.** jardin. ***Garden party,*** réception (en plein air); ***garden produce,*** produits maraîchers. **2.** *(pl.)* jardin public. ♦ *(fam.)* ***Lead somebody up the garden (path),*** faire marcher quelqu'un. *v. intr.* jardiner.
gardening ['gɑːdnɪŋ] *n.* jardinage.
gargle ['gɑːgl] *n.* *(Méd.)* gargarisme. *v. intr.* se gargariser.
▷ **gargoyle** ['gɑːgɔɪl] *n.* gargouille.
garish ['geərɪʃ] *adj.* voyant, de mauvais goût.
garland [gɑːlənd] *n.* guirlande. *v.t.* mettre une guirlande (à).
garlic ['gɑːlɪk] *n.* ail.
garment ['gɑːmənt] *n.* vêtement.
garnish ['gɑːnɪʃ] *v.t.* *(Cuis.)* garnir un plat. *n.* garniture.
garret ['gærɪt] *n.* mansarde, galetas.
garrison ['gærɪsn] *n.* *(Mil.)* garnison. *v.t.* mettre en garnison.
garrulity [gə'ruːlɪtɪ] *n.* loquacité, verbosité (aussi **garrulousness**).
garrulous ['gærələs] *adj.* loquace, verbeux.
garter ['gɑːtə] *n.* jarretière. *(G.B.)* ***The Order of the Garter,*** l'ordre de la Jarretière.
gas [gæs] *n.* *(pl.* **gases)** **1.** gaz. **2.** *(amér. fam.)* (= **gasoline**) essence. ***Gas station,*** station-service. **3.** *(fam.)* verbiage. ***His talk is all gas,*** il parle pour ne rien dire. **4.** *(fam.)* chose marrante. ***That's a gas,*** ça me fait rire.

v.t. et intr. **1.** gazer (quelqu'un). **2.** *(fam.) **Be gassing,*** jaser sans arrêt.
gasbag ['gæsbæg] *n. (fam.)* moulin à paroles.
gaseous ['gæsɪəs] *adj.* gazeux.
gash [gæʃ] *n.* entaille profonde ; balafre. *v.t.* entailler ; balafrer.
gasman ['gæsmæn] *n. (pl.* **-men***)* **1.** gazier. **2.** employé du gaz.
gasoline ['gæsəli:n] *n. (amér.)* essence (cf. **gas**).
gasp [gɑ:sp] *n.* halètement, sursaut (de surprise) ♦ ***To his last gasp,*** jusqu'à son dernier souffle. *v. intr.* **1.** haleter, avoir le souffle coupé (de surprise...). **2.** suffoquer.
gassy ['gæsɪ] *adj.* gazeux.
gasworks ['gæswɜ:ks] *n.* usine à gaz.
gate [geɪt] *n.* **1.** porte, portail. **2.** portillon, barrière. **3.** *(Sp.)* public. ***Gate (money),*** entrées, recette. **4.** *(Tech.)* vanne (d'écluse). ♦ ***Crash the gate,*** resquiller ; *(amér.)* ***get the gate,*** se faire sacquer.
gatecrash ['geɪtkræʃ] *v.t. et intr.* resquiller, s'introduire dans une réunion sans invitation.
gatehouse ['geɪthaʊs] *n.* loge (à l'entrée d'un parc).
gatekeeper ['geɪt,ki:pə] *n.* **1.** portier. **2.** garde-barrière.
gateway ['geɪtweɪ] *n.* passage, porte d'entrée.
gather ['gæðə] *v.t.* **1.** rassembler. **2.** obtenir ***Gather speed,*** prendre de la vitesse. **3.** cueillir, récolter. **4.** déduire, comprendre. **5.** froncer (une jupe) *v. intr.* **1.** se rassembler, s'attrouper. **2.** *(Méd.)* mûrir (abcès,...).
gathering ['gæðərɪŋ] *n.* attroupement, rassemblement.
gaudy ['gɔ:dɪ] *adj.* voyant, criard.
gauge [geɪdʒ] *n.* **1.** jauge, calibre. **2.** *(Rail.)* écartement de la voie. **3.** appareil vérificateur, calibre. ***Water gauge,*** niveau d'eau. *v.t.* **1.** jauger, calibrer. **2.** *(fig.)* estimer (les capacités de quelqu'un).
gaunt [gɔ:nt] *adj.* **1.** décharné. **2.** lugubre (lieu, ...).
gauntlet ['gɔ:ntlɪt] *n.* gantelet *(fig.)* ***Throw down the gauntlet,*** jeter le gant.
gauze [gɔ:z] *n.* gase.
gave [geɪv] (**give,** *v.*).
gavel ['gævl] *n.* marteau de commissaire-priseur.
gawk [gɔ:k] *v. intr.* ***Gawk at,*** regarder d'un air ahuri.
gawky ['gɔ:kɪ] *adj.* empoté.
⚠ **gay** [geɪ] *adj.* **1.** gai. **2.** vif (couleur). **3.** ***Lead a gay life,*** mener joyeuse vie. **4.** *(fam.)* homosexuel. *n. (fam.)* homosexuel.
gaze [geɪz] *v.t.* **1.** regarder fixement. **2.** contempler. *n.* regard fixe.
gear [gɪə] *n.* **1.** attirail, matériel. **2.** équipement, appareil. **3.** mécanisme, dispositif, organe. **4.** pignon, engrenage, *(Aut.)* vitesse. ***In gear,*** en prise ; ***neutral gear,*** point mort ; ***out of gear,*** débrayé.
gearbox ['gɪəbɒks] *n.* boîte de vitesses.
gee [dʒi:] *interj.* **1.** hue ! **2.** *(amér.)* ***Gee (whiz !),*** mince alors !
geese [gi:s] *n.* (*pl.* de **goose**) des oies.
gem [dʒem] *n.* **1.** pierre précieuse, gemme. **2.** *(fig.)* ***He's a gem of a husband,*** c'est la perle des maris.
gender ['dʒendə] *n. (Gram.)* genre.
genera ['dʒenərə] *n. pl.* (cf. **genus,** *n.*) genres.
general ['dʒenərəl] *adj.* **1.** général. **2.** d'ensemble ♦ *(Méd.)* ***He's in general practice,*** il est généraliste ; *(amér.)* ***general delivery,*** poste restante. *n. (Mil.)* général.
generality ['dʒenə'rælɪtɪ] *n.* **1.** généralité, portée générale. **2.** ***The generality of men,*** la plupart des hommes.
▷ **generalize** ['dʒenərəlaɪz] *v.t. et intr.* **1.** généraliser. **2.** répandre (une pratique).
generate ['dʒenəreɪt] *v.t.* **1.** produire (de l'électricité, de la chaleur...). ***Generating station,*** centrale électrique. **2.** *(fig.)* faire naître (des espoirs, des craintes...).
generative ['dʒenərətɪv] *adj.* générateur, producteur.
geneticist [dʒɪ'netɪsɪst] *n.* généticien.
⚠ **genial** ['dʒi:nɪəl] *adj.* **1.** cordial, plein de bonne humeur. **2.** doux, clément (climat).
geniality [,dʒi:nɪ'ælɪtɪ] *n.* **1.** cordialité, bonne humeur. **2.** douceur (d'un climat). **3.** acte de bienveillance.
genius[1] ['dʒi:nɪəs] *n.* **1.** génie, don. **2.**

(*pl.* **geniuses**) (homme de) génie. **3.** esprit (d'une époque, d'une langue...). **4.** ***My evil genius,*** mon mauvais génie.

genius[2] ['dʒi:nɪəs] *n.* (*pl.* **genii** ['dʒɪnɪaɪ]) génie, esprit, démon, djinn.

△ **gentle** ['dʒentl] *adj.* **1.** doux, peu sévère. **2.** faible (pente...). ***Gentle breeze,*** douce brise.

gentleman ['dʒentlmən] *n.* (*pl.* **-men**) **1.** homme bien élevé, gentleman. **2.** monsieur. ***Gentleman's agreement,*** accord verbial (sur l'honneur); ***ladies and gentlemen,*** mesdames, messieurs.

gently ['dʒentlɪ] *adv.* doucement, avec douceur, indulgence.

gentry ['dʒentrɪ] *n.* petite noblesse.

gents [dʒents] (= **gentlemen**) *n.* *(fam.)* messieurs, toilettes.

genuine ['dʒenjʊɪn] *adj.* **1.** d'origine (porto...). **2.** authentique, véritable. **3.** pur (vérité); sincère (sentiment).

genus ['dʒi:nəs] *n.* (*pl.* **genera** ['dʒenərə]) *(Zool. Bot.)* genre.

geologist [dʒɪ'ɒlədʒɪst] *n.* géologue.

geriatrics [dʒerɪ'ætrɪks] *n.* *(Méd.)* gériatrie, gérontologie.

germ ['dʒɜ:m] *n.* **1.** germe, ovule, œuf. **2.** microbe, germe. ***Germ warfare,*** guerre bactériologique.

germane [dʒɜ:'meɪn] *adj.* en rapport avec. ***Remarks germane to the subject,*** remarques pertinentes.

germinate ['dʒɜ:mɪneɪt] *v.t. et intr.* **1.** (faire) germer. **2.** *(fig.)*(faire) se développer (un plan...).

gerund ['dʒerənd] *n.* *(Gram.)* gérondif.

▻ **gesticulate** [dʒe'stɪkjʊleɪt] *v. intr.* gesticuler, mimer.

gesture ['dʒestʃə] *n.* **1.** geste, signe. **2.** témoignage ***As a gesture of friendship,*** en gage d'amitié. *v.t. et intr.* **1.** faire des gestes. **2.** mimer.

get [get] *v.t. irr.* (*p.* **got,** *p.p.* **got,** *amér.* **gotten**). **1.** obtenir, se procurer. **2.** recevoir. **3.** attraper (une maladie). **4.** (se) faire faire. ***I got him to do it,*** je l'ai obligé à le faire; ***I got it done,*** je l'ai fait faire. **5.** *(fam.)* comprendre. ***I don't quite get you,*** je ne vous suis pas très bien. **6.** émouvoir. ***It gets me to see you cry,*** ça me chagrine de te voir pleurer. **7.** irriter, exciter. ***That gets me!*** ça me porte sur les nerfs! **8.** aller chercher. ***Go and get the doctor,*** allez chercher le docteur. ♦ ***What have you got here?*** qu'avez-vous là? ***you've got to do it,*** il faut absolument que vous le fassiez. *v. intr. irr.* **1.** devenir. ***Get better,*** se rétablir; ***get drowned,*** se noyer (accidentellement); ***get old,*** vieillir. **2.** commencer. ***Let's get going,*** mettons-nous-y. **3.** se rendre, parvenir. ***We got there at ten,*** nous y sommes arrivés à 10 h. **4.** réussir à. ***You'll get to know him better,*** vous finirez par mieux le comprendre. ♦ ***Get around the law,*** tourner la loi; ***get around to doing something,*** trouver le temps de faire quelque chose; ***get into a habit,*** prendre une habitude; ***get into the way of doing something,*** s'habituer à faire quelque chose; ***get into trouble,*** s'attirer des ennuis; ***get nothing by it,*** n'y rien gagner; ***get one's own way,*** obtenir ce que l'on désire; ***get on to somebody,*** contacter quelqu'un, découvrir sa vraie nature; ***get over a difficulty,*** surmonter un obstacle; *(fam.)* ***get religion,*** se convertir; ***get something off one's hands,*** se débarrasser d'une corvée; ***get something right,*** bien comprendre; ***get the better of somebody,*** prendre le dessus; ***get through (a) work,*** achever (un travail); ***her remark finally got home to her husband,*** son mari a fini par comprendre sa réflexion; ***she gets on my nerves,*** elle m'agace; *(fam.)* ***that gets my back up,*** ça me met en boule; *(amér.)* ***the play didn't get me,*** la pièce ne m'a pas emballé; ***what are you getting at?*** où voulez-vous en venir? ***where will that get us?*** où cela nous mènera-t-il?

get about *v. part. intr.* **1.** être sur pied. **2.** voyager. **3.** se répandre (pour des nouvelles).

get across *v. part. intr.* être compris (pour une idée, un plan...). ♦ *(Th.)* ***The play didn't get across,*** la pièce n'a pas passé la rampe.

get ahead *v. part. intr.* ***Get ahead of,*** dépasser (quelqu'un).

get along, *v. part. intr.* **1.** partir. **2.** progresser. **3.** se débrouiller. **4.** ***Get***

along with, s'entendre avec (quelqu'un). ♦ *(fam.)* ***Get along with you!,*** filez!, à d'autres!

getaway ['getəweɪ] *n.* fuite, évasion.

get away *v. part. intr.* **1.** partir, démarrer. **2.** s'évader, s'échapper. ♦ ***He won't get away with a mere excuse,*** il ne s'en tirera pas simplement avec une excuse; ***there's no getting away from this fact,*** il faut bien admettre cela; *(fam.)* ***you won't get away with it!,*** vous ne l'emporterez pas au paradis!

get back *v. part. t. et intr.* **1.** retourner, rentrer chez soi. **2.** *(Polit.)* revenir (au pouvoir). **3.** rentrer en possession de, recouvrer. ♦ *(fam.)* ***I'll get back at you!*** vous ne perdez rien pour attendre!

get by *v. part. intr.* **1.** s'en tirer. **2.** faire l'affaire.

get down *v. part. t. et intr.* **1.** se lever de table (pour un enfant). **2.** avaler (avec difficulté). **3.** noter. **4.** *(fam.)* ***It gets me down,*** cela me déprime ♦ ***Get down to work,*** se mettre à l'ouvrage.

get in *v. part. t. et intr.* **1.** entrer. **2.** rentrer (des provisions, une récolte...). **3.** *(Ens.)* être reçu; *(Polit.)* être élu.

get off *v. part. intr.* descendre d'un véhicule.

get on *v. part. intr.* **1.** continuer. ***Get on with your work,*** continue ton travail. **2.** s'écouler. ***Time is getting on,*** le temps passe. **3.** réussir (dans la vie). **4.** monter (dans un train, à bicyclette...). ♦ ***She's getting on for 40,*** elle frise la quarantaine.

get out *v. part. t. et intr.* **1.** sortir. **2.** s'échapper. **3.** publier (un livre). **4.** se faire jour. ***The secret has got out,*** le secret a transpiré. **5.** ***Get out of,*** se soustraire à (une corvée...). **6.** se défaire de (une habitude...). **7.** obtenir par force. ***The police got the truth out of him,*** la police lui a arraché la vérité.

get over *v. part. t. et intr.* venir à bout de. ***You'll be to glad to get your task over (with),*** tu ne seras pas fâché d'en avoir fini avec ton travail. **2.** se remettre de. ***He can't get over his failure,*** il ne se remet pas de son échec. **3.** résoudre (une difficulté).

get round *v. part. t. et intr.* **1.** voyager. **2.** persuader.

get through, *v. part. intr.* **1.** ***Get through to somebody,*** joindre quelqu'un (par téléphone); se faire comprendre. **2.** ***Get through with something,*** en finir avec quelque chose.

get-up ['getʌp] *n.* **1.** tenue, accoutrement. **2.** présentation (d'un livre...).

get up *v. part. t. et intr.* **1.** se lever. **2.** faire lever (quelqu'un). **3.** organiser; monter (une pièce...). **4.** préparer (un discours).

gewgaw ['gju:gɔ:] *n.* babiole, bagatelle.

⚠ **geyser** ['gi:zə] *n.* **1.** geyser. **2.** chauffe-bains, chauffe-eau.

ghastly ['gɑ:stlɪ] *adj.* **1.** blême. ***He looked ghastly,*** il avait une mine de déterré. **2.** horrible, effrayant. **3.** abominable (temps).

gherkin ['gɜ:kɪn] *n.* *(Bot. Cuis.)* cornichon.

ghost [gəʊst] *n.* **1.** fantôme, spectre, revenant. **2.** *(vx.)* âme. *(fam.)* ***Give up the ghost,*** rendre l'âme. ♦ ***Ghost (writer),*** nègre; *(U.S.)* ***ghost town,*** ville morte (de l'Ouest); *(T.V.)* ***ghost image,*** image fantôme; *(fig.)* ***he hasn't got the ghost of a chance,*** il n'a pas la moindre chance. *v.t. et intr.* **1.** prêter sa plume à. **2.** servir de nègre (à un auteur).

ghoul [gu:l] *n.* **1.** goule, vampire. **2.** déterreur de cadavres.

ghoulish ['gu:lɪʃ] *adj.* **1.** vampirique. **2.** macabre (humour, récit...).

giant ['dʒaɪənt] *n.* **1.** géant, colosse. **2.** *(fig.)* génie (littéraire...).

gibber ['dʒɪbə] *v. intr.* bafouiller, baragouiner.

gibberish ['dʒɪbərɪʃ] *n.* baragouin, charabia.

gibe [dʒaɪb] *n.* raillerie, moquerie. *v. intr.* ***Gibe at,*** railler, se moquer (de) (aussi **jibe**).

giddy ['gɪdɪ] *adj.* **1.** pris de vertige. **2.** vertigineux. **3.** frivole, volage.

gift [gɪft] *n.* **1.** présent. ***Xmas gift,*** cadeau de Noël. **2.** don, talent. *(fam.)* ***A gift for maths,*** la bosse des maths. **3.** ***At this price it's a gift!*** c'est donné à ce prix-là! **4.** *(Comm.)* ***Free gift,*** prime. ♦ ***I wouldn't have it as a gift,***

même si on me le donnait, je n'en voudrais pas.
gifted ['gɪftɪd] *adj.* doué.
gig [gɪg] *n.* **1.** cabriolet. **2.** *(Naut.)* youyou.
gigantic [dʒaɪ'gæntɪk] *adj.* gigantesque.
giggle ['gɪgl] *v. intr.* rire sottement (pour une fille). *n.* petit rire nerveux, gloussement. ♦ *(fam.)* ***Do something for a giggle,*** faire quelque chose pour plaisanter.
gild [gɪld] *v. t. irr.* (*p.* **gilt,** *p.p.* **gilt**) dorer.
gill [gɪl] *n.* **1.** ouïe, branchie. **2.** *(pl.)* *(fam.)* bajoues. ♦ *(fam.)* ***He was green about the gills,*** il était vert de peur; ***you look white about the gills,*** vous avez mauvaise mine.
gilt[1] [gɪlt] (**gild,** *v.*).
gilt[2] [gɪlt] *n.* dorure, doré. ♦ *(fam.)* ***That takes the gilt off the ginger bread,*** ça enlève tout le charme.
gilt-edged [ˌgɪlt'edʒd] *adj.* doré sur tranche. ♦ *(fam.)* ***Gilt-edged securities,*** placement de père de famille.
gimcrack ['dʒɪmkræk] *n.* article de pacotille.
gimlet ['gɪmlɪt] *n.* *(Tech.)* vrille, foret. ♦ *(fig.)* ***Gimlet eyes,*** yeux perçants.
gimmick ['gɪmɪk] *n.* **1.** machin, bidule. **2.** *(Comm.)* ***Advertising gimmick,*** astuce publicitaire, combine.
⚠ **gin**[1] [dʒɪn] *n.* **1.** *(U.S.)* machine à égrener le coton. **2.** piège, trébuchet.
▷ **gin**[2] [dʒɪn] *n.* gin. *(amér.)* ***Gin palace,*** bar de bas étage.
ginger[1] ['dʒɪndʒə] *n.* **1.** gingembre. ***Ginger ale*** (ou ***beer***), boisson gazeuse au gingembre. **2.** *(fam.)* énergie.
ginger[2] ['dʒɪndʒə] *adj.* roux.
gingerbread ['dʒɪndʒəbred] *n.* pain d'épice.
gingerly ['dʒɪndʒəlɪ] *adj. et adv.* **1.** doux, délicat. **2.** avec délicatesse, précaution.
ginger up *v. part. t.* *(fam.)* remonter (quelqu'un); activer (quelque chose).
gipsy ['dʒɪpsɪ] *n.* bohémien(ne). (*amér.* **gypsy**).
girder ['gɜːdə] *n.* poutrelle métallique, solive.
girdle ['gɜːdl] *n.* **1.** ceinture. **2.** gaine. **3.** *(fig.)* ceinture (de murailles...). *v.t.* ceindre, entourer.
girl [gɜːl] *n.* **1.** fille(tte). **2.** jeune fille, jeune femme. **3.** employée. **4.** *(fam.)* petite amie.
girlfriend ['gɜːlfrend] *n.* petite amie.
girlhood [gɜːlhʊd] *n.* jeunesse (pour une femme).
girlish ['gɜːlɪʃ] *adj.* de (jeune) fille.
girth [gɜːθ] *n.* **1.** circonférence (d'un arbre). **2.** tour (de taille, de poitrine...). **3.** sangle, sous-ventrière.
gist [dʒɪst] *n.* substance, points essentiels (d'un document, discours,...). ***The gist of the matter,*** le fond du problème.
give [gɪv] *v. t. irr.* (*p.* **gave,** *p.p.* **given) 1.** donner. **2.** remettre. **3.** faire cadeau de. **4.** consacrer (son temps...). **5.** fournir (des détails, des nouvelles...). **6.** occasionner (un plaisir, une douleur...). **7.** pousser (un cri...). **8.** admettre. ***I give you that,*** je vous l'accorde ♦ *(fam.)* ***Give a song,*** en chanter une; *(fam.)* ***give it to somebody,*** passer un savon à quelqu'un; *(fam.)* ***give me a nice new car any time!*** pour moi, rien ne vaut une belle voiture neuve! ***give way,*** céder; ***give way (to a car),*** céder la priorité; ***give way to despair,*** s'abandonner au désespoir; ***he gave as good as he got,*** il a rendu coup pour coup; ***they gave him a year,*** on lui a donné un an à vivre; *(fam.)* il a écopé d'un an (de tôle); ***they gave us to understand,*** ils nous ont laissé entendre. *v. intr. irr.* **1.** se relâcher, prêter (pour un matériau). **2.** céder (pour une poutre...). ***The frost is giving,*** le dégel a commencé. *n.* élasticité, souplesse (d'un cuir qui prête).
give-and-take [ˌgɪvən'teɪk] *n.* concessions mutuelles.
give away ['gɪvəweɪ] *n.* **1.** révélation involontaire. ***His reaction was a (dead) giveway,*** sa réaction en disait long. **2.** prime, cadeau. **3.** ***Give-away price,*** prix défiant toute concurrence.
give away *v. part. t.* **1.** faire cadeau de. **2.** ***Give the bride away,*** conduire la mariée à l'autel. **3.** ***Give the game away,*** vendre la mèche. **4.** ***His foreign accent gave him away,*** son accent étranger l'a trahi. **5.** laisser passer (une occasion de).

give back *v. part. t.* **1.** rendre, restituer. **2.** renvoyer (un son); réfléchir (une lumière).

give in *v. part. t. et intr.* **1.** céder. **2.** *(Ens.)* remettre (sa copie, son devoir).

given ['gɪvn] (**give,** *v.*)

give off *v. part. t.* dégager, émettre (un gaz, de la chaleur...).

give out, *v. part. t. et int.* **1.** distribuer. **2.** tirer à sa fin, s'épuiser. ***Her patience gave out,*** elle a perdu patience. **3.** faire défaut. ***My engine gave out,*** mon moteur a rendu l'âme. **4.** proclamer.

give over, *v. part. t.* **1.** *(fam.)* cesser de. **2.** confier (quelque chose) à. **3.** ***Give somebody over to the police,*** livrer quelqu'un à la police. **4.** ***Give something over to,*** affecter quelque chose à. **5.** ***Give oneself over to,*** se consacrer à. ♦ ***He's given over to despair,*** il est en proie au désespoir.

give up *v. part. t. et intr.* **1.** cesser de, renoncer à. *(fig.)* ***Give up the game,*** abandonner la partie. **2.** *(fam.)* donner sa langue au chat. **3.** *(Méd.)* considérer (quelqu'un) comme perdu. **4.** abandonner. **5.** livrer. ***Give oneself up,*** se livrer (à la police...).

glad [glæd] *adj.* **1.** content, satisfait. **2.** heureux, qui fait plaisir. **3.** tout disposé. ***I'll be glad to,*** très volontiers ♦ ***Give somebody the glad eye,*** faire les yeux doux à quelqu'un; ***give somebody the glad hand,*** recevoir quelqu'un à bras ouverts; *(fam.)* ***glad rags,*** belles frusques.

gladden ['glædn] *v.t.* réjouir.

glade [gleɪd] *n.* clairière (cf. **clearing**).

gladiolus [glædɪ'əʊləs] *n.* (*pl.* **gladioli** ['glædɪəʊlaɪ] ou **-uses**) *(Bot.)* glaïeul.

glamorize ['glæməraɪz] *v.t.* donner une beauté factice à; rendre fascinant.

glamorous ['glæmərəs] *adj.* **1.** charmeur, ensorcelant. **2.** prestigieux.

glamour ['glæmə] *n.* éclat, fascination. ♦ ***Glamour boy,*** beau mâle; ***glamour girl,*** jeune femme très fascinante, pin-up.

glance [glɑːns] *n.* regard. ***At a glance,*** d'un coup d'œil. *v. intr.* ***Glance at,*** jeter un coup d'œil à. *v.t.* ***He glanced his eye over the paper,*** il a parcouru le journal.

glare [gleə] *n.* **1.** éclat aveuglant (du soleil...). **2.** regard furieux. *v. intr.* **1.** briller d'un éclat aveuglant. **2.** ***Glare at somebody,*** foudroyer quelqu'un du regard. ♦ ***They glared at one another,*** ils se regardaient en chiens de faïence. *v.t.* ***Glare defiance at somebody,*** lancer un regard de défi à quelqu'un.

glaring ['gleərɪŋ] *adj.* **1.** aveuglant. **2.** cru (couleur). **3.** furieux (regard). **4.** manifeste (erreur); flagrant (injustice).

glass [glɑːs] *n.* **1.** (du) verre. **2.** verrerie. **3.** verre (à boire). **4.** miroir. **5.** *(Opt.)* lentille, télescope. **6.** baromètre. ***The glass is falling,*** le baromètre baisse. **7.** *(pl.)* lunettes. ♦ ***Cut glass,*** verre taillé, cristal taillé; ***glass case,*** vitrine (d'exposition); ***glass house,*** serre, châssis.

glasscutter ['glɑːsˌkʌtə] *n.* **1.** tailleur de verre, cristallier. **2.** diamant (de vitrier).

glassware ['glɑːsweə] *n.* verrerie, articles de verre.

glassworks ['glɑːswɜːks] *n.* verrerie; cristallerie.

glassy ['glɑːsɪ] *adj.* **1.** comme un miroir. **2.** vitreux (œil).

glaze [gleɪz] *v.t. et intr.* **1.** glacer, lustrer. **2.** vitrer (une maison...). **3.** ***Her eyes glazed over,*** ses yeux devinrent vitreux. **4.** *(Cuis.)* glacer. *n.* **1.** glace, lustre. **2.** glacis, vernis. **3.** *(Cuis.)* glaçage.

glazier ['gleɪzɪə] *n.* vitrier.

gleam [gliːm] *n.* **1.** lueur, rayon. **2.** *(fig.)* ***Gleam of hope,*** lueur d'espoir. *v. intr.* **1.** luire, rayonner. **2.** *(fig.)* luire, étinceler (pour des yeux...).

glean [gliːn] *v.t. et intr.* **1.** glaner. **2.** *(fig.)* glaner (des renseignements...).

gleanings ['gliːnɪŋz] *n.* **1.** glanes. **2.** *(fig.)* extraits, glanure.

glee [gliː] *n.* **1.** joie, allégresse. **2.** chant à plusieurs voix. ***Glee club,*** chorale.

gleeful ['gliːfəl] *adj.* joyeux, allègre.

glen [glen] *n.* *(dial.)* vallée encaissée, gorge.

glib [glɪb] *adj.* qui a de la faconde. *(fam.)* ***He has a glib tongue,*** il a du bagout.

glide [glaɪd] *v. intr.* **1.** glisser (sans

bruit). **2.** *(Av.)* planer, faire un vol plané. *n.* **1.** glissement. **2.** vol plané.
glider ['glaɪdə] *n.* **1.** *(Av.)* planeur. **2.** pilote de vol à voile.
gliding ['glaɪdɪŋ] *n.* **1.** glissement. **2.** vol plané. **3.** vol à voile. ***Hang gliding,*** Delta-plane.
glimmer ['glɪmə] *v. int.* produire une faible lueur; miroiter. *n.* **1.** faible lueur; miroitement. **2.** *(fig.)* ***Glimmer of hope,*** lueur d'espoir.
glimpse ['glɪmps] *n.* **1.** vision fugitive. ***Catch a glimpse of,*** entrevoir. **2.** *(fig.)* aperçu. *v.t.* entrevoir.
glint [glɪnt] *n.* reflet, lueur. *v. intr.* étinceler (pour des yeux).
glisten ['glɪsən] *v. intr.* (re)luire.
glitter ['glɪtə] *v. intr.* étinceler, scintiller. ***All that glitters is not gold,*** tout ce qui brille n'est pas or. *n.* éclat, scintillement.
gloat [gləʊt] *v. intr.* **1.** ***Gloat over something,*** dévorer quelque chose du regard. **2.** *(fig.)* ***Gloat over somebody's misfortunes,*** se réjouir méchamment des malheurs de quelqu'un.
△ **global** ['gləʊbl] *adj.* **1.** mondial. **2.** global, d'ensemble.
gloom [glu:m] *n.* **1.** obscurité, ténèbres. **2.** tristesse, mélancolie.
gloomy ['glu:mɪ] *adj.* **1.** sombre, ténébreux. **2.** *(fig.)* ***Gloomy prospects,*** de sombres perspectives d'avenir.
△ **glorify** ['glɔ:rɪfaɪ] *v.t.* **1.** glorifier, rendre gloire (à). **2.** embellir (exagérément), auréoler.
△ **glorious** ['glɔ:rɪəs] *adj.* **1.** glorieux. **2.** radieux (journée, temps...). **3.** *(fam.)* ***We had a glorious time!*** on s'est follement amusés!
glory ['glɔ:rɪ] *n.* **1.** gloire. **2.** splendeur, éclat. ♦ *(Rel.)* ***Glory (be) to God!,*** gloire à Dieu!; ***her red roses are the glory of her garden,*** ses roses rouges sont le principal fleuron de son jardin. *v. intr.* ***Glory in,*** se glorifier de; être fier de (quelqu'un).
gloss[1] [glɒs] *n.* **1.** éclat, lustre. **2.** *(fig.)* vernis. ***Put a gloss on truth,*** farder la vérité. *v.t.* glacer, lustrer.
gloss[2] [glɒs] *n.* glossaire, commentaire. *v.t.* gloser, annoter (un texte).
▷ **glossary** ['glɒsərɪ] *n.* glossaire, lexique.
gloss over *v. part. t.* **1.** farder (la vérité); dissimuler (des fautes...). ***Gloss over a point,*** passer un détail sous silence.
glossy ['glɒsɪ] *adj.* lustré, luisant. ♦ ***Glossy (magazine),*** magazine avec illustrations de luxe.
glottis ['glɒtɪs] *n.* *(Anat.)* glotte.
glove [glʌv] *n.* gant. *(Aut.)* ***Glove compartment,*** boîte à gants, vide-poches.
glow [gləʊ] *v. intr.* **1.** luire, rougeoyer. ***A glowing fire,*** feu rougeoyant. **2.** resplendir. **3.** rougir, s'empourprer (pour les joues). ♦ ***Eyes glowing with anger,*** des yeux étincelants de colère. *n.* **1.** lueur; rougeoiement. **2.** couleur éclatante. **3.** sensation de chaleur. **4.** éclat, rougeur (du teint).
glower ['glaʊə] *v. intr.* ***Glower at somebody,*** foudroyer quelqu'un du regard.
glow-worm ['gləʊwɜ:m] *n.* ver luisant.
glue [glu:] *n.* colle. *v.t.* coller. *(fig.)* ***With his eyes glued to the T.V.,*** les yeux rivés sur la télé.
gluey ['glu:ɪ] *adj.* **1.** gluant. **2.** poisseux.
glum [glʌm] *adj.* maussade, renfrogné.
glut [glʌt] *n.* **1.** surabondance (d'une denrée), saturation (du marché). **2.** excès, excédent. *v.t.* **1.** saturer. *(Comm.)* ***The market is glutted,*** le marché est encombré. **2.** rassasier, assouvir. ***Glut oneself,*** se gorger (de).
gluttonous ['glʌtnəs] *adj.* glouton, vorace.
gluttony [glʌtnɪ] *n.* gloutonnerie, goinfrerie.
gnarled [nɑ:ld] *adj.* **1.** noueux (arbre). **2.** déformé (main, membre...); tordu (personne).
gnash [næʃ] *v.t.* ***Gnash one's teeth,*** grincer des dents.
gnat [næt] *n.* moucheron. ♦ *(fig.)* ***Strain at a gnat,*** accorder de l'importance à des vétilles.
gnaw [nɔ:] *v.t. et intr.* **1.** ronger (un os...). **2.** *(fig.)* ***Gnawed by anxiety,*** dévoré par l'inquiétude.
gnawing ['nɔ:ɪŋ] *adj.* tenaillant (faim), dévorant (souci).
go [gəʊ] *v. intr. irr.* (*p.* **went,** *p.p.* **gone** [gɒn]) **1.** aller. ***Go and fetch my book,*** allez me chercher mon livre; ***go over the bridge,*** traverser le pont. **2.** partir, s'en aller. **3.** mener à. **4.** passer (pour

le temps). **5.** (aller) faire. ***Go shopping,*** faire des courses. **6.** fonctionner. ***They got the engine going,*** ils ont mis la machine en marche. **7.** devenir. ***His hair is going grey,*** il commence à grisonner. **8.** être utilisé. ***This money will have to go a long way,*** il faudra que cet argent fasse du profit. **9.** être usé ; se détériorer (pour la santé). ***My shoes are going,*** mes chaussures sont en mauvais état. **10.** disparaître. ***It's all gone,*** il n'y en a plus. **11.** mourir. ***Dead and gone,*** mort et enterré. **12.** être en vente. ***Going, going, gone,*** une fois, deux fois, trois fois, adjugé ; ***it's going cheap,*** c'est donné. **13.** se passer. ***How are things going?*** comment ça va ? **14.** circuler. ***The story goes that...,*** à ce qu'on raconte... **15.** être assorti. ♦ ***As far as it goes,*** pour ce qui est de cela ; ***as the saying goes,*** comme dit le proverbe ; *(fam.)* ***be far gone,*** être bien mal en point, être pompette ; ***go about one's business,*** s'occuper de ses affaires ; ***go at somebody,*** se jeter sur quelqu'un ; ***go at something,*** travailler d'arrache-pied ; ***go away!*** ne sois pas stupide ! allons donc ! ***go by appearances,*** juger d'après les apparences ; ***go by the rules,*** suivre les règles ; ***go easy with the whisky!*** vas-y doucement avec le whisky ! ***go it alone,*** agir en franc-tireur ; *(fam.)* ***go through a lot,*** en voir des vertes et des pas mûres ; ***go through somebody's pockets,*** fouiller dans les poches de quelqu'un ; *(fig.)* ***go with the crowd,*** faire comme tout le monde ; ***how does the tune go?*** c'est comment cet air ? ; *(fam.)* ***how do you go (about) doing it?*** comment vous y prenez-vous ? ; ***I'll try to keep going,*** je vais essayer de tenir le coup ; ***is there any dinner going?*** y a-t-il quelque chose de prêt pour le dîner ? ***it goes without saying,*** cela va sans dire ; ***it's cheap as things go,*** c'est donné, au prix où sont les choses ; ***I've gone off coffee,*** je n'aime plus le café ; ***let go,*** lâcher prise ; ***let oneself go,*** se laisser aller, ne pas réagir, donner libre cours à ses sentiments ; ***let oneself go on a subject,*** se montrer intarissable sur un sujet ; ***she's gone 40,*** elle a 40 ans bien sonnés ; ***she's six months gone,*** elle est enceinte de six mois ; ***she went through her fortune,*** elle a dépensé toute sa fortune ; ***the doctor went over her again,*** le docteur lui a fait subir un nouvel examen ; *(amér.)* ***to go,*** à emporter.
n. (*pl.* **goes**) **1.** *(fam.)* entrain. ***Full of go,*** plein d'allant. **2.** *(fam.)* essai, tentative. ***She had several goes at her exam,*** elle s'est présentée plusieurs fois à son examen. **3.** *(Méd.)* accès. ***Have a bad go of flu,*** avoir une bonne grippe. ♦ *(fusées)* ***All systems (are) go,*** tout est en ordre pour la mise à feu ; ***at one go,*** d'un seul coup ; ***from the word go,*** dès le début ; ***have a go!*** tentez votre chance ! ***he's always on the go,*** il est toujours occupé ; ***it's no go,*** cela ne sert à rien ; ***(it's) your go!*** à toi de jouer ! *(fam.)* ***that was a near go!*** on l'a échappé belle !

go about, *v. part. intr.* **1.** circuler, parcourir. **2.** se répandre (pour une rumeur). **3.** *(Naut.)* virer de bord.

goad [gəʊd] *n.* **1.** aiguillon. **2.** *(fig.)* stimulant. *v.t.* stimuler. ***She goaded him into taking the new job,*** c'est elle qui l'a incité à accepter son nouvel emploi.

go-ahead ['gəʊə,hed] *adj. (fam.)* dynamique, entreprenant. *n. (fam.)* permission. ***Give somebody the go-ahead,*** donner le feu vert à quelqu'un.

go ahead, *v. part.* **1.** commencer. **2.** aller de l'avant, progresser.

goal [gəʊl] *n.* **1.** but, objectif. **2.** *(Sp.)* but. **3.** *(Sp.)* but (marqué).

goalkeeper ['gəʊl,ki:pə] *n. (Sp.)* gardien de but (aussi, *fam.,* **goalie**).

go along, *v. part. intr.* **1.** continuer, poursuivre. **2.** être d'accord (avec quelqu'un), approuver (quelque chose).

goalpost ['gəʊlpəʊst] *n. (Sp.)* poteau de but.

go around, *v. part. intr.* **1.** se propager (pour une maladie). **2.** circuler. ♦ *(fam.)* ***They go around together,*** ils sont toujours ensemble.

go-as-you-please [,gəʊəzjə'pli:z] *adj.*

(fam.) bon enfant, sans discipline.

goat [gəʊt] *n.* chèvre. ♦ *(fam.)* ***Don't play the goat,*** ne fais pas l'imbécile; ***he gets my goat,*** il m'exaspère.

goatee [gəʊ'ti:] *n.* barbiche, bouc.

goatherd ['gəʊthɜ:d] *n.* chevrier.

goatskin ['gəʊt,skɪn] *n.* **1.** peau de chèvre, de bouc. **2.** outre.

gob[1] [gɒb] *n. (argot)* mollard, crachat.

gob[2] [gɒb] *n. (argot)* gueule. ***Shut your gob!*** la ferme!

gob[3] [gɒb] *n. (amér. argot)* marin.

go back *v. part. intr.* **1.** retourner. **2.** revenir. **3.** remonter (dans le temps). ***Go back to the Flood,*** remonter au Déluge. **4.** ***Go back on,*** revenir sur (une promesse...); lâcher (un ami).

gobbet ['gɒbɪt] *n.* **1.** *(fam.)* **1.** grosse bouchée. **2.** *(fam.)* grosse portion (d'un programme...).

gobble ['gɒbl] *v.t. et intr.* **1.** glouglouter (comme un dindon). **2.** ***Gobble (up),*** avaler goulûment, bâfrer. *n.* glouglou.

go-between ['gəʊbɪ,twi:n] *n.* intermédiaire, messager.

⚠ **goblet** ['gɒblɪt] *n.* **1.** gobelet. **2.** verre à pied.

goblin ['gɒblɪn] *n.* lutin.

go-by ['gəʊbaɪ] *n. (fam.)* ***Give somebody the go-by,*** faire semblant de ne pas voir quelqu'un.

go by, *v. part. intr.* **1.** s'écouler (pour le temps). **2.** passer (pour une occasion).

god [gɒd] *n.* **1.** dieu, divinité. **2.** idole. ***Make a (little tin) god of somebody,*** mettre quelqu'un sur un piédestal. **3.** ***God,*** Dieu. ♦ ***God forbid,*** Dieu m'en préserve; ***God knows,*** Dieu m'est témoin, Dieu sait; *(U.S.)* ***God's own country,*** les États-Unis, le pays rêvé; ***thank God,*** Dieu merci.

godchild ['gɒdtʃaɪld] *n.* filleul (le).

goddess ['gɒdɪs] *n.* **1.** déesse. **2.** idole.

god-fearing ['gɒd,fɪərɪŋ] *adj. (Rel.)* qui vit dans la crainte de Dieu.

god-forsaken ['gɒdfə,seɪkən] *adj.* perdu (pour un lieu). ***God-forsaken place,*** vrai bled.

godhead ['gɒdhed] *n.* divinité, caractère divin.

godless ['gɒdlɪs] *adj.* athée, impie.

godlike ['gɒdlaɪk] *adj.* divin.

godly ['gɒdlɪ] *adj.* pieux, dévôt.

go down, *v. part. intr.* **1.** descendre, baisser. **2.** tomber (pour le vent, les prix...). **3.** *(Naut.)* sombrer. **4.** se dégonfler; se dégonfler. **5.** être avalé. ***It went down the wrong way,*** c'est allé de travers. **6.** être accepté. ***The play went down well with the audience,*** le public a bien accueilli la pièce. **7.** ***Go down in history,*** passer à la postérité. **8.** *(Ens.)* ***Go down (from the University),*** quitter l'Université à la fin de ses études, partir pour les vacances. **9.** tomber (devant l'ennemi). **10.** tomber malade. ***Go down with the flu,*** s'aliter à cause de la grippe.

godfather ['gɒd,fɑ:ðə] *(fém.* **-mother**), parrain *(fém.* marraine).

gods [gɒdz] *n. (Th.) fam.* paradis, poulailler.

godsend ['gɒdsend] *n.* aubaine.

godson ['gɒdsʌn] *n.* *(fém.* **-daughter**), filleul *(fém.* filleule).

goer ['gəʊə] *fam.* personne active. ***She's a goer,*** elle en veut.

go-getter [,gəʊ'getə] *n. (fam.)* arriviste.

goggle ['gɒgl] *v. intr.* ***Goggle at somebody,*** regarder quelqu'un en roulant de gros yeux.

goggles ['gɒglz] *n. pl.* grosses lunettes (de motard, plongeur...).

go in, *v. part. intr.* **1.** entrer. **2.** ***Go in for,*** se présenter à (un examen); se mettre à aimer (un sport...).

going ['gəʊɪŋ] *adj.* **1.** qui marche bien. *(Comm.)* ***Going concern,*** affaire prospère. **2.** en vigueur (prix...). ***Going rate,*** cours du marché. **3.** en existence. ***That's the best whisky going,*** c'est le meilleur whisky qui existe. *n.* **1.** allure. **2.** départ. **3.** décès. **4.** état (du sol, des routes...).

going-over [,gəʊɪŋ'əʊvə] *n.* (*pl.* **goings-over**) **1.** vérification, révision. **2.** *(fam.)* savon.

goings-on [,gəʊɪŋz'ɒn] *n. (fam.)* activités, manège.

go-kart ['gəʊkɑ:t] *n. (Sp.)* kart.

gold [gəʊld] *n.* **1.** or. **2.** (couleur) or. ♦ *(fig.)* ***As good as gold,*** sage comme une image.

gold-digger ['gəʊld,dɪgə] *n.* **1.** chercheur d'or. **2.** *(amér. fig.)* croqueuse de diamants.

golden ['gəʊldən] *adj.* **1.** d'or, doré. **2.**

d'un blond doré. **3.** *(fig.)* très favorable (occasion). ♦ *(amér.)* ***Golden age,*** troisième âge; ***golden mean,*** juste milieu.

goldfield ['gəʊldfi:ld] *n.* terrain aurifère.

goldfinch ['gəʊld,fɪntʃ] *n.* chardonneret.

goldfish ['gəʊld,fɪʃ] *n.* poisson rouge.

goldsmith ['gəʊld,smɪθ] *n.* orfèvre.

golliwog ['gɒlɪwɒg] *n.* poupée d'étoffe représentant un nègre (aussi **golly**).

gone [gɒn] **(go,** *v.*)

goner ['gɒnə] *n.* *(fam.)* personne (ou chose) fichue.

gonna ['gɒnə] (= **going to**) *(fam.)* ***Gonna die,*** y va mourir.

goo [gu:] *n.* **1.** *(fam.)* substance visqueuse. **2.** *(fig.)* sentimentalité excessive; eau de rose.

good [gʊd] (*comp.* **better,** *superl.* **best**) *adj.* **1.** bon(ne). **2.** valable, avantageux. **3.** adroit, habile. **4.** en forme. **5.** exemplaire. ***Lead a good life,*** mener une vie vertueuse; ***the good and the bad,*** les bons et les méchants. **6.** gentil, aimable. **7.** sage (d'un enfant). ***Be good!*** tiens-toi tranquille!
♦ ***A good deal (of),*** beaucoup (de); ***a good many books,*** pas mal de livres; ***a good two hours,*** deux bonnes heures; ***all in good time,*** en temps voulu; *(amér.)* ***good and nice,*** très gentil; ***it's as good as done,*** c'est comme si c'était fait; ***it's as good as new,*** c'est pour ainsi dire neuf; ***it's too good to be true,*** c'est trop beau pour être vrai; ***make good,*** réussir, s'enrichir; ***make something good,*** compenser (ses pertes), réparer (une injustice), établir le bien-fondé de.
n. **1.** bien. ***Do good,*** faire le bien; ***it's for your good,*** c'est dans ton intérêt. ♦ ***For good,*** pour de bon; ***he's up to no good,*** il va faire une blague; ***it's no good trying,*** ce n'est pas la peine d'essayer; *(fam.)* ***lot of good that'll do you!*** ça te fera une belle jambe! ***that's all to the good,*** c'est autant de gagné; *(Comm.)* ***£10 to the good,*** avec un bénéfice de 10 livres; ***what's the good of that?*** à quoi bon?

goodbye [gʊd'baɪ] *n.* au revoir.

good-for-nothing ['gʊdfə,nʌθɪŋ] *adj.* bon à rien. *n.* propre à rien, vaurien.

good-humoured [,gʊd'hju:məd] *adj.* enjoué, d'un caractère facile.

goodish ['gʊdɪʃ] *adj.* **1.** assez bon (mais sans plus). **2.** assez grand.

good-looking [,gʊd'lʊkɪŋ] *adj.* beau, belle.

good-natured [,gʊd'neɪtʃəd] *adj.* qui a bon caractère, accommodant.

goodness ['gʊdnɪs] *n.* **1.** bonté. **2.** meilleure partie, suc (d'un aliment...). ♦ ***My Goodness!,*** mon Dieu!

goods [gʊdz] *n. pl.* **1.** biens. **2.** marchandises. **3.** denrées. ♦ *(fig.)* ***Deliver the goods,*** tenir parole; *(Jur.)* ***goods and chattels,*** biens et effets.

goodwill [,gʊd'wɪl] *n.* **1.** bonne volonté. **2.** bienveillance, bon cœur. **3.** *(Comm.)* clientèle, pas de porte.

goody ['gʊdɪ] *n.* (*pl.* **-ies**) **1.** (souvent *pl.*) choses particulièrement agréables, cadeaux qui font plaisir. *interj.* ***Goody!*** chouette!

gooey ['gu:ɪ] *adj.* **1.** visqueux, collant. **2.** sentimental à l'excès; à l'eau de rose.

go off, *v. part. intr.* **1.** se décharger, exploser. **2.** retentir. **3.** s'avarier; tourner (pour le lait). **4.** se calmer (pour une douleur). **5.** se terminer (bien ou mal). ***Everything went off well,*** tout s'est bien passé. **6.** s'endormir (pour un bébé). **7.** s'arrêter (pour le chauffage). **8.** perdre (la forme, la beauté...).

goof [gu:f] *n.* **1.** empoté, idiot. **2.** *(amér.)* gaffe, ânerie. *v. intr.* *(amér.)* faire une gaffe, dire des âneries.

goofy ['gu:fɪ] *adj.* stupide, gourde.

go on, *v. part. intr.* **1.** passer (pour le temps). **2.** avoir lieu. **3.** continuer, durer. **4.** se comporter. **5.** faire une scène. **6.** parler sans arrêt. **7.** *(Th.)* entrer en scène. ♦ ***Go on!*** à d'autres!

goose [gu:s] *n.* (*pl.* **geese** [gi:s]) **1.** oie. **2** *(fig.)* imbécile (pour une femme).

gooseberry ['gʊzbərɪ] *n.* **1.** groseille à maquereau. **2.** *(amér.)* fausse nouvelle, bobard, canard. ♦ *(fam.)* ***Play gooseberry,*** être de trop (en présence de deux amoureux).

gooseflesh ['gu:sfleʃ] *n.* chair de poule.

goosestep ['gu:s-step] *n.* *(Mil)* pas de l'oie.

go out, *v. part. intr.* **1.** sortir. **2.** ***Go out (on strike),*** se mettre en grève. **3.** être rendu public. **4.** s'éteindre, mourir. **5.** se retirer (pour la marée). **6.** quitter le pouvoir. **7.** se démoder. ♦ ***My heart went out to her,*** je me suis tout de suite pris de sympathie (ou de pitié) pour elle ; ***they are going out a lot together,*** ils se fréquentent beaucoup.

go over, *v. part. intr.* **1.** se rendre. **2.** passer la rampe.

gore [gɔː] *n. (lit.)* sang versé. *v.t.* blesser d'un coup de corne, transpercer.

gorge[1] ['gɔːdʒ] *n. (Géog.)* gorge, défilé.

⚠ **gorge**[2] ['gɔːdʒ] *v.t. et intr.* **1.** engloutir (de la nourriture). **2.** s'empiffrer.

gorgeous ['gɔːdʒəs] *adj.* **1.** aux riches couleurs ; splendide. **2.** *(fam.)* sensationnel (repas...).

go round, *v. part. intr.* **1.** faire un détour, contourner. **2.** tourner. **3.** circuler (pour une rumeur...). ♦ ***You must make the bottle go round,*** il faut que la bouteille suffise pour tout le monde.

gorse [gɔːs] *n. (Bot.)* genêt épineux, ajonc.

go-slow [ˌgəʊ'sləʊ] *n.* grève du zèle.

go slow, *v. part. intr.* faire la grève du zèle.

gospel ['gɒspl] *n.* évangile. ♦ ***It's gospel truth,*** c'est parole d'évangile ; ***St John's Gospel,*** l'Évangile selon saint Jean.

gossamer ['gɒsəmə] *n.* **1.** fils de la vierge. **2.** tissu très léger.

gossip ['gɒsɪp] *n.* **1.** bavardage, commérage. **2.** cancans. **3.** commère. ♦ ***Gossip column,*** échos, chronique mondaine ; ***gossip writer,*** échotier. *v. intr.* commérer, cancaner.

gossipy ['gɒsɪpɪ] *adj.* **1.** bavard, cancanier. **2.** anecdotique.

got [gɒt] (**get,** *v.*).

go through, *v. part. intr.* **1.** *(Polit.)* être adopté (pour une loi). **2.** aller jusqu'au bout. ***Go through with a divorce,*** divorcer.

gotta ['gɒtə] (= **have got to** ou **has got to**) *(fam.)* ***You gotta go,*** y t'faut partir.

gotten ['gɒtn] *(amér.)* (**get,** *v.*).

go under, *v. part. intr.* **1.** *(Naut.)* sombrer. **2.** *(Comm.)* faire faillite.

go up, *v. part. intr.* **1.** monter, augmenter. **2.** s'édifier. **3.** ***Go up in flames,*** se mettre à flamber. **4.** se rendre (à Londres, en ville...). **5.** *(Ens.)* ***Go up to Oxford,*** devenir étudiant d'Oxford.

▻ **gourd** [gʊəd] *n.* **1.** *(Bot.)* gourde, courge. **2.** gourde, calebasse.

govern ['gʌvən] *v.t. et intr.* **1.** gouverner, administrer. **2.** régir, influencer. **3.** maîtriser, contenir.

governess ['gʌvənɪs] *n.* gouvernante, institutrice.

⚠ **governor** ['gʌvənə] *n.* **1.** directeur. **2.** membre d'un conseil d'administration. **3.** *(U.S.)* gouverneur. **4.** gouvernant. **5.** *(argot)* patron, paternel (aussi **guv, guvnor**). **6.** *(Tech.)* régulateur.

gown [gaʊn] *n.* **1.** robe. **2.** *(Ens. Jur.)* toge. ♦ ***Dressing gown,*** robe de chambre.

grab [græb] *v.t. et intr.* **1.** empoigner, agripper. **2.** s'emparer (de). **3.** ***Grab at,*** s'efforcer de saisir. *n.* mouvement vif (de la main). ***Make a grab at something,*** saisir brusquement.

⚠ **grace** [greɪs] *n.* **1.** grâce, élégance. **2.** faveur. **3.** délai, sursis. **4.** *(Rel.)* (la) grâce. **5.** *(Rel.)* bénédicité, grâces. **6.** miséricorde (divine). **7.** ***Your Grace,*** votre Grandeur.
v.t. **1.** orner. **2.** honorer de sa présence.

graceful ['greɪsfəl] *adj.* **1.** gracieux, élégant. **2.** bien tourné (discours).

graceless ['greɪslɪs] *adj.* sans grâce, inélégant.

⚠ **gracious** ['greɪʃəs] *adj.* **1.** poli, aimable. **2.** ***Our gracious Queen,*** notre gracieuse reine. **3.** miséricordieux. **3.** agréable, raffiné (vie...).

gradation [grə'deɪʃn] *n.* nuance, degré.

⚠ **grade** [greɪd] *n.* **1.** qualité. **2.** *(U.S. Ens.)* classe, division. **3.** *(amér. Ens.)* note. **4.** *(amér.)* pente. ***Make the grade,*** atteindre le niveau requis. ♦ *(amér.)* ***Grade crossing,*** passage à niveau. *v.t.* classer, trier, calibrer.

gradient ['greɪdɪənt] *n.* pente, dénivellation, inclinaison.

gradual ['grædjʊəl] *adj.* **1.** graduel, progressif. **2.** ***Gradual slope,*** pente douce.

graduate ['grædjʊɪt] *adj. et n. (Ens.)* diplômé, licencié. *v.t. et intr.* ['grædjʊeɪt] **1.** *(Ens.)* recevoir un diplôme. **2.** conférer un diplôme (à). **3.** graduer (des exercices). **4.** *(Tech.)* graduer (un thermomètre...).

graft [grɑ:ft] *n.* **1.** *(Bot.)* greffe. **2.** *(Méd.)* greffe. **3.** *(amér.)* corruption, pot-de-vin. *v.t.* **1.** *(Bot.)* greffer. **2.** *(Méd.)* greffer, implanter.

grain [greɪn] *n.* **1.** (du) grain. **2.** récolte. **3.** grain (de sable...). **4.** brin (de bon sens...). **5.** grain (de bois). ♦ ***It goes against the grain for me to do that,*** je répugne à faire cela ; *(fig.)* ***take something with a grain of salt,*** ne pas prendre quelque chose au pied de la lettre.

grammar ['græmə] *n.* **1.** grammaire. **2.** (= **grammar book**) grammaire. ♦ *(G.B. vx)* ***Grammar school,*** lycée classique.

granary ['grænərɪ] *n.* grenier à grain.

⚠ **grand** [grænd] *adj.* **1.** grandiose (panorama). **2.** important. **3.** très agréable. *(fam.)* ***We had a grand time,*** on s'est amusé comme des petits fous. ♦ ***Grand piano,*** piano à queue ; ***grand total,*** total général. *n.* **1.** *(fam.)* (= **grand piano**) piano à queue. **2.** *(amér., argot)* mille dollars.

grandad ['grændæd] *n.* *(fam.)* grand-papa.

grandchild ['grændtʃaɪld] *n.* (*pl.* **-dren**) petit-fils, petite-fille ; *(pl.)* petits-enfants.

grand-daughter ['grænd,dɔ:tə] *n.* petite-fille.

▷ **grandeur** ['grændʒə] *n.* grandeur, majesté.

grandfather ['grænd,fɑ:ðə] *n.* grand-père. ♦ ***Grandfather clock,*** horloge rustique.

grandma ['grænmɑ:] *n.* *(fam.)* grand-mère.

grandmother ['græn,mʌðə] *n.* grand-mère.

grandpa ['grænpɑ:] *n.* *(fam.)* grand-père.

grandson ['grænsʌn] *n.* petit-fils.

grandstand ['grændstænd] *n.* *(Sp.)* tribune.

granny ['grænɪ] *n.* *(fam.)* mamie (aussi **grannie**).

grant [grɑ:nt] *n.* **1.** subvention. **2.** *(Ens.)* bourse. **3.** *(U.S.)* concession de terrain. *v.t.* **1.** accorder (une permission...), consentir (un prêt...). **2.** admettre (un argument). **3.** concéder (un terrain). ♦ ***Granted,*** d'accord ; ***granted*** (ou ***granting***) ***that,*** en admettant que ; ***take for granted,*** considérer comme allant de soi, trouver normal.

granular ['grænjʊlə] *adj.* granuleux.

▷ **granulated** ['grænjʊleɪtɪd] *adj.* granulé. ***Granulated sugar,*** sucre cristallisé.

⚠ **grape** [greɪp] *n.* grain de raisin. ♦ ***Bunch of grapes,*** grappe ; ***grapes,*** des raisins.

grapefruit ['greɪpfru:t] *n.* (*inv.* ou **-s**) pamplemousse.

grapeshot ['greɪpʃɒt] *n.* *(Mil.)* mitraille.

grapevine ['greɪpvaɪn] *n.* treille. ♦ *(fig.)* ***I heard it on the grapevine,*** c'est la rumeur publique.

graph [græf] *n.* graphique, diagramme, courbe. ***Graph paper,*** papier millimétré.

⚠ **graphic** ['græfɪk] *adj.* **1.** graphique. ***Graphic design,*** dessin industriel. **2.** pittoresque, vivant (description).

grapple ['græpl] *v. intr.* **1.** ***Grapple with somebody,*** prendre quelqu'un à bras le corps. **2.** *(fig.)* ***Grapple with a difficulty,*** s'attaquer à une difficulté.

grasp [grɑ:sp] *v.t.* **1.** empoigner. **2.** comprendre. **3.** saisir (une occasion). *v. intr.* ***Grasp at something,*** chercher à saisir quelque chose. *n.* **1.** poigne, prise. **2.** portée. ***Within one's grasp,*** je le tiens. **3.** compréhension. ***It's beyond my grasp,*** cela me dépasse.

grasping ['grɑ:spɪŋ] *adj.* cupide, avide.

grass [grɑ:s] *n.* **1.** herbe. **2.** pelouse. **3.** *(argot)* informateur (de police). **4.** *(argot)* marijuana. ♦ ***Grass roots,*** population rurale, peuple ; fondement, causes premières ; ***grass roots opinion,*** opinion populaire ; *(fam.)* ***grass widow,*** femme dont le mari est provisoirement absent. *v.t. et intr.* **1.** ***Grass over,*** mettre en herbe, gazonner. **2.** *(argot)* donner (à la police).

grasshopper ['grɑ:s,hɒpə] *n.* sauterelle.

grassland ['grɑ:slænd] *n.* prairies, herbages.

grate[1] [greɪt] *n.* **1.** grille (de foyer). **2.** foyer.

grate² [greɪt] *v.t.* râper. ***Grated cheese,*** fromage râpé. *v. intr.* crisser. ♦ *(fig.)* ***It grates on my nerves,*** cela m'agace.
grateful ['greɪtfəl] *adj.* reconnaissant.
grater ['greɪtə] *n.* râpe.
⚠ **gratification** [,grætɪfɪ'keɪʃn] *n.* **1.** satisfaction, plaisir. **2.** assouvissement (d'un désir...).
⚠ **gratify** ['grætɪfaɪ] *v.t.* **1.** satisfaire (un désir...). **2.** être agréable à. ***It gratifies me,*** cela me fait plaisir.
⚠ **gratifying** ['grætɪfaɪŋ] *adj.* agréable, flatteur.
grating ['greɪtɪŋ] *adj.* **1.** grinçant, discordant. **2.** agaçant. *n.* grille; grillage.
gratuitous [grə'tju:ɪtəs] *adj.* **1.** injustifié. **2.** gratuit, bénévole.
⚠ **grave¹** [greɪv] *n.* tombe. ♦ *(fam.)* ***Someone is walking over my grave,*** j'ai des frissons.
⊳ **grave²** [greɪv] *adj.* **1.** grave, sérieux. **2.** grave, important.
gravel ['grævl] *n.* gravier. *v.t.* **1.** couvrir de graviers. **2.** *(fam.)* coller, embarrasser.
gravestone ['greɪvstəʊn] *n.* pierre tombale.
graveyard ['greɪvjɑ:d] *n.* cimetière.
gravitate ['grævɪteɪt] *v. intr.* ***Gravitate to (wards),*** graviter; se diriger vers.
gravitation [,grævɪ'teɪʃn] *n.* gravitation. ***Law of gravitation,*** loi de la pesanteur.
gravity ['grævɪtɪ] *n.* **1.** gravité, sérieux. **2.** apesanteur.
gravy ['greɪvɪ] *n.* **1.** sauce. ***Gravy boat,*** saucière. **2.** *(fam.)* ***He's got on the gravy train,*** il a trouvé le filon.
gray [greɪ] *adj.* *(amér.)* gris (cf. **grey**).
graze¹ [greɪz] *v.t. et intr.* **1.** paître, brouter. **2.** faire paître. **3.** mettre en pacage.
graze² [greɪz] *v.t.* **1.** effleurer. **2.** écorcher, érafler. *n.* écorchure, éraflure.
grease [gri:s] *n.* **1.** graisse (d'animal). **2.** *(Tech.)* graisse, lubrifiant. *v.t.* graisser, lubrifier.
greaseproof ['gri:spru:f] *adj.* imperméable à la graisse; sulfurisé (papier).
greasy [gri:sɪ] *adj.* **1.** graisseux, gras. **2.** glissant. **3.** *(amér., péj.)* ***Greasy spoon,*** gargote.
great [greɪt] *adj.* **1.** grand (homme, artiste...). **2.** important (événement...). **3.** magnifique. *(fam.)* ***That's great!*** sensas! ♦ ***Great grandson,*** arrière-petit-fils; ***he's great at tennis,*** il se défend au tennis; ***she's great on jazz,*** elle s'y connaît très bien en jazz.
greatcoat ['greɪtkəʊt] *n.* **1.** manteau (de cavalerie). **2.** pèlerine.
greed [gri:d] *n.* **1.** cupidité, âpreté au gain. ***Greed for power,*** soif du pouvoir. **2.** gourmandise.
greedy ['gri:dɪ] adj. **1.** cupide. *2.* gourmand, goinfre.
greedy-guts ['gri:dɪgʌts] *n.* *(fam.)* goinfre, goulu.
green [gri:n] *adj.* **1.** vert. **2.** pas mûr. **3.** *(fig)* inexpérimenté, naïf. ***He's green from the country,*** il débarque; *(fam.)* ***he's not so green,*** il n'est pas né d'hier. **4.** blême. **5.** vivace (souvenir). ♦ ***She has green fingers,*** elle s'y connaît en jardinage.
n. **1.** vert. **2.** verdure, pelouse. ***Village green,*** place du village.
greenery ['gri:nrɪ] *n.* verdure, feuillage (décoratif).
greengage ['gri:ngeɪdʒ] *n.* *(Bot.)* reine-claude.
greengrocer ['gri:n,grəʊsə] *n.* marchand de légumes, fruitier.
greenhorn ['gri:nhɔ:n] *n.* **1.** blanc-bec. **2.** bleu, débutant. **3.** *(U.S.)* immigrant fraîchement débarqué.
greenhouse ['gri:nhaʊs] *n.* serre.
greenish ['gri:nɪʃ] *adj.* verdâtre.
greenroom ['gri:nrʊm] *n.* *(Th.)* foyer des artistes.
greens [gri:nz] *n. pl.* légumes verts.
greet [gri:t] *v.t.* **1.** saluer, accueillir. **2.** frapper (l'oreille, le regard).
greeting ['gri:tɪŋ] *n.* **1.** salut(ation). **2.** *(pl.)* vœux. ***Greetings card,*** carte de vœux.
grew [gru:] (**grow,** *v.*).
grey [greɪ] *adj.* **1.** gris. ***Grey matter,*** matière grise. **2.** aux cheveux gris. **3.** blême. **4.** morne. *n.* gris. *v. intr.* (faire) grisonner.
greyhound ['greɪ,haʊnd] *n.* lévrier.
greyish ['greɪ-ɪʃ] *adj.* grisâtre.
grid [grɪd] *n.* **1.** grille. **2.** *(Aut.)* galerie. **3.** *(Rad.)* grille. **4.** *(Elec.)* réseau électrique. **5.** quadrillage de carte. **6.** *(Cuis.)* (= **gridiron**) gril.
gridiron ['grɪdaɪən] *n.* **1.** *(Cuis.)* gril. **2.**

(U.S.) terrain de football américain.

⚠ **grief** [gri:f] *n.* **1.** chagrin, peine, douleur. **2.** motif de chagrin. ♦ ***Come to grief,*** s'attirer des ennuis ; échouer ; avoir un accident.

grievance ['gri:vns] *n.* grief.

grieve [gri:v] *v.t.* peiner (quelqu'un). *v. intr.* ***Grieve for,*** se lamenter ; se désoler (de).

grievous ['gri:vəs] *adj.* **1.** très grave (blessure, erreur...). **2.** pénible (nouvelle). ♦ *(Jur.)* ***Cause grievous bodily harm,*** causer de graves blessures.

grill [grɪl] *n.* **1.** *(Cuis.)* gril. **2.** grillade. ♦ ***Grill(room),*** rôtisserie, gril (de restaurant). *v.t. et intr.* **1.** (faire) cuire sur le gril. **2.** *(fig.)* ***Grill an offender,*** cuisiner un délinquant.

grim [grɪm] *adj.* **1.** sinistre, rébarbatif. **2.** inflexible. **3.** dur, cruel. ♦ ***Grim humour,*** humour macabre ; ***hold on like grim death,*** se cramponner avec l'énergie du désespoir.

grime [graɪm] *n.* saleté (poussière du charbon...).

grimy ['graɪmɪ] *adj.* sale. ***Grimy face,*** visage barbouillé, noirci.

grin [grɪn] *n.* **1.** large sourire (jusqu'aux oreilles). **2.** grimace. *v. intr.* sourire largement. **2.** grimacer. ♦ ***Grin and bear it,*** faire contre mauvaise fortune bon cœur.

grind [graɪnd] *v. t. irr.* (*p.* **ground,** *p.p.* **ground** [graʊnd]) **1.** moudre, broyer. **2.** ***Grind one's teeth,*** grincer des dents. **3.** aiguiser ; polir. **4.** enfoncer fortement. *v. intr. irr.* **1.** se moudre. **2.** grincer, crisser. **3.** *(fam.)* ***Grind for an exam,*** potasser un examen. ♦ ***Grind to a halt,*** s'immobiliser.

grind down, *v. part. t.* ***Grind down the poor,*** pressurer les pauvres.

grinder ['graɪndə] *n.* **1.** pileur, broyeur. ***Coffee grinder,*** moulin à café. **2.** rémouleur. **3.** *(Anat.)* molaire.

grindstone ['graɪndstəʊn] *n.* meule. *(fig.)* ***Keep one's nose to the grindstone,*** travailler sans répit.

grip [grɪp] *n.* **1.** prise, étreinte. **2.** contrôle, maîtrise, connaissance. **3.** *(amér.)* petite valise. **4.** poignée. **5.** *(Tech.)* mâchoires d'étau. ♦ *(fig.)* ***Come to grips with a subject,*** s'attaquer à un problème ; ***come to grips with somebody,*** en venir aux mains. *v.t.* saisir, étreindre. *(fig.)* ***The lecturer gripped his audience,*** le conférencier a captivé son auditoire. *v. intr.* adhérer.

gripe [graɪp] *v.t.* donner la colique à. *v. intr.* *(argot)* rouspéter, ronchonner. *n.* *(argot)* rouspétance.

gripes [graɪps] *n. pl.* *(argot)* colique.

gripping ['grɪpɪŋ] *adj.* passionnant.

grisly ['grɪslɪ] *adj.* affreux, macabre.

grist [grɪst] *n.* blé moulu. *(fig.)* ***Bring grist to the mill,*** apporter de l'eau au moulin.

gristle ['grɪsl] *n.* cartilage.

grit [grɪt] *n.* **1.** grès, sable. **2.** *(fam.)* courage, cran. *v.t.* ***He gritted his teeth to forget his pain,*** il serra les dents pour dominer sa douleur.

grizzle ['grɪzl] *v. intr.* **1.** pleurnicher, geindre. **2.** *(fam.)* ronchonner.

groan [grəʊn] *n.* **1.** gémissement, plainte. **2.** grognement. **3.** craquement. *v. intr.* **1.** gémir, se plaindre. **2.** grogner.

grocer ['grəʊsə] *n.* épicier.

groceries ['grəʊsərɪz] *n. pl.* articles d'épicerie.

grocery ['grəʊsərɪ] *n.* épicerie.

⚠ **groin** [grɔɪn] *n.* **1.** *(Anat.)* aine. **2.** *(Arch.)* arête, nervure.

⚠ **groom** [gru:m] *n.* **1.** garçon d'écurie. **2.** le marié. *v.t.* **1.** panser (un cheval). **2.** préparer (quelqu'un à une fonction).

groove [gru:v] *n.* **1.** rainure. **2.** ornière. **3.** *(fig.)* routine. ***I feel I'm getting into a groove,*** j'ai l'impression de m'encroûter. *v.t.* strier, canneler.

groovy ['gru:vɪ] *adj.* *(argot)* sensas.

grope [grəʊp] *v.t. et intr.* chercher à tâtons. ***He groped his way,*** il avança à tâtons ; *(fig.)* ***we must go on groping after the truth,*** nous devons poursuivre notre recherche difficile de la vérité.

gropingly ['grəʊpɪŋlɪ] *adv.* à tâtons.

⚠ **gross**[1] [grəʊs] *adj.* **1.** adipeux, gras. **2.** grossier (nourriture, tissu...). **3.** grossier, indécent (langage). **4.** flagrant, choquant (faute). **5.** brut (poids, bénéfice). ***Gross national income,*** revenu national brut.

gross[2] [grəʊs] *v.t.* *(Comm.)* rapporter,

faire un bénéfice brut de.

▷**gross**[3] [grəʊs] *n.f.* grosse.

grouch [graʊtʃ] *n.* **1.** mauvaise humeur, rouspétance. **2.** rouspéteur. *v. intr.* rouspéter, ronchonner.

ground[1] [graʊnd] *n.* **1.** sol. ***Ground floor,*** rez-de-chaussée. **2.** terrain. ***Hunting grounds,*** terrain de chasse. **3.** *(Sp.)* terrain. **4.** fond (de la mer). **5.** fond (d'une tenture, d'un tableau). **6.** *(Tech.)* première couche de peinture. **7.** *(fig.)* raison, motif. ***Ground for complaint,*** grief. **8.** sujet. *(fig.)* ***Tread on forbidden ground,*** toucher à un sujet tabou. **9.** *(amér., Elec.)* terre, masse. ♦ *(fig.)* ***It cut the ground from under his feet,*** cela lui a coupé l'herbe sous les pieds; ***it suits me down to the ground,*** ça me convient à merveille; ***she must hold her ground,*** il faut qu'elle tienne bon; *(fig.)* ***shift one's ground,*** changer ses batteries; *(fig.)* ***their project has fallen to the ground,*** leur projet est tombé à l'eau; ***we are going to break fresh ground,*** nous allons innover.
v.t. et intr. **1.** *(Naut.)* s'échouer; faire échouer (un navire). **2.** interdire le décollage de. **3.** *(fig.)* asseoir (un raisonnement). ***Ground a theory on facts,*** fonder une théorie sur les faits. **4.** *(amér., Elec.)* mettre à la terre.

ground[2] [graʊnd] (**grind,** *v.*)

grounded ['graʊndɪd] *adj.* fondé, justifié.

grounding ['graʊndɪŋ] *n.* connaissance solide.

groundless ['graʊndlɪs] *adj.* sans fondement, gratuit.

grounds[1] [graʊndz] *n. pl.* **1.** raisons. ***Grounds for divorce,*** motifs de divorce; ***grounds for hope,*** raisons d'espérer; ***on good grounds,*** à bon escient; ***on (the) grounds of illness,*** pour raisons de santé.

grounds[2] [graʊndz] *n. pl.* dépôt (dans un liquide). ***Coffee grounds,*** marc de café.

groundsheet ['graʊndʃi:t] *n.* tapis de sol.

groundsman ['graʊndzmən] *n.* (*pl.* **-men**) préposé à l'entretien (d'un terrain de jeux).

groundwork ['graʊndwɜ:k] *n.* fondement, base (d'une étude...).

▷**group** [gru:p] *n.* groupe. *(Méd.)* ***Group practice,*** cabinet collectif; ***group therapy,*** psychothérapie de groupe. *v.t. et intr.* (se) grouper.

grouping ['gru:pɪŋ] *n.* groupement.

grouse[1] [graʊs] *n. inv. (Zool.)* grouse, tétras, coq de bruyère.

grouse[2] [graʊs] *v. intr.* bougonner, ronchonner. *n.* motif de grogne, grief.

grove [grəʊv] *n.* bosquet, bocage.

grovel ['grɒvl] *v. intr.* ramper, s'aplatir (devant quelqu'un).

grow [grəʊ] *v. intr. irr. (p.* **grew,** *p.p.* **grown***)* **1.** pousser, croître. **2.** se développer. **3.** devenir. ***Grow angry,*** se mettre en colère; ***grow lean,*** maigrir. *v.t. irr.* cultiver, faire venir. ***Are you growing a beard?*** tu te laisses pousser la barbe? *(fig.)* ***that picture will grow on you,*** plus vous regarderez ce tableau plus il vous plaira.

growl [graʊl] *v.t. et intr.* **1.** grogner (pour un animal). **2.** grommeler. ***Growl out an excuse,*** marmonner une excuse *n.* grognement.

grown [grəʊn] (**grown,** *v.*)

grown-up ['grəʊnʌp] *n.* adulte *adj.* [ˌgrəʊn'ʌp] adulte.

grow out *v.part. intr.* **1.** ***He has grown out of his clothes,*** ses vêtements sont devenus trop petits pour lui. **2.** ***Grow out of a habit,*** perdre une habitude d'enfant.

growth [grəʊθ] *n.* **1.** croissance, pousse. **2.** multiplication. ***Population growth,*** croissance démographique. **3.** production agricole. **4.** *(Méd.)* tumeur, excroissance.

grow up *v. part. intr.* **1.** grandir, devenir adulte. ***Grow up!*** ne sois pas si gamin! **2.** se développer (pour une amitié).

grub[1] [grʌb] *v.t.* **1.** défricher. **2.** ***Grub up a plant,*** déraciner, transplanter une plante.

grub[2] [grʌb] *n.* **1.** larve, asticot. **2.** *(fam.)* boustifaille.

grubby ['grʌbɪ] *adj.* sale, crasseux.

grudge [grʌdʒ] *n.* rancune, ressentiment. ***I bear you no grudge,*** je ne vous en veux pas. *v.t.* donner à contre-coeur. ***His father grudges him pocket money,*** son père se fait tirer la manche pour lui donner de l'argent de poche.

gruel ['gru:əl] *n.* gruau.

gruelling ['gru:əlɪŋ] *adj.* épuisant. *(fam.)* ***We had a gruelling time,*** ça a été vraiment dur.

gruesome ['gru:səm] *adj.* macabre, affreux.

gruff [grʌf] *adj.* **1.** brusque (voix). **2.** bourru, revêche.

grumble [grʌmbl] *v. intr.* **1.** grommeler. **2.** gronder. *n.* **1.** grognement, bougonnement. **2.** grondement.

grumpy ['grʌmpɪ] *adj.* grincheux, grognon.

grunt [grʌnt] *n.* **1.** cri, grognement (de porc). **2.** grognement (de douleur, de mécontentement...). *v.t. et intr.* grogner.

⚠ **garantee** [,gærən'ti:] *n.* **1.** garantie. **2.** caution. ***Leave something as a garantee,*** laisser quelque chose en gage. **3.** garant.

⚠ **guard** [gɑ:d] *n.* **1.** garde. **2.** *(Mil.)* garde. **3.** gardien. **4.** *(Rail)* chef de train. **5.** dispositif protecteur. ***I am on my guard against it,*** je m'en méfie. *v.t.* **1.** garder, défendre, protéger. **2.** escorter. **3.** surveiller (sa langue,...).

guarded ['gɑ:dɪd] *adj.* prudent, qui n'engage à rien (d'un discours,...)

guardhouse ['gɑ:dhaʊs] *n.* *(Mil.)* corps de garde.

guardian ['gɑ:dɪən] *n.* **1.** gardien(ne), défenseur (de). **2.** *(Jur.)* tuteur.

guardianship ['gɑ:dɪənʃɪp] *n.* *(Jur.)* tutelle.

guardrail ['gɑ:dreɪl] *n.* garde-fou, balustrade.

guardroom ['gɑ:drʊm] *n.* *(Mil.)* corps de garde.

guardsman ['gɑ:dzmən] *n.* (*pl.* **-men**) *(G.B.)* officier de la Garde.

⚠ **guerilla** [gə'rɪlə] *n.* guerillero, franc-tireur. ***Guerilla warfare,*** guerilla.

guess [ges] *v.t. et intr.* **1.** deviner. **2.** *(amér.)* supposer, croire, penser. ***I guess so,*** sans doute *n.* conjecture. ♦ ***At a guess,*** au jugé; ***have a guess at it!*** devinez! ***it's anybody's guess,*** qui sait; ***my guess is that...,*** d'après moi...; ***your guess is a good as mine,*** je n'en sais pas plus que toi.

guesswork ['geswɜ:k] *n.* devinette.

guest [gest] *n.* invité, hôte. ***Paying guest,*** hôte payant.

guesthouse ['gesthaʊs] *n.* pension de famille.

guestroom ['gestrʊm] *n.* chambre d'amis.

guffaw [gə'fɔ:] *n.* gros rire (sans finesse). *v. intr.* s'esclaffer.

guidance ['gaɪdəns] *n.* conseil, orientation ***Vocational guidance,*** orientation professionnelle.

guided ['gaɪdɪd] *adj.* guidé. ***Guided missile,*** engin téléguidé.

guide lines ['gaɪdlaɪnz] *n. pl.* directives.

guild [gɪld] *n.* **1.** *(Hist.)* corporation. **2.** association.

guile [gaɪl] *n.* ruse, artifice.

guileless ['gaɪllɪs] *adj.* franc, sincère, sans malice.

guilt [gɪlt] *n.* **1.** culpabilité. **2.** responsabilité.

guilty ['gɪltɪ] *adj.* coupable. *(Jur.)* ***He was found guilty,*** on l'a reconnu coupable; ***the judge declared him not guilty,*** le juge l'a déclaré innocent.

gulf [gʌlf] *n.* **1.** *(Géog.)* golfe. **2.** gouffre. **3.** *(fig.)* abîme (entre deux conceptions).

gull[1] [gʌl] (= **seagull**) *n.* *(Zool.)* mouette.

gull[2] [gʌl] *n.* dupe. *v.t.* duper, rouler.

gullet ['gʌlɪt] *n.* *(Anat.)* œsophage.

gullible ['gʌlɪbl] *adj.* crédule, facile à duper.

gully ['gʌlɪ] *n.* **1.** *(Géol.)* petit ravin, ravine. **2.** caniveau.

gulp [gʌlp] *v.t.* avaler goulument. ♦ *(fig.)* ***She gulped back her tears,*** elle refoula ses larmes. *v. intr.* avoir brusquement la gorge serrée. *n.* **1.** mouvement de gosier. **2.** grosse bouchée; gorgée, lampée.

gum[1] [gʌm] *n.* *(Anat.)* gencive.

gum[2] [gʌm] *n.* **1.** gomme. **2.** colle. **3.** boule de gomme. ***Gum (tree),*** eucalyptus. **4.** chewing-gum. ♦ *(fam.)* ***He is up a gum tree,*** il est dans le pétrin. *v.t.* (en) coller.

gumboil ['gʌmbɔɪl] *n.* fluxion, abcès dentaire.

gumption ['gʌmpʃn] *n.* jugeotte, débrouillardise. ♦ ***He's got plenty of gumption,*** il se tire toujours d'affaire.

gum up *v. part. t.* *(fam.)* ruiner (des

plans), bousiller (une machine).
gun [gʌn] *n.* **1.** canon. ***Gun carriage,*** affût, prolonge d'artillerie; ***the guns,*** l'artillerie. **2.** fusil. **3.** *(pl.)* chasseurs. **4.** revolver, pistolet. ♦ *(Sp.)* ***Jump the gun,*** voler le départ; *(fig.)* prendre les devants; *(fam.)* ***she stuck to her guns,*** elle n'en démordit pas.
gunboat ['gʌnbəʊt] *n.* canonnière. ***Gunboat diplomacy,*** diplomatie reposant sur la menace d'une intervention armée.
gundog ['gʌndɒg] *n. (amér.)* chien de chasse.
gun down *v. part. t.* descendre, abattre.
gunfire ['gʌnfaɪə] *n.* canonnade.
gunman ['gʌnmən] *n. (pl.* **-men**) gangster.
gunner ['gʌnə] *n.* **1.** *(Mil.)* artilleur. **2.** *(Naut.)* canonnier. **3.** *(Av.)* ***Machine gunner,*** mitrailleur.
gunpowder ['gʌn,paʊdə] *n.* poudre (à canon).
gunrunner ['gʌn, rʌnə] *n.* trafiquant d'armes.
gunshot ['gʌnʃɒt] *n.* **1.** portée de fusil. ***Within gunshot,*** à portée de fusil. **2.** coup de feu, détonation. **3.** balle. ***Gunshot wound,*** blessure par balle.
gunsmith ['gʌn,smɪθ] *n.* armurier.
gunwale ['gʌnweɪl] *n. (Naut.)* plat-bord (aussi **gunnel**).
gurgle ['gɜːgl] *n.* **1.** glouglou, gargouillis. **2.** gloussement. *v. intr.* **1.** faire des glouglous, gargouiller. **2.** gazouiller (pour un bébé, un ruisseau). **3.** glousser.
gush [gʌʃ] *n.* **1.** jaillissement. **2.** jet (de sang...). **3.** débordement (de paroles...); effusion. *v. intr.* **1.** jaillir. **2.** *(fig.)* se répandre en compliments. ***She gushes over her baby,*** elle ne tarit pas d'éloges à propos de son bébé.
gusher ['gʌʃə] *n.* **1.** personne expansive. **2.** *(Tech.)* ***(Golden) gusher,*** puits de pétrole jaillissant.
gushing ['gʌʃɪŋ] *adj.* **1.** jaillissant. **2.** *(péj.)* trop expansif.
gust [gʌst] *n.* **1.** ***Gust of wind,*** coup de vent, rafale. **2.** ***Gust of rain,*** grain. **3.** *(fig.)* bouffée (de colère...).
gusto ['gʌstəʊ] *n.* délectation, délice(s).
gut [gʌt] *n.* **1.** *(Anat.)* intestin, *(fam.)* boyau. **2.** corde, boyau (pour violon, raquette...). *v.t.* **1.** vider (un poisson...). **2.** ***The house has been gutted,*** il ne reste de la maison que les quatre murs.
guts [gʌts] *n. (fam.)* boyaux, tripes. **2.** *(fig.)* cran. ***He has no guts,*** il n'a rien dans le ventre. **3.** argument essentiel (d'un discours).
gutter ['gʌtə] *n.* **1.** ruisseau, caniveau. **2.** gouttière. **3.** *(fig.)* ***He will end in the gutter,*** il tournera mal. ♦ ***Gutter press,*** presse à scandale. *v. intr.* couler (pour une bougie).
guttersnipe ['gʌtəsnaɪp] *n.* gamin des rues, gavroche.
guy[1] [gaɪ] *n.* **1.** corde (de guidage). **2.** ***Guy (rope),*** corde (de tente).
guy[2] [gaɪ] *n.* **1.** *(amér.)* type. ***Tough guy,*** dur. **2.** *(G.B.)* effigie burlesque de Guy Fawkes. **3.** personne mal fagotée.
guzzle ['gʌzl] *v.t. et intr.* **1.** *(fam.)* bouffer, s'empiffrer. **2.** *(fam.)* siffler, boire. ♦ ***Guzzling car,*** voiture qui consomme beaucoup (d'essence).
guzzler ['gʌzlə] *n.* **1.** *(fam.)* bâfreur. **2.** poivrot. **3.** *(amér.)* voiture gourmande (en essence).
gyrate [dʒaɪ'reɪt] *v. intr.* tourner, tournoyer.

H

haberdasher ['hæbədæʃə] *n.* **1.** mercier. **2.** *(amér.)* chemisier.
haberdashery ['hæbədæʃrɪ] *n.* **1.** mercerie. **2.** *(amér.)* chemiserie.
⚠ **habit** ['hæbɪt] *n.* habitude. ***Habit of mind,*** disposition d'esprit; ***he's got into the habit of smoking,*** il a pris l'habitude de fumer.
▻ **habitual** [hə'bɪtjʊəl] *adj.* habituel. *(Jur.)* ***Habitual offender,*** récidiviste.
hack[1] [hæk] *v.t. et intr.* tailler, taillader. ***He hacked his way through the jun-***

gle, il s'est frayé un chemin à coups de machette dans la jungle. *n.* **1.** entaille. **2.** coup (de hache...).

hack² [hæk] *n.* haridelle. **2.** cheval de selle. **3.** homme de peine. ***Hack writer,*** écrivain à gages. **4.** *(amér.)* taxi. **5.** *(amér.)* toux sèche.

hackles ['hæklz] *n. pl.* plumes (du cou d'une volaille). *(fig.)* ***He had his hackles up,*** il était courroucé.

hackneyed ['hæknɪd] *adj.* rebattu, banal.

hacksaw ['hæksɔ:] *n.* scie à métaux.

hackwork ['hækwɜ:k] *n.* travail d'écrivain à gages.

had [əd, həd, hæd] (***have,*** *aux. et v.*)

haft [hɑ:ft] *n.* manche, poignée.

hag [hæg] *n. (péj.)* vieille socière.

haggle ['hægl] *v. intr.* marchander.

hail¹ [heɪl] *n.* grêle. *v. intr.* ***It hails,*** il grêle.

hail² [heɪl] *v.t.* **1.** saluer (quelqu'un). **2.** acclamer. **3.** héler (un taxi...). ♦ ***Within hailing distance,*** à portée de voix.

hail-fellow-well-met [ˌheɪlfeləʊwel 'met] *adj.* à tu et à toi avec tout le monde.

hailstone ['heɪlstəʊn] *n.* grêlon.

hair [heə] *n.* **1** poil, cheveu. **2.** *(inv.)* cheveux, chevelure. ♦ ***Do your hair,*** peigne-toi ; *(fig.)* ***he gets in my hair,*** il me tape sur les nerfs ; *(fam.)* ***keep your hair on!*** gardez votre sang-froid ! ; *(fig.)* ***let your hair down,*** détendez-vous ; *(fig.)* ***she did not turn a hair,*** elle n'a pas bronché ; *(fig.)* ***split hairs,*** couper les cheveux en quatre ; ***they missed the accident by a hair's breadth,*** ils ont frisé l'accident.

hairdo ['heədu:] *n.* coiffure (pour une femme).

hairdresser ['heəˌdresə] *n.* coiffeur, coiffeuse.

hairgrip ['heəgrɪp] *n.* pince à cheveux.

hairline ['heəlaɪn] *n.* **1.** *(Tech.)* cheveu d'appareil de visée. **2.** naissance des cheveux. ♦ ***Hairline crack,*** mince fêlure ; ***hairline distinction,*** distinction subtile.

hairpiece ['heəpi:s] *n.* mèche postiche.

hairpin ['heəˌpɪn] *n.* épingle à cheveux. ♦ ***Hairpin bend,*** lacet en épingle à cheveux.

hair-raising ['heəˌreɪzɪŋ] *adj.* effroyable (récit, expérience...).

hair-splitting ['heəˌsplɪtɪŋ] *n.* ergotage.

hairy ['heərɪ] *adj.* poilu, velu.

hale [heɪl] *adj.* vigoureux. ***He's hale and hearty,*** il se porte comme un charme.

half [hɑ:f] *n.* (*pl.* **halves**) **1.** moitié, demi(e). **2.** *(Sp.)* mi-temps. ♦ ***Do things by halves,*** faire les choses à moitié ; ***go halves with somebody,*** partager les frais avec quelqu'un ; ***he is too clever by half,*** il est beaucoup trop futé ; *(fam.)* ***my better half,*** ma moitié. *adj.* demi. ***Half an hour,*** une demi-heure ; ***in half a second,*** tout de suite. *adv.* à moitié, à demi. ♦ ***He isn't half a liar,*** comme menteur, il se pose un peu là ; ***it isn't half bad,*** ce n'est pas mauvais du tout ; ***it's not halfgood,*** c'est très bon.

half-baked [ˌhɑ:fˈbeɪkt] *adj.* **1.** inexpérimenté, mal dégrossi. **2.** qui ne tient pas debout (d'un argument).

half-breed ['hɑ:fbri:d] *n.* métis(se).

half-caste ['hɑ:fˌkɑ:st] *adj. et n.* métis(se).

half-hearted [ˌhɑ:fˈhɑ:tɪd] *adj.* tiède, sans enthousiasme.

half-holiday [ˌhɑ:fˈhɒlɪdɪ] *n.* après-midi de congé.

half-mast [ˌhɑ:fˈmɑ:st] *n.* ***Flag at half-mast,*** pavillon en berne.

halfway [ˌhɑ:fˈweɪ] *adj. et adv.* à mi-chemin. ♦ *(fig.)* ***Meet me halfway,*** coupons la poire en deux ; ***they meet trouble halfway,*** ils vont au-devant des ennuis.

half-witted [ˌhɑ:fˈwɪtɪd] *adj.* faible d'esprit, simple.

△ **hall** [hɔ:l] *n.* **1.** grande salle. **2.** vestibule, hall d'entrée. **3.** *(Ens.)* (= **dining hall**) réfectoire. **4.** (= ***hall of residence***) pavillon universitaire.

hallmark ['hɔ:lmɑ:k] *n.* **1.** contrôle, poinçon (sur un objet d'orfèvrerie). **2.** *(fig.)* marque (du génie...).

hallow ['hæləʊ] *v.t.* sanctifier, consacrer.

hallstand ['hɔ:lstænd] *n.* porte-manteau.

▻ **halt** [hɔ:lt] *n.* **1.** halte, pause. **2.** *(Rail)* halte. **3.** arrêt (d'autobus...). *v.t. et intr.* (s') arrêter.

△ **halter** ['hɔ:ltə] *n.* **1.** licou. **2.** corde de pendaison.
halting ['hɔ:ltɪŋ] *adj.* hésitant.
halve [hɑ:v] *v.t.* **1.** partager en deux. **2.** réduire de moitié.
ham [hæm] *n.* jambon.
hammer ['hæmə] *n.* marteau. ♦ ***They went at it hammer and tongs,*** ils en mettaient un coup; ils se sont battus comme des chiffonniers. *v.t. et intr.* marteler, enfoncer. ♦ ***Hammer away,*** en mettre un coup; ***it's difficult to hammer that into the pupil's head,*** il est difficile de faire entrer cela dans la tête des élèves.
hammock ['hæmək] *n.* hamac.
hamper ['hæmpə] *v.t.* gêner, contrecarrer.
hand [hænd] *n.* **1.** main. **2.** aiguille (de montre, de baromètre...). **3.** jeu (cartes qu'on a en main). **4.** ouvrier, employé, marin. ♦ ***At hand,*** à portée de main, proche; ***give me a hand,*** donnez-moi un coup de main; ***live from hand to mouth,*** vivre au jour le jour; ***make money hand over fist,*** faire des affaires d'or; ***on hand,*** prêt à être utilisé; ***on the one hand... on the other hand,*** d'une part... d'autre part; ***win hands down,*** gagner haut la main. *v.t.* donner, faire passer.
handbag ['hændbæg] *n.* sac à main.
handbook ['hændbʊk] *n.* manuel explicatif, guide.
handbrake ['hændbreɪk] *n.* frein à main.
handcuff ['hændkʌf] *v.t.* mettre les menottes (à).
handcuffs ['hændkʌfs] *n. pl.* menottes.
handful ['hændfʊl] *n.* **1.** poignée, pleine main. **2.** *(fig.)* petite quantité.
handicraft ['hændɪkrɑ:ft] *n.* travaux manuels.
handkerchief ['hæŋkətʃɪf] *n.* mouchoir.
handle ['hændl] *n.* poignée, manche, manivelle. *v.t.* **1.** manier, manipuler. ***«Handle with care»,*** «fragile». **2.** traiter, mener. ***He handled the negociation with great skill,*** il a mené la négociation avec une grande habileté.
handlebars ['hændlbɑ:z] *n. pl.* guidon.
hand on, *v. part. t.* transmettre, faire suivre.
hand out, *v. part. t.* distribuer.
hand over *v. part. t.* remettre, livrer.
handpick ['hændpɪk] *v.t.* trier sur le volet.
handrail ['hændreɪl] *n.* rampe, main courante.
handsome ['hænsəm] *adj.* **1.** beau. **2.** élégant. **3.** *(fig.)* important, coquet (somme d'argent).
handwritting ['hænd,raɪtɪŋ] *n.* écriture, façon d'écrire.
handy ['hændɪ] *adj.* **1.** adroit, habile de ses mains. **2.** commode, pratique. **3.** à portée de la main.
handyman ['hændɪmæn] *n.* (*pl.* **-men**). **1.** bricoleur. **2.** homme à tout faire.
hang [hæŋ] *v.t. et intr. irr.* (*p.* **hung,** *p.p.* **hung**) **1.** pendre, suspendre, accrocher. **2.** pendre, être suspendu. *(fig.)* ***He's always hanging about,*** il est toujours en train de rôder par là. *v.t. rég.* (*p. et p.p.* **hanged**) pendre (par pendaison).
hanging ['hæŋɪŋ] *n.* pendaison.
hang on *v. part. intr.* **1.** s'accrocher, tenir bon. **2.** patienter. **3.** *(Téléph.)* ***Hang on!*** ne quittez pas!
hangover ['hæŋəʊvə] *n.* **1.** *(fam.)* gueule de bois. **2.** suite, séquelle. ***It's a hangover from the war,*** c'est une séquelle de la guerre.
hang up, *v. part. t.* **1.** suspendre, accrocher. **2.** retenir, retarder. ***We were hung up by the strike,*** nous avons été retardés par la grève. *v. intr. (Téléph.)* raccrocher.
happen ['hæpən] *v. intr.* **1.** arriver, se produire. ***It happened yesterday,*** c'est arrivé hier. **2.** avoir la bonne ou mauvaise chance de. ***She happens to be my cousin,*** il se trouve que c'est ma cousine.
happily ['hæpɪlɪ] *adv.* **1.** heureusement, par bonheur. **2.** dans le bonheur. ***She is happily married,*** elle est heureuse en ménage.
happiness ['hæpɪnɪs] *adj.* **1.** heureux, joyeux. **2.** réussi, satisfaisant. ***He always sticks to a happy medium,*** il s'en tient toujours au juste milieu.
happy-go-lucky [,hæpɪgəʊ'lʌkɪ] *adj.* insouciant, bohème, à la va-comme-je-te-pousse.
harass ['hærəs] *v.t.* harceler; harasser.

harbour ['hɑ:bə] *n.* **1.** port, installations portuaires. **2.** *(fig.)* abri, refuge. *v.t.* **1.** abriter, donner refuge à. **2.** *(fig.)* nourrir, entretenir (des pensées, des sentiments...).

hard [hɑ:d] *adj.* **1.** dur, ferme. **2.** difficile, ardu. **3.** pénible. **4.** forte (monnaie). ♦ ***Hard and fast rule,*** règle absolue; ***hard cash,*** espèces sonnantes; ***hard drinks,*** boissons fortes; ***hard feelings,*** ressentiment, rancune; ***hard labour,*** travaux forcés; ***hard luck,*** malchance; ***hard of hearing,*** dur d'oreille; ***hard up,*** sans le sou; ***hard water,*** eau calcaire; ***he drives a hard bargain,*** il est dur en affaires; ***he learned the hard way,*** il a appris par expérience.
adv. **1.** dur, durement. **2.** fermement. **3.** péniblement. ♦ ***Prejudices die hard,*** les préjugés ont la vie dure; ***she took the news very hard,*** elle a été très affectée par la nouvelle; ***the firm was hard hit by the crisis,*** la société a été durement touchée par la crise; ***they are hard at it,*** ils travaillent dur.

harden ['hɑ:dn] *v.t.* **1.** durcir. **2.** tremper (des métaux). *v. intr.* s'endurcir.

hard-headed [,hɑ:d hedɪd] *adj.* réaliste, inflexible (en affaires).

hardly ['hɑ:dlɪ] *adv.* à peine. ♦ ***Hardly had the treaty been signed when it was broken,*** à peine avait-on signé le traité qu'il fut rompu; ***I hardly know him,*** je le connais à peine.

hardness ['hɑ:dnɪs] *n.* **1.** dureté. **2.** *(fig.)* sévérité.

hardship ['hɑ:dʃɪp] *n.* épreuve, difficulté.

hardware ['hɑ:dweə] *n.* **1.** quincaillerie. **2.** *(Inf.)* matériel (≠ **software**).

⚠ **hardy** ['hɑ:dɪ] *adj.* **1.** robuste, résistant. **2.** *(Bot.)* de pleine terre.

hare [heə] *n.* lièvre. ***He's as mad as a March hare,*** c'est un excité.

hare-brained ['heəbreɪnd] *adj.* écervelé.

harelip ['heəlɪp] *n.* bec-de-lièvre.

harm [hɑ:m] *n.* tort, dommage, mal physique ou moral. ♦ ***He came to no harm,*** il ne s'est pas fait mal; ***there's no harm in it,*** il n'y a pas de mal à cela. *v.t.* nuire, faire du mal à.

harmful ['hɑ:mfəl] *adj.* nuisible.

harmless ['hɑ:mlɪs] *adj.* inoffensif.

▻ **harmonize** ['hɑ:mənaɪz] *v.t.* harmoniser, s'accorder.

harness ['hɑ:nɪs] *n.* harnais. *(fig.)* ***Die in harness,*** mourir à la tâche. *v.t.* **1.** harnacher, atteler. **2.** aménager, équiper (un torrent, pour produire de l'énergie).

harp [hɑ:p] *n.* harpe. *v. intr.* *(fig.)* rabâcher. ***He's always harping on the same string,*** il rabâche toujours la même chose.

harpsichord ['hɑ:psɪkɔ:d] *n.* clavecin.

harrowing ['hærəʊɪŋ] *adj.* poignant, déchirant (expérience, récit...).

harsh [hɑ:ʃ] *adj.* **1.** désagréable, âpre, rude. **2.** dur, sévère.

harvest ['hɑ:vɪst] *n.* **1.** moisson. **2.** récolte. *v.t.* **1.** moissonner. **2.** récolter.

harvester ['hɑ:vɪstə] *n.* **1.** moissonneur, moissonneuse. **2.** moissonneuse. ***Combine harvester,*** moissonneuse-batteuse.

has [z, həz, hæz] (**have,** *aux. et v.*)

has-been ['hæzbi:n] *n.* *(fam.)* homme fini.

hash [hæʃ] *n.* **1.** *(Cuis.)* hachis. *(fig.)* ***He made a hash of it,*** il a tout gâché. **2.** *(argot)* haschisch. *v.t.* couper (de la viande) en petits morceaux.

haste [heɪst] *n.* hâte, précipitation. ♦ ***Make haste!*** pressez-vous!

hasten ['heɪsən] *v.t. et intr.* (se) presser.

hasty ['heɪstɪ] *adj.* **1.** fait à la hâte, précipité. **2.** qui va trop vite en besogne.

hat [hæt] *n.* chapeau. ♦ ***At the drop of a hat,*** tout d'un coup; *(fig.)* ***he's hung up his hat,*** il ne travaille plus; ***I take my hat off to him,*** je lui tire mon chapeau; *(fig.)* ***keep it under your hat,*** gardez cela pour vous; *(fig.)* ***they're talking through their hats,*** ils ne savent pas ce qu'ils disent.

hatch[1] [hætʃ] (= **hatchway**) *n.* *(Naut.)* coupée, écoutille.

hatch[2] [hætʃ] *v.t.* **1.** couver. **2.** *(fig.)* préparer (un plan...). ***What are you hatching up?*** qu'est-ce que tu es en train de combiner? *v. intr.* éclore.

hate [heɪt] *n.* haine (cf. **hatred**). *v.t.* haïr, détester.

hateful ['heɪtfəl] *adj.* détestable, odieux.

hatred ['heɪtrɪd] *n.* haine.

haughty ['hɔ:tɪ] *adj.* hautain, arrogant.

haul [hɔːl] *v.t.* tirer, traîner. *n.* **1.** effort de traction. *(fig.) **It's a long haul,*** ce n'est pas tout près. **2.** prise de poissons, coup de filet. **3.** *(fam.)* butin. *v. intr.* **1.** *(Naut.)* lofer. **2.** ***Haul alongside,*** accoster.

haulage ['hɔːlɪdʒ] *n.* **1.** ***(Road) haulage,*** transport routier. **2.** frais de roulage. **3.** traction, remorquage.

haul down *v. part. t. (Naut.)* affaler (les voiles). *(fig.) **Haul down the flag,*** capituler.

haulier ['hɔːlɪə] *n.* entrepreneur de transports.

⚠ **haunch** [hɔːntʃ] *n.* **1.** *(Cuis.)* cuissot (de chevreuil). **2.** *(pl.)* arrière-train, derrière.

haunt [hɔːnt] *v.t.* **1.** fréquenter. **2.** hanter (une maison). **3.** obséder (l'esprit). *n.* lieu fréquenté ; repaire.

haunting ['hɔːntɪŋ] *adj.* obsédant.

have[1] [v, əv,həv, hæv] *v. aux. irr.* (3º pers. **has,** *p.* **had**) avoir, être. **1.** *(present perfect) **I have not finished yet,*** je n'ai pas encore fini ; ***you have been reading for three hours,*** il y a trois heures que tu lis ; ***they've just arrived,*** ils viennent d'arriver. **2.** *(pluperfect) **He had gone when we arrived,*** il était parti quand nous sommes arrivés. **3.** *(autres temps et modes) **He'll have gone when you get up,*** il sera parti quand tu te lèveras ; ***you should have told me,*** tu aurais dû me le dire. ♦ ***I'd rather leave immediately,*** j'aimerais mieux partir tout de suite ; ***you'd better work now,*** tu ferais mieux de travailler maintenant.

have[2] [v, əv, həv, hæv] *v. t. irr. (3º pers.* **has,** *p.* **had,** *p.p.* **had***)* (aussi **have got**) **1.** posséder, avoir. ***You have*** (ou ***'ve got) a new car,*** vous avez une nouvelle voiture. **2.** être muni ou doté de. ***His bike has no front brake,*** son vélo n'a pas de frein avant ; ***your friend has a bad temper,*** votre ami a mauvais caractère. **2.** éprouver, ressentir. ***I've got no doubt about it,*** je n'en doute pas. ♦ ***I have it !*** ça y est, j'ai trouvé ! ***you have me there,*** vous m'avez convaincu.

have[3] [v, əv, həv, hæv] *v. t. irr. (3º pers.* **has,** *p.* **had,** *p.p.* **had***)* **1.** recevoir. ***I had a letter from her,*** j'ai reçu une lettre d'elle. **2.** prendre (repas, boisson, bain,...). ***Have a drink,*** prenez un verre ; ***let's have a swim,*** allons nager ; ***we always have lunch at one o'clock,*** nous déjeunons toujours à une heure. **3.** être informé de. ***I have it from my brother,*** je le tiens de mon frère. **4.** permettre, tolérer. ***I won't have you behaving like that,*** je n'admets pas que tu te conduises ainsi. **5.** donner naissance à. ***She's just had a baby,*** elle vient d'avoir un enfant. **6.** faire faire. ***I had him do it again,*** je le lui ai fait refaire ; ***they had their new house built last year,*** ils ont fait construire leur nouvelle maison l'an dernier. **7.** subir. ***I had my wallet stolen on the bus,*** je me suis fait voler mon portefeuille dans l'autobus. **8.** organiser. ***He'll have a nice party,*** il aura une charmante réunion chez lui. **9.** avoir une expérience agréable. ***We had a very good time,*** nous nous sommes bien amusés. ♦ ***He has something against me,*** il m'en veut ; *(fam.) **I've had it,*** j'ai eu mon compte.

have[4] [v, əv, həv, hæv] *v. intr. irr. (3º pers.* **has,** *p.* **had,** *p.p.* **had***)*(aussi **have got**) être obligé (de). ***I have (ou I've got) to go now,*** il faut que je parte tout de suite; ***you don't have to if you don't want to,*** vous n'êtes pas obligé si vous n'en avez pas envie.

have in *v. part. t.* **1.** avoir en réserve. **2.** faire venir (un artisan). ***We must have the plumber in,*** il faut faire venir le plombier. **3.** inviter (des amis,...).

haven [heɪvn] *n.* **1.** havre, port. **2.** *(fig.) **Tax heaven,*** paradis fiscal.

have-nots ['hævnɒts] *n. pl. **The have-nots,*** les pauvres.

haversack ['hævəsæk] *n.* musette.

haves ['hævz] *n. pl. **The haves,*** les riches, les nantis.

havoc ['hævək] *n.* dégâts. *(fig.) **Play havoc with,*** désorganiser entièrement (plan, projet,...).

hawk[1] [hɔːk] *n.* **1.** *(Zool.)* faucon. **2.** *(Polit.)* faucon (partisan de la manière forte).

hawk[2] [hɔːk] *v.t.* colporter.

hawthorn ['hɔːθɔːn] *n. (Bot.)* aubépine.

hay [heɪ] *n.* foin, fourrage. ***Hay fever,*** rhume des foins. ♦ *(fig.) **Make hay***

while the sun shines, il faut battre le fer quand il est chaud.
haycock ['heɪkɒk] *n.* meulon de foin.
haymaker ['heɪˌmeɪkə] *n.* **1.** faneur, faneuse. **2.** *(amér. fam.)* grand coup de poing.
haystack ['heɪstæk] *n.* meule de foin (aussi **hayrick**).
haywire ['heɪwaɪə] *adj.* **1.** confus, embrouillé. **2.** *(fam.)* cinglé. ***Go haywire,*** se désorganiser, perdre la tête.
⚠ **hazard** ['hæzəd] *n.* risque, danger. *v.t.* **1.** risquer (sa vie, son argent...). **2.** hasarder (une opinion,...).
hazardous ['hæzədəs] *adj.* risqué, périlleux.
haze [heɪz] *n.* **1.** brume légère. **2.** *(fig.)* incertitude d'esprit. *v.t.* *(amér. Ens.)* brimer (un nouvel étudiant), bizuter.
hazel ['heɪzl] *n.* (= **hazel tree**) noisetier. ***Hazel nut,*** noisette.
hazy ['heɪzɪ] *adj.* **1.** brumeux. **2.** vague (souvenir,...).
he [ɪ, hɪ, hiː] *pr. pers. sujet,* il.
head [hed] *n.* **1.** tête. **2.** esprit, intelligence. **3.** ***Head of hair,*** chevelure. **4.** chef; *(Ens.)* (= **headmaster**) directeur, directrice. **5.** face (d'une pièce). ***Toss heads or tails,*** jouer à pile ou face. **6.** personne. ***£10 a head,*** 10 livres par personne. **7.** *(inv.)* tête (de bétail). ***100 head of cattle,*** 100 bestiaux. **8.** haut (d'une page, d'une lettre....). **9.** tête (de chapitre); rubrique. **10.** extrémité (d'un lac). **11.** *(Géog.)* cap. **12.** *(Tech.)* pression (d'un fluide...). ♦ ***Bring a matter to a head,*** faire aboutir une affaire; ***come to a head,*** devenir critique; *(fig.)* ***give somebody his head,*** lâcher la bride à quelqu'un; ***he has a good head for heights,*** il n'a pas le vertige; ***he's head over heels in love,*** il est amoureux fou; ***I can't make head or tail of it,*** je n'y comprends absolument rien; *(fig.)* ***I could do it (standing) on my head,*** c'est simple comme bonjour; ***I've got a bad head,*** j'ai la migraine; *(fig.)* ***keep your head,*** garde ton sang-froid; ***she bit his head off,*** elle l'a remis en place; *(fig.)* ***she talks her head off,*** elle n'arrête pas de parler.
v. t. et intr. **1.** conduire, mener. **2.** être (ou mettre) en tête (de page,...). **3.** *(Sp.)* ***Head the ball,*** faire une tête. **4.** ***Head for,*** se diriger vers.
headache ['hedeɪk] *n.* mal de tête, migraine.
headband ['hedbænd] *n.* bandeau.
headdress ['heddres] *n.* coiffure, coiffe.
header ['hedə] *n.* **1.** plongeon. ***Take a header,*** piquer une tête. **2.** tête (au football).
headgear ['hedgɪə] *n.* couvre-chef, coiffure.
headhunter ['hedˌhʌntə] *n.* **1.** chasseur de têtes. **2.** *(fig.)* chasseur de têtes (de talents pour le commerce, l'industrie,...).
heading ['hedɪŋ] *n.* en-tête, rubrique.
headland ['hedlənd] *n.* *(Géog.)* promontoire.
headlight ['hedlaɪt] *n.* *(Aut.)* feu de route, phare (aussi **headlamp**).
headline ['hedlaɪn] *n.* gros titre, manchette.
headlong ['hedlɒŋ] *adv.* la tête la première; tête baissée (aussi **headfirst**).
headmaster [ˌhed'mɑːstə] *n.* *(Ens.)* directeur, directrice, proviseur.
head off, *v. part. t.* **1.** faire rebrousser chemin, rabattre. **2.** parer, empêcher.
head-on [ˌhed'ɒn] *adj. et adv.* de front, de plein fouet.
headphone ['hedfəʊn] *n.* **1.** écouteur. **2.** *(pl.)* casque.
headquaters ['hedˌkwɔːtəz] *n.* **1.** *(Mil.)* quartier général. **2.** *(Comm.)* siège.
headrest ['hedrest] *n.* appui-tête.
headroom ['hedrʊm] *n.* *(Tech.)* ***4 metres headroom,*** hauteur limite 4 mètres.
headship ['hedʃɪp] *n.* *(Ens.)* direction (d'un lycée,...).
head-shrinker ['hedˌʃrɪnkə] *n.* *(hum.)* psychiatre.
headstone ['hedstəʊn] *n.* pierre tombale.
headstrong ['hedstrɒŋ] *adj.* volontaire, entêté.
headway ['hedweɪ] *n.* progrès. ***Make headway,*** progresser.
headwind ['hedˌwɪnd] *n.* *(Naut.)* vent contraire, vent debout.
heady ['hedɪ] *adj.* **1.** impétueux, emporté. **2.** capiteux (vin). **3.** vertigineux (hauteur).

heal [hi:l] *v.t.* **1.** guérir. **2.** *(fig.)*apaiser. *v. intr.* ***Heal (up), heal (over),*** se guérir, se cicatriser.

health [helθ] *n.* santé. ***Ill health,*** mauvaise santé.

healthful ['helθfəl] *adj.* salubre, salutaire.

healthy ['helθɪ] *adj.* **1.** en bonne santé, bien portant. **2.** sain, salubre. **3.** robuste (appétit).

heap [hi:p] *n.* **1.** tas. ♦ *(fam.)* ***I was struck all of a heap,*** j'ai été estomaqué; *(fam.)* ***she feels heaps better,*** elle se sent beaucoup mieux; *(fam.)* ***we've got heaps of time,*** nous avons largement le temps. **2.** *(fam.)* vieux tacot (aussi **crate**).
v.t. **1.** entasser, empiler. **2.** couvrir (d'éloges,...). ***Heap insults on somebody,*** accabler quelqu'un d'injures.

hear [hɪə] *v. t. irr. (p.* **heard,** *p.p.* **heard***)* **1.** entendre. **2.** apprendre. ***I've heard from him,*** il m'a donné de ses nouvelles, il m'a écrit; ***I've heard of him,*** on m'a parlé de lui. ♦ ***Hear! hear!*** bravo! très bien! *(fam.)* ***I've never heard tell of it,*** je n'en ai jamais entendu parler; ***I won't hear of you going out,*** il n'est pas question que tu sortes; ***you'll hear from me!*** tu ne perds rien pour attendre!

heard [hɜ:d] *(**hear,** v.)*

hearing ['hɪərɪŋ] *n.* **1.** ouïe. ♦ ***Hearing aid,*** appareil de correction auditive; ***in my hearing,*** en ma présence; ***out of hearing,*** hors de portée de voix; ***within hearing,*** à portée de voix. **2.** audition. ***Gain a hearing,*** se faire entendre; obtenir une audience. **3.** *(Jur.)*audition, audience.

hear out *v. part. t.* écouter jusqu'au bout.

hearsay ['hɪəseɪ] *n.* ouïe-dire, rumeurs. ***From hearsay,*** par ouïe-dire.

hearse [hɜ:s] *n.* corbillard.

heart [hɑ:t] *n.* **1.** *(Anat.)* cœur. **2.** courage. ***Lose heart,*** se décourager; ***take heart,*** prendre courage. **3.** coeur (d'un légume,...); milieu (d'une forêt,...). **4.** (cartes) ***Heart(s),***du coeur. ♦ ***At heart,*** au fond, en réalité; *(fig.)* ***he had his heart in his mouth,*** il était angoissé; ***heart and soul,*** corps et âme; *(fig.)* ***his heart is in the right place,*** il a bon coeur; ***in my heart of hearts,*** en mon for intérieur; ***I would give my heart's blood to save her,*** je donnerais ma vie pour la sauver; ***she has set her heart on it,*** elle veut l'avoir à tout prix; ***she took it to heart,*** elle l'a pris à coeur; ***to one's heart's content,*** tout son soûl; *(fig.)* ***you wear your heart on your sleeve,*** tu ne devrais pas t'épancher ainsi.

heartache ['hɑ:teɪk] *n.* chagrin, peine de coeur.

heartbeat ['hɑ:tbi:t] *n.* battement de coeur, pulsation.

heartbreaking ['hɑ:t,breɪkɪŋ] *adj.* déchirant, affligeant.

heartbroken ['hɑ:t,brəʊkəŋ] *adj.* affligé.

heartburn ['hɑ:tbɜ:n] *n. (Méd.)*aigreurs, brûlures (d'estomac).

hearten ['hɑ:tn] *v.t.* encourager.

heartfelt ['hɑ:tfelt] *adj.* sincère.

hearth [hɑ:θ] *n.* âtre, foyer.

hearthrug ['hɑ:θrʌg] *n.* tapis de foyer.

heartily ['hɑ:tɪlɪ] *adj.* **1.** avec force. **2.** chaleureusement, cordialement. **3.** copieusement. ***Eat heartily,*** manger avec appétit. **4.** beaucoup. *(fam.)* ***I'm heartily sick of everything,*** j'en ai franchement marre.

heartless ['hɑ:tlɪs] *adj.* insensible, cruel.

heart-rending ['hɑ:t,rendɪŋ] *adj.* déchirant, à fendre l'âme.

heartsick ['hɑ:t,sɪk] *adj.* découragé, éploré.

heartstrings ['hɑ:t,strɪŋz] *n. pl. (Anat.)* fibres du coeur. ♦ *(fig.)* ***She plays on my heartstrings,*** elle fait appel à ma sensibilité; ***tug at somebody's heartstrings,*** émouvoir quelqu'un.

heartthrob ['hɑ:tθrɒb] *n.* **1** palpitation. **2.** *(fam.)*coqueluche, idole.

hearty ['hɑ:tɪ] *adj.* **1.** cordial. **2.** vigoureux. **3.** copieux. *(fam.)* ***He's a hearty eater,*** il se tient bien à table.

heat [hi:t] *n.* **1.** chaleur (désagréable) ; ardeur (du soleil). **2.** excitation. ***In the heat of the arguement,*** dans le feu de la discussion. **3.** chaleur. ***On heat,*** en rut. **4.** *(Sp.)*éliminatoire, série. ♦ ***Heat wave,*** vague de chaleur.
v.t. et intr. **1.** chauffer. **2.** (se) réchauffer. ♦ *(fig.)* ***The discussion heated up,*** la discussion s'échauffa.

heated ['hi:tɪd] *adj.* passionné, emporté, animé.
heater ['hi:tə] *n.* appareil de chauffage. ***Electric heater,*** radiateur électrique.
heath [hi:θ] *n.* lande.
heathen ['hɪ:ðən] *adj. et n.* **1.** païen; barbare.
heather ['heðə] *n.* bruyère.
heating ['hi:tɪŋ] *n.* chauffage. ***Central heating,*** chauffage central.
heatstroke ['hi:tstrəʊk] *(Méd.)* coup de chaleur.
heave[1] [hi:v] *v.t.* **1.** lever, soulever. *(Naut.)* ***Heave the anchor,*** lever l'ancre. **2.** ***Heave a sigh,*** pousser un soupir. *v. intr.* **1.** se soulever (pour la poitrine, la houle...). **2.** *(fam.)* avoir des haut-le-coeur. *n.* **1.** soulèvement. **2.** effort pour soulever. **3.** nausée.
heave[2] [hi:v] *v. intr. irr. (p.* **hove,** *p.p.* **hove** [həʊv]*)* *(Naut.)* se diriger vers. ***Heave in sight,*** poindre (à l'horizon); *(hum.)* faire son apparition.
heaven ['hevn] *n.* **1.** ciel, paradis. **2.** *(pl.)* cieux. ♦ ***For Heaven's sake!*** pour l'amour de Dieu! ***Heavens!*** mon Dieu!
heavenly ['hevnlɪ] *adj.* **1.** céleste. **2.** *(fig.)* divin, magnifique.
heaven-sent ['hevn,sent] *adj.* providentiel.
heave to, *v. part. intr. irr. (Naut.)* se mettre en panne, à la cape.
heave up, *v.part. t. et intr.* vomir.
heavy ['hevɪ] *adj.* **1.** lourd. **2.** important, abondant. ***He has a heavy cold,*** il a un bon rhume; ***heavy rains,*** fortes pluies; ***heavy sea,*** grosse mer; ***heavy smoker,*** grand fumeur; ***heavy traffic,*** circulation dense. **3.** indigeste. **4.** ardu, difficile. **5.** battu (yeux). **6.** *(Aut.)* gourmand. ***She's heavy on oil,*** elle fait de l'huile. ♦ ***He finds it heavy going,*** il progresse avec difficulté; *(fig.)* ***he makes heavy weather of everything,*** il n'arrête pas de se compliquer l'existence; ***he played the heavy father,*** il l'a vertement sermonné. *adv.* ***Lie heavy on,*** peser lourdement sur.
heavy-duty [,hevɪ'dju:tɪ] *adj.* très résistant (à l'usage).
heavy-handed [,hevɪ'hændɪd] *adj.* **1.** maladroit. **2.** à la main lourde, injuste.
heavyweight ['hevɪweɪt] *n. (Boxe)* poids lourd.
heckle ['hekl] *v.t. (Polit.)* interpeller (un orateur, pour l'embrouiller).
hectic ['hektɪk] *adj.* **1.** *(Méd.)* hectique, fiévreux. **2.** fébrile. **3.** *(fig.)* trépidant. ***We had a hectic day,*** nous avons eu une journée bien remplie.
hedge [hedʒ] *n.* **1.** haie. **2.** *(fig.)* protection. *v.t.* **1.** entourer (d'une haie). **2.** *(Fin.)* se couvrir. *v. intr.* user de faux-fuyants.
hedgehog ['hedʒhɔg] *n. (Zool.)* hérisson.
hedgehop ['hedʒhɒp] *v. intr. (Av.)* voler en rase-mottes.
hedgerow ['hedʒrəʊ] *n.* bordure de haies.
heebie-jeebies [,hi:bɪ'dʒi:bɪz] *n. pl. (fam.)* ***I have the heebie-jeebies,*** j'ai le cafard; j'ai la frousse.
heed [hi:d] *n.* attention. ♦ ***Give*** (ou ***pay***) ***heed to,*** faire attention à; ***take heed,*** prendre garde; ***take heed of,*** tenir compte de. *v.t.* tenir compte de.
heedless ['hi:dlɪs] *adj.* **1.** insouciant. **2.** inattentif. ***Heedless of my expostulations,*** sans tenir compte de mes remontrances.
heel [hi:l] *n.* **1.** talon. **2.** *(amér. fam.)* canaille. ♦ ***Be down at heel,*** porter des souliers éculés; être miteux; *(fig.)* ***be under the heel of,*** être sous la botte de; ***bring somebody to heel,*** mettre quelqu'un au pas, mater quelqu'un; ***come to heel,*** se soumettre; *(fam.)* ***kick one's heels,*** poireauter; ***take to one's heels,*** prendre ses jambes à son cou; ***they turned their heels,*** ils ont fait demi-tour.
v.t. **1.** remettre un talon (à). **2.** suivre de près. **3.** *(Rugby)* talonner.
heel over, *v. part. intr. (Naut.)* donner de la bande, prendre de la gîte.
hefty ['heftɪ] *adj.* **1.** costaud, solide. **2.** pesant.
he-goat ['hi:gəʊt] *n.* bouc.
heigh-ho [,heɪ'həʊ] *interj.* hé bien!
height [haɪt] *n.* **1.** hauteur. **2.** altitude. **3.** éminence, hauteurs. **4.** *(fig.)* apogée. ♦ ***In the height of summer,*** en plein été.
heighten ['haɪtn] *v.t.* rehausser. *v. intr.* augmenter.

△ **heinous** [heɪnəs] *adj.* odieux, atroce.
heir [eə] *n.* héritier. *(Jur.)* ***Heir apparent*** (ou ***heir presumptive***), héritier présomptif.
heiress ['eərɪs] *n.* héritière.
heirloom ['eəlu:m] *n.* meuble (ou bien) de famille.
held [held] (**hold,** *v.*)
hell [hel] *n.* **1.** *(Rel.)* enfer. **2.** *(fig.)* enfer. **3.** ***Hell!*** Bon Dieu! zut alors! ♦ *(fam.)* ***A hell of a good car,*** une voiture du tonnerre; *(fam.)* ***a hell of a row,*** un raffut de tous les diables; *(fig.)* ***give hell to somebody,*** passer un savon à quelqu'un; *(fam.)* ***go hell for leather,*** aller à toute blinde; *(fam.)* ***like hell he will!*** tu parles s'il le fera! *(fam.)* ***work like hell,*** travailler comme une brute.
hell-bent [,hel'bent] *adj.* résolu. ***He's hell-bent on succeeding,*** il fait tout ce qu'il faut pour réussir.
hellcat ['helkæt] *n.* mégère, harpie.
hellish ['helɪʃ] *adj.* **1.** infernal, diabolique. **2.** *(fig.)* terrible.
helm [helm] *n.* *(Naut.)* barre. ***The man at the helm,*** l'homme de barre.
helmet ['helmɪt] *n.* casque.
helmsman ['helmzman] *n.* *(pl.* **-men***)* *(Naut.)* timonier, homme de barre.
help [help] *n.* **1.** aide, secours. ***He was a great help to me,*** il m'a bien aidé. **2.** femme de ménage. ***Home help,*** aide ménagère. ♦ ***Help!*** au secours! ***mother's help,*** aide familiale; ***there's no help for it,*** c'est sans remède.
v.t. **1.** aider. **2.** servir. ***He helped himself to a piece of cake,*** il a pris une part de gâteau; ***help yourself!*** servez-vous! **3.** favoriser, faciliter. **4.** éviter (de). ***I couldn't help laughing,*** je n'ai pas pu m'empêcher de rire. ♦ ***I can't help it,*** c'est plus fort que moi; ***it can't be helped,*** il n'y a rien à faire; ***so help me,*** je le jure; *(Jur.)* ***so help me God!*** en mon âme et conscience; ***this boy never does more than he can help,*** cet élève n'en fait pas plus qu'il ne faut.
helpful ['helpfəl] *adj.* **1.** serviable. **2.** utile.
helping ['helpɪŋ] *n.* portion. ***Second helping,*** portion supplémentaire.
helpless ['helplɪs] *adj.* désarmé, impuissant, sans ressources.
help out, *v. part. t.* tirer (quelqu'un) d'embarras.
helter-skelter [,heltə'skeltə] *adv.* pêle-mêle; à la débandade.
hem [hem] *n.* ourlet. *v.t.* ourler.
he-man ['hi:mæn] *n.* *(pl.* **-men***)* homme viril, (beau) mâle.
hem in, *v. part. t.* **1.** entourer. **2.** *(Mil.)* encercler (un ennemi...).
hemline ['hemlaɪn] *n.* hauteur de l'ourlet. ***Hemlines are raised,*** les jupes se portent plus courtes.
hemlock ['hemlɒk] *n.* ciguë.
hemp [hemp] *n.* chanvre. ***Indian hemp,*** hachisch.
hen [hen] *n.* poule. ***Hen house,*** poulailler. **2.** femelle (d'oiseau).
hence [hens] *adv.* d'où, de là. ***He worked hard, hence his success,*** il a bien travaillé, ce qui explique son succès.
henceforth ['hens'fɔ:θ] *adv.* désormais, dorénavant (aussi **henceforward**).
henchman ['hentʃmən] *n.* *(pl.* **-men***)* *(péj.)* *(Polit.)* homme de confiance; acolyte.
henpecked ['henpekt] *adj.* mené par le bout du nez (pour un mari).
her[1] [ə,hə,hɜ:] *pr. pers. complément.* la, lui, elle.
her[2] [ə,hə,hɜ:] *adj. poss.* son, sa, ses.
herald ['herəld] *n.* héraut, messager. *v.t.* annoncer, laisser présager.
△ **herb** [hɜ:b] *n.* **1.** *(pl. Cuis.)* (fines) herbes. **2.** ***Medicinal herbs,*** simples. **3.** *(argot)* cannabis, herbe.
herbalist ['hɜ:bəlɪst] *n.* **1.** botaniste. **2.** herboriste. **3.** guérisseur (par les plantes).
herd [hɜ:d] *n.* **1.** troupeau. **2.** *(péj.)* foule. ***Herd instinct,*** instinct grégaire; ***the common herd,*** la populace. *v.t.* **1.** rassembler. **2.** garder (un troupeau).
herdsman ['hɜ:dzmən] *n.* *(pl.* **-men***)* gardien (de troupeau).
here [hɪə] *adv.* **1.** ici, là. **2.** à ce moment-là. **3.** voici. ***Here comes my brother,*** voici mon frère qui arrive. **4.** que voici, que voilà. ***Here and there,*** ça et là; ***here goes!*** allons-y! ***here, there and everywhere,*** en tous lieux; ***here you are!*** voici! voilà! (ce que vous désirez); ***that's neither here nor there,*** la question n'est pas là.

hereabouts [ˌhɪərəˈbaʊts] *adv.* près d'ici, dans les parages.
hereafter [ˌhɪərˈɑːftə] *adv.* *(lit.)* après, à l'avenir. *n.* *(Rel.)* l'au-delà.
hereby [ˌhɪəˈbaɪ] *adv.* *(Jur.)* par ce moyen, par ceci.
herein [ˌhɪərˈɪn] *adv.* *(Jur.)* **1.** ci-inclus. **2.** en ceci, sur ce point.
hereunder [ˌhɪərˈʌndə] *adv.* *(Jur.)* ci-dessous.
hereupon [ˌhɪərəˈpɒn] *adv.* *(Jur.)* là-dessus.
herewith [ˌhɪəˈwɪð] *adv.* *(Comm.)* ci-joint, par la présente.
herring [ˈherɪŋ] *n.* hareng. ***Red herring,*** hareng saur; *(fig.)* diversion (dans une discussion).
herringbone [ˈherɪŋbəʊn] *n.* chevrons. ***Herringbone pattern,*** motif à chevrons.
hers [hɜːz] *pr. poss.* le sien, la sienne, les siennes. ***A friend of hers,*** un(e) de ses ami(e)s.
herself [əˈself ˌhəˈself ˌhɜːˈself] *pr. pers. réfléchi,* elle-même. ♦ ***She did it by herself,*** elle a fait cela toute seule; ***she has hurt herself,*** elle s'est fait mal; ***she's looking herself again,*** elle paraît rétablie.
hesitancy [ˈhezɪtənsɪ] *n.* hésitation, irrésolution (aussi **hesitance**).
▻ **hesitate** [ˈhezɪteɪt] *v. intr.* **1.** hésiter. **2.** ***Don't hesitate to ask me,*** ne vous gênez pas pour me le demander.
het up [ˌhetˈʌp] *adj.* *(fam.)* excité.
hew [hjuː] *v.t. irr.* (*p.* **hewed,** *p.p.* **hewed** ou **hewn** [hjuːn]) **1.** tailler (à la hache). **2.** dégrossir, équarrir. **3.** abattre (du charbon).
hex [heks] *n.* *(amér.)* (mauvais) sort, sortilège. *v.t.* *(amér.)* jeter un sort (à).
heyday [ˈheɪdeɪ] *n.* apogée, beaux jours. ***In his heyday,*** à la fleur de l'âge; à son apogée.
hi [haɪ] *interj.* **1.** hé! holà! **2.** hello!
▻ **hibernate** [ˈhəɪbəneɪt] *v. intr.* hiberner, hiverner.
hiccup [ˈhɪkʌp] *n.* hoquet (aussi **hiccough**). *v. intr.* avoir le hoquet. *v.t.* dire en hoquetant.
hid [hɪd] (**hide,** *v.*)
hidden [ˈhɪdn] (**hide,** *v.*)
hide[1] [haɪd] *v. t. et intr. irr.* (*p.* **hid,** *p.p.* **hidden**) (se) cacher. ***He hid his face,*** il se voila la face.
hide[2] [haɪd] *n.* **1.** peau, cuir. ♦ *(fam.)* ***I haven't seen hide or hair of him for ages,*** il y a belle lurette que je ne l'ai aperçu.
hide[3] [haɪd] *n.* affût (pour la chasse).
hide-and-seek [ˌhaɪdəndˈsiːk] *n.* cache-cache.
hideaway [ˈhaɪdəweɪ] *n.* cachette, refuge, planque.
hidebound [ˈhaɪdbaʊnd] *adj.* aux vues étroites; borné.
▻ **hideous** [ˈhɪdɪəs] *adj.* hideux, affreux, terrible.
hiding[1] [ˈhaɪdɪŋ] *n.* ***Hiding (place),*** cachette, retraite. ***Go into hiding,*** se cacher.
hiding[2] [ˈhadɪŋ] *n.* *(fam.)* raclée.
higgledy-piggledy [ˌhɪgldɪˈpɪgldɪ] *adj. et adv.* pêle-mêle, en vrac.
high [haɪ] *adj.* **1.** haut. **2.** élevé. **3.** important. ***High mass,*** grand-messe; *(amér.)* ***high school,*** lycée; ***high society,*** haute société; ***high spot,*** clou (de la soirée); ***high street,*** grand-rue; *(Ens).* ***high table,*** table d'honneur (des professeurs); ***high tea,*** dîner collation (accompagné de thé). **4.** noble (pensée,...). **5.** fort (fièvre). **6.** vif (couleur). **7.** aigu (voix). **8.** ***In high summer,*** au cœur de l'été. **9.** faisandé. **10.** ivre, drogué! *(fam.)* ***High on drugs,*** défoncé. ♦ ***It's high time we went,*** il est grand temps de partir.
adv. **1.** (en) haut. ***Aim high,*** viser haut. **2.** fort, avec violence. ♦ ***He was left high and dry,*** on l'a laissé en plan; ***play high,*** jouer gros.
n. **1.** ***On high,*** au ciel. **2.** niveau maximal des prix. **3.** euphorie (d'un drogué). **4.** *(Tech.)* anticyclone. **5.** *(Aut.)* ***Move into high (gear),*** passer la vitesse supérieure.
highball [ˈhaɪbɔːl] *n.* *(amér.)* grand whisky coupé d'eau.
highborn [ˈhaɪbɔːn] *adj.* de haute naissance, bien né.
highbrow [ˈhaɪbraʊ] *n.* *(fam.)* intellectuel.
highfalutin [ˌhaɪfəˈluːtɪn] *adj.* *(fam.)* affecté, prétentieux, pompeux.
high-flier [ˌhaɪˈflaɪə] *n.* *(fam.)* ambitieux.
high-flown [ˌhaɪˈfləʊn] *adj.* ampoulé.

high-grade [ˌhaɪˈgreɪd] *adj.* de premier choix, de première qualité.
high-handed [ˌhaɪˈhændɪd] *adj.* tyrannique, arbitraire.
highland [ˈhaɪlənd] *n.* pays montagneux.
high-life [ˈhaɪlaɪf] *n.* vie mondaine.
highlight [ˈhaɪlaɪt] *n.* clou (d'un événement). ***The highlights of the match,*** les grands moments du match. *v.t.* mettre en vedette, en valeur.
highly [ˈhaɪlɪ] *adv.* **1.** très (content, intéressant...). **2.** bien (payé...).
highly-strung [ˌhaɪlɪˈstrʌŋ] *adj.* impressionnable, nerveux (aussi **high-strung**).
high-minded [ˌhaɪˈmaɪndɪd] *adj.* aux sentiments nobles.
Highness [ˈhaɪnɪs] *n.* Altesse. ***Your Highness,*** Votre Altesse.
high-pitched [ˌhaɪˈpɪtʃt] *adj.* **1.** aigu (voix). **2.** à forte pente (toit).
high-powered [ˌhaɪˈpaʊəd] *adj.* de grande puissance ou portée.
high-pressure [ˌhaɪˈpreʃə] *adj.* **1.** à haute pression. **2.** *(Comm.)* ***High pressure salesman,*** vendeur importun (qui veut forcer à acheter).
highroad [ˈhaɪrəʊd] *n.* grand-route.
high-sounding [ˌhaɪˈsaʊndɪŋ] *adj.* pompeux, prétentieux.
high-speed [ˌhaɪˈspiːd] *adj.* ultra-rapide. *(Phot.)* ***High-speed lens,*** objectif à obturation rapide.
high-spirited [ˌhaɪˈspɪrɪtɪd] *adj.* **1.** plein d'entrain. **2.** fougueux.
highway [ˈhaɪweɪ] *n.* grand-route. ***Highway code,*** code de la route; ***Highways Department,*** Ponts et Chaussées.
highwayman [ˈhaɪweɪmən] *n. (pl.* **-men***)* *(vx.)* voleur de grand chemin.
hijack [ˈhaɪdʒæk] *v.t.* **1.** s'emparer par la force (de marchandises de contrebande). **2.** dérouter (un avion en vol).
hijacker [ˈhaɪdʒækə] *n.* pirate de l'air.
hijacking [ˈhaɪdʒækɪŋ] *n.* piraterie aérienne, détournements d'avions.
hike [haɪk] *n.* **1.** randonnée (pédestre). **2.** *(amér.)* hausse des prix. *v. intr.* faire une randonnée. *v.t.* *(amér.)* augmenter (les prix).
△ **hilarious** [hɪˈleərɪəs] *adj.* **1.** hilare. **2.** désopilant, drôle.
hill [hɪl] *n.* **1.** colline, coteau. **2.** côte; montée, descente. ♦ ***Up hill and down dale,*** par monts et par vaux.
hillock [ˈhɪlək] *n.* monticule, tertre.
hillside [ˈhɪlsaɪd] *n.* coteau.
hilly [ˈhɪlɪ] *adj.* accidenté, vallonné.
hilt [hɪlt] *n.* garde (d'épée); manche (de couteau,...). ♦ *(fam.)* ***Up to the hilt,*** jusqu'à la gauche; *(fam.)* ***up to the hilt in trouble,*** dans les ennuis jusqu'au cou.
him [hɪm] *pr. pers.* le, lui.
himself [ɪmˈself,hɪmˈself] *pr. pers. réfléchi,* lui-même. ♦ ***He did it all by himself,*** il a fait cela tout seul; ***he has hurt himself,*** il s'est fait mal; ***he is looking himself again,*** il paraît rétabli.
hind[1] [haɪnd] *n. (Zool.)* biche.
hind[2] [haɪnd] *adj.* postérieur. ***Hind legs,*** pattes de derrière.
hinder [ˈhɪndə] *v.t.* **1.** gêner, entraver, retarder. **2.** retenir.
hindquarters [ˈhaɪndˌkwɔːtəz] *n.* arrière-train.
hindrance [ˈhɪndrəns] *n.* **1.** gêne, entrave. **2.** obstacle.
hindsight [ˈhaɪndsaɪt] *n.* *(péj.)* esprit de l'escalier.
hinge [hɪndʒ] *n.* **1.** gond, charnière. **2.** *(fig.)* pivot, nœud. *v. t.* placer des gonds, des charnières. *v. intr.* ***Hinge on,*** pivoter (autour de); *(fig.)* dépendre de.
hint [hɪnt] *n.* **1.** allusion, insinuation. ***He can take a hint,*** il comprend à demi-mot; ***I dropped him a hint,*** je lui en ai touché un mot. **2.** pointe, soupçon (de). **3.** *(pl.)* conseils, recommandations. ***Maintenance hints,*** indications d'entretien.
hinterland [ˈhɪntəlænd] *n.* arrière-pays.
hip[1] [hɪp] *n. (Anat.)* hanche. ♦ ***Hip-flask,*** flacon plat; ***hip pocket,*** poche revolver.
hip[2] [hɪp] *n. (Bot.)* fruit de l'églantier.
hipbath [ˈhɪpbɑːθ] *n.* bain de siège.
hipster [ˈhɪpstə] n. **1.** fanatique de musique pop; jeune dans le vent. **2.** *(pl.)* pantalon taille basse.
hire [haɪə] *v.t.* **1.** louer (une voiture). **2.** *(amér.)* engager (un ouvrier, un domestique...). *n.* **1.** location. ***Hire purchase,*** achat à crédit. **2.** *(amér.)* ***He***

works for hire, il est salarié.
hire out, *v. part. t.* **1.** donner en location. **2.** ***Hire oneself out,*** se placer ; louer ses services.
hiring ['haɪrɪŋ] *n.* **1.** location. **2.** embauche.
his [ɪz, hɪz] *adj. et pr. poss.* **1.** son, sa, ses. **2.** le sien, la sienne ; les siens, les siennes.
hiss [hɪs] *n.* sifflement (de serpent, de vapeur,...). *v.t. et intr.* siffler. ♦ ***This actor was hissed off the stage,*** cet acteur a dû quitter la scène sous les sifflets.
history ['hɪstərɪ] *n.* **1.** histoire. ***English history,*** l'histoire d'Angleterre. **2.** *(Méd.)* ***Case history,*** antécédents ; dossier médical.
histrionics [,hɪstrɪ'ɒnɪks] *n.* **1.** art dramatique. **2.** *(péj.)* ***It's mere histrionics,*** tout ça, c'est du cinéma.
hit [hɪt] *v. t. irr. (p.* **hit,** *p.p.* **hit***)* **1.** frapper. **2.** atteindre. **3.** *(fig.)* affecter. ***The English were hard hit by the war,*** les Anglais ont beaucoup souffert de la guerre. ♦ *(fam.)* ***Hit the bottle,*** picoler ; ***hit the headlines,*** être à la une (des journaux) ; *(fig.)* ***hit the nail on the head,*** deviner juste ; *(amér. fam.)* ***hit the road,*** se mettre en route.
v. intr. irr. ***I just hit on it,*** je l'ai découvert par hasard ; ***they hit out at him,*** ils s'en sont pris à lui.
n. **1.** coup. ***That's a hit at you,*** c'est une pierre dans votre jardin. **2.** succès. **3.** chanson (ou pièce) à succès.
hit-and-run [,hɪtənd'rʌn] *adj.* ***Hit-and-run driver,*** chauffard.
hitch [hɪtʃ] *n.* **1.** secousse, saccade. ***Give your trousers a hitch,*** remonte un peu ton pantalon. **2.** *(Naut.)* nœud. **3.** *(fig.)* anicroche, contretemps.
v.t. **1.** *(Naut.)* accrocher, amarrer. **2.** ***Hitch a lift,*** faire du stop (cf. **hitchhike**). **2.** *(argot)* ***Get hitched,*** se marier.
hitchhike ['hɪtʃhaɪk] *v. intr.* faire du stop.
hitherto [,hɪðə'tu:] *adv. (lit.)* jusqu'ici (cf. **up to now**).
hit off, *v. part. t.* imiter (quelqu'un) ; faire un portrait ressemblant de. ♦ *(fam.)* ***We hit off with them,*** nous nous sommes bien entendus avec eux.
hit-or-miss [,hɪtɔ:'mɪs] *adj.* fait au petit bonheur.
hive [haɪv] *n.* **1.** huche. **2.** *(pl.) (Méd.)* urticaire ; croup.
hive off, *v. part. intr.* **1.** (se) séparer, essaimer. **2.** *(fam.)* se tirer.
hoard [hɔ:d] *v.t.* ***Hoard (up) something,*** amasser, accumuler ; thésauriser. *n.* amas, accumulation. *(fam.)* ***Hoard of money,*** magot.
hoarding ['hɔ:dɪŋ] *n.* **1.** palissade. **2.** panneau publicitaire.
hoarfrost ['hɔ:frɒst] *n.* gelée blanche.
hoarse [hɔ:s] *adj.* rauque, enroué.
hoax [həʊks] *n.* mystification, canular. *v.t.* mystifier (quelqu'un).
hobble ['hɒbl] *v. intr.* ***Hobble along,*** clopiner. *v.t.* entraver (un cheval...). *n.* boitillement.
hobby ['hɒbɪ] *n.* passe-temps favori ; violon d'Ingres.
hobbyhorse ['hɒbɪhɔ:s] *n.* **1.** cheval de bois, dada. **2.** marotte, lubie.
hobnailed ['hɒbneɪld] *adj.* ferré, clouté (souliers).
hobnob ['hɒbnɒb] *v. intr. (fam.)* ***Hobnob with somebody,*** frayer avec quelqu'un.
hobo ['həʊbəʊ] *n. (pl.* **-es** ou **-s***) (amér.)* vagabond, clochard.
hock¹ [hɒk] *n.* jarret (d'animal).
hock² [hɒk] *n.* vin du Rhin.
hock³ [hɒk] *n. (fam.)* ***In hock,*** au mont-de-piété, au clou.
hocus-pocus [,həʊkəs'pəʊkəs] *n.* **1.** tour de passe-passe. **2.** supercherie, mystification.
hod [hɒd] *n.* **1.** oiseau (de maçon). **2.** seau à charbon (cf. **coalscuttle).**
hoe [həʊ] *n.* houe, binette. *v.t.* biner, sarcler.
hog¹ [hɒg] *n.* **1.** porc (d'élevage). **2.** *(fig.)* glouton, goinfre. ♦ *(fig.)* ***Go the whole hog,*** s'engager à fond ; *(fam.)* ***road hog,*** chauffard.
hog² [hɒg] *v.t. (argot)* (s') accaparer. ***Hog the road,*** tenir toute la route.
hogshead ['hɒgzhed] *n.* tonneau, barrique.
hogwash ['hɒgwɒʃ] *n. (fam.)* **1.** eaux grasses. **2.** *(fam.)* ***It's all hogwash,*** tout çà, c'est de la foutaise.
hoist [hɔɪst] *v.t.* hisser (une embarcation...). *n.* **1.** levage. **2.** appareil de

levage, treuil, palan. ***Give me a hoist,*** fais-moi la courte échelle.

hoity-toity [ˌhɔɪtɪ'tɔɪtɪ] *adj. (péj.)* qui se donne des airs, prétentieux.

hold [həʊld] *v. t. irr. (p.* **held,** *p.p.* **held***)* **1.** tenir. **2.** posséder. **3.** retenir (son souffle); conserver (une position). ***He held his ground,*** il n'a pas lâché pied. **4.** contenir. ***This car holds five persons,*** cette voiture est une cinq places. **5.** tenir (une réunion,...). **6.** estimer, considérer. **7.** *(fig.)* réserver (des surprises...). *v. intr. irr.* se maintenir (pour le temps). ♦ ***Hold to an opinion,*** s'en tenir à une opinion; ***hold it!*** ne bougez plus!; ***hold an audience,*** retenir l'attention d'un auditoire; ***hold your own,*** tenez bon; *(Téléph.)* ***hold the line!*** ne quittez pas!; ***hold to a belief,*** rester fidèle à une croyance; ***I don't hold with her behaviour,*** je n'approuve pas sa conduite; ***it still holds good,*** cela demeure valable. *n.* **1.** prise. **2.** soutien, point d'appui.

holdall ['həʊldɔːl] *n.* fourre-tout.

hold back, *v. part. t.* **1.** retenir, maintenir. **2.** hésiter à, s'abstenir de. **3.** dissimuler (la vérité...).

hold down, *v. part.t.* **1.** conserver (un emploi). **2.** maintenir (le niveau des prix). **3.** opprimer.

hold forth, *v. part. intr. (péj.)* pérorer (sur).

holding [həʊldɪŋ] *n.* **1.** tenue. **2.** possession. *(Comm.)* ***Holding company,*** société à portefeuille, holding.

hold off, *v. part. t. et intr.* **1.** se tenir à distance, montrer peu d'empressement à. **2.** retarder; être retardé.

hold on, *v. part. intr.* **1.** *(Téléph.)* ***Hold on!*** ne quittez pas! **2.** continuer. **3.** tenir bon, se cramponner.

hold out, *v.part. t. et intr.* **1.** tendre (la main); laisser (un espoir). **2.** durer; tenir bon. ♦ ***Hold out for a rise,*** tenir bon pour avoir une augmentation; *(fam.)* ***hold out on somebody,*** dissimuler (quelque chose) à quelqu'un.

holdover [həʊldˌəʊvə] *n. (amér.)* survivance.

hold over, *v. part. t.* remettre à plus tard.

△ **holdup** ['həʊldʌp] *n.* **1.** embouteillage. **2.** retard (train, avion...). **3.** attaque à main armée; agression.

hold up, *v. part. t. et intr.* **1.** bloquer, arrêter (la circulation). **2.** retarder. **3.** attaquer. **4.** lever (la main). **5.** tenir bon. ***He held him up as an example,*** il l'a cité en exemple; ***hold something up to ridicule,*** tourner en ridicule.

hole [həʊl] *n.* **1.** trou. **2.** tanière. **3.** *(fam.)* bled. **4.** *(fam.)* difficulté. ♦ ***Pick holes in an argument,*** chercher les points faibles dans un raisonnement. *v.t.* trouer, percer. *v. intr. (Golf)* mettre la balle dans le trou.

hole-and-corner [ˌhəʊlənd'kɔːnə] *adj. (péj.)* clandestin, en sous-main.

hole up, *v. part. intr. (amér.)* se terrer.

holiday ['hɔlɪdɪ] *n.* **1.** jour de congé. ***Bank holiday,*** jour férié. **2.** vacances. ***Go on holiday,*** partir en vacances. *v. intr. (amér.)* passer ses vacances.

holidaymaker ['hɔlɪdɪˌmeɪkə] *n.* estivant, vacancier.

holiness ['həʊlɪnɪs] *n.* caractère sacré, sainteté. ***His Holiness the Pope,*** Sa Sainteté le Pape.

holler ['hɔlə] *v. intr. (fam.* surtout *amér.)* brailler, crier à tue-tête.

hollow ['hɒləʊ] *adj.* **1.** creux. **2.** sourd (son). **3.** *(fig.)* faux, trompeur. ***Hollow promises,*** promesses vaines. *adv.* **1.** creux. **2.** *(fam.)* ***Beat somebody hollow,*** battre quelqu'un à plate couture. *n.* creux, cavité.

hollow out, *v.part. t.* creuser, évider.

holly ['hɒlɪ] *n. (Bot.)* houx.

hollyhock ['hɒlɪhɒk] *n. (Bot.)* rose trémière.

holster ['həʊlstə] *n.* étui (de revolver).

holy ['həʊlɪ] *adj.* **1.** saint, sacré. ***The Holy See,*** le Saint-Siège; ***the Holy Writ,*** les Ecritures saintes. **2.** *(fam.)* ***This boy is a holy terror,*** ce gosse est un sacré démon.

home [həʊm] *n.* **1.** logis, foyer, chez soi. ***Home life,*** vie de famille; ***make yourself at home!*** faites comme chez vous! **2.** patrie. **3.** habitat (d'animal). **4.** asile, hospice. **5.** *(Sp.)* arrivée. ♦ ***He is on the home stretch,*** il est dans la dernière droite; *(G.B.)* ***Home counties,*** les comtés avoisinant Londres; ***home front,*** l'arrière, les civils; ***home market,*** marché intérieur; *(Sp.)* ***home match,*** match sur son propre terrain;

(Polit.) ***Home Office,*** ministère de l'Intérieur ; *(Polit.)* ***home rule,*** autonomie ; ***I told him a few home truths,*** je lui ai dit ses quatres vérités.
adv. **1.** à la maison. ***Go home,*** rentrer chez soi. **2.** au pays. **3.** à fond. ***Drive a nail home,*** bien enfoncer un clou. ♦ *(fig.)* ***Bring something home*** (ou ***drive a point home***), bien faire comprendre quelque chose ; ***I don't feel at home in this subject,*** ce n'est pas dans mes cordes ; ***I'm on home ground here,*** je m'y connais à présent ; ***it's nothing to write home about,*** cela n'a rien d'extraordinaire. *v. intr.* **1.** retourner (au colombier). **2.** retourner à son gîte, à la base.

homegrown [,həʊm'grəʊn] *adj.* local, du jardin.

homeland ['həʊmlænd] *n.* patrie.

homelike ['həʊmlaɪk] *adj.* agréable, confortable.

homely ['həʊmlɪ] *adj.* **1.** simple (nourriture). **2.** *(amér.)* sans charme, laid ; ingrat (visage).

homemade [,həʊm'meɪd] *adj.* fait à la maison.

homesick ['həʊm,sɪk] *adj.* nostalgique.

homespun ['həʊmspʌn] *adj.* **1.** filé à la maison (tissu). **2.** *(fig.)* sans recherche, simple.

homestead ['həʊmsted] *n.* exploitation rurale.

hometown [,həʊm'taʊn] *n.* **1.** ville natale. **2.** ville où l'on a passé son enfance.

homeward ['həʊmwəd] *adj.* de retour (voyage).

homewards ['həʊmwədz] *adj.* vers la maison.

homework ['həʊmwɜːk] *n.* *(Ens.)* devoir. ♦ *(fig.)* ***He's done his homework,*** il connaît ses dossiers.

homing ['həʊmɪŋ] *adj.* **1.** qui rentre au colombier. ***Homing pigeon,*** pigeon voyageur. **2.** *(Tech.)* ***Homing device,*** système auto-directeur ; ***homing head,*** tête chercheuse.

hone [həʊn] *n.* pierre à aiguiser. *v.t.* aiguiser, affuter.

▻ **honest** ['ɒnɪst] *adj.* **1.** honnête, intègre. **2.** sincère, de bonne foi. ♦ ***He earns an honest living,*** il gagne honnêtement sa vie.

honestly ['ɒnɪstlɪ] *adv.* **1.** honnêtement. **2.** sincèrement.

honesty ['ɒnɪstɪ] *n.* honnêteté.

honey ['hʌnɪ] *n.* **1.** miel. *(fig.)* ***Life isn't all honey,*** la vie n'est pas toute rose. **2.** (surtout *amér.*) chéri(e).

honeycomb ['hʌnɪkəʊm] *n.* **1.** rayon de miel. **2.** nid d'abeilles (tissu). *v.t.* cribler (de).

honeymoon ['hʌnɪmuːn] *n.* lune de miel. ***Honeymoon trip,*** voyage de noces. *v. intr.* partir en voyage de noces.

honeysuckle ['hʌnɪ,sʌkl] *n.* *(Bot.)* chèvrefeuille.

honk [hɒnk] *v. intr.* **1.** pousser un cri (pour une oie). **2.** corner, klaxonner. *n.* **1.** cri (d'oie). **2.** coup de klaxon.

⚠ **honorary** ['ɒnərərɪ] *adj.* **1.** honoraire. **2.** honorifique.

honour ['ɒnə] (*amér.* **honor**) *n.* honneur. ♦ ***He is an honour to his parents,*** il fait honneur à ses parents ; ***he is in honour bound to keep it secret,*** il est tenu par l'honneur de garder cela secret ; ***put somebody on his honour,*** faire promettre solennellement à quelqu'un. *v.t.* **1.** honorer. **2.** *(Fin.)* ***Honour a bill,*** accepter un effet.

honours ['ɒnəz] *n.* **1.** distinctions honorifiques, honneurs. **2.** *(Ens.)* licence ; mention très bien.

hood [hʊd] *n.* **1.** capuchon (de moine), cagoule. **2.** *(Tech.)* capot (d'écoutille), hotte (de forge). **3.** *(amér. Aut.)* capot (cf. **bonnet**). **4.** *(amér.)* voyou (cf. **hoodlum**).

hoodlum ['huːdləm] *n.* *(amér.)* voyou, gangster.

hoodoo ['huːduː] *n.* *(amér.)* personne qui porte la guigne.

hoodwink ['hʊd,wɪŋk] *v.t.* tromper.

hoof [huːf] *n.* (*pl.* **-s** ou **-ves**) sabot (d'animal). ***Buy on the hoof,*** acheter sur pied (du bétail).

hook [hʊk] *n.* **1.** crochet, croc. **2.** hameçon. **3.** agrafe. ***Hook and eye,*** agrafe et oeillet. **4.** faucille, émondoir. **5.** *(Boxe)* crochet. **6.** *(Téléph.)* support. ♦ *(fam.)* ***Be on the hook,*** être dans une mauvaise passe ; ***by hook or crook,*** par tous les moyens. *v.t.* **1.** accrocher, suspendre. **2.** ferrer (un poisson). **3.** ***Hook (up),*** agrafer. **4.**

Hook one's arm, replier le bras. **5.** *(Boxe)* porter un crochet. ♦ *(argot)* ***Hook it,*** décamper.

hooked [hʊkt] *adj.* **1.** crochu, recourbé. **2.** muni de crochets. **3.** accroché. **4.** *(fam.)* ***Be hooked on (drugs...),*** ne pas pouvoir se passer de (drogues), être dépendant de.

hooker ['hʊkə] *n.* *(Rugby)* talonneur.

hook-nosed ['hʊknəʊzd] *adj.* au nez crochu.

hookup ['hʊkʌp] *n.* *(radio, T.V.)* conjugaison de postes émetteurs.

hooky ['hʊkɪ] (aussi **hookey**) *n.* *(amér. fam.)* ***Play hooky,*** faire l'école buissonnière (cf. **truant**).

hooligan ['hu:lɪgən] *n.* voyou, vandale.

hoop [hu:p] *n.* **1.** cercle. **2.** cerceau. **3.** arceau (de crochet). ♦ *(fig.)* ***He put me through the hoops,*** il m'a rendu la vie dure. *v.t.* cercler (un tonneau).

hoot [hu:t] *v.t. et intr.* **1.** ululer. **2.** huer. ***He was hooted off the stage,*** on l'a obligé à quitter la scène sous les huées. **3.** klaxonner, siffler (pour une sirène). ♦ ***Hoot with laughter,*** rire aux éclats. *n.* **1.** ululement. **2.** huée. **3.** coup de klaxon, de sirène; sifflement; mugissement. ♦ *(fam.)* ***I don't care a hoot,*** je m'en fiche pas mal.

hoot down, *v. part. t.* faire taire (quelqu'un) par des huées.

hooter ['hu:tə] *n.* **1.** sirène, sifflet. **2.** klaxon. **3.** *(argot)* blair.

hoover ['hu:və] *n.* aspirateur électrique.

hooves ['hu:vz] *n.* *(pl.* de **hoof***)* sabots.

hop[1] [hɒp] *n.* **1.** petit saut, sautillement. **2.** saut à cloche-pied. *(Sp.)* ***Hop, step and jump,*** triple saut. **3.** *(Av.)* étape. ***In one hop,*** sans escale. ♦ *(fig.)* ***He caught me on the hop,*** il m'a pris au dépourvu; *(fig.)* ***he keeps us on the hop,*** il ne nous laisse pas inactifs.
v. intr. **1.** sauter, sautiller. **2.** sauter à cloche-pied. *v.t.* sauter (un fossé). ♦ *(argot)* ***Hop it!*** allez ouste! *(fam.)* ***hopping mad,*** fou de colère; *(fam.)* ***hop the twig,*** filer (sans payer ses dettes); casser sa pipe.

hop[2] [hɒp] *n.* **1.** *(Bot.)* houblon. ***Hop field,*** houblonnière. **2.** ***Hops,*** le houblon (pour faire la bière).

hope [həʊp] *n.* espoir, espérance. ***Beyond hope,*** désespéré; ***I set my hopes on him,*** je mets tout mon espoir en lui. *v.t. et intr.* espérer, s'attendre à. ***Hope for the best,*** ne désespère pas; ***I hope not,*** j'espère que non.

hopeful ['həʊpfəl] *adj.* plein d'espoir, encourageant. *n.* *(fam.)* ***My own hopeful,*** mon fils qui promet.

hopeless ['həʊplɪs] *adj.* **1.** sans espoir, irrémédiable, désespéré. **3.** incorrigible; invétéré.

hopper ['hɒpə] *n.* **1.** animal sauteur (sauterelle,...). **2.** *(Tech.)* trémie, huche. **3.** *(Naut.)* chaland, allège.

hopscotch ['hɒpskɒtʃ] *n.* marelle.

horn [hɔ:n] *n.* **1.** corne. **2.** *(Mus.)* cor. ***French horn,*** cor d'harmonie. **3.** klaxon. ♦ *(fig.)* ***I had to draw my horns,*** j'ai dû restreindre mes prétentions.

horned ['hɔ:nd] *adj.* à cornes, cornu.

hornet ['hɔ:nɪt] *n.* frelon. ♦ *(fig.)* ***Stir up a hornet's nest,*** se fourrer dans un guêpier.

horn in, *v. part.* *(argot)* mettre son grain de sel.

horn-rimmed [,hɔ:n'rɪmd] à monture d'écaille (lunettes).

horrendous [hɒ'rendəs] *adj.* *(fam.)* horrible, terrible.

horrid ['hɒrɪd] *adj.* **1.** horrible, affreux. **2.** *(fam.)* méchant.

horrific [hɒ'rɪfɪk] *v.t.* horrible, terrifiant.

▷ **horrify** ['hɒrɪfaɪ] *v.t.* **1.** horrifier. **2.** scandaliser, choquer.

horror ['hɒrə] *n.* **1.** horreur. **2.** *(fam.)* chose (ou personne) terrible; poison. ♦ ***Horror film,*** film d'épouvante; ***I have a horror of spiders,*** je déteste les araignées.

horse [hɔ:s] *n.* **1.** (collectif) cavalerie. **3.** *(Sp.)* cheval d'arçon. **4.** ***Clothes horse,*** séchoir à linge; ***towel horse,*** porte-serviettes. **5.** *(Tech.)* chevalet, chèvre. ♦ *(fam.)* ***He eats like a horse,*** il mange comme quatre; ***horse chestnut,*** marron; ***horse sense,*** gros bon sens; *(fam.)* ***straight from the horse's mouth,*** de source sûre.

horseback ['hɔ:sbaek] *n.* ***On horseback,*** à cheval.

horsefly ['hɔ:sflaɪ] *n.* taon.

horsehair ['hɔ:sheə] *n.* crin (de cheval).

horselaugh ['hɔ:slɑ:f] *n.* gros rire.

horseman ['hɔːsmən] *n.* (*pl.* **-men**) cavalier.
horsemanship ['hɔːsmənʃɪp] *n.* **1.** équitation, **2.** talent d'écuyer.
horseplay ['hɔːspleɪ] *n.* jeux brutaux. ***No horseplay!*** doucement!
horsepower ['hɔːs,paʊə] *n.* (*Tech.*) puissance (d'un moteur...).
horseracing ['hɔːs,reɪsɪŋ] *n.* courses, hippisme.
horseradish ['hɔːs,rædɪʃ] *n.* (*Bot., Cuis.*) raifort.
horseshoe ['hɔːsʃuː] *n.* fer à cheval.
horse-trading ['hɔːs,treɪdɪŋ] *n.* maquignonnage.
horsewhip ['hɔːs,wɪp] *n.* cravache. *v.t.* cravacher.
horsy ['hɔːsɪ] *adj.* **1.** qui ne parle que de chevaux. **2.** chevalin.
hose [həʊz] *n.* tuyau (d'arrosage, d'incendie,...). *v.t.* laver au jet, arroser.
hosiery ['həʊzɪərɪ] *n.* bonneterie.
hospitable ['hɒspɪtəbl] *adj.* hospitalier, accueillant.
▻ **hospital** ['hɒspɪtl] *n.* hôpital.
host¹ [həʊst] *n.* multitude, foule.
host² [həʊst] *n.* hôte, maître de maison.
host³ [həʊst] *n.* (*Rel.*) hostie.
hostage ['hɒstɪdʒ] *n.* otage.
hostel ['hɒstl] *n.* hôtellerie, foyer. ***Youth hostel,*** auberge de jeunesse.
hostess ['həʊstɪs] *n.* **1.** hôtesse, maîtresse de maison. **2.** hôtesse (de club...), entraîneuse.
hot [hɒt] *adj.* **1.** chaud, brûlant. ***I'm hot,*** j'ai chaud. **2.** épicé (nourriture). **3.** ***Hot news,*** nouvelles fraîches. **4.** passionné, irritable (caractère). **5.** érotique (livre). **6.** (*Méd.*) ***Hot flush,*** bouffées de chaleur. **7.** (*fig.*) ***Hot air,*** du vent, du boniment. **8.** (*argot*) ***Hot goods,*** marchandises volées impossibles à écouler. **9.** ***Hot line,*** téléphone rouge. **10.** ***Hot jazz,*** jazz très libre et rythmé. **11.** (*fam.*) ***Hot rod,*** vieille voiture gonflée. **12.** (*fam.*) ***Hot seat,*** chaise électrique. **13.** ***Hot spot,*** point chaud, cabaret. ♦ (*fam.*) ***Be hot and bothered,*** se faire du mauvais sang; ***blow hot and cold,*** changer constamment d'avis; ***get hot,*** brûler (à un jeu de devinettes); (*fig.*) ***get into hot water,*** s'attirer des ennuis; ***he's hot on politics,*** il est très au courant en politique; (*fam.*) ***it's not so hot,*** ça n'est pas fameux; ***they're hot on his trail,*** ils le talonnent; ***they make it (too) hot for him,*** ils lui rendent la position intenable.
hotbed ['hɔtbed] *n.* (*fig.*) foyer (d'intrigue, de crime...).
hot-blooded [,hɒt'blʌdɪd] *adj.* emporté, passionné.
hotchpotch ['hɒtʃpɒtʃ] *n.* méli-mélo, fatras.
hotfoot [,hɒt'fʊt] *adv.* précipitamment, à la hâte.
hothead ['hɒthed] *n.* tête brûlée.
hothouse ['hɒthaʊs] *n.* serre.
hotly ['hɒtlɪ] *adv.* **1.** avec fougue. **2.** ***He was hotly pursued,*** il était serré de près, poursuivi avec acharnement.
hotplate ['hɒtpleɪt] *n.* **1.** plaque chauffante. **2.** chauffe-plats.
hot-tempered [,hɒt'tempəd] *adj.* colérique, emporté.
hot up *v. part. t. et irr.* **1.** réchauffer. **2.** (*fig.*) exciter, mettre en rogne; (s')envenimer.
hot-water bottle [,hɒt'wɔːtə,bɒtl] *n.* bouillotte.
hound [haʊnd] *n.* **1.** chien de chasse. **2.** (*fig.*) canaille.
hound down, *v. part.t.* poursuivre sans relâche, pourchasser.
hound's tooth [,haʊndz'tuːθ] *n.* ***Hound's tooth (check),*** pied de poule (tissu).
hour [aʊə] *n.* **1.** heure. **2.** moment. ♦ ***At the eleventh hour,*** au dernier moment; ***in the small hours,*** juste après minuit; ***keep late hours,*** se coucher très tard; ***out of hours,*** en dehors des heures (de bureau, d'ouverture,...); ***work long hours,*** faire de longues journées de travail; ***zero hour,*** heure H.
hourglass ['aʊəglɑːs] *n.* sablier.
hourly ['aʊəlɪ] *adj.* **1.** de toutes les heures. **2.** constant. ***Hourly dread of death,*** crainte continuelle de la mort. *adv.* **1.** chaque heure. **2.** constamment. **3.** incessamment. ***They expect her hourly,*** ils l'attendent d'un instant à l'autre.
house [haʊs] *n.* (*pl.* **houses** ['haʊzɪz]) **1.** maison, logis. ***House agent,*** agent immobilier; ***house party,*** récep-

tion dans une maison de campagne. **2.** maisonnée. **3.** famille, dynastie. **4.** *(Comm.)* maison d'édition. **5.** *(Ens.)* maison d'élèves, groupe d'élèves. **6.** *(Méd.)* ***House physician,*** chef de clinique. **7.** *(Polit.)* assemblée; *(G.B.)* ***the House,*** la Chambre des Communes. **8.** *(Th.)* salle; public. ***First house,*** première séance; ***picture house,*** cinéma. ♦ *(Jur.)* ***Be under house arrest,*** être assigné à résidence; *(Th.)* ***bring the house down,*** recevoir un tonnerre d'applaudissements; *(fam.)* ***get on like a house on fire,*** fraterniser, s'entendre comme larrons en foire; *(fam.)* ***have a drink on the house,*** bénéficier de la tournée du patron; ***keep open house,*** tenir table ouverte.
v.t. [haʊz] **1.** loger. **2.** *(Comm.)* stocker.

houseboat ['haʊsbəʊt] *n.* péniche aménagée (pour servir de logement).

housebreaker ['haʊs,breɪkə] *n.* **1.** cambrioleur (cf. **burglar**). **2.** démolisseur.

housebroken ['haʊs,brəʊkn] *adj.* *(amér.)* propre, bien dressé (pour un jeune enfant, un chiot,...).

housecoat ['haʊskəʊt] *n.* peignoir.

houseful ['haʊsfʊl] *n.* pleine maison (de), maisonnée.

household ['haʊshəʊld] *n.* **1.** occupants d'une maison (famille et domestiques), maisonnée. **2.** famille, ménage. ***Household appliances,*** appareils ménagers.

householder ['haʊs,həʊldə] *n.* propriétaire, chef de famille.

housekeeper ['haʊs,ki:pə] *n.* gouvernante; intendant(e); économe.

housekeeping ['haʊs,ki:pɪŋ] *n.* (affaires du) ménage.

housemaid ['haʊsmeɪd] *n.* bonne, femme de chambre.

houseman ['hausmən] *n.* *(pl.* **-men***)* *(Méd.)* interne *(amér.* **intern(e)***)*.

housemaster ['haʊs,mɑ:stə] *n.* *(Ens.)* professeur responsable d'une maison d'élèves.

house-proud ['haʊspraʊd] *adj.* méticuleux (pour son intérieur).

houseroom ['haʊsrʊm] *n.* place. ***I wouldn't give it houseroom for anything,*** je n'en voudrais dans ma maison pour rien au monde.

housetops ['haʊstɒps] *n.* ***Proclaim something from the housetops,*** crier quelque chose sur les toits.

house-trained ['haʊstreɪnd] *adj.* propre (pour un animal).

housewarming ['haʊs,wɔ:mɪŋ] *n.* ***Give a housewarming,*** pendre la crémaillère.

housewife ['haʊswaɪf] *n.* *(pl.* **-ves***)* femme au foyer, ménagère.

housework ['haʊswɜ:k] *n.* travaux domestiques. ***Do the housework,*** faire le ménage.

housing ['haʊzɪŋ] *n.* logement. ***Housing estate*** (ou ***development***), lotissement.

hove [həʊv] (**heave,** *v.*)

hovel ['hɒvl] *n.* taudis.

hover ['hɒvə] *v. intr.* **1.** planer, voler en rond. **2.** ***A smile hovered on her lips,*** un sourire se dessinait sur ses lèvres. ♦ *(fig.)* ***She's hovering between life and death,*** elle est entre la vie et la mort.

▷ **hovercraft** ['hɒvəkrɑ:ft] *n.* aéroglisseur.

how [haʊ] *adv.* **1.** comment. ***How are you?*** comment allez-vous?; ***how do you do?*** enchanté, très heureux. **2.** combien. ***How many books have you got?*** combien avez-vous de livres? ***how much is it?*** ça coûte combien? ***how much milk do you want?*** combien de lait voulez-vous? ***how old is she?*** quel âge a-t-elle? **3.** comme *(exclamatif)*. ***How nice of you!*** comme c'est gentil de votre part! ***how stupid this boy is!*** comme ce garçon est bête! ♦ *(fam.)* ***How come I don't see you more often?*** comment cela se fait-il que je ne vous vois pas plus souvent? *n.* *(fam.)* ***A fine how do you do!*** quel pétrin! ***the how and the why,*** le pourquoi et le comment.

however [haʊ'evə] *adv.* **1.** de quelque manière que, si...que. ***However rich she is,*** pour riche qu'elle soit. **2.** cependant, pourtant.

howl [haʊl] *n.* hurlement (de loup,...). *v. intr.* hurler, mugir (pour le vent). ***Howl with laughter,*** rire à gorge déployée. *v.t.* beugler (un ordre...).

howl down *v. part. t.* ***Howl down a speaker,*** faire taire un orateur en le couvrant de huées.

howler ['haʊlə] *n.* erreur grossière; *(fam.)* boulette, bourde; *(Ens.)* perle.

howling ['haʊlɪŋ] *adj.* **1.** hurlant, furieux (vent). **2.** *(fig.)* énorme (bourde, succès...). ♦ ***Howling wilderness,*** désert affreux.

hub [hʌb] *n.* **1.** moyeu (de roue). **2.** *(fig.)* centre. ***Piccadilly Circus is said to be the hub of the world;*** on prétend que Piccadilly Circus est le nombril du monde.

hubbub ['hʌbʌb] *n.* brouhaha.

hubby ['hʌbɪ] *n.* *(fam.)* mari.

hubcap ['hʌbkæp] *n.* *(Aut.)* chapeau de roue, enjoliveur.

huckleberry ['hʌklbərɪ] *n.* *(Bot.)* myrtille, airelle.

huckster ['hʌkstə] *n.* **1.** colporteur. **2.** *(amér.) (Radio, T.V.)* agent de publicité.

huddle ['hʌdl] *v.t. et intr.* **1.** (s') entasser. **2.** ***Huddle oneself (up),*** se recroqueviller, se mettre en chien de fusil. *n.* tas, amas. ♦ ***Go into a huddle,*** se réunir en petit comité.

hue [hju:] *n.* teinte, nuance.

hue and cry [ˌhju:ən'kraɪ] *n.* clameur. ***Raise a hue and cry against,*** crier haro sur; provoquer un tollé contre.

huff [hʌf] *n.* ***Go into a huff,*** prendre la mouche.

huffy ['hʌfɪ] *adj.* **1.** irascible. **2.** susceptible.

hug [hʌg] *n.* étreinte, embrassade. ***Give somebody a hug,*** serrer quelqu'un sur son cœur. *v.t.* **1.** étreindre, embrasser. **2.** *(Naut.)* ***Hug the land (ou the wind),*** naviguer au plus près. ♦ ***Hug oneself,*** jubiler.

huge [hju:dʒ] *adj.* énorme.

hulk [hʌlk] *n.* *(Naut.)* **1.** carcasse (de navire). **2.** gros lourdaud.

hulking ['hʌlkɪŋ] *adj.* lourdaud, pataud.

hull [hʌl] *n.* *(Naut.)* coque.

hullabaloo ['hʌləbəlu:] *n.* vacarme, chahut, boucan.

hum [hʌm] *n.* **1.** bourdonnement (d'abeilles). **2.** murmure (de voix). **3.** ronron (de moteur), bourdonnement (d'une ville). *v. t. et intr.* **1.** bourdonner. **2.** fredonner (un air). ♦ ***Hum and haw,*** hésiter, bafouiller; *(fig.)* ***make things hum,*** faire marcher rondement les affaires.

human ['hju:mən] *adj.* humain. ***Human being,*** être humain.

humane [hjʊ'meɪn] *adj.* humain, plein d'humanité, compatissant.

humanitarian [hju:ˌmænɪ'teərɪən] *adj. et n.* humanitaire.

humble ['hʌmbl] *adj.* **1.** humble (d'origine). **2.** modeste. ♦ *(fam.)* ***Eat humble pie,*** faire de plates excuses. *v.t.* humilier, mortifier. ***Humble oneself,*** s'abaisser.

humbug ['hʌmbʌg] *n.* **1.** berlingot. **2.** mystification. **3.** *(fam.)* charlatanisme, blague. **4.** mystificateur (charlatan). *v.t.* mystifier; *(fam.)* embobiner.

humdrum ['hʌmdrʌm] *adj.* **1.** monotone, banal (existence). **2.** *(fam.)* pantouflard.

hummingbird ['hʌmɪŋbɜ:d] *n.* colibri, oiseau-mouche.

▻ **humorist** ['hju:mərɪst] *n.* humoriste, farceur.

humorous [''hju:mərəs] *adj.* humoristique.

⚠ **humour** ['hju:mə] *n.* **1.** humour. **2.** humeur, disposition. *v.t.* se prêter aux caprices de.

hump [hʌmp] *n.* **1.** bosse. **2.** *(fam.)* ***I have the hump,*** j'ai le cafard. *v.t.* **1.** courber, voûter. **2.** *(fam.)* porter sur le dos.

humpback ['hʌmpbæk] *n.* bossu (cf. **hunchback**).

hunch [hʌntʃ] *n.* **1.** bosse. **2.** intuition. ***I have a hunch that...,*** j'ai le pressentiment que... *v.t.* voûter (les épaules,...).

hunchback ['hʌntʃbæk] *n.* bossu.

hung [hʌŋ] (**hang,** *v.*)

hunger ['hʌŋgə] *n.* **1.** faim, famine. **2.** *(fig.)* soif. ***Hunger for adventure,*** soif d'aventure(s). *v. intr.* *(fig.)* ***Hunger for...,*** avoir soif de...

hungry ['hʌŋgrɪ] *adj.* affamé. ***I'm hungry,*** j'ai faim.

hunk [hʌŋk] *n.* gros morceau, quignon.

hunt [hʌnt] *v. t. et intr.* **1.** chasser (à courre). **2.** chasser (du gros gibier); pourchasser. **3.** ***Hunt for,*** être à la recherche de. *n.* **1.** chasse. **2.** recherche.

hunt down *v. part. t.* **1.** forcer (une bête). **2.** traquer (une personne). **3.** dénicher.
hunter ['hʌntə] *n.* **1.** chasseur (de gros gibier). **2.** cheval de chasse. **3.** *(fig.)* chasseur. ***Fortune hunter,*** coureur de dot.
hunting ['hʌntɪŋ] *n.* **1.** chasse à courre. **2.** chasse au gros gibier. ♦ ***House hunting,*** recherche d'un logement; ***hunting ground,*** terrain de chasse; *(fig.)* ***happy hunting ground,*** paradis.
hunt out, *v. part. t.* dénicher (à force de recherche).
huntsman ['hʌntsmən] *n.* *(pl.* **-men***)* chasseur à courre.
hurdle ['hɜ:dl] *n.* **1.** barrière. **2.** *(Courses)*haie. **3.** *(fig.)*obstacle. *v. intr.* participer à une course de haies.
⚠ **hurl** [hɜ:l] *v.t.* **1.** lancer violemment (des pierres, des injures...). **2.** ***He hurled himself at me,*** il s'est rué sur moi.
hurly-burly ['hɜ:lɪ,bɜ:lɪ] *n.* brouhaha, tintamarre, charivari.
hurricane ['hʌrɪkən] *n.* cyclone. ***Hurricane lamp,*** lampe tempête.
hurried ['hʌrɪd] *adj.* fait à la hâte, précipité.
hurry ['hʌrɪ] *n.* hâte, précipitation. ♦ ***He's in a hurry,*** il est pressé; ***he's in no hurry,*** il a tout le temps. *v. t. et intr.* (se) presser; se dépêcher.
hurry up, *v. part. t. et intr.* **1.** faire se hâter (quelqu'un). **2.** se hâter.
hurt [hɜ:t] *v. t. irr. (p.* **hurt,** *p.p.* **hurt***).* **1.** blesser, faire mal à. **2.** faire de la peine à, froisser. **3.** nuire à. *v. intr. irr.* faire mal. ***My ankle hurts,*** j'ai mal à la cheville. ♦ *(fig.)* ***It won't hurt you to wait a little,*** cela ne vous dérangera pas d'attendre un peu plus. *n.* **1.** mal, blessure. **2.** tort, préjudice.
hurtful ['hɜ:tfəl] *adj.* **1.** nocif, nuisible. **2.** blessant, mortifiant.
hurtle ['hɜ:tl] *v. intr.* **1.** dévaler. **2.** *(Aut.)* foncer.
husband ['hʌzbənd] *n.* mari.
hush [hʌʃ] *n.* silence. ***Hush money,*** prime au silence, pot-de-vin. *v. t. et intr.* faire taire, se taire.
hush-hush [,hʌʃ'hʌʃ] *adj. (fam.)*très secret.
hush up *v. part.* étouffer (un scandale...).
husk [hʌsk] *n.* enveloppe (de céréales), balle, cosse, bogue. *v.t.* décortiquer.
husky ['hʌskɪ] *adj.* **1.** rauque, enroué. **2.** costaud.
hussy ['hʌsɪ,'hʌzɪ] *n.* garce, traînée.
hustings ['hʌstɪŋz] *n.* plate-forme; *(Polit.)*campagne électorale.
hustle ['hʌsl] *v.t.* bousculer, houspiller. *v. intr.* **1.** se dépêcher. ***Hustle through the crowd,*** jouer des coudes. **2.** *(amér. fam.)* faire le trottoir. *n.* bousculade, hâte. ***Hustle and bustle,*** tourbillon d'activité.
hustler ['hʌslə] *n.* **1.** homme dynamique. **2.** débrouillard. **3.** *(amér. fam.)*prostituée.
hut [hʌt] *n.* hutte, cabane.
hutch [hʌtʃ] *n.* clapier.
hydrangea [haɪ'dreɪndʒə] *n. (Bot.)* hortensia.
hydrant ['haɪdrənt] *n.* prise d'eau. ***Fire hydrant,*** bouche d'incendie.
hydroplane ['haɪdrəpleɪn] *n.* **1.** hydravion. **2.** hydroglisseur.
hyphen ['haɪfn] *n.* trait d'union.
▻ **hypnosis** [hɪp'nəʊsɪs] *n.* hypnose.
hypocritical [,hɪpəʊ'krɪtɪkl] *adj.* hypocrite.
▻ **hypothesis** [haɪ'pɒθɪsɪs] *n.* (*pl.* **-ses** [-si:z]) hypothèse.
▻ **hysteria** [hɪ'stɪərɪə] *n.* hystérie.
▻ **hysterical** [hɪ'sterɪkl] *adj.* hystérique.
⚠ **hysterics** [hɪ'sterɪks] *n.* crise de nerfs. ***Go into hysterics,*** avoir une crise de nerfs. **2.** *(fig.)*fou rire.

I

I[1], **i** [aɪ] neuvième lettre de l'alphabet.
I[2] [aɪ] *pr. pers. sujet,* je; moi.
ice [aɪs] *n.* **1.** glace. **2.** ***Ice (cream),*** glace; ***water ice,*** sorbet. ♦ *(fig.)* ***He's skating on thin ice,*** il est sur un terrain glissant; *(fig.)* ***that cuts no ice***

with me, cela ne m'impressionne pas. *v.t.* **1.** rafraîchir, congeler. **2.** glacer (un gâteau).

icebound ['aɪsbaʊnd] *adj.* pris dans les glaces.

icebox ['aɪsbɒks] *n.* **1.** glacière. **2.** *(amér.)* réfrigérateur.

icebreaker ['aɪs,breɪkə] *n.* brise-glace.

iceman ['aɪsmən] *n.* (*pl.* **-men**) marchand de glaces.

ice-skate ['aɪsskeɪt] *n.* patin à glace. *v. intr.* faire du patin à glace.

ice up, *v. part. intr.* se givrer.

icicle ['aɪsɪkl] *n.* glaçon.

icing ['aɪsɪŋ] *n. (Cuis.)* glaçage.

icy ['aɪsɪ] *adj.* **1.** glacé, glacial. **2.** couvert de glace ; verglacé (route).

idea [aɪ'dɪə] *n.* **1.** idée. **2.** opinion. **3.** notion. ***It's not my idea of a holiday,*** ce n'est pas ainsi que je conçois des vacances. **4.** projet.

⊳ **ideal** [aɪ'dɪəl] *adj.* idéal, parfait. ***Ideal Home Exhibition,*** salon des Arts ménagers. *n.* idéal.

⊳ **identical** [aɪ'dentɪkl] *adj.* identique.

⊳ **identify** [aɪ'dentɪfaɪ] *v.t.* **1.** identifier. **2.** reconnaître la ressemblance de. *v. intr.* ***Identify with,*** s'assimiler à.

identikit [aɪ'dentɪkɪt] *n.* portrait-robot.

idiotic [,ɪdɪ'ɒtɪk] *adj.* idiot.

idle ['aɪdl] *adj.* **1.** oisif, désœuvré. **2.** inactif (pour une usine). ***Run idle,*** tourner à vide. **3.** vain, futile (propos, craintes). *v. intr.* **1.** paresser, être désœuvré. **2.** *(Aut.)* tourner au ralenti.

idle away, *v. part. t.* ***Idle one's time away,*** perdre son temps.

idly ['aɪdlɪ] *adv.* **1.** sans rien faire, paresseusement. **2.** de façon futile, inutilement. **3.** négligemment.

idolize ['aɪdəlaɪz] *v.t.* idolâtrer, adorer.

if [ɪf] *conj.* si, en supposant que. ♦ ***I don't know if she was there,*** j'ignore si elle se trouvait là ; ***if anything this one is more clever,*** si une différence existe entre eux, il est le plus intelligent ; ***if I had only known,*** si j'avais su ; ***if I were you,*** à votre place ; ***modifications if any will have to be made soon,*** si l'on veut procéder à des modifications, il faudra faire vite.

ignite [ɪg'naɪt] *v.t.* mettre le feu (à). *v. intr.* s'enflammer.

ignition [ɪg'nɪʃn] *n.* **1.** mise à feu. **2.** allumage.

⚠ **ignore** [ɪg'nɔ:] *v.t.* feindre d'ignorer. ***She ignored me,*** elle m'a battu froid.

ill[1] [ɪl] *adj. (comp.* **worse,** *superl.* **worst)** malade, souffrant.

ill[2] [ɪl] *adv.* **1.** mal, cruellement. ***I was ill at ease,*** j'étais mal à l'aise. **2.** difficilement. ***I can ill afford it,*** je ne peux guère me le payer.

ill[3] [ɪl] *n.* **1.** mal. **2.** tort, dommage. **3.** *(pl.)* malheurs, maux.

ill-advised [,ɪləd'vaɪzd] *adj.* peu judicieux, mal inspiré.

ill-bred [,ɪlbred] *adj.* mal élevé.

illegible [,ɪledʒəbl] *adj.* illisible.

illegitimate [,ɪlɪ'dʒɪtɪmɪt] *adj.* **1.** illégitime. **2.** naturel (enfant).

ill-fated [,ɪl'feɪtɪd] *adj.* **1.** infortuné. **2.** néfaste (cf. **ill-starred**).

ill-favoured [,ɪl'feɪvəd] *adj. (lit.)* laid.

ill-gotten [,ɪl'gɒtn] *adj.* mal acquis (profit).

ill-grounded [,ɪl'graʊndɪd] *adj.* sans fondement.

illiberal ['ɪlɪbərəl] *adj.* **1.** peu libéral, intolérant. **2.** peu généreux, mesquin.

illimitable [ɪ'lɪmɪtəbl] *adj.* sans bornes, illimité.

illiteracy [ɪ'lɪtərəsɪ] *n.* analphabétisme.

illiterate [ɪ'lɪtərɪt] *adj.* illettré, analphabète.

ill-mannered [,ɪl'mænəd] *adj.* grossier, mal élevé.

ill-natured [,ɪl'neɪtʃəd] *adj.* méchant, mauvais.

illness [ɪ'lnɪs] *n.* maladie.

ill-starred [,ɪl'stɑ:d] *adj.* **1.** infortuné. **2.** néfaste (cf. **ill-fated**).

ill-tempered [,ɪl'tempəd] *adj.* qui a mauvais caractère, grincheux.

ill-timed [,ɪl'taɪmd] *adj.* inopportun, mal à propos.

ill-treat [,ɪl'tri:t] *v.t.* maltraiter, brutaliser.

⚠ **illuminate** [ɪ'lu:mɪneɪt] *v. t.* **1.** éclairer. **2.** illuminer (un monument). **3.** enluminer (un manuscrit). **4.** *(fig.)* élucider.

illuminating [ɪ'lu:mɪneɪtɪŋ] *adj.* qui éclaire une question (remarque...).

illusive [ɪ'lu:sɪv] *adj.* illusoire, trompeur.

illusory [ɪ'lu:sərɪ] *adj.* illusoire, qui reste sans effet.

▻ **illustrate** ['ɪləstreɪt] *v.t.* **1.** illustrer, mettre en lumière (des faits). **2.** illustrer (un texte).

illustrative ['ɪləstreɪtɪv] *adj.* explicatif.

▻ **image** ['ɪmɪdʒ] *n.* **1.** image. **2.** portrait. ***He's the very image of his father,*** c'est son père tout craché. **3.** représentation, conception. **4.** image de marque. **5.** *(lit.)* métaphore. **6.** (optique) image.

▻ **imaginary** [ɪ'mædʒɪnərɪ] *adj.* imaginaire, fictif.

imaginative [ɪ'mædʒɪnətɪv] *adj.* plein d'imagination.

▻ **imagine** [ɪ'mædʒɪn] *v.t.* **1.** imaginer, concevoir. **2.** s'imaginer, se figurer.

imbalance [ɪm'bæləns] *n.* déséquilibre.

imbibe [ɪm'baɪb] *v.t.* **1.** absorber. **2.** s'assimiler, s'imprégner (de) (connaissances,...). *v. intr. (fam.)* picoler.

▻ **imitate** ['ɪmɪteɪt] *v.t.* **1.** copier. **2.** imiter.

imitative ['ɪmɪtətɪv] *adj.* imitateur.

▻ **imitator** ['ɪmɪteɪtə] *n.* imitateur, imitatrice.

▻ **immaculate** [ɪ'mækjʊlɪt] *adj.* immaculé, impeccable.

⚠ **immaterial** [,ɪmə'tɪərɪəl] *adj.* **1.** insignifiant, sans importance. ***That's quite immaterial to me,*** cela ne me fait ni chaud ni froid. **2.** immatériel, incorporel.

▻ **immature** [,ɪmə'tjʊə] *adj.* **1.** pas mûr. **2.** manquant de maturité, immature.

immeasurable [ɪ'meʒərəbl] *adj.* incommensurable, infini.

immediacy [ɪ'mi:dɪəsɪ] *n.* imminence, urgence.

immerse [ɪ'mɜ:s] *v.t.* **1.** immerger, plonger. **2.** *(fig.)* ***He immersed himself in his work,*** il était entièrement absorbé dans son travail.

⚠ **immodest** [ɪ'mɒdɪst] *adj.* **1.** *(péj.)* imprudent, présomptueux. **2.** impudique, indécent.

▻ **immortalize** [ɪ'mɔ:təlaɪz] *v.t.* immortaliser.

immovable [ɪ'mu:vəbl] *adj.* **1.** impassible. **2.** immuable, inébranlable. *n. (pl.)* biens immobiliers.

immune [ɪ'mju:n] *adj.* **1.** *(Méd.)* ***Immune to*** (ou ***from***) ***a poison,*** immunisé contre un poison. **2.** *(fig.)* à l'abri (de la critique,...).

▻ **immunize** ['ɪmju:naɪz] *v.t. (Méd.)* immuniser.

immure [ɪ'mjʊə] *v.t.* emprisonner, enfermer.

immutable [ɪ'mju:təbl] *adj.* immuable, inaltérable.

imp [ɪmp] *n.* **1.** lutin. **2.** *(fig.)* petit diable.

⚠ **impair** [ɪm'peə] *v.t.* **1.** affaiblir (la vue, l'autorité,...). **2.** délabrer (la santé).

impairment [ɪm'peəmənt] *n.* **1.** affaiblissement. **2.** délabrement.

impale [ɪm'peɪl] *v.t.* empaler.

impart [ɪm'pɑ:t] *v.t.* communiquer (des nouvelles); donner (du courage).

impassable [ɪm'pɑ:səbl] *adj.* infranchissable, impraticable.

impassioned [ɪm'pæʃnd] *adj.* passionné, exalté.

impassive [ɪm'pæsɪv] *adj.* impassible, imperturbable.

▻ **impatient** [ɪm'peɪʃnt] *adj.* impatient. ♦ ***He's impatient of advice,*** il supporte mal les conseils.

impecunious [,ɪmpɪ'kju:nɪəs] *adj.* nécessiteux, désargenté.

impede [ɪm'pi:d] *v.t.* empêcher, faire entrave à.

impediment [ɪm'pedɪmənt] *n.* **1.** empêchement (à un mariage,...). **2.** difficulté d'élocution.

impel [ɪm'pel] *v.t.* pousser, inciter.

impending [ɪm'pendɪŋ] *adj.* imminent, menaçant.

imperil [ɪm'perɪl] *v.t.* mettre en danger, exposer.

▻ **imperious** [ɪm'pɪərɪəs] *adj.* **1.** impérieux, autoritaire. **2.** pressant.

▻ **imperishable** [ɪm'perɪʃəbl] *adj.* impérissable.

impermanent [ɪm'pɜ:mənənt] *adj.* transitoire, éphémère.

impersonate [ɪm'pɜ:səneɪt] *v.t.* *(Th.)* imiter, se faire passer pour.

impersonation [ɪm'pɜ:sə'neɪʃn] *n. (Th.)* imitation. ♦ ***He gives impersonations of different stars,*** il fait des imitations de diverses vedettes.

impervious [ɪm'pɜ:vɪəs] *adj.* **1.** imperméable, étanche. **2.** *(fig.)* insensible (à). ***He's impervious to reason,*** il est inaccessible à la raison.

impetus ['ɪmpɪtəs] *n.* vitesse acquise, élan.

▻ **impiety** [ɪm'paɪɪtɪ] *n.* impiété.

impinge [ɪm'pɪndʒ] *v. intr.* ***Impinge (up) on,*** empiéter sur, affecter.

impious ['ɪmpɪəs] *adj.* impie, sacrilège.

impish ['ɪmpɪʃ] *adj.* espiègle, malicieux.

implement ['ɪmplɪmənt] *n. (Agr.)* outil, instrument. *v.t.* accomplir, mettre en œuvre, exécuter.

imply [ɪm'plaɪ] *v.t.* **1.** impliquer, comporter. **2.** supporter, donner à entendre.

⚠ **import**[1] ['ɪmpɔːt] *n. (lit.)* **1.** sens, signification. **2.** importance.

import[2] ['ɪmpɔːt] *n. (Comm.)* importation. *v.t.* [ɪm'pɔːt] importer (des marchandises).

importer [ɪm'pɔːtə] *n.* importateur.

importunate [ɪm'pɔːtʃʊnɪt] *adj.* importun, ennuyeux.

▻ **importune** [ˌɪmpə'tjuːn] *v.t.* importuner.

⚠ **impose** [ɪm'pəʊz] *v.t.* **1.** imposer, taxer. **2.** imposer. ***He imposed himself as the leader,*** il s'est imposé comme chef. *v. intr.* **1.** ***I hope I'm not imposing on you,*** j'espère que je n'abuse pas de votre gentillesse. **2.** ***She has been imposed upon,*** on l'a trompée.

imposing [ɪm'pəʊzɪŋ] *adj.* imposant, impressionnant.

⚠ **imposition** [ˌɪmpə'zɪʃn] *n.* **1.** impôt. **2.** abus. **3.** tromperie. **4.** *(Ens.)* pensum, punition.

▻ **impostor** [ɪm'pɒstə] *n.* imposteur.

⚠ **impotent** ['ɪmpətənt] *adj.* **1.** impuissant, faible. **2.** *(Méd.)* impuissant.

impound [ɪm'paʊnd] *v.t.* **1.** mettre (une voiture) en fourrière. **2.** *(Jur.)* confisquer.

impoverish [ɪm'pɒvərɪʃ] *v.t.* appauvrir.

⚠ **impracticable** [ɪm'præktɪkəbl] *adj.* **1.** impraticable. **2.** irréalisable.

impractical [ɪm'præktɪkəl] *adj.* **1.** qui n'a pas le sens pratique. **2.** impraticable, irréalisable.

⚠ **impregnable** [ɪm'pregnəbl] *adj.* imprenable (forteresse,...).

▻ **impregnate** ['ɪmpregneɪt] *v.t.* **1.** *(Biol.)* féconder. **2.** imprégner, imbiber.

impress [ɪm'pres] *v.t.* **1.** imprimer. **2.** impressionner. **3.** faire comprendre. inculquer. *n. (lit)* empreinte, impression. **2.** marque.

▻ **impression** [ɪm'preʃn] *n.* **1.** impression, empreinte. **2.** marque. **3.** édition, tirage. **4.** impression, sentiment. ***I'm under the impression that...,*** j'ai l'impression que...

impressive [ɪm'presɪv] *adj.* impressionnant.

imprint [ɪm'prɪnt] *v.t. (fig.)* imprimer, graver. *n.* **1.** empreinte, marque. **2.** *(Tech.)* nom de l'imprimeur, indication d'éditeur.

imprison [ɪm'prɪzn] *v.t.* emprisonner, enfermer.

⚠ **improper** [ɪm'prɒpə] *adj.* **1.** déplacé (remarque). **2.** inconvenant, incorrect (expression). **3.** indécent.

⚠ **impropriety** [ˌɪmprə'praɪɪtɪ] *n.* **1.** inconvenance. **2.** impropriété. **3.** indécence.

improve [ɪm'pruːv] *v.t.* **1.** améliorer, perfectionner. **2.** amender (le sol). ♦ ***Improve the occasion,*** profiter de l'occasion, tirer la leçon morale. *v. intr.* **1.** s'améliorer (pour la santé). **2.** être (ou faire) mieux. ♦ ***She improves on acquaintance,*** elle gagne à être connue.

improvement [ɪm'pruːvmənt] *n.* amélioration, perfectionnement.

improvident [ɪm'prɒvɪdənt] *adj.* **1.** imprévoyant. **2.** prodigue.

impulse ['ɪmpʌls] *n.* **1.** impulsion. **2.** mouvement spontané, élan. ***He did it on a sudden impulse,*** il l'a fait sur l'inspiration du moment; ***impulse buying,*** achats irréfléchis.

▻ **impulsive** [ɪm'pʌlsɪv] *adj.* impulsif, irréfléchi. ♦ ***Impulsive action,*** coup de tête.

in [ɪn] *prép.* dans, en, à. **1.** *(Lieu)* ***In England,*** en Angleterre; ***in the house,*** dans la maison; ***John is out in the sun,*** John est dehors au soleil; ***they went walking in the rain,*** ils marchaient sous la pluie. **2.** *(Temps)* ***In 1925,*** en 1925; ***in ten minutes,*** en dix minutes. **3.** *(Moyen, manière)* ***He paints in oils,*** il peint à l'huile; ***she spoke in a gentle tone,*** elle parla à voix douce. ♦ ***She was in black,*** elle

était vêtue de noir; ***they came in dozens,*** ils sont venus par douzaines; ***three in ten,*** trois sur dix. *adv.* **1.** dedans, à l'intérieur. **2.** chez soi. **3.** arrivé (courrier, train...). **4.** à la mode. ***She's in,*** elle est dans le vent. **5.** de saison. ***Strawberries are in,*** c'est la saison des fraises. **6.** montante (marée). **7.** *(Polit.)* élu. ***He's in,*** il est élu. ♦ ***He's in at the match,*** il assiste au match; ***he's in for trouble,*** il va avoir des ennuis; ***I'm in on a secret,*** je suis dans le secret; ***I'm well in with him,*** je suis en bons termes avec lui; ***she works day in day out,*** elle travaille du matin au soir; *(fam.)* ***they have it in for me,*** ils ont une dent contre moi; ***we're in for it,*** nous allons écoper. *adj.* **1.** ***In tray,*** courrier arrivé. **2.** *(argot)* qui fait fureur. **3.** ***The fire is still in,*** le feu brûle toujours.
n. **1.** ***The ins and outs,*** les tenants et les aboutissants. **2.** *(Polit.)* ***The ins,*** le parti au pouvoir.

inability [ˌɪnəˈbɪlɪtɪ] *n.* incapacité.

inaccuracy [ɪnˈækjʊrəsɪ] *n.* (souvent *pl.*) imprécision, inexactitude.

inaccurate [ɪnˈækjʊrɪt] *adj.* imprécis, inexact.

inadequacy [ɪnˈædɪkwɪsɪ] *n.* **1.** incompétence. **2.** insuffisance, inadaptation.

inadequate [ɪnˈædɪkwɪt] *adj.* **1.** incompétent. **2.** insuffisant, inadapté.

inadvertent [ˌɪnədˈvɜːtənt] *adj.* **1.** inattentif, négligent. **2.** involontaire.

inane [ɪˈneɪn] *adj.* inepte, saugrenu, stupide.

▻ **inanimate** [ɪˈnænɪmɪt] *adj.* inanimé.

▻ **inanity** [ɪˈnænɪtɪ] *n.* **1.** inanité. **2.** *(pl.)* inepties.

inappropriate [ˈɪnəˈprəʊprɪɪt] *adj.* **1.** impropre (mot). **2.** déplacé, inopportun.

⚠ **inapt** [ɪnˈæpt] *adj.* **1.** ***Inapt for,*** peu adapté à. **2.** incapable.

⚠ **inarticulate** [ˌɪnɑːˈtɪkjʊlɪt] *adj.* **1.** inarticulé, indistinct. **2.** inexprimé (désir). **3.** incapable de s'exprimer. ***Inarticulate with rage,*** bafouillant de rage.

inartistic [ˌɪnɑːˈtɪstɪk] *adj.* dépourvu de sens (ou de valeur) artistique.

inasmuch as [ˌɪnəzˈmʌtʃəz] *conj.* vu que, considérant que.

⚠ **inaugurate** [ɪˈnɔːgjʊreɪt] *v.t.* **1.** installer, investir (quelqu'un dans ses fonctions). **2.** inaugurer. **3.** commencer (une ère nouvelle).

inauspicious [ˌɪnɔːsˈpɪʃəs] *adj.* peu propice, néfaste, de mauvais augure.

inborn [ˌɪnˈbɔːn] *adj.* inné.

inbound [ˈɪnbaʊnd] *adj. (Naut.)* qui rentre au port.

inbred [ˌɪnˈbred] *adj.* **1.** inné, naturel. **2.** consanguin.

inbreeding [ˈɪnbriːdɪŋ] *n.* accouplement consanguin.

incapacitate [ˌɪnkəˈpæsɪteɪt] *v.t.* **1.** rendre incapable de travailler. **2.** *(Jur.)* frapper d'incapacité.

⚠ **incapacity** [ˌɪnkəˈpæsɪtɪ] *n.* **1.** invalidité. ***Incapacité for (doing) work,*** incapacité de travail. **2.** *(Jur.)* privation de capacité légale.

▻ **incarnate** [ɪnˈkɑːneɪt] *adj.* incarné. ***The devil incarnate,*** le diable incarné. *v.t.* incarner.

incautious [ɪnˈkɔːʃəs] *adj.* imprudent, inconsidéré, irréfléchi.

▻ **incendiary** [ɪnˈsendɪərɪ] *adj.* **1.** incendiaire. **2.** séditieux. *n.* **1.** incendiaire. **2.** *(fam.)* bombe incendiaire.

incence[1] [ˈɪnsens] *n. (Rel.)* encens.

⚠ **incense**[2] [ɪnˈsens] *v.t.* exaspérer, courroucer.

incentive [ɪnˈsentɪv] *n.* **1.** stimulant, encouragement. **2.** *(Ind.)* prime. ***Production incentives,*** primes de rendement.

inception [ɪnˈsepʃn] *n.* commencement.

inch [ɪntʃ] *n.* (*pl.* **-es**) pouce (2,5 cm). ♦ ***By inches,*** de très peu; ***die by inches,*** mourir à petit feu; ***he's every inch a gentleman,*** c'est un parfait gentleman; ***inch by inch,*** petit à petit; *(fig.)* ***she won't budge an inch,*** elle ne veut pas faire la moindre concession; *(fig.)* ***within an inch of succeeding,*** sur le point de réussir.
v.t. et intr. (faire) avancer peu à peu.

⚠ **incidence** [ˈɪnsɪdəns] *n.* **1.** fréquence (d'une maladie, d'un délit...). **2.** incidence.

incidental [ˌɪnsɪˈdentl] *adj.* **1.** fortuit. **2.** sans importance. ♦ ***Incidental expenses,*** faux frais; *(Ciné.)* ***incidental mu-***

sic, musique d'accompagnement. *n.* **1.** chose fortuite, éventualité. **2.** *(pl.)* dépenses imprévues.

incidentally [ˌɪnsɪ'dentlɪ] *adv.* **1.** incidemment. **2.** entre parenthèses, soit dit en passant.

▻ **incinerate** [ɪn'sɪnəreɪt] *v.t.* incinérer.

incipient [ɪn'sɪpɪənt] *adj. (Méd.)* naissant, à ses débuts.

▻ **incise** [ɪn'saɪz] *v.t.* inciser, graver.

⚠ **incisive** [ɪn'saɪsɪv] *adj.* perspicace, pénétrant.

incisor [ɪn'saɪzə] *n. (Anat.)* incisive.

▻ **incite** [ɪn'saɪt] *v.t.* inciter, monter.

incitement [ɪn'saɪtmənt] *n.* incitation, instigation.

⚠ **incline**[1] ['ɪnklaɪn] *n.* pente, déclivité.

▻ **incline**[2] [ɪn'klaɪn] *v.t.* **1.** incliner, pencher. **2.** ***Be inclined to,*** être porté (à), enclin (à). *v. intr.* **1.** être en pente, pencher. **2.** avoir un penchant pour, être disposé à.

include [ɪn'klu:d] *v.t.* comprendre, inclure, englober.

including [ɪn'klu:dɪŋ] *prép.* y compris.

inclusive [ɪn'klu:sɪv] *adj.* inclus. ♦ ***Inclusive charge,*** tarif forfaitaire; ***inclusive of,*** y compris; ***inclusive terms,*** tout compris (en hôtel).

income ['ɪŋkʌm] *n.* revenu(s). ♦ ***Income return,*** déclaration des revenus; ***income tax,*** impôt sur le revenu.

incoming ['ɪnkʌmɪŋ] *adj.* qui commence (pour l'année...).♦ ***Incoming mail,*** courrier à l'arrivée; ***incoming tide,*** marée montante.

incommensurate [ˌɪnkə'menʃərɪt] *adj.* **1.** sans rapport avec. **2.** incommensurable.

incommunicado [ˌɪnkəmju:nɪ'kɑ:dəʊ] *adj.* ***Be held incommunicado,*** être gardé au secret.

inconclusive [ˌɪnkən'klu:sɪv] *adj.* peu concluant, peu convaincant, sans résultat.

⚠ **incongruous** [ɪn'kɒŋgrʊəs] *adj.* **1.** déplacé. **2.** ***Incongruous with,*** sans rapport avec, incompatible avec.

⚠ **inconsequent** [ɪn'kɒnsɪkwənt] *adj. (lit.)* **1.** illogique. **2.** sans importance (aussi **inconsequential**).

inconsiderable [ˌɪnkən'sɪdrəbl] *adj.* insignifiant, négligeable.

⚠ **inconsiderate** [ˌɪnkən'sɪdrɪt] *adj.* **1.** irréfléchi. **2.** qui manque d'égards.

⚠ **inconsistent** [ˌɪnkən'sɪstənt] *adj.* **1.** incompatible. **2.** illogique.

inconspicuous [ˌɪnkən'spɪkjʊəs] *adj.* peu visible, qui passe inaperçu.

incontrovertible [ɪnˌkɒntrə'vɜ:təbl] *adj.* incontestable, irréfutable.

inconvenience [ˌɪnkən'vi:nɪəns] *n.* **1.** inconvénient. **2.** gêne. *v.t.* occasionner de la gêne.

⚠ **inconvenient** [ˌɪnkən'vi:nɪənt] *adj.* **1.** malcommode, gênant. **2.** inopportun.

⚠ **incorporate**[1] [ɪn'kɔ:pəreɪt] *v. intr. (Comm.)* constituer en une société commerciale, fusionner. *v.t.* incorporer. *adj.* [ɪn'kɔ:pərɪt] en un seul corps, en un seul groupe.

increase [ɪn'kri:s] *v.t. et intr.* (s')augmenter, (s')accroître, (se) multiplier. *n.* **1.** augmentation, accroissement. **2.** multiplication, redoublement.

incredible [ɪn'kredəbl] *adj.* incroyable.

increment ['ɪŋkrɪmənt] *n.* augmentation, accroissement.

▻ **incriminate** [ɪn'krɪmɪneɪt] *v.t.* accuser, impliquer.

▻ **incubate** ['ɪŋkjʊbeɪt] *v.t. et intr.* incuber, couver.

incubator ['ɪŋkjʊbeɪtə] *n.* **1.** incubateur. **2.** *(Méd.)* couveuse (pour prématurés).

incubus ['ɪŋkjʊbəs] *n.* (*pl.* **-es**, ou **-bi**) *n.* **1.** incube. **2.** *(fig.)* cauchemar. **3.** *(fig.)* fardeau (des dettes).

▻ **inculpate** ['ɪnkʌlpeɪt] *v.t.* inculper, incriminer.

incumbent[1] [ɪn'kʌmbənt] *n.* **1.** *(Rel.)* bénéficiaire (d'une charge ecclésiastique). **2.** *(amér.)* titulaire (d'un poste administratif).

incumbent[2] [ɪn'kʌmbənt] *adj.* ***It's incumbent on him to do it,*** il lui appartient de le faire.

incur [ɪn'kɜ:] *v.t.* encourir, s'exposer à.

incurious [ɪn'kjʊərɪəs] *adj.* sans curiosité.

indebted [ɪn'detɪd] *adj.* **1.** endetté. **2.** ***Indebted to,*** redevable à.

indecency [ɪn'di:snsɪ] *n. (Jur.)* attentat à la pudeur.

⚠ **indecent** [ɪn'di:snt] *adj.* **1.** indécent. *(Jur.)* ***Indecent assault,*** attentat à la pudeur. **2.** inacceptable, déraisonna-

ble.
indecipherable [,ɪndɪ'saɪfərəbl] *adj.* indéchiffrable.
indecisive [,ɪndɪ'saɪsɪv] *adj.* **1.** peu concluant. **2.** irrésolu.
indecorous [ɪn'dekərəs] *adj.* inconvenant, de mauvais goût.
indeed [ɪn'di:d] *adv.* **1.** en effet, vraiment. **2.** à vrai dire, même. **3.** infiniment. ***I'm very glad indeed,*** je suis ravi. ♦ ***Yes indeed!*** mais certainement.
indefatigable [,ɪndɪ'fætɪgəbl] *adj.* infatigable.
indefensible [,ɪndɪ'fensəbl] *adj.* insoutenable, inexcusable.
indefinable [,ɪndɪ'faɪnəbl] *adj.* indéfinissable, vague.
▷ **indefinite** [ɪn'defɪnɪt] *adj.* **1.** indéfini, vague. **2.** indéterminé, illimité. **3.** *(Gram.)* indéfini.
indefinitely [ɪn'defɪnɪtlɪ] *adv.* **1.** indéfiniment. **2.** confusément.
▷ **indelible** [ɪn'deləbl] *adj.* indélébile.
▷ **indelicate** [ɪn'delɪkɪt] *adj.* **1.** indélicat. ***Indelicate action,*** indélicatesse. **2.** inconvenant.
indemnification [ɪn,demnɪfɪ'keɪʃn] *n.* indemnisation, dédommagement.
indemnify [ɪn'demnɪfaɪ] *v.t.* **1.** ***Indemnify somebody from,*** garantir quelqu'un contre. **2.** indemniser, dédommager.
indent [ɪn'dent] *v.t.* **1.** denteler, découper. **2.** faire un alinéa. *n.* ['ɪn dent] **1.** denture, découpure. **2.** alinéa.
indescribable [,ɪndɪs'kraɪbəbl] *adj.* indescriptible, indicible.
▷ **indeterminate** [,ɪndɪ'tɜ:mɪnɪt] *adj.* indéterminé.
⚠ **index** ['ɪndeks] *n.* (*pl.* **indexes** ou **indices** ['ɪndɪsi:z]) **1.** index, table alphabétique. **2.** *(Anat.)* index. **3.** indice, signe. *v.t.* **1.** faire établir un index. **2.** répertorier, classer.
Indian ['ɪndɪən] *adj.* indien. ***Indian ink,*** encre de Chine.
⚠ **indicate** ['ɪndɪkeɪt] *v.t.* **1.** indiquer. **2.** faire savoir. **3.** dénoter.
indices ['ɪndɪsi:z] (*pl.* de **index**)
indict [ɪn'daɪt] *v.t.* *(Jur.)* inculper.
indictable [ɪn'daɪtəbl] *adj.* qui tombe sous le coup de la loi.
indictment [ɪn'daɪtmənt] *n.* **1.** *(Jur.)* accusation, inculpation. **2.** acte d'accusation.
indigenous [ɪn'dɪdʒənəs] *adj.* indigène (production...).
indigestible [,ɪndɪd'ʒestəbl] *adj.* indigeste.
indignant [ɪn'dɪgnənt] *adj.* indigné.
⚠ **indignity** [ɪn'dɪgnɪtɪ] *n.* **1.** indignité. **2.** *(pl.)* affronts.
indiscernible [,ɪndɪ'sɜ:nəbl] *adj.* imperceptible.
⚠ **indiscreet** [,ɪndɪ's'kri:t] *adj.* **1.** indiscret. **2.** imprudent, inconsidéré.
⚠ **indiscretion** [,ɪndɪs'kreʃn] *n.* **1.** indiscrétion. **2.** imprudence. **3.** *(pl.)* péchés de jeunesse, bêtises.
indiscriminate [,ɪndɪ'skrɪmɪnɪt] *adj.* au hasard, aveugle.
⚠ **indisposed** [,ɪndɪ'spəʊzd] *adj.* **1.** peu disposé (à). **2.** indisposé.
⚠ **indisposition** [ɪn,dɪspə'zɪʃn] *n.* **1.** peu d'inclination (à); aversion (pour). **2.** indisposition.
indisputable [,ɪndɪ'spju:təbl] *adj.* incontestable, indiscutable.
indistinguishable [,ɪndɪ'stɪngwɪʃəbl] *adj.* indifférenciable, indiscernable.
individual [,ɪndɪ'vɪdjʊəl] *adj.* **1.** individuel. **2.** particulier. **3.** original. *n.* individu.
individualize [,ɪndɪ'vɪdʒʊəlaɪz] *v.t.* **1.** individualiser. **2.** personnaliser.
▷ **indoctrinate** [ɪn'dɒktrɪneɪt] *v.t.* endoctriner.
indomitable [ɪn'dɒmɪtəbl] *adj.* indomptable, invincible.
indoor ['ɪndɔ:] *adj.* d'intérieur, d'appartement (jeu, sport, vêtement...).
indoors [,ɪn'dɔ:z] *adv.* à l'intérieur ; à la maison.
induce [ɪn'dju:s] *v.t.* **1.** persuader. **2.** amener, faire naître. ***Induce sleep,*** provoquer le sommeil.
inducement [ɪn'dju:smənt] *n.* motif qui décide à agir ; offre attrayante.
indulge [ɪn'dʌldʒ] *v.t. et intr.* **1.** se prêter aux caprices (de). **2.** se laisser aller (à). ***She indulges in a nap much too often,*** elle se permet de faire une petite sieste beaucoup trop souvent.
⚠ **indulgence** [ɪn'dʌldʒəns] *n.* **1.** complaisance, faveur. **2.** plaisir, douceur, péché mignon. **3.** *(Rel.)* indulgence.

industrialist [ɪn'dʌstrɪəlɪst] *n.* industriel.

industrious [ɪn'dʌstrɪəs] *adj.* travailleur, assidu, appliqué.

△ **industry** ['ɪndəstrɪ] *n.* **1.** industrie. **2.** assiduité, application.

inebriate [ɪ'ni:brɪeɪt] *v.t.* *(lit.)* enivrer. *adj.* *(lit.)* ivre, enivré. *n.* *(lit.)* alcoolique.

inedible [ɪn'edəbl] *adj.* non comestible.

ineffective [,ɪnɪ'fektɪv] *adj.* **1.** inefficace, sans effet. **2.** incapable.

ineffectual [,ɪnɪ'fektʃʊəl] *adj.* **1.** inefficace, vain. **2.** velléitaire, incompétent.

inefficient [,ɪnɪ'fɪʃənt] *adj.* **1.** inefficace. **2.** incompétent.

△ **ineligible** [ɪn'elɪdʒəbl] *adj.* **1.** inéligible. **2.** ***Ineligible to vote,*** non admis à voter. **3.** ***Ineligible young man,*** parti peu acceptable.

△ **inept** [ɪ'nept] *adj.* **1.** déplacé, absurde. **2.** incapable.

ineptitude [ɪ'neptɪtju:d] *n.* **1.** caractère absurde (d'une remarque). **2.** ineptie (aussi **ineptness**).

inequality [,ɪnɪ'kwɒlɪtɪ] *n.* inégalité.

▻ **inequitable** [ɪn'ekwɪtəbl] *adj.* injuste.

inequity [ɪn'ekwɪtɪ] *n.* injustice.

ineradicable [,ɪnɪ'rædɪkəbl] *adj.* indéracinable, tenace.

inescapable [,ɪnɪs'keɪpəbl] *adj.* inévitable, inéluctable.

inexhaustible [,ɪnɪg'zɔ:stəbl] *adj.* **1.** inépuisable, intarissable. **2.** infatigable.

inexpediency [,ɪnɪk'spi:dɪənsɪ] *n.* inopportunité (aussi **inexpedience**).

inexpedient [,ɪnɪk'spi:dɪənt] *adj.* inopportun, malavisé.

inexpensive [,ɪnɪk'spensɪv] *adj.* bon marché, peu coûteux.

inexperienced [,ɪnɪk'spɪərɪənst] *adj.* inexpérimenté, novice.

inexpressible [,ɪnɪk'spresəbl] *adj.* indicible, inexprimable.

inextinguishable [,ɪnɪk'stɪŋgwɪʃəbl] *adj.* inextinguible (espoir, passion...).

infamous ['ɪnfəməs] *adj.* **1.** infâme, abominable. **2.** *(Jur.)* infamant (crime).

infancy ['ɪnfənsɪ] *n.* **1.** petite enfance, bas âge. **2.** *(fig.)* débuts, enfance. **3.** *(Jur.)* minorité.

△ **infant** ['ɪnfənt] *n.* **1.** enfant en bas âge, nourrisson. ***Infant mortality,*** mortalité infantile. **2.** *(Ens.)* ***Infant school,*** école primaire de 5 à 7 ans. **3.** *(Jur.)* mineur.

infatuated [ɪn'fætjʊeɪtɪd] *adj.* infatué, entiché.

infatuation [ɪn,fætʃʊ'eɪʃn] *n.* engouement, béguin.

△ **infect** [ɪn'fekt] *v.t.* **1.** infecter, contaminer. **2.** polluer, vicier. **3.** communiquer (son rire).

△ **infectious** [ɪn'fekʃəs] *adj.* **1.** infectieux. **2.** contagieux. **3.** communicatif.

infelicitous [,ɪnfɪ'lɪsɪtəs] *adj.* *(lit.)* regrettable, fâcheux.

▻ **infer** [ɪn'fɜ:] *v.t.* déduire, conclure, inférer.

▻ **inferior** [ɪn'fɪərɪə] *adj. et n.* inférieur, subalterne.

▻ **infest** [ɪn'fest] *v.t.* infester.

infighting ['ɪnfaɪtɪŋ] *n.* **1.** *(Boxe)* corps-à-corps. **2.** *(fig.)* lutte intestine.

▻ **infiltrate** ['ɪnfɪltreɪt] *v.t.* faire pénétrer. *v. intr.* s'infiltrer.

▻ **infinite** ['ɪnfɪnɪt] *adj.* infini, illimité, sans bornes.

△ **infinity** [ɪn'fɪnɪtɪ] *n.* **1.** infinité. **2.** infini. **3.** infinitude.

△ **infirm** [ɪn'fɜ:m] *adj.* **1.** infirme. **2.** *(lit.)* irrésolu. ***Infirm of purpose,*** à la volonté débile.

△ **infirmary** [ɪn'fɜ:mərɪ] *n.* **1.** hôpital. **2.** infirmerie.

△ **inflame** [ɪn'fleɪm] *v.t.* *(fig.)* enflammer, envenimer.

△ **inflammable** [ɪn'flæməbl] *adj.* **1.** inflammable. **2.** *(fig.)* prompt à s'exciter ou à se passionner.

△ **inflammatory** [ɪn'flæmətərɪ] *adj.* **1.** *(fig.)* incendiaire (propos, discours...). **2.** *(Méd.)* inflammatoire.

inflatable [ɪn'fleɪtəbl] *adj.* gonflable. ***Inflatable dinghy,*** bateau pneumatique.

inflate [ɪn'fleɪt] *v.t.* **1.** gonfler, enfler. **2.** *(Comm.)* faire monter (les prix). **3.** *(Fin.)* ***Inflate the currency,*** recourir à l'inflation.

inflated [ɪn'fleɪtɪd] *adj.* **1.** gonflé, enflé. **2.** *(fig.)* ***Inflated with pride,*** bouffi d'orgueil. **3.** exagéré (prix). **4.** ampoulé (discours).

inflationary [ɪn'fleɪʃnərɪ] *adj.* *(Fin.)* inflationniste. ***Inflationary spiral,*** course inflationniste des prix et des salaires.

inflict [ɪn'flɪkt] *v.t.* **1.** infliger (un châtiment...). **2.** ***Inflict a blow on somebody,*** assener un coup à quelqu'un.

inflow ['ɪnfləʊ] *n.* entrée, afflux.

influential [,ɪnflʊ'enʃl] *adj.* influent.

influenza [,ɪnflʊ'enzə] *n.* grippe (cf. **flu**).

info ['ɪnfəʊ] (= **information**) *n. (fam.)* renseignements, tuyaux.

⚠ **inform** [ɪn'fɔ:m] *v. t.* informer, renseigner. *v. intr.* ***Inform against*** (ou ***on***) ***somebody,*** dénoncer quelqu'un.

informal [ɪn'fɔ:ml] *adj.* **1.** sans cérémonie, en famille. **2.** ***Informal clothes,*** tenue décontractée. **3.** familier (vocabulaire, style...).

informality [,ɪnfɔ:'mælɪtɪ] *n.* absence de cérémonie, simplicité.

informant [ɪn'fɔ:mənt] *n.* informateur.

⚠ **information** [,ɪnfə'meɪʃn] *n.* **1.** renseignements. ***A piece of information,*** un renseignement. **2.** *(Inf.)* information. ***Information engineer,*** ingénieur informaticien; ***processing of information,*** traitement de l'information. **3.** *(Jur.)* dénonciation.

informative [ɪn'fɔ:mətɪv] *adj.* instructif.

informed [ɪn'fɔ:md] *adj.* bien renseigné, compétent.

informer [ɪn'fɔ:mə] *n.* indicateur de police, dénonciateur; *(péj.)* mouchard.

infringe [ɪn'frɪndʒ] *v.t.* **1.** enfreindre, transgresser. **2.** *(Comm.)* ***Infringe a patent,*** contrefaire un brevet. *v. intr.* ***Infringe upon somebody's rights,*** empiéter sur les droits de quelqu'un.

infringement [ɪn'frɪndʒmənt] *n.* **1.** infraction, violation. **2.** *(Comm.)* contrefaçon.

infuriate [ɪn'fjʊərɪeɪt] *v.t.* rendre furieux.

⚠ **infuse** [ɪn'fju:z] *v.t.* **1.** infuser. **2.** *(fig.)* insuffler (du courage...).

⚠ **infusion** [ɪn'fju:ʒn] *n.* **1.** infusion. **2.** le fait d'insuffler (courage, ardeur...).

▻ **ingenious** [ɪn'dʒi:nɪəs] *adj.* ingénieux.

⚠ **ingenuity** [,ɪndʒɪ'nju:ɪtɪ] *n.* ingéniosité.

ingenuous [ɪn'dʒenjʊəs] *adj.* ingénu, naïf.

ingenuousness [ɪn'dʒenjʊəsnɪs] *n.* ingénuité, naïveté.

ingoing ['ɪngəʊɪŋ] *adv.* qui entre. ***Ingoing tenant,*** nouveau locataire.

ingot ['ɪŋgət] *n.* lingot.

ingrained [ɪn'greɪnd] *adj.* enraciné, invétéré.

ingratiate [ɪn'greɪʃɪeɪt] *v.t.* ***Ingratiate oneself with somebody,*** se concilier les bonnes grâces de quelqu'un.

ingratiating [ɪn'greɪʃɪeɪtɪŋ] *adj.* insinuant, prévenant. ***Ingratiating smile,*** sourire engageant.

⚠ **inhabit** [ɪn'hæbɪt] *v.t.* habiter, demeurer.

inhabitant [ɪn'hæbɪtənt] *n.* habitant(e).

inhale [ɪn'heɪl] *v.t. et intr.* **1.** aspirer, respirer. **2.** avaler (la fumée).

inherit [ɪn'herɪt] *v.t.* hériter de.

inheritance [ɪn'herɪtəns] *n.* héritage.

inhibit [ɪn'hɪbɪt] *v.t.*, inhiber, paralyser. ***Joy inhibits her from speaking,*** la joie l'empêche de parler.

inhospitable [,ɪn'hɒspɪtəbl] *adj.* inhospitalier.

▻ **inhuman** [ɪn'hju:mən] *adj.* inhumain.

inhumane [,ɪnhju:'meɪn] *adj.* inhumain, cruel.

inimical [ɪ'nɪmɪkl] *adj.* ennemi, hostile.

iniquitous [ɪ'nɪkwɪtəs] *adj.* d'une monstrueuse injustice, inique.

▻ **initial**[1] [ɪ'nɪʃl] *adj.* initial, premier.

initial[2] [ɪ'nɪʃl] *n.* initiale. *v.t.* apposer ses initiales (sur); parapher.

⚠ **initiate** [ɪ'nɪʃɪeɪt] *v.t.* **1.** commencer, jeter les bases (de). **2.** initier (quelqu'un); admettre dans une société secrète. *n.* initié.

⚠ **initiation** [ɪ,nɪʃɪ'eɪʃn] *n.* **1.** commencement, instauration. **2.** initiation.

inject [ɪn'dʒekt] *v.t.* **1.** injecter. *(Fin.)* ***Inject capital into a business,*** injecter des fonds dans une affaire. **2.** *(fig.)* insuffler (de l'ardeur...).

⚠ **injection** [ɪn'dʒekʃn] *n.* **1.** injection. **2.** *(Méd.)* piqûre.

injudicious [,ɪndʒʊ'dɪʃəs] *adj.* peu judicieux, inconsidéré.

⚠ **injunction** [ɪn'dʒʌŋkʃn] *n.* **1.** injonction, ordre. **2.** *(Jur.)* arrêt de suspension, opposition.

⚠ **injure** ['ɪndʒə] *v.t.* **1.** blesser. **2.** nuire, faire tort (à). **3.** offenser.

injured ['ɪndʒəd] *adj.* **1.** blessé. ***The injured,*** les accidentés. **2.** *(Jur.)* ***Injured wife,*** femme trompée. **3.** offensé, outragé.

△ **injurious** [ɪn'dʒʊərɪəs] *adj.* nuisible, préjudiciable.

injury ['ɪndʒərɪ] *n.* **1.** tort, préjudice. **2.** blessure, lésion. **3.** dommage, avarie. ♦ ***Job-related injury,*** accident du travail; *(Sp.)* ***injury time,*** arrêts de jeu.

ink [ɪŋk] *n.* encre.

ink in, *v. part. t.* repasser à l'encre (des traits au crayon).

inkling ['ɪŋklɪŋ] *n.* soupçon. ***I haven't any inkling of it,*** je n'en ai pas la moindre idée.

inkpad ['ɪŋkpæd] *n.* tampon encreur.

inky ['ɪŋkɪ] *adj.* **1.** taché d'encre. **2.** noir comme de l'encre.

inlaid [,ɪn'leɪd] *adj.* incrusté, marqueté, parqueté.

inland ['ɪnlənd] *adj.* intérieur. ***Inland mail,*** courrier à destination de l'intérieur; ***inland produce,*** produits du pays; ***the Inland Revenue,*** le fisc. *adv.* à l'intérieur.

in-laws ['ɪnlɔːz] *n.* parents (par alliance), belle famille.

△ **inlay** ['ɪnleɪ] *n.* **1.** incrustation, marqueterie, parquet. **2.** inlay (à une dent).

inlet ['ɪnlet] *n.* **1.** *(Géog.)* petit bras de mer, crique. **2.** *(Tech.)*admission, entrée.

inmate ['ɪnmeɪt] *n.* **1.** occupant. **2.** pensionnaire, détenu.

inmost ['ɪnməʊst] *adj.* le plus profond, le plus intime, le plus secret (aussi **innermost**).

inn [ɪn] *n.* **1.** auberge, hôtellerie. **2.** *(G.B. Jur.)* ***Inns of Court,*** Écoles de droit (de Londres).

innards ['ɪnədz] *n.* *(fam.)*entrailles, ventre.

innate [,ɪ'neɪt] *adj.* inné, infus.

inner ['ɪnə] *adj.* **1.** intérieur. ***Inner tube,*** chambre à air. **2.** intime. **3.** *(Polit.)* ***Inner circle,*** groupe dirigeant (d'un parti).

innings ['ɪnɪŋz] *n. inv.* **1.** *(Cricket)* tour de batte. **2.** *(fig.)*temps de carrière (ou de vie).

innocuous [ɪ'nɒkjʊəs] *adj.* inoffensif.

innuendo [,ɪnjʊ'endəʊ] *n.* *(pl.* **-does** ou **dos)** insinuation, mot couvert.

innumerable [ɪ'njuːmərəbl] *adj.* innombrable.

△ **inobservance** [,ɪnəb'zɜːvəns] *n.* **1.** inattention. **2.** *(Rel.)* inobservance (d'une règle religieuse, morale...). **3.** *(Comm.)* inobservation, non-respect (d'une clause,...).

▷ **inoculate** [ɪ'nɒkjuleɪt] *v.t.* inoculer, vacciner.

△ **inoperable** [ɪn'ɒpərəbl] *adj.* **1.** *(Méd.)* inopérable. **2.** irréalisable; inutilisable.

inoperative [ɪn'ɒpərətiv] *adj.* **1.** qui ne fonctionne pas (machine). **2.** inopérant.

inordinate [ɪ'nɔːdənɪt] *adj.* excessif, immodéré.

in-patient ['ɪn,peɪʃnt] *n.* *(Méd.)* malade hospitalisé.

input ['ɪnpʊt] *n.* **1.** *(Elec.)*alimentation. **2.** *(Inf.)*(introduction des) données.

inquest ['ɪŋkwest] *n.* enquête (après décès).

inquire [ɪŋ'kwaɪə] *v. intr.* se renseigner, s'enquérir (aussi **enquire**). ♦ ***He inquired after your health,*** il a demandé de vos nouvelles; ***John was inquiring for you,*** John vous a demandé; ***we shall inquire into the matter,*** nous nous renseignerons là-dessus.

inquiring [ɪn'kwaɪərɪŋ] *adj.* investigateur, curieux (esprit).

inquiry [ɪn'kwaɪərɪ] *n.* **1.** enquête, investigation. **2.** demande, question (aussi **enquiry**).

inquisitive [ɪn'kwɪzɪtɪv] *adj.* inquisiteur, curieux, indiscret.

inroad ['ɪnrəʊd] *n.* **1.** incursion, invasion. **2.** empiètement. ***It will make inroads on my time,*** cela me fera perdre du temps.

inrush ['ɪnrʌʃ] *n.* irruption.

insane [ɪn'seɪn] *adj.* fou, folle. ***The insane,*** les aliénés.

insanitary [ɪn'sænɪtərɪ] *adj.* insalubre (conditions,...).

△ **insanity** [ɪn'sænɪtɪ] *n.* folie, aliénation mentale.

inscribe [ɪn'skraɪb] *v.t.* **1.** inscrire, graver. **2.** dédicacer (à).

inscrutable [,ɪns'kruːtəbl] *adj.* impénétrable (visage...).

insecure [ˌɪnsɪ'kjʊə] *adj.* **1.** peu sûr, branlant. **2.** exposé au danger. **3.** anxieux.

▻**inseminate** [ɪn'semɪneɪt] *v.t.* inséminer.

⚠**insensate** [ɪn'senseɪt] *adj.* **1.** insensible. **2.** fou, insensé (colère...).

⚠**insensibility** [ɪnˌsensə'bɪlɪtɪ] *n.* **1.** insensibilité, indifférence. **2.** *(Méd.)* perte de connaissance.

⚠**insensible** [ɪn'sensəbl] *adj.* **1.** *(lit.)* insensible. **2.** inconscient. ***Children are insensible of dangers,*** les enfants ne sont pas conscients du danger.

insensitive [ɪn'sensɪtɪv] *adj.* **1.** insensible (à). **2.** insensible (personne). ***Insensitive to shame,*** qui n'éprouve pas de honte.

insensitivity [ɪnˌsensɪ'tɪvɪtɪ] *n.* insensibilité.

insert [ɪn'sɜːt] *v.t.* insérer, introduire. *n.* *(Tech.)* insertion (dans une épreuve); encart.

in-service [ˌɪn'sɜːvɪs] *adj.* ***In-service training,*** formation continue.

inset ['ɪnset] *n.* *(Tech.)* encart, hors-texte.

inshore [ˌɪn'ʃɔː] *adj.* côtier. ***Inshore fisheries,*** pêches côtières. *adv.* près de la côte.

inside [ɪn'saɪd] *n.* **1.** intérieur, dedans. **2.** partie d'un trottoir qui est le plus éloignée de la chaussée. **3.** (souvent *pl.*) *(fam.)* estomac, ventre.
adj. **1.** intérieur. *(G.B. Aut.)* ***Inside lane,*** voie de gauche. **2.** privé. ***Inside information,*** renseignements secrets; ***the inside story,*** le dessous des cartes.
prép. **1.** dans, à l'intérieur de. **2.** ***Inside (of) a week,*** dans moins d'une semaine.
adv. **1.** à l'intérieur. **2.** *(fam.)* en taule. ♦ ***He knows his subject inside out,*** il connaît à fond son sujet; ***put one's socks on inside out,*** mettre ses chaussettes à l'envers.

insider [ɪn'saɪdə] *n.* initié (qui connaît le dessous des cartes).

▻**insidious** [ɪn'sɪdɪəs] *adj.* insidieux, traître.

insight ['ɪnsaɪt] *n.* **1.** pénétration, perspicacité. ***He has an insight into character,*** il a de la finesse psychologique. **2.** aperçu. ***It gave me an insight into the problem,*** cela m'a donné une idée du problème.

▻**insignificant** [ˌɪnsɪg'nɪfɪkənt] *adj.* insignifiant, négligeable.

▻**insinuate** [ɪn'sɪnjʊeɪt] *v.t.* insinuer, suggérer. *v. intr.* ***Insinuate oneself into somebody's favour,*** s'insinuer dans les bonnes grâces de quelqu'un.

⚠**insist** [ɪn'sɪst] *v. intr.* **1.** insister. ***She insisted on his*** (ou ***him***) ***coming,*** elle exigea qu'il vînt. **2.** prétendre, soutenir. ***I insisted that she was wrong,*** j'ai affirmé qu'elle avait tort.

⚠**insolvable** [ɪn'sɒlvəbl] *adj.* *(amér.)* insoluble, sans solution.

insolvent [ɪn'sɒlvənt] *adj.* insolvable.

insomuch as [ˌɪnsəʊ'mʌtʃəz] *conj.* *(lit.)* au point que.

▻**inspect** [ɪn'spekt] *v.t.* **1.** examiner. **2.** inspecter.

▻**inspector** [ɪn'spektə] *n.* **1.** inspecteur, inspectrice. **2.** ***Detective inspector,*** inspecteur de la Sûreté.

⚠**inspire** [ɪn'spaɪə] *v.t.* inspirer, suggérer.

install [ɪn'stɔːl] *v.t.* installer. ***Install oneself,*** s'installer.

instalment [ɪn'stɔːlmənt] *n.* **1.** *(Comm.)* acompte. ***Buy on the instalment plan,*** acheter à tempérament. **2.** *(Lit., Radio, T.V.)* épisode (d'un feuilleton) (aussi **installment**).

⚠**instance** ['ɪnstəns] *n.* **1.** exemple. ***For instance,*** par exemple; ***in the first instance,*** en premier lieu. **2.** instance, sollicitation. ***At somebody's instance,*** à la demande de quelqu'un. *v.t.* citer en exemple.

▻**instant**[1] ['ɪnstənt] *n.* instant, moment.

⚠**instant**[2] ['ɪnstənt] *adj.* **1.** immédiat. **2.** urgent. **3.** instantané. ***Instant coffee,*** café soluble. **4.** *(Comm.)* ***My letter of the 10th inst(ant),*** ma lettre du 10 courant.

instantaneous [ˌɪnstən'teɪnɪəs] *adj.* instantané.

instantly ['ɪnstəntlɪ] *adv.* immédiatement.

instead [ɪn'sted] *adv.* au lieu de cela, au contraire.

instead of [ɪn'stedəv] *prép.* au lieu de, à la place de.

instep ['ɪnstep] *n. (Anat.)* cou-de-pied.
instigate ['ɪnstɪgeɪt] *v.t.* **1.** provoquer, faire naître. **2.** inciter, pousser à.
instil [ɪn'stɪl] *v.t.* inspirer, inculquer.
▻ **institute** ['ɪnstɪtju:t] *n.* institut. *v.t.* instituer, établir.
▻ **institution** [,ɪnstɪ'tju:ʃn] *n.* institution, établissement.
instruct [ɪn'strʌkt] *v.t.* **1.** instruire, informer. **2.** donner des ordres.
instructor [ɪn'strʌktə] *n.* **1.** instructeur. ***Driving instructor,*** moniteur d'auto-école. **2.** *(amér. Ens.)* chargé de cours.
instructress [ɪn'strʌktrɪs] *n.* professeur, monitrice.
⚠ **instrumental** [,ɪnstrə'mentl] *adj.* **1.** qui contribue à. ***He was instrumental in the matter,*** il a joué un rôle dans l'affaire. **2.** *(Mus.)* instrumental.
instrumentalist [,ɪnstrə'mentəlɪst] *n.* *(Mus.)* instrumentiste.
insubordinate [,ɪnsə'bɔ:dənɪt] *adj.* insoumis, indiscipliné.
insubstantial [,ɪnsəb'stænʃl] *adj.* **1.** immatériel. **2.** trop léger (repas).
insufferable [ɪn'sʌfərəbl] *adj.* insupportable, intolérable.
insufficiency [,ɪnsə'fɪʃənsɪ] *n.* insuffisance, déficience.
▻ **insufficient** [,ɪnsə'fɪʃnt] *adj.* insuffisant.
⚠ **insular** ['ɪnsjʊlə] *adj.* **1.** insulaire. **2.** *(fig.)* étroit d'esprit, borné.
⚠ **insularity** [,ɪnsjʊ'lærɪtɪ] *n.* étroitesse d'esprit; esprit borné (aussi **insularism**).
insulate ['ɪnsjʊleɪt] *v.t. (Tech.)* isoler (un fil); calorifuger (une conduite); insonoriser. ***Insulating tape,*** chatterton. **2.** *(fig.)* ***Insulate somebody from,*** protéger quelqu'un de.
insulation [,ɪnsjʊ'leɪʃn] *n.* **1.** isolation; calorifugeage; insonorisation. **2.** *(Tech.)* isolant (électrique, thermique, acoustique).
insulator ['ɪnsjʊleɪtə] *n. (Tech.)* isolant.
▻ **insult** ['ɪnsʌlt] *n.* insulte, affront. ***Add insult to injury,*** doubler ses torts d'un affront. *v.t.* [ɪn'sʌlt] insulter, outrager.
insuperable [ɪn'sju:pərəbl] *adj.* insurmontable, infranchissable.
insurable [ɪn'ʃʊərəbl] *adj.* assurable.
insurance [ɪn'ʃʊərəns] *adj.* assurance. ***Insurance policy,*** police d'assurance; ***insurance premium,*** prime d'assurance.
insure [ɪn'ʃʊə] *v.t.* **1.** (faire) assurer. **2.** *(amér.)* garantir l'exécution de. *v. intr.* ***Insure against a danger,*** s'assurer contre un risque.
insurgent [ɪn'sɜ:dʒənt] *adj. et n.* insurgé.
intake ['ɪnteɪk] *n.* **1.** admission, contingent; *(Ens.)* nouveaux. **2.** *(Tech.)* prise, arrivée.
⚠ **integral** ['ɪntɪgrəl] *adj.* **1.** intégrant. ***Be an integral part of,*** faire partie intégrante de. **2.** *(Match)* intégral, entier. ***Integral calculus,*** calcul intégral. *n. (Math.)* intégrale. *v.t. et intr.* (s') intégrer.
integrated ['ɪntɪgreɪtɪd] *adj.* intégré. *(U.S.)* ***Integrated school,*** école multiraciale.
⚠ **intelligence** [ɪn'telɪdʒəns] *n.* **1.** intelligence. **2.** renseignements. ***A piece of intelligence,*** un renseignement.
intemperate [ɪn'tempərɪt] *adj.* intempérant, immodéré. ***Of intemperate habits,*** qui s'adonne à la boisson.
intend [ɪn'tend] *v.t. et intr.* **1.** avoir l'intention (de). **2.** destiner (à).
intended [ɪn'tendɪd] *adj.* projeté, intentionnel. *n. (hum.)* ***My intended,*** ma future.
▻ **intensify** [ɪn'tensɪfaɪ] *v.t.* intensifier, amplifier.
intent[1] [ɪn'tent] *n.* intention, dessein. ♦ ***To all intents and purposes,*** virtuellement, quasiment; ***with no ill intent,*** sans penser à mal.
intent[2] [ɪn'tent] *adj.* **1.** attentif. ***He's intent on his work,*** il est tout absorbé par son travail. **2.** décidé. ***She's intent on seeing him,*** elle est résolue à le voir.
inter [ɪn'tɜ:] *v.t.* enterrer, ensevelir.
interact [,ɪntə'rækt] *v. intr.* avoir une action réciproque.
interbreed [,ɪntə'bri:d] *v.t. irr.* *(p.* **-bred,** *p.p.* **-bred)** croiser (des races). *v. intr. irr.* se reproduire (par croisement).
interchange ['ɪntətʃeɪndʒ] *n.* **1.** échange, communication. **2.** *(Rail)* ***Interchange station,*** gare de correspondance. **3.** *(amér.)* ***(Motorway) inter-***

change, échangeur (d'autoroute). *v.t.* [ˌɪntəˈtʃeɪndʒ] échanger, intervertir.
intercommunicate [ˌɪntəkəˈmjuːnɪkeɪt] *v. intr.* communiquer (pour des chambres).
intercourse [ˈɪntəkɔːs] *n.* **1.** rapports, relations. **2.** ***(Sexual) intercourse,*** rapports sexuels.
interdenominational [ˌɪntədɪnɒmɪˈneɪʃnəl] *adj. (Rel.)* interconfessionnel.
▻ **interest** [ˈɪntrɪst] *n.* **1.** intérêt. **2.** préoccupation. **3.** (souvent *pl.*) avantage, profit. ***In the interest(s) of truth,*** dans l'intérêt de la vérité. **4.** *(Fin.)* participation aux bénéfices; intérêts. *v.t.* **1.** susciter l'intérêt (de). **2.** intéresser à (un profit...).
interested [ˈɪntrɪstɪd] *adj.* intéressé (par). ***I'm interested in architecture,*** je m'intéresse à l'architecture. **2.** concerné. ***The interested parties,*** les parties intéressées.
interesting [ˈɪntrɪstɪŋ] *adj.* intéressant.
interfere [ˌɪntəˈfɪə] *v. intr.* **1.** ***Interfere with,*** s'interposer, se mêler de. **2.** gêner, contrecarrer, porter atteinte (à).
⚠ **interference** [ˌɪntəˈfɪərəns] *n.* **1.** intervention. **2.** ingérence. **3.** *(Tech.)* interférence, perturbation; *(Radio)* parasites. **4.** *(Sp.)* obstruction.
▻ **interior** [ɪnˈtɪərə] *adj. et n.* intérieur. ***Interior decorator,*** décorateur.
interject [ˌɪntəˈdʒekt] *v.t.* lancer (une remarque).
interplace [ˌɪntəˈpleɪs] *v.t et intr.* (s') entrelacer, (s') entrecroiser.
interlink [ˌɪntəˈlɪŋk] *v.t.* enchaîner, relier.
interlock [ˌɪntəˈlɒk] *v.t. et intr.* **1.** (s') entrecroiser. **2.** *(Tech.)* (s') enclencher.
interloper [ˈɪntələʊpə] *n.* intrus.
▻ **intermediary** [ˌɪntəˈmɪːdɪərɪ] *adj. et n.* intermédiaire (pour une personne).
intermediate [ˌɪntəˈmɪːdɪət] *adj. et n.* intermédiaire (pour une chose). *(Comm.).* ***Intermediate (product),*** produit intermédiaire.
interment [ɪnˈtɜːmənt] *n.* enterrement, inhumation.
intermingle [ˌɪntəˈmɪŋgl] *v.t. et intr.* (s')entremêler, (se) mélanger.
intermission [ˌɪntəˈmɪʃn] *n.* **1.** interruption, pause, relâche. **2.** *(amér.)* entr'acte (cf. **interval**).
intern(e) [ɪnˈtɜːn] *n. (amér.)* **1.** *(Méd.)* interne (cf. **houseman**). **2.** *(Ens.)* stagiaire. *v.t.* interner.
internal [ɪnˈtɜːnl] *adj.* **1.** interne, intérieur. *(Aut.)* ***Internal combustion engine,*** moteur à explosion. **2.** à l'intérieur, dans le pays. ***Internal trade,*** commerce intérieur. **3.** ***Internal evidence,*** preuves intrinsèques.
internecine [ˌɪntəˈniːsaɪn] *adj.* intestine (lutte). ***Internecine war,*** guerre d'extermination réciproque.
internee [ˌɪntɜːˈnɪː] *n.* interné(e).
▻ **internment** [ɪnˈtɜːnmənt] *n.* internement, réclusion.
internship [ɪnˈtɜːnʃɪp] *n.* **1.** *(amér., Méd.)* internat. **2.** *(Comm.)* stage en entreprise.
interplay [ˈɪntəpleɪ] *n.* effet réciproque. ***Interplay of colours,*** effet combiné de couleurs.
interpolate [ˌɪnˈtɜːpəleɪt] *v.t.* intercaler.
interpose [ˈɪntəˈpəʊz] *v.t. et intr.* **1.** (s')interposer. **2.** intervenir (dans la discussion); faire une observation.
⚠ **interpret** [ɪnˈtɜːprɪt] *v.t. et intr.* **1.** interpréter. **2.** traduire.
⚠ **interpreter** [ɪnˈtɜːprɪtə] *n.* interprète.
interrelate [ˌɪntərɪˈleɪt] *v.t. et intr.* (se) mettre en relation mutuelle.
interrelation [ˌɪntərɪˈleɪʃn] *n.* relation réciproque, corrélation.
▻ **interrogate** [ɪnˈterəgeɪt] *v.t.* interroger, questionner.
interrogative [ˌɪntəˈrɒgətɪv] *adj.* **1.** interrogateur, interrogatrice. **2.** *(Gram.)* interrogatif. *n. (Gram.)* forme interrogative.
interrogatory [ˌɪntəˈrɒgətərɪ] *adj.* interrogateur, interrogatrice (voix, regard).
interrupt [ˌɪntəˈrʌpt] *v.t. et intr.* interrompre.
intersect [ˌɪntəˈsekt] *v.t. et intr.* (s') entrecouper, (s') entrecroiser.
intersperse [ˌɪntəˈspɜːs] *v.t.* entremêler. ***He used to intersperse his speech with quotations,*** il avait l'habitude d'émailler son discours de citations.
interstate [ˌɪntəˈsteɪt] *adj. (U.S.)* entre États.
intertwine [ˌɪntəˈtwaɪn] *v. t. et intr.* (s') entrelacer.

△ **interval** ['ɪntəvl] *n.* **1.** intervalle de temps. ***At intervals,*** par intervalles. **2.** *(Th.)* entracte. ♦ ***Bright intervals,*** belles éclaircies.

intervene [,ɪntə'vi:n] *v. intr.* **1.** survenir. **2.** intervenir, s'interposer. ♦ ***Years intervened,*** des années s'écoulèrent.

intimacy [,ɪntɪməsɪ] *n.* **1.** intimité. **2.** *(pl.)* privautés.

intimate[1] ['ɪntɪmɪt] *adj.* **1.** intime. **2.** personnel, secret. (conviction). **3.** détaillé. ***Have an intimate knowledge of,*** avoir une connaissance approfondie de... ♦ ***They are on intimate terms,*** ils sont amis intimes; ils ont des relations intimes. *n.* intime.

intimate[2] ['ɪntɪmeɪt] *v.t.* donner à entendre, suggérer.

into ['ɪntə, 'ɪntʊ, 'ɪntu:] *prép.* **1.** dans (avec changement de lieu). ***Go into a room,*** entrer dans une pièce. **2.** en (avec changement d'état). ***Burst into tears,*** fondre en larmes; ***he bawled the pupils into silence,*** il réduisit les élèves au silence en braillant; ***she has grown into a real beauty,*** elle est devenue très belle en grandissant; ***translate into English,*** traduisez en anglais; *(Math.)* ***3 into 12 goes 4,*** 12 divisé par 3 donne 4.

intone [ɪn'təʊn] *v.t.* *(Rel.)* entonner (un hymne...); psalmodier.

intoxicant [ɪn'tɒksɪkənt] *adj.* enivrant, grisant. *n.* boisson alcoolisée.

△ **intoxicate** [ɪn'tɒksɪkeɪt] *v.t.* **1.** enivrer. **2.** *(fig.)* griser.

intractable [ɪn'træktəbl] *adj.* indocile, intraitable (cf. **unmanageable**).

intramural [,ɪntrə'mjʊərəl] *adj.* intramuros.

▷ **intravenous** [,ɪntrə'vi:nəs] *adj.* *(Méd.)* intraveineux.

intricacy ['ɪntrɪkəsɪ] *n.* **1.** complexité. **2.** *(pl.)* ***The intricacies of the law,*** les dédales de la loi.

intricate ['ɪntrɪkɪt] *adj.* compliqué, embrouillé.

▷ **intrinsic** [ɪn'trɪnsɪk] *adj.* intrinsèque.

introduce [,ɪntrə'dju:s] *v.t.* **1.** présenter (quelqu'un). ***He introduced her to me,*** il me l'a présentée; ***introduce oneself,*** se présenter. **2.** introduire, faire entrer. **3.** *(Comm.)* lancer (un produit). **4.** *(Polit.)* ***Introduce a bill,*** déposer un projet de loi.

△ **introduction** [,ɪntrə'dʌkʃn] *n.* **1.** présentation. **2.** introduction, avant-propos. **3.** manuel d'initiation. **4.** *(Comm.)* lancement (d'un produit). **5.** *(Polit.)* dépôt (d'un projet de loi).

introductory [,ɪntrə'dʌktrɪ] *adj.* **1.** d'introduction, liminaire. **2.** *(Comm.)* de lancement.

intrude [ɪn'tru:d] *v.t.* introduire de force, imposer. *v. intr.* être importun. ***I hope I'm not intruding,*** j'espère que je ne vous dérange pas.

intruder [ɪn'tru:də] *n.* intrus.

intrusive [ɪn'tru:sɪv] *adj.* **1.** importun, indiscret. **2.** intrusif (son).

▷ **inundate** ['ɪnəndeɪt] *v.t.* inonder, submerger.

inure [ɪ'njʊə] *v.t.* accoutumer. ***He inured himself to fatigue,*** il s'endurcit à la fatigue.

invade [ɪn'veɪd] *v.t.* **1.** envahir. **2.** empiéter (sur); violer (l'intimité... de).

△ **invalid**[1] ['ɪnvəlɪd] *adj. et n.* **1.** invalide. **2.** malade.

invalid[2] [ɪn'vælɪd] *adj.* **1.** *(Jur.)* invalide, nul et non avenu. **2.** qui n'est plus valable, erroné (adresse,...).

▷ **invalidate** [ɪn'vælɪdeɪt] *v.t.* *(Jur.)* invalider, rendre nul.

invalid out, *v. part. t.* *(Mil.)* réformer.

invaluable [ɪn'væljʊbl] *adj.* précieux, inestimable.

inveigh [ɪn'veɪ] *v. intr.* *(lit.)* ***Inveigh against somebody,*** invectiver quelqu'un.

▷ **invent** [ɪn'vent] *v.t.* inventer.

inventory ['ɪnvəntrɪ] *n.* **1.** *(Comm.)* inventaire. **2.** *(amér.)* stock(s).

invert [ɪn'vɜ:t] *v.t.* **1.** inverser. **2.** retourner, renverser.

inverted [ɪn'vɜ:tɪd] *adj.* inversé, renversé. ***In inverted commas,*** entre guillemets (aussi ***in quotation marks***).

▷ **invest** [ɪn'vest] *v.t.* **1.** *(Fin.)* investir (des fonds...). **2.** ***Invest somebody with an office,*** confier une charge à quelqu'un. *v. intr.* *(fam.)* ***We've invested in a new car,*** nous nous sommes payés une nouvelle voiture.

investigate [ɪn'vestɪgeɪt] *v.t.* examiner à fond; enquêter sur.

investment [ɪn'vestmənt] *n.* **1.** placement (de capitaux...). **2.** investisse-

ments.
▻**inveterate** [ɪn'vetərɪt] *adj.* **1.** invétéré, incorrigible. **2.** implacable (haine...).
invidious [ɪn'vɪdɪəs] *adj.* **1.** odieux, haïssable. **2.** qui suscite la jalousie. **3.** blessant, désobligeant.
invigorate [ɪn'vɪgəreɪt] *v.t.* fortifier, donner du tonus à.
▻**invite** [ɪn'vaɪt] *v.t.* inviter, convier. **2.** solliciter (des questions...). **3.** provoquer. ***These large windows invite delinquency,*** ces grandes vitrines incitent à la délinquance.
inviting [ɪn'vaɪtɪŋ] *adj.* **1.** attrayant, engageant. **2.** tentant.
invoice ['ɪnvɔɪs] *n. (Comm.)* facture. *v.t.* facturer (des marchandises).
▻**invoke** [ɪn'vəʊk] *v.t.* invoquer. ***Invoke a blessing on somebody,*** appeler la bénédiction sur quelqu'un.
involve [ɪn'vɒlv] *v.t.* **1.** mêler (à), impliquer. ***Be involved in an accident,*** être pris dans un accident; ***he was involved in the murder,*** il a été impliqué dans ce crime. **2.** nécessiter, entraîner. ***It will involve a lot of trouble,*** cela entraînera beaucoup d'ennuis.
involved [ɪn'vɒlvd] *adj.* compliqué, complexe.
involvement [ɪn'vɒlvmənt] *n.* implication.
inward ['ɪnwəd] *adj.* **1.** intérieur, interne. **2.** intime.
inwards ['ɪnwədz] *adv.* vers l'intérieur.
iodine ['aɪədɪn] *n.* iode. ***(Tincture of) iodine,*** teinture d'iode.
irate [aɪ'reɪt] *adj.* courroucé, furieux.
irk [ɜːk] *v.t.* ennuyer.
irksome ['ɜːksəm] *adj.* ennuyeux, ingrat.
iron ['aɪən] *n.* **1.** fer. **2.** fer à repasser. ♦ *(fig.)* ***He has several irons in the fire,*** il s'occupe de plusieurs affaires à la fois; *(Méd.)* ***iron lung,*** poumon d'acier; *(fig.)* ***man of iron,*** homme inflexible; ***wrought iron,*** fer forgé. *v.t.* repasser. ***Iron (out) a crease,*** faire disparaître un faux pli.
ironing ['aɪənɪŋ] *n.* repassage. ***Ironing board,*** planche à repasser; ***ironing machine,*** machine à repasser.
ironmonger ['aɪən,mʌŋgə] *n.* quincailler.
ironmongery ['aɪən,mʌŋgrɪ] *n.* quincaillerie.
iron out, *v. part. t. (fig.)* aplanir (des difficultés).
irons ['aɪənz] *n.* **1.** fers. **2.** *(Méd.)* attelles.
ironware ['aɪənweə] *n.* ferronnerie.
ironwork ['aɪənwɜːk] *n.* constructions en fer, ferronnerie.
ironworks ['aɪənwɜːks] *n. (Ind.)* usine sidérurgique.
▻**irradiate** [ɪ'reɪdɪeɪt] *v.t.* **1.** irradier, rayonner. **2.** *(Méd.)* traiter avec des rayons.
⚠ **irreconcilable** [ɪ,rekən'saɪləbl] *adj.* **1.** irréconciliable. **2.** incompatible. ***These two theories are irreconcilable,*** ces deux théories sont incompatibles.
irrecoverable [,ɪrɪ'kʌvərəbl] *adj.* irrécupérable, irrémédiable.
irredeemable [,ɪrɪ'diːməbl] *adj.* **1.** *(Fin.)* irréalisable, non convertible. **2.** qu'on ne peut racheter (faute). **3.** irrémédiable (perte).
irreducible [,ɪrɪ'djuːsəbl] *adj.* irréductible.
irrelevance [ɪ'relɪvəns] *n.* **1.** impossibilité d'application. **2.** manque d'à-propos.
irrelevant [ɪ'relɪvənt] *adj.* sans rapport avec le sujet; hors de propos.
irremovable [,ɪrɪ'muːvəbl] *adj.* **1.** immuable. **2.** inamovible.
irreplaceable [,ɪrɪ'pleɪsəbl] *adj.* irremplaçable.
irrepressible [,ɪrɪ'presəbl] *adj.* irrésistible, endiablé.
irresolute [ɪ'rezəluːt] *adj.* indécis, hésitant.
irrespective [,ɪrɪ'spektɪv] *adj.* indépendant. ♦ ***Irrespective of,*** sans tenir compte de; indépendamment de.
irresponsible [,ɪrɪ'spɒnsəbl] *adj.* **1.** irresponsable. **2.** irréfléchi, étourdi.
irretrievable [,ɪrɪ'triːvəbl] *adj.* irréparable, irrémédiable.
▻**irrigate** ['ɪrɪgeɪt] *v.t.* irriguer, arroser.
▻**irritate** ['ɪrɪteɪt] *v.t.* **1.** irriter. **2.** agacer.
island ['aɪlənd] *n.* **1.** île. **2.** ***Traffic island,*** refuge (pour piétons).
islander ['aɪləndə] *n.* insulaire.
isle [aɪl] *n. (lit.)* île. ***The British Isles,*** les îles Britanniques.

islet ['aɪlɪt] *n.* îlot.

▻ **isolate** ['aɪsəleɪt] *v.t.* isoler (un malade, une bactérie...).

▻ **isolated** ['aɪsəleɪtɪd] *adj.* isolé.

⚠ **isolation** [,aɪsə'leɪʃn] *n.* isolement (d'un malade).

⚠ **issue** ['ɪʃu:] **1.** issue, sortie. **2.** distribution. **3.** parution, édition. **4.** édition, numéro (d'un journal). **5.** question, point. ***He's always ready to join*** (ou ***take***) ***issue with somebody,*** il est toujours prêt à engager une controverse avec quelqu'un ; ***the point at issue,*** la question en litige. *v.t. et intr.* **1.** s'écouler. **2.** distribuer (à). ***Each soldier will be issued with a new gun,*** chaque soldat touchera un nouveau fusil. **3.** publier, éditer. **4.** mettre en circulation (des billets); fournir (un passeport...).

it [ɪt] *pr. pers.* **1.** (sujet) il, elle. **2.** (complément) le, la. ♦ ***And that's it!*** et un point c'est tout ! ; ***he had a bad time of it,*** il en a vu de dures ; *(fam.)* ***he's in for it,*** son compte est bon ; ***I find it difficult to believe it,*** j'ai peine à le croire ; *(fam.)* ***I've had it,*** je suis fichu ; *(fam.)* ***you'll catch it!*** tu vas écoper ; *(fam.)* ***you'll have to foot it!*** il te faudra y aller à pied.

italicize [ɪ'tælɪsaɪz] *v.t.* mettre en italique.

▻ **italics** [ɪ'tælɪks] *n. pl.* italiques.

itch [ɪtʃ] *n.* **1.** démangeaison. **2.** *(fam.)* vif désir. ***Have an itch for money,*** être assoiffé d'argent. *v. intr.* **1.** démanger. **2.** *(fam.)* mourir d'envie (de). ***She was itching to speak,*** la langue lui démangeait.

itchy ['ɪtʃɪ] *adj.* qui démange. *(fam.)* ***He has itchy feet,*** il a la bougeotte.

item ['aɪtəm] *n.* **1.** article (de lingerie...). **2.** question, point. **3.** *(Inf.)* élément d'information. **4.** ***News item,*** nouvelle.

itemize ['aɪtəmaɪz] *v.t.* *(Comm.)* détailler (une facture).

iterate ['ɪtəreɪt] *v.t.* réitérer, répéter constamment.

▻ **itinerary** [aɪ'tɪnərərɪ] *n.* itinéraire.

its [ɪts] *adj. poss.* son, sa, ses.

itself [it'self] *pr. réfléchi* lui-même, elle-même. ***By itself,*** tout(e) seul(e).

itsy-bitsy [,ɪtsɪ'bɪtsɪ] *adj.* **1.** *(hum.)* minuscule. **2.** *(fam.)* meublé de bric et de broc.

▻ **ivory** ['aɪvərɪ] *n.* ivoire.

ivy ['aɪvɪ] *n.* *(Bot.)* lierre.

J

jab [dʒæb] *n.* **1.** coup de pointe. **2.** *(Méd., fam.)* piqûre. **3.** *(Boxe)* coup sec. *v.t.* donner des coups répétés. ***He was jabbing at the gravel with his umbrella,*** de son parapluie il piquait le gravier.

jabber ['dʒæbə] *v.t. et intr.* **1.** jacasser. **2.** baragouiner. *n.* **1.** jacasserie. **2.** baragouin.

jack [dʒæk] *n.* **1.** cric, vérin. **2.** *(Cartes)* valet. **3.** *(Naut.)* pavillon. *(G.B.)* ***The Union Jack,*** le pavillon britannique. ♦ ***Before you can say Jack Robinson,*** en un clin d'œil ; ***every man jack,*** tout le monde ; ***jack knife,*** couteau de poche.

jackal ['dʒækɔ:l] *n.* *(Zool.)* chacal.

jackboot ['dʒækbu:t] *n.* botte à genouillère, cuissarde.

⚠ **jacket** ['dʒækɪt] *n.* **1.** veste. **2.** *(Cuis.)* ***Potatoes cooked in their jackets,*** pommes de terre en robe de chambre. **3.** *(Tech.)* chemise (de refroidissement).

jack in, *v. part. t.* *(argot)* abandonner (un boulot).

jack-in-the-box ['dʒækɪnðə,bɒks] *n.* diable à ressort.

jack-of-all-trades [,dʒækəv'ɔ:ltreɪdz] *n.* *(péj.)* homme à tout faire, bricoleur.

jackpot ['dʒækpɒt] *n.* *(Cartes)* pot. ***Hit the jackpot,*** gagner le gros lot.

jack up, *v. part. t.* lever au cric.

⚠ **jade**[1] [dʒeɪd] *n.* **1.** haridelle. **2.** *(péj.)* coquine, friponne.

▻ **jade**[2] [dʒeɪd] *n.* jade.

jaded ['dʒeɪdɪd] *adj.* épuisé, éreinté.

jag[1] [dʒæg] *n.* entaille, aspérité. *v.t.* en-

tailler, denteler.
jag² [dʒæg] *n. (fam.)* bamboche.
jagged ['dʒægɪd] *adj.* déchiqueté, dentelé.
jail [dʒeɪl] *n.* prison. *v.t.* mettre en prison.
jailbird ['dʒeɪlbɜːd] *n.* récidiviste, gibier de potence.
jailbreak ['dʒeɪlbreɪk] *n.* évasion.
jailer ['dʒeɪlə] *n.* geôlier, gardien.
jalopy [dʒə'lɒpɪ] *n. (hum.)* tacot, guimbarde.
jam¹ [dʒæm] *n.* confiture. ♦ ***It's money for jam,*** c'est vite gagné ; *(fam.)* ***it's not all jam,*** ce n'est pas de la tarte.
jam² [dʒæm] *n.* **1.** blocage, enrayement. **2.** foule, encombrement. ***(Traffic) jam,*** embouteillage. **3.** ***Jam session,*** séance de jazz improvisée. ♦ *(fam.)* ***Get into a jam,*** se mettre dans le pétrin.
v.t. **1.** bloquer, enrayer. **2.** presser, comprimer. **3.** encombrer, embouteiller. **4.** *(Radio)* brouiller (une émission). *v. intr.* se bloquer, s'enrayer.
△**jamb** [dʒæm] *n.* montant (de porte, ...).
jammy ['dʒæmɪ] *adj.* **1.** *(fam.)* facile. **2.** *(fam.)* veinard.
jam on, *v. part. t.* appuyer fortement sur. ***Jam on the brakes,*** écraser la pédale des freins.
jam-packed [,dʒæm'pækt] *adj.* comble, bondé.
jangle ['dʒæŋgl] *n.* bruit discordant. *v. t. et intr.* faire un bruit de ferraille.
janitor ['dʒænɪtə] *n. (surtout amér.)* **1.** gardien d'immeuble. **2.** portier, concierge.
January ['dʒænjʊərɪ] *n.* janvier.
japan [dʒə'pæn] *v.t.* laquer, vernisser.
jar¹ [dʒɑː] *v. intr.* **1.** rendre un son discordant. **2.** jurer (pour des couleurs). *v.t.* froisser, choquer, ébranler. ♦ ***It jars on my nerves,*** cela me porte sur les nerfs.
n. **1.** son discordant. **2.** choc, secousse.
jar² [dʒɑː] *n.* pot, bocal.
jaundice ['ðʒɔːndɪs] *n. (Méd.)* jaunisse.
jaundiced ['dʒɔːndɪst] *adj.* **1.** *(Méd.)* injecté de bile (yeux). **2.** *(fig.)* ***With a jaundiced eye,*** d'un œil envieux.
jaunt [dʒɔːnt] *n.* petite excursion, balade. *v. intr.* partir en excursion.
jaunty ['dʒɔːntɪ] *adj.* dégagé, désinvolte *(air).*
javelin ['dʒævlɪn] *n. (Sp.)* javelot.
jaw [dʒɔː] *n.* **1.** *(Anat.)* mâchoire. **2.** *(fam.)* sermon, savon ; laïus. **3.** *(pl.)* mâchoires (d'étau).
jawbone ['dʒɔːbəʊn] *n. (Anat.)* maxillaire.
jawbreaker ['dʒɔː,breɪkə] *n. (fam.)* mot difficile à prononcer.
jay [dʒeɪ] *n. (Zool.)* geai.
△**jazz** [dʒæz] *n.* **1.** *(Mus.)* jazz. **2.** *(argot)* baratin. **3.** *(argot)* ***And all that jazz,*** et tout le bataclan, tout le saint-frusquin.
jazz up, *v. part. t.* **1.** *(péj.)* jouer de la musique classique en jazz. **2.** animer (une soirée) ; émoustiller (quelqu'un). **3.** *(péj.)* barioler.
jazzy ['dʒæzɪ] *adj.* **1.** de jazz. **2.** *(péj.)* tapageur, voyant (vêtements, voiture, ...).
▻**jealous** ['dʒeləs] *adj.* jaloux, envieux.
▻**jealousy** ['dʒələsɪ] *n.* jalousie.
jeer [dʒɪə] *n.* **1.** moquerie, raillerie. **2.** huée. *v. intr.* railler, se moquer. ♦ *(Th.)* ***He was jeered off the stage,*** il a dû quitter la scène sous les huées ; ***they jeered at him,*** ils se moquèrent de lui.
▻**jelly** ['dʒelɪ] *n. (Cuis.)* gelée.
jellyfish ['dʒelɪfɪʃ] *n. (Zool.)* méduse.
jemmy ['dʒemɪ] *n.* pince-monseigneur.
jeopardize ['dʒepədaɪz] *v.t.* mettre en danger.
jeopardy ['dʒepədɪ] *n.* danger, péril. ***His life is in jeopardy,*** ses jours sont en danger.
jerk [dʒɜːk] *n.* **1.** secousse. ***Move by jerks,*** avancer par saccades. **2.** *(amér. argot)* abruti. *v. t.* donner une secousse (à). ***He jerked himself free,*** il s'est dégagé d'un geste brusque. *v. intr.* avancer par à-coups.
jerry-built ['dʒerɪbɪlt] *adj. (péj.)* construit à la va-vite.
△**jersey** ['dʒɜːzɪ] *n.* tricot, chandail. **2.** jersey.
jest [dʒest] *n.* plaisanterie. ***In jest,*** pour plaisanter. *v. intr.* plaisanter.
jester ['dʒestə] *n.* bouffon.
△**jet¹** [dʒet] *n.* **1.** jet (de gaz...). **2.** brûleur. *v. t. et intr.* gicler.
jet² [dʒet] *n. (Av.)* ***Jet (aircraft),*** jet,

avion à réaction ; ***jet engine,*** réacteur. *v. intr.* voyager en jet.

△ **jet**[3] [dʒet] *n. (Zool.)* jais.

jet-propelled [ˌdʒetprəˈpeld] *adj. (Av.)* à réaction.

jettison [ˈdʒetɪsn] *v.t.* jeter par-dessus bord ; se délester de.

▷ **jetty** [ˈdʒetɪ] *n.* jetée.

jewel [ˈdʒʊːəl] *n.* **1.** joyau, bijou. **2.** *(Horl.)* rubis. **3.** *(fig.)* perle. ***She's a jewel,*** c'est une perle.

jeweller [ˈdʒʊːələ] *n.* joaillier, bijoutier.

jewellery [ˈdʒʊːəlrɪ] *n.* joaillerie, bijoux.

jib[1] [dʒɪb] *n. (Naut.)* foc. ***Jib boon,*** bout-dehors. ♦ *(fam.)* ***I don't like the cut of his jib,*** sa tête ne me revient pas.

jib[2] [dʒɪb] *v. intr.* **1.** (pour un cheval) renâcler, refuser (l'obstacle). **2.** *(fig.)* ***Jib at doing something,*** répugner à faire quelque chose.

jiffy [ˈdʒɪfɪ] *n. (fam.)* moment. ***In a jiffy,*** en moins de deux.

jig [dʒɪg] *n.* **1.** gigue. **2.** *(Tech.)* gabarit, calibre. *v. intr.* **1.** danser la gigue. **2.** se trémousser.

jiggered [ˈdʒɪgəd] *adj. (fam.)* **1.** étonné. ***Well, I'm jiggered!*** eh bien, ça alors ! **2.** fourbu.

jiggle [ˈdʒɪgl] *v. t. et intr. (fam.)* **1.** secouer. **2.** se balancer légèrement.

jigsaw [ˈdʒɪgsɔː] *n.* **1.** scie (à chantourner). **2.** ***(Jigsaw) puzzle,*** puzzle.

jilt [dʒɪlt] *v. t.* laisser tomber (pour des amoureux).

jim crow [ˌdʒɪmˈkrəʊ] *n. (amér. péj.)* nègre. ***Jim crow regulations,*** règlements ségrégationnistes.

jingle [ˈdʒɪŋgl] *n.* **1.** tintement, cliquetis. **2.** *(Comm.)* ***Advertising jingle,*** rengaine publicitaire. *v.t. et intr.* (faire) tinter, cliqueter.

jingoism [ˈdʒɪŋgəʊɪzəm] *n.* chauvinisme.

jinx [dʒɪnks] *n. (fam.)* **1.** porteur de poisse. **2.** (mauvais) sort. *v.t.* porter la poisse, jeter un sort.

jitney [ˈdʒɪtnɪ] *n. (U.S.)* petit autobus-taxi.

jitters [ˈdʒɪtəz] *n. (fam.)* ***Have the jitters,*** avoir la frousse.

job [dʒɒb] **1.** travail. **2.** *(fam.)* emploi, boulot. **3.** *(argot)* coup monté, fric-frac. ♦ *(fam.)* ***A good job you came!*** heureusement que tu es venu ! ***do job work,*** travailler à la tâche ; ***give something up as a bad job,*** renoncer à quelque chose (en désespoir de cause) ; ***it's a real job to make oneself understood,*** il est dur de se faire comprendre ; ***it's just the job!*** c'est juste ce qu'il faut ! ***job lot,*** lot d'articles divers ; *(fam.)* ***job for the boys,*** planques pour les petits copains ; ***on the job,*** en train de travailler ; ***out of job,*** sans travail.

jobber [ˈdʒɒbə] *n.* **1.** ouvrier à la tâche. **2.** *(Bourse)* marchand de titres.

jobbing [ˈdʒɒbɪŋ] *adj.* à la tâche. ***Jobbing gardener,*** jardinier à la journée.

jobless [ˈdʒɒblɪs] *adj.* au chômage.

△ **jockey** [ˈdʒɒkɪ] *n.* jockey. *v.t. et intr.* rouler (quelqu'un) ; mener (quelqu'un) par le bout du nez. ♦ ***Jockey for position,*** intriguer pour obtenir une place.

jocular [ˈdʒɒkjʊlə] *adj.* facétieux, jovial.

jocularity [ˈdʒɒkjʊˈlærɪtɪ] *n.* jovialité, enjouement.

jodhpurs [ˈdʒɒdpəz] *n. pl.* culotte de cheval.

jog [dʒɒg] *v. t.* **1.** donner un coup sec (du coude, ...). **2.** cahoter. (cf. **jolt**). ♦ *(fig.)* ***Jog somebody's memory,*** rafraîchir la mémoire de quelqu'un. *v. intr.* ***Jog along,*** aller cahin-caha, au petit trot. *n.* **1.** coup (de coude...). **2.** secousse, cahot. **3.** ***Jog (trot),*** petit trot.

joggle [ˈdʒɒgl] *n.* petite secousse. *v.t.* secouer légèrement.

join [dʒɔɪn] *v.t.* **1.** joindre, réunir. **2.** se joindre à. **3.** devenir membre de, adhérer à. *(Mil.)* ***Join the army,*** s'engager. **4.** rejoindre (un chemin, une route, ...). *v. intr.* **1.** se joindre, se rejoindre. **2.** se réunir. ♦ ***Join battle,*** engager le combat ; *(fig.)* ***join hands with somebody,*** associer ses efforts. *n.* joint, jointure, raccord.

joiner [ˈdʒɔɪnə] *n.* menuisier.

joinery [ˈdʒɔɪnərɪ] *n.* menuiserie.

join in, *v. part. intr.* se joindre (à). ***Join in with us,*** joins-toi à nous.

△ **joint**[1] [dʒɔɪnt] *n.* **1.** joint. **2.** *(Anat.)* articulation. **3.** *(Cuis.)* rôti. **4.** *(argot)* cabaret, bouge. **5.** *(argot)* cigarette (de marijuana). ♦ ***He's put his shoulder out of joint,*** il s'est démis l'épaule ;

*(fam.) **I put his nose out of joint,*** je l'ai dégommé. *v.t.* assembler.
joint² [dʒɔɪnt] *adj.* (en) commun. *(Fin.)* ***Joint account,*** compte conjoint.
joint-stock company [ˌdʒɔɪnt'stɒk ˌkʌmpənɪ] *n.* *(Fin.)*société par actions (*amér.* **stock company**).
join up, *v. part. intr.* *(Mil.)*s'engager.
joist [dʒɔɪst] *n.* solive, poutrelle.
joke [dʒəʊk] *n.* **1.** plaisanterie, blague. ***Practical joke,*** mauvais tour. **2.** bon mot. **3.** risée. ♦ ***He can't take a joke,*** il ne comprend pas la plaisanterie; ***I don't see the joke,*** je ne vois pas ce qu'il y a de drôle; ***it's no joke!*** ce n'est pas de la rigolade! ***play a joke on somebody,*** jouer un tour à quelqu'un; ***the joke is on me,*** c'est aux autres de rire.
v. intr. plaisanter, badiner.
⚠ **joker** ['dʒəʊkə] *n.* **1.** farceur. ***Practical joker,*** mauvais plaisant. **2.** *(fam.)* plaisantin, rigolard. **3.** *(Cartes)*joker.
jokingly ['dʒəʊkɪŋlɪ] *adv.* en plaisantant, pour rire.
jollity ['dʒɒlɪtɪ] *n.* gaieté (aussi **jolliness**).
jolly¹ ['dʒɒlɪ] *adj.* **1.** enjoué. **2.** *(fam.)* éméché.
jolly² ['dʒɒlɪ] *adv.* *(fam.)*très. ***It's a jolly good thing,*** c'est rudement bon.
jolly³ ['dʒɒlɪ] *n.* *(Naut.)* ***Jolly (boat),*** petit canot à moteur.
jolly along, *v. part. t.* encourager (quelqu'un) par des plaisanteries.
jolly well ['dʒɒlɪwel] *adv.* (d'insistance). *(fam.)* ***I jolly well told him where he got off,*** je n'ai pas pris de gants pour lui dire ses quatre vérités.
jolt [dʒəʊlt] *n.* **1.** cahot, secousse. **2.** surprise, choc. *v.t. et intr.* cahoter, secouer.
jostle [dʒɒsl] *v. intr.* jouer des coudes. *v.t.* bousculer.
jot¹ [dʒɒt] *n.* iota.
jot² [dʒɒt] *v.t.* ***Jot down,*** noter (à la hâte).
jotter ['dʒɒtə] *n.* bloc-notes.
⚠ **journal** ['dʒɜ:nl] *n.* **1.** journal (cf. **diary**). **2.** revue spécialisée.
journalese [ˌdʒɜ:nə'li:z] *n.* *(péj.)* jargon de journalistes.
⚠ **journey** ['dʒɜ:nɪ] *n.* voyage. ***Make*** (ou ***go on***) ***a journey,*** voyager. *v. intr.* voyager.
journeyman ['dʒɜ:nɪmən] *n.* (*pl.* **-men**) compagnon, ouvrier.
▻ **joy** [dʒɔɪ] *n.* joie. ***Cry for joy,*** pleurer de joie.
joyful ['dʒɔɪfəl] *adj.* joyeux, heureux.
joyless ['dʒɔɪlɪs] *adj.* triste.
joyride ['dʒɔɪraɪd] *n.* balade, virée.
joystick ['dʒɔɪˌstɪk] *n.* *(Av.)* manche à balai.
jubilant ['dʒu:bɪlənt] *adj.* joyeux, réjoui.
▻ **judge** [dʒʌdʒ] *n.* **1.** juge. **2.** *(Sp.)*arbitre. **3.** connaisseur. *v.t.* **1.** *(Jur.)*juger. **2.** apprécier. ***He judged it necessary to do so,*** il a estimé nécessaire de le faire.
▻ **judgment** ['dʒʌdʒmənt] *n.* **1.** jugement. **2.** opinion, avis. **3.** discernement. ♦ ***Pass judgment on somebody,*** juger quelqu'un.
judicial [dʒu:'dɪʃl] *adj.* *(Jur.)* judiciaire, juridique.
▻ **judiciary** [dʒu:'dɪʃɪərɪ] *adj.* judiciaire. *n.* la magistrature.
▻ **judicious** [dʒu:'dɪʃəs] *adj.* sage, judicieux.
jug [dʒʌg] *n.* **1.** cruche, broc, pichet. **2.** *(argot)*taule. *v.t.* **1.** *(Cuis.)*cuire à l'étuvée. **2.** *(argot)*coffrer (quelqu'un).
juggernaut ['dʒʌgənɔ:t] *n.* **1.** force aveugle et destructrice. **2.** *(Aut.)* mastodonte (pour un poids lourd).
juggle ['dʒʌgl] *v.t. et intr.* jongler (avec).
juice [dʒu:s] *n.* **1.** jus. **2.** suc (digestif). **3.** *(fam.)*courant électrique, jus.
juicy ['dʒu:sɪ] *adj.* **1.** juteux. **2.** *(fig.)*savoureux, scandaleux (détails...).
July [dʒʊ'laɪ] *n.* juillet.
jumble ['dʒʌmbl] *n.* fatras, fouillis. ***Jumble sale,*** vente de charité. *v.t.* ***Jumble (up),*** mettre pêle-mêle, embrouiller.
jumbo ['dʒʌmbəʊ] *adj.* *(fam.)* énorme. *(Av.)* ***Jumbo jet,*** avion géant, gros porteur.
jump ['dʒʌmp] *n.* **1.** saut, bond. **2.** sursaut, haut-le-corps. ***That gave me a jump,*** cela m'a fait sursauter. ♦ *(fam.)* ***He got the jump on me,*** il m'a eu au départ; ***he's always on the jump,*** il est toujours affairé.
v. intr. **1.** sauter, bondir, **2.** monter (pour des prix). **3.** sursauter, tressail-

lir. *v.t.* **1.** sauter, franchir. **2.** *(amér.)* ***Jump a train,*** prendre un train en marche (sans payer). ♦ *(fam.)* ***Jump down someone's throat*** (ou ***jump on somebody***), rabrouer quelqu'un ; *(Sp.)* ***jump the gun,*** voler le départ, *(fig.)* agir prématurément ; *(Aut.)* ***jump the lights,*** griller un feu rouge ; *(Rail)* ***jump the metals,*** dérailler ; *(fam.)* ***jump the queue,*** resquiller à la queue ; ***jump to it !*** grouille-toi !

jumped-up [ˌdʒʌmpt'ʌp] *adj.* prétentieux. *n.* parvenu.

jumper ['dʒʌmpə] *n.* **1.** pull-over. **2.** *(amér.)* robe chasuble.

jumping-off place [ˌdʒʌmpɪn'ɒf ˌpleɪs] *n.* point de départ ; tremplin.

jumps [dʒʌmps] *n.* *(fam.)* ***Have the jumps,*** avoir les nerfs en pelotte.

jumpy ['dʒʌmpɪ] *adj.* nerveux.

junction ['dʒʌŋkʃn] *n.* **1.** jonction. **2.** embranchement, bifurcation.

juncture ['dʒʌŋktʃə] *n.* conjoncture. ***At this juncture,*** à ce moment-là, sur ses entrefaites.

June [dʒu:n] *n.* juin.

junior ['dʒu:nɪə] *adj.* **1.** cadet. **2.** subalterne. ***Junior clerk,*** petit employé ; ***junior executive,*** jeune cadre. *n.* *(Ens.)* ***The juniors,*** les petits.

juniper ['dʒu:nɪpə] *n.* *(Bot.)* genièvre ; genèvrier.

junk¹ [dʒʌŋk] *n.* **1.** *(fam.)* camelote, rebuts, rossignols. **2.** bêtise. **3.** *(amér. argot)* stupéfiants, came. ***Junk pusher,*** trafiquant de stupéfiants. *v.t.* *(fam.)* mettre au rebut.

junk² [dʒʌŋk] *n.* jonque.

junket ['dʒʌŋkɪt] *n.* **1.** caillé. **2.** *(amér.)* voyage d'agrément (aux frais de la princesse).

junkie ['dʒʌŋkɪ] *n.* *(argot)* toxicomane, drogué.

▻ **junta** ['dʒʌntə] *n.* junte.

juror ['dʒʊərə] *n.* *(Jur.)* juré.

just¹ [dʒʌst] *adj.* **1.** juste, équitable. **2.** mérité. **3.** ***It's only just that...,*** ce n'est que justice que... **4.** exact. *n.* *(Rel.)* ***The Just,*** les justes.

⚠ **just²** [dʒʌst] *adv.* **1.** exactement, précisément. **2.** tout à fait. ***Just the thing !*** tout à fait ce qu'il me faut ! **3.** tout juste, sans plus. ***I just managed,*** j'y suis arrivé juste. **4.** à l'instant. ***I've just met him,*** je viens de le rencontrer. **5.** immédiatement. ***Just after the holidays,*** juste après les vacances. **6.** seulement. ***Just a moment, please !*** un instant, je vous prie ! ♦ *(fam.)* ***Did you enjoy yourselves ? – I should just say we did !*** vous vous êtes bien amusés ? – Et comment ! ***I just about won the game,*** j'ai bien failli gagner.

▻ **justify** ['dʒʌstɪfaɪ] *v.t.* justifier.

justly ['dʒʌstlɪ] *adv.* **1.** justement, avec justesse. **2.** avec justesse, à juste raison.

jut out, *v. part. intr.* faire saillie, s'avancer.

▻ **juvenile** ['dʒu:vənaɪl] *adj.* juvénile. ♦ ***Juvenile books,*** livres pour enfants ; ***juvenile delinquency,*** délinquance juvénile ; *(Jur.)* ***juvenile offender,*** accusé mineur.

K

▻ **kangaroo** [ˌkæŋgə'ru:] *n.* *(Zool.)* kangourou.

kebab [kɪ'bæb] *n.* *(Cuis.)* brochette de viande.

keel [kɪ:l] *n.* *(Naut.)* quille.

keel over, *v. part. intr.* *(Naut.)* chavirer.

keen [ki:n] *adj.* **1.** tranchant. **2.** pénétrant, vif (esprit, froid...). **3.** *(Sp.)* acharné (match). **4.** enthousiaste. ***He's keen on maths,*** il est passionné de maths.

keenly ['ki:nlɪ] *adv.* **1.** profondément, douloureusement. **2.** âprement. **3.** vivement.

keep¹ [kɪ:p] *v.t. irr.* (*p.* **kept,** *p. p.* **kept**) **1.** garder, conserver. **2.** respecter (la loi). **3.** célébrer (une fête, un anniversaire). **4.** tenir (une promesse). **5.** protéger. ***God keep you !*** Dieu vous garde ! **6.** subvenir aux besoins de. **7.** employer (quelqu'un). **8.** tenir (un magasin, des produits, des comptes...). **9.** garder, élever (des animaux). **10** maintenir (dans un certain état). ***It will keep you warm,*** cela vous tiendra chaud. **11.** demeurer. ***Keep quiet,*** tiens-toi tranquille. **12.** retenir, retarder (quelqu'un). ♦ ***«Keep off the grass»,*** «pelouse interdite»; ***keep it to yourself,*** gardez cela pour vous; *(fig.)* ***keep your hair on!*** du calme! *v.intr. irr.* **1.** rester, se tenir. ***He has to keep his room,*** il doit garder la chambre. **2.** continuer de. ***Keep working,*** continuez de travailler. **3.** se conserver (pour des aliments). *n.* subsistance. ***Earn one's keep,*** subvenir à ses besoins.

keep² [kɪ:p] *n.* donjon.

keep back *v. part. t.* **1.** ne pas dire (quelque chose). **2.** retenir.

keep down, *v. part. t.* empêcher le développement de. **2.** opprimer. **3.** *(Méd.)* garder (de la nourriture), ne pas vomir.

keeper ['ki:pə] *n.* **1.** gardien, garde, surveillant. **2.** *(Sp. fam.)*(= **goalkeeper**) goal.

keep in, *v. part. t. et intr.* **1.** empêcher de sortir; *(Ens.)* mettre en retenue. **2.** alimenter (un feu). **3.** *(fam.)* ***Keep in with somebody,*** veiller à rester en bons termes avec quelqu'un.

keeping ['ki:pɪŋ] *n.* garde. ♦ ***In safe keeping,*** en sécurité; ***out of keeping with,*** en désaccord avec.

keep off, *v. part. t.* tenir éloigné. ***Keep off the sun,*** empêcher le soleil d'entrer.

keep on, *v. part. t. et intr.* continuer (de). ***Keep on working,*** ne pas s'arrêter de travailler. ♦ ***She keeps on about her children,*** elle est intarissable sur ses enfants.

keep out, *v. part. t.* **1.** empêcher d'entrer. **2.** mettre à l'abri de. ***He kept me out of trouble,*** il m'a évité des ennuis.

keeps [ki:ps] *n. (fam.)* ***For keeps,*** à tout jamais; pour de bon.

keepsake [ki:pseɪk] *n.* souvenir (cadeau).

keep under, *v. part. t.* contrôler, maîtriser.

keep up, *v. part. t. et intr.* **1.** entretenir (un bâtiment, une correspondance...). **2.** empêcher (quelqu'un de se coucher). **3.** soutenir (l'intérêt); préserver (les apparences); **4.** se maintenir (pour le temps). ♦ ***Keep up with somebody,*** marcher de front avec quelqu'un; ***keep up with the Joneses,*** imiter son voisin (pour le standing); ***keep up with the times,*** être de son temps.

keg [keg] *n.* tonnelet, baril.

ken [ken] *n.* connaissance. ♦ ***It's within my ken,*** c'est dans mes cordes; ***that's beyond my ken,*** cela dépasse ma compétence.

kennel ['kenl] *n.* **1.** niche. **2.** *(pl.)* chenil.

kept [kept] (**keep,** *v.*)

kerb [kɜ:b] *n.* bord du trottoir (*amér.* **curb**).

kernel ['kɜ:nl] *n.* **1.** intérieur d'un fruit sec (amande, noix,...). **2.** *(fig.)* noyau, cœur.

kettle ['ketl] *n.* bouilloire. ***Put the kettle on,*** mettez l'eau (pour le thé) à chauffer. ♦ *(fam.)* ***Here's a pretty kettle of fish!*** voilà un beau gâchis!

kettledrum ['ketldrʌm] *n.* *(Mus.)* timbale.

key [ki:] *n.* **1.** clé. **2.** touche (de piano, de machine à écrire, ...). **3.** clé (d'une énigme). **4.** *(Ens.)* livre du maître (corrigés, solutions). **5.** *(Mus.)* ton. ♦ ***Key man,*** cheville ouvrière, pivot (d'une entreprise); ***key money,*** arrhes, pas de porte; ***key ring,*** porte-clés; ***master key,*** passe. *v.t.* (employé au passif). **1.** *(Mus.)* ***Be keyed,*** être accordé. **2.** *(fig.)* ***Be keyed to,*** être adapté à.

keyboard ['ki:bɔ:d] *n.* clavier.

keyhole ['ki:həʊl] *n.* trou de serrure.

keynote ['ki:nəʊt] *n.* **1.** *(Mus.)* note dominante. **2.** *(fig.)* ***The keynote of his speech,*** l'idée maîtresse (de son discours).

keystone ['ki:stəʊn] *n.* clef de voûte.

key up, *v. part. t.* surexciter. ***Be keyed up,*** être nerveux, tendu.

keyword ['ki:wɜ:d] *n.* mot clé.

kibosh ['kaɪbɒʃ] *n. (amér. fam.)* ***They put the kibosh on it,*** ils y ont mis le holà.

kick [kɪk] *v.t.* **1.** donner un coup de pied à. **2.** *(Sp.)* marquer (un but). ♦ *(argot)* ***Kick the bucket,*** casser sa pipe. *v. intr.* **1.** ruer. **2.** reculer (pour

une arme). **3.** *(fam.)* ***Kick at*** (ou ***against),*** rouspéter.
n. **1.** coup de pied. **2.** *(fam.)* vigueur, énergie. ***A drink with a kick in it,*** une boisson qui vous remonte. **3.** plaisir, excitation. **4.** *(pl.) (argot)* rouspétance.
kick about, *v. part. t. et intr.* **1.** traîner quelque part. **2.** maltraiter.
kick around, *v. part. t. et intr. (fam.)* **1.** traînasser, rouler sa bosse. **2.** maltraiter.
kickback ['kɪkbæk] *n. (argot)* ristourne illicite, gratte.
kick-off ['kɪkɒf] *n.* **1.** *(Sp.)* coup d'envoi. **2.** *(fig.)* démarrage.
kick off, *v. part. intr.* **1.** donner le coup d'envoi. **2.** *(fig.)* démarrer.
kick out, *v. part. t.* flanquer à la porte (à coups de pied).
kick-start ['kɪkstɑ:t] *n.* démarreur au pied (aussi **kick-starter**).
kick up, *v. part. t. (fam.)* ***Kick up a fuss,*** faire toute une histoire.
kid[1] [kɪd] *n.* **1.** chevreau. **2.** ***Kid gloves,*** gants de chevreau. **3.** *(fam.)* gosse.
kid[2] [kɪd] *v.t. et intr.* **1.** *(fam.)* faire marcher (quelqu'un). **2.** bluffer, raconter des blagues. ***Are you kidding?*** tu plaisantes?
kiddie ['kɪdɪ] *n. (fam.)* gosse, mioche (aussi **kiddy**).
▻ **kidnap** ['kɪdnæp] *v.t.* enlever (de force), kidnapper.
⚠ **kidnapper** ['kɪdnæpə] *n.* ravisseur.
kidney ['kɪdnɪ] *n.* **1.** *(Anat.)* rein. ***Kidney machine,*** rein artificiel. **2.** *(Cuis.)* rognon.
kill [kɪl] *v.t. et intr.* **1.** tuer, faire périr. **2.** *(fig.)* ruiner, gâcher. ♦ *(fam.)* ***Dressed to kill,*** avec une toilette irrésistible; ***he's killing himself with work,*** il se tue au travail; ***kill two birds with one stone,*** faire d'une pierre deux coups.
n. **1.** mise à mort, curée. **2.** tableau de chasse. **3.** destruction, élimination.
killing[1] ['kɪlɪŋ] *n. (fam.)* ***Make a killing,*** réaliser de gros profits.
killing[2] ['kɪlɪŋ] *adj.* **1.** tuant, éreintant. **2.** *(vx. fam.)* marrant (histoire).
killjoy ['kɪldʒɔɪ] *n.* rabat-joie, trouble-fête.
kill off, *v. part. t.* exterminer (un après l'autre).
kiln [kɪln] *n.* four (à briques, à houblon, ...).
kin [kɪn] *n.* parents, parenté. ♦ ***He is no kin to me,*** il ne m'est rien; ***next of kin,*** le parent le plus proche.
kind[1] [kaɪnd] *n.* **1.** genre, espèce. **2.** sorte. **3.** nature. ♦ *(fam.* surtout *amér.)* ***I kind of expected it,*** je m'en doutais presque; ***in kind,*** en nature; ***they're all of a kind,*** ils sont tous du même genre; ***we were offered beer of a kind,*** on nous a offert une sorte de bière infâme.
kind[2] [kaɪnd] *adj.* gentil, aimable.
kindergarten ['kɪndəgɑ:tn] *n.* jardin d'enfants.
kind-hearted [,kaɪnd'hɑ:tɪd] *adj.* bon, gentil.
kindle ['kɪndl] *v.t. et intr.* **1.** (s') allumer (pour un feu). **2.** *(fig.)*(s') enflammer.
kindling ['kɪndlɪŋ] *n.* petit bois pour le feu.
kindly ['kaɪndlɪ] *adj.* bon, bienveillant.
adv. **1.** avec bonté. **2.** ***Kindly sit down,*** asseyez-vous donc, je vous prie. **3.** de bon cœur. ***He didn't take kindly to being passed over for promotion,*** il n'a pas très bien pris d'avoir été oublié pour l'avancement.
kindness ['kaɪndnɪs] *n.* **1.** bonté, bienveillance. **2.** gentillesse. ***Will you do me a kindness?*** voulez-vous me rendre service?
kindred ['kɪndrɪd] *n.* parents, famille.
adj. **1.** apparenté (à). **2.** similaire.
kinetic [kɪ'netɪk] *adj.* cinétique.
kinetics [kɪ'netɪks] *n.* cinétique.
king [kɪŋ] *n.* **1.** roi, souverain. **2.** magnat. **3.** *(Cartes)* roi. **4.** *(Dames)* dame.
kingdom ['kɪŋdəm] *n.* royaume. ♦ *(fam.)* ***He's gone to kingdom come!*** il est monté au paradis!
kingfisher ['kɪŋ,fɪʃə] *n. (Zool.)* martin-pêcheur.
kingly ['kɪŋlɪ] *adj.* royal.
kingpin ['kɪŋ,pɪn] *n.* **1.** *(Tech.)* axe de rotule. **2.** *(fig.)* cheville ouvrière.
kingship ['kɪŋʃɪp] *n.* royauté.
kink [kɪŋk] *n.* **1.** entortillement, vrille. **2.** *(fam.)* lubie. ***He's got a kink,*** il est un peu timbré.
kinsfolk ['kɪŋzfəʊk] *n.* famille, parenté.
kinship ['kɪnʃɪp] *n.* **1.** *(degrés de)* parenté. **2.** *(fig.)* ressemblance.
kinsman ['kɪnzmən] *n.* *(pl.* **-men)** pa-

rent.

kip [kɪp] *v. intr. (argot)* **1.** roupiller. **2.** ***Kip down,*** se pieuter. *n. (argot)* **1.** roupillon. **2.** plumard.

kipper ['kɪpə] *n.* hareng fumé.

kiss [kɪs] *n.* baiser. ♦ ***Kiss of death,*** coup fatal; ***kiss of life,*** bouche à bouche.
v.t. **1.** embrasser. ***Kiss somebody good night,*** dire bonne nuit à quelqu'un en l'embrassant; *(Jur.)* ***kiss the Book,*** baiser la Bible (en prêtant serment). **2.** *(Billard)* frapper (une autre bille).

kisser ['kɪsə] *n.* **1.** embrasseur. **2.** *(argot)* bouche, bec; gueule, binette.

kit [kɪt] *n.* **1.** trousseau, effets personnels. **2.** tenue. **3.** équipement, nécessaire. ***Kit bag,*** sac à paquetage.

kitchen ['kɪtʃɪn] *n.* cuisine. ♦ ***Kitchen garden,*** potager; ***kitchen maid,*** fille de cuisine.

kitchenette [ˌkɪtʃɪ'net] *n.* petite cuisine.

kite [kaɪt] *n.* **1.** cerf-volant. ***Fly a kite,*** faire voler un cerf-volant; *(fig.)* tâter le terrain. **2.** *(Zool.)* milan.

kith and kin [ˌkɪθən'kɪn] *n.* ***Our kith and kin,*** nos parents et amis.

kit out, *v. part. t.* équiper (aussi **kit up**).

kitten ['kɪtn] *n.* chaton, petit chat.

kitty[1] ['kɪtɪ] *n.* minou, minet.

kitty[2] ['kɪtɪ] *n.* cagnote.

knack [næk] *n.* talent, chic. ***He has the knack,*** il sait s'y prendre.

knacker ['nækə] *n.* **1.** équarrisseur. **2.** démolisseur.

knapsack ['næpsæk] *n.* sac à dos.

knave [neɪv] *n. (lit.)* coquin, fripon.

knead [ni:d] *v.t.* **1.** pétrir. **2.** masser.

knee [ni:] *n.* **1.** *(Anat.)* genou. **2.** genou (de pantalon). ♦ ***Bring someone to his knees,*** obliger quelqu'un à se soumettre; ***trousers gone at the knees,*** pantalon troué au genou.

kneecap ['nɪ:kæp] *n. (Anat.)* rotule.

knee-deep [ˌni:'di:p] *adj.* à la hauteur du genou. *(fig.)* ***He's knee-deep in debt,*** il est dans les dettes jusqu'au cou.

knee-high [ˌni:'haɪ] *adj.* qui arrive jusqu'au genou.

kneel ['nɪ:l] *v. intr. irr.* (*p.* **knelt,** *p.p.* **knelt**) être à genoux.

kneel down *v. part. intr.* s'agenouiller.

knell [nel] *n.* glas.

knelt [nelt] (**kneel,** *v.*)

knew [nju:] (**know,** *v.*)

knickers ['nɪkəz] *n.* culotte (de femme).

knick-knack ['nɪknæk] *n.* bibelot, babiole (aussi **nicknack**).

knife [naɪf] *n.* (*pl.* **-ves**) couteau, canif. ♦ ***Before you can say «knife»,*** en un rien de temps; *(Méd., fam.)* ***die under the knife,*** mourir sur le billard; *(fig.)* ***he has his knife in me,*** il m'en veut à mort.
v.t. donner un coup de couteau à.

knight [naɪt] *n.* chevalier. *v.t.* armer chevalier.

knight-errant [ˌnaɪt'erənt] *n.* (*pl.* **knights-errant**) chevalier errant.

knighthood ['naɪthʊd] *n.* chevalerie.

knit [nɪt] *v.t. et intr. irr.* ou *rég.* (*p.* **knit,** *p.p.* **knit,** ou **knitted**) **1.** tricoter, faire du tricot. **2.** (*irr.* seulement) joindre. ***Knit one's brows,*** froncer les sourcils.

knitting ['nɪtɪŋ] *n.* tricot, tricotage.

knitwear ['nɪtweə] *n.* tricots, bonneterie.

knives [naɪvz] *pl.* de **knife.**

knob [nɒb] *n.* **1.** protubérance. **2.** bouton (de porte, radio, ...). **3.** noix (de beurre).

knobbly ['nɒblɪ] *adj.* couvert de bosses, noueux.

knock [nɒk] *v.t.* **1.** frapper. *(fam.)* ***Knock somebody cold,*** assommer quelqu'un. **2.** cogner. **3.** critiquer. ♦ ***You could have knocked me down with a feather,*** j'en suis resté baba.
v.intr. **1.** frapper, heurter. **2.** *(Aut.)* cliqueter, cogner. *n.* **1.** coup, heurt. **2.** cliquetis.

knock about, *v. part. t. et intr.* **1.** malmener. **2.** endommager. **3.** rouler sa bosse, bourlinguer; flâner. **4.** avoir une aventure (avec quelqu'un).

knock back, *v. part. t.* **1.** *(argot)* s'enfiler (une boisson). **2.** coûter. **3.** surprendre.

knock down, *v. part. t.* **1.** *(Boxe)* étendre (l'adversaire). **2.** renverser (avec une voiture). **3.** adjuger. **4.** réduire (les prix).

knocker ['nɒkə] *n.* **1.** cogneur. **2.** marteau de porte. **3.** *(fam.)* critique acerbe.

knock-kneed [ˌnɒk'ni:d] *adj.* cagneux.

knock off, *v. part. t. et intr.* **1.** cesser le

travail, débrayer. **2.** s'arrêter, cesser. **3.** *(argot)* faucher. **4.** *(argot)* zigouiller. **5.** consentir un rabais. **6.** bâcler. **7.** *(fam.)* finir, boucler. **8.** *(argot)* avoir des relations sexuelles avec (pour un homme).

knock out, *v. part. t.* **1.** *(Boxe)* mettre K.O. **2.** abasourdir. **3.** assommer (par une drogue). **4.** *(Sp.)* éliminer de la compétition.

knock together, *v. part. t.* bricoler à la hâte.

knock up, *v. part. t.* **1.** construire, faire, à la hâte. ***Knock up a meal,*** improviser un repas. **2.** réveiller (quelqu'un) en frappant à sa porte. **3.** *(fam.)*éreinter. *v. intr. (Tennis)* faire des balles.

knoll [ˌnəʊl] *n.* tertre, monticule.

knot [nɒt] *n.* **1.** nœud. **2.** groupe. **3.** lien. ***Marriage knot,*** lien conjugal. *v.t.* faire des nœuds, nouer. *v. intr.* se nouer.

knotty ['nɒtɪ] *adj.* **1.** noueux. **2.** *(fig.)* épineux (question).

know [nəʊ] *v.t. et intr. irr.* (*p.* **knew,** *p.p.* **known**) **1.** connaître, savoir. **2.** reconnaître. ♦ ***For all I know,*** autant que je sache; ***had I known,*** si j'avais su; ***he knows better than to do that,*** il se garde bien de faire cela; ***he knows his mind,*** il sait ce qu'il veut; ***he knows the ropes,*** il connaît les ficelles; ***know good from evil,*** distinguer le bien du mal; ***she knows how to behave,*** elle sait se conduire; *(fam.)* ***what do you know about that?*** qu'avez-vous à dire à cela? ***you ought to know better,*** tu devrais être plus raisonnable.
n. ***In the know,*** qui connaît le dessous des cartes.

know-all ['nəʊɔːl] *n. (péj.)* je-sais-tout.

know-how ['nəʊ'haʊ] *n.* *(fam.)* connaissances techniques, savoir-faire, tour de main.

knowing ['nəʊɪŋ] *adj.* **1.** malin. **2.** entendu (air, sourire, ...).

knowingly ['nəʊɪŋlɪ] *adv.* **1.** en connaissance de cause, sciemment. **2.** d'un air entendu.

knowledge ['nɒlɪdʒ] *n.* **1.** connaissance. **2.** savoir, connaissances. ♦ ***To the best of my knowledge,*** autant que je sache.

knowledgeable ['nɒlɪdʒəbl] *adj.* bien informé.

known [nəʊn] (**know,** *v.*)

knuckle ['nʌkl] *n. (Anat.)* articulation, jointure (du doigt). ♦ ***Give somebody a rap over the knuckles,*** donner sur les doigts à quelqu'un; *(fam.)* ***it's rather near the knuckle,*** c'est plutôt osé, indécent.

knuckle down, *v. part. intr.* s'y mettre sérieusement. ***Knuckle down to a job,*** s'atteler à une tâche.

knuckle-duster ['nʌklˌdʌstə] *n.* coup-de-poing américain.

knuckle under, *v. part. intr.* céder, mettre les pouces.

kudos ['kjuːdɒs] *n.* prestige, gloire, lauriers.

L

L, l [el] **1.** douzième lettre de l'alphabet. **2.** cinquante (en chiffre romain).

label ['leɪbl] *n.* étiquette. *v.t.* **1.** étiqueter. **2.** *(fig.)* qualifier (quelqu'un).

▷ **laboratory** [lə'bɒrətrɪ; *amér.* 'læbrətɒrɪ] *n. (pl.* **-ies**) laboratoire.

⚠ **labour** ['leɪbə] (*amér.* **labor**) *n.* **1.** travail manuel. **2.** ***Hard labour,*** travaux forcés. **3.** main-d'œuvre. **4.** *(Méd.)* travail (d'accouchement). **5.** *(G.B., Polit.)* ***The Labour (Party),*** les travaillistes.
v. intr. **1.** travailler dur. **2.** peiner. ♦ ***Labour under a delusion,*** s'illusionner. *v.t.* ***Labour a point,*** insister.

lace [leɪs] *n.* **1.** lacet. **2.** dentelle. **3.** ganse, galon, passementerie. *v.t.* **1.** lacer. **2.** garnir de dentelle, de galon. **3.** *(fam.)* ***Laced with rum,*** arrosé de rhum.

▷ **lacerate** ['læsəreɪt] *v.t.* lacérer.

lack [læk] *n.* manque. ***For lack of water,*** par manque d'eau. *v.t. et intr.* manquer (de). ***We lack (for) nothing,***

nous avons tout ce qu'il nous faut.
lackadaisical [ˌlækə'deɪzɪkl] *adj.* apathique, nonchalant.
lacklustre ['læk,lʌstə] *adj.* terne.
lacquer ['lækə] *n.* laque. *v.t.* **1.** laquer, vernir. **2.** mettre de la laque (aux cheveux).
⚠ **lad** [læd] *n.* garçon, jeune homme.
ladder ['lædə] *n.* **1.** échelle. **2.** maille filée (d'un bas ou d'un collant) *(amér.* **run**). **3.** *(fig.)* échelle (sociale...). *v.t. et intr.* filer (pour un bas).
laden ['leɪdn] *adj.* **1.** chargé. **2.** *(fig.)* ***Laden with sorrow,*** accablé de chagrin.
Ladies ['leɪdɪz] *n.* toilettes. ***Where's the Ladies?*** où sont les toilettes? (cf. **gents**).
lading ['leɪdɪŋ] *n.* *(Naut.)* chargement. *(Comm.)* ***Bill of lading,*** connaissement.
ladle ['leɪdl] *n.* louche. *v.t.* servir à la louche.
ladle out *v. part. t.* **1.** servir avec une louche. **2.** prodiguer inconsidérément (des renseignements).
lady ['leɪdɪ] *n.* (*pl.* **-ies**) dame. ***The lady of the house,*** la maîtresse de maison. **2.** ***Lady doctor,*** doctoresse. **3.** *(G.B)* ***Lady X,*** lady X (utilisé comme titre, ou pour l'épouse d'un Sir...). **4.** *(Rel.)* ***Our Lady,*** la Sainte Vierge.
ladybird ['leɪdɪbɜ:d] *n.* *(Zool.)* coccinelle, bête à bon Dieu (aussi **ladybug**).
lady-killer ['leɪdɪ,kɪlə] *n.* bourreau des cœurs, don Juan.
ladylike ['leɪdɪlaɪk] *adj.* distinguée.
ladyship ['leɪdɪʃɪp] *n.* ***Her ladyship, your ladyship,*** madame (la baronne...)
lag[1] [læg] *v.intr.* traîner, rester en arrière. n. **(= time lag)** retard.
lag[2] [læg] *v.t.* *(Tech.)* calorifuger.
lag[3] [læg] *n.* *(argot)* condamné. *(Jur.)* ***Old lag,*** repris de justice, récidiviste.
lager ['lɑ:gə] *n.* bière blonde.
laggard ['lægəd] *n.* *(vx)* traînard, retardataire.
lagoon [lə'gu:n] *n.* lagune.
laid [leɪd] **(lay,** *v.*)
lain [leɪn] **(lie,** *v.*)
lair [leə] *n.* **1.** tanière. **2.** *(fig.)* repaire (de voleurs).
laity ['leɪɪtɪ] *n.* ***The laity,*** les laïques.
lake[1] [leɪk] *n.* lac.
lake[2] [leɪk] *n.* laque rouge (aussi **crimson lake**).
lam [læm] *v.t. et intr.* *(fam.)* ***Lam into somebody,*** rosser quelqu'un.
lamb [læm] *n.* agneau *(fam.)* ***He took it like a lamb,*** il n'a pas protesté. *v.t.* mettre bas des agneaux.
lambaste ['læmbeɪst] *v.t.* *(fam.)* fustiger, rosser (aussi **lambast** ['læmbæst]).
lambkin ['læmkɪn] *n.* agnelet.
lame [leɪm] *adj.* **1.** boiteux, estropié. **2.** *(fig.)* peu convaincant. ***Lame excuse,*** mauvaise excuse. ♦ ***Lame duck,*** canard boiteux (personne ou entreprise); *(U.S.)* membre du Congrès non réélu siégeant à titre provisoire.
lament [lə'ment] *v.t. et intr.* se lamenter, déplorer. *n.* lamentation.
▻ **laminate** ['læmɪneɪt] *v.t. et intr.* *(Tech.)* (se) laminer, (se) feuilleter.
▻ **lamp** [læmp] *n.* **1.** lampe. **2.** *(Aut.)* phare.
lamp-black ['læmpblæk] *n.* noir de fumée.
lampoon [læm'pu:n] *n.* *(lit.)* libelle, satire. *v.t.* lancer une satire (contre); tourner en dérision, chansonner.
lamppost ['læmp-pəʊst] *n.* réverbère.
lampshade ['læmpʃeɪd] *n.* abat-jour.
▻ **lance**[1] [lɑ:ns] *n.* lance.
⚠ **lance**[2] [lɑ:ns] *v.t.* *(Méd.)* donner un coup de bistouri (à un abcès...); inciser.
lancet ['lɑ:nsɪt] *n.* *(Méd.)* bistouri.
land [lænd] *n.* **1.** terre (opposé à mer). ***Dry land,*** terre ferme. **2.** *(Agr.)* terre. **3.** *(Jur.)* terres, propriété. **4.** *(lit.)* pays. ♦ ***Land agent,*** régisseur; *(Naut.)* ***make land,*** accoster; *(fig.)* ***see how the land lies,*** tâter le terrain. *v.t.* **1.** débarquer, décharger. **2.** amener (un poisson) sur la rive. **3.** *(fam.)* ***I'm landed with a problem,*** je me retrouve avec un problème sur les bras. **4.** *(fam.)* décrocher (un prix...). **5.** *(fam.)* ***Land somebody a blow,*** flanquer un coup à quelqu'un. *v. intr.* **1.** débarquer. **2.** *(Naut.)* accoster. **3.** *(Av.)* atterrir. ♦ ***He always lands on his feet,*** il retombe toujours sur ses pieds; ***she landed (up) on us for the weekend,*** elle nous est tombée dessus sans crier

gare pour le week-end.

landing ['lændɪŋ] *n.* **1.** palier, étage. **2.** débarquement; atterrissage. *(Naut.)* ***Landing craft,*** navire de débarquement; *(Av.)* ***landing gear,*** train d'atterrissage. **3.** sortie de l'eau (d'un poisson). ***Landing net,*** épuisette. **4.** (= **landing stage**) débarcadère.

landlady ['lænd,leɪdɪ] *n.* (*pl.* **-ies**) logeuse (de meublé). **2.** propriétaire (d'immeuble).

landlocked ['lændlɒkt] *adj. (Géog.)* entouré de terre. ***Landlocked country,*** pays sans débouché sur la mer.

landlord ['lændlɔːd] *n.* **1.** propriétaire (d'immeuble). **2.** patron d'auberge; hôtelier.

landlubber ['lænd,lʌbə] *n. (hum.)* marin d'eau douce.

landmark ['lændmɑːk] *n.* **1.** borne, limite. **2.** repère. **3.** événement marquant. ***It will be a landmark,*** cela fera époque.

landscape ['lændskeɪp] *n.* paysage. ***Landscape gardener,*** paysagiste. *v.t.* aménager (un terrain, un site...).

landslide ['lændslaɪd] *n.* **1.** *(Géol.)* glissement de terrain (aussi **landslip**). **2.** *(Polit.)* raz de marée (aux élections).

lane [leɪn] *n.* **1.** chemin creux. **2.** *(Naut.)* route de navigation; *(Av.)* couloir aérien. **3.** *(Aut.)* ***(Traffic) lane,*** voie (de circulation), file. **4.** *(Sp.)* couloir.

⚠ **language** ['læŋgwɪdʒ] *n.* **1.** langue. **2.** langage. **3.** ***(Bad) language,*** langage grossier; grossièretés, gros mots.

languid ['læŋgwɪd] *adj.* **1.** languissant. **2.** mou, sans énergie.

languish ['læŋgwɪʃ] *v. intr.* languir, dépérir.

⊳ **languor** ['læŋgə] *n.* langueur.

lank [læŋk] *adj.* **1.** maigre. **2.** efflanqué. **3.** ***Lank hair,*** cheveux raides et plats.

lanky ['læŋkɪ] *adj.* grand et maigre, dégingandé.

lantern-jawed [,læntən'dʒɔːd] *adj.* aux joues creuses.

lap[1] [læp] *n.* **1.** *(lit.)* sein, giron. **2.** genoux.

lap[2] [læp] *n.* **1.** *(Sp.)* tour de piste. **2.** tour (de corde...). *v.t.* **1.** *(Sp.)* ***Lap an opponent,*** prendre un tour d'avance sur un concurrent. **2.** enrouler, envelopper.

lap[3] [læp] *v.t.* **1.** ***lap (up),*** laper. **2.** *(fig.)* ***He laps everything you say,*** il boit comme du petit lait tout ce qu'on raconte. *v. intr.* clapoter. *n.* **1.** gorgée. **2.** clapotement.

lapdog ['læpdɒg] *n.* petit chien d'appartement, de salon.

lapel [lə'pel] *n.* revers (de veston).

lapse [læps] *n.* **1.** faute ou erreur légère. ***Lapse of memory,*** oubli, trou de mémoire. **2.** faux pas, écart de conduite. **3.** laps (de temps). **4.** *(Jur.)* déchéance d'un droit.
v. intr. **1.** tomber dans. ***Lapse into idleness,*** sombrer dans l'oisiveté. **2.** faire un écart de conduite. **3.** *(Jur.)* se périmer; tomber en désuétude.

larceny ['lɑːsnɪ] *n. (Jur.)* vol. ***Pretty larceny,*** vol simple.

larch [lɑːtʃ] *n. (Bot.)* mélèze.

⚠ **lard** [lɑːd] *n. (Cuis.)* saindoux. *v.t.* **1.** *(Cuis.)* larder, barder (de la viande). **2.** *(fig.)* ***Larded with quotations,*** truffé de citations.

larder ['lɑːdə] *n.* garde-manger.

⚠ **large** [lɑːdʒ] *adj.* **1.** grand, gros. **2.** vaste, spacieux. ♦ ***There he was as large as life,*** il était là en personne; ***at large,*** en liberté; en général.

lark[1] [lɑːk] *n.* alouette.

lark[2] [lɑːk] *n.* farce, niche. *v. intr.* ***Lark about,*** faire des farces; faire les fous.

⊳ **larva** ['lɑːvə] *n.* (*pl.* **-vae**) larve.

lascivious [lə'sɪvɪəs] *adj.* lascif.

lash [læʃ] *v.t. et intr.* **1.** cingler, fouetter. **2.** *(fig.)* faire des reproches cinglants. **3.** limer; *(Naut.)* amarrer.
n. **1.** mèche (de fouet). **2.** coup de fouet. **3.** coup violent. *(fig.)* ***Lash of criticism,*** attaques virulentes de la critique. **4.** (= **eyelash**) *(Anat.)* cil.

lash out, *v. part. t. et intr.* **1.** frapper; ruer. **2.** ***Lash out at somebody,*** fustiger quelqu'un. ♦ *(fam.)* ***I've just lashed out on my new car,*** je viens de faire une folie en achetant ma nouvelle voiture.

lass [læs] *n. (dial.)* jeune fille.

last[1] [lɑːst] *adj.* dernier. ***The last but one chapter,*** l'avant-dernier chapitre. *adv.* **1.** en dernier. **2.** la dernière fois. **3.** pour terminer. ***Last but no least,*** le dernier mais non le moindre. *n.* **1.** dernier. ***We shall never hear the last***

of it, on n'a pas fini d'en entendre parler. **2.** reste. ♦ ***At last,*** enfin ; ***near his last,*** sur le point de mourir ; ***to the last,*** jusqu'au bout. *v.t. et intr.* durer.

last² [lɑːst] *n.* forme (à chaussure).

last-ditch [ˌlɑːst'dɪtʃ] *adj.* désespéré, ultime (effort, tentative...).

lasting ['lɑːstɪŋ] *adj.* durable, permanent.

latch [lætʃ] *n.* **1.** loquet. **2.** verrou, serrure (de sûreté). **3.** *(Tech.)* verrou. *v.t.* **1.** fermer au loquet. **2.** *(Tech.)* verrouiller.

latch on, *v. part. intr.* **1.** *(fam.)* piger. ***Latch on to something,*** saisir quelque chose. **2.** *(fam.)* s'accrocher. ***Latch on to somebody,*** s'attacher à quelqu'un.

latchkey ['lætʃkiː] *n.* passe, clef de porte d'entrée.

late [leɪt] *adj.* **1.** en retard. **2.** tard. ***At a late hour,*** à une heure tardive. **3.** récent. ***The latest news,*** les dernières nouvelles. **4.** précédent. ***The late government,*** l'ancien gouvernement. **5.** défunt. ***Her late father,*** feu son père. *adv.* **1.** en retard. **2.** tard (dans la journée, la saison...). ***See you later,*** à bientôt ; ***sit up late,*** veiller tard. **3.** récemment. ***I saw her as late as yesterday,*** je l'ai vue pas plus tard qu'hier ; ***of late,*** récemment. ♦ ***Sooner or later,*** tôt ou tard.

latecomer ['leɪtˌkʌmə] *n.* retardataire ; tard-venu(e).

lately ['leɪtlɪ] *adv.* récemment, dernièrement.

lathe [leɪð] *n.* *(Tech.)* tour.

lather ['lɑːðə] *n.* **1.** mousse de savon. **2.** écume (sur un cheval). ♦ *(fig.)* ***In a lather,*** énervé, paniqué.
v.t. **1.** savonner. **2.** *(fam.)* rosser. *v. intr.* **1.** mousser. **2.** se couvrir d'écume (pour un cheval).

latter ['lætə] *adj.* **1.** dernier (de deux), deuxième. ***The former..., the latter...,*** le premier, le dernier... **2.** dernier. ***The latter years of the war,*** les dernières années de la guerre.

lattice ['lætɪs] *n.* treillis, treillage. ***Lattice window,*** fenêtre treillissée.

laudable ['lɔːdəbl] *adj.* louable, digne d'éloges.

laugh [lɑːf] *n.* rire. *v. intr.* **1.** rire. **2.** ***Laugh at,*** se moquer de. *v.t.* ***He laughed himself sick,*** il s'est rendu malade à force de rire ; ***we laughed him out of it,*** à force de plaisanter, nous lui avons fait renoncer à son projet. ♦ ***I'll make him laugh on the other side of his face,*** je lui ferai passer l'envie de rire ; ***it's no laughing matter,*** c'est très sérieux ; ***she was laughing up her sleeve,*** elle riait sous cape.

laughable ['lɑːfəbl] *adj.* risible, ridicule. ***Laughable offer,*** offre dérisoire.

laughing-stock ['lɑːfɪŋstɒk] *n.* risée.

laugh off, *v. part. t.* ***Laugh the matter off,*** traiter quelque chose comme une plaisanterie.

laughter ['lɑːftə] *n.* rire.

launch [lɔːntʃ] *v.t.* **1.** *(Naut.)* lancer (un navire). **2.** *(Sc.)* lancer (un missile, une fusée...). **3.** *(fig.)* lancer (quelqu'un, une affaire...). *n.* chaloupe. ***(Motor) launch,*** vedette.

launching ['lɔːntʃɪn] *n.* *(Naut., Sc., Comm.)* lancement. ♦ ***Launching pad,*** plate-forme de lancement (de fusées, de missiles...).

launch out, *v. part. intr.* ***Launch out into business, life...,*** se lancer dans les affaires, la vie...

launderette [lɔːn'dret] *n.* laverie automatique.

laundress ['lɔːndrɪs] *n.* blanchisseuse.

laundry ['lɔːndrɪ] *n.* **1.** blanchisserie. **2.** lessive, linge.

laurel ['lɒrəl] *n.* *(Bot.)* laurier. **2.** *(fig.)* ***Laurels,*** des lauriers.

▻ **lava** ['lɑːvə] *n.* *(Géol.)* lave.

lavatory ['lævətrɪ] *n.* toilettes.

lavender ['lævɪndə] *n.* *(Bot.)* lavande.

lavish ['lævɪʃ] *adj.* **1.** prodigue. ***Be lavish in praises,*** prodiguer des louanges. **2.** abondant, plantureux. *v.t.* prodiguer. ***He lavishes money on his wife,*** il dépense sans compter pour sa femme.

law [lɔː] *n.* **1.** loi. ***Pass a law,*** voter une loi. **2.** *(Jur.)* droit. ***Common law,*** droit coutumier ; ***criminal law,*** droit pénal. **3.** justice. ***Court of law,*** tribunal. ♦ ***He lays down the law,*** c'est lui qui fait la loi ; ***take the law into one's own hands,*** se faire justice soi-même ; ***they'll go to law,*** ils iront en justice.

law-abiding ['lɔːəˌbaɪdɪŋ] *adj.* respectueux des lois.

lawful ['lɔ:fl] *adj.* **1.** légal. **2.** légitime.

lawless ['lɔ:les] *adj.* **1.** sans loi. **2.** anarchique, déréglé.

lawn[1] [lɔ:n] *n.* pelouse, gazon. ***Lawn tennis,*** tennis sur gazon.

lawn[2] [lɔ:n] *n.* batiste, linon.

lawnmower ['lɔ:n,məʊə] *n.* tondeuse à gazon (cf. **mower**).

lawsuit ['lɔ:sju:t] *n.* *(Jur.)* procès (cf. **suit**).

lawyer ['lɔ:jə] *n.* **1.** homme de loi, juriste. **2.** avocat, notaire (cf. **solicitor**).

lax [læks] *adj.* **1.** relâché, mou. **2.** négligent. ***He's lax in his duties,*** il néglige ses devoirs. **3.** *(Méd.)* relâché (intestins).

laxity ['læksɪtɪ] *n.* **1.** laxité, mollesse (des muscles, des tissus...). **2.** relâchement (des mœurs, de la discipline...). **3.** *(Méd.)* relâchement (des intestins). **4.** imprécision (du langage).

lay[1] [leɪ] *v.t. irr.* (*p.* **laid,** [leɪd] *p.p.* **laid**). **1.** mettre, poser. ***Lay the table,*** mettre le couvert. **2.** pondre (un œuf). **3.** abattre (la poussière...). **4.** prendre (un pari). **5.** couvrir, recouvrir (le sol...). **6.** imposer (une obligation...). **7.** *(argot)* coucher (avec une femme). ♦ ***He laid about him,*** il frappait de tous côtés, il s'escrimait; ***lay oneself open to,*** s'exposer à (la critique, une accusation...); ***lay waste,*** dévaster, piller (un pays); ***she was laid low with flu,*** la grippe l'a obligée à s'aliter.

lay[2] [leɪ] *n.* *(Géog.)* configuration (du terrain). ♦ *(fig.)* ***We must find out the lay of the land,*** il faut tâter le terrain.

lay[3] [leɪ] *adj.* **1.** *(Rel.)* laïque. ***Lay brother,*** frère convers; ***lay reader,*** prédicateur laïque. **2.** profane. ***To the lay mind,*** aux yeux du profane. **3.** ***Lay figure,*** mannequin (pour artistes).

lay[4] [leɪ] (**lie,** *v.*)

layabout ['leɪəbaʊt] *n.* *(fam.)* paresseux.

lay-by ['leɪbaɪ] *n.* terre-plein, aire de stationnement.

lay down, *v. part. t.* **1.** déposer (des outils, les armes...). ***Lay down one's cards,*** abattre son jeu. **2.** sacrifier (sa vie). **3.** établir (un plan...); formuler (une ligne de conduite...). **4.** décréter. ***It is laid down that,*** il est stipulé que. **5.** mettre en chantier. **6.** mettre en cave (du vin).

layer ['leɪə] *n.* **1.** *(Géol.)* couche, assise. **2.** pondeuse. **3.** *(Agr.)* marcotte. *v.t.* **1.** disposer en couches. **2.** marcotter.

lay in, *v. part. t.* emmagasiner.

layman ['leɪmən] *n.* (*pl.* **-men**). **1.** *(Rel.)* laïque. **2.** profane.

lay-off ['leɪɒf] *n.* (période de) licenciement temporaire.

lay off, *v. part. t. et intr.* **1.** mettre en chômage technique. **2.** *(fam.)* arrêter. ***Lay off, will you?*** fiche-moi donc la paix.

lay on, *v. part. t.* fournir, installer (le gaz, l'électricité, l'eau...). ♦ ***You're laying it on,*** tu n'y vas pas de main morte.

lay-out ['leɪaʊt] *n.* **1.** tracé (de ville); dessin (de jardin); plan, maquette. **2.** *(Tech.)* disposition typographique, mise en page.

lay out, *v. part. t.* **1.** disposer. **2.** dessiner, faire un plan. **3.** faire la toilette (d'un mort). **4.** *(fam.)* mettre hors de combat. **5.** *(fam.)* débourser (de l'argent). ♦ *(fig.)* ***He laid himself out,*** il s'est mis en frais.

lay up, *v. part. t.* **1.** amasser, mettre en réserve. **2.** ***He's laid up,*** il est alité. **3.** *(Naut.)* mettre (un navire) en rade.

laze [leɪz] *v.t. et intr.* ***Laze about*** (ou ***laze away one's time),*** traînasser, paresser.

lazy ['leɪzɪ] *adj.* paresseux, fainéant.

lazybones ['leɪzɪ,bəʊnz] *n.* *(fam.)* fainéant.

L-driver ['el,draɪvə] *n.* *(Aut.)* conducteur débutant.

lead[1] [li:d] *v.t. irr.* (*p.* **led,** *p.p.* **led**). **1.** mener, conduire, guider. **2.** mener par la bride; tenir en laisse. **3.** *(Polit.)* diriger. ***Lead a party,*** être à la tête d'un parti. **4.** amener (quelqu'un à faire quelque chose). **5.** *(Sp.)* être en tête (d'une course). **6.** mener (une existence). **7.** (cartes) ***Lead a card,*** attaquer d'une carte. ♦ *(fam.)* ***She led me a dance,*** elle m'en a fait voir de toutes les couleurs.

v. intr. irr. **1.** mener. ***This lane leads to the village,*** ce chemin conduit au village. **2.** *(fig.)* aboutir à (un résultat...). ***It will lead to nothing,*** cela ne mènera à rien.

n. **1.** conduite. **2.** exemple, initiative.

Give the lead, montrer la voie; ***take the lead,*** prendre la direction. **3.** renseignement, piste. **4.** *(Sp.)* tête (dans une course); avance. ***Have a lead of 10 yards,*** mener d'une dizaine de mètres. **5.** (cartes) ***Have the lead,*** avoir la main. **6.** *(Th., Ciné.)* rôle principal. **7.** éditorial (cf. **leader**). **8.** laisse (aussi **leash**). **9.** *(Élec.)* fil de branchement.

lead² [led] *n.* **1.** plomb. **2.** *(Naut.)* (plomb de) sonde. ***Lead line,*** ligne de sonde. **3.** mine de crayon. **4.** plombs (de couverture, de vitrail...).

leaden ['ledn] *adj.* **1.** de plomb. **2.** terne (couleur). ♦ *(fig.)* ***She had a leaden heart,*** elle avait le cœur lourd.

leader ['li:də] *n.* **1.** conducteur, meneur. ***Leader of a party,*** chef d'un parti. **2.** *(Mus.)* premier violon. **3.** *(amér.)* chef d'orchestre. **4.** cheval de tête. **5.** éditorial. **6.** *(Agr.)* pousse terminale. **7.** *(Tech.)* amorce (de bande magnétique, de film...).

leadership ['li:dəʃɪp] *n.* **1.** conduite, direction. **2.** qualités de chef. **3.** *(Mil.)* commandement. **4.** *(Polit.)* dirigeants (d'un parti, d'un syndicat...).

lead-in ['li:dɪn] *n.* **1.** *(Élec. T.V.)* entrée (de poste), descente (d'antenne). **2.** entrée en matière.

leading ['li:dɪŋ] *adj.* **1.** principal. ***Leading article,*** éditorial, *(Comm.)* article promotionnel; *(Th.)* ***leading part,*** premier rôle. **2.** ***Leading question,*** question tendancieuse.

lead off, *v. part. t. et intr.,* commencer, entamer (des débats).

lead on, *v. part. t.* faire marcher, duper.

leaf [li:f] *n.* (*pl.* **-ves**). **1.** *(Bot.)* feuille. ***The trees are coming into leaf,*** les arbres se couvrent de feuilles. **2.** page (de livre...). **3.** feuille (d'or ou d'argent). **4.** rallonge (de table); battant (de porte, de contrevent). ♦ *(fig.)* ***Take a leaf out of somebody's book,*** prendre modèle sur quelqu'un; *(fig.)* ***turn over a new leaf,*** changer de conduite, rentrer dans le droit chemin.
v. intr. ***Leaf (out),*** se couvrir de feuilles.

leaflet ['li:flɪt] *n.* **1.** prospectus, dépliant, notice explicative; *(Polit.)* tract. **2.** *(Bot.)* jeune feuille.

leaf through, *v. part. t. et intr.* feuilleter (un livre).

leafy ['li:fɪ] *adj.* feuillu; noyé dans la verdure.

league¹ [li:g] *n.* lieue.

league² [li:g] *n.* **1.** ligue. ***The League of Nations,*** la Société des Nations. **2.** *(Sp.)* championnat. **3.** catégorie. *v.t. et intr.* être ligué (avec); se liguer.

leak [li:k] *n.* **1.** fuite; *(Naut.)* voie d'eau. ***Spring a leak,*** faire eau. **2.** *(fig.)* fuite, indiscrétion. **3.** *(Élec.)* déperdition. *v.t. et intr.* **1.** fuir; laisser échapper. **2.** *(Naut.)* faire eau. **3.** *(fig.)* divulguer; s'ébruiter. ***How did the news leak out?*** comment a-t-on su la nouvelle?

leakage ['li:kɪdʒ] *n.* **1.** fuite, défaut d'étanchéité. **2.** déperdition. **3.** *(fig.)* indiscrétion, fuite.

lean¹ [li:n] *v.t. rég. ou irr.* (*p.* **leant** [lent], *p.p.* **leant**) appuyer. ***Lean a ladder against the wall,*** appuyer une échelle au mur. *v. intr.* **1.** être incliné, pencher. **2.** se pencher. ***Do not lean out of the window,*** ne pas se pencher (au-dehors); ***lean over a cradle,*** se pencher sur un berceau. **3.** s'appuyer sur. ***Lean one's elbows,*** s'accouder. ♦ *(fig.)* ***Lean on somebody,*** faire pression sur quelqu'un, user de menaces; *(fig.)* ***they lean on him for advice,*** ils reposent sur lui pour obtenir des conseils; *(fig.)* ***lean over backwards to please someone,*** se mettre en quatre pour faire plaisir à quelqu'un. *n.* inclinaison.

lean² [li:n] *adj.* **1.** maigre. **2.** ***Lean crops,*** maigres récoltes; ***lean years,*** période de vaches maigres.
n. maigre (de la viande).

leaning ['li:nɪŋ] *adj.* penché. *n.* penchant, tendance. *(Polit.)* ***He has socialist leanings,*** il est de tendance socialiste.

lean-to ['li:ntu:] *n.* appentis.

leap [li:p] *n.* **1.** bond. **2.** *(fig.)* bond, pas en avant. ♦ ***By leaps and bounds,*** à pas de géant; ***leap year,*** année bissextile; ***take a leap in the dark,*** faire un saut dans l'inconnu, s'aventurer.
v.t. et intr. rég. ou irr. (*p.* **leapt,** [lept], *p.p.* **leapt**) sauter; faire sauter; bondir. ♦ ***Leap at an opportunity,*** saisir une occasion au vol; ***leap for joy,***

sauter de joie; ***leap (over) a ditch,*** franchir un fossé; ***leap to one's feet,*** se dresser d'un bond.

leapfrog ['li:pfrɒg] *n.* saute-mouton.

leapt [lept] (**leap,** *v.*)

learn [lɜ:n] *v.t. et intr. rég.* ou *irr.* (*p.* **learnt,** *p.p.* **learnt**) **1.** apprendre (une leçon, l'anglais...). **2.** apprendre (une nouvelle). ♦ *(fig.)* ***He has learnt his lesson,*** cela lui a servi de leçon; ***we've learned from our mistakes,*** nous avons tiré la leçon de nos erreurs.

learned ['lɜ:nɪd] *adj.* **1.** érudit (personne). **2.** savant (ouvrage, vocabulaire...).

learner ['lɜ:nə] *n.* élève, apprenant. *(Aut.)* ***Learner (driver),*** apprenti conducteur.

learning ['lɜ:nɪŋ] *n.* savoir, connaissances; érudition.

learnt [lɜ:nt] (**learn,** *v.*)

lease [li:s] *n.* bail. ***Take a house on lease,*** prendre une maison à bail; *(fig.)* ***take a new lease of life,*** retrouver une nouvelle vigueur.
v.t. ***Lease (out),*** donner ou prendre (une maison, une propriété...) à bail.

leasehold ['li:shəʊld] *n.* immeuble (ou propriété) loué à bail.

least [li:st] *adj. et n.* (*superl.* de **little**), le moindre, la moindre. ***That's the least of my worries,*** c'est le cadet de mes soucis. ♦ ***At least,*** du moins, au moins; ***at (the) least,*** au bas mot; ***in the least,*** le moins du monde; ***it's the least I can do,*** c'est la moindre des choses; ***to say the least,*** pour ne pas dire plus. *adv.* (le) moins. ***Don't tell anybody, least of all your wife,*** n'allez pas le répéter, surtout pas à votre femme; ***he turned up when we least expected him,*** il est arrivé à l'improviste, au moment où nous l'attendions le moins.

leather ['leðə] *n.* cuir. *v.t.* *(fig. et fam.)* tanner le cuir (à quelqu'un); rosser.

leatherette [ˌleðə'ret] *n.* simili-cuir.

leathery ['leðərɪ] *adj.* qui rappelle le cuir.

leave [li:v] *v.t. irr.* (*p.* **left,** *p.p.* **left**). **1.** laisser. **2.** ***Be left,*** rester. ***I've no money left,*** je n'ai plus d'argent. **3.** laisser le soin de. ***I leave it to you,*** je m'en remets à vous. **4.** quitter (un lieu). **5.** abandonner (quelqu'un). **6.** *(Jur.)* léguer. **7.** *(Math.)* ***8 from 10 leaves 2,*** 8 ôté de 10 reste 2. ♦ ***Leave everything lying about,*** laisser tout traîner; ***leave go of,*** lâcher prise (aussi ***let go of***); ***leave him to himself,*** laissez-le agir à sa guise; ***leave me alone!*** fichez moi la paix! ***leave something with somebody,*** confier quelque chose à quelqu'un; *(Rail.)* ***leave the track,*** dérailler; ***leave well alone,*** le mieux est l'ennemi du bien; ***leave word,*** laisser un message; ***let's leave it at that,*** restons-en là. *v. intr. irr.* s'en aller, partir.
n. **1.** autorisation. **2.** *(Mil.)* permission; congé (pour un fonctionnaire). ♦ ***Sick leave,*** congé de maladie; ***take French leave,*** filer à l'anglaise; ***take leave of,*** faire ses adieux à (quelqu'un), quitter (un lieu).

leaven ['levn] *n.* **1.** levain. **2.** *(fig.)* levain, influence.

leave off, *v. part. t.* **1.** cesser de porter (un vêtement). **2.** renoncer à. ***Leave off smoking,*** cesser de fumer. *v. part. intr.* cesser. ***Where did we leave off?*** où en sommes-nous restés?

leave out, *v. part. t.* **1.** omettre (quelque chose). **2.** ne pas s'occuper de (quelqu'un).

leave over, *v. part. t.* **1.** remettre à plus tard. **2.** rester. ***There's nothing left over,*** il ne reste plus rien.

leavings ['li:vɪŋz] *n. pl.* restes (d'un repas), reliefs.

lecherous ['letʃərəs] *adj.* lubrique. ***Lecherous old man,*** vieux paillard.

lechery ['letʃərɪ] *n.* lubricité.

⚠ **lecture** ['lektʃə] *n.* **1.** conférence. **2.** *(fam.)* sermon, réprimande. ***Read somebody a lecture,*** faire la morale à quelqu'un. *v. intr.* faire une conférence, une série de conférences. *v.t.* sermonner, réprimander.

lecturer ['lektʃərə] *n.* **1.** conférencier. **2.** *(Ens.)* maître-assistant.

lectureship ['lektʃəʃɪp] *n.* *(Ens.)* poste de maître-assistant.

led [led] (**lead,** *v.*)

ledge [ledʒ] *n.* **1.** rebord, saillie. **2.** ***Ledge of rock,*** corniche. **3.** *(Naut.)* haut fond.

ledger ['ledʒə] *n.* **1.** grand livre, registre. **2.** *(Mus.)* ***Ledger line,*** ligne supplémentaire (ajoutée à la portée).

lee [li:] *(Naut.)* côté sous le vent. ***Under the lee,*** à l'abri du vent.

leech [li:tʃ] *n.* **1.** *(Zool.)* sangsue. **2.** *(fig.)* crampon, colleur.

leek [li:k] *(Bot.) n.* poireau.

leer [lɪə] *n.* **1.** regard de côté (méchant et malicieux). **2.** regard concupiscent. *v. intr.* **1.** lorgner. **2.** lancer des regards concupiscents.

lees [li:z] *n. pl.* lie (du vin). *(fig.)* ***Drink the cup to the lees,*** boire la coupe jusqu'à la lie.

leeward ['li:wəd] *adj. et adv. (Naut.)* sous le vent. *n.* côté sous le vent.

leeway ['li:weɪ] *n.* **1.** *(Naut.)* dérive. ***Make leeway,*** dériver. **2.** retard. **3.** battement. ***She had ten minutes' leeway to catch her train,*** il lui restait dix minutes pour attraper son train.

left[1] [left] (**leave,** *v.*) *(Rail.)* ***Left luggage office,*** consigne (*amér.* ***baggage room***).

left[2] [left] *adj.* gauche. *adv.* ***Turn left,*** tournez à gauche. *n.* **1.** gauche. **2.** *(Polit.)* ***The left,*** la gauche.

left-handed [,left'hændɪd] *adj.* **1.** gaucher. **2.** *(fam.)* gauche, maladroit (compliment...).

left-hander [,left'hændə] *n.* **1.** gaucher. **2.** *(Boxe)* coup du gauche.

leftist [,leftɪst] *adj. et n. (Polit.)* de gauche; gauchiste (aussi **left-winger**).

leftovers ['left,əʊvəz] *n. pl. (Cuis.)* restes.

leg [leg] *n.* **1.** *(Anat.)* jambe. **2.** patte (d'animal). **3.** *(Cuis.)* ***Leg of chicken,*** cuisse de poulet; ***leg of mutton,*** gigot de mouton. **4.** jambe (de pantalon). **5.** pied (de table, de chaise...). **6.** *(Tech.)* jambage, béquille, jambe. **7.** étape; *(Naut.)* bordée. **8.** *(Sp.)* manche. ***First leg,*** match aller. ♦ ***give me a leg up,*** fais-moi la courte échelle, *(fig.)* donne-moi un coup d'épaule; *(fig.)* ***he hasn't (got) a leg to stand on,*** il n'a pas de raison valable; *(fig.)* ***his business is on its last legs,*** son affaire a du plomb dans l'aile; ***I'm on my last legs,*** je n'en peux plus, c'est la fin; *(fam.)* ***shake a leg!*** dégrouille-toi! ***show a leg!*** lève-toi! *(fig.)* ***stand on one's own legs,*** ne compter que sur soi-même; ***stretch one's legs,*** se dégourdir les jambes; ***take to one's legs*** (ou ***heels***), prendre ses jambes à son cou; ***you're pulling my leg,*** tu me fais marcher.
v.t. (fam.) ***Leg it,*** aller à pied; jouer des jambes, s'esquiver.

legacy ['legəsɪ] *n.* legs, héritage.

▻**legal** ['li:gl] *adj.* **1.** légal; licite. **2.** *(Jur.)* judiciaire. ***Take legal action,*** intenter un procès. ♦ *(Fin.)* ***Be legal tender,*** avoir cours (monnaie).

▻**legalize** ['li:gəlaɪz] *v.t.* légaliser, certifier.

legatee [legə'ti:] *n. (Jur.)* légataire.

▻**legendary** ['ledʒəndərɪ] *adj.* légendaire.

legerdemain [,ledʒədə'meɪn] *n.* tours de passe-passe; prestidigitation.

leggy ['legɪ] *adj.* aux longues jambes, dégingandé.

legible ['ledʒəbl] *adj.* lisible.

legislate ['ledʒɪsleɪt] *v. intr.* faire des lois; légiférer.

▻**legitimate** [lɪ'ʒɪtɪmɪt] *adj.* légitime. *v.t.* [lɪ'dʒɪtɪmeɪt] légitimer.

▻**legitimize** [lɪ'dʒɪtɪmaɪz] *v.t.* légitimer (aussi **legitimatize**).

leg-pull ['legpʊl] *n. (fam.)* canular.

leisure ['leʒə] *n.* **1.** loisir. **2.** loisirs. ♦ ***At leisure,*** libre, inoccupé; ***do something at leisure,*** faire quelque chose sans se presser; (*fam.* et *hum.*) ***he's a gentleman of leisure,*** il vit de ses rentes.

leisurely ['leʒəlɪ] *adj.* posé, sans hâte. *adv.* posément; à tête reposée.

lemon ['lemən] *n.* **1.** citron. *(Cuis.)* ***Lemon curd,*** crème au citron; ***lemon squash,*** citron pressé. **2.** citronnier. **3.** (couleur) citron. ♦ *(argot)* ***She's a real lemon,*** c'est un vrai laideron.

lemonade [,lemə'neɪd] *n.* **1.** citronnade. **2.** citron pressé. **3.** limonade.

lend [lend] *v.t. irr.* (*p.* **lent,** *p.p.* **lent**) **1.** prêter. **2.** ajouter. ***Lend dignity to something,*** conférer de la dignité à quelque chose. ♦ ***Lend me a hand,*** donnez-moi un coup de main.

length [leŋθ] *n.* **1.** longueur. **2.** durée. **3.** coupon; pièce; bout (de ficelle...). ♦ ***At length,*** à la longue, longuement, avec force détails; ***go to the length of doing something,*** aller jusqu'à faire quelque chose; ***he would go to any***

length to succeed, il ferait n'importe quoi pour réussir ; ***she measured her length on the ground,*** elle s'est étalée de tout son long.

lengthen ['leŋθən] *v.t. et intr.* (s') allonger.

lengthways ['lengθweɪz] *adv.* dans le sens de la longueur (aussi **lengthwise**).

lenient ['li:nɪənt] *adj.* **1.** clément, doux. **2.** indulgent.

lens [lenz] *n.* (*pl.* **-es**) *(Optique)* lentille. *(Phot.)*objectif. ***Contact lenses,*** verres de contact.

lent[1] [lent] (**lend,** *v.*)

Lent[2] [lent] *(Rel.)*Carême.

lentil ['lentl] *n. (Agr.)*lentille.

leotard ['li:ətɑ:d] *n.* collant (de danseur).

leper ['lepə] *n.* lépreux.

leprosy ['leprəsɪ] *n.* lèpre.

▷ **leprous** ['leprəs] *adj.* lépreux.

less [les] *adj. et pr.* (*comp.* de **little**) moins. ***People eat less bread and fewer cakes nowadays,*** on mange moins de pain et de gâteaux aujourd'hui. *adv.* moins. ***You should eat less,*** vous devriez moins manger. ♦ ***He went on none the less,*** il n'en continua pas moins ; ***I think (all) the less of him (for that),*** je n'en ai pas moins une piètre opinion de lui ; ***in less than no time,*** en un rien de temps ; ***the less you spend the more you have (left),*** moins vous dépensez, plus il vous reste.

lessee [le'si:] *n.* locataire (à bail), preneur.

lessen ['lesn] *v.t.* diminuer, amoindrir ; amortir (un son). *v. intr.* diminuer, s'amoindrir.

lesser ['lesə] *adj. et pr.* moindre. ***The lesser of two evils,*** le moindre mal.

▷ **lesson** ['lesn] *n.* **1.** leçon. **2.** *(Ens.)* cours, classe. **3.** *(Rel.)* lecture de la Bible. ♦ ***I've had a lesson,*** cela m'a servi de leçon.

lessor ['lesɔ:] *n.* bailleur, bailleresse.

lest [lest] *conj. (lit.)* de crainte que. ***He works hard lest he should fail,*** il travaille dur de peur d'échouer.

let[1] [let] *v.t. irr.* (*p.* **let,** *p.p.* **let**) **1.** laisser, permettre. **2.** louer, donner en location. ♦ ***Let fly at somebody,*** s'en prendre à quelqu'un ; ***let go,*** lâcher prise ; ***let slip,*** laisser échapper (une information, ...), laisser passer (une occasion) ; ***let somebody off (doing) something,*** dispenser quelqu'un de faire quelque chose ; ***let well alone,*** le mieux est l'ennemi du bien ; ***live and let live,*** se montrer tolérant.

let[2] [let] *v. aux.* ***Let it go at that,*** restons-en là ; ***let me know,*** fais-le-moi savoir ; ***let's not worry,*** ne nous inquiétons pas ; ***let's go to the pictures,*** allons au cinéma ; ***let them do what they will,*** ils auront beau faire ; ***let your brother be,*** laisse ton frère tranquille.

let-down ['letdaʊn] *n. (fam.)* déception.

let down *v. part. t.* **1.** baisser (une glace, un store, ...). **2.** allonger (un vêtement). **3.** décevoir. ***Let somebody down,*** laisser choir quelqu'un. ♦ *(fam.)* ***Let one's hair down,*** se laisser aller sans réserve, faire des confidences.

lethal ['li:θl] *adj.* mortel (gaz, dose...).

let in, *v. part. t.* laisser entrer, permettre. ♦ *(fam.)* ***He got let in for £10,*** il s'est fait avoir de dix livres.

let off, *v. part. t.* **1.** faire partir (un pétard, un fusil...). **2.** excuser, pardonner à (quelqu'un). ♦ ***Let off steam,*** lâcher de la vapeur, *(fig.)* décharger sa bile.

let out, *v. part. t.* **1.** laisser sortir ; *(Jur.)* relâcher (un prisonnier). **2.** élargir (un vêtement), lâcher les coutures de. **3.** divulguer (un secret). **4.** pousser (un cri...). **5.** louer (un véhicule, une maison...). ♦ ***Let out at somebody,*** s'en prendre violemment à quelqu'un.

letter ['letə] *n.* **1.** lettre, missive. **2.** lettre (de l'alphabet). **3.** ***Letter of the law,*** lettre de la loi ; ***to the letter,*** au pied de la lettre. *v.t.* marquer avec des lettres ; graver (des lettres).

letterbox ['letəbɒks] *n.* boîte aux lettres.

letterhead ['letəhed] *n.* en-tête de lettre.

letting ['letɪŋ] *n.* appartement (ou maison) en location.

lettuce ['letɪs] *n.* laitue.

let-up ['letʌp] *n.* diminution ; répit.

let up, *v. part. intr.* **1.** diminuer, cesser peu à peu (pluie, activité...). **2.** s'arrêter de travailler. ♦ (*fam.*) ***Let up on somebody,*** se montrer plus clément envers quelqu'un.

▻ **leuk(a)emia** [luː'kiːmɪə] *n.* leucémie.

levee ['levɪ] *n.* **1.** (*Géol.*) dépôt d'alluvions. **2.** digue de protection.

level ['levl] *n.* **1.** niveau. **2.** (*fig.*) échelon. **3.** (*Tech.*) niveau (de charpentier...). ♦ (*fam.*) ***On the level,*** franchement.

v.t. et intr. **1.** ***Level*** (***out*** ou ***off***), aplanir. **2.** ***level*** (***up*** ou ***down***) combler les creux, niveler. ***Level a building to the ground,*** raser un bâtiment. ♦ ***He levelled his gun at me,*** il a braqué son revolver sur moi ; (*fam.*) ***on the level,*** en toute honnêteté. *adj.* **1.** de niveau, à niveau. **2.** plat, uniforme. **3.** ***Level with,*** au même niveau (que). **4.** (*Sp.*) ***Draw level with,*** arriver à la hauteur de. **5.** soutenu (regard, ton...). **6.** calme (cf. **level-headed**). ♦ ***Do one's level best,*** faire de son mieux.

level-headed [ˌlevl'hedɪd] *adj.* pondéré, équilibré.

leveller ['levlə] *n.* (*péj.*) niveleur ; (*Polit.*) égalitariste.

level off *v. part. intr.* (*Av.*) se mettre à voler en palier (aussi **level out**).

⚠ **lever** ['liːvə] *n.* **1.** levier. **2.** (*fig.*) levier. *v.t.* déplacer (avec un levier).

leverage ['liːvrɪdʒ] *n.* **1.** (*Tech.*) force de levier. **2.** (*fig.*) influence, prise.

levity ['levɪtɪ] *n.* légèreté (de mœurs).

levy ['levɪ] *n.* **1.** levée (d'impôts). **2.** (*Mil.*) levée, enrôlement. ♦ (*Fin.*) ***Capital levy,*** prélèvement sur le capital. *v.t.* **1.** lever (un impôt). ***Levy a fine on somebody,*** infliger une amende à quelqu'un. **2.** (*Mil.*) lever (des troupes).

lewd [luːd] *adj.* **1.** concupiscent, lubrique (personne). **2.** obscène, paillard (chanson...).

liability [ˌlaɪə'bɪlɪtɪ] *n.* **1.** disposition, tendance ; risque. **2.** responsabilité. **3.** (*Fin.*) ***Liabilities,*** passif. **4.** (*Fig.*) ***It's a real liability,*** c'est un réel handicap.

⚠ **liable** ['laɪəbl] *adj.* **1.** sujet à, exposé à (froid...). **2.** susceptible de, capable de. **3.** (*Jur.*) ***Liable for,*** responsable de. **4.** soumis à (un droit, un impôt...).

liar ['laɪə] *n.* menteur.

lib[1] [lɪb] *n.* (= **liberation**) ***Women's lib,*** libération de la femme, M.L.F.

lib[2] [lɪb] *n.* (= **liberal party**) parti libéral.

▻ **libel** ['laɪbl] *n.* libelle ; (*Jur.*) diffamation. *v.t.* diffamer, calomnier.

libel(l)ous ['laɪbləs] *adj.* diffamatoire, calomnieux.

▻ **liberate** ['lɪbəreɪt] *v.t.* **1.** libérer. **2.** (*Sc.*) dégager (un gaz).

▻ **liberty** ['lɪbətɪ] *n.* **1.** liberté. **2.** permission. ♦ ***At liberty,*** en liberté ; ***you're at liberty to refuse,*** vous avez le droit de refuser.

⚠ **librarian** [laɪ'breərɪən] *n.* bibliothécaire.

⚠ **library** ['laɪbrərɪ] *n.* bibliothéque. ***Public library,*** bibliothèque municipale.

lice [laɪs] *n.* (*pl.* de **louse**) poux.

⚠ **licence** ['laɪsəns] *n.* **1.** autorisation. **2.** permis. ***Driving licence,*** permis de conduire. **3.** licence, liberté. (*Lit.*) ***Poetic licence,*** licence poétique.

⚠ **license** ['laɪsəns] *v.t.* accorder un permis, un brevet, une patente...

licensee [laɪsən'siː] *n.* possesseur d'une patente (de vente de spiritueux...) ; propriétaire de bar.

lick [lɪk] *v.t. et intr.* **1.** lécher. **2.** ***Lick*** (***up*** ou ***off***), laper. **3.** (*fam.*) rosser (quelqu'un). **4.** (*Sp.*) battre à plate couture. ♦ (*fam.*) ***As hard as he could lick,*** en quatrième vitesse ; (*fam.*) ***it licks me,*** ça me dépasse ; (*fig.*) ***lick into shape,*** former, dégourdir (quelqu'un) ; (*fig.*) ***lick the dust,*** être vaincu (ou tué).

n. **1.** coup de langue. **2.** petite quantité. ***Lick of paint,*** petite couche de peinture. **3.** ***Salt lick,*** terrain riche en sel (pour bestiaux). **4.** vitesse. ***At a great lick,*** à toute allure. ♦ ***He gave himself a lick and a promise,*** il a fait une toilette de chat.

licking ['lɪkɪŋ] *n.* **1.** léchage. **2.** correction, raclée. **3.** défaite.

lid [lɪd] *n.* **1.** couvercle. **2.** (*fam.*) chapeau, galurin. **3.** (= **eyelid**) paupière. ♦ (*fig.*) ***Take the lid off,*** révéler la vérité ; (*fam.*) ***that puts the lid on it!*** ça c'est le comble !

lido ['liːdəʊ] *n.* **1.** piscine en plein air. **2.** plage aménagée (pour baignade).

lie[1] [laɪ] *v. intr. irr.* (*p.* **lay**, *p.p.* **lain**, participe présent **lying**). **1.** être étendu. **2.** dépendre (de). ***It lies with you to decide,*** il ne tient qu'à vous de décider. ♦ ***Here lies,*** ci-gît; ***lie idle,*** être inutilisé (machine, usine...); ***lie in state,*** être exposé en grande pompe (dépouille mortelle); ***lie low,*** essayer de passer inaperçu.

n. **1.** *(Golf)* position (de la balle). **2.** ***Lie of the land,*** configuration du terrain, *(fig.)* façon dont se présentent les choses (*amér.* ***lay of the land***).

lie[2] [laɪ] *n.* **1.** mensonge. **2.** dissimulation, faux-semblant. ♦ ***Give somebody the lie,*** accuser quelqu'un de mensonge.

lie about, *v. part. intr.* traîner; traînasser (pour une personne). ***He leaves everything lying about,*** il laisse tout traîner.

lie-down [ˌlaɪˈdaʊn] *n.* *(fam.)* petite sieste.

lie down, *v. part. intr.* **1.** s'étendre, se coucher. **2.** ne pas réagir (devant une insulte...).

lie-in [ˈlaɪˌɪn] *n.* *(fam.)* grasse matinée. ***Have a lie-in,*** faire la grasse matinée.

lie in, *v. part. intr.* faire la grasse matinée.

lie to, *v. part. intr.* *(Naut.)* être empanné.

lie up, *v. part. intr.* **1.** garder le lit, la chambre. **2.** se cacher.

life [laɪf] *n.* (*pl.* **lives**) **1.** vie. **2.** existence. **3.** activité, mouvement. ***The streets were full of life,*** les rues étaient animées. **4.** énergie, nerf. ♦ ***Come to life,*** reprendre connaissance, prendre goût à, s'animer; ***he's his father to the life,*** c'est tout le portrait de son père; ***I can't for the life of me understand what he wants,*** je ne comprends absolument pas ce qu'il veut; *(Jur.)* ***life imprisonment,*** réclusion à perpétuité; *(Naut.)* ***life jacket,*** gilet de sauvetage; *(amér.)(Naut.)* ***life preserver,*** appareil de sauvetage; *(Méd.)* ***life support systems,*** équipement de vie (de vaisseau spatial), respirateur, rein artificiel; ***not on your life!*** jamais de la vie! ***run for dear life,*** prendre ses jambes à son cou; ***take one's (own) life,*** se suicider; ***the life and soul of the party,*** le boute-en-train.

lifebelt [ˈlaɪfbelt] *n.* ceinture de sauvetage.

lifeblood [ˈlaɪfblʌd] *n.* **1.** sang. **2.** élément moteur; pivot; âme. ***Oil is the lifeblood of our economy,*** le pétrole est l'élément vital de notre économie.

lifeboat [ˈlaɪfbəʊt] *n.* *(Naut.)* **1.** canot de sauvetage. **2.** chaloupe (à bord d'un navire).

lifebuoy [ˈlaɪfbɔɪ] *n.* bouée de sauvetage.

lifeguard [ˈlaɪfgɑːd] *n.* **1.** sauveteur; surveillant de plage. **2.** garde du corps (cf. **bodyguard**).

lifeless [ˈlaɪflɪs] *adj.* **1.** sans vie, inerte. **2.** mort. **3.** sans énergie, sans entrain.

lifelike [ˈlaɪflaɪk] *adj.* très ressemblant (photo, portrait...).

lifeline [ˈlaɪflaɪn] *n.* **1.** *(Naut.)* ligne de sauvetage. **2.** *(Naut.)* garde-corps. **3.** corde de sécurité (de plongeur). **4.** ligne de vie. **5.** *(fig.)* ***It was his lifeline,*** c'était vital pour lui.

lifelong [ˈlaɪflɒŋ] *adj.* de toute une vie. ***Lifelong friend,*** ami de toujours.

lifer [ˈlaɪfə] *n.* *(argot)* condamné à perpétuité.

life-size [ˌlaɪfˈsaɪz] *adj.* grandeur nature.

lifetime [ˈlaɪftaɪm] *n.* vie, existence. ***It's the chance of a lifetime,*** ça n'arrive qu'une fois dans la vie.

lift [lɪft] *n.* **1.** élévation, levée. **2.** *(Av.)* portance, poussée. **3.** ascenseur (*amér.* **elevator**). **4.** monte-charge. **5.** ***Can I give you a lift?*** puis-je vous déposer quelque part? **6.** regain d'énergie.

v.t. **1.** lever, soulever. **2.** relever (la tête); dresser (les oreilles). **3.** soulever (pour l'air, le vent...). **4.** lever (un embargo, un siège...). **5.** *(Sp.)* lifter (un coup). **6.** voler (à l'étalage...). **7.** plagier (un auteur). **8.** *(Agr.)* ***Lift potatoes,*** arracher des pommes de terre. **9.** ***Lift (up) the voice,*** élever la voix (en chantant). **10.** *(Méd.)* ***Have one's face lifted,*** se faire faire un lifting.

v. intr. **1.** se lever, se soulever. **2.** se dissiper (pour des nuages...).

liftboy [ˈlɪftbɔɪ] *n.* liftier, garçon d'ascenseur (aussi **liftman**).

lift-off ['lɪftɒf] *n.* *(Tech.)* lancement (d'une fusée...) (aussi **blast-off**).

lift off, *v. part. intr.* *(Av. Tech.)* décoller.

light[1] [laɪt] *n.* **1.** lumière. **2.** lampe, éclairage; phare. ***(Traffic) lights,*** feux (de circulation). **3.** jour. **4.** du feu. ***Could you give me a light?*** vous avez du feu? **5.** fenêtre, ouverture. **6.** lueur (du regard). ♦ ***Come to light,*** être révélé; ***light and shade,*** les clairs et les ombres; ***see the light,*** venir au monde; être rendu public; comprendre (quelque chose); *(Rel.)* se convertir; ***throw light on a mystery,*** éclaircir un mystère.
adj. **1.** éclairé, clair (pièce). **2.** ***It's light,*** il fait jour. **3.** ***Light blue,*** bleu clair.
v. t. et intr. irr. (*p.* **lit,** *p.p.* **lit,** aussi *rég.*). **1.** allumer (une cigarette, un feu...). **2.** allumer (une bougie); éclairer (une pièce). **3.** *(fig.)* ***Be lit up,*** être illuminé (visage).

light[2] [laɪt] *adj.* **1.** léger. **2.** *(Mil.)* ***Light artillery,*** artillerie légère. **3.** peu important. **4.** pas fatigant, amusant (lecture, livre...). **5.** facile à digérer; peu alcoolisé. **6.** léger, frivole (conduite, propos). **7.** enjoué. ♦ ***Make light of something,*** faire fi de quelque chose.
adv. ***Travel light,*** voyager avec le minimum de bagages.

lighten[1] ['laɪtn] *v.t. et intr.* **1.** (s') éclairer. **2.** *(fig.)* s'illuminer (visage).

lighten[2] ['laɪtn] *v.t.* alléger, soulager. *v. intr.* ***His heart lightened,*** il a éprouvé un soulagement.

lighter[1] ['laɪtə] *n.* **1.** allumeur. **2.** briquet (aussi **cigarette lighter**).

lighter[2] ['laɪtə] *n.* *(Tech.)* allège, chaland.

light-headed [,laɪt'hedɪd] *adj.* **1.** ***Feel light-headed,*** ne pas avoir les idées claires (sous l'effet de l'alcool,...). **2.** étourdi, écervelé.

light-hearted [,laɪt'hɑːtɪd] *adj.* gai.

lighthouse ['laɪthaʊs] *n.* *(Naut.)* phare.

lighting ['laɪtɪŋ] *n.* éclairage.

lightning ['laɪtnɪŋ] *n.* éclair(s). ***A flash of lightning,*** un éclair. ♦ ***Lightning conductor,*** paratonnerre; *(fig.)* ***lightning strike,*** grève surprise.

lights[1] [laɪts] *n. pl.* (= **footlights**) *(Th.)* feux de la rampe. ♦ ***Act according to one's lights,*** agir selon ses capacités.

lights[2] [laɪts] *n. pl.* *(Cuis.)* du mou.

lights-out [,laɪts'aʊt] *n.* extinction des feux.

light up, *v. part. t. et intr.* **1.** illuminer. **2.** éclairer. **3.** allumer (une cigarette, une pipe...). ♦ *(fam.)* ***Be lit up,*** être pompette, rond.

lightweight ['laɪtweɪt] *n.* **1.** *(Boxe)* poids léger. **2.** *(fig.)* personne insignifiante.

likable ['laɪkəbl] *adj.* agréable, sympathique (aussi **likeable**).

like[1] [laɪk] *v.t.* **1.** aimer, avoir de la sympathie pour. **2.** être disposé à. ***I don't like asking him for money,*** je répugne à lui demander de l'argent. **3.** désirer. ***Would you like a cup of tea?*** voudriez-vous prendre une tasse de thé? ♦ ***How would you like a trip to London?*** cela vous dirait-il d'aller faire un tour à Londres?; ***(well) I like that!*** çà par exemple!

like[2] [laɪk] *adj.* **1.** semblable à, pareil à. **2.** similaire, analogue. ***They're as like as two peas,*** ils se ressemblent comme deux gouttes d'eau.

like[3] [laɪk] *prép.* **1.** comme, dans le genre de. **2.** typique de. ***It's just like him,*** c'est bien de lui. ♦ ***It looks like rain,*** le temps est à la pluie; ***like father like son,*** tel père tel fils; ***something like £ 20,*** aux environs de 20 livres; ***what is he like?*** comment est-il? ***what was the film like?*** comment as-tu trouvé le film? ***(do you) feel like a drink?*** çà vous dit de prendre un verre?

like[4] [laɪk] *n.* **1.** pareil. ***You'll never see his like again,*** vous ne reverrez jamais son pareil. **2.** chose semblable.

likelihood ['laɪklɪhʊd] *n.* vraisemblance, probabilité.

likely ['laɪklɪ] *adj.* **1.** vraisemblable, probable. **2.** possible (plan, lieu...). **3.** qui a ses chances. ***Likely young boy,*** jeune gaillard qui promet. ♦ ***A likely story!*** tu parles!
adv. vraisemblablement. ***As likely as not,*** probablement; ***most likely,*** selon toute probabilité.

like-minded [,laɪk'maɪndɪd] *adj.* ayant les même conceptions.

likeness ['laɪknɪs] *n.* ressemblance. ***Fa-***

mily likeness, air de famille.

likes [laɪks] *n. pl.* préférences. ***Likes and dislikes,*** ce qu'on aime et ce qu'on n'aime pas. ♦ ***The likes of us,*** des gens comme nous.

likewise ['laɪkwaɪz] *adv.* **1.** de même. **2.** aussi, également.

liking ['laɪkɪŋ] *n.* **1.** préférence, sympathie. **2.** goût, penchant. ♦ ***Take a liking to,*** se prendre d'amitié pour.

lilac ['laɪlək] *n.* **1.** *(Bot.)* lilas. **2.** (couleur) lilas.

lily ['lɪlɪ] *n.* (*pl.* **-lies**) *(Bot.)*lis. ***Lily of the valley,*** muguet.

lily-livered [ˌlɪlɪ'lɪvəd] *adj.* poltron.

limb [lɪm] *n.* **1.** *(Anat.)* membre. **2.** branche maîtresse. ♦ *(fig.)* ***He's out on a limb,*** personne ne le soutient; ***tear limb from limb,*** mettre en pièces, déchiqueter.

▷ **limbo** ['lɪmbəʊ] *n.* *(Rel.)*limbes.

⚠ **lime**[1] [laɪm] *n.* **1.** chaux (aussi ***quicklime***). ***Slaked lime,*** chaux éteinte. **2.** glu (aussi **birdlime**). *v.t.* *(Agr.)* chauler (des terres...). **2.** engluer (des brindilles); prendre à la glu.

lime[2] [laɪm] *n.* **1.** *(Bot.)* lime. **2.** limettier.

lime[3] [laɪm] *n.* *(Bot.)*tilleul.

limelight ['laɪmlaɪt] *n.* **1.** *(Th.)*feux de la rampe. **2.** *(fig.)* notoriété. ***Be in the limelight,*** être en vedette.

limestone ['laɪmstəʊn] *n.* *(Géog.)* calcaire.

▷ **limit** ['lɪmɪt] *n.* **1.** limite, borne. **2.** *(Tech.)* tolérance. **3.** personne (ou chose) difficile à supporter. ***He's the limit,*** il dépasse les bornes; ***that's the limit!*** c'est le comble! ♦ ***within limits,*** dans une certaine mesure.
v.t. limiter, restreindre.

▷ **limited** ['lɪmɪtɪd] *adj.* **1.** limité, restreint. **2.** *(Comm.)* ***A limited liability company,*** une société à responsabilité limitée.

limp[1] [lɪmp] *v. intr.* boiter, clopiner, traîner la jambe. *n.* claudication.

limp[2] [lɪmp] *adj.* mou, flasque.

line[1] [laɪn] *n.* **1.** corde, cordage. ***Clothes line,*** corde à linge. **2.** ligne (pour la pêche). **3.** *(Téléph. Élec.)* ligne. **4.** ligne, trait. **5.** *(Sp.)* ligne d'arrivée. **6.** frontière. **7.** ride (cf. **wrinkle**). **8.** alignement, rangée. **9.** ligne généalogique; famille. **10.** ligne (d'un texte); vers (d'un poème). *(Th.)* ***He knows his lines,*** il sait son rôle. **11.** mot. ***Drop me a line,*** mets-moi un mot. **12.** *(Mil.)* ***lines,*** lignes. **13.** *(Mil.)* ***Line regiment,*** régiment d'infanterie. **14.** *(Rail.)* voie. **15.** ligne. ***Air line,*** ligne aérienne; ***shipping line,*** compagnie de navigation. **16.** *(Géog., Géol.)* ligne. ***Ridge line,*** ligne de faîte. **17.** *(Géog.)* ***Cross the line,*** franchir l'équateur. **18.** orientation. ***We're working on the right lines,*** nous sommes sur la bonne voie. **19.** politique, ligne de conduite. ***The party line,*** les directives du parti. **20.** profession, carrière. ***What's your line (of business)?*** que faites-vous dans la vie? **21.** *(Comm.)* article. ***It's not one of our lines,*** nous ne tenons pas cet article. **22.** *(amér.)* queue (cf. **queue**). ♦ ***Come into line with,*** se ranger à l'opinion de; *(fam.)* ***get a line on a thing,*** obtenir des tuyaux sur quelque chose; ***hard lines!*** pas de chance! ***in line,*** en bonne position; ***line of least resistance,*** solution de facilité; *(fig.)* ***reach the end of the line,*** être au bout du rouleau; *(argot)* ***shoot a line,*** baratiner, se vanter; *(Polit.)* ***toe the line,*** se conformer aux mots d'ordre.
v.t. **1.** tracer des lignes, rayer. **2.** marquer de rides. **3.** border (d'arbres...). ***The crowd lined the street,*** la foule faisait la haie.

line[2] [laɪn] *v.t.* doubler (un vêtement...). ♦ *(fig.)* ***Line one's pockets,*** se remplir les poches.

lineage ['lɪnɪ-ɪdʒ] *n.* lignée, descendance.

lineman ['laɪnmən] *n.* (*pl.* **-men**) *(Rail.)* cheminot; *(Téléph.)* ouvrier des lignes (cf. **linesman**).

linen ['lɪnɪn] *n.* **1.** toile de lin. **2.** linge. **3.** lingerie, sous-vêtements.

liner ['laɪnə] *n.* **1.** *(Naut.)* navire de ligne. **2.** pinceau pour les cils (aussi **eyeliner**). **3.** doublure (de couche pour bébé).

linesman ['laɪnzmən] *n.* (*pl.* **-men**) **1.** *(Sp.)* arbitre de touche. **2.** *(Rail.)* cheminot. **3.** *(Téléph.)* ouvrier des lignes (cf. **lineman**).

line-up ['laɪnʌp] *n.* **1.** alignement. **2.**

(Sp.) composition de l'équipe.
line up, *v. part. t. et intr.* **1.** aligner. **2.** se mettre en ligne. **3.** faire la queue.
linger ['lɪŋgə] *v. intr.* **1.** traîner, s'attarder. **2.** *(Méd.)* traîner (pour un malade). **3.** être lent à disparaître ; persister.
lingo ['lɪŋgəʊ] *n. (pl.* **-goes***) (argot)* **1.** ***Lingo of the country,*** langue du pays. **2.** jargon ; argot (de théâtre).
lining ['laɪnɪŋ] *n.* doublure. **2.** *(Tech.)* garniture, chemise... ♦ ***Every cloud has a silver lining,*** à quelque chose malheur est bon.
link [lɪŋk] *n.* **1.** maillon (de chaîne), chaînon. **2.** lien, rapport. *v.t.* **1.** joindre, relier. **2.** *(Tech.)* faire l'arrimage (de deux vaisseaux spatiaux). *v. intr.* ***Link (up),*** se joindre, se rejoindre.
links [lɪŋks] *n.* **1.** *(Golf.)* terrain de golf. **2.** dunes (au bord de la mer).
link-up ['lɪŋk-ʌp] *n.* lien, liaison ; *(TV)* liaison, émission (en duplex).
lint [lɪnt] *n. (Méd.)* charpie.
lintel ['lɪntl] *n.* linteau.
△ **lion** ['laɪən] *n.* (féminin **lioness**) **1.** lion. **2.** célébrité, phénix.
lip [lɪp] *n.* **1.** lèvre, babine. **2.** bord, rebord (de tasse...). **3.** *(fam.)* effronterie. *(argot)* ***None of your lip!*** ne soyez pas insolent ! ♦ ***Keep a stiff upper lip,*** ne pas broncher ; ***pay lip service to,*** approuver du bout des lèvres.
lipstick ['lɪp,stɪk] *n.* rouge à lèvres.
▻ **liquefy** ['lɪkwɪfaɪ] *v.t. et intr.* (se) liquéfier.
▻ **liquid** ['lɪkwɪd] *adj.* **1.** liquide. **2.** *(Fin.)* en liquide. ***Liquid assets,*** liquidités, disponibilités. **3.** clair (son...) ; limpide (regard...).
n. **1.** liquide. **2.** (consonne) liquide.
▻ **liquidate** ['lɪkwɪdeɪt] *v.t.* **1.** *(fam.)* liquider, tuer (quelqu'un). **2.** *(Comm.)* liquider (une entreprise en faillite). **3.** règler (des dettes). *v. intr. (Comm.)* entrer en liquidation.
liquidize ['lɪkwɪdaɪz] *v.t.* liquéfier.
△ **liquor** ['lɪkə] *n.* **1.** boisson alcoolique. **2.** *(amér.)* alcools, spiritueux.
liquorice ['lɪkərɪṣ] *n.* réglisse.
lisp [lɪsp] *v.t. et intr.* ***Lisp (out)*** zézayer, zozoter. *n.* zézaiement.
▻ **list**[1] [lɪst] *n.* **1.** liste. **2.** *(Comm.)* catalogue. *v.t.* **1.** dresser une liste de. **2.** *(Comm.)* inventorier (des marchandises).
△ **list**[2] [lɪst] *v. intr. (Naut.)* donner de la bande, prendre de la gîte. *n. (Naut.)* bande, gîte.
listen ['lɪsn] *v. intr.* **1.** écouter. ***Listen to me!*** écoute-moi ! **2.** faire attention, prêter l'oreille.
listen in, *v. part. intr.* **1.** écouter (la radio). **2.** ***Listen in to a conversation,*** surprendre une conversation.
listless ['lɪstlɪs] *adj.* **1.** nonchalant, apathique. **2.** pensif, rêveur.
△ **lists** ['lɪsts] *n.* **1.** *(Hist.)* lice. **2.** *(fig.)* ***Enter the lists,*** descendre dans l'arène.
lit [lɪt] (**light,** *v.*)
literacy ['lɪtrəsɪ] *n.* fait de savoir lire et écrire ; degré d'alphabétisation.
△ **literal** ['lɪtrəl] *adj.* **1.** littéral (sens, traduction...) ; mot à mot, au pied de la lettre. **2.** prosaïque, sans imagination (personne). **3.** *(Tech.)* ***Literal error,*** coquille (en imprimerie).
literary ['lɪtrərɪ] *adj.* littéraire. ***Literary 'man,*** homme de lettres.
literate ['lɪtərɪt] *adj.* **1.** qui sait lire et écrire. **2.** lettré.
▻ **literature** ['lɪtrətʃə] *n.* **1.** littérature. **2.** œuvres littéraires. **3.** documentation, brochures ; *(Polit.)* tracts.
lithe [laɪð] *adj.* souple, agile.
litigate ['lɪtɪgeɪt] *v.t. et intr. (Jur.)* défendre une cause, plaider.
litmus ['lɪtməs] *n. (Sc.)* tournesol.
litter ['lɪtə] *n.* **1.** déchets. **2.** litière (pour animaux). **3.** *(fig.)* fatras, désordre. **4.** portée (d'animaux). **5.** *(Hist.)* litière. *v.t.* **1.** joncher. **2.** faire la litière de. **3.** mettre en désordre. *v. intr.* **1.** ***Please do not litter,*** défense de déposer des ordures. **2.** mettre bas.
litterbin ['lɪtə,bɪn] *n.* poubelle.
litterlout ['lɪtəlaʊt] *n. (fam.)* pollueur *(amér.* **litterbug***).*
little ['lɪtl] *adj.* **1.** petit. **2.** court (instant). **3.** jeune. **4.** insignifiant. *adv.* **1.** peu, guère. ***You little know how difficult it is,*** vous ignorez à quel point c'est difficile. **2.** ***A little,*** un peu, quelque peu. ***I'm a little surprised,*** je suis un peu surpris.
adj. et pr. quant. (comp. **less,** *superl.* **least***)* **1.** peu (de). ***I have very little***

(money) left, il ne me reste que peu (d'argent). **2.** ***A little,*** un peu (de), une petite quantité (de). ***Just a little (milk),*** juste un peu (de lait). ♦ ***Little by little,*** peu à peu, petit à petit.

livable ['lɪvəbl] *adj.* **1.** tolérable (vie, situation...). **2.** supportable (douleur...). **3.** habitable (maison) (aussi **liveable**).

live[1] [lɪv] *v. intr.* **1.** vivre, exister. **2.** habiter. **3.** subsister. ***He earns enough to live on,*** il gagne de quoi vivre. *v.t.* vivre, mener (une existence...). ***Live a lie,*** vivre dans le mensonge; *(Th.)* ***live a part,*** entrer dans la peau d'un personnage. ♦ ***Live by one's wits,*** vivre d'expédients; ***live it up,*** mener une vie de bâton de chaise; ***we live and learn,*** on apprend à tout âge.

live[2] [laɪv] *adj.* **1.** vivant, en vie. **2.** encore enflammé. ***Live coals,*** charbons ardents. **3.** ***Live bomb,*** bombe non explosée, amorcée. **4.** *(Élec.)* en charge. ***Live wire,*** fil sous tension. **5.** *(T.V.)* ***Live broadcast,*** émission en direct. ♦ ***A real live freak,*** un monstre en chair et en os; *(fam.)* ***live wire,*** boute-en-train.

live[3] [laɪv] *adv.* *(T.V.)* en direct.

live down, *v. part. t.* faire oublier (une faute, son passé...).

livelihood ['laɪvlɪhʊd] *n.* moyens d'existence. ***Earn one's livelihood,*** gagner sa vie.

liveliness ['laɪvlɪnɪs] *n.* vivacité, animation, entrain.

livelong ['lɪvlɒŋ] *adj.* *(lit.)* ***The livelong day,*** tout le long du jour.

lively ['laɪvlɪ] *adj.* **1.** gai, enjoué. **2.** vif, vivant, animé. ♦ ***Make it lively for somebody,*** rendre la vie dure à quelqu'un.

liven up ['laɪvənʌp] *v. part. t. et intr.* (s') animer.

live on, *v. part. intr.*, se perpétuer.

liver[1] ['lɪvə] *n.* foie.

liver[2] ['lɪvə] *n.* ***Fast liver,*** noceur; ***good liver,*** homme rangé, amateur de bonne chère.

liverish ['lɪvərɪʃ] *adj.* *(fam.)*(qui a l'estomac) barbouillé.

▷ **livery** ['lɪvərɪ] *n.* livrée.

livestock ['laɪvstɒk] *n.* bétail sur pied, cheptel.

live up, *v. part. intr.* ***Live up to,*** se montrer digne de, être fidèle à (ses principes...).

△ **livid** ['lɪvɪd] *adj.* **1.** livide. **2.** blême. **3.** *(fam.)* furieux.

living ['lɪvɪŋ] *adj.* vivant, en vie. ♦ ***A living death,*** une vie d'enfer; ***the living,*** les vivants; ***the living image of his father,*** son père tout craché; ***within living memory,*** de mémoire d'homme.
n. **1.** moyens d'existence. ***Earn a good living,*** gagner bien sa vie; ***living wage,*** minimum vital. **2.** façon de vivre. ***Living space,*** espace vital; ***standard of living,*** niveau de vie.

▷ **lizard** ['lɪzəd] *n.* lézard.

load [ləʊd] *n.* **1.** charge, fardeau. **2.** *(Tech.)* charge, chargement (d'un camion, d'un avion, d'une machine...). ***Load capacity,*** charge limite. **3.** *(Élec.)* charge (d'une ligne, d'un circuit). ***Load shedding,*** délestage. **4.** charge d'un réacteur. **5.** *(amér.)* bonne dose (d'alcool, de stupéfiant). ♦ *(fam.)* ***A load of,*** un tas de; *(argot)* ***get a load of that!*** écoute un peu ça! ***that's a load off my mind,*** quel soulagement pour moi; ***we've got loads of time,*** nous avons tout notre temps.
v.t. et intr. **1.** charger, faire le chargement (de). **2.** charger (un fusil, un appareil photo...). **3.** ***Load (up),*** charger, prendre un chargement. **4.** *(fig.)* encombrer. ***Loaded with cares,*** accablé de soucis; ***loaded with presents,*** comblé de cadeaux.

load down, *v. part. t.* surcharger. *(fig.)* ***Load down with honours,*** couvrir d'honneurs.

loaded ['ləʊdɪd] *adj.* **1.** chargé. **2.** ***Loaded dice,*** dés pipés; ***loaded question,*** question piège, insidieuse. **3.** *(argot)* plein aux as; soûl, drogué, défoncé.

loaf[1] [ləʊf] *n.* (*pl.* **-ves**). **1.** miche (de pain). **2.** ***Sugar loaf,*** pain de sucre. **3.** *(argot)* caboche. ***Use your loaf!*** fais un peu travailler tes méninges! ♦ ***Cottage loaf,*** pain de ménage; ***meat loaf,*** pâté de viande.

loaf[2] [ləʊf] *v. intr.* baguenauder. ***He is always loafing about,*** il ne cesse de traînasser.

loam [ləʊm] *n.* **1.** terreau. **2.** glaise. **3.** torchis, pisé.
loan [ləʊn] *n.* prêt ; avance (de fonds...) ; emprunt. ♦ ***May I have the loan of it?*** puis-je vous l'emprunter? ***on loan,*** prêté. *v.t. et intr.* prêter.
loanword ['ləʊnwɜːd] *n.* mot d'emprunt.
loath [ləʊθ] *adj.* ***He's always loath to lend books,*** il n'aime pas prêter des livres (aussi **loth**). ♦ ***Nothing loath,*** très volontiers.
loathe [ləʊð] *v.t.* avoir de l'aversion pour. ***He loathes doing it,*** il a horreur de le faire.
loathing ['ləʊðɪŋ] *n.* dégoût, aversion.
loathsome ['ləʊðsəm] *adj.* dégoûtant, répugnant, repoussant.
lobby ['lɒbɪ] *n.* **1.** vestibule, antichambre. **2.** *(G.B.)* salle des pas perdus (à la Chambre des Communes). ***The (division) lobbies,*** vestibules où passent les députés pour voter pour ou contre. **3.** *(Polit.)* groupe de pression, « lobby ». *v.t. et intr.* **1.** ***Lobby members,*** faire pression sur des parlementaires. **2.** *(amér.)* ***Lobby a bill through,*** faire adopter une mesure à force d'intrigues.
lobster ['lɒbstə] *n.* homard. ♦ ***Lobster pot,*** casier (à homards) ; ***Norway lobster,*** langoustine ; ***spiny lobster,*** langouste.
⚠ **local** ['ləʊkl] *adj.* **1.** local, régional. *(Téléph.)* ***Local call,*** communication urbaine. **2.** *(Méd.)* localisé (douleur, infection...).
n. **1.** ***The locals,*** les gens du coin, *(Sp.)* l'équipe locale. **2.** ***The local,*** le bistrot du coin. **3.** *(amér.)* tortillard.
locate [ləʊ'keɪt] *v.t.* **1.** localiser. **2.** implanter. *v. intr. (amér.)* s'installer.
⚠ **location** [ləʊ'keɪʃn] *n.* **1.** emplacement, situation. **2.** *(Ciné.)* extérieur. ***Be on location,*** tourner en extérieur.
lock[1] [lɒk] *n.* **1.** serrure. **2.** *(Tech.)* verrou de blocage, cran de sûreté... **3.** *(Aut.)* angle de braquage. **4.** écluse. **5.** *(Sp.)* clef, prise. ♦ *(fam.)* ***Lock, stock and barrel,*** tout le bataclan ; ***under lock and key,*** sous clé, sous les verrous.
v.t. et intr. **1.** fermer à clé, verrouiller. **2.** ***Lock in,*** enfermer (quelqu'un). **3.** *(Tech.)* bloquer, enclencher. **4.** étreindre, enlacer. **5.** *(Tech.)* se bloquer (pour des roues de voitures). ♦ *(Mil.)* ***Lock on to,*** accrocher (un objectif), s'arrimer (vaisseaux spatiaux).
lock[2] [lɒk] *n.* mèche (de cheveux).
lock away, *v. part. t.* **1.** mettre sous clé, garder secret. **2.** enfermer (en prison, en asile).
locker ['lɒkə] *n.* **1.** placard, casier, vestiaire. **2.** *(Naut.)* caisson, soute.
locket ['lɒkɪt] *n.* médaillon.
lock out, *v. part. t.* **1.** interdire l'accès d'une usine aux grévistes. **2.** fermer dehors (quelqu'un qui n'est pas rentré à l'heure).
locksmith ['lɒk,smɪθ] *n.* serrurier.
lockup ['lɒk-ʌp] *n.* **1.** cellule, prison, poste de police. **2.** *(Ens.)* fermeture des portes pour la nuit. **3.** *(Fin.)* immobilisation, blocage (de capitaux). ♦ ***Lockup garage,*** box. *v.t.* **1.** mettre sous clé ; mettre sous les verrous, écrouer. **2.** ***Lock up a house,*** fermer une maison à clé. **3.** *(Fin.)* bloquer (des capitaux).
locust ['ləʊkəst] *n.* grande sauterelle d'Orient, criquet.
lodge [lɒdʒ] *n.* **1.** loge de concierge, maison de gardien. **2.** loge maçonnique. **3.** pavillon de chasse. *v.t. et intr.* loger, héberger ; se loger, être en pension. ♦ ***Lodge a complaint,*** porter plainte.
lodger ['lɒdʒə] *n.* **1.** pensionnaire. **2.** locataire.
lodgings ['lɒdʒɪŋz] *n. pl.* **1.** pension. **2.** chambre meublée. **3.** garni.
loft [lɒft] *n.* grenier, soupente.
loftiness ['lɒftɪnɪs] *n.* **1.** hauteur, **2.** condescendance. **3.** *(fig.)* élévation (sentiments, ...).
lofty ['lɒftɪ] *adj.* **1.** haut, élevé. **2.** hautain, altier. **3.** *(fig.)* élevé, noble.
log [lɒg] *n.* **1.** bûche. **2.** rondin. **3.** (= **logbook**) journal de bord. ♦ ***He slept like a log,*** il a dormi comme une souche ; ***log cabin,*** cabane de bois.
loggerheads ['lɒgəhedz] *n. pl.* ***They are at loggerheads,*** ils sont en désaccord total.
loincloth ['lɔɪnklɒθ] *n.* pagne.
loins [lɔɪnz] *n. pl.* reins. ***Gird up one's***

loins, se ceindre les reins.
loiter ['lɔɪtə] *v. intr.* traîner; musarder.
loll [lɒl] *v. intr.* **1.** se prélasser. **2.** pendre (tête, langue...).
lollipop ['lɒlɪpɒp] *n.* sucette (bonbon).
loneliness ['ləʊnlɪnɪs] *n.* **1.** solitude. **2.** isolement.
lonely ['ləʊnlɪ] *adj.* **1.** seul, solitaire. **2.** isolé (lieu, ...) (aussi **lonesome**).
long [lɒŋ] *adj.* long. ***A long-distance telephone call,*** une communication téléphonique inter-urbaine ou internationale; ***a long drink,*** une boisson avec de l'eau; ***how long is the film?*** il dure combien de temps, le film? *(Sp.)* ***long jump,*** saut en longueur; ***the motorway is 500 km long,*** il y a 500 km d'autoroute. ♦ ***In the long run,*** à la longue; ***it's a long shot,*** c'est très risqué; ***pull a long face,*** faire la grimace.
adv. longtemps. ***Don't be long!*** ne t'attarde pas, dépêche-toi! ***how long have you been working?*** depuis combien de temps travailles-tu? ***it won't take long,*** on ne mettra pas longtemps; ***she no longer loves him,*** elle ne l'aime plus; ***this canal is not used any longer,*** ce canal n'est plus en service. ♦ ***As long as you don't forget!*** pourvu que tu n'oublies pas! *(fam.)* ***so long!*** à bientôt, au revoir!
n. ***The long and the short of it,*** bref, en un mot, le fin mot de l'histoire.
v. intr. désirer fortement, avoir très envie. ***He's longing for summer,*** il lui tarde d'être en été; ***he's longing to speak,*** il meurt d'envie de parler.
longhand ['lɒŋhænd] *n.* écriture manuscrite.
longheaded [ˌlɒŋ'hedɪd] *adj.* perspicace, avisé.
longing ['lɒŋɪŋ] *n.* désir, envie. *adj.* plein d'envie.
long-playing [ˌlɒŋ'pleɪɪŋ] *adj.* de longue durée (disque).
long-range [ˌlɒŋ'reɪndʒ] *adj.* *(Mil.)* à longue portée.
longsighted [ˌlɒŋ'saɪtɪd] *adj.* *(Méd.)* presbyte.
longwinded [ˌlɒŋ'wɪndɪd] *adj.* verbeux, prolixe.
look [lʊk] *n.* **1.** regard, coup d'œil. ***Have a look at this!*** jettes-y un coup d'œil! ***he gave me an angry look,*** il me regarda d'un air furieux. **2.** aspect. ***I don't like the look of him,*** il a une allure qui ne me plaît pas; ***she is proud of her (good) looks,*** elle est fière de sa beauté. **3.** expression. ***I don't like the look on his face,*** je n'aime pas l'expression de son visage.
v. intr. **1.** regarder. ***Look at this!*** regarde ça! **2.** faire attention. ***Look here!*** écoutez! **3.** paraître, avoir l'air. ***He looks a capable man,*** il paraît compétent; ***she looks tired,*** elle a l'air fatiguée; ***it looks as if it might snow,*** on dirait qu'il va neiger; ***it looks like rain,*** on croirait qu'il va pleuvoir; ***what does he look like?*** comment est-il?
v.t. regarder, scruter. ***He looked her straight in the face,*** il la regarda droit dans les yeux; ***he looked me up and down,*** il me toisa du regard.
look after, *v. prép.* s'occuper de.
look ahead, *v. part. intr.* anticiper, prévoir.
look away, *v. part. intr.* détourner le regard.
look back on, *v. prép.* repenser à.
look down on, *v. prép.* mépriser.
look for, *v. prép.* chercher.
look forward to, *v. prép.* attendre avec impatience. ***I'm looking forward to spring coming,*** il me tarde que le printemps arrive.
look into, *v. prép.* examiner, enquêter (sur).
lookout ['lʊkaʊt] *n.* **1.** surveillance, guet. **2.** guetteur. **3.** perspective. ***It's a poor lookout,*** les perspectives ne sont pas brillantes. ♦ ***Be on the lookout!*** restez sur le qui-vive! ***it's your own lookout,*** c'est ton affaire.
look out, *v. part. t.* rechercher, aller chercher. *v. intr.* **1.** être sur ses gardes. **2.** guetter.
look up, *v. part. t.* **1.** consulter. ***Look up the records,*** consultez les archives. **2.** rechercher. ***Look it up in the directory,*** cherche-le dans l'annuaire. **3.** rendre visite à. *v. intr.* **1.** lever les yeux. **2.** s'améliorer. ***Trade is looking up,*** le commerce reprend.

look up to, *v. prép.* respecter, admirer.
loom[1] [lu:m] *n.* métier à tisser.
loom[2] [lu:m] *v. intr.* **1.** apparaître, surgir. **2.** être imminent, menacer.
loop [lu:p] *n.* boucle; *(Av.)* looping. *v. intr.* décrire une boucle.
loophole ['lu:phəʊl] *n.* échappatoire.
loose ['lu:s] *adj.* **1.** défait, lâche. **2.** *(fig.)* relâché. ***An age of loose morals,*** une époque de mœurs dissolues. **3.** en vrac. ♦ ***He's at a loose end,*** il ne sait que faire; il n'a rien en train; ***loose cash,*** petite monnaie. *v.t.* délier, relâcher.
loosen ['lu:sən] *v.t. et intr.* **1.** (se) desserrer, (se) détendre, (se) relâcher. **2.** dégrafer, déboutonner.
loot [lu:t] *n.* butin *v. t.* piller.
lop [lɒp] *v.t.* tailler, élaguer, émonder.
lope [ləʊp] *v. intr.* courir en bondissant. *n.* pas de course allongé.
lop-sided [ˌlɒp'saɪdɪd] *adj.* déjeté, de travers, de guingois.
lord [lɔ:d] *n.* seigneur. ***The House of Lords,*** la Chambre des Lords. ♦ ***As drunk as a lord,*** soûl comme un Polonais; ***he lives like a lord,*** il est comme un coq en pâte.
v.t. ♦ ***He lords it over everybody,*** il régente tout le monde.
lordly ['lɔ:dlɪ] *adj.* **1.** majestueux. **2.** hautain, arrogant.
lordship ['lɔ:dʃɪp] *n.* seigneurie. ♦ ***His (Your) Lordship,*** monsieur le comte (baron, etc. ou juge).
lorry ['lɒrɪ] *n.* camion; poids lourd *(amér.* **truck***).*
lose [lu:z] *v.t. irr. (p.* **lost,** *p.p.* **lost***)* perdre, égarer. ♦ ***A lost soul,*** une âme en peine; ***he lost his temper,*** il se mit en colère, se fâcha.
loser ['lu:zə] *n.* perdant(e). ***He's a bad loser,*** il est mauvais joueur.
loss [lɒs] *n.* perte. ♦ ***We are at a loss,*** nous ne savons plus que faire (ou penser).
lost [lɒst] (**lose,** *v.*). ***Lost property office,*** bureau des objets trouvés.
△**lot**[1] [lɒt] *n. (fam.)* quantité, grand nombre. ***He has lots*** (ou ***a lot***) ***of money,*** il a beaucoup d'argent. *adv.* beaucoup. ***I feel lots*** (ou ***a lot***) ***better,*** je me sens bien mieux.
lot[2] [lɒt] *n.* **1.** sort, destinée. ***It's the common lot,*** c'est le sort commun. **2.** lot. ♦ ***Draw lots,*** tirer au sort; ***he's a bad lot,*** c'est un mauvais sujet.
loud [laʊd] *adj.* **1.** sonore, bruyant. **2.** *(fig.)* voyant, tapageur (couleurs, et comportement). *adv.* fort, haut.
loudspeaker [ˌlaʊd'spɪ:kə] *n.* haut-parleur.
lounge [laʊndʒ] *n.* salon. ***Lounge suit,*** complet veston. *v. intr.* se prélasser.
lounger ['laʊndʒə] *n.* fainéant.
louse [laʊs] *n. (pl.* **lice***)* **1.** pou. **2.** *(fig.)* salaud.
lousy [laʊzɪ] *adj.* **1.** pouilleux. **2.** *(fig. et fam.)* moche, infect.
lout [laʊt] *n.* rustre, butor.
lovable ['lʌvəbəl] *adj.* adorable, attachant (aussi **loveable**).
love [lʌv] *n.* **1.** amour, passion, affection. ***Make love to,*** faire la cour à; ***make love, not war,*** fais l'amour et non la guerre; ***she is in love (with),*** elle est amoureuse (de). **2.** *(Tennis)* zéro. ***Borg leads 30-love,*** Borg mène par 30 à zéro. ♦ ***Love at first sight,*** le coup de foudre; ***love from John,*** affectueusement, John (fin de lettre). *v.t.* aimer, adorer.
loveliness ['lʌvlɪnɪs] *n.* beauté, charme.
lovely ['lʌvlɪ] *adj.* **1.** beau, ravissant. **2.** *(fam.)* agréable. ***We had a lovely meal,*** nous avons très bien mangé.
lover ['lʌvə] *n.* **1.** amant. **2.** amoureux. **3.** amateur.
lovesick ['lʌvˌsɪk] *adj.* qui languit d'amour.
loving ['lʌvɪŋ] *adj.* affectueux, aimant.
low [ləʊ] *adj.* et *adv.* **1.** bas. **2.** *(fig.)* vil. ♦ ***The low season,*** la morte-saison; ***the petrol is getting low,*** il n'y a plus beaucoup d'essence; *(Aut.)* ***we had to change into low gear,*** il a fallu passer la première; ***why are you in such low spirits?*** pourquoi êtes-vous si déprimé?
lowbrow ['ləʊbraʊ] *n.* personne qui n'a pas de goût pour les choses de l'esprit, philistin.
low-down ['ləʊdaʊn] *adj.* ignoble, vil, déshonorant.
lower ['ləʊə] *adj. comp.* inférieur.
v.t. baisser, abaisser, descendre. ***Lower the flag,*** amener les couleurs.
low-necked [ˌləʊ'nekt] *adj.* décolleté

(vêtement).
low-pitched [ˌləʊ'pɪtʃt] *adj.* **1.** *(Mus.)* grave. **2.** *(Arch.)* à faible pente (toiture).
lubricant ['lu:brɪkənt] *n.* lubrifiant.
lubricate ['lu:brɪkreɪt] *v.t.* lubrifier.
lubrication [ˌlu:brɪ'keɪʃən] *n.* lubrification, graissage.
luck [lʌk] *n.* **1.** chance. ***Bad luck!*** pas de chance! ***that was a piece of luck,*** il a eu de la chance là. **2.** hasard. ***As luck would have it,*** comme par hasard. ♦ ***I'm out of luck,*** je n'ai pas de chance; ***no such luck!*** ç'aurait été trop beau!
luckily ['lʌkɪlɪ] *adv.* heureusement. ***Luckily, I had plenty of time,*** heureusement j'avais tout mon temps.
lucky ['lʌkɪ] *adj.* chanceux.
ludicrous ['lu:dɪkrəs] *adj.* ridicule, absurde.
lug [lʌg] *v.t.* *(fam.)* tirer, traîner.
luggage ['lʌgɪdʒ] *n.* bagage(s) *(amér.* **baggage***).* ***How much luggage have you got?*** vous avez beaucoup de bagages?
▻ **lugubrious** [lu:'gu:brɪəs] *adj.* lugubre.
lukewarm [ˌlu:k'wɔ:m] *adj.* **1.** tiède (pour un liquide,...). **2.** *(fig.)* peu enthousiaste.
lull [lʌl] *n.* accalmie, pause. *v.t.* apaiser, calmer.
lullaby ['lʌləbaɪ] *n.* berceuse.
lumber[1] ['lʌmbə] *n.* **1.** bois de charpente. **2.** vieux objets encombrants.
lumber[2] ['lʌmbə] *v. intr.* marcher lourdement *v.t.* empiler, encombrer.
lumberjack ['lʌmbədʒæk] *n.* *(amér.)* bûcheron.
lumberjacket ['lʌmbədʒækɪt] *n.* blouson.
lumber-room ['lʌmbərʊm] *n.* débarras.
lumberyard ['lʌmbəjɑ:d] *n.* chantier de scierie.
lump [lʌmp] *n.* **1.** morceau. **2.** bosse, grosseur. **3.** grumeau. ♦ ***Lump sum,*** somme forfaitaire; ***she had a lump in her throat,*** elle avait la gorge serrée. *v.t.* mettre en tas, réunir. ♦ *(fam.)* ***You'll have to like it or lump it,*** il faudra bien que tu en passes par là.
lumpy ['lʌmpɪ] *adj.* **1.** grumeleux. **2.** houleux (mer,...).
lunacy ['lu:nəsɪ] *n.* démence, folie.
⚠ **lunatic** ['lu:nətɪk] *n.* fou. *adj.* dément.
lunch [lʌntʃ] *n.* déjeuner, repas de midi. *v. intr.* déjeuner.
lung [lʌŋ] *n.* poumon.
lunge [lʌndʒ] *n.* **1.** projection du corps en avant. **2.** *(Escrime)* botte. *v. intr.* **1.** se projeter en avant. **2.** *(Escrime)* porter une botte.
lurch[1] [lɜ:tʃ] *n.* écart, embardée. ***The car gave a lurch,*** la voiture a fait une embardée. *v. intr.* avancer en titubant, en faisant des embardées.
lurch[2] [lɜ:tʃ] *n.* ♦ *(fam.)* ***He left me in the lurch,*** il m'a laissé le bec dans l'eau.
lure [lʊə; ljʊə] *n.* **1.** attrait, charme. **2.** appât, leurre. *v.t.* attirer par la ruse.
lurid ['lʊərɪd; 'ljʊərɪd] *adj.* **1.** empourpré, sanglant. ***A lurid sunset,*** un coucher de soleil flamboyant. **2.** à sensation, saisissant, effrayant.
lurk [lɜ:k] *v. intr.* se tapir.
luscious ['lʌʃəs] *adj.* succulent.
lush [lʌʃ] *adj.* **1.** luxuriant. **2.** opulent.
lust [lʌst] *n.* **1.** luxure, lubricité. **2.** désir ardent. *v. intr.* désirer, convoiter. ***He lusted for power,*** il avait soif de pouvoir.
lustre ['lʌstə] *n.* **1.** brillant, éclat, *(fig.)* renommée.
lustrous ['lʌstrəs] *adj.* brillant, chatoyant.
lusty ['lʌstɪ] *adj.* vigoureux, robuste.
lute [lu:t] *n.* *(Mus.)* luth.
⚠ **luxurious** [lʌg'zjʊərɪəs] *adj.* luxueux.
⚠ **luxury** ['lʌkʃərɪ] *n.* luxe.
▻ **lynch** [lɪntʃ] *v.t.* lyncher.
lyric ['lɪrɪk] *n.* **1.** poème lyrique. **2.** *(pl.)* paroles d'une chanson. *adj.* lyrique.
▻ **lyrical** ['lɪrɪkəl] *adj.* **1.** *(lit.)* lyrique. **2.** enthousiaste, lyrique.

M

M, m [em] **1.** treizième lettre de l'alphabet. **2.** chiffre romain pour 1000.
ma'am [mæm, mɑ:m] *n.* *(abrév.)* (= **madam**).

mace [meɪs] *n.* **1.** massue. **2.** masse.
machine [mə'ʃi:n] *n.* **1.** machine. **2.** *(Av.)* appareil. **3.** *(Polit.)* appareil.
machinegun [mə'ʃi:ngʌn] *n.* mitrailleuse. *v.t.* mitrailler.
machinery [mə'ʃi:nərɪ] *n.* **1.** ensemble de machines. **2.** machinerie. **3.** *(Polit.)* organisation.
mackerel ['mækrəl] *n.* maquereau.
mackintosh ['mækɪntɒʃ] *n.* imperméable.
mad [mæd] *adj.* **1.** aliéné, fou. **2.** furieux. ***He was mad with me,*** il était furieux contre moi ; ***he was mad with rage,*** il était fou de colère. ♦ ***She drives me mad,*** elle me rend fou ; ***he ran like mad,*** il courut comme un dératé.
madam ['mædəm] *n.* madame, mademoiselle.
madden ['mædən] *v.t.* *(fig.)* rendre fou, exaspérer.
maddening ['mædnɪŋ] *adj.* exaspérant.
made [meɪd] (**make** *v.*)
madman ['mædmən] *n.* (*pl.* **-men**) fou, aliéné.
madness ['mædnɪs] *n.* folie, démence.
⚠ **magazine** [,mægə'zi:n] *n.* **1.** magazine, revue. **2.** magasin (d'un fusil).
⚠ **maggot** ['mægət] *n.* larve, ver, asticot.
magic ['mædʒɪk] *n.* magie, enchantement. *adj.* magique, enchanté.
magnet ['mægnɪt] *n.* aimant.
magnification [,mægnɪfɪ'keɪʃn] *n.* **1.** *(Phot.)* grossissement. **2.** *(fig.)* exagération. **3.** *(fig.)* glorification.
▻ **magnificence** [mæg'nɪfɪsəns] *n.* splendeur.
magnificent [mæg'nɪfɪsənt] *adj.* splendide, magnifique, somptueux.
magnify ['mægnɪfaɪ] *v.t.* **1.** grossir. **2.** glorifier. ♦ ***Magnifying glass,*** loupe.
magnitude ['mægnɪtju:d] *n.* **1.** ampleur. **2.** importance. **3.** *(Astron.)* magnitude.
magpie ['mægpaɪ] *n.* pie.
mahogany [mə'hɒgənɪ] *n.* acajou.
maid [meɪd] *n.* **1.** jeune fille, vierge. **2.** bonne, femme de chambre. ♦ ***Old maid,*** vieille fille.
maiden ['meɪdn] *n.* jeune fille, vierge. ***Maiden name,*** nom de jeune fille. ♦ ***Maiden speech,*** premier discours d'un député.
mail[1] [meɪl] *n.* mailles. ***Coat of mail,*** cotte de mailles.
mail[2] [meɪl] *n.* courrier. *v.t.* poster.
maim [meɪm] *v.t.* estropier.
main [meɪn] *adj.* principal, essentiel. ***A main road,*** une route nationale. *n. pl. (Tech.)* secteur ; conduite principale. ***Switch off at the mains,*** couper le courant au compteur. ♦ ***In the main,*** en gros.
mainland ['meɪnlənd] *n.* continent.
mainly ['meɪnlɪ] *adv.* **1.** principalement, surtout. **2.** pour la plupart.
mainspring ['meɪnsprɪŋ] *n.* ressort principal ; *(fig.)* mobile essentiel.
mainstay ['meɪnsteɪ] *n.* soutien principal.
maintain [mən'teɪn] *v.t.* **1.** entretenir. **2.** maintenir, soutenir.
⚠ **maintenance** ['meɪntənəns] *n.* **1.** entretien. **2.** pension alimentaire.
maize [meɪz] *n.* maïs.
majestic [mə'dʒestɪk] *adj.* majestueux, digne.
▻ **majesty** ['mædʒəstɪ] *n.* majesté, dignité.
⚠ **major** ['meɪdʒə] *n.* commandant. *adj.* majeur.
major-general [,meɪdʒə'dʒenərəl] *n.* général de division.
make[1] [meɪk] *n.* marque (de voiture, etc.).
make[2] [meɪk] *v.t. irr.* (*p.* **made,** *p.p.* **made**) **1.** faire, créer, fabriquer, confectionner. ***They have made a fortune,*** ils ont fait fortune. **2.** contraindre, forcer ; rendre. ***She made him happy,*** elle le rendit heureux ; ***they made him president,*** ils le firent président ; ***you make me laugh,*** vous me faites rire. **3.** estimer. ***I don't know what to make of him,*** je ne sais que penser de lui ; *(fam.)* ***what time do you make it?*** quelle heure tu as ? **4.** *(Fin.)* s'élever à. ***How much does that make?*** cela fait combien ? **5.** atteindre ; réussir. ***He only just made his train,*** il est arrivé juste à temps pour son train. **6.** gagner. ***How much does he make a month?*** combien gagne-t-il par mois ? ♦ ***He made fun of me,*** il se moqua de moi ; ***he made the most of his opportunities,*** il profita au maximum de ses chances ; ***make be-***

lieve, faire semblant; ***make yourself at home,*** faites comme chez vous; mettez-vous à l'aise; ***she made light of his scruples,*** elle fit peu de cas de ses scrupules; ***they made their way home,*** ils rentrèrent chez eux.
make for, *v. prép.* **1.** se diriger vers. **2.** attaquer.
make off, *v. part. intr.* déguerpir.
make out, *v. part. t.* **1.** distinguer. **2.** comprendre. **3.** établir (une liste).
make over, *v. part. t.* léguer, céder.
makeshift ['meɪkʃɪft] *n.* expédient, pis-aller.
make towards, *v. prép.* se diriger vers.
make-up ['meɪkʌp] *n.* fard, maquillage.
make up, *v. part. t .intr.* **1.** se maquiller. **2.** inventer (une histoire). **3.** composer, constituer. ***America is made up of several States,*** l'Amérique est constituée de plusieurs États. ♦ ***Make up your mind!*** décidez-vous!
make up for, *v. prép.* compenser.
making ['meɪkɪŋ] *n.* construction, création. ♦ ***He has the makings of a mathematician,*** il a l'étoffe d'un mathématicien.
⚠ **male** [meɪl] *n.* mâle. *adj.* **1.** de sexe masculin. **2.** mâle, viril.
malevolence [mə'levələns] *n.* malveillance, méchanceté, rancune.
malevolent [mə'levələnt] *adj.* méchant, malveillant, rancunier.
⚠ **malice** [,mælɪs] *n.* malveillance, méchanceté.
⚠ **malicious** [mə'lɪʃəs] *adj.* malveillant, méchant.
⚠ **malign** [mə'laɪn] *v.t.* diffamer, calomnier, porter tort à.
malignancy [mə'lɪgnənsɪ] *n.* **1.** malveillance, malfaisance. **2.** *(Méd.)* malignité.
malignant [mə'lɪgnənt] *adj.* **1.** méchant, malfaisant. **2.** *(Méd.)* malin, maligne.
mallet ['mælɪt] *n.* maillet.
mammal ['mæməl] *n.* mammifère.
▻ **mammoth** ['mæməθ] *n.* mammouth. *adj.* énorme.
man [mæn] *n.* (*pl.* **-men**) **1.** homme. **2.** ouvrier, employé. **3.** homme de troupe. ***Officers and men,*** officiers et soldats. **4.** genre humain. ♦ ***A man about town,*** un homme du monde; ***as man to man,*** d'homme à homme; ***the man in the street,*** l'homme de la rue.
v.t. *(Mil.)* servir (les canons); *(Naut.)* armer (un bateau). ***He manned the boat single-handed,*** il naviguait en solitaire.
manacle ['mænəkəl] *n. pl.* menottes. *v.t.* mettre les menottes à.
manage ['mænɪdʒ] *v.t.* **1.** diriger, gérer. **2.** s'y prendre avec quelqu'un. ***She knows how to manage her husband,*** elle sait prendre son mari. *v. intr.* réussir, parvenir, s'arranger. ***He managed to catch his train,*** il a réussi à prendre son train; ***I'll manage somehow,*** je me débrouillerai d'une façon ou d'une autre.
manageable ['mænɪdʒəbl] *adj.* commode, maniable.
management ['mænɪdʒmənt] *n.* direction.
manager ['mænɪdʒə] *n.* directeur (d'usine); gérant (d'un commerce); *(Th.)* régisseur, directeur; *(Sp.)* manager.
manageress [,mænɪdʒə'res] *n.* gérante (d'un commerce); *(Th.)* directrice.
managerial [,mænɪ'dʒɪərɪəl] *adj.* directorial. ***The managerial class,*** les cadres.
mane [meɪn] *n.* crinière.
mange [meɪndʒ] *n.* gale (du chien).
⚠ **manger** ['meɪndʒə] *n.* **1.** mangeoire. **2.** crèche.
mangle ['mæŋgl] *n.* essoreuse à rouleaux. *v.t.* **1.** essorer. **2.** *(fig.)* déchiqueter, estropier, mutiler.
▻ **mango** ['mæŋgəʊ] *n.* mangue.
mangrove ['mæŋgrəʊv] *n.* palétuvier.
mangy ['meɪndʒɪ] *adj.* galeux.
manhole ['mænhəʊl] *n.* bouche d'égout, regard.
manhood ['mænhʊd] *n.* **1.** âge adulte. **2.** virilité.
⚠ **mania** ['meɪnɪə] *n.* **1.** *(Psy.)* manie. **2.** passion.
⚠ **maniac** ['meɪnɪæk] *n.* *(Psy.)* maniaque. **2.** fou.
⚠ **manicure** ['mænɪkjʊə] *n.* soin des mains.
manicurist ['mænɪkjʊrɪst] *n.* manucure.
⚠ **manifest** ['mænɪfest] *adj.* clair, évi-

dent. *v.t.* montrer, manifester.
△ **manifestation** [ˌmænɪfes'teɪʃən] *n.* preuve, manifestation, extériorisation.
manifesto [ˌmænɪ'festəʊ] *n.* manifeste.
manifold ['mænɪfəʊld] *adj.* multiple, varié.
mankind [ˌmæn'kaɪnd] *n.* humanité, genre humain.
manliness ['mænlɪnɪs] *n.* **1.** virilité. **2.** noblesse.
manly ['mænlɪ] *adj.* viril, mâle.
manner ['mænə] *n.* **1.** façon, manière. **2.** comportement. ***He has no manners,*** il n'a aucun savoir-vivre.
mannered ['mænəd] *adj.* maniéré, affecté.
mannerly ['mænəlɪ] *adj.* courtois, poli.
manor (house) ['mænəhaʊs] *n.* manoir.
manpower ['mænpaʊə] *n.* main-d'œuvre.
mansion ['mænʃən] *n.* manoir, hôtel particulier.
mantelpiece ['mæntlpi:s] *n.* dessus de cheminée.
mantle ['mæntl] *n.* cape, pèlerine.
△ **manual** ['mænjʊəl] *n.* **1.** brochure (cf. **handbook**). **2.** clavier (d'orgue). *adj.* manuel.
△ **manufacture** [ˌmænjʊ'fæktʃə] *n.* fabrication.
manufacturer [ˌmænjʊ'fæktʃərə] *n.* fabricant.
△ **manufactures** [ˌmænjʊ'fæktʃəz] *n. pl.* produits manufacturés.
manure [mə'njʊə] *n.* fumier. *v.t. (Agr.)* fumer.
▷ **manuscript** ['mænjʊskrɪpt] *n.* manuscrit.
many ['menɪ] *adj. et pr.* nombreux, beaucoup (de), bien (des). ***A great many people,*** bon nombre de personnes; ***how many students?*** combien d'étudiants? ***many more doctors are needed,*** on a besoin de bien plus de médecins; ***there are as many tourists this year as last,*** il y a autant de touristes cette année que l'an dernier; ***this stadium can hold as many as 20,000 spectators,*** ce stade peut contenir jusqu'à 20 000 spectateurs; ***too many accidents are caused by speeding,*** trop d'accidents sont dus à un excès de vitesse. ♦ ***A man of many parts,*** un homme qui a des dons multiples; *(fam.)* ***he's had one too many,*** il a bu un coup de trop.
many-sided [ˌmenɪ'saɪdɪd] *adj.* complexe.
map [mæp] *n.* **1.** *(Géog.)* carte. **2.** plan (d'une ville). ♦ ***The whole town was wiped off the map,*** la ville entière fut rasée. *v.t.* tracer la carte de. ♦ ***His life is all mapped out,*** sa vie est toute tracée.
mar [mɑ:] *v.t.* gâcher, gâter.
△ **marble** ['mɑ:bl] *n.* **1.** marbre. **2.** bille (jeu d'enfant).
march[1] [mɑ:tʃ] *n.* **1.** *(Mil.)* marche. ***A march past,*** un défilé. **2.** *(Mus.)* marche. ***The dead march,*** la marche funèbre. **3.** *(fig.)* progrès, progression. ***The march of time,*** la marche du temps. ♦ ***He stole a march on us,*** il nous a pris de vitesse. *v.t. et intr.* marcher; faire marcher.
march[2] [mɑ:tʃ] *n.* frontière, limite.
March[3] [mɑ:tʃ] *n.* mars.
marchioness [ˌmɑ:ʃə'nes] *n.* marquise.
△ **mare** [meə] *n.* jument.
margin ['mɑ:dʒɪn] *n.* **1.** marge (papier). **2.** bord (lac). **3.** *(fig.)* marge. ***Margin of error,*** marge d'erreur; ***margin of profit,*** marge bénéficiaire.
△ **marine** [mə'ri:n] *n.* fusilier marin. ♦ ***Tell that to the Marines!*** à d'autres! *adj.* marin, maritime. ***Marine engineering,*** génie maritime.
△ **mariner** ['mærɪnə] *n. (lit.)* marin.
△ **mark** [mɑ:k] *n.* **1.** marque, trace, tache. ***A dirty mark on the floor,*** une vilaine tache par terre. **2.** marque, sigle, étiquette. ***Price mark,*** étiquette (de prix). **3.** *(Ens.)* note, point. ***He got full marks for arithmetic,*** il a eu 20 sur 20 en calcul. **4.** trait, caractéristique, signe. ***A mark of intelligence,*** un signe d'intelligence. **5.** cible, but; niveau requis. ***His work is not up to the mark,*** son travail n'est pas à la hauteur, laisse à désirer; ***I'm not feeling up to the mark,*** je ne me sens pas en grande forme; ***you are wide of the mark,*** tu es loin de la vérité; ***you've hit the mark,*** tu as deviné juste. ♦ ***He is quick off the mark,*** il ne perd pas de temps, il comprend à demi-mot; ***you will make your mark some day,***

un de ces jours tu arriveras à t'imposer, à te faire un nom.
v.t. **1.** marquer, noter, indiquer. ***The price is marked on the dress,*** le prix est indiqué sur la robe. **2.** noter, corriger (un devoir, un examen). ♦ ***This jacket is marked down,*** cette veste est soldée; ***we are simply marking time,*** nous faisons du surplace, nous piétinons.

market ['mɑ:kɪt] *n.* **1.** marché, halle. ***Market gardening,*** cultures maraîchères; ***the home market,*** le marché intérieur; ***these goods are no longer on the market,*** ces articles ne se trouvent plus sur le marché. **2.** débouché. ***There is a big market for this,*** cela se vend bien.
v.t. et intr. mettre sur le marché; acheter au marché.

marksman ['mɑ:ksmən] *n.* (*pl.* **marksmen**) tireur d'élite.

⚠ **marmalade** ['mɑ:məleɪd] *n.* confiture d'oranges ou d'autres agrumes.

⚠ **maroon**[1] [mə'ru:n] *v.t.* abandonner (sur une île déserte).

⚠ **maroon**[2] [mə'ru:n] *adj.* marron pourpré.

marquee [mɑ:'ki:] *n.* tente, chapiteau.

marquess ['mɑ:kwɪs] *n.* marquis.

▷ **marriage** ['mærɪdʒ] *n.* mariage. ***They are related by marriage,*** ils sont parents par alliance.

marriageable ['mærɪdʒəbəl] *adj.* mariable. ***She is of marriageable age,*** elle est en âge de se marier.

married ['mærɪd] *adj.* marié, conjugal. ***Married life,*** la vie conjugale; ***married name,*** nom de femme mariée; ***she is married to a banker,*** elle a épousé un banquier.

marrow ['mærəʊ] *n.* **1.** moelle. *(fig.)* ***I'm frozen to the marrow,*** je suis gelé jusqu'à la moelle. **2.** courge.

marrowbone [,mærəʊ'bəʊn] *n.* os à moelle.

marry ['mærɪ] *v.t. et intr.* épouser, marier; se marier. ***They married young,*** ils se sont mariés jeunes; ***will you marry me?*** voulez-vous m'épouser? ♦ ***He married money,*** il a fait un riche mariage; ***she married beneath herself,*** elle a fait une mésalliance.

marsh [mɑ:ʃ] *n.* marais, marécage.

marshal ['mɑ:ʃəl] *n.* maréchal. ***Air-Marshal,*** général de l'armée de l'air; ***Field-Marshal,*** maréchal de l'armée de terre. *v.t.* *(Mil.)* assembler, rassembler; *(fig.)* ranger, classer, ordonner (des faits, des arguments).

▷ **martyr** ['mɑ:tə] *n.* martyr. ***He is a martyr to rheumatism,*** ses rhumatismes lui font souffrir le martyre.

martyrdom ['mɑ:tədəm] *n.* martyre, calvaire. ***He suffered martyrdom,*** il a souffert le martyre.

▷ **marvel** ['mɑ:vəl] *n.* merveille, prodige, miracle. *v. intr.* s'émerveiller, s'étonner. ***He marvelled at their skill,*** il s'émerveillait de leur habileté.

▷ **marvellous** ['mɑ:vələs] *adj.* merveilleux.

mash [mæʃ] *n.* pâte, pâtée, bouillie. *v.t.* broyer, écraser. ***Mashed potatoes,*** purée de pommes de terre.

▷ **mask** [mɑ:sk] *n.* masque, loup. *v.t.* masquer, cacher.

▷ **mason** ['meɪsən] *n.* maçon.

▷ **masonic** [mə'sɒnɪk] *adj.* maçonnique.

▷ **masonry** ['meɪsənrɪ] *n.* maçonnerie.

⚠ **mass**[1] [mæs] *n.* messe. ***They attend mass regularly,*** ils vont à la messe régulièrement.

▷ **mass**[2] [mæs] *n.* **1.** masse, amas. **2.** grand nombre, foule. ***I have masses*** (ou ***a mass) of things to do,*** j'ai des tas de choses à faire. **3.** *(Sc.)* masse.
adj. de masse. ***Mass hysteria,*** hystérie collective; ***mass meeting,*** grand rassemblement; ***mass production,*** fabrication en série; ***mass psychology,*** psychologie des masses.
v.t. et intr. masser, se masser; s'amonceler.

massage ['mæsɑ:ʒ] *n.* massage. *v.t.* masser.

massive ['mæsɪv] *adj.* massif, énorme.

mass-produce [,mæsprə'dju:s] *v.t.* fabriquer en série.

mast [mɑ:st] *n.* mât.

master ['mɑ:stə] *n.* **1.** maître, patron. ***He is his own master,*** il est son propre maître. **2.** instituteur, maître. **3.** *(Naut.)* commandant, capitaine, patron. **4.** *(Art.)* maître. ♦ ***Master of Arts (Science,...)*** titulaire d'une maîtrise ès lettres (sciences,...).

v.t. maîtriser, dompter, vaincre. ***He has mastered four languages,*** il possède quatre langues à fond.
masterful ['mɑːstəfəl] *adj.* impérieux, dominateur.
master-key [ˌmɑːstə'kiː] *n.* passe-partout.
masterly ['mɑːstəlɪ] *adj.* magistral.
mastermind ['mɑːstəmaɪnd] *n.* esprit supérieur ; cerveau (d'une affaire,...). *v.t.* (fig.) diriger, téléguider. ***He masterminded the robbery,*** il a organisé le vol.
masterpiece ['mɑːstəpiːs] *n.* chef-d'œuvre.
mastery ['mɑːstərɪ] *n.* **1.** maîtrise. **2.** connaissance approfondie. **3.** domination, supériorité. ***Mastery of the air,*** supériorité dans les airs.
▻ **masticate** ['mæstɪkeɪt] *v.t.* mastiquer.
⚠ **mat** [mæt] *n.* paillasson, natte, *(Sp.)* tapis. ***Table mat,*** dessous-de-plat.
⚠ **match**[1] [mætʃ] *n.* allumette.
⚠ **match**[2] [mætʃ] *n.* **1.** *(Sp.)* match, partie, rencontre. **2.** égal, pareil. ***He has met his match,*** il a trouvé à qui parler ; ***she is a match for him,*** elle lui tient tête. **3.** mariage ; parti. ***She made a good match,*** elle s'est bien mariée. **4.** assortiment de couleurs. ***These colours are a perfect match,*** ces couleurs vont parfaitement ensemble.
v.t. et intr. **1.** assortir ; s'assortir. ***Your tie doesn't match your suit,*** votre cravate ne va pas avec votre costume. **2.** opposer. ***She matched her wit against his,*** ils firent assaut d'esprit.
matchless ['mætʃlɪs] *adj.* incomparable.
mate [meɪt] *n.* **1.** compagnon de travail. **2.** camarade. **3.** *(Zool.)* mâle ou femelle. ***The robin and his mate,*** le rouge-gorge et sa femelle. **4.** *(Echecs)* mat.
v.t. et intr. accoupler ; s'accoupler. ***The mating season,*** la saison des amours.
⚠ **material** [mə'tɪərɪəl] *n.* **1.** matière. ***Raw materials,*** matières premières. **2.** matériau, matériel. ***Building materials,*** matériaux de construction. **3.** tissu, étoffe. *adj.* **1.** matériel. ***Material needs,*** besoins matériels. **2.** essentiel, pertinent.
matriculate [mə'trɪkjʊleɪt] *v. intr. (Ens.)* s'inscrire à l'Université.
matriculation [məˌtrɪkjʊ'leɪʃən] *n.* inscription (à l'Université).
⚠ **matron** ['meɪtrən] *n.* **1.** matrone. **2.** infirmière en chef. **3.** intendante (dans diverses institutions).
matted ['mætɪd] *adj.* **1.** emmêlé (cheveux,...). **2.** feutré (lainage).
matter ['mætə] *n.* **1.** *(Sc.)* matière. **2.** sujet, question, affaire. ***It's a matter of opinion,*** c'est une question d'opinion ; ***it's no laughing matter!*** il n'y a pas de quoi rire ! **3.** *(Méd.)* pus. ♦ ***As a matter of fact,*** en fait ; ***it only makes matters worse,*** cela ne fait qu'aggraver la situation ; ***no matter what you think,*** quoi que tu en penses ; ***what's the matter with you?*** qu'est-ce qui ne va pas ?
v. intr. ***It doesn't matter (to me),*** cela m'importe peu ; ***what does it matter?*** quelle importance ?
matter-of-fact [ˌmætərəv'fækt] *adj.* terre à terre, prosaïque, neutre.
matting ['mætɪŋ] *n.* natte.
mattress ['mætrɪs] *n.* matelas.
mature [mə'tʃʊə] *adj.* mûr. *v.t. et intr.* mûrir.
▻ **maturity** [mə'tʃʊərɪtɪ] *n.* maturité.
maudlin ['mɔːdlɪn] *adj.* larmoyant, sentimental.
maul [mɔːl] *v.t.* écharper, malmener.
▻ **mausoleum** [ˌmɔːsə'lɪəm] *n.* mausolée.
May[1] [meɪ] *n.* mai. ***May Day,*** premier mai.
may[2] [meɪ] *aux. mod.* (*p.* **might** [maɪt]) **1.** pouvoir (éventualité). ***I may have been wrong,*** j'ai pu me tromper ; ***John may be coming tonight,*** John viendra peut-être ce soir ; ***may you succeed!*** je vous souhaite de réussir ! ***we may as well give up,*** on ferait mieux de renoncer ; ***may I ask a question?*** puis-je poser une question ? **2.** pouvoir (permission).
maybe ['meɪbɪ] *adv.* peut-être. ***Maybe you don't know,*** vous ne savez peut-être pas.
mayor [meə] *n.* maire, monsieur le maire.
mayoress ['meərɪs] *n.* madame le maire.
maze [meɪz] *n.* labyrinthe. *(fig.)* ***I'm in a***

maze, je ne sais plus où j'en suis.

me [mɪ, mi:] *pr. pers.* me, moi. ***Me too,*** moi aussi.

meadow ['medəʊ] *n.* prairie, pré.

meadowsweet ['medəʊswi:t] *n.* reine-des-prés.

⚠ **meagre** ['mi:gə] *adj.* pauvre, insuffisant.

meal [mi:l] *n.* **1.** repas. **2.** farine.

mealy ['mi:lɪ] *adj.* farineux.

mean[1] [mi:n] *n.* milieu, moyenne. ***The golden mean,*** le juste milieu.
adj. moyen. ***The annual mean temperature,*** la température moyenne annuelle.

mean[2] [mi:n] *adj.* **1.** méprisable, médiocre, sordide. ***A mean trick,*** un sale tour. **2.** avare, radin.

mean[3] [mi:n] *v.t.* (*p.* **meant** [ment], *p.p.* **meant**) **1.** vouloir dire, signifier. **2.** avoir de l'importance. ***A career means everything to some people,*** pour certains, il n'y a que la carrière qui compte. **3.** avoir l'intention. ***He means to settle down in Australia,*** il a l'intention de s'installer en Australie. **4.** parler sérieusement. ***I mean what I say,*** je ne dis pas cela à la légère. ♦ ***He means business,*** il ne plaisante pas; ***he means mischief,*** il prépare quelque mauvais coup; ***she means well,*** elle a les meilleures intentions du monde.

meaning[1] ['mi:nɪŋ] *n.* signification, sens.

meaning[2] ['mi:nɪŋ] *adj.* significatif; éloquent, entendu. ***A meaning smile,*** un sourire entendu.

meaningful ['mi:nɪŋfəl] *adj.* significatif, expressif, plein de sens.

meaningless ['mi:nɪŋlɪs] *adj.* dénué de sens.

meaningly ['mi:nɪŋlɪ] *adv.* d'un air entendu.

means[1] [mi:nz] *n.* moyen. ***A means of transport,*** un moyen de transport; ***a means towards an end,*** un moyen d'arriver à ses fins; ***by means of,*** au moyen de. ♦ ***By all means,*** je vous en prie; ***by no means,*** en aucune manière.

means[2] [mi:nz] *n. pl.* ressources. ***He lives beyond his means,*** il vit au-dessus de ses moyens; ***he is a man of means,*** il a une belle fortune.

meant [ment] (**mean,** *v.*)

meanwhile ['mi:nwaɪl] *adv.* en attendant (aussi **meantime**).

measles ['mi:zəlz] *n. pl.* rougeole.

measure ['meʒə] *n.* mesure. ***Beyond measure,*** démesurément; ***in some measure,*** dans une certaine mesure.
v.t. mesurer.

measured ['meʒəd] *adj.* mesuré, pondéré.

measureless ['meʒələs] *adj.* illimité.

measurement ['meʒəmənt] *n.* mesure, dimension.

meat [mi:t] *n.* viande.

⚠ **mechanic** [mə'kænɪk] *n.* mécanicien.

mechanical [mə'kænɪkəl] *adj.* **1.** mécanique. **2.** machinal.

mechanics [mə'kænɪks] *n.* **1.** *(Sc.)* mécanique. **2.** technique.

▷ **mechanism** ['mekənɪzm] *n.* mécanisme.

▷ **medal** ['medəl] *n.* médaille.

medallist ['medəlɪst] *n.* lauréat. ***He was gold medallist,*** il a obtenu la médaille d'or.

meddle ['medl] *v. intr.* se mêler, s'ingérer, s'immiscer.

meddler ['medlə] *n.* mouche du coche.

meddlesome ['medəlsəm] *adj.* indiscret, importun.

mediate ['mi:dɪeɪt] *v. intr.* s'interposer.

▷ **mediation** [,mi:dɪ'eɪʃn] *n.* médiation.

▷ **mediator** ['mi:dɪeɪtə] *n.* médiateur.

▷ **medical** ['medɪkl] *adj.* médical. ♦ ***A medical student,*** un étudiant en médecine.

⚠ **medicine** ['medsɪn] *n.* **1.** médecine. **2.** remède, médicament.

▷ **medieval** [,medɪ'i:vəl] *adj.* médiéval (aussi **mediaeval**).

⚠ **medium** ['mi:dɪəm] *n.* **1.** moyen. ***A medium of communication,*** moyen de communication. **2.** milieu. ***The happy medium,*** le juste milieu. **3.** médium. *adj.* moyen.

medley ['medlɪ] *n.* **1.** mélange. **2.** *(Mus.)* pot-pourri.

meek [mi:k] *adj.* **1.** humble. **2.** doux, soumis.

meet [mi:t] *v.t. et intr.* (*p.* **met,** *p.p.* **met**) **1.** rencontrer; se rencontrer. ***Where shall we meet?*** où se donne-t-on rendez-vous? **2.** trouver, affronter. ***They***

met with bad weather, ils durent affronter du gros temps. **3.** faire la connaissance de. ***Have you met Mary?*** vous a-t-on présenté Mary? **4.** satisfaire, convenir, correspondre. ***This meets a need,*** ceci répond à un besoin. **5.** *(Comm.)* honorer. ♦ ***He couldn't meet my eye,*** il ne pouvait pas me regarder en face; ***make ends meet,*** joindre les deux bouts; ***meet half-way,*** couper la poire en deux; ***there's more to it than meets the eye,*** les choses ne sont pas si simples.
n. rendez-vous de chasse à courre.

meeting ['mi:tɪŋ] **1.** rencontre. **2.** réunion, rassemblement. **3.** assemblée.

⚠ **melancholy** ['melənkəlɪ] *n.* mélancolie. *adj.* mélancolique.

mellow ['meləʊ] *adj.* mûr; moelleux, fondant; doux, velouté, *v.t. et intr.* mûrir, s'adoucir. ***This wine will mellow with age,*** ce vin prendra du velouté en vieillissant.

melt [melt] *v.t. et intr.* **1.** fondre, faire fondre, se fondre. *(fig.)* ***She melted into tears,*** elle fondit en larmes; ***the melting pot,*** le creuset. **2.** adoucir, s'adoucir. ***His heart melted,*** il se laissa attendrir. ♦ ***Butter wouldn't melt in her mouth,*** on lui donnerait le bon Dieu sans confession; ***it's still in the melting pot,*** rien n'est encore décidé.

▹ **member** ['membə] *n.* membre, adhérent.

membership ['membəʃɪp] *n.* adhésion.

⚠ **memento** [mə'mentəʊ] *n.* souvenir.

memoir ['memwɑ:] *n.* **1.** étude, mémoire. **2.** *(pl.)* mémoires (autobiographiques).

memorandum [,memə'rændəm] *n.* (*pl.* **-da, -dums**) note de service (aussi **memo**).

memorial [mɪ'mɔ:rɪəl] *n.* monument commémoratif.

▹ **memorize** ['meməraɪz] *v.t.* apprendre par cœur, mémoriser.

memory ['memərɪ] *n.* **1.** mémoire. ***He has a good memory,*** il a bonne mémoire. **2.** souvenir.

men [men] (**man,** *n.*)

mend [mend] *v.t.* **1.** réparer. **2.** guérir. **3.** corriger. *v. intr.* **1.** guérir, se rétablir. **2.** s'amender. ♦ ***The situation is past mending,*** la situation est irrémédiable.
n. guérison. ***John is on the mend now,*** John est en bonne voie maintenant.

menial ['mi:nɪəl] *adj.* servile, subalterne.

mention ['menʃən] *n.* **1.** mention, indication. **2.** allusion.
v.t. **1.** mentionner, citer. **2.** signaler, faire allusion à. ♦ ***Don't mention it!*** il n'y a pas de quoi! ***he was mentioned in dispatches,*** il fut cité à l'ordre du jour; ***not to mention the cat,*** sans compter le chat.

menu ['menju:] *n.* menu; carte.

⚠ **mercantile** ['mɜ:kəntaɪl] *adj.* commercial, de commerce.

▹ **merchandise** ['mɜ:tʃəndaɪz] *n.* marchandise.

▹ **merchant** ['mɜ:tʃənt] *n.* marchand, négociant.

merchantman ['mɜ:tʃəntmən] *n.* (*pl.* **-men**) navire marchand.

merciful ['mɜ:sɪfəl] *adj.* miséricordieux.

merciless ['mɜ:sɪlɪs] *adj.* impitoyable.

▹ **mercury** ['mɜ:kjʊrɪ] *n.* mercure.

⚠ **mercy** ['mɜ:sɪ] *n.* miséricorde, pitié. ***Have mercy on us,*** ayez pitié de nous.

mere [mɪə] *adj.* pur, simple, rien que. ***It's a mere scratch,*** c'est une simple égratignure.

merely ['mɪəlɪ] *adv.* purement, simplement.

merge [mɜ:dʒ] *v.t. et intr.* **1.** se mêler (couleurs,...). **2.** confluer (rivière, routes,...). **3.** *(Comm.)* fusionner. ***The two firms have merged,*** les deux sociétés ont fusionné.

merger ['mɜ:dʒə] *n.* *(Comm.)* absorption, fusion.

mermaid ['mɜ:meɪd] *n.* *(Myth.)* sirène.

merriment ['merɪmənt] *n.* joie, gaieté.

merry ['merɪ] *adj.* joyeux, gai. ***Make merry,*** s'amuser; ***the more the merrier,*** plus on est de fous plus on rit.

merry-go-round ['merɪgəʊ,raʊnd] *n.* manège, chevaux de bois.

merry-making ['merɪ,meɪkɪŋ] *n.* réjouissances.

mesh [meʃ] *n.* **1.** maille. **2.** *(Tech.)* engrenage.

▹ **mess¹** [mes] *n.* *(Mil.)* mess.

⚠ **mess²** [mes] *n.* **1.** désordre, fouillis. ***This room is in a mess,*** cette chambre

est dans un désordre épouvantable. **2.** gâchis. ***You've made a mess of your mission,*** tu as échoué lamentablement dans ta mission. **3.** saleté. ***What a mess your clothes are in!*** tes vêtements sont dégoûtants!
v.t. gâcher. **2.** salir. **3.** mettre du désordre. *v. intr.* faire du gâchis, ne rien faire de bien. ***Stop messing around!*** et si tu te mettais au travail pour de bon! cesse de tourner en rond!
▻ **messenger** ['mesəndʒə] *n.* messager, commissionnaire, coursier.
▻ **messiah** [mə'saɪə] *n.* messie.
met [met] (**meet** *v.*)
⚠ **metal** ['metəl] *n.* **1.** métal. **2.** empierrement.
▻ **metallic** [mə'tælɪk] *adj.* métallique.
meter ['mi:tə] *n.* **1.** compteur. ***Parking meter,*** parcomètre. **2.** *(amér.)* mètre.
methylated spirits [,meθɪleɪtɪd'spɪrɪts] *n.* alcool à brûler.
▻ **metre** ['mi:tə] *n.* mètre.
▻ **metric** ['metrɪk] *adj.* métrique. ***Go metric,*** se convertir au système métrique.
▻ **metropolis** [mə'trɒpəlɪs] *n.* métropole.
▻ **metropolitain** [,metrə'pɒlɪtən] *adj.* métropolitain. ***The Metropolitan Police,*** la police de Londres.
mettle ['metəl] *n.* courage, ardeur. ***He put me on my mettle,*** il m'a donné du cœur à l'ouvrage; ***he showed his mettle,*** il donna toute sa mesure.
mice [maɪs] (**mouse,** *n.*)
mid [mɪd] *adj.* moyen, du milieu. ***He's in his mid-forties,*** il a autour de 45 ans; ***in mid-Atlantic,*** en plein océan Atlantique; ***in mid-August,*** à la mi-août.
midair ['mɪdeə] *n.* ***In midair,*** en plein ciel; entre ciel et terre.
midday [,mɪd'deɪ] *n.* midi.
middle ['mɪdl] *n.* **1.** centre, milieu. **2.** taille, ceinture.
adj. du milieu, moyen. ***Middle age,*** âge mûr; ***the Middle Ages,*** le Moyen Age; ***the middle classes,*** les classes moyennes; ***the Middle East,*** le Moyen-Orient. ♦ ***He steered a middle course,*** il évitait les positions extrêmes.
middle-aged [,mɪdl'eɪdʒd] *adj.* d'âge mûr.
middle-of-the-road [,mɪdləvðə'rəʊd] *adj.* *(Polit.)* modéré.
middling ['mɪdlɪŋ] *adj.* moyen, médiocre, passable. *adv.* moyennement, passablement.
midget ['mɪdʒɪt] *n.* nain. *adj.* miniature. ***A midget submarine,*** un sous-marin de poche.
midnight ['mɪdnaɪt] *n.* minuit.
midst [mɪdst] *n.* milieu, centre. ***We were in the midst of packing,*** nous étions en plein dans les bagages.
midsummer [,mɪd'sʌmə] *n.* le cœur de l'été, le solstice d'été.
midway [,mɪd'weɪ] *adj. et adv.* à mi-chemin.
midwife ['mɪdwaɪf] (*pl.* **wives**) *n.* sage-femme.
midwifery ['mɪdwɪfərɪ] *n.* obstétrique.
might[1] [maɪt] *n.* puissance.
might[2] [maɪt] *aux. mod.* (cf. **may**). **1.** pouvoir (permission). ***Might I ask you a question?*** pourrais-je vous poser une question? **2.** pouvoir (éventualité, suggestion). ***You might have said you would be late,*** vous auriez tout de même pu nous prévenir de votre retard; ***you might well have got killed going at that speed,*** vous auriez bien pu vous tuer en roulant à cette allure.
mighty ['maɪtɪ] *adj.* puissant.
migrant ['maɪgrənt] *n. et adj.* **1.** nomade, migrateur. **2.** émigré.
migrate [maɪ'greɪt] *v. intr.* émigrer.
▻ **migration** [maɪ'greɪʃn] *n.* migration.
mild [maɪld] *adj.* doux, tempéré, modéré, léger, bénin. ***A mild cigarette,*** une cigarette légère; ***a mild climate,*** un climat doux.
mildew ['mɪldju:] *n.* **1.** moisissure. **2.** mildiou. *v.t.* couvrir de mildiou ou de piqûres d'humidité.
mile [maɪl] *n.* mille (= 1 609,3 mètres).
mileage ['maɪlɪdʒ] *n.* kilométrage.
milestone ['maɪlstəʊn] *n.* borne, *(fig.)* jalon.
militia [mɪ'lɪʃə] *n.* milice.
milk [mɪlk] *n.* lait. ***Milk pudding,*** laitage. *v.t.* traire.
milkiness ['mɪlkɪnɪs] *n.* aspect laiteux.
milk-jug ['mɪlkdʒʌg] *n.* pot au lait.
milkman ['mɪlkmən] *n.* (*pl.* **-men**) lai-

tier.

milksop ['mɪlksɒp] *n.* chiffe molle, lavette.

milky ['mɪlkɪ] *adj.* laiteux. ***The Milky Way,*** la Voie lactée.

mill [mɪl] *n.* **1.** moulin. ***Coffee mill,*** moulin à café; ***pepper mill,*** moulin à poivre. **2.** usine, fabrique. ***Cotton mill,*** filature de coton. ♦ ***He put me through the mill,*** il m'a retourné sur le gril. *v.t.* **1.** moudre. **2.** laminer.

miller ['mɪlə] *n.* meunier, minotier.

milliner ['mɪlɪnə] *n.* modiste.

millinery ['mɪlɪnrɪ] *n.* **1.** modes. **2.** chapellerie féminine.

millpond ['mɪlpɒnd] *n.* retenue de moulin. ***The sea was as calm as a millpond,*** la mer était comme un lac, c'était une mer d'huile.

millstone ['mɪlstəʊn] *n.* meule. *(fig.)* ***It's a millstone round his neck,*** il traîne un vrai boulet.

⚠ **mimic** ['mɪmɪk] *n.* imitateur. *v.t. et intr.* imiter. *adj.* **1.** imitateur. **2.** factice, simulé.

mimicry ['mɪmɪkrɪ] *n.* **1.** mimétisme. **2.** imitation.

⚠ **mince** [mɪns] *n.* **1.** viande hachée. **2.** hachis. ♦ ***Mince pie,*** tartelette au mincemeat. *v.t.* hacher menu. ♦ ***I won't mince matters,*** je n'irai pas par quatre chemins. *v. intr.* **1.** parler d'une manière affectée. **2.** marcher à petits pas maniérés.

mincemeat ['mɪnsmi:t] *n.* *(Cuis.)* mélange de pommes coupées menu, de fruits secs et d'épices. ♦ ***I'll make mincemeat of him,*** j'en ferai de la chair à pâté.

mind[1] [maɪnd] *n.* **1.** cerveau, esprit, intelligence. ***He has a one-track mind,*** il ramène tout au même sujet; ***he has something on his mind,*** quelque chose le tracasse; ***I can see it in my mind's eye,*** je le vois comme si j'y étais; ***it will take your mind off your worries,*** cela vous changera les idées; ***she's out of her mind,*** elle n'a pas toute sa tête; ***something has just crossed my mind,*** je viens de penser à quelque chose; ***that's something to bear in mind,*** il faudra s'en souvenir. **2.** avis. ***He's changed his mind,*** il a changé d'avis; ***he knows his mind,*** il sait ce qu'il veut; ***I'll give him a piece of my mind,*** je lui dirai son fait; ***I'm in two minds about it,*** je ne sais que faire; ***I've a good mind to stop work,*** j'ai bien envie d'arrêter de travailler; ***I've half a mind to retire,*** j'ai presque envie de prendre ma retraite; ***make up your mind!*** décidez-vous! ***speak your mind,*** dites franchement ce que vous en pensez.

mind[2] [maɪnd] *v.t.* **1.** faire attention (à). ***Don't mind me!*** ne vous gênez pas pour moi! ***mind the steps!*** attention aux marches! **2.** surveiller, s'occuper. ***I'll mind the baby for you,*** je m'occuperai du bébé. ♦ ***I don't mind staying behind,*** cela m'est égal de rester à la maison; ***I don't mind what he says,*** je me moque de ce qu'il dit; ***I wouldn't mind a cup of tea,*** je prendrais volontiers une tasse de thé; ***if you don't mind,*** si vous n'y voyez pas d'inconvénient; ***mind your own business!*** occupe-toi de tes affaires! ***never mind!*** peu importe! ***would you mind not smoking?*** cela vous gênerait-il de vous abstenir de fumer?

minded ['maɪndɪd] *adj.* disposé, enclin.

mindful ['maɪndfəl] *adj.* **1.** attentif. **2.** soucieux (de).

mindless ['maɪndlɪs] *adj.* **1.** inattentif. **2.** indifférent (à).

mine[1] [maɪn] *pr.poss.* le mien, la mienne, les mien(ne)s. ***He's a friend of mine,*** c'est un de mes amis; ***it's no fault of mine,*** ce n'est pas du tout de ma faute; ***that's mine,*** c'est à moi.

▻ **mine**[2] [maɪn] *n.* *(Ind. et Mil.)* mine. *v.t.* **1.** extraire (charbon). **2.** *(Mil.)* miner. *v. intr.* exploiter un gisement.

mineshaft ['maɪn,ʃɑ:ft] *n.* puits de mine.

miner ['maɪnə] *n.* mineur.

mingle ['mɪŋgl] *v.t. et intr.* mêler, se mêler.

minister ['mɪnɪstə] *n.* **1.** ministre. **2.** pasteur.

ministry ['mɪnɪstrɪ] *n.* *(Polit. et Rel.)* ministère.

mink [mɪŋk] *n.* vison.

minor ['maɪnə] *n. et adj.* mineur.

minster ['mɪnstə] *n.* cathédrale.

▻ **minstrel** ['mɪnstrəl] *n.* ménestrel.

mint[1] [mɪnt] *n.* menthe.

mint² [mɪnt] *n.* la monnaie. *v.t.* frapper (monnaie).
minus ['maɪnəs] *n. et prép.* moins. ***He's a minus quantity,*** c'est une quantité négligeable; ***ten minus three leaves seven,*** dix moins trois égale sept.
▷ **minute¹** ['mɪnɪt] *n.* **1.** minute. **2.** note.
⚠ **minute²** [maɪ'nju:t] *adj.* **1.** minuscule. **2.** minutieux.
▷ **minutes** ['mɪnɪts] *n.pl.* procès-verbal de réunion; minutes.
minx [mɪŋks] *n.* petite friponne.
⚠ **mire** [maɪə] *n.* boue, bourbier, fange, vase.
mirror ['mɪrə] *n.* miroir, glace. ***Driving mirror,*** rétroviseur. *v.t.* refléter.
mirth [mɜ:θ] *n.* joie, gaieté, hilarité.
misbehave [,mɪsbɪ'heɪv] *v. intr.* se tenir mal, se conduire mal.
misbehaviour [,mɪsbɪ'heɪvjə] *n.* mauvaise conduite.
miscarriage [mɪs'kærɪdʒ] *n.* **1.** erreur judiciaire. **2.** fausse couche.
miscarry [mɪs'kærɪ] *v. intr.* **1.** échouer (projet). **2.** faire une fausse couche.
miscellaneous [,mɪsə'leɪnɪəs] *adj.* divers. ***Miscellaneous news,*** faits divers.
mischief ['mɪstʃɪf] *n.* **1.** mal, dégâts. ***The storm did a lot of mischief,*** l'orage a fait beaucoup de dégâts. **2.** malice, coquinerie. ***He is always (getting) up to mischief,*** il est toujours prêt à faire quelque mauvais tour.
mischievous ['mɪstʃɪvəs] *adj.* espiègle, malicieux.
misconception [,mɪskən'sepʃn] *n.* **1.** conception erronée. **2.** opinion fausse. **3.** méprise.
misconduct [mɪs'kɒndʌkt] *n.* **1.** mauvaise conduite, inconduite. **2.** mauvaise gestion.
v.t. [,mɪskən'dʌkt] mal gérer.
misconstruction [,mɪskən'strʌkʃn] *n.* mauvaise interprétation. ***This is open to misconstruction,*** il serait facile de mal interpréter.
misconstrue [,mɪskən'stru:] *v.t.* mal interpréter.
misdeed [,mɪs'di:d] *n.* méfait.
misdemeanour [,mɪsdɪ'mi:nə] *n.* **1.** écart de conduite. **2.** *(Jur.)* infraction.
miser ['maɪzə] *n.* avare.
⚠ **miserable** ['mɪzərəbl] *adj.* **1.** malheureux, triste. ***He made her life miserable,*** il la rendit malheureuse. **2.** lamentable, piètre, minable. ***He gave a miserable performance,*** il fit une présentation lamentable; ***it's miserable weather,*** il fait un temps affreux.
miserliness ['maɪzəlɪnɪs] *n.* avarice.
miserly ['maɪzəlɪ] *adj.* avare.
misery ['mɪzərɪ] *n.* malheur, souffrance, tristesse. ♦ ***They put the dog out of its misery,*** ils mirent fin aux souffrances du chien.
misfire [mɪs'faɪə] *n.* **1.** raté (d'allumage). **2.** échec. *v. intr. (Mil. et Tech. et fig.)* rater, faire long feu, échouer.
misfit ['mɪs,fɪt] *n.* inadapté, marginal.
misfortune [mɪs'fɔ:tʃən] *n.* **1.** malheur, infortune. ***Misfortunes never come singly,*** un malheur ne vient jamais seul. **2.** malchance. ***Misfortune dogs his footsteps,*** la malchance le poursuit.
misgiving [,mɪs'gɪvɪŋ] *n.* doute, soupçon, pressentiment, appréhension.
misguided [,mɪs'gaɪdɪd] *adj.* peu judicieux, à mauvais escient.
mishandle [,mɪs'hændl] *v.t.* **1.** mal prendre (une situation). **2.** malmener.
mishap ['mɪshæp] *n.* accident, contretemps, mésaventure.
mislaid [mɪs'leɪd] (**mislay,** *v.*)
mislay [mɪs'leɪ] *v.t. irr.* (*p.* **mislaid,** *p.p.* **mislaid**) égarer.
mislead [mɪs'li:d] *v.t. irr.* (*p.* **misled,** *p.p.* **misled**) induire en erreur. ***He misled me into believing...*** il me fit croire à tort...
misled [mɪs'led] (**mislead,** *v.*)
misleading [mɪs'li:dɪŋ] *adj.* trompeur.
misplace [,mɪs'pleɪs] *v.t.* **1.** mal placer. **2.** égarer.
misplaced [mɪs'pleɪst] *adj.* déplacé, incongru.
misprint ['mɪs,prɪnt] *n.* faute d'impression.
misrepresent [,mɪsreprə'zent] *v.t.* dénaturer, déformer.
misrule [,mɪs'ru:l] *n.* mauvais gouvernement.
miss¹ [mɪs] *n.* mademoiselle.
miss² [mɪs] *n.* **1.** manque, faute. **2.** échec. **3.** abstention. ***Give a lecture a miss,*** sécher un cours. ♦ ***It was a near***

miss, je l'ai raté de peu.
v.t. **1.** manquer, rater. ***Don't miss that film,*** ne manquez pas ce film ; ***he missed the train,*** il a manqué le train ; ***you've missed the point,*** vous êtes passé à côté de la question. **2.** noter l'absence de. ***I missed you last week,*** je ne vous ai pas vu la semaine dernière. **3.** regretter l'absence de. ***I miss the sunshine,*** le soleil me manque. **4.** omettre. ***You've missed out a name,*** vous avez sauté un nom. ♦ ***I missed out on that,*** l'affaire m'est passée sous le nez ; ***You' ve missed the boat*** (ou ***bus),*** vous avez raté le coche.

misshapen [mɪs'ʃeɪpən] *adj.* difforme, contrefait.

missing ['mɪsɪŋ] *adj.* **1.** manquant. ***There's some money missing from the till,*** il manque de l'argent dans la caisse. **2.** disparu. ***There are three climbers missing,*** trois alpinistes sont portés disparus.

mist [mɪst] *n.* brume.

mistake [mɪs'teɪk] *n.* erreur, faute. ***By mistake,*** par inadvertance ; ***there's no mistake about that,*** il n'y a pas d'erreur possible à ce sujet. *v.t. irr.* (*p.* **mistook,** *p.p.* **mistaken**) se tromper sur, se méprendre sur. ***I mistook you for your brother,*** je vous ai pris pour votre frère.

mistaken[1] [mɪs'teɪkən] (**mistake,** *v.*)

mistaken[2] [mɪs'teɪkən] *adj.* **1.** erroné, mal fondé. ***That view is mistaken,*** c'est un point de vue erroné. **2.** dans l'erreur. ***I was mistaken about him,*** je me suis trompé sur son compte.

mistletoe ['mɪsəltəʊ] *n.* gui.

mistook [mɪs'tʊk] (**mistake,** *v.*)

▻ **mistress** ['mɪstrɪs] *n.* maîtresse.

mistrust [mɪs'trʌst] *n.* méfiance. *v.t.* se méfier (de).

mistrustful [mɪs'trʌstfəl] *adj.* méfiant.

misty ['mɪstɪ] *adj.* **1.** brumeux. **2.** embué. **3.** *(fig.)* flou, nébuleux.

misunderstand [,mɪsʌndə'stænd] *v.t. irr.* (*p.* **misunderstood,** *p.p.* **misunderstood**) mal comprendre. ***He was misunderstood in his time,*** il fut incompris à son époque.

misunderstanding [,mɪsʌndə'stændɪŋ] *n.* **1.** erreur, méprise. **2.** malentendu. **3.** mésentente.

misunderstood [,mɪsʌndə'stʊd] (**misunderstand,** *v.*)

misuse [mɪs'ju:s] *n.* abus, mauvais emploi. *v.t.* [mɪs'ju:z] **1.** mal employer. **2.** abîmer, négliger.

mitigate ['mɪtɪgeɪt] *v.t.* adoucir, modérer, atténuer. ***Mitigating circumstances,*** circonstances atténuantes.

mitigation [,mɪtɪ'geɪʃən] *n.* **1.** atténuation. **2.** réduction, allégement.

mix [mɪks] *v.t.* mêler, mélanger. ***Mixed feelings,*** sentiments mitigés. *v. intr.* **1.** se mélanger. **2.** fréquenter, se mêler. ***He mixes well,*** il a le contact facile. ♦ ***It's a mixed bag,*** il y a un peu de tout.

mixer ['mɪksə] *n.* **1.** batteur, malaxeur. **2.** personne sociale. ***She is a good mixer,*** elle est sociable.

mixture ['mɪkstʃə] *n.* mélange, amalgame. ***Cough mixture,*** sirop contre la toux.

mix-up ['mɪksʌp] *n.* confusion, désordre, embrouillamini.

mix up *v. part. t.* **1.** confondre. ***My ideas are all mixed up,*** je confonds tout. **2.** impliquer. ***He was mixed up in the plot,*** il fut impliqué dans le complot.

moan [məʊn] *n.* gémissement, plainte. *v. intr.* gémir, geindre, se plaindre.

moat [məʊt] *n.* fossé, douves.

mob [mɒb] *n.* **1.** foule, attroupement. **2.** populace, racaille. ***Mob orator,*** tribun ; ***mob rule,*** la loi de la rue. *v.t.* malmener, prendre d'assaut (par une foule).

⚠ **mobile** ['məʊbaɪl] *adj.* **1.** mobile. **2.** motorisé.

⚠ **mock** [mɒk] *v.t. et intr.* railler, se moquer, tourner en dérision, narguer. ***He mocked (at) my efforts,*** il ridiculisa mes efforts.
adj. simulé, d'imitation.

⚠ **mockery** ['mɒkərɪ] *n.* **1.** moquerie, raillerie. **2.** simulacre, travestissement, parodie. ***The trial was a mockery,*** le procès fut une caricature de jugement.

mocking ['mɒkɪŋ] *adj.* moqueur, railleur.

mock-up ['mɒkʌp] *n.* maquette.

⚠ **model** ['mɒdl] *n.* **1.** modèle. **2.** mannequin de mode.

adj. **1.** modèle. ***Model husband,*** mari modèle. **2.** en modèle réduit. ***Model plane,*** modèle réduit d'avion.
v.t. et intr. **1.** modeler. **2.** se modeler. ***He modelled himself on his father,*** il a pris modèle sur son père. **3.** travailler comme mannequin.

▻ **modern** ['mɒdən] *adj.* moderne. ***Modern languages,*** langues vivantes.

⚠ **modest** ['mɒdəst] *adj.* **1.** modeste. **2.** modéré. **3.** pudique, chaste.

⚠ **modesty** ['mɔdəstɪ] *n.* **1.** modestie. **2.** modération. **3.** pudeur. ***A modicum of modesty,*** un minimum de pudeur. ♦ ***With all due modesty,*** en toute modestie.

modicum ['mɒdɪkəm] *n.* parcelle, minimum.

moist [mɔɪst] *adj.* moite, humide.

moisten ['mɔɪsən] *v.t. et intr.* humecter; devenir moite ou humide.

moisture ['mɔɪstʃə] *n.* **1.** moiteur, humidité. **2.** buée.

▻ **molar** ['məʊlə] *n. et adj.* molaire.

⚠ **mole**[1] [məʊl] *n.* grain de beauté.

⚠ **mole**[2] [məʊl] *n.* taupe.

molehill ['məʊlhɪl] *n.* taupinière. ***He always makes a mountain out of a molehill,*** il fait toujours une montagne d'un rien.

molten ['məʊltən] *adj.* fondu, en fusion.

⚠ **moment** ['məʊmənt] *n.* **1.** moment, instant. **2.** importance.

momentary ['məʊməntrɪ] *adj.* momentané.

momentous [mə'mentəs] *adj.* important, considérable, capital, crucial.

▻ **monastery** ['mɒnəstrɪ] *n.* monastère, couvent.

Monday ['mʌndɪ] *n.* lundi.

⚠ **money** ['mʌnɪ] *n.* **1.** argent. **2.** *(Fin.)* monnaie. ***Make money,*** gagner de l'argent; ***raise money,*** se procurer de l'argent; ***you get your money's worth,*** tu en as pour ton argent. ♦ ***He is made of money,*** il roule sur l'or, il est cousu d'or; ***he will come into money,*** il fera un riche héritage; ***it's money for old rope*** (ou ***money for jam),*** c'est de l'argent vite gagné.

moneybags ['mʌnɪ,bægz] *n.* un gros plein de sous.

moneygrubber ['mʌnɪ,grʌbə] *n.* rapace, grippe-sous.

moneylender ['mʌnɪ,lendə] *n.* prêteur sur gages.

money-spinner ['mʌnɪ,spɪnə] *n. (fig.)* mine d'or.

mongoose ['mɒŋgu:s] *n.* mangouste.

mongrel ['mʌŋgrəl] *n. et adj.* bâtard.

monk [mʌŋk] *n.* moine.

monkey ['mʌŋkɪ] *n.* **1.** singe. **2.** galopin. ♦ ***Monkey business,*** combine louche. *v. intr.* tripoter. ***Don't monkey with that,*** laisse ça tranquille. ***He keeps monkeying about,*** il n'arrête pas de faire l'idiot.

monkey-puzzle ['mʌŋkɪ,pʌzl] *n. (Bot.)* araucaria.

▻ **monotonous** [mə'nɒtənəs] *adj.* monotone.

▻ **monotony** [mə'nɒtənɪ] *n.* monotonie.

monsoon [mɒn'su:n] *n.* mousson.

▻ **monster** ['mɒnstə] *n.* monstre, géant.

▻ **monstrosity** [mɒn'strɒsɪtɪ] *n.* monstruosité.

▻ **monstrous** ['mɒnstrəs] *adj.* monstrueux.

month [mʌnθ] *n.* mois.

monthly ['mʌnθlɪ] *adj. et adv.* mensuel, mensuellement. *n.* publication mensuelle.

mood [mu:d] *n.* humeur, disposition. ***I'm in the mood for that,*** cela me tenterait. ♦ ***He has moods,*** il a des sautes d'humeur.

moodiness ['mu:dɪnɪs] *n.* tempérament maussade, lunatique, boudeur.

moody ['mu:dɪ] *adj.* maussade, lunatique.

moon [mu:n] *n.* lune. ♦ ***Once in a blue moon,*** une fois par hasard.

moon about *v. part. intr.* musarder, rêver mélancoliquement.

moonbeam ['mu:nbi:m] *n.* rayon de lune.

moonlight ['mu:nlaɪt] *n.* clair de lune. *v. intr.* faire du travail au noir.

moonshine ['mu:nʃaɪn] *n.* **1.** balivernes. **2.** *(amér.)* alcool de contrebande.

moor[1] [mʊə] *n.* lande.

Moor[2] [mʊə] *n.* Maure.

moor[3] [mʊə] *v.t. et intr. (Naut.)* amarrer, mouiller.

moorings ['mʊərɪŋz] *n. pl. (Naut.)* **1.** amarres. **2.** mouillage.

Moorish ['mʊərɪʃ] *adj.* mauresque.
mop [mɒp] *n.* **1.** balai-éponge. **2.** lavette à vaisselle. **3.** balai à franges. **4.** *(fig.)* tignasse. *v.t.* éponger, essuyer. ***He mopped his brow,*** il s'essuya le front.
mope [məʊp] *v. intr.* se morfondre.
moped ['məʊped] *n.* cyclomoteur.
mop up *v. part.t.* **1.** éponger complètement. **2.** *(Mil.)* nettoyer le terrain.
⚠ **moral** ['mɒrəl] *n.* morale, moralité. ***The moral of the story,*** la morale de l'histoire.
⚠ **morale** [mə'rɑ:l] *n.* moral. ***My morale is low,*** j'ai le moral à zéro.
⚠ **morality** [mə'rælɪtɪ] *n.* contenu moral.
▻ **moralize** ['mɒrəlaɪz] *v. intr.* moraliser.
morals ['mɒrəlz] *n. pl.* morale, principes moraux. ***He has no morals,*** il n'a pas de principes.
morass [mə'ræs] *n.* **1.** marécage. **2.** *(fig.)* situation inextricable.
more [mɔ:] (*comp.* de **many, much**) *adj. quant.* plus. ***I have no more money,*** je n'ai plus d'argent; ***I have some more time now than last year,*** j'ai un peu plus de temps maintenant que l'an dernier; ***she needs much*** (ou ***far) more sleep,*** elle a besoin de bien plus de sommeil.
adv. davantage, plus. ***He works more and more,*** il travaille de plus en plus; ***more or less,*** plus ou moins; ***once more,*** encore une fois; ***she's much*** (ou ***far) more sensible than her husband,*** elle a bien plus de bon sens que son mari; ***the more I read the less I remember,*** plus je lis moins je retiens.
pr. quant. ***Some people went to church but many*** (ou ***far) more watched TV at home,*** quelques personnes allèrent à la messe, mais ils étaient bien plus nombreux à regarder la télé chez eux. ♦ ***I am all the more worried about the weather as*** (ou ***since) I left my umbrella in the car,*** le temps me cause d'autant plus d'inquiétude que j'ai oublié mon parapluie dans la voiture.
moreover [mɔ:'rəʊvə] *adv.* de plus, qui plus est, en outre.
morning ['mɔ:nɪŋ] *n.* matin. ***Good morning!*** bonjour!; ***morning coat,*** jaquette.
moron ['mɔ:rɒn] *n.* abruti, idiot.
morsel ['mɔ:səl] *n.* **1.** morceau. **2.** bouchée.
▻ **mortar** ['mɔ:tə] *n.* mortier.
mortarboard ['mɔ:tə,bɔ:d] *n.* mortier (toque universitaire).
mortgage ['mɔ:gɪdʒ] *n.* **1.** hypothèque. **2.** emprunt-logement. *v.t.* hypothéquer.
mortuary ['mɔ:tʃʊərɪ] *n.* morgue. *adj.* mortuaire.
mosque [mɒsk] *n.* mosquée.
mosquito [məs'ki:təʊ] *n.* moustique.
moss [mɒs] *n.* mousse. ***A rolling stone gathers no moss,*** pierre qui roule n'amasse pas mousse.
mossy ['mɒsɪ] *adj.* moussu.
most [məʊst] (*superl.* de **much, many**) *adj. quant.* le plus, le plus grand nombre, la plus grande quantité. ***It's the most exciting film I have ever seen,*** c'est le film le plus passionnant que j'aie jamais vu; ***most coffee is imported from Brazil,*** le café est surtout importé du Brésil; ***most people,*** la plupart des gens.
adv. **1.** le plus, par-dessus tout. ***That's what I enjoyed most,*** c'est ce que j'ai préféré. **2.** très. ***It's a most interesting book,*** c'est un livre très intéressant.
pr. la plupart. ***Most of the roads are congested,*** la plupart des routes sont encombrées.
n. ***At (the) most,*** au maximum; ***make the most of it,*** en tirer le meilleur parti.
mostly ['məʊstlɪ] *adv.* **1.** principalement. **2.** le plus souvent. **3.** surtout.
moth [mɒθ] *n.* **1.** papillon de nuit. **2.** mite.
mothball ['mɒθ'bɔ:l] *n.* boule de naphtaline.
moth-eaten ['mɒθ,i:tn] *adj.* mité.
mother ['mʌðə] *n.* mère. *v.t.* dorloter.
mothercraft ['mʌðəkrɑ:ft] *n.* puériculture.
motherhood ['mʌðəhʊd] *n.* maternité.
mother-in-law ['mʌðərɪnlɔ:] *n.* belle-mère.
motherless ['mʌðəlɪs] *adj.* orphelin de mère.

motherly ['mʌðəlı] *adj.* maternel.
mother-of-pearl [ˌmʌðərəv'pɛ:l] *n.* nacre.
mothproof ['mɒθpru:f] *adj.* traité à l'antimite.
⚠ **motion** ['məʊʃn] *n.* **1.** mouvement, marche. **2.** geste. **3.** motion, proposition. *v. intr.* faire signe.
▻ **motivate** ['məʊtıveıt] *v.t.* motiver, inciter.
⚠ **motive** ['məʊtıv] *n.* **1.** motif, mobile. **2.** intention. *adj.* moteur, motrice.
motley ['mɒtlı] *adj.* **1.** bigarré, bariolé. **2.** hétéroclite.
motor ['məʊtə] *n.* moteur. *v. intr.* voyager en voiture.
motorbike ['məʊtəbaık] *n.* moto (aussi **motorcycle**).
motorboat ['məʊtəbəʊt] *n.* canot à moteur.
motorcar ['məʊtəkɑ:] *n.* automobile (cf. **car**).
motorist ['məʊtərıst] *n.* automobiliste.
motorway ['məʊtəweı] *n.* autoroute.
mottled ['mɒtld] *adj.* tacheté.
motto ['mɒtəʊ] (*pl.* **-oes**) *n.* devise.
mould [məʊld] *n.* **1.** moule. **2.** moisissure. **3.** terreau. *v.t.* fondre, mouler, modeler, *v. intr.* moisir.
moulding ['məʊldıŋ] *n.* moulage, modelage.
mouldy ['məʊldı] *adj.* **1.** moisi. **2.** *(fam.)* minable.
moult [məʊlt] *v. intr. (Zool.)* muer. *n.* mue.
mound [maʊnd] *n.* tertre, butte; remblai.
mount [maʊnt] *n.* **1.** mont. **2.** monture. **3.** support. **4.** *(Art.)* cadre. *v.t. et intr.* monter.
mountain ['maʊntın] *n.* montagne.
mountaineer [ˌmaʊntı'nıə] *n.* **1.** montagnard. **2.** alpiniste. *v. intr.* faire de l'alpinisme.
mountaineering [ˌmaʊntı'nıərıŋ] *n.* alpinisme.
mountainous ['maʊntınəs] *adj.* **1.** montagneux. **2.** gigantesque.
mountebank ['maʊntıbæŋk] *n.* charlatan.
mount up *v. part. intr.* s'élever, se monter, (se) chiffrer.
mourn [mɔ:n] *v.t. et intr.* pleurer, déplorer, se lamenter.
mourner ['mɔ:nə] *n.* **1.** pleureuse. **2.** parent ou ami d'un défunt.
mournful ['mɔ:nfəl] *adj.* **1.** triste, lugubre, funèbre. **2.** affligé.
mourning ['mɔ:nıŋ] *n.* deuil. ***He is in mourning,*** il porte le deuil.
mouse [maʊs] *n.* (*pl.* **mice** [maıs]) souris.
mousy ['maʊsı] *adj.* **1.** *(fig.)* timide, effacé. **2.** couleur terne (cheveux).
mouth [maʊθ] *n.* (*pl.* **mouths** [maʊðz]) **1.** bouche. **2.** embouchure. **3.** orifice. ♦ ***He is down in the mouth,*** il est déprimé; ***the news got round by word of mouth,*** la nouvelle se répandit de bouche à oreille; ***they live from hand to mouth,*** ils vivent au jour le jour; ***you make my mouth water,*** tu me fais venir l'eau à la bouche.
mouthful ['maʊθfəl] *n.* bouchée.
mouthorgan ['maʊθˌɔ:gən] *n.* harmonica.
mouthpiece ['maʊθpi:s] *n. (Mus.)* bec, embouchure.
movable ['mu:vəbl] *adj.* mobile (aussi **moveable**).
move [mu:v] *n.* **1.** mouvement. ***He's always on the move,*** il est toujours en mouvement, il est toujours par monts et par vaux. **2.** *(Echecs)* coup; *(fig.)* initiative. ♦ ***It's your move now!*** à toi de jouer maintenant! ***what's the next move?*** que faut-il faire ensuite (à présent)?
v.t. **1.** déplacer, mouvoir, faire mouvoir, transporter. **2.** émouvoir, toucher; pousser. ***He was moved to tears,*** il était ému jusqu'aux larmes. **3.** déménager. ***We moved house yesterday,*** nous avons déménagé hier.
v. intr. **1.** bouger, se déplacer. **2.** déménager, emménager. ***We're moving into a new flat,*** nous allons changer d'appartement; ***when do you move out*** (ou ***in)?*** quand est-ce que vous déménagez (ou emménagez)? **3.** faire une proposition. ***I move that we vote now,*** je propose de passer au vote maintenant. ♦ ***We have to move with the times,*** il faut vivre avec son temps.
▻ **movement** ['mu:vmənt] *n.* mouvement.
movie ['mu:vı] *n. (Ciné.)* film (cf. **film**).

(fam.) ***The movies,*** le cinéma.
mow [məʊ] *v.t.* (*p.* **mowed,** *p.p.* **mown, mowed**) faucher, tondre.
mower ['məʊə] *n.* **1.** (personne) faucheur. **2.** (machine) faucheuse, tondeuse.
mown [məʊn] (**mow,** *v.*)
much [mʌtʃ] *adj. et pr. quant. et adv.* beaucoup (de). ***As much,*** autant; ***how much?*** combien? ***so much,*** tant, tellement; ***there isn't much coffee left,*** il ne reste pas beaucoup de café; ***too much,*** trop; ***very much,*** beaucoup. ♦ ***I don't think much of this film,*** ce film ne me paraît pas très bon; ***I thought as much,*** c'est bien ce que je pensais; ***so much the better,*** tant mieux; ***there's nothing much wrong,*** il n'y a rien de bien grave.
muck [mʌk] *n.* **1.** fumier. **2.** *(fig.)* saleté. **3.** *(fig.)* gâchis. *v.t. et intr.* **1.** *(Agr.)* fumer. **2.** *(fig.)* salir.
muck about *v. part. intr.* faire l'idiot.
muck in *v. part. intr.* mettre la main à la pâte.
muck out *v. part. t.* nettoyer (l'écurie).
muck up *v. part. t.* bousiller, gâcher.
mucky ['mʌkɪ] *adj.* sale, malpropre.
mud [mʌd] *n.* boue. *(fam.)* ***He's an old stick-in-the-mud,*** c'est un vieux réac; ***his name is mud,*** on n'entend dire que du mal de lui.
muddle ['mʌdl] *n.* confusion, désordre. ***Everything is in a muddle,*** tout est sens dessus dessous. *v.t.* confondre, embrouiller.
muddle-headed [ˌmʌdl'hedɪd] *adj.* brouillon.
muddle through, *v. part. intr.* se débrouiller.
muddy ['mʌdɪ] *adj.* boueux, bourbeux.
mudguard ['mʌdgɑ:d] *n.* garde-boue.
muff [mʌf] *n.* *(Mode)* manchon. *v.t.* rater.
muffin ['mʌfɪn] *n.* petit pain.
muffle ['mʌfl] *v.t.* **1.** emmitoufler. **2.** amortir (bruit).
muffler ['mʌflə] *n.* **1.** cache-nez. **2.** *(amér.)* *(Aut.)* silencieux.
mug[1] [mʌg] *n.* **1.** grande tasse. **2.** chope. **3.** *(fam.)* bouille. **4.** *(fam.)* poire, andouille (personne).
mug[2] [mʌg] *v.t.* agresser pour voler.
mulberry ['mʌlbrɪ] *n.* mûrier (aussi **mulberry tree**).
mule [mju:l] *n.* mulet, mule.
mulish ['mju:lɪʃ] *adj.* buté, entêté.
mum[1] [mʌm] *n.* maman.
mum[2] [mʌm] *interj. et adj.* silence. ***Keep mum*** *(fam.),* motus.
mumble ['mʌmbl] *v. intr.* marmonner. *n.* marmonnement.
mummy ['mʌmɪ] *n.* **1.** maman. **2.** momie.
mumps [mʌmps] *n. pl.* *(Méd.)* oreillons.
munch [mʌntʃ] *v.t. et intr.* mâcher, mastiquer.
⚠ **mundane** [mʌn'deɪn] *adj.* terre à terre, prosaïque.
murder ['mɜ:də] *n.* meurtre. *v.t.* assassiner.
murderer ['mɜ:dərə] *n.* assassin.
murderous ['mɜ:dərəs] *adj.* meurtrier.
⚠ **muse**[1] [mju:z] *v. intr.* méditer, rêver.
▻ **muse**[2] [mju:z] *n.* muse.
▻ **museum** [mju:'zɪəm] *n.* musée.
mushroom ['mʌʃrʊm] *n.* champignon.
▻ **music** ['mju:zɪk] *n.* musique.
⚠ **musical** ['mju:zɪkəl] *adj.* **1.** musical. **2.** musicien. ***He's very musical,*** il est très musicien. *n.* comédie musicale.
▻ **musician** [mju:'zɪʃn] *n.* musicien.
muslim ['mʌzlɪm] *adj. et n.* musulman. (aussi **moslem**).
▻ **muslin** ['mʌslɪn] *n.* mousseline.
mussel ['mʌsl] *n.* moule (crustacé).
must [mʌst] *aux. mod.* **1.** devoir, falloir. ***I must go now,*** il faut que je parte maintenant. **2.** devoir (probabilité). ***He must be having breakfast now,*** il doit être en train de déjeuner à présent; ***I must have made a mistake,*** j'ai dû me tromper. *n.* *(fam.)* ***It's a must,*** on ne peut pas s'en passer.
mustard ['mʌstəd] *n.* moutarde.
muster ['mʌstə] *v.t.* réunir, rassembler. ♦ ***Muster up courage!*** prenez votre courage à deux mains!
mustiness ['mʌstɪnɪs] *n.* moisi, renfermé.
musty ['mʌstɪ] *adj.* moisi.
mute [mju:t] *adj.* muet.
mutineer [ˌmju:tɪ'nɪə] *n.* mutin, insurgé.
mutinous ['mju:tɪnəs] *adj.* mutin, mutiné.
mutiny ['mju:tɪnɪ] *n.* mutinerie. *v. intr.* s'insurger, se mutiner.
mutter ['mʌtə] *v.t. et intr.* marmonner.

He muttered (something) under his breath, il marmonna (quelque chose) entre ses dents.
mutton ['mʌtn] *n.* *(Cuis.)* mouton.
muzzle [mʌzl] *n.* **1.** museau. **2.** bouche, gueule (d'un canon). **3.** bout (d'un fusil). **4.** muselière, *(fig.)* bâillon. *v.t.* museler. *(fig.)* bâillonner.
my [maɪ] *adj. poss.* mon, ma, mes. ♦ ***Oh, my!*** Oh, Mon Dieu!
myself [maɪ'self] *pr. réfl.* moi-même. ***I did it by myself,*** je l'ai fait tout seul.
▷ **mysterious** [mɪ'stɪərɪəs] *adj.* mystérieux.
▷ **mystery** ['mɪstrɪ] *n.* mystère.
⚠ **mystify** ['mɪstɪfaɪ] *v.t.* intriguer, dérouter.
▷ **mythology** [mɪ'θɒlədʒɪ] *n.* mythologie.

N

nab [næb] *v.t.* *(fam.)* pincer, piquer, choper. ***He got himself nabbed for stealing cars,*** il s'est fait pincer pour vol de voiture.
nag [næg] *v.t. et intr.* trouver à redire, harceler. ***She nags (at) her husband all day,*** elle est toujours après son mari.
nail [neɪl] *n.* **1.** clou. **2.** ongle. ♦ ***He's as hard as nails,*** il est inflexible, dur; ***he's tough as nails,*** il a une santé de fer; ***I pay on the nail,*** je paie rubis sur l'ongle; ***you've hit the nail on the head,*** tu as mis le doigt dessus. *v.t.* clouer. ***They have nailed up the door,*** ils ont condamné la porte. ♦ ***You can never nail him down to anything,*** il ne te dira jamais le fond de sa pensée.
⚠ **naive** [naɪ'iːv] (aussi **naïve**) *adj.* naïf, naïve. **2.** ingénu(e).
naked ['neɪkɪd] *adj.* nu, tout nu.
nakedness ['neɪkɪdnɪs] *n.* nudité.
name [neɪm] *n.* **1.** nom. **2.** réputation. ***This district has a bad name,*** ce quartier a mauvaise réputation. *v.t.* nommer, appeler.
namedrop ['neɪmdrɒp] *v. intr.* *(péj.)* émailler sa conversation de noms de relations célèbres.
namely ['neɪmlɪ] *adv.* notamment, c'est-à-dire.
nameplate ['neɪmpleɪt] *n.* plaque, écusson.
namesake ['neɪmseɪk] *n.* homonyme. ***He is his grandfather's namesake,*** il porte le nom de son grand-père.
nanny ['nænɪ] *n.* nounou, bonne d'enfant.
nap [næp] *n.* somme, sieste. *v. intr.* faire un somme. *(fig.)* ***Don't be caught napping!*** ne te laisse pas prendre au dépourvu!
nape [neɪp] *n.* nuque.
napkin ['næpkɪn] *n.* **1.** serviette de table. **2.** couche de bébé.
nappy ['næpɪ] *n.* *(fam.)* couche de bébé.
narrate [nə'reɪt] *v.t.* narrer, raconter.
narrative ['nærətɪv] *n.* histoire, récit. *adj.* narratif.
narrow ['nærəʊ] *adj.* étroit, étranglé, resserré. ***He won by a narrow majority,*** il l'emporta de quelques voix. ♦ ***He had a narrow escape,*** il l'a échappé belle. *v.t. et intr.* (se) resserrer, (se) réduire, (se) rétrécir. ♦ ***Her eyes narrowed,*** elle plissa les yeux; ***this narrows (down) the possibilities,*** les possibilités s'en trouvent réduites.
narrowly ['nærəʊlɪ] *adv.* de près, de justesse. ***He narrowly missed having a serious accident,*** il a échappé de justesse à un grave accident.
narrow-minded [ˌnærəʊ'maɪn-dɪd] *adj.* à l'esprit étroit, borné.
narrows ['nærəʊz] *(Géog.)* *n.pl.* détroit.
nasty ['nɑːstɪ] *adj.* **1.** mauvais. ***Nasty weather,*** sale temps. **2.** méchant, malveillant. ***Make nasty remarks,*** faire des remarques déplaisantes.
nationwide [ˌneɪʃən'waɪd] *adj.* à l'échelle nationale.
native ['neɪtɪv] *n.* indigène, natif. ***He speaks English like a native,*** il parle anglais comme un Anglais. *adj.* indigène, natif, natal. ***Native country,*** pays natal; ***native language,*** langue maternelle.

▻ **nativity** [nə'tɪvɪtɪ] *n.* nativité. ***Nativity play,*** mystère de Noël.
natter ['nætə] *n. (fam.)* bavardage, papotage. *v. intr.* bavarder, papoter.
natty ['nætɪ] *adj.* coquet, tiré à quatre épingles.
naught [nɔːt] *n.* zéro.
naughty ['nɔːtɪ] *adj.* méchant, désobéissant, insupportable (enfant).
▻ **nausea** ['nɔːzɪə] *n.* nausée.
nauseate ['nɔːzɪeɪt] *v.t.* donner la nausée.
nauseating ['nɔːzɪeɪtɪŋ] *adj.* nauséabond.
▻ **nautical** ['nɔːtɪkl] *adj.* nautique, naval.
▻ **naval** ['neɪvl] *adj.* naval (de la marine de guerre).
nave [neɪv] *n.* nef (d'une église).
navel ['neɪvl] *n.* nombril.
navvy ['nævɪ] *n.* terrassier.
navy ['neɪvɪ] *n.* marine (de guerre). ***Merchant Navy,*** marine marchande.
near [nɪə] *adj.* proche. ***In the near future,*** dans un proche avenir; ***near relative,*** proche parent; ***that was a near thing,*** il s'en est fallu de peu; ***the nearest town,*** la ville la plus proche.
adv. près. ***Draw near,*** s'approcher; ***it's quite near,*** c'est tout près.
prép. près de, à proximité de. ***Near the station,*** près de la gare.
nearby [nɪə'baɪ] *adv.* tout près. *adj.* proche, voisin.
nearly ['nɪəlɪ] *adj.* presque, à peu près. ***She nearly fainted,*** elle a failli s'évanouir; ***we're not nearly ready,*** nous sommes loin d'être prêts.
nearsighted [ˌnɪə'saɪtɪd] *adj.* myope.
neat [niːt] *adj.* **1.** net, propre. ***Neat desk,*** bureau rangé. **2.** ordonné, soigneux. ***He's neat worker,*** c'est un ouvrier méticuleux. **3.** élégant. ***That was a neat answer,*** voilà une réponse bien tournée. **4.** sec, pur. ***He drinks his whisky neat,*** il prend son whisky sans eau.
nebula ['nebjʊlə] *n.* (*pl.* **nebulas, nebulae** ['nebjʊliː]) *(Astron.)* nébuleuse.
▻ **nebulous** ['nebjʊləs] *adj.* **1.** *(Astron.)* nébuleux. **2.** *(fig.)* vague, flou, nébuleux.
neck [nek] *n.* **1.** cou. **2.** col, décolleté. **3.** encolure. **4.** goulot. **5.** *(fam.)* culot, toupet. ♦ *(fam.)* ***He got it in the neck,*** il s'est fait sonner les cloches; ***he risked his neck,*** il a risqué sa vie; ***he saved his neck,*** il a sauvé sa tête; *(fam.)* ***he stuck his neck out,*** il a pris ses risques (ou ses responsabilités); ***he won by a (short) neck,*** il a gagné d'une (courte) encolure; ***stiff neck,*** torticolis; ***they are neck and neck,*** ils se suivent de très près; ***they're up to the neck in work,*** ils sont submergés de travail.
necklace ['neklɪs] *n.* collier (bijou).
neckline ['neklaɪn] *n.* décolleté.
necktie ['nektaɪ] *n. (amér.)* cravate. (cf. **tie**).
nectarine ['nektəriːn] *n.* brugnon.
need [niːd] *n.* besoin. ***In times of need,*** en période de disette; ***there's no need for panic,*** il n'y a aucune raison de paniquer; ***there's no need to go yet,*** ce n'est pas la peine de partir encore; ***we are in need of a cook,*** nous avons besoin d'une cuisinière. ♦ ***If need be,*** si besoin est, s'il le faut, le cas échéant.
v.t. avoir besoin de. ***I need to know your opinion,*** il faut que vous me donniez votre avis; ***these windows need washing,*** ces fenêtres ont besoin d'être lavées; ***this stew needs salt,*** ce ragoût n'est pas assez salé.
aux. mod. (nécessité) ***Need you go so soon?*** vous faut-il vraiment déjà partir? ***you needn't have worried,*** il ne fallait pas vous faire du souci; ***you needn't worry,*** inutile de vous faire du souci.
needle ['niːdl] *n.* aiguille. *v.t.* **1.** harceler. **2.** taquiner. ♦ ***They needled their way through the crowd,*** ils se faufilèrent dans la foule.
needless ['niːdlɪs] *adj.* inutile. ♦ ***Needless to say,*** il va sans dire.
needlework ['niːdlwɜːk] *n.* couture.
needy ['niːdɪ] *adj.* nécessiteux, indigent.
neglect [nɪ'glekt] *n.* négligence. ***The house is in a state of neglect,*** la maison est laissée à l'abandon. *v.t.* négliger. ***Don't neglect to shut the door,*** n'oublie pas de fermer la porte.
neglectful [nɪ'glektfəl] *adj.* négligent.
neigh [neɪ] *v. intr.* hennir. *n.* hennissement.
neighbour ['nəɪbə] *n.* **1.** voisin. **2.** pro-

chain.
neighbourhood ['neɪbəhʊd] *n.* **1.** voisins. ***It's a quiet neighbourhood,*** nous avons des voisins tranquilles. **2.** quartier, environs. ♦ ***In the neighbourhood of £ 500,*** autour de 500 livres.
neighbouring ['neɪbərɪŋ] *adj.* avoisinant.
neighbourliness ['neɪbəlɪnɪs] *n.* relations de bon voisinage.
neighbourly ['neɪbəlɪ] *adj.* en bon voisin. ***The people next door are very neighbourly,*** nous avons de très bons voisins.
neither ['naɪðə] *amér.* ['ni:ðə] *adj.* aucun (des deux). ***Neither negotiator would compromise,*** aucun des deux négociateurs ne voulait faire de concessions.
pron. ni l'un ni l'autre. ***Neither of them would compromise,*** ni l'un ni l'autre ne voulait faire de concessions.
conj. ni (... ni). ***He neither drinks nor smokes,*** il ne boit ni ne fume.
adv. ***He doesn't smoke and neither do I,*** il ne fume pas et moi non plus.
nephew ['nevju:, 'nefju:] *n.* neveu.
nerve [nɜ:v] *n.* **1.** nerf. ***Nerve centre,*** centre nerveux. **2.** sang-froid. **3.** *(fam.)* culot, toupet. ***What (a) nerve!*** quel toupet! quel cran!
nerve-racking ['nɜ:v,rækɪŋ] *adj.* épuisant pour les nerfs.
nerves [nɜ:vz] *n. pl.* **1.** nervosité, tension nerveuse. ***She's in a dreadful state of nerves,*** elle est terriblement énervée. **2.** sang-froid. ♦ ***A war of nerves,*** une guerre des nerfs; *(fam.)* ***he gets*** (ou ***grates***) ***on my nerves,*** il me tape sur les nerfs, il m'énerve; ***my nerves are on edge,*** je suis sur les nerfs.
⚠ **nervous** ['nɜ:vəs] *adj.* **1.** *(Méd.)* nerveux. ***Nervous breakdown,*** dépression nerveuse. **2.** nerveux, énervé. **3.** timide, inquiet. ***I always feel nervous before an examination,*** je suis toujours angoissé avant un examen; ***he gave a nervous smile,*** il fit un sourire timide.
nervousness ['nɜ:vəsnɪs] *n.* **1.** nervosité, énervement. **2.** timidité, inquiétude.
nervy ['nɜ:vɪ] *adj.* nerveux, tendu, contracté.
nest [nest] *n.* nid. ♦ ***Nest egg,*** pécule; ***nest of tables,*** tables gigognes.
nestle ['nesl] *v. intr.* se blottir, se nicher. ***The baby nestled into its mother's arms,*** le bébé se blottit dans les bras de sa mère.
nestling ['neslɪŋ] *n.* oisillon.
⚠ **net** [net] *n.* filet. ***Mosquito net,*** moustiquaire.
netting ['netɪŋ] *n.* grillage.
nettle ['netl] *n.* *(Bot.)* ortie.
network ['netwɜ:k] *n.* réseau (routier, de télévision,...).
neurotic [njʊ'rɒtɪk] *adj.* neurasthénique, névrosé, complexé.
neuter ['nju:tə] *adj.* *(Gram.)* neutre.
neutral ['nju:trəl] *adj. et n.* **1.** *(Polit.)* neutre. **2.** *(fig.)* neutre. **3.** *(Aut.)* (au) point mort. ***The car is in neutral,*** la voiture est au point mort.
never ['nevə] *adv.* ne... jamais. ***He never gets up before midday,*** il ne se lève jamais avant midi; ***never have I seen such a lazy fellow,*** jamais je n'ai vu une telle paresse. ♦ ***He never so much as said « Thank you »,*** il n'a même pas dit « merci »; ***never fear,*** rassure-toi, n'aie crainte; ***never mind,*** ne t'en fais pas, cela ne fait rien; ***well, I never!*** ce n'est pas vrai! ça, alors!
never-never [,nevə'nevə] *n.* *(fam.)* système d'achat à crédit. ***He bought his car on the never-never,*** il a acheté sa voiture à crédit.
nevertheless [,nevəðə'les] *adv.* néanmoins.
new [nju:] *adj.* neuf, nouveau. ***He's new to the job,*** c'est la première fois qu'il fait ce travail. ♦ ***Happy New Year!*** bonne année!
newborn ['nju:bɔ:n] *adj.* nouveau-né. ***A newborn baby,*** un nouveau-né.
newcomer ['nju:kʌmə] *n.* nouveau venu.
newfangled [,nju:'fæŋgld] *adj.* *(péj.)* dernier cri, nouveau genre.
new-laid ['nju:led] *adj.* frais (œuf).
newly ['nju:lɪ] *adv.* récemment. ***Newly married couple,*** nouveaux mariés (aussi **newlywed couple, newlyweds**).
news [nju:z] *n.* **1.** nouvelle(s). ***That's (a piece of) good news,*** voilà une bonne

nouvelle. **2.** informations. ***Did you hear the news on TV at midday?*** avez-vous entendu les informations à la télévision à midi? ♦ ***That's news to me!*** première nouvelle!

newsagent ['nju:z,eɪdʒənt] *n.* marchand de journaux.

newspaper ['nju:z,peɪpə] *n.* journal.

newsreel ['nju:zri:l] *n.* *(Ciné.)* les actualités.

next [nekst] *adj.* prochain, suivant. ***She lives next door,*** elle habite la maison à côté. ♦ ***The next of kin have been informed,*** la famille a été prévenue. *adv.* ensuite, puis. ***First... next,*** d'abord... ensuite; ***who comes next?*** à qui le tour?

next to *prép.* **1.** à côté de, tout contre. **2.** à défaut de. ***Next to John I like Mary best,*** après John, c'est Mary que j'aime le mieux. *adv.* presque, à peu près. ***He said next to nothing,*** il n'a pratiquement rien dit; ***it's next to impossible,*** c'est quasiment impossible.

nib [nɪb] *n.* plume (de stylo).

nibble [nɪbl] *v.t. et intr.* grignoter, mordiller. *n.* bouchée. ***He only takes a nibble for lunch,*** à midi il se contente de grignoter.

nice [naɪs] *adj.* **1.** agréable, bon. ***Nice weather, isn't it?*** il fait beau, n'est-ce pas? ***what a nice breakfast!*** quel bon petit déjeuner! ***what a nice-looking girl!*** quelle jolie fille! **2.** gentil. ***He's always been very nice to me,*** il a toujours été très gentil avec moi; ***how nice of you to think of me!*** que c'est gentil à vous de penser à moi! **3.** fin, subtil. ***That's a nice point,*** c'est un point délicat. ♦ ***We'll be nice and quiet here,*** nous serons bien tranquilles ici.

nicely ['naɪslɪ] *adv.* **1.** agréablement. ***A nicely furnished house,*** une maison meublée avec goût. **2.** gentiment, aimablement. ♦ ***That will do very nicely,*** cela fera très bien l'affaire.

niceness ['naɪsnɪs] *n.* amabilité, gentillesse.

nicety ['naɪsɪtɪ] *n.* **1.** justesse, précision. ***The meat was roasted to a nicety,*** le rôti était juste à point.

niceties ['naɪsɪtɪz] *n.pl.* subtilités, détails. ***The niceties of the question,*** les finesses de la question.

nick [nɪk] *n.* encoche, entaille. ♦ ***They arrived in the nick of time,*** ils arrivèrent juste à temps. *v.t.* faire une encoche.

⚠ **nickel** ['nɪkl] *n.* **1.** *(Géol.)* nickel. **2.** *(U.S.)* pièce de 5 cents.

nickname ['nɪkneɪm] *n.* surnom, sobriquet. *v.t.* surnommer.

nigger ['nɪgə] *n.* *(fam. et péj.)* nègre.

niggle ['nɪgl] *v. intr.* *(fam.)* pinailler.

night [naɪt] *n.* nuit, soir. ***All night long,*** toute la nuit; ***last night,*** cette nuit, hier soir; ***10 o'clock at night,*** 10 heures du soir. ♦ *(Th.)* ***A first night,*** une première; ***they keep late nights,*** ils se couchent tard.

nightcap ['naɪtkæp] *n.* **1.** bonnet de nuit. **2.** un dernier verre avant de se coucher.

nightdress ['naɪtdres] *n.* chemise de nuit (aussi **nightgown**).

nightfall ['naɪtfɔ:l] *n.* tombée du jour.

nightingale ['naɪtɪŋgeɪl] *n.* rossignol.

nightly ['naɪtlɪ] *adj.* nocturne. *adv.* tous les soirs; toutes les nuits.

nightmare ['naɪtmeə] *n.* cauchemar.

nightmarish ['naɪtmeərɪʃ] *adj.* cauchemardesque.

nil [nɪl] *n.* *(Sp.)* zéro. ***The score was 2 nil,*** le score était de 2 à zéro.

nimble ['nɪmbl] *adj.* agile, alerte, vif, prompt.

nines [naɪnz] ♦ *(fam.)* ***Dressed up to the nines,*** sur son trente et un.

nip [nɪp] *n.* morsure, pincement, pinçon. ♦ ***There's a nip in the air,*** le fond de l'air est froid.
v.t. pincer. ♦ ***The plot was nipped in the bud,*** le complot fut écrasé dans l'œuf. *v. intr.* courir, sauter, filer. ***He nipped into the doorway,*** en un clin d'œil il fut dans l'entrée.

nipper ['nɪpə] *n.* gamin, gosse.

nippers ['nɪpəz] *n.pl.* pince(s), pincette(s). ***A pair of nippers,*** une pince.

nipple ['nɪpl] *n.* **1.** bout de sein. **2.** *(Tech.)* raccord, embout.

nitwit ['nɪtwɪt] *n.* crétin, imbécile.

no [nəʊ] *adv.* **1.** non. ***He answered no,*** il répondit que non. **2.** ne... pas, ne... plus. ***The weather is no better,*** le temps ne s'est pas amélioré.
n. non. ***He would not take no for an***

answer, il n'était pas question de lui dire non.
adj. aucun, nul. ***He has no patience,*** il n'a aucune patience. ♦ ***It's no laughing matter,*** il n'y a pas de quoi rire ; ***no doubt,*** sans doute, probablement ; ***no smoking,*** défense de fumer ; ***there's no knowing what he'll do,*** on ne peut prévoir ce qu'il va faire.

nobility [nəˈbɪlɪtɪ] *n.* noblesse.

nobleman [ˈnəʊblmən] *n.* (*pl.* **-men**) noble.

noble-minded [ˌnəʊblˈmaɪndɪd] *adj.* magnanime.

nobly [ˈnəʊblɪ] *adv.* **1.** noblement. ***Nobly born,*** de haute naissance. **2.** généreusement, avec abnégation. **3.** superbement, magnifiquement.

nobody [ˈnəʊbədɪ] *pr.* personne, nul. ***I saw nobody,*** je n'ai vu personne.
n. zéro, nullité. ***He's a mere nobody,*** c'est une nullité.

nocturnal [nɒkˈtɜːnl] *adj.* nocturne.

nod [nɒd] *n.* **1.** signe de tête d'acquiescement. ***He answered with a nod,*** il acquiesça d'un signe de tête. **2.** salutation. ***He gave me a nod in passing,*** il m'a fait un petit salut de la tête au passage.
v.t. et intr. **1.** saluer (de la tête). **2.** incliner la tête en signe d'assentiment.

noise [nɔɪz] *n.* bruit, son. ***Make a noise,*** faire du bruit.

noiseless [ˈnɔɪzlɪs] *adj.* silencieux.

noisy [ˈnɔɪzɪ] *adj.* bruyant.

▻ **nomad** [ˈnəʊmæd] *n.* nomade.

nomadic [nəʊˈmædɪk] *adj.* nomade.

⚠ **nominal** [ˈnɒmɪnl] *adj.* **1.** nominal. **2.** de nom. ***The nominal ruler,*** le chef en titre (non de fait). **3.** insignifiant.

nominate [ˈnɒmɪneɪt] *v.t.* **1.** nommer, désigner. **2.** *(U.S.)* proposer comme candidat officiel.

nominee [ˌnɒmɪˈniː] *n.* personne désignée comme : représentant, titulaire ; *(U.S.)* candidat officiel. ***The Republican Party nominee,*** le candidat officiel du parti républicain.

⚠ **nonconformist** [ˌnɒnkənˈfɔːmɪst] *n. et adj.* **1.** *(Rel.)* dissident, hérétique. **2.** non conformiste.

nondescript [ˈnɒndɪˌskrɪpt] *adj.* terne, quelconque, ordinaire.

none [nʌn] *pr.* nul, aucun, personne. ***None of my friends like(s) painting,*** aucun de mes amis n'aime la peinture. ♦ ***I'll have none of that impudence,*** je ne tolérerai jamais une telle impudence.
adv. pas, point ; pas ... (plus), pas ... (moins), pas ... (tellement). ***I was none the wiser after the explanation,*** je n'en savais pas plus long après l'explication ; ***the examination was none too easy,*** l'examen n'était pas tellement facile.

nonentity [nɒˈnentɪtɪ] *n.* nullité, personne insignifiante.

nonplus [ˌnɒnˈplʌs] *v.t.* dérouter, déconcerter.

⚠ **nonsense** [ˈnɒnsəns] *n.* **1.** non-sens. **2.** absurdité(s), ineptie(s). ***That's (a) nonsense!*** sottises ! ne dis pas de bêtises ! ***what (a piece of) nonsense!*** quelle idiotie ! ***you're talking (a lot of) nonsense!*** tu ne sais pas ce que tu dis, tu dis n'importe quoi !

nonsensical [nɒnˈsensɪkl] *adj.* absurde.

nonstop [ˌnɒnˈstɒp] *adj. et adv.* sans arrêt. ***Nonstop train,*** rapide.

noon [nuːn] *n.* midi.

noose [nuːs] *n.* nœud coulant.

nor [nɔː] *conj.* **1.** ni. ***Neither John nor Peter were (was) invited,*** ni Jean ni Pierre ne furent invités. **2.** ni ... non plus. ***Nor was I,*** ni moi non plus ; ***the film wasn't very funny, nor was it instructive,*** le film n'était pas très drôle, et il n'était pas éducatif non plus.

north [nɔːθ] *n.* nord. *adj.* du nord. *adv.* vers le nord. ***A village north of London,*** un village au nord de Londres ; ***we drove north,*** nous roulions vers le nord.

northerly [ˈnɔːðəlɪ] *adj.* du nord. *adv.* vers le nord.

northern [ˈnɔːðən] *adj.* septentrional, du nord.

northerner [ˈnɔːðənə] *n.* **1.** personne du nord. **2.** *(Hist. U.S.)* nordiste.

nose [nəʊz] *n.* nez. ♦ ***He blew his nose,*** il se moucha ; ***he led us by the nose,*** il nous a menés par le bout du nez ; ***she's always poking*** (ou ***sticking) her nose into my business,*** elle ne cesse de se mêler de mes affaires ; ***she turned***

up her nose at the food, elle fit la dégoûtée devant la nourriture; *we paid through the nose for it,* nous l'avons payé les yeux de la tête.
nose about, *v. part. intr.* fureter (aussi **nose around**).
nose into, *v. prép.* s'infiltrer, s'insinuer (dans).
nose out, *v. part. t.* dépister, flairer.
nosh [nɒʃ] *n. (argot)* bouffe, boustifaille.
nostril ['nɒstrɪl] *n.* narine.
nosy ['nəʊzɪ] *adj. (fam.)* curieux, fouinard (aussi **nosey**).
nosy parker [ˌnəʊzɪ'pɑːkə] *n. (péj.)* fouinard.
not [nɒt] *adv.* ne ... pas; ne ... point; non. ***Does he want to come or not?*** veut-il venir ou non? ***I hope not,*** j'espère que non. ♦ ***Not at all,*** pas du tout, je vous en prie; ***not even,*** même pas.
notch [nɒtʃ] *n.* **1.** entaille. **2.** *(fig.)* cran. **3.** *(fig.)* degré. *v.t.* entailler, encocher.
⚠ **note** [nəʊt] *n.* **1.** mot, billet. **2.** note. ***I must make a mental note of that,*** il faut que je retienne cela; ***strike an optimistic note,*** se montrer optimiste. **3.** *(Mus.)* note. **4.** (= **bank note**) billet (de banque). ♦ ***Worthy of note,*** digne d'attention, remarquable. *v.t. et intr.* remarquer, faire remarquer, noter, prendre note.
notebook ['nəʊtbʊk] *n.* carnet, calepin.
noted ['nəʊtɪd] *adj.* éminent, célèbre.
noteworthy ['nəʊt,wɜːðɪ] *adj.* remarquable.
nothing ['nʌθɪŋ] *pr. quant.* rien, néant, zéro. ***There's nothing left,*** il ne reste rien. ♦ ***He thinks nothing of doing 1000 km a day,*** cela ne le dérange pas de faire 1 000 km par jour; ***I can make nothing of this,*** je n'y comprends rien; ***it all came to nothing,*** tout cela n'a abouti à rien; ***next to nothing,*** presque rien; ***nothing doing!*** *(fam.)* pas question! rien à faire! ***nothing the matter?*** ça ne va pas bien? ***that is*** (ou ***has***) ***nothing to do with me,*** cela ne me regarde pas; ***there's nothing for it but to walk,*** il ne nous reste plus qu'à marcher; ***there's nothing in it,*** il n'y a rien de vrai; ***there's nothing to it,*** c'est un jeu d'enfant; ***you'll do nothing of the kind!*** tu n'en feras rien!
⚠ **notice** ['nəʊtɪs] *n.* **1.** avis, avertissement, notification. ***Until further notice,*** jusqu'à nouvel ordre. **2.** préavis, délai. ***He was given a month's notice,*** il fut congédié avec un mois de préavis; ***at a moment's notice,*** sur-le-champ, immédiatement.
v.t. **1.** remarquer, s'apercevoir de. **2.** faire une remarque. *v. intr.* faire attention.
noticeable ['nəʊtɪsəbl] *adj.* perceptible, sensible.
notice board ['nəʊtɪs,bɔːd] *n.* tableau d'affichage.
⚠ **notoriety** [ˌnəʊtə'raɪətɪ] *n. (péj.)* mauvaise réputation.
⚠ **notorious** [nəʊ'tɔːrɪəs] *adj. (péj.)* notoire. ***A notorious criminal,*** malfaiteur notoire.
notwithstanding [ˌnɒtwɪθ'stændɪŋ] *prép.* malgré, nonobstant. *adv.* néanmoins.
nought [nɔːt] *n.* zéro.
noun [naʊn] *n. (Gram.)* nom, substantif.
⊳ **nourish** ['nʌrɪʃ] *v.t.* **1.** nourrir, alimenter. **2.** *(fig.)* entretenir (des sentiments).
nourishment ['nʌrɪʃmənt] *n.* nourriture.
⚠ **novel**[1] ['nɒvəl] *n.* roman.
novel[2] ['nɒvəl] *adj.* nouveau, neuf, inédit, original. ***A novel idea,*** une idée originale.
⚠ **novelist** ['nɒvəlɪst] *n.* romancier.
novelty ['nɒvəltɪ] *n.* nouveauté.
now [naʊ] *adv.* **1.** maintenant, actuellement. ***Now is the time to ...,*** c'est maintenant le moment de ... **2.** alors, or. ***Now, this man ...,*** or, cet homme ... ♦ ***A week from now,*** d'ici huit jours; ***just now,*** à l'instant, tout à l'heure; ***now and again, now and then,*** de temps à autre; ***right now,*** tout de suite.
conj. maintenant que. ***Now (that) you are grown-up,*** maintenant que tu es grand.
nowadays ['naʊədeɪz] *adv.* de nos jours.
nowhere ['nəʊweə] *adv.* nulle part.
nozzle ['nɒzl] *n.* jet (d'un tuyau d'arrosage).

nuclei ['nju:klɪaɪ] *n. pl.* (**nucleus,** *n.*)
nucleus ['nju:klɪəs] *n.* (*pl.* **nuclei**) noyau (d'atome, etc. ...), centre.
nude [nju:d] *adj.* nu. (cf. **naked**) *n. (Art.)* nu. ***A Picasso nude,*** un nu de Picasso. ♦ ***They were in the nude,*** ils étaient nus.
nudge [nʌdʒ] *n.* coup de coude (pour attirer l'attention). *v.t.* pousser du coude.
nugget ['nʌgɪt] *n.* pépite.
⚠ **nuisance** ['nju:səns] *n.* **1.** (chose) gêne, ennui, embêtement. ***What a nuisance!*** que c'est ennuyeux! **2.** (personne) fléau, peste. ***He's making a nuisance of himself,*** il se rend insupportable.
▻ **null** [nʌl] *adj.* nul. *(Jur.)* ***Null and void,*** nul et non avenu.
numb [nʌm] *adj.* engourdi, transi. *v.t.* engourdir, transir.
▻ **number** ['nʌmbə] *n.* **1.** nombre, chiffre. ***A large number of people think,*** bon nombre de gens pensent. ***Even*** (ou ***odd) numbers,*** nombre pairs (ou impairs). ***Twenty in number,*** au nombre de vingt. **2.** numéro. ***The winning number,*** le numéro gagnant. *v.t.* **1.** dénombrer. **2.** numéroter. ♦ ***They numbered twenty,*** ils étaient au nombre de vingt.
numberless ['nʌmbələs] *adj.* innombrable.
numberplate ['nʌmbəpleɪt] *n.* plaque minéralogique.
nun [nʌn] *n.* nonne, religieuse.
nunnery ['nʌnərɪ] *n.* couvent (de religieuses).
⚠ **nurse** [nɜ:s] *n.* **1.** nourrice. **2.** bonne d'enfant. **3.** infirmière, garde-malade. *v.t.* **1.** allaiter. **2.** soigner.
nursery ['nɜ:srɪ] *n.* **1.** chambre d'enfants. **2.** crèche, pouponnière. ***Nursery rhyme,*** chanson enfantine; ***nursery school,*** école maternelle, jardin d'enfants. **3.** pépinière.
nurseryman ['nɜ:sərɪmən] *n.* (*pl.* **-men**) pépiniériste.
nursing ['nɜ:sɪŋ] *n.* **1.** allaitement. **2.** soins médicaux. **3.** profession d'infirmière.
nursing home ['nɜ:sɪŋhəʊm] *n.* clinique.
nut [nʌt] *n.* **1.** *(Bot.)* terme générique pour fruits à écale: amande, noix, noisette, etc. **2.** *(Tech.)* écrou. ♦ *(fig.)* ***He's a hard nut to crack,*** c'est un dur à cuire.
nutcrackers ['nʌt,krækəz] *n. pl.* casse-noix, casse-noisettes.
nutmeg ['nʌtmeg] *n.* noix muscade.
nuts ['nʌts] *adj.* *(fam.)* cinglé. ***He's nuts about her,*** il en est fou.
nutshell ['nʌtʃel] *n.* coquille de noix, noisette ... ♦ ***To put it in a nutshell,*** (pour tout résumer) en un mot.
nutritious [nju:'trɪʃəs] *adj.* nourrissant, nutritif.
nutty ['nʌtɪ] *adj.* *(fam.)* cinglé (cf. **nuts**).
nuzzle ['nʌzl] *v.t. et intr.* (se) blottir.

O

O, o [əʊ] **1.** quinzième lettre de l'alphabet. **2.** *(Téléph.)* zéro. ***Three, O, six,*** trois-cent six. **3.** *(Interj.)* Oh! (aussi **Oh**).
oak [əʊk] *n.* chêne.
oar [ɔ:] *n.* aviron, rame.
oarsman ['ɔ:zmən] *n.* (*pl.* **-men**) rameur.
oath [əʊθ] *n.* **1.** serment. **2.** juron.
oats [əʊts] *n. pl.* avoine. ♦ ***Sow one's wild oats,*** jeter sa gourme.
obduracy ['ɒbdʒʊrəsɪ] *n.* obstination.
obdurate ['ɒbdʒʊrɪt] *adj.* obstiné.
obedient [ə'bi:dɪənt] *adj.* obéissant.
⚠ **obedience** [ə'bi:dɪəns] *n.* obéissance.
⚠ **obeisance** [əʊ'beɪsəns] *n.* hommage.
obey [əʊ'beɪ] *v.t.* obéir à. ***Obey one's parents,*** obéir à ses parents. *v. intr.* obtempérer.
obituary [ə'bɪtʃʊərɪ] *n.* notice nécrologique.
▻ **object**[1] ['ɒbdʒɪkt] *n.* **1.** chose, objet. *(Ens.)* ***Object lesson,*** leçon de choses, *(fig.)* illustration, démonstration. **2.** but, objectif. ***With this object (in mind),*** dans ce but. **3.** *(Gram.)* complément d'objet.
▻ **object**[2] [əb'dʒekt] *v. intr.* élever des

objections, s'élever contre, désapprouver. ***Do you object to me** (ou **my) smoking?*** est-ce que cela vous gêne si je fume? ***if you don't object,*** si vous n'y voyez pas d'inconvénient.

objectionable [əb'dʒekʃənəbl] *adj.* **1.** désagréable. **2.** désobligeant, grossier.

oblivion [ə'blɪvɪən] *n.* oubli, obscurité. ***His name fell into oblivion,*** son nom tomba dans l'oubli.

oblivious [ə'blɪvɪəs] *adj.* oublieux, inconscient.

obnoxious [əb'nɒkʃəs] *adj.* odieux, détestable.

oboe ['əʊbəʊ] *n. (Mus.)* hautbois.

observant [əb'zɜːvənt] *adj.* observateur.

observe [əb'zɜːv] *v.t. et intr.* **1.** (faire) observer. **2.** (faire) remarquer.

observer [əb'zɜːvə] *n.* observateur.

▻ **obsess** [əb'ses] *v.t.* obséder, hanter.

▻ **obsolescence** [,ɒbsə'lesəns] *n. (Tech.)* vieillissement, obsolescence.

▻ **obsolescent** [,ɒbsə'lesənt] *adj. (Tech.)* vieilli, obsolescent.

obsolete ['ɒbsəliːt] *adj.* périmé, dépassé, désuet, suranné.

obstinacy ['ɒbstɪnɪsɪ] *n.* obstination.

▻ **obstinate** ['ɒbstɪnɪt] *adj.* obstiné.

▻ **obstruct** [əb'strʌkt] *v.t.* obstruer, faire obstruction à, barrer, boucher.

obstructive [əb'strʌktɪv] *adj.* qui fait de l'obstruction. ***You're being obstructive,*** tu essaies de mettre des bâtons dans les roues.

△ **obtain** [əb'teɪn] *v.t.* **1.** obtenir, (se) procurer **2.** exister. ***It has obtained for years,*** cela existe depuis des années.

obtainable [əb'teɪnəbl] *adj.* disponible.

obtrusive [əb'truːsɪv] *adj.* indiscret, importun.

obvious ['ɒbvɪəs] *adj.* évident, clair.

▻ **occasion** [ə'keɪʒn] *n.* occasion.

occasional [ə'keɪʒnəl] *adj.* rare, qui a lieu de temps en temps. ***We go to the occasional concert,*** nous allons au concert de temps à autre.

occasionally [ə'keɪʒnəlɪ] *adv.* de temps en temps, à l'occasion.

occur [ə'kɜː] *v. intr.* arriver, se passer, avoir lieu, survenir. ♦ ***Has it ever occurred to you?*** est-ce que cela vous est jamais venu à l'esprit?

occurrence [ə'kʌrəns] *n.* événement. ***It's an everyday occurence,*** cela arrive tous les jours, cela n'a rien d'extraordinaire.

▻ **ochre** ['əʊkə] *n.* ocre.

o'clock [ə'klɒk] *adv.* ♦ ***It is 5 o'clock,*** il est 5 heures.

octopus ['ɒktəpəs] *n.* pieuvre, poulpe.

odd [ɒd] *adj.* **1.** impair. **2.** déparié, dépareillé, qui reste. ***An odd sock,*** une chaussette dépareillée; ***odd man out,*** homme en marge, *(fig.)* exception. **3.** divers, irrégulier. ***At odd times,*** de temps en temps; ***odd jobs,*** menus travaux, bricoles, bricolage. **4.** bizarre, étrange.

oddity ['ɒdɪtɪ] *n.* (*pl.* **-ies**) **1.** bizarrerie, étrangeté. **2.** homme bizarre, original.

oddly ['ɒdlɪ] *adv.* bizarrement.

oddment ['ɒdmənt] *n.* **1.** fin de série. **2.** article dépareillé.

odds [ɒdz] *n. pl.* **1.** *(Jeu)* cote. **2.** *(fig.)* chances. ***The odds are against it happening,*** il y a peu de chance que cela se produise; ***the odds are that...*** il est probable que... ♦ ***The odds were overwhelming,*** ils succombèrent sous le nombre; ***they were at odds,*** ils étaient en désaccord; ***tidy up these odds and ends!*** range tout ce qui traîne par là!

of [əv,ɒv] *prép.* de, d'entre. ***Many of us thought so,*** beaucoup d'entre nous le pensaient. ♦ ***A friend of mine,*** un de mes amis; ***he is a man of 40,*** c'est un homme de 40 ans; ***how very kind of you!*** que c'est aimable à vous! ***there were 6 of us,*** nous étions 6; ***those blue eyes of hers,*** ces yeux bleus qu'elle a; ***we were cheated by that scoundrel of a mechanic,*** ce filou de garagiste nous a estampés.

off [ɒf] *prép.* **1.** *(Éloignement)* ***He got off the train,*** il descendit du train; ***she kicked the quilt off the bed,*** d'un coup de pied elle envoya l'édredon par terre; ***the house is just off the square,*** la maison se trouve tout près de la place; ***they were fishing off the Cornish coast,*** ils pêchaient au large de la côte de Cornouailles. **2.** *(Réduction)* ***I'll take something off the price,*** j'enlèverai quelque chose. **3.** *(Ab-*

sence) ***He's off duty,*** il n'est pas de service. ♦ *(fam.)* ***He's off his head!*** il a perdu la tête! ***I can't speak off the cuff,*** je ne sais pas improviser un discours; *(fig.)* ***I'm feeling off colour today,*** je ne me sens pas en forme aujourd'hui; ***I'm off my food,*** j'ai perdu l'appétit; ***she buys everything off the peg,*** elle achète tout en confection; ***speak off the record,*** parler officieusement, confidentiellement.

adv. **1.** *(Éloignement)* ***Are you getting off the next stop?*** est-ce que vous descendez au prochain arrêt? ***they saw us off at the airport;*** ils nous ont accompagnés à l'aéroport; ***we're off!*** nous voilà partis! ***winter is still a long way off,*** l'hiver est encore loin. **2.** *(Rupture de contact)* ***Switch the lights off,*** éteignez les lumières; ***their engagement is off,*** leurs fiançailles sont rompues. **3.** *(Absence)* ***The roast-beef is off,*** le rosbif n'est plus au menu; ***Tuesday is my day off,*** mardi est mon jour de congé. **4.** *(Achèvement)* ***Whales are in danger of being killed off,*** les baleines risquent d'être exterminées. **5.** *(Qui n'est pas frais)* ***That fish was off last night,*** ce poisson hier soir n'était pas frais. ♦ ***Off and on,*** de temps à autre; ***well off,*** aisé, riche.

adj. (Inactivité) ***off season,*** morte-saison; ***off time,*** heures de liberté. ♦ *(fam.)* ***I came on the off chance,*** je suis venu à tout hasard.

offal ['ɒfl] *n.* abats.

⚠ **offence** [ə'fens] *n.* **1.** *(Jur.)* délit, infraction. **2.** offense.

offend [ə'fend] *v.t. et intr.* offenser, blesser.

offender [ə'fendə] *n.* contrevenant, coupable.

⚠ **offensive** [ə'fensɪv] *n.* offensive. *adj.* blessant, choquant, déplaisant.

▷ **offer** ['ɒfə] *n.* offre, proposition. *v.t.* offrir, proposer.

offering ['ɒfrɪŋ] *n.* offrande.

offhand [,ɒf'hænd] *adj. et adv.* **1.** désinvolte, avec désinvolture. **2.** au pied levé.

⚠ **office** ['ɒfɪs] *n.* **1.** bureau, cabinet, étude. **2.** ministère. ***Foreign Office,*** ministère des Affaires étrangères; ***Home Office,*** ministère de l'Intérieur. ♦ ***The Conservatives are in office,*** les conservateurs sont au pouvoir.

⚠ **officer** ['ɒfɪsə] *n.* **1.** *(Mil.)* officier. **2.** haut fonctionnaire. **3.** **(= police officer)** agent de police.

⚠ **official** [ə'fɪʃl] *n.* fonctionnaire. *adj.* officiel.

officiate [ə'fɪʃɪeɪt] *v. intr.* remplir des fonctions officielles.

⚠ **officious** [ə'fɪʃəs] *adj.* qui fait du zèle, imbu de sa personne.

offing ['ɒfɪng] *n.* ***In the offing,*** *(Naut.)* au large; *(fig.)* imminent, en perspective.

off-peak [,ɒf'pi:k] *adj.* qui a lieu à des périodes creuses.

offset ['ɒfset] *v.t. irr.* (*p.* **offset,** *p.p.* **offset**) compenser, contrebalancer.

offshoot ['ɒfʃu:t] *n.* rejeton, surgeon.

offshore [,ɒf'ʃɔ:] *adj. et adv.* près de la côte.

offside [,ɒf'saɪd] *adj. et adv. (Sp.)* hors-jeu.

offspring ['ɒf,ʃprɪŋ] *n.* progéniture.

off-white [,ɒf'waɪt] *adj.* blanc cassé.

often ['ɒfən,'ɒftən] *adv.* souvent. ♦ ***Every how often?*** tous les combien?; ***more often than not,*** le plus souvent, dans la plupart des cas (aussi ***as often as not***).

⚠ **oil** [ɔɪl] *n.* **1.** huile. **2.** pétrole. ***They struck oil,*** ils ont trouvé du pétrole. *v.t.* lubrifier.

oilcan ['ɔɪlkæn] *n.* burette à huile.

oilcloth ['ɔɪlklɒθ] *n.* toile cirée.

oilfield ['ɔɪlfi:ld] *n.* gisement de pétrole.

oilrig ['ɔɪlrɪg] *n.* plate-forme de forage.

oils [ɔɪlz] *n. pl. (Art.)* peinture à l'huile. ♦ ***She paints in oils,*** elle fait de la peinture à l'huile.

oilskins ['ɔɪl,skɪnz] *n.* ciré.

oily ['ɔɪlɪ] *adj.* **1.** huileux, gras. **2.** *(fig.)* mielleux, onctueux.

ointment ['ɔɪntmənt] *n. (Méd.)* pommade.

O.K. [əʊ'keɪ] (aussi **okay**) *adj. et adv. (fam.)* **1.** d'accord, entendu. **2.** bien, en bon état. *(fam. et amér.)* ***That guy's O.K.,*** c'est un type bien; ***was everyone O.K. after the accident?*** est-ce que tout le monde est sorti indemne de l'accident?

v.t. (fam.) approuver.

old [əʊld] *adj.* âgé, vieux. ♦ ***How old is he,*** quel âge a-t-il ? ***he is 57 years old,*** il a 57 ans ; ***it's as old as the hills,*** c'est vieux comme Hérode ; *(fam.)* ***that's the old-boy network,*** c'est la mafia des anciens élèves ; *(fam.)* ***the old school tie,*** esprit de corps, solidarité de caste ; *(péj.)* piston.

old-fashioned [ˌəʊld'fæʃnd] *adj.* démodé.

omen ['əʊmən] *n.* présage.

ominous ['ɒmɪnəs] *adj.* de mauvais augure.

▻ **omit** [əʊ'mɪt] *v.t.* omettre.

on [ɒn,ən] *prép.* sur, le, en, à. ♦ ***On fire,*** en feu ; ***on holiday,*** en vacances ; ***on loan,*** prêté ; ***on Monday (s),*** le lundi ; ***on sale,*** en vente ; ***on time,*** à l'heure ; ***on 25th December,*** le 25 décembre. *adv.* *(Progression)* ***He's getting on well at school,*** il marche bien à l'école ; ***they get on well together,*** ils s'entendent bien ; ***time is getting on,*** il se fait tard ; ***we walked on,*** nous avons continué de marcher. ♦ ***Later on,*** plus tard ; ***on and off,*** par intermittence ; ***turn the TV on,*** allume la télévision ; ***what's on tonight at the cinema ?*** qu'est-ce qu'on joue au cinéma ce soir ?

once [wʌns] *adv.* **1.** une fois. **2.** autrefois, jadis. ♦ ***All at once,*** soudain ; ***at once,*** tout de suite. *conj.* une fois que.

one [wʌn] *adj.* **1.** un(e). **2.** unique. ***He's the one politician I admire,*** c'est le seul homme politique que j'admire. *pr.* **1.** un(e). **2.** (*pl.* **ones**) ***I prefer that one,*** je préfère celui-là ; ***the green ones,*** les verts. *pr. pers.* on. ***One has to pay income tax,*** on doit payer des impôts. *pr. réc.* ***one another,*** l'un l'autre, les uns les autres. ♦ ***It's all one to me,*** cela m'est égal.

one-sided [ˌwʌn'saɪdɪd] *adj.* **1.** inégal. **2.** partial.

▻ **onion** ['ʌnjən] *n.* oignon.

onlooker ['ɒnˌlʊkə] *n.* spectateur, témoin.

only ['əʊnlɪ] *adj.* **1.** seul. **2.** unique. ***She is an only child,*** elle est enfant unique. *adv.* seulement, simplement. *conj.* mais.

onset ['ɒnset] *n.* **1.** attaque, assaut. **2.** début.

onslaught ['ɒnslɔːt] *n.* attaque, charge.

onus ['əʊnəs] *n.* responsabilité.

onward ['ɒnwəd] *adj.* qui avance.

onwards ['ɒnwədz] *adv.* plus loin. ***From Friday onwards,*** à partir de samedi (aussi **onward**).

ooze [uːz] *n.* vase, limon. *v. intr.* suinter.

open ['əʊpən] *adj.* ouvert. ♦ ***In the open air,*** au grand air ; ***in the open country,*** en pleine nature ; ***on the open sea,*** en pleine mer ; ***she is open to reason,*** on peut la raisonner. *n.* dehors. ♦ *(fig.)* ***It came into the open,*** c'est venu au grand jour. *v.t. et intr.* ouvrir, s'ouvrir.

open-handed [ˌəʊpən'hændɪd] *adj.* généreux.

open-hearted [ˌəʊpən'hɑːtɪd] *adj.* franc, sincère.

⚠ **operate** ['ɒpəreɪt] *v. intr.* **1.** fonctionner. **2.** agir, faire effet. **3.** *(Méd.)* opérer. ***He had to be operated on immediately,*** on a dû l'opérer tout de suite. *v.t.* faire fonctionner (une machine, une entreprise...).

operative ['ɒpərətɪv] *adj.* effectif.

⚠ **operator** ['ɒpəreɪtə] *n.* **1.** *(Téléph.)* standardiste. **2.** organisateur, responsable. **3.** *(péj.)* finaud, débrouillard.

opinionated [ə'pɪnjəneɪtɪd] *adj.* dogmatique.

opponent [ə'pəʊnənt] *n.* adversaire.

⚠ **opportunity** [ˌɒpə'tjuːnɪtɪ] *n.* occasion, chance, débouché.

opposite ['ɒpəzɪt] *adj.* opposé. ***The house opposite,*** la maison d'en face. *n.* contraire.

▻ **optimism** ['ɒptɪmɪzm] *n.* optimisme.

▻ **optimist** ['ɒptɪmɪst] *n.* optimiste.

optimistic [ˌɒptɪ'mɪstɪk] *adj.* optimiste.

optional ['ɒpʃənəl] *adj.* facultatif.

or [ɔː,ə] *conj.* **1.** ou, ou bien, sinon. ***He is either tired or lazy,*** c'est soit de la fatigue, soit de la paresse ; ***hurry up or (else) you'll miss your train,*** dépêche-toi, sinon tu vas rater ton train. **2.** ni. ***He never drinks coffee or tea,*** il ne boit jamais ni de thé ni de café. **3.** c'est-à-dire. ***Ornithology, or the study of birds, is his passion,*** l'ornithologie, autrement dit l'étude des oiseaux, est sa passion. ♦ ***I'll be away for an hour or so,*** je serai parti une

heure environ.
▷ **orator** ['ɒrətə] *n.* orateur.
oratorical [ˌɒrə'tɒrɪkl] *adj.* oratoire.
oratory ['ɒrətrɪ] *n.* art oratoire, éloquence, rhétorique.
orchard ['ɔːtʃəd] *n.* verger.
▷ **orchestra** ['ɔːkɪstrə] *n.* orchestre.
▷ **orchid** ['ɔːkɪd] *n.* orchidée.
ordain [ɔː'deɪn] *v.t.* **1.** décréter, ordonner (par Dieu, la loi, le destin). **2.** ordonner (prêtre).
ordeal [ɔː'diːl,'ɔːdiːl] *n.* épreuve, supplice.
⚠ **order** ['ɔːdə] *n.* **1.** ordre, disposition. ***In order of merit,*** par ordre de mérite; ***keep one's room in order,*** tenir sa chambre rangée; ***put*** (ou ***set) documents in order,*** classer des documents. **2.** ordre, consigne. ***It's doctor's orders,*** c'est sur ordre du docteur; ***keep order,*** faire régner l'ordre; ***law and order,*** l'ordre public. **3.** *(Comm.)* commande. ***Place an order with a firm,*** passer une commande à une société. **4.** *(Fin.)* ***Postal order,*** mandat-poste. **5.** état. ***Our car is in good working order,*** notre voiture est en bon état de marche; ***the deep-freeze is out of order,*** le congélateur est en panne. ♦ ***In order that everyone should know,*** pour que nul ne l'ignore; ***in order to find out,*** pour savoir; ***that's a tall order!*** c'est beaucoup demander!
v.t. **1.** ordonner, disposer, **2.** ordonner, donner des ordres. **3.** commander, passer des commandes.
order about *v. part. t.* commander, régenter (aussi **order around**).
ordered ['ɔːdəd] *adj.* ordonné.
orderly¹ ['ɔːdəlɪ] *adj.* ordonné.
orderly² ['ɔːdəlɪ] *n.* **1.** *(Mil.)* ordonnance, planton. **2.** *(Méd.)* garçon de salle.
▷ **ordinance** ['ɔːdɪnəns] *n.* ordonnance, arrêté.
▷ **ordinary** ['ɔːdənrɪ] *adj.* ordinaire.
⚠ **ordnance** ['ɔːdnəns] *n.* *(Mil.)* **1.** artillerie. **2.** matériel. ***Ordnance Corps,*** service du matériel; ***Ordnance Survey map,*** carte d'état-major.
ore [ɔː] *n.* minerai.
▷ **organ**¹ ['ɔːgən] *n.* organe. ***Sexual organs,*** organes génitaux; ***the press can be an organ of propaganda,*** la presse peut être un organe de propagande.
⚠ **organ**² ['ɔːgən] *n.* *(Mus.)* orgue. ***Grand organ,*** grandes orgues.
▷ **organic** [ɔː'gænɪk] *adj.* organique.
organism ['ɔːgənɪzəm] *n.* *(Biol.)* organisme.
▷ **organist** ['ɔːgənɪst] *n.* organiste, titulaire des orgues.
organization [ˌɔːgənaɪ'zeɪʃn] *n.* **1.** organisation. **2.** organisme (public ou privé).
▷ **organize** ['ɔːgənaɪz] *v.t.* organiser.
▷ **organizer** ['ɔːgənaɪzə] *n.* organisateur.
▷ **orientate** ['ɔːrɪənteɪt] *v.t.* orienter, diriger.
⚠ **original** [ə'rɪdʒɪnəl] *adj.* **1.** originel, premier, initial. ***Original sin,*** péché originel. **2.** original, inédit. ***What an original idea!*** quelle idée originale! **3.** original, étrange, excentrique.
n. original. ***He read Shakespeare in the original,*** il a lu Shakespeare dans le texte.
originate [ə'rɪdʒɪneɪt] *v.t.* produire, créer. *v. intr.* provenir, émaner. ***The family originates from Ireland,*** la famille est originaire d'Irlande.
▷ **ornament** ['ɔːnəmənt] *n.* ornement. *v.t.* orner.
ornate [ɔː'neɪt] *adj.* décoré, orné.
orphan ['ɔːfən] *n.* orphelin. *v.t.* rendre orphelin. ***He was orphaned by a car accident,*** il a perdu ses parents dans un accident de voiture.
orphanage ['ɔːfənɪdʒ] *n.* orphelinat.
⚠ **ostensible** [ɒ'stensɪbl] *adj.* apparent, feint, prétendu.
⚠ **ostensibly** [ɒ'stensɪblɪ] *adv.* en apparence. ***He gave the donation ostensibly out of Christian charity, but in reality to impress people,*** il a fait cette donation soi-disant par charité chrétienne, mais en fait pour qu'on le remarque.
ostentatious [ˌɒstən'teɪʃəs] *adj.* plein d'ostentation, ostentatoire, prétentieux.
ostrich ['ɒstrɪtʃ] *n.* autruche.
other ['ʌðə] *adj.* autre. ***The other day,*** l'autre jour; ***who ate the other apple?*** qui a mangé l'autre pomme? ♦ ***Every other day,*** tous les deux jours; ***on the***

other hand, d'un autre point de vue, au contraire; ***some scientist or other said so,*** je ne sais quel homme de science l'a dit.
pr. l'autre, d'autres, les autres. ***Give me this one and keep the other (one),*** donne-moi celui-ci et garde l'autre; ***some people like spicy dishes, but others don't,*** les uns aiment les plats relevés, d'autres non.
pr. réc. l'un l'autre; les uns les autres. ***They love each other,*** ils s'aiment.
adv. autrement. ***I could do no other than invite them,*** je ne pouvais faire autrement que de les inviter.

otherwise ['ʌðəwaɪz] *adv.* **1.** autrement, différemment. ***Every accused is presumed innocent until proved otherwise,*** chaque accusé est présumé innocent jusqu'à preuve du contraire; ***he is otherwise engaged,*** il est occupé par ailleurs; il a un autre rendez-vous. **2.** à part cela. ***The roof needs repairing but otherwise the house is sound,*** le toit a besoin d'être réparé, mais à part cela la maison est en bon état. *conj.* sinon, autrement.

otter ['ɒtə] *n.* loutre.

ought [ɔːt] *v. aux. mod.* **1.** *(Obligation)* ***He ought to work harder,*** il devrait travailler plus; ***ought I to invite them?*** devrais-je les inviter?; ***she ought not to worry so much,*** elle ne devrait pas se faire tant de souci; ***you ought to have told me earlier,*** tu aurais dû me le dire plus tôt. **2.** *(Probabilité)* **Our guests ought to be arriving soon,** nos invités devraient être bientôt là.

our [aʊə] *adj. poss.* notre, nos.

ours [aʊəz] *pr. poss.* le (la) nôtre, les nôtres. ***He is a friend of ours,*** c'est un de nos amis; ***it's no fault of ours,*** ce n'est pas du tout de notre faute; ***ours is a very old house,*** notre maison est très ancienne; ***that's ours,*** c'est à nous.

ourselves [aʊə'selvz] *pr. réfl.* nous-mêmes. ***We enjoyed ourselves,*** nous nous sommes bien amusés; ***we were (all) by ourselves,*** nous étions tout seuls.

oust [aʊst] *v.t.* évincer, obliger à partir.

out [aʊt] *adv.* **1.** *(Eloignement, sortie)* ***Bill is out,*** Bill n'est pas à la maison; ***it's nice out here in the garden,*** on est bien ici dans le jardin; ***John is out and about again,*** John est de nouveau sur pied; ***our friends live right out in the country,*** nos amis habitent en pleine campagne; ***the trip out was tiring,*** le voyage a été fatigant; ***what about having a day out?*** et si on sortait pour la journée? **2.** *(Sp.)* dehors, hors-jeu. **3.** *(Disparition)* ***The fire is out,*** le feu est éteint. **4.** *(Apparition)* ***All the crocuses are out,*** tous les crocus sont en fleur; ***the moon is out,*** la lune est levée; ***there's a new film just out,*** il vient de sortir un nouveau film. **5.** *(Intensification)* ***Just think it out for yourself,*** essaie d'y voir clair tout seul; ***read it out to me,*** lis-le-moi à haute voix; ***speak out your mind,*** dis-moi le fond de ta pensée; ***tired*** (ou ***worn) out,*** exténué. ♦ ***He is (all) out for himself,*** il ne pense qu'à lui; ***he is (all) out to make money,*** il ne pense qu'à gagner de l'argent; ***he was knocked out,*** il a été mis K.-O., il a été éliminé de la compétition; ***out with it!*** dis-le tout de suite!; ***the fishermen are out (on strike),*** les marins pêcheurs sont en grève; ***we must have it out with them,*** il nous faut avoir une explication avec eux; ***you're not far out in thinking so,*** tu ne te trompes pas de beaucoup en pensant cela.
v. intr. sortir. ***The truth will out,*** on saura la vérité.

out of ['aʊtɒv, 'aʊtəv] *prép.* **1.** *(Eloignement, sortie)* ***Bill is out of town,*** Bill n'est pas en ville; ***let's get out of here!*** sortons d'ici! **2.** *(Cause)* ***He did it out of jealousy,*** il l'a fait par jalousie. **3.** *(Origine)* ***The bracelet was made out of gold,*** le bracelet était en or; ***you mustn't just copy your answer out of a book,*** il ne faut pas vous contenter de copier votre réponse dans un livre. ♦ ***Get out of my way!*** sors-toi de là! ***he's like a fish out of water,*** il est comme un poisson hors de l'eau; ***in 99 cases out of 100,*** dans 99 cas sur 100; ***she feels out of things,*** elle a l'impression d'être de trop (de vivre en marge de toute vie sociale); ***the boat sailed out of sight,***

le bateau disparut à l'horizon; ***we're out of petrol,*** nous n'avons plus d'essence; ***you're out of your mind!*** tu es fou! tu n'y penses pas!

outbalance [aʊt'bæləns] *v.t.* compenser.

outbid [aʊt'bɪd] *v.t.* (*p.* **outbid,** *p.p.* **outbid**) enchérir sur.

outboard ['aʊtbɔ:d] *n.* hors-bord.

outbreak ['aʊtbreɪk] *n.* déclenchement (d'une guerre, d'une épidémie).

outbuilding ['aʊt,bɪldɪŋ] *n.* dépendance, remise, hangar.

outburst ['aʊtbɜ:st] *n.* éclat, accès (d'émotion).

outcast ['aʊtkɑ:st] *n.* banni, proscrit, exilé. ***Social outcast,*** paria.

outclass [aʊt'klɑ:s] *v.t.* surclasser.

outcome ['aʊtkʌm] *n.* résultat, issue.

outcrop ['aʊtkrɒp] *n.* *(Géol.)* affleurement.

outcry ['aʊtkraɪ] *n.* vive protestation, tollé

outdated [,aʊt'deɪtɪd] *adj.* démodé.

outdistance [aʊt'dɪstəns] *v.t.* distancer.

outdo [aʊt'du:] *v.t. irr.* (*p.* **outdid,** *p.p.* **outdone**) surpasser, vaincre, renchérir sur.

outdoor [,aʊt'dɔ:] *adj.* de plein air, extérieur (aussi **out-of-door**).

outdoors [,aʊt'dɔ:z] *adv.* au grand air, à l'extérieur (aussi **out of doors**).

outer ['aʊtə] *adj.* extérieur. ***The outer suburbs,*** la grande banlieue.

outfight [aʊt'faɪt] *v.t. irr.* (*p.* **outfought,** *p.p.* **outfought**) surclasser.

outfit ['aʊt,fɪt] *n.* **1.** attirail, équipement. **2.** tenue, toilette, accoutrement. **3.** *(fam.)* équipe, organisme.

outfitter ['aʊt,fɪtə] *n.* marchand de vêtements de confection pour hommes.

outflank [aʊt'flænk] *v.t.* *(Mil.)* déborder.

outgeneral [aʊt'dʒenrəl] *v.t.* *(Mil.)* vaincre par une tactique supérieure.

outgoing [,aʊt'gəʊɪŋ] *adj.* **1.** sortant. ***The outgoing minister,*** le ministre sortant. **2.** ouvert, sociable, extraverti (caractère).

outgrew [aʊt'gru:] (**outgrow,** *v.*)

outgrow [aʊt'grəʊ] *v.t. irr.* (*p.* **outgrew,** *p.p.* **outgrown**) dépasser en grandissant. ***He has outgrown his brother,*** il est devenu plus grand que son frère; ***he has outgrown his nail-biting stage,*** en grandissant, il a perdu l'habitude de se ronger les ongles.

outgrown [aʊt'grəʊn] (**outgrow,** *v.*)

outgrowth ['aʊtgrəʊθ] *n.* excroissance.

outhouse ['aʊthaʊs] *n.* remise, appentis.

outing ['aʊtɪŋ] *n.* excursion.

outlandish [aʊt'lændɪʃ] *adj.* étrange.

outlast [aʊt'lɑ:st] *v.t.* surpasser en durée; survivre à.

outlaw ['aʊtlɔ:] *n.* hors-la-loi. *v. t.* **1.** mettre hors la loi. **2.** proscrire, condamner.

outlay ['aʊtleɪ] *n.* débours, mise de fonds.

outlet ['aʊtlet] *n.* sortie, débouché.

outline ['aʊtlaɪn] *n.* **1.** contour, profil, silhouette. **2.** esquisse, grandes lignes (d'un projet, ...). *v.t.* **1.** dessiner le contour de. **2.** exposer les grandes lignes de.

outlive [aʊt'lɪv] *v.t.* survivre à.

outlook ['aʊtlʊk] *n.* **1.** perspective, vue. **2.** *(fig.)* perspective, espoir. **3.** attitude, point de vue.

outlying ['aʊt,laɪɪŋ] *adj.* éloigné, isolé, périphérique.

outmanœuvre [,aʊtmə'nu:və] *v.t.* *(Mil. et fig.)* vaincre en faisant preuve d'une plus grande habileté.

outmoded [aʊt'məʊdɪd] *adj.* démodé.

outnumber [aʊt'nʌmbə] *v.t.* surpasser en nombre.

out-of-date [,aʊtəv'deɪt] *adj.* démodé.

out-of-the-way [,aʊtəvðə'weɪ] *adj.* **1.** éloigné, écarté, isolé. **2.** peu connu.

outpatient ['aʊt,peɪʃnt] *n.* malade en consultation externe.

outpost ['aʊtpəʊst] *n.* *(Mil. et fig.)* avant-poste.

output ['aʊtpʊt] *n.* production, rendement.

⚠ **outrage** ['aʊtreɪdʒ] *n.* **1.** atrocité. **2.** scandale. *v.t.* outrager, scandaliser.

outrageous [aʊt'reɪdʒəs] *adj.* atroce, monstrueux, scandaleux.

outright [aʊt'raɪt] *adv.* entièrement, complètement. ***He owns his house outright,*** sa maison lui appartient complètement. ♦ ***She was killed outright,*** elle a été tuée sur le coup; ***they laughed outright at us,*** ils se sont moqués ouvertement de nous. *adj.*

complet, pur, absolu, total.

outside [aʊt'saɪd] *n.* extérieur, dehors. ♦ ***At the (very) outside,*** (tout) au plus. *adj.* **1.** extérieur, du dehors. **2.** maximum (chiffre ou prix). **3.** éventuel, peu probable. ***It's an outside possibility,*** ce serait éventuellement une possibilité. **4.** indépendant. ***An outside opinion,*** un avis désintéressé. *adv.* dehors, à l'extérieur. ***Go and wait for me outside,*** va m'attendre dehors. *prép.* **1.** hors de, à l'extérieur de. ***The ball landed just outside the line,*** la balle est tombée juste de l'autre côté de la ligne. **2.** en dehors de, à part, en marge de. ***This question is outside my scope,*** cette question n'entre pas dans mes attributions.

outsider [aʊt'saɪdə] *n.* **1.** étranger, quelqu'un qui n'est pas de la partie. **2.** *(Sp.)* outsider.

outskirts ['aʊtskɜːts] *n. pl.* banlieue, faubourg ; abords, approches.

outspoken [aʊt'spəʊkən] *adj.* franc, qui ne mâche pas ses mots, qui a son franc-parler.

outstanding [aʊt'stændɪŋ] *adj.* **1.** éminent, exceptionnel, remarquable. **2.** *(Fin.)* impayé. **3.** inachevé, non résolu.

outstay [aʊt'steɪ] *v.t.* ***I don't want to outstay my welcome,*** je ne veux pas abuser de votre hospitalité.

outstretched [ˌaʊt'stretʃt] *adj.* étendu, tendu. ***He was welcomed with outstretched arms,*** on l'a accueilli à bras ouverts.

outstrip [aʊt'strɪp] *v.t.* devancer.

outvote [aʊt'vəʊt] *v.t.* battre aux voix.

outward ['aʊtwəd] *adj.* **1.** extérieur, qui va vers l'extérieur. ***The outward voyage,*** le voyage à l'aller. **2.** extérieur, en apparence. ***To all outward appearances,*** selon toutes les apparences. *adv.* vers l'extérieur.

outwardly ['aʊtwədlɪ] *adv.* apparemment.

outwards ['aʊtwədz] *adv.* vers l'extérieur.

outweigh [aʊt'weɪ] *v.t.* compenser, l'emporter sur. ***The advantages (far) outweigh the disadvantages,*** les avantages compensent (largement) les désavantages.

outwit [aʊt'wɪt] *v.t.* être plus malin que. ***We outwitted them,*** nous avons été plus malins qu'eux.

outworn [aʊt'wɔːn] *adj.* périmé, rebattu.

oven ['ʌvn] *n.* four.

over ['əʊvə] *adv.* **1.** par-dessus. ***The jet passed just over us,*** l'avion à réaction est passé juste au-dessus de nous. **2.** *(Éloignement)* ***They're over here on holiday from the States,*** ils sont venus ici en vacances des Etats-Unis ; ***you must come over and have dinner with us some evening,*** venez dîner avec nous un soir. **3.** *(Changement de position)* ***He slipped on the rock and fell over into the cleft,*** il glissa sur le rocher et tomba dans la crevasse ; ***the milk is going to boil over,*** le lait va déborder. **4.** partout. ***He was bruised all over,*** il était couvert de bleus ; ***she was trembling all over,*** elle tremblait de tous ses membres. **5.** à fond. ***Think it over,*** réfléchis-y bien ; ***we should talk it over,*** nous devrions en discuter (dans le détail). **6.** fini. ***It's all over between us,*** tout est fini entre nous ; ***the meeting is over,*** la réunion est terminée. **7.** en plus, qui reste. ***If there's any time over,*** s'il reste du temps. **8.** encore (une fois). ***Do it over,*** refaites-le ; ***he sighed over and over (again),*** il ne cessait de soupirer. ♦ ***He made all his money over to his niece,*** il légua tout son argent à sa nièce ; *(TV)* ***over to the studio,*** nous repassons l'antenne au studio ; ***people of 60 and over,*** les personnes de 60 ans et plus.
prép. **1.** au-dessus de. ***Our plane was over the Alps then,*** notre avion se trouvait alors au-dessus des Alpes. **2.** par-dessus. ***He leaned over his book,*** il se pencha sur son livre ; ***she jumped over the ditch,*** elle sauta le fossé. **3.** *(Espace)* ***He walked over the Alps,*** il traversa les Alpes à pied ; ***they have travelled all over Europe,*** ils ont parcouru l'Europe entière ; ***you leave your things all over the place,*** tu laisses traîner tes affaires un peu partout (n'importe où). **4.** *(Temps)* ***Over the past few years,*** depuis quelques an-

nées; ***won't you stay over the week-end?*** vous ne voulez pas passer le week-end avec nous? **6.** plus de. ***People over 60,*** les personnes ayant plus de 60 ans; ***they stayed over an hour,*** ils sont restés plus d'une heure; ***you will soon be earning over £ 12,000 a year,*** bientôt tu gagneras plus de 12000 livres par an. ♦ ***I ran over a dog yesterday,*** j'ai écrasé un chien hier; ***let's discuss it over a cup of tea,*** si on discutait de cela en prenant une tasse de thé? ***over and above all that,*** en outre; ***she doesn't want to say it over the telephone,*** elle ne veut pas en parler au téléphone.

overall[1] ['əʊvərɔ:l] *n.* tablier, blouse.

overall[2] [,əʊvər'ɔ:l] *adj.* total, global. ***Overall length,*** longueur hors tout. *adv.* au total, dans l'ensemble.

overalls ['əʊvərɔ:lz] *n. pl.* salopette, bleu de travail, combinaison.

overawe [,əʊvə'ɔ:] *v.t.* intimider, impressionner.

overbalance [,əʊvə'bæləns] *v.t. et intr.* basculer, (faire) perdre l'équilibre (à).

overbearing [,əʊvə'beərɪŋ] *adj.* autoritaire, arrogant.

overbid ['əʊvə,bɪd] *v.t. et intr. irr.* (*p.* **overbid,** *p.p.* **overbid**) enchérir sur, surenchérir.

overboard ['əʊvəbɔ:d] *adv.* par-dessus bord.

overburden [,əʊvə'bɜ:dn] *v.t.* surcharger, *(fig.)* accabler.

overcame [,əʊvə'keɪm] (**overcome,** *v.*)

overcast [,əʊvə'kɑ:st] *adj.* sombre. ***The sky is overcast,*** le ciel est bouché, couvert.

overcharge [,əʊvə'tʃɑ:dʒ] *v.t.* faire payer le prix fort à quelqu'un. ***He has overcharged you for that repair,*** il t'a fait payer cette réparation bien trop cher.

overcoat ['əʊvəkəʊt] *n.* pardessus.

overcome [,əʊvə'kʌm] *v.t. irr.* (*p.* **overcame,** *p.p.* **overcome**) vaincre.

overcrowded ['əʊvə'kraʊdɪd] *adj.* surpeuplé, bondé.

overdo [,əʊvə'du:] *v.t. irr.* (*p.* **overdid,** *p.p.* **overdone**) **1.** exagérer. ***Don't overdo things,*** n'en fais pas trop, ne te surmène pas. **2.** faire trop cuire.

overdone [,əʊvə'dʌn] *adj.* **1.** exagéré, excessif. **2.** trop cuit.

⊳ **overdose** ['əʊvədəʊs] *n.* overdose, surdose.

overdraft ['əʊvədrɑ:ft] *n.* *(Fin.)* découvert.

overdraw [,əʊvə'drɔ:] *v.t. irr.* (*p.* **overdrew,** *p.p.* **overdrawn**) *(Fin.)* mettre à découvert. ***Your account is overdrawn by over £ 100,*** vous avez un découvert de plus de 100 livres.

overdress [,əʊvə'dres] *v.t. et intr.* (s') habiller d'une manière trop recherchée ou voyante.

overdrew [,əʊvə'dru:] (**overdraw,** *v.*)

overdrive ['əʊvədraɪv] *n.* *(Aut.)* (vitesse) surmultipliée.

overdue [,əʊvə'dju:] *adj.* **1.** en retard. ***The train is 20 minutes overdue,*** le train a 20 minutes de retard. **2.** *(Comm.)* ***Our bill is overdue,*** notre facture est restée impayée.

overflow [,əʊvə'fləʊ] *v.t. et intr.* **1.** déborder. ***The river has overflowed (its banks),*** la rivière a débordé. **2.** *(fig.)* regorger. ***She's overflowing with generosity,*** elle déborde de générosité.

overgrown [,əʊvə'grəʊn] *adj.* **1.** *(Bot.)* envahi, recouvert. ***Overgrown with weeds,*** envahi par les mauvaises herbes. **2.** *(fig.)* qui a poussé trop vite. ***He's an overgrown schoolboy,*** c'est un grand enfant.

overhang ['əʊvəhæŋ] *n.* surplomb. *v.t. et intr. irr.* [,əʊvə'hæŋ] (*p.* **-hung,** *p.p.* **-hung**) surplomber, faire saillie.

overhanging [,əʊvə'hæŋɪŋ] *adj.* en surplomb.

overhaul ['əʊvəhɔ:l] *n.* *(Tech.)* entretien, révision. *v.t.* [,əʊvə'hɔ:l] entretenir, réviser.

overhead [,əʊvə'hed] *adv.* au-dessus (de nos têtes).

overheads [,əʊvə'hedz] *n. pl.* frais généraux.

overhear [,əʊvə'hɪə] *v.t. irr.* (*p.* **overheard,** *p.p.* **overheard**) entendre par hasard, surprendre (une conversation).

overhung [,əʊvə'hʌŋ] (**overhang,** *v.*)

overjoyed [,əʊvə'dʒɔɪd] *adv.* ravi, enchanté.

overlap [,əʊvə'læp] *v.t. et intr.* empiéter (sur), se chevaucher.

overlook [,əʊvə'lʊk] *v.t.* **1.** avoir vue

sur. ***Our house overlooks the sea,*** notre maison donne sur la mer. **2.** oublier, négliger. **3.** fermer les yeux sur.
overnight [,əʊvə'naɪt] *adj. et adv.* de nuit. ***We can stay overnight,*** nous pouvons passer la nuit. ♦ ***The country has changed overnight,*** le pays a changé du jour au lendemain.
overpaid [,əʊvə'peɪd] *adj.* trop bien payé.
overpopulated [,əʊvə'pɒpjʊleɪ tɪd] *adj.* surpeuplé.
overpower [,əʊvə,paʊə] *v.t.* subjuguer.
overpowering [,əʊvə'paʊərɪŋ] *adj.* irrésistible ; accablante (chaleur).
overran [,əʊvə'ræn] (**overrun,** *v.*)
overrate [,əʊvə'reɪt] *v.t.* surestimer.
override [,əʊvə'raɪd] *v.t. irr.* (*p.* **overrode** [,əʊvə'rəʊd], *p.p.* **overridden**) fouler aux pieds, annuler, passer outre à.
overrule [,əʊvə'ru:l] *v.t.* annuler, casser.
overrun [,əʊvə'rʌn] *v.t. irr.* (*p.* **overran,** *p.p.* **overrun**) **1.** envahir. ***The coast is overrun with holiday-makers,*** la côte est envahie par les vacanciers. **2.** dépasser (un horaire).
overseas [,əʊvə'si:z] *adv. et adj.* (d') outre-mer.
oversight [,əʊvəsaɪt] *n.* omission, oubli (par inadvertance).
oversleep [,əʊvə'sli:p] *v. intr. irr.* (*p.* **overslept,** *p.p.* **overslept**) se réveiller (trop) tard.
overslept [,əʌvə'slept] (**oversleep,** *v.*)
overstep [,əʊvə'step] *v.t.* dépasser (des limites).
overtake [,əʊvə'teɪk] *v.t. irr.* (*p.* **overtook,** *p.p.* **overtaken**) rattraper, rejoindre.
overtaken [,əʊvə'teɪkən] (**overtake,** *v.*)
overthrew [,əʊvə'θru:] (**overthrow,** *v.*)
overthrow [,əʊvə'θrəʊ] *v.t. irr.* (*p.* **overthrew,** *p.p.* **overthrown**) vaincre, renverser, provoquer la chute de.
n. ['əʊvəθrəʊ] chute.
overthrown [,əʊvə'θrəʊn] (**overthrow,** *v.*)
overtime ['əʊvətaɪm] *n.* heures supplémentaires. ***He works overtime,*** il fait des heures supplémentaires ; (*fig.*) ***we shall have to work overtime now,*** il faudra mettre les bouchées doubles maintenant.
overtook [,əʊvə'tʊk] (**overtake,** *v.*)
overtone ['əʊvətəʊn] *n.* **1.** (*Mus.*) harmonique. **2.** (*fig.*) sous-entendu, suggestion, implication.
overwhelm [,əʊvə'welm] *v.t.* écraser, accabler.
overwork [,əʊvə'wɜ:k] *v. intr.* se surmener. *n.* surmenage.
overwrought [,əʊvə'rɔ:t] *adj.* à bout de nerfs.
owe [əʊ] *v.t.* devoir. ***He owes me some money,*** il me doit de l'argent.
owing [,əʊɪŋ] *adj.* dû. ***How much is owing to you?*** on vous doit encore combien ?
owing to [,əʊɪŋtə] *loc. prép.* à cause de, en raison de.
owl [aʊl] *n.* hibou.
own[1] [əʊn] *adj.* propre. ***I saw it with my (very) own eyes,*** je l'ai vu de mes propres yeux.
pr. (après *adj. poss.*) ***My time is my own,*** je dispose librement de mon temps ; ***this house has a charm of its own,*** cette maison a un charme particulier. ♦ ***Are you on your own?*** êtes-vous seul ? ***I'll get my own back some day,*** je me vengerai un jour.
own[2] [əʊn] *v.t.* **1.** posséder. ***He owns a yacht,*** il est propriétaire d'un yacht. **2.** reconnaître, avouer. ***He owned (up) to having stolen the car,*** il avoua avoir volé la voiture.
owner ['əʊnə] *n.* propriétaire.
ownership ['əʊnəʃɪp] *n.* possession.
ox [ɒks] *n.* (*pl.* **oxen**) bœuf.
oyster ['ɔɪstə] *n.* huître.

P

P, p [pɪ:] seizième lettre de l'alphabet. ***Mind*** (ou ***watch***) ***your p's and q's,*** fais bien attention à ce que tu fais, sois sur tes gardes.

pace [peɪs] *n.* **1.** *(Distance)* pas. ***It's only a few paces away,*** c'est à un pas d'ici. **2.** pas, allure. ***The car was going at a good pace,*** la voiture roulait à vive allure. ♦ ***I can't keep pace with events,*** je suis dépassé par les événements. *v.t.* mesurer en comptant les pas. *v. intr.* arpenter, faire les cent pas.

▷ **pacemaker** ['peɪs,meɪkə] *n.* *(Méd.)* stimulateur cardiaque, pacemaker.

pack [pæk] *n.* **1.** ballot, bât; *(Mil.)* sac. **2.** meute (de chiens), bande (de loups); *(fig. et péj.)* bande (de gens). **3.** *(Rugby)* mêlée, pack. **4.** *(amér.)* paquet (de cigarettes). **5.** jeu (de cartes). *v.t.* **1.** empaqueter, emballer. ***We packed everything into one case,*** nous avons tout mis dans une seule valise. **2.** remplir. ***We packed the first case with clothes,*** nous avons rempli la première valise de vêtements; ***you should pack your bags now,*** tu devrais faire tes bagages maintenant. **2.** *(fig.)* entasser, bourrer. ***The train was packed,*** le train était bondé.
v. intr. faire ses valises. **2.** s'entasser, se presser. ♦ *(fam.)* ***I'll soon send him packing,*** je l'enverrai bientôt promener.

package ['pækɪdʒ] *n.* colis. ♦ ***Package tour,*** voyage organisé.

▷ **packet** ['pækɪt] *n.* paquet.

packing ['pækɪŋ] *n.* emballage.

pad [pæd] *n.* **1.** coussinet. **2.** bloc (de papier à lettres). *v.t.* capitonner, matelasser. *v. intr.* marcher à pas feutrés. ♦ ***His speech was well padded out,*** il y avait beaucoup de délayage dans son discours.

padding ['pædɪŋ] *n.* **1.** bourre, ouate, capitonnage. **2.** *(fig.)* délayage, remplissage.

paddle ['pædl] *n.* **1.** pagaie (d'un canoë). **2.** aube (d'une roue hydraulique). *v.t. et intr.* **1.** pagayer. *(fig.)* ***Paddle one's own canoe,*** être seul maître à bord. **2.** barboter, faire trempette.

paddle-wheel ['pædlwi:l] *n.* roue à aubes.

▷ **paddock** ['pædək] *n.* enclos, paddock.

paddy ['pædɪ] *n.* riz non décortiqué, riz cargo.

padlock ['pædlok] *n.* cadenas. *v.t.* cadenasser.

pagan ['peɪgən] *n. et adj.* païen.

▷ **page**[1] [peɪdʒ] *n.* page.

page[2] [peɪdʒ] *n.* page, chasseur, groom.

pageant ['pædʒənt] *n.* spectacle somptueux.

pageantry ['pædʒəntrɪ] *n.* pompe.

▷ **pagoda** [pə'gəʊdə] *n.* pagode.

paid [peɪd] (**pay,** *v.*)

pail [peɪl] *n.* seau.

pain [peɪn] *n.* douleur physique ou morale, souffrance. ***She is in (great) pain,*** elle souffre (beaucoup). ♦ ***He is a pain in the neck,*** il me tape sur les nerfs, il est casse-pieds; ***on pain of death,*** sous peine de mort.
v.t. faire de la peine à, faire souffrir.

painful ['peɪnfəl] *adj.* douloureux.

painless ['peɪnlɪs] *adj.* indolore.

pains [peɪnz] *n. pl.* peine. ***Take*** (ou ***be at,*** ou ***go to)*** ***pains to do something,*** se donner du mal pour faire quelque chose.

painstaking ['peɪnz,teɪkɪŋ] *adj.* appliqué, consciencieux.

paint [peɪnt] *n.* peinture. *v.t. et intr.* **1.** peindre. **2.** *(fig.).* dépeindre, décrire. ♦ *(fam.)* ***They painted the town red,*** ils ont fait la bringue.

paintbox ['peɪntbɒks] *n.* boîte de couleurs.

paintbrush ['peɪntbrʌʃ] *n.* *(Art. et Tech.)* pinceau, brosse.

▷ **painter** ['peɪntə] *n.* **1.** *(Art.)* peintre. ***Landscape painter,*** paysagiste. **2.** peintre (en bâtiment).

painting ['peɪntɪŋ] *n.* peinture.

paints [peɪnts] *n. pl.* *(Art.)* couleurs. ***Box of paints,*** boîte de couleurs.

▷ **pair** [peə] *n.* paire. ***A pair of trousers,*** un pantalon.

pair off, *v. part. intr.* se mettre deux par deux.

pair up, *v. part. intr.* former couple.

pal [pæl] *n.* *(fam.)* copain.

▷ **palace** ['pælɪs] *n.* palais (royal).

palatable ['pælətəbl] *adj.* agréable au palais, savoureux.

palate ['pælɪt] *n.* *(Anat.)* palais.

palatial [pə'leɪʃəl] *adj.* digne d'un palais, somptueux, grandiose.

▷ **pale**[1] [peɪl] *adj.* pâle. *v. intr.* pâlir.

⚠ **pale**[2] [peɪl] *n.* pieu.

paling(s) ['peɪlɪŋ(z)] *n. sing. ou pl.* palissade.
pall¹ [pɔːl] *n.* drap mortuaire; *(fig.)* voile sombre.
pall² [pɔːl] *v. intr.* perdre de son intérêt.
⚠ **pallet** ['pælɪt] *n.* **1.** paillasse, grabat (aussi **palliasse**). **2.** palette.
▻ **palliate** ['pælɪeɪt] *v.t.* pallier.
pallid ['pælɪd] *adj.* blafard, blême.
⚠ **palm¹** [pɑːm] *n.* *(Anat.)* paume. *v.t.* escamoter, subtiliser.
▻ **palm²** [pɑːm] *n.* **1.** palme. **2.** (= **palm tree**) palmier. ♦ ***Palm Sunday,*** dimanche des Rameaux; ***they carried off the palm,*** ils ont remporté la palme.
palmist ['pɑːmɪst] *n.* chiromancien(ne).
palmistry ['pæmɪstrɪ] *n.* chiromancie.
palmy ['pɑːmɪ] *adj.* florissant, prospère. ***Palmy days,*** jours fastes.
▻ **palpitate** ['pælpɪteɪt] *v. intr.* palpiter.
paltry ['pɔːltrɪ] *adj.* dérisoire, sans valeur.
pamper ['pæmpə] *v.t.* choyer, dorloter.
pan [pæn] *n.* *(Cuis.)* casserole. ***Frying pan,*** poêle (à frire). ♦ ***It was only a flash in the pan,*** ce ne fut qu'un feu de paille.
▻ **panacea** [,pænə'sɪə] *n.* panacée.
pancake ['pænkeɪk] *n.* *(Cuis.)* crêpe.
pandemonium [,pændɪ'məʊnɪəm] *n.* chahut, chaos, désordre.
pane [peɪn] *n.* vitre.
panel ['pænl] *n.* **1.** panneau. **2.** *(Aut. et Av.)* ***Instrument panel,*** tableau de bord. **3.** liste de jurés. **4.** groupe d'experts. **5.** clientèle d'un médecin conventionné.
v.t. lambrisser.
panelling ['pænəlɪŋ] *n.* lambris, lambrissage.
pang [pæŋ] *n.* pincement, remords; angoisse.
▻ **panic** ['pænɪk] *n.* panique. *v.t. et intr.* (s') affoler.
panicky ['pænɪkɪ] *adj.* qui s'affole vite.
pansy ['pænzɪ] *n.* *(Bot.)* pensée.
pant [pænt] *v. intr.* haleter. ♦ *(fig.)* ***He was panting for an invitation,*** il mourait visiblement d'envie de se faire inviter. *n.* halètement.
⚠ **pantomime** ['pæntəmaɪm] *n.* *(G.B.)* spectacle pour enfants à Noël.
pantry ['pæntrɪ] *n.* **1.** office. **2.** garde-manger.
pants [pænts] *n. pl. inv.* **1.** caleçon, slip, culotte. **2.** *(amér.)* pantalon.
papacy ['peɪpəsɪ] *n.* papauté.
paper ['peɪpə] *n.* **1.** papier. **2.** (= **newspaper**) journal. **3.** papier, article d'érudition. **4.** épreuve d'examen. *v.t.* tapisser.
paperback ['peɪpəbæk] *n.* livre de poche.
papers ['peɪpəz] *n. pl. inv.* **1.** documents. **2.** papiers (officiels).
⚠ **par** [pɑː] *n.* *(Fin.).* ***Above par,*** au-dessus du pair. ♦ ***I'm not on a par with him,*** je ne lui arrive pas à la cheville.
parable ['pærəbl] *n.* *(Lit., Rel.)* parabole.
⚠ **parade** [pə'reɪd] *n.* **1.** défilé. *(Mil.)* ***Paradeground,*** terrain de manœuvres. **2.** promenade de front de mer. ♦ *(fig.)* ***She makes a great parade of her virtues,*** elle fait grand étalage de ses vertus.
v.t. et intr. défiler, faire défiler.
▻ **paralysis** [pə'rælɪsɪs] *n.* paralysie.
paramount ['pærəmaʊnt] *adj.* de la plus grande importance.
paraphernalia [,pærəfə'neɪljə] *n. pl. inv.* **1.** attirail. **2.** *(péj. fam.)* trucs, machins.
paratrooper ['pærə,truːpə] *n.* *(Mil.)* parachutiste.
⚠ **parcel** ['pɑːsəl] *n.* paquet, colis. ♦ ***It is part and parcel of the whole,*** cela fait partie d'un tout.
parcel out, *v. part. t.* diviser, partager, distribuer.
parcel up, *v. part. t.* empaqueter.
parch [pɑːtʃ] *v.t.* **1.** dessécher. **2.** assoiffer.
parchment ['pɑːtʃmənt] *n.* parchemin.
⚠ **pardon** ['pɑːdn] *n.* **1.** pardon. **2.** grâce, amnistie. *v.t.* **1.** pardonner. **2.** gracier, amnistier. *interj.* **1.** plaît-il? comment? **2.** ***pardon!*** excusez-moi!
⚠ **pare** [peə] *v. part. t.* éplucher, peler (légumes ou fruits).
pare down, *v. part. t.* réduire (les dépenses).
⚠ **parent** ['peərənt] *n.* père ou mère (cf. **relative**).
parentage ['peərəntɪdʒ] *n.* naissance, origine. ***Of unknown parentage,*** de

parents inconnus.
▻ **parenthesis** [pə'renθɪsɪs] *n. (pl.* **parentheses** [pə'renθɪsi:z]) parenthèse.
parish ['pærɪʃ] *n.* paroisse.
parishioner [pə'rɪʃənə] *n.* paroissien.
parish-pump [ˌpærɪʃ'pʌmp] *adj.* d'intérêt purement local. ***Parish-pump politics,*** esprit de clocher.
park [pɑ:k] *n.* parc, jardin public. ***Car park,*** parking (*amér.* **parking lot**). *v.t. et intr.* (se) garer. ♦ ***No parking,*** stationnement interdit; ***parking lights,*** feux de position; ***parking meter,*** parcomètre; ***parking ticket,*** procès-verbal pour stationnement illicite.
▻ **parliament** ['pɑ:ləmənt] *n.* parlement.
⚠ **parlour** ['pɑ:lə] *n.* **1.** salon. ***Beauty parlour,*** institut de beauté; *(U.S.)* ***funeral parlour,*** salon de pompes funèbres. **2.** parloir.
parochial [pə'rəʊkɪəl] *adj.* **1.** *(Rel.)* paroissial. **2.** *(péj.)* étroit d'esprit.
parrot ['pærət] *n.* perroquet, perruche.
parry ['pærɪ] *n. (Sp.)* parade. *v.t.* parer.
parse [pɑ:z] *v.t.* faire l'analyse grammaticale de (un mot, une phrase).
parsley ['pɑ:slɪ] *n. (Bot.)* persil.
parsnip ['pɑ:snɪp] *n. (Bot.)* panais.
parson ['pɑ:sn] *n. (fam.)* pasteur, prêtre. ♦ *(Cuis. fam.)* ***parson's nose,*** croupion.
parsonage ['pɑ:sənɪdʒ] *n.* presbytère.
⚠ **part** [pɑ:t] *n.* **1.** partie. ***For the most part,*** dans l'ensemble; ***in part I agree,*** je suis partiellement d'accord; ***it is part and parcel of the whole,*** cela fait partie d'un tout. **2.** part, participation, rôle. *(Th.)* ***He played the part of Hamlet,*** il joua le rôle de Hamlet; *(fig.)* ***she has her part to play,*** elle a son rôle à jouer; ***we all took an active part in the organization,*** nous avons tous pris une part active à l'organisation. **3.** parti. ***I took his part,*** je l'ai soutenu, j'ai pris parti pour lui (dans la discussion). ♦ ***For my part,*** en ce qui me concerne, pour ma part; ***it was an error on his part,*** ce fut une erreur de sa part; ***you must try to take it in good part,*** il faut essayer de le prendre du bon côté.
v.t. **1.** séparer. ***They had difficulty in parting the two drunk men,*** ils eurent du mal à séparer les deux ivrognes. **2.** faire une raie. ***He wore his hair parted,*** il avait une raie (dans les cheveux).
v. intr. **1.** se séparer, se quitter. ***Let's part friends,*** quittons-nous bons amis. **2.** se défaire. ***He was reluctant to part with the house,*** il hésitait à vendre la maison; ***Scotsmen don't part easily with their money,*** les Écossais se séparent difficilement de leur argent.
partake [pɑ:'teɪk] *v. intr. irr. (p.* **partook,** *p.p.* **partaken***) (vx.)* participer. ***Will you partake of our humble dinner?*** voulez-vous partager notre modeste dîner?
⚠ **partial** ['pɑ:ʃl] *adj.* **1.** partiel. **2.** partial. **3.** enclin.
⚠ **partiality** [ˌpɑ:ʃɪ'ælɪtɪ] *n.* **1.** partialité, préjugé favorable. **2.** inclination, penchant, faible.
▻ **participate** [pɑ:'tɪsɪpeɪt] *v. intr.* participer.
▻ **participle** ['pɑ:tɪsɪpl] *n.* participe.
▻ **particle** ['pɑ:tɪkl] *n.* particule.
⚠ **particular** [pə'tɪkjʊlə] *adj.* **1.** distinct, particulier. ***For no particular reason,*** pour aucune raison précise; ***in this particular case,*** dans ce cas en particulier. **2.** particulier, spécial. **3.** difficile, exigeant, pointilleux. ***He's very particular about food,*** il est très difficile sur la nourriture; ***she's extremely particular about her children eating a good breakfast,*** elle tient beaucoup à ce que ses enfants prennent un petit déjeuner consistant.
n. détail. ***I don't want to go into particulars,*** je ne veux pas entrer dans les détails.
parting ['pɑ:tɪŋ] *n.* **1.** séparation. **2.** raie (dans les cheveux). *adj.* ***A parting kiss,*** un baiser d'adieu; *(fig.)* ***a parting shot,*** un dernier argument.
⚠ **partition** [pɑ:'tɪʃn] *n.* **1.** partage, division. **2.** cloison. *v.t.* **1.** partager. **2.** cloisonner.
partly ['pɑ:tlɪ] *adv.* partiellement, en partie.
partner ['pɑ:tnə] *n.* **1.** partenaire. **2.** *(Comm.)* associé.
partnership ['pɑ:tnəʃɪp] *n. (Comm.)* association.

partook [pɑ:'tʊk] (**partake,** *v.*)
partridge ['pɑ:trɪdʒ] *n.* perdrix.
⚠ **parts** [pɑ:ts] *n. pl. inv.* région. ***In these parts,*** dans cette région.
⚠ **party** ['pɑ:tɪ] *n.* **1.** *(Polit.)* parti. **2.** groupe. ***A party of tourists,*** un groupe de touristes. **3.** *(Jur.)* partie. ***Third party,*** tiers, tierce personne. **4.** réception, réunion. ***Birthday party,*** fête d'anniversaire; ***dinner party,*** dîner. ♦ ***He's got to toe the party line,*** il est obligé de suivre la ligne du parti.
⚠ **pass** [pɑ:s] *v.t. et intr.* **1.** passer devant, dépasser, croiser. ***After passing through the village,*** après avoir traversé le village; ***I passed John,*** j'ai croisé John. **2.** faire passer, passer. ***Could you pass me the cake?*** veux-tu me faire passer le gâteau? **3.** *(Polit.)* voter (une loi...). ***The bill has been passed by the House of Lords,*** le projet de loi a été voté par la chambre des Lords. **4.** *(Ens.)* réussir à un examen. ***Victor hasn't passed,*** Victor n'a pas été reçu (à son examen). **5.** *(Jur.)* prononcer (un verdict...). ***The judge passed sentence on the accused,*** le juge prononça la condamnation contre l'accusé; *(fig.)* ***you shouldn't pass judgement on people like that,*** tu ne devrais pas condamner les gens comme ça.
n. **1.** laissez-passer. **2.** *(Ens.)* succès. ***He got a good pass,*** il a été reçu avec de bonnes notes. **3.** *(Sp.)* passe. **4.** col (de montagne). ♦ ***Things have come to a pretty pass,*** on en est arrivé à une drôle de situation, nous voilà dans de beaux draps!
⚠ **passage** ['pæsɪdʒ] *n.* **1.** passage. **2.** couloir (aussi **passageway**). **3.** traversée.
pass away, *v. part. intr.* décéder.
passenger ['pæsəndʒə] *n.* passager, voyageur.
passerby [,pɑ:sə'baɪ] *n.* (*pl.* **passersby**) passant.
▻ **passionate** ['pæʃənɪt] *adj.* passionné.
passkey ['pɑ:s-ki:] *n.* passe, passe-partout.
pass off, *v. part. t. et intr.* **1.** passer, disparaître. **2.** se passer, se dérouler (sans difficulté). **3.** (se) faire passer. ***She passed herself off as a duchess,*** elle se fit passer pour une duchesse.
pass out, *v. part. t. et intr.* **1.** s'évanouir. **2.** *(amér.)* distribuer (cf. **hand out**).
passover ['pɑ:səʊvə] *n.* pâque juive.
pass round, *v. part. t. et intr.* **1.** circuler. **2.** faire circuler. ***Pass round the port,*** faites circuler le porto.
past [pɑ:st] *adj.* passé. ***Past events,*** les événements passés. *n.* passé. ***In the past,*** autrefois. ***That's a thing of the past,*** cela, c'est du passé.
prép. **1.** au-delà de. ***It's just past the village,*** c'est juste à la sortie du village. **2.** près de. ***He ran past the house,*** il est passé devant la maison en courant. **3.** *(Heure)* ***It's a quarter past 3,*** il est 3 heures et quart; ***it's past midnight,*** il est minuit passé.
adv. devant. ***He has just walked past,*** il vient de passer.
paste [peɪst] *n.* **1.** *(Cuis.)* pâte (pour la pâtisserie). **2.** *(Cuis.)* pâté. **3.** colle blanche. *v.t.* coller.
▻ **pastime** ['pɑ:staɪm] *n.* passe-temps.
pastry ['peɪstrɪ] **1.** pâte. **2.** pâtisserie.
pastrycook ['peɪstrɪkʊk] *n.* pâtissier.
pasture ['pɑ:stʃə] *n.* pâturage, pré. *v. intr.* paître.
pasty ['peɪstɪ] *adj.* *(péj.)* terreux. ***A pasty complexion,*** un teint de papier mâché.
pat[1] [pæt] *v. t.* tapoter, caresser. *n.* petite tape, caresse. ***You can give yourself a pat on the back,*** tu peux être fier de toi.
pat[2] [pæt] *adv.* **1.** opportunément **2.** sans hésitation. ♦ ***I had my answer pat,*** j'avais ma réponse prête.
patch [pætʃ] *n.* **1.** pièce (sur un vêtement). **2.** rustine (sur une chambre à air). **3.** (couleurs contrastées) pan (de ciel), tache (de couleur), nappe (de brouillard). **4.** (petite superficie) parcelle (de terre), plaque (de glace), flaque (d'eau). ♦ ***He isn't a patch on his brother,*** il n'arrive pas à la cheville de son frère.
v.t. **1.** rapiécer (un vêtement). **2.** réparer (une chambre à air).
patch up, *v. part. t.* **1.** rapiécer, rafistoler. **2.** *(fig.)* replâtrer. ***They patched up their quarrel,*** ils se sont raccommodés tant bien que mal.

patchy ['pætʃɪ] *adj.* de qualité inégale.
patent[1] ['peɪtnt, 'pætnt] *adj.* évident.
⚠ **patent**[2] ['peɪtnt, 'pætnt] *n.* brevet. ***Patent leather,*** cuir verni; ***patent medicine,*** spécialité pharmaceutique; ***Patent Office,*** bureau des brevets d'invention; ***take out a patent,*** prendre un brevet. *v.t.* faire breveter.
path [pɑ:θ] *n.* (*pl.* **paths** [pɑ:ðz]) **1.** chemin, sentier. **2.** itinéraire, trajectoire, course.
⊳ **patrimony** ['pætrɪmənɪ] *n.* patrimoine.
⊳ **patrol** [pə'trəʊl] *n.* patrouille. *v.t. et intr.* patrouiller.
⚠ **patron** ['peɪtrən] *n.* **1.** *(Art.)* mécène. **2.** *(Rel.)* saint patron (aussi **patron saint**). **3.** *(Comm.)* client (d'un hôtel, restaurant, magasin), membre du public (d'un théâtre). ***«Patrons only»,*** «Réservé à la clientèle».
⚠ **patronage** ['pætrənɪdʒ] *n.* **1.** mécénat. **2.** clientèle (hôtel, magasin, ...).
patronize ['pætrənaɪz] *v.t.* **1.** être client de. **2.** traiter avec condescendance.
patter[1] ['pætə] *n.* crépitement (de la pluie, etc.). *v. intr.* **1.** crépiter. **2.** trottiner.
patter[2] ['pætə] *n.* **1.** baratin, boniment (d'un vendeur, prestidigitateur, etc.). **2.** argot, jargon (de métier).
pattern ['pætən] *n.* **1.** dessin, motif. ***This material has a check pattern,*** ce tissu a un motif à carreaux. **2.** modèle, exemple. ***The meeting followed the classical pattern,*** la réunion s'est déroulée selon le schéma classique. **3.** patron (en couture). **4.** échantillon (de tissu, de tapisserie, etc.).
v.t. modeler.
paucity ['pɔ:sɪtɪ] *n.* *(lit.)* pénurie, indigence.
paunch [pɔ:ntʃ] *n.* panse, ventre.
pauper ['pɔ:pə] *n.* indigent, pauvre. ***Pauper's grave,*** fosse commune.
⊳ **pause** [pɔ:z] *n.* pause. *v. intr.* faire une pause.
pave [peɪv] *v.t.* paver. ***Pave the way,*** ouvrir la voie, préparer le chemin.
⚠ **pavement** ['peɪvmənt] *n.* **1.** trottoir. **2.** *(amér.)* chaussée.
⚠ **pavilion** [pə'vɪljən] *n.* **1.** kiosque, belvédère, rotonde. **2.** pavillon, tente.
pavingstone ['peɪvɪŋ,stəʊn] *n.* pavé.
paw [pɔ:] *n.* patte. *v.t. et intr.* **1.** piaffer. **2.** (*péj.* et *fam.*) tripoter.
pawn[1] [pɔ:n] *n.* *(Echecs* et *fig.)* pion.
pawn[2] [pɔ:n] *v.t.* mettre en gage, au mont-de-piété. *n.* gage. ***His watch is in pawn,*** il a mis sa montre en gage.
pawnbroker ['pɔ:nbrəʊkə] *n.* prêteur sur gages.
pawnshop ['pɔ:nʃɒp] *n.* mont-de-piété.
pay [peɪ] *v.t.* (*p.* **paid,** *p.p.* **paid**). **1.** payer, régler, acquitter. ***I want to pay my way,*** je veux participer aux frais; ***she pays her bills immediately,*** elle règle ses notes immédiatement; ***they pay good wages,*** ils paient bien; ***when do you get paid?*** quand est-ce qu'on vous paie? **2.** *(fig.)* faire, dire. ***Pay attention,*** fais attention; ***pay compliments,*** faire des compliments; ***pay homage,*** rendre hommage; ***pay a visit,*** rendre visite.
v. intr. rapporter, être avantageux. ***Crime doesn't pay,*** le crime ne paie pas; ***it doesn't pay to be nice to people,*** on n'a aucun intérêt à être gentil avec les gens; ***she paid cash (down),*** elle a payé cash, comptant; ***she pays on the nail,*** elle paie rubis sur l'ongle; *(fam.)* ***we've paid through the nose,*** nous avons payé le prix fort; *(fam.)* ***you'd pay the earth for that now,*** tu paierais ça les yeux de la tête maintenant.
n. paie, paye, salaire, traitement, solde. ♦ ***He's in the pay of the enemy,*** il est à la solde de l'ennemi, il est vendu à l'ennemi; ***holidays with pay,*** congés payés.
pay back, *v. part. t.* rembourser. ♦ *(fig.)* ***I'll pay you back for that,*** je te revaudrai ça, je t'aurai au tournant.
payee [,peɪ'i:] *n.* destinataire (d'un chèque).
pay in, *v. part. t.* verser (à un compte).
paying ['peɪɪŋ] *adj.* rentable.
paymaster ['peɪ,mɑ:stə] *n.* **1.** trésorier payeur. **2.** *(Mil.)* officier trésorier. **3.** *(Naut.)* commissaire de la Marine. ♦ *(G.B.)* ***Paymaster General,*** ministre du Trésor.
payment ['peɪmənt] *n.* paiement, règlement, versement.
payoff ['peɪɒf] *n.* **1.** remboursement. **2.** *(fig.)* récompense (d'un homme de

main). **3.** punition, rétribution.
paypacket ['peɪ,pækɪt] *n.* paie, salaire.
payroll ['peɪrəʊl] *n.* **1.** paie (de tout le personnel d'une entreprise). **2.** l'ensemble du personnel.
pay up, *v. part. t. et intr.* payer en totalité.
pea [pi:] *n.* pois, petit pois. ***Split peas,*** pois cassés; ***they are as like as two peas,*** ils se ressemblent comme deux gouttes d'eau.
peace [pi:s] *n.* paix, tranquillité. ***He likes his peace and quiet,*** il aime vivre tranquille; ***leave me in peace,*** laisse-moi tranquille, fiche-moi la paix; ***peace pipe,*** calumet de la paix; *(fig.)* ***she is at peace with her conscience,*** elle a la conscience tranquille; *(Polit.)* ***the two countries are now at peace,*** un traité de paix vient d'être conclu entre les deux pays; *(Jur.)* ***the two men were charged with breaking the peace,*** les deux hommes ont été inculpés de violation de l'ordre public.
peaceable ['pi':səbl] *adj.* paisible.
peaceful ['pi:sfəl] *adj.* **1.** pacifique; tranquille. **2.** *(Polit.)* pacifique; en paix.
peacemaker ['pi:s,meɪkə] *n.* conciliateur.
peach [pi:tʃ] *n. (Bot.)* pêche.
peacok ['pi:kɒk] *n.* paon. ***Proud as a peacok,*** fier comme Artaban.
peak [pi:k] *n.* **1.** pic, sommet. **2.** visière (d'une casquette). **3.** *(fig.)* sommet, apogée, maximum. ***Peak hours,*** heures de pointe.
peal [pi:l] *v.t. et intr.* sonner, carillonner, faire sonner. *n.* sonnerie, carillon. ♦ ***Peal of laughter,*** éclat de rire; ***peal of thunder,*** coup de tonnerre.
peanut ['pi:nʌt] *n.* cacahuète.
pear [peə] *n. (Bot.)* poire.
pearl [pɜ:l] *n.* perle.
peasant ['pezənt] *n.* paysan.
peasantry ['pezəntrɪ] *n.* paysannerie.
peat [pi:t] *n.* tourbe.
pebble ['pebl] *n.* caillou, galet.
peck [pek] *v.t. et intr.* picoter, donner des coups de bec. *n.* coup de bec.
peckish ['pekɪʃ] *adj. (fam.)* qui a faim. ***I'm (feeling) peckish,*** je mangerais bien quelque chose.
peculiar [pɪ'kju:lɪə] *adj.* **1.** bizarre, étrange, curieux. **2.** particulier, spécial.
peculiarity [pɪ,kju:lɪ'ærɪtɪ] *n.* **1.** bizarrerie, singularité. **2.** particularité.
▷ **pecuniary** [pɪ'kju:njərɪ] *adj.* pécuniaire.
▷ **pedantic** [pɪ'dæntɪk] *adj.* pédant.
pedantry ['pedntrɪ] *n.* pédantisme.
peddle ['pedl] *v.t. et intr.* colporter.
peddler ['pedlə] *n.* colporteur (*amér.* **pedlar**).
pedestrian [pɪ'destrɪən] *n.* piéton. *adj.* **1.** pédestre. **2.** prosaïque, banal.
peek [pi:k] *v. intr.* jeter un coup d'œil. *n.* coup d'œil furtif.
peel [pi:l] *n.* peau (de fruit). *v.t. et intr.* **1.** peler, se peler, éplucher. **2.** s'écailler (peinture). ♦ *(fam.)* ***Keep your eyes peeled!*** ouvrez bien l'œil!
peelings ['pi:lɪŋz] *n. pl.* épluchures.
peep [pi:p] *v. intr.* jeter un coup d'œil. *n.* coup d'œil furtif.
peer[1] [pɪə] *n.* **1.** pair, égal. **2.** noble, pair.
peer[2] [pɪə] *v. intr.* regarder, scruter.
peerage ['pɪərɪdʒ] *n.* pairie, noblesse. ***He was given a peerage,*** il fut anobli.
peeress ['pɪərɪs] *n.* pairesse.
peerless ['pɪələs] *adj.* sans égal, hors de pair.
peevish ['pi:vɪʃ] *adj.* irritable, grincheux.
peg [peg] *n.* cheville, patère, piquet. ***Clothes peg,*** pince à linge. ♦ ***He bought that suit off the peg,*** il a acheté ce costume en confection; ***he's a square peg in a round hole,*** il n'est pas fait pour ce travail, il n'est pas à sa place; ***that will take him down a peg (or two),*** cela lui rabaissera un peu le caquet.
v.t. (Tech.) cheviller. **2.** *(Comm.)* stabiliser, fixer (les prix, les salaires).
pekin(g)ese [,pi:kɪ'ni:z] *n.* (chien) pékinois (aussi *fam.* **peke**).
pellet ['pelɪt] *n.* grain de plomb.
▷ **pell-mell** [,pel'mel] *adj. et adv.* pêle-mêle.
pelt[1] [pelt] *n.* peau, fourrure.
pelt[2] [pelt] *v.t.* bombarder. *v. intr.* courir à toutes jambes. ♦ ***It's pelting (with rain),*** il tombe des cordes.
▷ **pelvis** ['pelvɪs] *n. (Anat.)* bassin, pel-

vis.

pen[1] [pen] *n.* plume, stylo. ***Ball-point pen,*** stylo à bille; ***felt-tip pen,*** stylo feutre; ***fountain pen,*** stylo à encre; ***pen name,*** pseudonyme, nom de plume. ♦ ***Put pen to paper,*** écrire, prendre la plume. *v.t.* écrire (un article, une lettre).

pen[2] [pen] *n.* **1.** enclos (pour animaux). **2.** parc (d'enfant) (aussi **playpen**). *v.t.* enfermer, parquer.

▻ **penal** ['pi:nl] *adj.* pénal. *(Jur.)* ***Penal servitude,*** travaux forcés.

⚠ **penalty** ['penəltı] *n.* **1.** *(Sp.)* pénalité. **2.** *(Jur.)* peine.

penance ['penəns] *n.* pénitence. *(hum.)* ***He'll do penance for it,*** il s'en mordra les doigts.

pen-and-ink [,penən'ıŋk] *adj. (Art.)* fait à la plume.

pence ['pens] (**penny,** *n.*)

pencil ['pensl] *n.* crayon. ♦ *(fig.)* ***A pencil of light,*** un mince rayon de lumière. *v.t.* écrire au crayon, crayonner.

⚠ **pendant** ['pendənt] *n.* pendentif.

pending ['pendıŋ] *adj.* pendant, en suspens, en instance. *prép.* en attendant (une décision, l'arrivée d'une personne compétente).

⚠ **pendulum** ['pendjʊləm] *n.* **1.** balancier (d'une pendule). **2.** pendule. ***The swing of the pendulum,*** le mouvement du pendule, *(fig.)* les fluctuations de l'opinion publique.

penguin ['pengwın] *n. (Zool.)* manchot, pingouin.

penitentiary [,penı'tenʃərı] *n.* (surtout *U.S.*) prison.

penknife ['pen-naıf] *n. (pl.* **-knives***)* canif.

penmanship ['penmənʃip] *n.* calligraphie.

pennant ['penənt] *n.* banderole (aussi **pennon**).

penniless ['penılıs] *adj.* sans le sou.

penny ['penı] *n. (pl.* **pennies** pour compter les pièces; **pence** pour annoncer un prix) penny (le centième d'une livre). ♦ *(fam.)* ***Spend a penny,*** aller aux toilettes.

pennyworth ['penıwɜ:θ] *n.* la valeur d'un penny (aussi **penn'orth** ['penəθ]).

pen pusher ['pen,pʊʃə] *n. (péj.)* gratte-papier.

▻ **pension** ['penʃn] *n.* pension, retraite. ***Retirement pension,*** pension de retraite. *v.t.* pensionner.

pension off *v. part. t.* mettre à la retraite.

penthouse ['penthaʊs] *n. (pl.* **-houses** [haʊzız]) **1.** *(Arch.)* appentis, auvent. **2.** appartement construit sur la terrasse d'un immeuble.

pent up [,pent'ʌp] *adj.* **1.** enfermé. **2.** refoulé, réprimé; tendu.

peony ['pi:ənı] *n. (Bot.)* pivoine.

people[1] ['pi:pl] *n.* peuple, race, nation. ***The peoples of Asia,*** les races asiatiques. *v.t.* peupler, habiter.

people[2] ['pi:pl] *n. pl. inv.* **1.** personnes, gens, êtres humains. ***How many people?*** combien de personnes? ***there are three people waiting,*** il y a trois personnes qui attendent. **2.** *(Polit.)* peuple, citoyens, public. ***Government of the people,*** gouvernement du peuple par le peuple; ***the common people,*** le petit peuple. **3.** *(fam.)* père et mère. **4.** famille. ***My people have lived here for 12 generations,*** ma famille habite ici depuis 12 générations.

pep [pep] *n. (fam.)* entrain, allant, dynamisme.

pepper ['pepə] *n.* **1.** poivre. **2.** poivron. *v.t.* poivrer.

peppermint ['pepəmınt] *n.* **1.** pastille à la menthe. **2.** *(Bot.)* menthe poivrée.

pep up, *v. part. t. (fam.)* gonfler le moral de, regonfler.

per [pə, pɜ:] *prép.* par. ***12,000 per annum,*** 12000 par an; ***per day,*** par jour; ***per head,*** par personne, par tête.

perambulator [pər'æmbjʊleıtə] *n. (vx.)* voiture d'enfant (cf. **pram**).

⚠ **perceive** [pə'si:v] *v.t.* **1.** percevoir (par les sens). **2.** remarquer, s'apercevoir de. **3.** saisir, se rendre compte de.

▻ **percentage** [pə'sentıdʒ] *n.* pourcentage.

⚠ **perch** [pɜ:tʃ] *n.* juchoir, perchoir. *v.t. et intr.* (se) percher.

percolator ['pɜ:kəleıtə] *n.* cafetière, percolateur.

▻ **peremptory** [pə'remptərɪ] *adj.* péremptoire.
perennial [pə'renɪəl] *adj.* **1.** éternel, perpétuel. **2.** *(Bot.)* vivace. *n.* plante vivace.
perfect ['pɜ:fɪkt] *adj.* parfait. ♦ ***She has perfect pitch,*** elle a l'oreille absolue. *v.t.* [pə'fekt] parachever, parfaire.
▻ **perforate** ['pɜ:fəreɪt] *v.t.* perforer.
perform [pə'fɔ:m] *v.t. et intr.* **1.** accomplir, s'acquitter de. ***It performed a miracle,*** cela a fait merveille. **2.** exécuter, jouer (un rôle). ***He performed the part of Othello,*** il a joué le rôle d'Othello; ***I'm going to perform the Brahms violin concerto,*** je vais jouer le concerto pour violon de Brahms; ***she performed well in the part of Lucia,*** elle a bien chanté dans le rôle de Lucia.
⚠ **performance** [pə'fɔ:məns] *n.* **1.** exploit, réalisation, performance. ***Our team's performance,*** le comportement de notre équipe; ***to climb the Eiger in such conditions was a performance,*** escalader l'Eiger dans de telles conditions constituait un exploit. **2.** *(Mus.)* interprétation, exécution. ***He gave a memorable performance of the Goldberg variations,*** il a donné une interprétation mémorable des variations de Goldberg. **3.** *(Th. Ciné.)* représentation, séance, spectacle. ***Continuous performance,*** spectacle permanent; ***first performance,*** première (représentation); ***last performance,*** dernière séance.
performer [pə'fɔ:mə] *n.* artiste, acteur; exécutant; interprète.
performing [pə'fɔ:mɪŋ] *adj.* qui joue un rôle. *(Cirque)* ***Performing animals,*** animaux savants.
▻ **perfume** ['pɜ:fju:m] *n.* parfum. *v.t.* [pə'fju:m] parfumer. ***A lavender perfumed handkerchief,*** un mouchoir parfumé à la lavande.
perfunctory [pə'fʌŋktərɪ] *adj.* **1.** superficiel, fait à la hâte. **2.** désinvolte (personne).
perhaps [pə'hæps] *adv.* peut-être. ***Perhaps not,*** peut-être que non; ***perhaps so,*** cela se pourrait bien; ***perhaps they will write soon,*** peut-être écriront-ils bientôt.

▻ **perilous** ['perɪləs] *adj.* périlleux.
⚠ **period** ['pɪərɪəd] *n.* **1.** période, époque. **2.** *(Ens.)* cours, heure. **3.** *(Gram.)* point (final). **4.** (souvent *pl.*) règles (chez une femme).
▻ **periodic** [,pɪərɪ'ɒdɪk] *adj.* périodique.
▻ **periodical** [,pɪərɪ'ɒdɪkəl] *adj.* périodique. *n.* (publication) périodique.
⚠ **perish** ['perɪʃ] *v. intr.* **1.** périr, mourir. **2.** (matériaux et nourriture) se détériorer, s'abîmer. ♦ *(fam.)* ***I'm perishing*** (ou ***perished) (with cold),*** je suis frigorifié.
▻ **perishable** ['perɪʃəbl] *adj.* périssable. *n. pl.* denrées périssables.
⚠ **perishing** ['perɪʃɪŋ] *adj.* *(fam.)* ***It's perishing outside,*** il fait un froid de canard dehors.
▻ **perjure** ['pɜ:dʒə] *v.t.* (se) parjurer.
▻ **perjury** ['pɜ:dʒərɪ] *n.* parjure.
perk [pɜ:k] *n.* *(fam.)* (cf. **perquisite**)
perk up *v. part. t. et intr.* (se) ragaillardir, (se) regonfler.
perky ['pɜ:kɪ] *adj.* **1.** plein d'entrain. **2.** effronté.
perm [pɜ:m] *n.* *(fam.)* (= **permanent wave**) permanente.
▻ **permanent** ['pɜ:mənənt] *adj.* permanent. ***He has been given a permanent appointment,*** il a reçu une nomination définitive, il a été titularisé; ***permanent wave,*** permanente. *n.* *(Coiffure)* permanente.
permeate ['pɜ:mɪeɪt] *v.t. et intr.* **1.** pénétrer, s'infiltrer. **2.** *(fig.)* se répandre.
▻ **permit** ['pɜ:mɪt] *n.* permis, autorisation écrite, laissez-passer. *v.t.* [pə'mɪt] permettre, autoriser. ***Weather permitting,*** si le temps le permet.
pernickety [pə'nɪkɪtɪ] *adj.* *(fam.)* pointilleux, qui cherche la petite bête.
perpetrator ['pɜ:pɪtreɪtə] *n.* auteur (d'un délit, d'un crime), coupable.
⚠ **perplex** [pə'pleks] *v.t.* intriguer, rendre perplexe. **2.** compliquer (un problème).
▻ **perplexed** [pə'plekst] *adj.* perplexe.
perquisite ['pɜ:kwɪsɪt] *n.* (souvent *pl.*) avantage(s), à-côté(s) (d'une fonction).
▻ **persist** [pə'sɪst] *v. intr.* persister. ***He persists in contradicting me,*** il persiste à me contredire.
persistent [pə'sɪstənt] *adj.* **1.** *(péj.)*

continuel, incessant. **2.** persistant (toux, fièvre...).

▻ **person** ['pɜ:sn] *n.* **1.** personne, individu. **2.** *(Gram.)* personne. ♦ ***Give it to him in person,*** remettez-le-lui en main propre.

⚠ **personable** ['pɜ:sənəbl] *adj.* bien de sa personne.

personage ['pɜ:sənɪdʒ] *n.* personnage important.

▻ **personal** ['pɜ:sənəl] *adj.* personnel. ♦ ***It's my personal belief that...,*** personnellement je crois que... ; ***my personal life,*** ma vie privée ; ***she's a personal friend of mine,*** je la connais personnellement ; ***you shouldn't be personal,*** tu ne devrais pas faire d'allusions personnelles.

⚠ **personally** ['pɜ:sənəlɪ] *adv.* **1.** en personne. ***I'll speak to him personally,*** je lui en parlerai en personne. **2.** en tant que personne. ***Personally he may be acceptable, but as a dentist he's hopeless,*** en tant que personne il est peut-être acceptable, mais comme dentiste il est déplorable. **3.** personnellement, pour ma part. ***Personally, I don't approve,*** pour ma part, je désapprouve. ♦ ***Don't take it personally,*** ne le prends pas pour toi.

⚠ **perspective** [pə'spektɪv] *n.* *(Art. et fig.)* perspective. *(fig.)* ***Let's get things into the right perspective,*** essayons de voir les choses dans leurs justes proportions.

perspiration [,pə:spɪ'reɪʃn] *n.* transpiration.

perspire [pə'spaɪə] *v. intr.* transpirer.

⚠ **persuasion** [pə'sweɪʒn] *n.* **1.** croyance, appartenance religieuse. **2.** persuasion.

pert [pɜ:t] *adj.* effronté, impertinent.

pertinacious [,pɜ:tɪ'neɪʃəs] *adj. (péj.)* tenace.

peruse [pə'ru:z] *v.t. (lit.)* lire attentivement.

pervade [pə'veɪd] *v.t.* envahir, pénétrer (pour des odeurs, des sentiments,...).

pervasive [pə'veɪsɪv] *adj.* envahissant.

pessimistic [,pesɪ'mɪstɪk] *adj.* pessimiste.

⚠ **pest** [pest] *n.* **1.** animal nuisible. **2.** *(fig.)* fléau. ***That child is a perfect pest,*** cet enfant est vraiment insupportable.

pester ['pestə] *v.t.* harceler, ennuyer.

pestle ['pesl] *n.* pilon. *v.t.* pilonner.

⚠ **pet** [pet] *n.* **1.** animal familier. ***I have a monkey as a pet,*** j'ai un petit singe à la maison. **2.** *(fam.)* chouchou. **3.** chéri. ***Be a pet,*** sois un ange. ♦ ***Politicians are my pet aversion,*** les hommes politiques sont ma bête noire ; ***sailing-ships are his pet subject,*** sa marotte, c'est les grands voiliers. *v.t.* **1.** dorloter, chouchouter. **2.** *(fam.)* peloter.

peter out [,pi:tə'aʊt] *v. part. intr.* (se) tarir, s'éteindre, tourner court.

⚠ **petrol** ['petrəl] *n.* essence. (*amér.* **gas, gasoline**).

petroleum [pə'trəʊlɪəm] *n.* pétrole.

petticoat ['petɪkəʊt] *n.* jupon.

pettifogging ['petɪ,fɒgɪŋ] *adj. (péj.)* **1.** qui se noie dans un verre d'eau ; vétilleux. **2.** (détail) insignifiant. **3.** chicanier.

⚠ **petty** ['petɪ] *adj.* **1.** mineur, subalterne. ***Petty cash,*** menue monnaie ; ***petty officer,*** second maître (dans la marine). **2.** insignifiant. ***Our problems are petty compared with yours,*** nos soucis sont insignifiants comparés aux vôtres. **3.** *(péj.)* mesquin.

⚠ **petulance** ['petʃʊləns] *n.* irritabilité.

⚠ **petulant** ['petʃʊlənt] *adj.* irritable, qui fait des caprices, boudeur.

pew [pju:] *n.* banc d'église.

pewter ['pju:tə] *n.* étain.

▻ **phantasm** ['fæntæzəm] *n.* fantasme.

phantasmal ['fæntæzməl] *adj.* fantasmatique (aussi **phantasmic**).

▻ **phantom** ['fæntəm] *n.* fantôme (cf. **ghost**) ; *(fig.)* vision, hallucination.

▻ **pharaoh** ['feərəʊ] *n.* pharaon.

▻ **phase** [feɪz] *n.* phase, période. *v.t.* faire par phases.

phase in, *v. part. t.* introduire progressivement.

phase out, *v. part. t.* supprimer progressivement.

▻ **pheasant** ['feznt] *n.* faisan.

▻ **phenomenon** [fə'nɒmɪnən] *n.* (*pl.* **phenomena**) phénomène.

phial ['faɪəl] *n.* fiole.

philander [fɪ'lændə] *v. intr. (vx.)* courir après les femmes.

philanderer [fɪ'lændərə] *n. (vx.)* coureur

de jupons.

▻ **philanthropic** [ˌfɪlæn'θrɒpɪk] *adj.* philanthropique, philanthrope.

philanthropist [fɪ'lænθrəpɪst] *n.* philanthrope.

▻ **philologist** [fɪ'lɒlədʒɪst] *n.* philologue.

▻ **philosopher** [fɪ'lɒsəfə] *n.* philosophe.

▻ **philosophical** [ˌfɪlə'sɒfɪkl] *adj.* **1.** philosophique. **2.** *(fam.)* philosophe (aussi **philosophic**).

▻ **phlegm** [flem] *n.* flegme.

▻ **phobia** ['fəʊbɪə] *n.* phobie.

phone [fəʊn] *n. et v.t.* (= **telephone**). ***Phone me as soon as you arrive,*** passez-moi un coup de fil dès que vous arriverez.

phonetics [fə'netɪks] *n.* phonétique.

phoney ['fəʊnɪ] *adj. (fam. et péj.)* bidon, toc; factice. *n. (argot)* faux jeton.

⚠ **photograph** ['fəʊtəgrɑːf] *n.* photographie (aussi, *fam.*, **photo**). ***Take a photograph,*** prendre une photographie.

⚠ **photographer** [fə'tɒgrəfə] *n.* photographe.

⚠ **photography** [fə'tɒgrəfɪ] *n. (Art.)* photographie. ***I'm interested in photography,*** je m'intéresse à la photographie.

⚠ **phrase** [freɪz] *n.* **1.** *(Gram.)* locution, syntagme. **2.** expression, mot; dicton. ***As the phrase goes,*** comme on dit; ***a well-coined phrase,*** une formule bien frappée. **3.** *(Mus.)* phrase. *v.t.* **1.** exprimer. **2.** phraser.

phrasebook ['freɪzbʊk] *n.* recueil d'expressions usuelles.

▻ **physical** ['fɪzɪkl] *adj.* physique.

⚠ **physician** [fɪ'zɪʃən] *n.* médecin.

physicist ['fɪzɪsɪst] *n.* physicien.

physics ['fɪzɪks] *n. (Sc.)* physique.

▻ **physiognomy** [ˌfɪzɪ'ɒgnəmɪ] *n.* physionomie.

physiotherapist [ˌfɪzɪə'θerəpɪst] *n.* kinésithérapeute.

physiotherapy [ˌfɪzɪə'θerəpɪ] *n.* kinésithérapie.

⚠ **physique** [fɪ'ziːk] *n.* physique; constitution.

piano-accordeon [ˌpjɑːnəʊə'kɔːdɪən] *n.* accordéon (à clavier).

⚠ **pick** [pɪk] *n.* **1.** pic, pioche. **2.** choix. ***Take your pick,*** à vous de choisir; ***the pick of the bunch,*** le dessus du panier. *v.t.* cueillir (fleurs et fruits). **2.** choisir. **3.** gratter. ***Don't pick your nose,*** ne mets pas tes doigts dans le nez; *(fig.)* ***I've a bone to pick with you,*** je te garde un chien de ma chienne; ***the dog has picked his bone clean,*** le chien a bien nettoyé son os. ♦ ***He just picks at his food,*** il se contente de grignoter; ***pick a fight with somebody,*** chercher la bagarre avec quelqu'un; ***pick a quarrel with somebody,*** chercher querelle à quelqu'un; ***pick holes in an argument,*** chercher les points faibles d'un argument; *(fig.)* ***pick to pieces,*** mettre en pièces; ***you can afford to pick and choose,*** tu as l'embarras du choix; ***you're always picking on me,*** tu t'en prends toujours à moi.

▻ **picket** ['pɪkɪt] *n.* **1.** piquet, pieu. **2.** piquet de grève. *v. t. et intr.*, organiser des piquets de grève; faire partie d'un piquet de grève.

pickings ['pɪkɪŋz] *n. pl.* broutilles, à-côtés.

pickle ['pɪkl] *n.* saumure. *v.t.* conserver dans la saumure.

pickles ['pɪklz] *n. pl.* petits oignons, cornichons, etc. (conservés dans du vinaigre).

pick-me-up ['pɪkmɪˌʌp] *n. (fam.)* remontant.

pick out, *v. part. t.* **1.** choisir. **2.** repérer, reconnaître.

pick up, *v. part. t.* **1.** prendre au passage. ***I'll pick you up at your hotel,*** je viendrai te chercher à ton hôtel. **2.** draguer. **3.** *(Radio)* capter. **4.** *(Tricot)* relever (une maille). **5.** acquérir sans peine, apprendre intuitivement. ***He has picked up some bad habits,*** il a pris de mauvaises habitudes; ***you'll soon pick up English,*** tu te mettras vite à l'anglais. *v. intr.* s'améliorer. ***She'll soon pick up,*** elle reprendra bientôt des forces; ***trade is picking up again,*** les affaires reprennent.

⚠ **pick-up** ['pɪkʌp] *n.* **1.** *(Mus.)* bras de platine. **2.** *(Aut.)* camionnette à plateau. **3.** *(fam.)* fille d'un soir.

▻ **picnic** ['pɪknɪk] *n.* pique-nique.

picture ['pɪktʃə] *n.* **1.** tableau, dessin, peinture. **2.** photo, cliché. **3.** film. **4.** *(fig.)* image. ***It gives a good picture of 18th century London,*** cela dépeint bien le Londres du XVIIIe siècle ; ***she is a picture of happiness,*** elle est rayonnante de bonheur. ♦ ***I'll put you in the picture,*** je vous mettrai au courant ; ***my garden is a perfect picture now,*** mon jardin est un vrai ravissement en ce moment.

v. t. peindre, dépeindre. *v. intr.* se représenter, s'imaginer.

pictures ['pɪktʃəz] *n. pl.* cinéma.

▻ **picturesque** ['pɪktʃə'resk] *adj.* pittoresque.

pidgin ['pɪdʒɪn] *n.* sabir, petit-nègre.

⚠ **pie** [paɪ] *n.* pâté en croûte, tourte. ♦ ***He has a finger in every pie,*** il se mêle de tout ; ***he'll have to eat humble pie,*** il lui faudra faire amende honorable.

piebald ['paɪbɔːld] *adj. et n.* (cheval) pie.

⚠ **piece** [piːs] *n.* **1.** fragment, morceau. **2.** unité. ***Piece of advice (furniture, luck, music, news, work...)*** un conseil (un meuble, un coup de chance, un morceau de musique, une nouvelle, un travail...) ; ***they are paid by the piece,*** ils sont payés à la pièce. ♦ ***I'll give them a piece of my mind,*** je leur dirai leur fait ; *(fam. et fig.)* ***it's a piece of cake,*** c'est du gâteau ; *(fam.)* ***we're still in one piece,*** on est sains et saufs ; ***why not say your piece now?*** pourquoi ne pas dire maintenant ce que tu as sur le cœur ?

piecemeal ['piːsmiːl] *adj. et adv.* par bribes, morceau par morceau, décousu.

piece together, *v. part. t.* rassembler, reconstituer.

pier [pɪə] *n.* **1.** jetée, embarcadère. **2.** pile (d'un pont). **3.** *(Arch.)* pilier.

▻ **pierce** [pɪəs] *v.t.* percer.

▻ **piety** ['paɪətɪ] *n.* piété.

piffle ['pɪfl] *n. inv. (fam.)* balivernes.

piffling ['pɪflɪŋ] *adj. (fam.)* futile.

pig [pɪg] *n.* cochon, porc. ♦ *(fam.)* ***Don't make a pig of yourself,*** ne mange pas comme un goinfre ; ***he bought a pig in a poke,*** il a acheté chat en poche ; ***pigs might fly!*** avec des « si » on mettrait Paris dans une bouteille ; ***when pigs begin to fly,*** quand les poules auront des dents.

▻ **pigeon** ['pɪdʒɪn] *n.* pigeon. ♦ *(fam.)* ***That's not my pigeon,*** ce n'est pas mes oignons, cela ne me regarde pas.

pigeonhole ['pɪdʒɪnhəʊl] *n.* case, compartiment. ***A set of pigeonholes,*** un casier. *v.t.* classer.

piggery ['pɪgərɪ] *n.* porcherie (cf. **pigsty**).

pigheaded [ˌpɪg'hedɪd] *adj.* entêté, têtu.

piglet ['pɪglɪt] *n.* petit cochon, porcelet.

pigskin ['pɪgskɪn] *n.* peau de porc.

pigsty ['pɪgstaɪ] *n.* porcherie. *(fig.)* ***Her house is a pigsty,*** sa maison est une vraie porcherie.

pigswill ['pɪgswɪl] *n.* **1.** pâtée (pour des cochons). **2.** *(fig.)* nourriture indigne d'un être humain, tambouille.

pigtail ['pɪgteɪl] *n.* natte.

pike[1] [paɪk] *n. (Mil.)* pique.

pike[2] [paɪk] *n. (Zool.)* brochet.

pikestaff ['paɪkstɑːf] *n. (Mil.)* manche de pique. ♦ ***It's as plain as a pikestaff,*** c'est clair comme de l'eau de roche.

⚠ **pile**[1] [paɪl] *n.* pieu ; pilot.

⚠ **pile**[2] [paɪl] *n.* **1.** Pile, tas, monceau. **2.** *(vx. et lit.)* édifice imposant. **3.** *(fam.)* fortune. ***He must have made a pile,*** il a dû ramasser un paquet.

v.t. entasser, empiler. *v. intr.* s'entasser ; se bousculer. ***They all piled into the room,*** ils se ruèrent tous en bloc dans la pièce.

⚠ **pile**[3] [paɪl] *n. inv.* poils (d'un tapis).

pile on, *v. part. t.* **1.** entasser, empiler. **2.** *(fig.)* exagérer, dramatiser. ***You're piling it on,*** tu en rajoutes.

⚠ **piles** ['paɪlz] *n. pl. (Méd.)* hémorroïdes.

pileup ['paɪlʌp] *n. (fam.)* carambolage.

pile up, *v. part. t. et intr.* (s') entasser, (s') empiler, (s') amonceler. ***Work is piling up,*** le travail s'accumule. ♦ ***Forty cars piled up on the motorway yesterday,*** il y a eu un carambolage de 40 voitures hier sur l'autoroute ; *(fam.)* ***he's going to pile up that motorbike of his one day,*** un de ces jours il va la bousiller, sa moto.

pilfer ['pɪlfə] *v.t. et intr.* chaparder, chiper.

pilferer ['pɪlfərə] *n.* chapardeur.

pilfering ['pɪlfərɪŋ] *n.* chapardage.

pilgrim ['pɪlgrɪm] *n.* pèlerin.

pilgrimage ['pɪlgrɪmɪdʒ] *n.* pèlerinage.

pill [pɪl] *n.* pilule. ♦ ***She's on the pill,*** elle prend la pilule; ***sweeten the pill,*** dorer la pilule; *(fig.)* ***that's a bitter pill to swallow,*** c'est dur à avaler.

▻ **pillage** ['pɪlɪdʒ] *n.* pillage. *v. t. et intr.* piller.

pillar ['pɪlə] *n.* pilier, colonne.

pillarbox ['pɪləbɒks] *n.* boîte aux lettres.

pillbox ['pɪlbɒks] *n.* **1.** *(Méd.)* boîte à pilules. **2.** *(Mil.)* blockhaus.

pillion ['pɪljən] *n.* *(Moto)* siège (ou selle) arrière, tan-sad. ***Ride pillion,*** monter derrière, en croupe.

▻ **pillory** ['pɪlərɪ] *n.* pilori. *v.t.* *(Hist. et fig.)* mettre au pilori.

pillow ['pɪləʊ] *n.* oreiller.

pillowcase ['pɪləʊkeɪs] *n.* taie d'oreiller (aussi **pillow slip**).

▻ **pilot** ['paɪlət] *n.* **1.** *(Av. et Naut.)* pilote. *v. t.* piloter.

▻ **pimento** [pɪ'mentəʊ] *n.* (*pl.* **-os**) piment.

pimp [pɪmp] *n.* maquereau, souteneur.

pimple ['pɪmpl] *n.* *(Méd.)* bouton.

pimply ['pɪmplɪ] *adj.* *(Méd)* boutonneux.

⚠ **pin** [pɪn] *n.* **1.** épingle. **2.** *(Tech.)* goupille. **3.** *(Méd.)* broche. ♦ *(fam.)* ***For two pins I'd drop everything,*** pour un peu je laisserais tout tomber; ***he was as neat as a new pin,*** il était propre comme un sou neuf; ***you could have heard a pin drop,*** on aurait entendu voler une mouche.
v.t. épingler; *(fig.)* clouer, coincer; *(Tech.)* cheviller, goupiller.

pinafore ['pɪnəfɔː] *n.* tablier, blouse (aussi, *fam.*, **pinny**).

pin back, *v. part. t.* *(fam.)* ***Pin back your ears,*** ouvre bien tes oreilles.

pincer ['pɪnsə] *n.* pince (de crabe, etc.).

pincers ['pɪnsəz] *n. pl.* *(Tech.)* tenailles.

pinch [pɪntʃ] *v.t. et intr.* **1.** pincer, serrer. **2.** *(fam.)* faucher, piquer. **3.** *(fam.)* pincer, piquer, arrêter. ♦ ***They had to pinch and scrape,*** il leur a fallu se priver de tout.
n. **1.** pincement. ***He gave me a pinch,*** il m'a pincé; *(fig.)* ***it will do at a pinch,*** cela ira à la rigueur; *(fig.)* ***people are feeling the pinch now,*** les gens commencent maintenant à ressentir les effets de la crise. **2.** pincée. ♦ ***I take that with a pinch of salt,*** je ne prends pas cela comme de l'argent comptant (ou comme parole d'évangile).

pinched [pɪntʃt] *adj.* **1.** pincé (par le froid...). ***They looked pinched with cold,*** ils avaient l'air transis de froid. **2.** *(fig.)* gêné, à l'étroit. ***We're rather pinched for money,*** nous sommes plutôt à court d'argent.

pin down, *v. part. t.* **1.** épingler, attacher. **2.** *(fig.)* coincer, immobiliser. **3.** *(fig.)* coincer (quelqu'un); mettre le doigt sur. ***You can't pin him down to anything,*** on n'arrive pas à le mettre au pied du mur.

pine[1] [paɪn] *n.* pin (aussi **pinetree**).

pine[2] [paɪn] *v. intr.* **1.** dépérir, languir. **2.** désirer ardemment et nostalgiquement. ***She's pining for home,*** elle s'ennuie de chez elle.

pineapple ['paɪnæpl] *n.* ananas.

pinecone ['paɪnkəʊn] *n.* pomme de pin.

pinewood ['paɪnwʊd] *n.* **1.** pinède. **2.** bois de pin.

pinion[1] ['pɪnjən] *n.* aileron (d'un oiseau). *v.t.* *(fig.)* attacher, lier (une personne).

▻ **pinion**[2] ['pɪnjən] *n.* *(Tech.)* pignon.

pink[1] [pɪŋk] *n.* œillet.

pink[2] [pɪŋk] *adj. et n.* rose. ♦ ***I'm in the pink of health,*** je me porte comme un charme.

pinkish ['pɪnkɪʃ] *adj.* rosâtre.

▻ **pinnacle** ['pɪnəkl] *n.* pinacle; *(fig.)* apogée.

pinny ['pɪnɪ] *n.* *(fam.)* tablier (cf. **pinafore**).

pinpoint ['pɪnpɔɪnt] *v.t.* *(fig.)* localiser, définir, mettre le doigt sur.

pinprick ['pɪnprɪk] *n.* **1.** piqûre d'épingle. **2.** (fig.) coup d'épingle.

pinstripe ['pɪnstraɪp] *n.* rayure blanche très fine. ***Pinstripe suit,*** costume rayé.

pint [paɪnt] *n.* pinte (*G.B.* = 0,57 litre; *U.S.* = 0,47 litre). ***Let's have a pint,*** si on prenait un pot?

▻ **pioneer** [ˌpaɪə'nɪə] *n.* pionnier. *v.t. et intr.* faire un travail de pionnier.

▻ **pious** ['paɪəs] *adj.* pieux.

pip [pɪp] *n.* **1.** *(Bot.)* pépin. **2.** (Horloge parlante) top. **3.** *(Téléph.)* bip-bip. **4.** *(fam.)* ***He gives me the pip,*** il me casse les pieds.

△ **pipe** ['paɪp] *n.* **1.** tuyau, conduite. **2.** pipe. *(fig. et fam.) **Put that in your pipe and smoke it,*** si ça ne te plaît pas, c'est le même prix. **3.** *(Mus.)* pipeau. **4.** *(pl.)*(= **bagpipes**) cornemuse.
v.t. et intr. **1.** transporter par tuyau, conduite, pipeline, etc. **2.** *(Mus.)* jouer d'un pipeau ou d'une cornemuse. **3.** parler d'une voix flûtée. ♦ *(fam. et péj.) **Piped music,*** musique de fond enregistrée qu'on joue dans des grands magasins ou dans des restaurants, bars, etc. (aussi **canned music**).

pipe down, *v. part. intr. (fam.)* mettre la sourdine, se taire.

▻ **pipeline** ['paɪplaɪn] *n.* pipeline; gazoduc, oléoduc. ♦ *(fig.) **It's in the pipeline,*** c'est en route.

piper ['paɪpə] *n.* joueur de pipeau ou de cornemuse.

pipe up, *v. part. intr.* se mettre à parler; dire son mot.

piping ['paɪpɪŋ] *n.* **1.** tuyauterie, canalisation(s), conduite(s). **2.** *(Mus.)* jeu de pipeau ou de cornemuse. **3.** *(Couture)* passepoil. **4.** ton flûté, pépiement. *adj.* flûté. *adv.* ♦ *(Cuis.) **Piping hot,*** tout chaud.

piracy ['pɪrəsɪ] *n.* piraterie.

▻ **pirate** ['paɪrɪt] *n.* pirate. *v.t.* plagier, publier en édition pirate.

▻ **piss** [pɪs] *v.t. et intr. (vulg.)* pisser. *n.* pisse.

pissed [pɪst] *adj. (vulg.)* soûl.

pistol ['pɪstl] *n.* pistolet.

pit [pɪt] *n.* **1.** trou, dépression, cratère. **2.** puits (de mine). **3.** stand (d'un circuit de course de voitures). **4.** *(Th.)* fauteuils d'orchestre. **5.** *(Th.)* fosse d'orchestre. ♦ ***The pit of the stomach,*** le creux de l'estomac.
v.t. **1.** trôner, marquer, piqueter. ***The moon is pitted with craters,*** la lune est couverte de cratères; ***the old man's face was pitted with smallpox,*** la figure du vieillard était marquée par la petite vérole. **2.** opposer. ***I shouldn't like to be pitted against him,*** je n'aimerais pas avoir à me mesurer à lui.

pitch¹ [pɪtʃ] *n.* poix. ***It was as black*** (ou ***dark) as pitch,*** il faisait nuit noire.

pitch² [pɪtʃ] *v.t.* **1.** jeter, lancer. **2.** *(Mus.)* donner (le ton). ***The song is pitched far too high for her,*** la chanson est dans un ton bien trop élevé pour elle; *(fig.) **he pitched his speech too high for his audience,*** son discours n'était pas à la portée de son auditoire. **3.** *(Naut.)* tanguer. **4.** dresser (une tente).
n. **1.** lancement, jet. **2.** *(Mus.)* ton. ***He has perfect pitch,*** il a l'oreille absolue. **3.** *(fig.)* degré. ***Their hopes had been raised to the highest pitch,*** ils avaient nourri les plus grands espoirs. **4.** *(Naut.)* tangage. **5.** *(Sp.)* centre de terrain. **6.** *(Av. et Naut.)* pas (d'une hélice). **7.** degré de pente (d'un toit).

pitch-black [ˌpɪtʃ'blæk] *adj.* noir comme un four (aussi **pitch-dark**) (cf. **pitch¹**).

▻ **pitchblende** ['pɪtʃblend] *n.* pechblende.

pitched [pɪtʃt] *adj. **A pitched battle,*** une bataille rangée.

pitcher¹ ['pɪtʃə] *n.* broc, cruche.

pitcher² ['pɪtʃə] *n. (Base-ball)* lanceur.

pitchfork ['pɪtʃfɔ:k] *n. (Agr.)* fourche (à foin). *v.t.* fourcher. ♦ *(fig.) **He was pitchforked into the chairmanship,*** on l'a bombardé président.

pitch in, *v. part. intr. (fam.)* **1.** s'atteler (au travail). **2.** s'attaquer (à la nourriture).

piteous ['pɪtɪəs] *adj.* pitoyable.

pitfall ['pɪtfɔ:l] *n.* piège, embûche.

pith [pɪθ] *n.* **1.** moelle. **2.** *(fig.)* essence. ***The pith of his statement,*** l'essentiel de sa déclaration. **3.** force. ***His style is full of pith,*** il a un style plein de sève.

pithead ['pɪthed] *n.* carreau de mine.

pithy ['pɪθɪ] *adj.* **1.** succinct. **2.** vigoureux.

pitiable ['pɪtɪəbl] *adj.* pitoyable.

pitiful ['pɪtɪfəl] *adj.* pitoyable.

pitiless ['pɪtɪlɪs] *adj.* impitoyable.

▻ **pittance** ['pɪtəns] *n.* pitance.

△ **pity** ['pɪtɪ] *n.* **1.** pitié, compassion. ***Have pity on us,*** ayez pitié de nous. **2.** dommage. ***It's a great pity,*** c'est bien dommage; ***what a pity!*** quel dommage!
v.t. avoir pitié de, plaindre.

pitying ['pɪtɪɪŋ] *adj.* compatissant.

△ **placard** ['plækɑ:d] *n.* affiche. *v.t.* afficher. ***The town is placarded with***

electoral propaganda, la ville est placardée d'affiches électorales.

△ **placate** [plə'keɪt] *v.t.* apaiser, calmer (les esprits échauffés).

△ **place** [pleɪs] *n.* **1.** endroit, lieu. ***They leave their things all over the place,*** ils laissent traîner leurs affaires partout, n'importe où. **2.** coin, localité. ***The Riviera is a very pleasant place to spend the winter,*** la Côte d'Azur est un endroit très agréable en hiver. **3.** maison, résidence. ***They have a place in the country,*** ils ont une maison à la campagne. **4.** endroit, point. ***Where is the place that hurts?*** où est le point douloureux? **5.** place, siège. ***Which is my place?*** où dois-je m'asseoir? **6.** rôle. ***He's the right man in the right place,*** c'est l'homme qu'il faut à la place qu'il faut; ***it's not my place to say so,*** ce n'est pas à moi de le dire. **7.** emploi. ***He's looking for a place,*** il cherche un (nouvel) emploi. **8.** passage, endroit (d'une œuvre). ***This is the place where the hero dies,*** c'est le passage de la mort du héros. **9.** rang, place (dans un concours, dans la société). ♦ ***In the first (second... last) place,*** en premier (second... dernier) lieu; ***let's change places,*** changeons de place; ***place of worship,*** lieu de culte; ***when will it take place?*** quand est-ce que cela aura lieu? ***would it be in place for me to make a speech?*** conviendrait-il que je prononce un discours?
v.t. **1.** mettre, poser, placer. ***Just place the letters on my desk,*** tu n'as qu'à mettre le courrier sur mon bureau. **2.** placer, situer. ***The house is very conveniently placed for the shops,*** la maison est très bien située pour faire les courses. **3.** identifier. ***I just cannot place that man,*** je n'arrive absolument pas à situer cet homme. **4.** *(Comm.)* placer (un article); passer (une commande). ♦ *(fig.)* ***He intends placing the matter in the hands of his lawyer,*** il a l'intention de remettre l'affaire entre les mains de son avocat.

plagiarism ['pleɪdzərɪzm] *n.* plagiat.

plagiarist ['pleɪdzərɪst] *n.* plagiaire.

plagiarize ['pleɪdʒəraɪz] *v.t.* plagier.

plague [pleɪg] *n.* *(Méd.)* peste; *(fig.)* fléau. *v.t.* harceler, tourmenter.

plaice [pleɪs] *n.* *(Zool.)* carrelet.

plain[1] [pleɪn] *adj.* **1.** simple, évident. ***It was plain to everybody,*** c'était clair pour tout le monde; ***(as) plain as a pikestaff*** (ou ***as the nose on your face),*** clair comme de l'eau de roche. **2.** simple, sans complications, direct. ***It's plain sailing now,*** il n'y a plus de problèmes; ***I wish you would give me a plain answer,*** j'aimerais que tu me répondes franchement; ***plain cooking*** (ou ***food),*** cuisine simple. **3.** (couleurs, tissu) uni. **4.** (aspect) quelconque, ordinaire. ***She was always very plain,*** elle n'a jamais été une beauté. ♦ ***Plain chocolate,*** chocolat à croquer; ***the policeman was in plain clothes,*** le policier était en civil.
adv. clairement. ***That's plain stupid!*** c'est complètement idiot!

▷ **plain**[2] [pleɪn] *n.* plaine.

△ **plaintiff** ['pleɪntɪf] *n.* *(Jur.)* plaignant.

▷ **plaintive** ['pleɪntɪv] *adj.* plaintif.

plait [plæt] *n.* natte, tresse.

plan [plæn] *n.* plan, projet. ***Five-year plan,*** plan quinquennal; ***let's draw up a new plan,*** élaborons un nouveau plan; ***let's hope everything will go according to plan,*** espérons que tout marchera comme prévu; ***the best plan would be to fly there,*** le mieux serait d'y aller en avion.
v.t. et intr. projeter, faire des plans; concevoir, organiser. ***A well planned kitchen,*** une cuisine bien conçue; ***family planning,*** régulation des naissances; ***planned economy,*** économie planifiée; ***town planning,*** urbanisme; ***when do you plan to leave?*** quand avez-vous l'intention de partir?

plane[1] [pleɪn] *n.* (= **aeroplane**) avion.
v. intr. planer.

plane[2] [pleɪn] *n.* (= **plane tree**) platane.

plane[3] [pleɪn] *n.* rabot.

plane[4] [pleɪn] *n.* *(Math.)* plan.

▷ **planetary** ['plænɪtrɪ] *adj.* planétaire.

▷ **plank** [plæŋk] *n.* **1.** planche. **2.** *(Polit.)* élément d'une plate-forme électorale.
v.t. **1.** garnir de planches. **2.** *(fam.)* ***Plank down,*** laisser choir.

planner ['plænə] *n.* planificateur. ***Town planner,*** urbaniste.

▻ **plant**[1] [plɑ:nt] *n.* **1.** *(Bot.)* plante. *v.t.* **1.** *(Bot.)* planter. **2.** *(fig.)* enfoncer, planter.

⚠ **plant**[2] [plɑ:nt] *n.* **1.** *(Tech.)* équipement, matériel. **2.** *(Tech.)* complexe, usine. ***A petrochemical plant,*** un complexe pétrochimique.
v.t. (fig.) implanter.

⚠ **plaster** ['plɑ:stə] *n.* **1.** plâtre. **2.** *(Méd.)* sparadrap. *v.t.* plâtrer.

▻ **plastic** ['plæstɪk] *adj. et n.* plastique. ***Plastic arts,*** arts plastiques; ***plastic explosive,*** plastic; ***plastic industry,*** industrie plastique; ***plastic surgery,*** chirurgie esthétique.

plasticine ['plæstɪsi:n] *n.* pâte à modeler.

⚠ **plate** [pleɪt] *n.* **1.** assiette. *(fig.)* ***He's got a lot on his plate,*** il a du pain sur la planche. **2.** vaisselle (d'or ou d'argent). **3.** *(Tech.)* plaque, feuille (de métal). **4.** *(Phot.)* plaque. **5.** gravure (dans un livre). ♦ ***Dental plate,*** dentier.
v.t. recouvrir d'une plaque de métal. ***Armour plated,*** blindé; ***chromium-plated,*** chromé; ***gold-plated,*** plaqué or; ***silver-plated,*** argenté.

⚠ **platform** ['plætfɔ:m] *n.* **1.** quai (d'une gare). **2.** estrade (dans une salle). **3.** *(Polit.)* plate-forme (électorale). **4.** plate-forme (d'un autobus).

plating ['pleɪtɪŋ] *n.* **1.** argenture, chrome(s), dorure, etc. **2.** blindage.

▻ **platinum** ['plætɪnəm] *n.* (Métal) platine.

platitudinous [ˌplætɪ'tju:dɪnəs] *adj.* d'une grande platitude, banal.

platoon [plə'tu:n] *n.* *(Mil.)* peloton, section.

play [pleɪ] *n.* **1.** jeu, amusement. ***He said it in play,*** il l'a dit pour plaisanter; ***play had to be cancelled,*** le match a dû être annulé; ***play on words,*** jeu de mots. **2.** *(Th.)* pièce, spectacle. **3.** *(Tech.)* jeu. ♦ ***Come into play,*** entrer en vigueur; *(Sp.)* ***in play,*** en jeu; ***out of play,*** hors-jeu.
v.t. et intr. jouer, s'amuser. ***He plays football (the guitar),*** il joue au football (de la guitare); ***he plays Hamlet very well,*** il joue très bien le rôle de Hamlet. ♦ ***He's just playing with you,*** il vous fait marcher; ***he's playing up to you,*** il essaie de s'attirer tes faveurs (par la flatterie); ***it's wiser to play safe*** (ou ***for safety***), il vaut mieux ne pas prendre de risques; ***play for time,*** gagner du temps; ***she played a joke on me,*** elle m'a fait une farce; ***stop playing the fool,*** arrête de faire l'idiot; ***what are you playing at?*** où veux-tu en venir? ***you've played into his hands,*** tu as fait son jeu; *(fig.)* ***you will have to play it by ear,*** il faudra que tu essaies de voir d'où vient le vent.

play down, *v. part. t.* minimiser.

player ['pleɪə] *n.* joueur; acteur; musicien.

playful ['pleɪfəl] *adj.* joueur, espiègle.

playgoer ['pleɪˌgəʊə] *n.* amateur de théâtre.

playground ['pleɪgraʊnd] *n.* cour de récréation.

playhouse ['pleɪhaʊs] *n.* théâtre.

playmate ['pleɪmeɪt] *n.* camarade de jeu, copain, copine (aussi **playfellow**).

play off, *v. part. t. (fig.)* jouer. ***He tried to play one competitor off against the other,*** il essaya de jouer sur la rivalité des deux concurrents.

playpen ['pleɪpen] *n.* parc pour enfant (pour apprendre à marcher).

plaything ['pleɪθɪŋ] *n.* **1.** jouet. **2.** *(fig.)* jouet, pantin.

playtime ['pleɪtaɪm] *n.* *(Ens.)* récréation.

play up, *v.t. et intr.* **1.** jouer de son mieux. **2.** exagérer, amplifier. **3.** faire souffrir. ***My rheumatism is playing (me) up again,*** mes rhumatismes me font souffrir à nouveau; ***they played up the new master,*** ils en ont fait voir au nouveau prof.

plea [pli:] *n.* **1.** excuse. ***On the plea that,*** prétextant que. **2.** supplication. **3.** *(Jur.)* argument, défense. ***He entered a plea of not guilty,*** il plaida non coupable.

plead [pli:d] *v.t. et intr.* **1.** alléguer, prétexter. **2.** implorer, supplier. ***We pleaded with him to change his mind,*** nous l'avons supplié de se raviser. **3.** *(Jur.)* plaider. ***He pleaded guilty,*** il plaida coupable.

pleasant ['plezənt] *adj.* plaisant, agréable, sympathique.

▷ **pleasantry** ['plezəntrı] *n.* plaisanterie.

please [pli:z] *v.t. et intr.* **1.** plaire, faire plaisir. ***He does everything he can to please (his parents),*** il fait tout son possible pour faire plaisir (à ses parents). **2.** souhaiter, vouloir. ***Do as you please,*** faites comme il vous plaira. ♦ ***If you please,*** s'il vous plaît; ***please yourself!*** comme vous voulez!
interj. s'il vous plaît. ***Come in, please*** (ou ***please come in),*** veuillez entrer; ***don't interrupt, please*** (ou ***please don't interrupt),*** n'interrompez pas, s'il vous plaît.

pleased [pli:zd] *adj.* content, satisfait. ***He was pleased at the result,*** il fut content du résultat; *(Comm.)* ***we are pleased to inform you,*** nous avons le plaisir (ou l'honneur) de vous informer.

pleasurable ['pleʒərəbl] *adj.* agréable, plaisant.

▷ **pleasure** ['pleʒə] *n.* plaisir.

pleat [pli:t] *n.* pli. *v.t.* plisser. ***Pleated skirt,*** jupe plissée.

pledge [pledʒ] *n.* **1.** gage; *(fig.)* témoignage. **2.** pacte, promesse, engagement. *v.t.* **1.** mettre en gage. **2.** promettre, engager. ***He has pledged his word,*** il a donné sa parole; ***they have pledged him to secrecy,*** ils lui ont fait promettre (solennellement) de garder le silence.

▷ **plenary** ['pli:nərı] *adj.* plénier.

plentiful ['plentıfəl] *adj.* abondant, copieux (aussi **plenteous**).

plenty ['plentı] *n.* abondance. ***Land of plenty,*** pays de cocagne.
pr. quant. beaucoup, bien assez. ***I have plenty now,*** j'en ai suffisamment à présent; ***they have plenty of money,*** ils ont bien assez d'argent, ils ont beaucoup d'argent.

pliability [,plaıə'bılıtı] *n.* **1.** flexibilité. **2.** *(fig.)* docilité, malléabilité.

⚠ **pliable** ['plaıəbl] *adj.* **1.** flexible. **2.** *(fig.)* docile, malléable (aussi **pliant**).

pliers ['plaıəz] *n. pl.* pince(s), tenaille(s).

plight [plaıt] *n.* condition difficile, état critique. ***The country is in a terrible plight,*** le pays est dans un état épouvantable, traverse une crise aiguë.

⚠ **plinth** [plınθ] *n. (Arch.)* socle.

plod [plɒd] *v. intr.* marcher d'un pas lent et lourd. *(fig.)* ***He's plodding away at his homework,*** il peine sur ses devoirs. *n.* allure lente et laborieuse.

plodder ['plɒdə] *n. (fam.)* bûcheur.

plot [plɒt] *n.* **1.** terrain. ***Building plot,*** terrain à bâtir, lotissement. **2.** complot, conspiration. **3.** *(Th.)* intrigue.
v.t. et intr. **1.** tracer (un graphique, etc.). **2.** comploter, conspirer.

plough [plaʊ] *n.* **1.** charrue (*amér.* **plow**). **2.** *(Astron.)* ***The Plough,*** la Grande Ourse. *v.t. et intr.* **1.** labourer. **2.** *(fig.)* avancer péniblement. **3.** *(Ens. fam.)* coller, recaler.

plough back, *v. part. t. (Comm.)* réinvestir.

ploughman ['plaʊmən] *n.* (pl. **-men**) laboureur (aussi **ploughboy**).

ploughshare ['plaʊʃeə] *n.* soc.

pluck [plʌk] *v.t. et intr.* **1.** plumer (un oiseau). **2.** épiler (les sourcils). **3.** pincer (les cordes d'une guitare). ♦ ***She kept plucking at her husband's sleeve,*** elle ne cessait de tirer son mari par la manche. *n.* courage, cran.

plucky ['plʌkı] *adj.* courageux, qui a du cran.

plug [plʌg] *n.* **1.** bouchon, bonde. **2.** *(Elec.)* prise, fiche. **3.** (= **sparking plug**) *(Aut.)* bougie.
v.t. **1.** boucher, colmater. **2.** *(Elec.)* brancher. **3.** *(fam.)* ***Plug away,*** bosser, bûcher.

plug in, *v. part. t. et intr. (Elec.)* brancher.

⚠ **plum** [plʌm] *n.* prune. ♦ *(fig.)* ***He's got a plum of a job,*** il a une situation en or.

⚠ **plumb** [plʌm] *n.* fil à plomb.
adv. (fam.) exactement, pile.
v.t. **1.** plomber (avec un fil à plomb). **2.** jeter un coup de sonde. **3.** *(fig.)* sonder (un mystère,...). ♦ *(péj.)* ***That film plumbs the depths of bad taste,*** ce film atteint des abîmes de mauvais goût.

▷ **plumber** ['plʌmə] *n.* plombier.

plumbing ['plʌmıŋ] *n.* plomberie.

⚠ **plume** [plu:m] *n.* **1.** grande plume. **2.** plumet. **3.** *(fig.)* panache. *v.t.* lisser (ses plumes).

plump[1] [plʌmp] *adj.* potelé, dodu,

charnu.
plump[2] [plʌmp] *v.t. et intr. (fam.)* **1.** (se) laisser tomber d'un coup, lourdement. **2.** opter, voter.
plunder ['plʌndə] *n.* **1.** pillage. **2.** butin. *v.t.* piller.
plunderer ['plʌndərə] *n.* pillard.
plunge [plʌndʒ] *v.t. et intr.* plonger ; se lancer. *(Naut.)* piquer de l'avant. *n.* plongeon ; chute.
plural ['plʊərəl] *adj. et n. (Gram.)* pluriel.
▷ **plush** [plʌʃ] *n.* peluche.
ply[1] [plaɪ] *n.* **1.** feuille (de bois). **2.** fil, brin (de laine, de corde, etc.). ***This is 4-ply wool,*** c'est de la laine quatre fils.
ply[2] [plaɪ] *v.t.* **1.** manier (un instrument, un outil). *(fig.)* ***Ply a trade,*** exercer un métier. **2.** fournir constamment. ***They plied him with drink,*** ils veillaient à ce que son verre fût toujours plein.
v. intr. (Transports) faire la navette.
plywood ['plaɪwʊd] *n.* contreplaqué.
▷ **poach**[1] [pəʊtʃ] *v.t. (Cuis.)* pocher.
⚠ **poach**[2] [pəʊtʃ] *v.t. et intr.* braconner. ♦ *(fig.)* ***You're poaching on my preserves,*** tu marches sur mes plates-bandes.
poacher ['pəʊtʃə] *n.* braconnier.
pock [pɒk] *n. (Méd.)* pustule (cf. **pox**).
pocket ['pɒkɪt] *n.* **1.** poche. **2.** *(Billard)* blouse. ♦ ***He has the president in his pocket,*** il a le président dans sa manche ; ***I had to put my hand in my pocket,*** j'ai dû payer de ma poche ; ***I was out of pocket,*** j'en ai été de ma poche ; ***they have lined their pockets well,*** ils se sont bien rempli les poches.
v.t. empocher. ♦ *(fig.)* ***He had to pocket his pride,*** il dut mettre son amour-propre dans sa poche.
pocketbook ['pɒkɪtbʊk] *n.* **1.** calepin. **2.** *(amér.)* portefeuille (cf. **wallet**). **3.** *(amér.)* sac à main. **4.** *(amér.)* livre de poche (aussi **paperback**).
pocketful ['pɒkɪtfʊl] *n.* ♦ *(fam.)* ***He's got pocketfuls of money,*** il a de l'argent plein les poches.
pocketknife ['pɒkɪtnaɪf] *n.* canif.
pockmark ['pɒkmɑːk] *n.* marque de petite vérole (cf. **pock**).
pod [pɒd] *n. (Bot.)* cosse. *v.t.* écosser.
podgy ['pɒdʒɪ] *adj. (fam.)* gras, potelé.
poetry ['pəʊɪtrɪ] *n.* poésie.
▷ **point** [pɔɪnt] *n.* **1.** pointe (d'un crayon, couteau, etc.). ***At the point of a gun,*** sous la menace d'un pistolet. **2.** *(Géom.)* point. **3.** *(Math.)* ***Decimal point,*** virgule décimale. **4.** *(Géog.)* point, endroit. **5.** point, degré (d'une échelle). **6.** point (dans une discussion) ; remarque. ***The point at issue,*** le sujet du débat ; ***you have a good point there!*** très pertinent, ce que vous dites là ! **7.** point essentiel (d'un raisonnement). ***Come to the point!*** venez-en au fait ! ; ***I always make a point of visiting the British Museum,*** je ne manque jamais d'aller visiter le British Museum ; ***I don't see the point,*** je ne vois pas où tu veux en venir ; ***that's beside*** (ou ***off***) ***the point,*** c'est hors de propos ; ***that's very much to the point,*** c'est très pertinent ; ***what's the point in worrying now?*** à quoi bon se faire du souci maintenant ?
v.t. et intr. **1.** aiguiser, tailler. **2.** pointer, diriger, braquer. **3.** indiquer. ***Everything points to him as the murderer,*** tout porte à croire que c'est lui l'assassin.
point-blank [ˌpɔɪnt'blæŋk] *adj. et adv.* **1.** à bout portant, à brûle-pourpoint. **2.** net, catégorique(-ment).
pointed ['pɔɪntɪd] *adj.* **1.** pointu. **2.** significatif. **3.** mordant (esprit...).
pointer ['pɔɪntə] *n.* **1.** baguette. **2.** aiguille (d'un cadran). **3.** chien d'arrêt. **4.** indice. **5.** conseil, indication.
pointless ['pɔɪntlɪs] *adj.* inutile, futile.
point out, *v. part. t.* **1.** montrer, désigner. **2.** faire remarquer, signaler.
poise [pɔɪz] *n.* **1.** assurance, aisance. **2.** grâce (physique).
v.t. poser ou tenir en équilibre instable. ***The cat was poised on the edge of the wall,*** le chat se tenait immobile sur le bord du mur (prêt à bondir).
▷ **poison** ['pɔɪzn] *n.* poison. *v.t.* empoisonner.
poisonous ['pɔɪzənəs] *adj.* **1.** venimeux. **2.** vénéneux, toxique. **3.** *(fig.)* ignoble.
poke [pəʊk] *v.t. et intr.* donner un coup

(à) (avec un instrument pointu). ***I poked him in the ribs,*** je lui ai donné un coup de coude dans les côtes. ♦ ***He's always poking fun at people,*** il est toujours en train de taquiner les gens.
n. coup (de coude, de parapluie, avec le doigt, etc.); *(amér.)* coup de poing.

poke about, *v. part. intr.* fourrager, fureter, fourrer son nez (aussi **poke around**).

⚠ **poker** ['pəʊkə] *n.* **1.** tisonnier. **2.** *(Cartes) poker.* ♦ ***Poker face,*** visage impassible.

poky ['pəʊkɪ] *adj. (fam. et péj.)* exigu.

⊳ **polar** ['pəʊlə] *adj. (Géog. et Elec.)* polaire.

⊳ **pole**[1] [pəʊl] *n. (Géog. et Elec.)* pôle.

⚠ **pole**[2] [pəʊl] *n.* mât, perche, poteau.

⊳ **police** [pə'li:s] *n.* police.
v.t. maintenir l'ordre, contrôler. ***The border is constantly policed by the Army,*** la frontière est sous la surveillance permanente de l'armée.

policeman [pə'li:smən] *n. (pl.* **-men***)* agent de police, gardien de la paix.

policewoman [pə'li:s,wʊmən] *n. (pl.* **-women**) femme agent.

policy[1] ['pɒlɪsɪ] *n.* politique, ligne, principe. ***Many of the firm's policies have been criticized,*** la politique de la société a été critiquée sur de nombreux points; ***honesty is the best policy,*** il vaut mieux jouer l'honnêteté.

policy[2] ['pɒlɪsɪ] *n. (Comm.)* police (d'assurance).

polish ['pɒlɪʃ] *v.t.* polir, cirer, faire briller, lustrer. *(fig.)* ***You should polish up your English,*** tu devrais travailler ton anglais.
n. **1.** cirage, cire, crème encaustique. **2.** polissage, lustrage. **3.** poli, éclat, lustre. *(fig.)* ***Those people lack polish,*** ces gens sont peu raffinés. ♦ ***Nail polish,*** vernis à ongles.

polished ['pɒlɪʃt] *adj.* **1.** brillant, bien ciré, encaustiqué. **2.** raffiné, policé.

polish off *v. part. t.* terminer, expédier, en finir avec.

polite [pə'laɪt] *adj.* poli, courtois. ♦ ***Polite society,*** bonne société.

⚠ **politic** ['pɒlɪtɪk] *adj.* **1.** judicieux, diplomatique. **2.** ***The Body Politic,*** l'État.

⊳ **political** [pə'lɪtɪkəl] *adj.* politique.

⚠ **politician** [,pɒlɪ'tɪʃn] *n.* homme politique.

⊳ **politics** ['pɒlɪtɪks] *n.* (*sing.* ou *pl.*) **1.** politique, vie politique. ***He wants to go into politics,*** il veut faire une carrière politique. **2.** idéologie politique. ***Politics are of no interest to me,*** la politique ne m'intéresse pas.

poll [pəʊl] *n.* **1.** élection, scrutin. **2.** liste électorale. **3.** voix, suffrages. ***They expected a heavy poll,*** on s'attendait à une participation (électorale) importante. **4.** sondage. ***A popularity poll,*** un sondage d'opinion.
v. t. et intr. **1.** voter. **2.** obtenir (des voix). ***They polled 72 % of the votes,*** ils ont obtenu 72 % des suffrages exprimés. **3.** sonder. ***They polled a cross-section of the strikes,*** on a sondé l'opinion d'un échantillon de grévistes.

pollard ['pɒləd] *n.* têtard, arbre étêté.
v.t. étêter (un arbre).

polling ['pəʊlɪŋ] *n.* **1.** élections. **2.** participation électorale. ***Polling booth,*** isoloir; ***polling day,*** jour des élections; ***polling station,*** bureau de vote.

⊳ **pollute** [pə'lu:t] *v.t.* polluer.

⚠ **polytechnic** [,pɒlɪ'teknɪk] *n.* Institut universitaire de technologie.

pomegranate ['pɒmɪgrænɪt] *n. (Bot.)* grenade.

⊳ **pommel** ['pɒməl] *n.* pommeau.

⊳ **pomp** [pɒmp] *n.* pompe, faste.

⊳ **pompous** ['pɒmpəs] *adj.* pompeux, ampoulé.

⚠ **ponce** [pɒns] *n.* maquereau, souteneur.

pond [pɒnd] *n.* étang, bassin, mare. ***Duck pond,*** mare aux canards.

ponder ['pɒndə] *v. t. et intr.* méditer (sur), réfléchir (à).

ponderous ['pɒndərəs] *adj.* pesant, solennel.

⊳ **pontoon** [pɒn'tu:n] *n.* ponton. ***Pontoon bridge,*** pont flottant.

⊳ **pony** ['pəʊnɪ] *n.* poney.

ponytail ['pəʊnɪteɪl] *n.* (coiffure) queue de cheval.

pony-trekking ['pəʊnɪ,trekɪŋ] *n.* randonnée équestre.

poodle ['pu:dl] *n.* caniche.

pool[1] [pu:l] *n.* **1.** flaque (d'eau, de lumière). 2. étang ; bassin. ***Swimming pool,*** piscine.

▻ **pool**[2] [pu:l] *n.* **1.** équipe (d'experts). **2.** (= **typing pool**) pool (de dactylos). **3.** *(Comm.)* consortium, pool. ***Coal and steel pool,*** pool du charbon et de l'acier. *v.t.* mettre en commun (des ressources matérielles ou intellectuelles).

pools [pu:lz] *n. pl.* (= **football pools**) jeu de pronostics.

poor [pʊə] *adj.* **1.** pauvre, démuni. **2.** médiocre, piètre. ***He has a poor memory,*** il a une mauvaise mémoire. **3.** pauvre, pitoyable. ***Poor Jones failed his driving test,*** ce pauvre Jones a été collé à son permis de conduire.

poorly ['pʊəlɪ] *adj.* malade.

poorly off [,pʊəlɪ'ɒf] *adj.* pauvre.

poorness ['pʊənɪs] *n.* médiocrité.

pop[1] [pɒp] *n.* bruit sec. *v. t. et intr.* **1.** faire un bruit sec. **2.** passer rapidement. ***She popped her head round the door,*** elle passa rapidement la tête par la porte.

▻ **pop**[2] [pɒp] *adj.* (*abrév.* = **popular**) ♦ ***Pop music,*** musique pop. *n.* pop. ***Top of the pops,*** en tête du hit-parade.

pop back (in, out, up,...) *v. part. intr.* revenir (entrer, sortir, monter...) rapidement.

⚠ **pope** [pəʊp] *n.* pape.

poplar ['pɒplə] *n.* peuplier.

▻ **poplin** ['pɒplɪn] *n.* popeline.

poppy ['pɒpɪ] *n.* **1.** pavot. **2.** coquelicot. ***Poppy Day,*** anniversaire du 11 novembre 1918.

⚠ **popular** ['pɒpjʊlə] *adj.* **1.** populaire, aimé. ***The mayor isn't very popular,*** le maire n'est pas très populaire. **2.** traditionnel. ***A popular saying,*** un dicton bien connu. **3.** répandu. ***It's a popular misconception,*** c'est une erreur commune ; ***the popular press,*** la grande presse. **4.** à la mode.

populate ['pɒpjʊleɪt] *v.t.* peupler. ***The district is densely populated,*** la région est très peuplée.

populous ['pɒpjʊləs] *adj.* peuplé.

⚠ **porch** [pɔ:tʃ] *n.* **1.** porche. **2.** *(amér.)* véranda.

porcupine ['pɔ:kjʊpaɪn] *n.* porc-épic.

▻ **pore**[1] [pɔ:] *n.* pore.

⚠ **pore**[2] [pɔ:] *v. intr.* étudier attentivement. ***He was poring over a letter,*** il était absorbé par la lecture d'une lettre.

⚠ **pork** [pɔ:k] *n.* viande de porc. ***Pork butcher,*** charcutier.

▻ **porous** ['pɔ:rəs] *adj.* poreux.

porpoise ['pɔ:pəs] *n. (Zool.)* marsouin.

porridge ['pɒrɪdʒ] *n.* bouillie de flocons d'avoine.

▻ **port**[1] [pɔ:t] *n.* port *(Naut. et fig.)* ***Port of call,*** port d'escale.

⚠ **port**[2] [pɔ:t] *n. (Naut.)* bâbord.

⚠ **port**[3] [pɔ:t] *n.* porto.

portal ['pɔ:təl] *n.* grand portail.

portcullis [pɔ:t'kʌlɪs] *n.* herse (d'un château).

portend [pɔ:'tend] *v.t.* présager, augurer.

portent ['pɔ:tənt] *n.* augure, présage.

portentous [pɔ:'tentəs] *adj.* **1.** de mauvais augure. **2.** solennel ; pontifiant. **3.** prodigieux, extraordinaire.

porter ['pɔ:tə] *n.* **1.** porteur. **2.** concierge, portier, gardien.

⚠ **portfolio** [,pɔ:t'fəʊljəʊ] *n.* **1.** carton à dessins. **2.** *(Polit.)* portefeuille (ministère). **3.** *(Fin.)* portefeuille (d'actions).

porthole ['pɔ:thəʊl] *n.* hublot (aussi **port**).

▻ **portico** ['pɔ:tɪkəʊ] *n. (Arch.)* portique.

▻ **portion** ['pɔ:ʃən] *n.* portion, part. ***Marriage portion,*** dot.

portion out, *v. part. t.* répartir.

portly ['pɔ:tlɪ] *adj.* corpulent.

⚠ **portmanteau** [pɔ:t'mæntəʊ] *n.* grosse valise.

portray [pɔ:'treɪ] *v.t.* **1.** faire le portrait de, peindre. **2.** représenter, dépeindre.

portrayal [pɔ:'treɪəl] *n.* portrait ; description.

posh [pɒʃ] *adj. (fam.)* chic.

posh up, *v. part. t.* embellir. ***He was all poshed up,*** il était sur son trente et un.

⚠ **position** [pə'zɪʃən] *n.* **1.** position (dans l'espace). **2.** *(fig.)* attitude, disposition. ***What is his position on the question ?*** quel est son point de vue sur la question ? **3.** situation, état. ***Put yourself in my position,*** mettez-vous à ma place. **4.** *(Fin.)* position, situation. **5.** emploi, situation. ***He has an excellent position,*** il a une belle situation.

⚠ **positive** ['pɒzɪtɪv] *adj.* **1.** positif. **2.** certain, sûr. ***Don't be so positive,*** ne sois pas si affirmatif; ***I'm positive of that,*** je suis sûr de cela. ♦ ***It's a positive scandal,*** c'est un vrai scandale.

▻ **possess** [pə'zes] *v.t.* **1.** posséder. **2.** *(fig.)* s'emparer de. ***What possessed you to say that?*** qu'est-ce qui t'a pris de dire ça?

▻ **possession** [pə'zeʃən] *n.* possession. ***They were in possession of drugs,*** ils détenaient des drogues.

▻ **possible** ['pɒsɪbl] *adj.* possible. ♦ ***As far as possible,*** dans la mesure du possible.

possibly ['pɒsɪblɪ] *adv.* **1.** peut-être. **2.** vraiment. ***I'll do everything I possibly can,*** je ferai tout mon possible.

⚠ **post**[1] [pəʊst] *n.* poteau. *(Sp.)* ***Finishing*** (ou ***winning***) ***post,*** poteau d'arrivée; ***starting post,*** poteau de départ. ♦ ***He's as deaf as a post,*** il est sourd comme un pot.

▻ **post**[2] [pəʊst] *n.* poste (de sentinelle). ♦ ***The last post,*** la retraite au clairon; la sonnerie aux morts. *v.t.* *(Mil.)* poster.

▻ **post**[3] [pəʊst] *n.* emploi, poste. *v.t.* affecter.

⚠ **post**[4] [pəʊst] *v.t.* afficher, coller (des affiches). ***Post no bills,*** défense d'afficher.

post[5] [pəʊst] *n.* **1.** courrier. ***By return of post,*** par retour de courrier. **2.** (= **post office**) poste. ***Take his letter to the post,*** portez cette lettre à la poste. ♦ ***Keep me posted,*** tenez-moi au courant.

postage ['pəʊstɪdʒ] *n.* affranchissement (d'une lettre, etc.).

▻ **postal** ['pəʊstl] *adj.* postal. ***Postal order,*** mandat-poste; ***postal vote,*** vote par correspondance.

postbox ['pəʊstbɒks] *n.* boîte aux lettres (*amér.* **mailbox**).

postcard ['pəʊstkɑːd] *n.* carte postale.

poster ['pəʊstə] *n.* affiche, poster.

post-free [ˌpəʊst'friː] *adj. et adv.* port payé (aussi **postpaid**).

postgraduate [ˌpəʊst'grædjʊɪt] *adj.* de troisième cycle (universitaire). *n.* étudiant(e) de troisième cycle.

▻ **posthumous** ['pɒstjʊməs] *adj.* posthume.

postman ['pəʊstmən] *n.* *(pl.* **-men***)* facteur (aussi *amér.* **mailman**).

postmark ['pəʊstmɑːk] *n.* cachet de la poste.

postmaster ['pəʊstˌmɑːstə] *n.* receveur des Postes. ***Postmaster General,*** ministre des Postes et Télécommunications.

postmistress ['pəʊstˌmɪstrɪs] *n.* receveuse des Postes.

postmortem [ˌpəʊst'mɔːtəm] *n.* autopsie.

post office ['pəʊstˌɒfɪs] *n.* poste. ***Post office box,*** boîte postale.

postpone [pəʊs'pəʊn] *v.t.* ajourner, remettre, renvoyer à plus tard.

postponement [pəʊs'pəʊnmənt] *n.* ajournement, renvoi.

▻ **postscript** ['pəʊstˌskrɪpt] *n.* postscriptum.

postwar [ˌpəʊst'wɔː] *adj.* d'après-guerre.

pot[1] [pɒt] *n.* pot; casserole; marmite. ***Pots and pans,*** batterie de cuisine; *(fig.)* ***that's how he keeps the pot boiling,*** c'est comme ça qu'il fait bouillir la marmite; *(fam.)* ***they've got pots of money,*** ils ont des tas d'argent. ♦ ***The whole world's going to pot,*** c'est le monde entier qui va à la dérive.
v.t. **1.** mettre en pot (aliments ou plantes). **2.** *(fam.)* abattre, tirer (du gibier).

⚠ **pot**[2] [pɒt] *n.* *(argot)* marie-jeanne (aussi **marijuana**).

▻ **potash** ['pɒtæʃ] *n.* potasse.

potato [pə'teɪtəʊ] *n.* *(pl.* **-oes***)* pomme de terre. ***Boiled potatoes,*** pommes de terre à l'eau; ***mashed potatoes,*** purée de pommes de terre; ***sweet potato,*** patate (douce).

potbelly ['pɒtˌbelɪ] *n.* *(péj.)* bedaine.

potboiler ['pɒtˌbɔɪlə] *n.* *(péj. et Art.)* œuvre alimentaire.

potency ['pəʊtənsɪ] *n.* puissance, force.

potent ['pəʊtənt] *adj.* puissant; efficace.

potential [pə'tenʃl] *adj.* potentiel, en puissance; virtuel. *n.* potentiel.

pothole ['pɒthəʊl] *n.* **1.** nid de poule, fondrière. **2.** grotte, gouffre.

potholing ['pɒt'həʊlɪŋ] *n.* spéléologie.

pothunter ['pɒtˌhʌntə] *n.* collectionneur de trophées.

potluck [ˌpɒt'lʌk] *n.* ♦ ***Take potluck,*** **1.** manger à la fortune du pot. **2.** choisir au hasard.

pot-roast ['pɒtrəʊst] *v.t.* faire rôtir à la cocotte.

potter[1] ['pɒtə] *n.* potier. ***Potter's wheel,*** tour de potier.

potter[2] ['pɒtə] *v. intr.* s'occuper sans se presser de choses et d'autres, bricoler (souvent suivi de **about, around, away**).

▷ **pottery** ['pɒtrɪ] *n.* poterie.

potty ['pɒtɪ] *adj. (péj. et fam.)* toqué, timbré.

pouch [paʊtʃ] *n.* **1.** petit sac. ***Tobacco pouch,*** blague à tabac; *(fig.)* poche (sous les yeux). **2.** poche ventrale (des marsupiaux).

poulterer ['pəʊltərə] *n.* marchand de volaille.

poultice ['pəʊltɪs] *n.* cataplasme. *v.t.* mettre un cataplasme à.

poultry ['pəʊltrɪ] *n. inv.* volaille. ***Our poultry are fed on maize,*** nos volailles sont élevées au maïs.

pounce [paʊns] *v. intr.* se jeter, se précipiter (sur); s'attaquer, fondre (sur).

pound[1] [paʊnd] *n.* **1.** livre (de poids). ***This is sold by the pound,*** ceci se vend au poids (au kilo). **2.** livre (sterling).

pound[2] [paʊnd] *n.* fourrière.

pound[3] [paʊnd] *v.t.* **1.** piler. **2.** *(fig.)* marteler, pilonner. *v. intr.* battre, taper fort. ***Her heart was pounding,*** son cœur battait la chamade; ***the sea was pounding against the rocks,*** des paquets de mer venaient frapper contre les rochers.

pour [pɔː] *v.t.* verser. ***Can I pour you a drink?*** puis-je vous servir à boire? *(fig.)* ***they poured money into the scheme,*** ils ont investi des sommes folles dans l'affaire. *v. intr.* couler à flots, ruisseler. ***It's pouring (with rain),*** il pleut à verse; ***sweat poured off his face,*** sa figure ruisselait de sueur; *(fig.)* ***the people are pouring into the shops,*** les gens affluent dans les magasins.

pour out, *v. part. t. et intr.* verser, déverser. *(fig.)* ***Our government is pouring out money,*** le gouvernement engloutit des sommes folles; ***she poured out her heart to me,*** elle se répandit en confidences.

pout [paʊt] *n.* moue. *v. t. et intr.* faire la moue; bouder.

poverty ['pɒvətɪ] *n.* misère, pauvreté; dénuement, gêne, indigence.

poverty-stricken ['pɒvətɪˌstrɪkn] *adj.* miséreux, misérable, dans le dénuement, dans la misère.

powder ['paʊdə] *n.* poudre. *v. t. et intr.* **1.** (se) poudrer; saupoudrer. **2.** réduire en poudre, pulvériser.

power[1] ['paʊə] *n.* **1.** pouvoir, faculté, capacité. ***I'll do everything in my power to help,*** je ferai tout mon possible pour aider; ***she has lost the power of speech,*** elle a perdu la parole. **2.** puissance, vigueur. *(fig.)* ***The power of his writing is unrivalled,*** la vigueur de son style reste inégalée. **3.** *(Polit.)* pouvoir, influence, autorité. ***He is in power,*** il est au pouvoir; ***she is the power behind the throne,*** c'est elle l'éminence grise; ***they have power of life and death,*** ils ont le droit de vie et de mort. **4.** puissance, énergie. ***Nuclear power,*** énergie nucléaire; ***power station,*** centrale électrique. **5.** *(Math.)* puissance. ***To the*** n^{th} ***power,*** à la puissance n. **6.** *(Polit.)* puissance, autorité. ***The great powers,*** les grandes puissances; ***the powers that be,*** les autorités constituées.

power[2] ['paʊə] *v.t.* actionner. ***Powered by two Rolls Royce engines,*** propulsé par deux moteurs Rolls Royce.

powerful ['paʊəfəl] *adj.* puissant, vigoureux.

powerhouse ['paʊəhaʊs] *n.* **1.** centrale électrique. **2.** personne dynamique, *(fig.)* locomotive.

powerless ['paʊəlɪs] *adj.* impuissant. ***We were powerless to intervene,*** nous nous sommes trouvés dans l'impossibilité d'intervenir.

▷ **practicable** ['præktɪkəbl] *adj.* praticable.

▷ **practical** ['præktɪkl] *adj.* pratique. ♦ ***A practical joke,*** une farce, un mauvais tour; ***for all practical purposes,*** en fait, en réalité.

practically ['præktɪklɪ] *adv.* **1.** pratiquement, en pratique. **2.** virtuellement, pour ainsi dire. ***There's been practically no rain for a month,*** il n'a presque pas plu depuis un mois.

⚠ **practice** ['præktɪs] *n.* **1.** pratique. ***Practice and theory,*** la pratique et la théorie. **2.** pratique, habitude. ***He makes a practice of being late,*** il a pour habitude d'être toujours en retard. **3.** entraînement, exercice. ***I'm out of practice,*** j'ai perdu la main, je suis rouillé; ***practice makes perfect,*** c'est en forgeant qu'on devient forgeron. **4.** clientèle (de médecin). **5.** étude (de notaire ou d'avocat).

practise ['præktɪs] *v.t. et intr.* **1.** pratiquer (religion, sport, instrument ...). **2.** exercer (métier...). **3.** s'exercer, s'entraîner.

practised ['præktɪst] *adj.* expérimenté; avisé. ***He is a practised politician,*** c'est un homme politique chevronné.

practitioner [præk'tɪʃənə] *n.* praticien. ***General practitioner*** *(abrév.* ***G.P.)*** médecin généraliste.

praise [preɪz] *v.t.* **1.** louer, faire l'éloge de. **2.** *(Rel.)* glorifier.
n. éloge (s), louange (s).

praiseworthy ['preɪzwɜ:ðɪ] *adj.* digne d'éloge.

pram [præm] *n.* (= **perambulator**) landau (de bébé) (*amér.* **baby carriage**).

prance [prɑ:ns] *v. intr.* **1.** caracoler. **2.** *(fig.)* se pavaner.

prank [præŋk] n. farce, niche. ***Play pranks on somebody,*** faire des farces à quelqu'un.

prattle ['prætl] *v. intr.* **1.** gazouiller, babiller. **2.** papoter, jacasser. *n.* **1.** babil. **2.** papotage.

prawn [prɔ:n] *n.* crevette rose, bouquet.

pray [preɪ] *v. intr.* prier. ***Let us pray to God,*** prions Dieu; *(fig.)* ***the farmers are praying for rain,*** les agriculteurs attendent désespérément la pluie. ♦ ***He's past praying for,*** son état est désespéré; *(fig.)* il est incorrigible.

prayer ['preɪə] *n.* prière.

▻ **preach** [pri:tʃ] *v. t. et intr.* prêcher.

preacher ['pri:tʃə] *n.* prédicateur, pasteur.

▻ **precarious** [prɪ'keərɪəs] *adj.* précaire.

precedence ['presɪdəns] *n.* préséance, priorité. ***In order of precedence,*** par ordre de préséance (ou de priorité).

precinct ['pri:sɪŋkt] *n.* **1.** *(Arch.)* enceinte. **2.** zone. ***Pedestrian precinct,*** zone piétonnière; ***shopping precinct,*** centre commercial. **3.** *(amér.)* circonscription urbaine. **4.** *(pl.)* alentours.

▻ **precious** ['preʃəs] *adj.* précieux.

⚠ **precipitate** [prɪ'sɪpɪteɪt] *v. t.* précipiter. *adj.* irréfléchi, inconsidéré.

precipitous [prɪ'sɪpɪtəs] *adj.* escarpé, à pic, abrupt.

⚠ **précis** ['preɪsi:] *n.* résumé. ***Précis writing,*** contractions de textes.

▻ **precocious** [prɪ'kəʊʃəs] *adj.* précoce.

preconceived [,pri:kən'si:vd] *adj.* préconçu (idée...).

⚠ **preconception** [,pri:kən'sepʃən] *n.* idée préconçue; préjugé.

predatory ['predətərɪ] *adj. (Zool. et fig.)* rapace.

predicament [prɪ'dɪkəmənt] *n.* situation difficile; problème. ***I'm in a real predicament,*** je ne sais vraiment pas à quel saint me vouer.

▻ **predict** [prɪ'dɪkt] *v.t.* prédire, prévoir.

predictable [prɪ'dɪktəbl] *adj.* prévisible.

preen [pri:n] *v. t. et intr.* **1.** lisser (ses plumes). **2.** *(fig.)* (se) bichonner, (se) pomponner.

pregnancy ['pregnənsɪ] *n.* grossesse.

pregnant ['pregnənt] *adj.* **1.** (femme) enceinte; (vache, etc.) pleine, gravide. **2.** *(fig.)* significatif, lourd de sens.

⚠ **prejudice** ['predʒədɪs] *n.* **1.** préjugé. **2.** préjudice, tort. *v.t.* **1.** prédisposer, prévenir. ***It prejudiced me in his favour,*** cela m'a disposé en sa faveur. **2.** nuire, porter préjudice à.

⚠ **prejudiced** ['predʒədɪst] *adj.* partial, prévenu, plein de préjugés. ***I'm not prejudiced in this issue,*** je suis sans parti pris dans cette question.

▻ **prejudicial** [,predʒʊ'dɪʃəl] *adj.* nuisible, préjudiciable.

prelim ['pri:lɪm] *n.* (souvent *pl.) (fam.) (Ens.)* (= **preliminary examination**) examen probatoire.

▻ **premature** ['premətʃə] *adj.* prématuré.

⚠ **premier** ['premɪə] *adj. (lit.)* premier, primordial. *n.* Premier ministre.

⚠ **premises** ['premɪsɪz] *n. pl.* local, locaux. ***Business premises,*** local commercial; ***he lives on the premises,*** il habite les lieux.

premium ['pri:mɪəm] *n.* **1.** prime (d'assurance). **2.** prime, récompense. ♦ *(fig.)* ***This puts a premium on qualifications,*** ceci valorise les diplômes.

prep [prep] *n.* **1.** (= **preparation**) *(Ens.)* étude, devoirs (cf. **homework**). **2.** (= **preparatory school**) *(fam.)* petit collège privé.

▻ **prepare** [prɪ'peə] *v.t. et intr.* (se) préparer. ***Prepare for it,*** préparez-vous-y.

⚠ **prepared** [prɪ'peəd] *adj.* **1.** prêt. ***Be prepared for a surprise,*** prépare-toi à une surprise ; ***you can be prepared for anything,*** tu peux t'attendre à tout. **2.** disposé (à). ***We are prepared to make concessions,*** nous sommes disposés à faire des concessions.

prepossessed [ˌpriːpə'zest] *adj.* favorablement impressionné.

prepossessing [ˌpriːpə'zesɪŋ] *adj.* avenant, charmant, sympathique.

preposterous [prɪ'pɒstərəs] *adj.* absurde, grotesque, ridicule.

prerequisite [priː'rekwɪzɪt] *n. et adj.* (condition) préalable.

▻ **prescribe** [prɪ'skraɪb] *v.t.* prescrire.

⚠ **prescription** [prɪ'skrɪpʃən] *n.* **1.** *(Jur.)* prescription. **2.** *(Méd.)* ordonnance.

▻ **present**[1] ['prezənt] *adj.* **1.** présent. ***He will be present at the concert,*** il assistera au concert. **2.** actuel. ***The present government,*** le gouvernement actuel. **3.** en question, ici présent. ***In the present case,*** dans le cas qui nous intéresse ici. *n.* présent. ***At present,*** actuellement, à présent ; ***for the present,*** pour le moment ; ***up to the present,*** jusqu'à présent.

present[2] ['prezənt] *n.* cadeau, don. ***He gave her a book as a birthday present,*** il lui a offert un livre pour son anniversaire.

present[3] [prɪ'zent] *v.t.* **1.** offrir. ***He presented her with a ring,*** il lui a offert une bague. **2.** présenter, soumettre. ***We had to present our passports,*** il nous a fallu montrer nos passeports. **3.** présenter ; poser. ***It presented some difficulties,*** cela posait quelques problèmes ; ***they are presenting a concert on Friday,*** ils donnent un concert vendredi.

⚠ **presentation** [ˌprezən'teɪʃn] *n.* **1.** remise (d'un cadeau,...). **2.** *(Th.)* représentation. **3.** présentation, aspect extérieur.

⚠ **presently** ['prezəntlɪ] *adv.* **1.** sous peu, tout à l'heure. **2.** *(amér.)* actuellement.

preservation [ˌprezə'veɪʃən] *n.* conservation.

⚠ **preserve** [prɪ'zɜːv] *v.t.* **1.** préserver, protéger. **2.** garder, conserver. ***We preserve a lot of fruit,*** nous faisons beaucoup de conserves de fruits.
n. **1.** (souvent *pl.*) confiture(s), conserves. **2.** réserve (de gibier). ♦ ***I don't want to trespass on his preserves,*** je ne veux pas marcher sur ses plates-bandes.

▻ **preside** [prɪ'zaɪd] *v. intr.* présider. ***He presides over*** (ou ***at) all meetings,*** il préside toutes nos réunions.

▻ **presidency** ['prezɪdənsɪ] *n.* présidence.

⚠ **press** [pres] *v.t. et intr.* **1.** appuyer. ***Press the button,*** appuyer sur le bouton. **2.** serrer, presser. ***They pressed the grapes,*** ils pressuraient le raisin. **3.** repasser. ***Press trousers,*** donner un coup de fer à un pantalon. **4.** presser, harceler, talonner. ***He doesn't need much pressing,*** il ne se fait guère prier ; ***we are pressed for time*** (ou ***money),*** nous sommes à court de temps (ou d'argent) ; ***you needn't press the point,*** inutile d'insister.
n. **1.** presse, pressoir. ***Hydraulic press,*** pressoir. **2.** imprimerie. ***Go to press,*** être mis sous presse. **3.** presse. ***I saw it in the press,*** je l'ai lu dans la presse ; ***press photographer,*** reporter photographe ; ***the press has*** (ou ***have***) ***been invited,*** on a convié les journalistes ; ***we had a good press,*** nous avons eu une bonne critique.

pressure ['preʃə] *n.* pression. ***Blood pressure,*** tension artérielle ; ***they brought pressure to bear on us,*** ils ont fait pression sur nous ; ***they confessed under pressure,*** ils ont passé des aveux sous la contrainte ; ***we were working at full pressure,*** nous travaillions à plein rendement.

pressure-cooker ['preʃəˌkʊkə] *n.* autocuiseur, cocotte-minute.

prestressed [ˌpriː'strest] *adj.* *(Tech.)* précontraint (béton).

presumably [prɪ'zju:məblɪ] *adv.* vraisemblablement, probablement.

⚠ **presume** [prɪ'zju:m] *v. t. et intr.* **1.** présumer, supposer. ***I presume you know each other,*** je suppose que vous vous connaissez ; ***the accused is presumed innocent until he is proved guilty,*** l'accusé est présumé innocent jusqu'à preuve de culpabilité. **2.** se permettre. ***He even presumed to give me advice,*** il a eu la présomption de me donner un conseil. **3.** abuser. ***They presumed on our kindness,*** ils ont abusé de notre gentillesse.

▻ **presumptuous** [prɪ'zʌmtʃʊəs] *adj.* présomptueux.

pretence [prɪ'təns] *n.* **1.** (faux) semblant. ***He made a pretence of enjoying the music,*** il faisait semblant d'apprécier la musique ; ***they obtained a subsidy under false pretences,*** ils obtinrent une subvention par des moyens frauduleux. **2.** prétexte. ***Under the pretence of being ill,*** prétextant la maladie. **3.** prétention. ***He makes no pretence to culture,*** il ne prétend pas être cultivé.

⚠ **pretend** [prɪ'tend] *v. t. et intr.* **1.** feindre, faire semblant. ***He pretended to be asleep,*** il faisait semblant de dormir. **2.** prétendre. ***I don't pretend to be an expert,*** je ne prétends pas être un expert en la matière.

pretender [prɪ'tendə] *n.* prétendant.

▻ **pretentious** [prɪ'tenʃəs] *adj.* prétentieux.

pretty ['prɪtɪ] *adj.* poli, beau, belle ; gentil. ***She's as pretty as a picture,*** elle est jolie comme un cœur. ♦ ***That's a pretty state of affairs!*** c'est du joli ! nous voilà dans de beaux draps !
adv. assez, passablement. ***He speaks English pretty well now,*** il parle assez bien l'anglais maintenant ; ***it's all pretty much the same,*** tout cela revient à peu près au même. ♦ *(fam.)* ***He's sitting pretty now,*** il est peinard maintenant.

prevail [prɪ'veɪl] *v. intr.* **1.** prévaloir, l'emporter. ***Reason prevailed,*** la raison a eu le dernier mot. **2.** convaincre, persuader. ***I prevailed on him not to resign,*** je l'ai dissuadé de donner sa démission. **3.** prédominer, régner. ***The economic crisis now prevailing in the world,*** la crise économique qui frappe actuellement le monde entier.

prevailing [prɪ'veɪlɪŋ] *adj.* actuel ; dominant. ***Prevailing fashion,*** mode actuelle ; ***prevailing winds,*** vents dominants.

prevalence ['prevələns] *n.* prédominance ; fréquence ; généralisation.

prevalent ['prevələnt] *adj.* courant, fréquent, généralisé. ***Prevalent misconceptions,*** idées fausses très répandues.

prevaricate [prɪ'værɪkeɪt] *v. intr.* **1.** biaiser, tergiverser. **2.** mentir, cacher la vérité.

prevent [prɪ'vent] *v.t.* empêcher, éviter. ***He prevented me from getting the job,*** il m'a empêché d'obtenir le poste ; ***safety belts can prevent face injures,*** les ceintures de sécurité peuvent éviter des blessures au visage.

prevention [prɪ'venʃən] *n.* empêchement, prévention. ***Prevention of road accidents,*** prévention routière.

previous ['pri:vɪəs] *adj.* précédent, antérieur.

previous to ['pri:vɪəstə] *prép.* avant.

prewar [ˌpri:'wɔ:] *adj.* d'avant-guerre.

prey [preɪ] *n.* proie. ***He became*** (ou ***fell) a prey to a persecution mania,*** il sombra dans la manie de la persécution. *v. intr.* **1.** chasser (pour un animal prédateur). **2.** *(fig.)* obséder, ronger. ***It's preying on my mind,*** j'en suis obsédé.

price [praɪs] *n.* prix. ***Prices keep rising,*** les prix ne cessent de monter. ♦ *(fig.)* ***Everyone has his price,*** tout le monde peut être acheté ; ***they put a price on his head,*** sa tête a été mise à prix ; ***we set a high price on your friendship,*** nous faisons grand cas de votre amitié.
v.t. estimer, évaluer.

priceless ['praɪslɪs] *adj.* **1.** inestimable, hors de prix. **2.** *(fig.)* impayable, du plus haut comique.

pricey ['praɪsɪ] *adj.* *(fam.)* cher, chérot (aussi **pricy**).

prick [prɪk] *n.* piqûre (sensation). *v.t.* piquer ; crever ; trouver.
v. intr. piquer, produire des picotements.

prickle ['prɪkl] *n.* piquant, épine. *v.t. et intr.* picoter, démanger.
prickly ['prɪklɪ] *adj.* **1.** armé de piquants. **2.** qui picote.
prick up, *v. part. t.* ♦ ***I pricked up my ears,*** j'ai dressé l'oreille.
pride [praɪd] *n.* orgueil, fierté ; amour-propre. ***He takes great pride in being on time,*** il met son point d'honneur à être à l'heure ; ***she had to swallow her pride,*** elle a dû en rabattre ; ***this painting takes pride of place,*** ce tableau occupe la place d'honneur.
v.t. ***He prides himself on being courteous,*** il met son point d'honneur à être courtois.
priest [pri:st] *n.* prêtre.
priesthood ['pri:sthʊd] *n.* sacerdoce.
priestly ['pri:stlɪ] *adj.* sacerdotal.
prig [prɪg] *n.* *(péj.)* poseur, personne suffisante.
priggish ['prɪgɪʃ] *adj.* poseur, suffisant.
prim [prɪm] *adj.* guindé, collet monté.
primacy ['praɪməsɪ] *n.* primauté.
⚠ **primary** ['praɪmərɪ] *adj.* **1.** originel. ***These are the primary causes,*** voilà les causes premières. **2.** fondamental, primordial. ***It's of primary importance,*** c'est d'une importance capitale ; ***primary colours,*** couleurs fondamentales. **3.** *(Ens.)* primaire. ***Primary school,*** école élémentaire.
⚠ **primate**[1] ['praɪmɪt] *n.* *(Rel.)* primat, archevêque.
▷ **primate**[2] ['praɪmeɪt] *n.* *(Zool.)* primate.
⚠ **prime** [praɪm] *n.* apogée. ♦ ***He is in the prime of life,*** il est dans la force de l'âge ; ***she is past her prime,*** elle n'est plus dans la fleur de l'âge. *adj.* principal ; fondamental. ***It's of prime importance,*** c'est capital. ♦ ***Prime Minister,*** Premier ministre.
v.t. **1.** amorcer (pompe, arme à feu...). **2.** préparer. ***The accused had been well primed,*** on avait bien fait répéter sa leçon à l'accusé. **3.** *(fam.)* abreuver. ***He was well primed,*** il était bien parti. **4.** *(Tech.)* mettre une couche d'apprêt (peinture).
⚠ **primer** ['praɪmə] *n.* **1.** *(Ens.)* livre pour débutants. **2.** amorce (de bombe, explosif...). **3.** couche d'apprêt (peinture).
primeval [praɪ'mi:vəl] *adj.* (aussi **primaeval**) des premiers âges. ***Primeval forests,*** forêts vierges.
primrose ['prɪmrəʊz] *n.* *(Bot.)* primevère.
princely ['prɪnslɪ] *adj.* **1.** princier. **2.** *(fig.)* généreux, princier (cadeau, don...).
▷ **principality** [,prɪnsɪ'pælɪtɪ] *n.* principauté.
▷ **principle** ['prɪnsɪpl] *n.* principe. ***He does that on principle,*** il fait cela par principe.
print [prɪnt] *n.* **1.** empreinte. ***Finger prints,*** empreintes digitales. **2.** caractère d'imprimerie. **3.** *(Art.)* estampe, gravure. **4.** *(Phot.)* épreuve, tirage sur papier. ♦ ***The book is now out of print,*** le livre est épuisé.
v.t. imprimer ; graver ; *(Phot.)* faire un tirage sur papier.
printer ['prɪntə] *n.* imprimeur. ***Printer's error,*** coquille, faute d'impression.
printing ['prɪntɪŋ] *n.* impression ; tirage.
printout ['prɪnt,aʊt] *n.* *(Tech.)* listage (d'ordinateur).
prior[1] ['praɪə] *n.* *(Rel.)* prieur.
prior[2] ['praɪə] *adj.* **1.** antérieur. **2.** prioritaire.
▷ **priority** [praɪ'ɒrɪtɪ] *n.* priorité.
prior to ['praɪətʊ] *prép.* avant.
pristine ['prɪsti:n] *adj.* *(lit.)* pur, virginal.
privacy ['prɪvəsɪ, 'praɪvəsɪ] *n.* **1.** intimité, vie privée. ***I like my privacy,*** je n'aime pas qu'on me dérange chez moi. **2.** confidence, secret. ***He told me so in privacy,*** il me l'a dit en tête à tête.
private ['praɪvɪt] *adj.* **1.** privé, personnel. ***Private correspondence,*** correspondance personnelle ; ***private interview,*** audience privée. **2.** personnel, confidentiel. ***This information is private,*** ce sont des informations confidentielles. **3.** secret, réservé. ***She's a very private person,*** c'est une personne très secrète ; ***there's not a single private place left in this house,*** il n'y a plus aucun coin tranquille dans cette maison. ♦ ***Private citizen,*** simple particulier ; ***private eye,*** détective privé ; ***private hospital,*** clinique ;

private house, domicile personnel; ***private soldier,*** simple soldat; ***private thoughts,*** pensées secrètes.
n. simple soldat. ♦ ***In private,*** en privé; en particulier; dans l'intimité.

privateer [ˌpraɪvə'tɪə] *n.* corsaire.

privet ['prɪvɪt] *n. (Bot.)* troène.

prize [praɪz] *n.* prix, récompense. ***Nobel prize,*** prix Nobel; ***what is the greatest prize in life for you?*** quelle serait votre ambition la plus chère dans la vie?
v.t. priser, faire grand cas de.

pro[1] [prəʊ] *n. (fam.)* (= **professional**) professionnel.

pro[2] [prəʊ] *adv.* ♦ ***The reasons pro and con,*** les arguments pour et contre (cf. **pros**).

probation [prə'beɪʃən] *n.* **1.** essai, mise à l'épreuve. **2.** *(Jur.)* liberté surveillée, probation.

probationer [prə'beɪʃənə] *n.* **1.** infirmière stagiaire. **2.** condamné sursitaire.

⚠ **probe** [prəʊb] *n.* **1.** sonde. ***Space probe,*** sonde spatiale. **2.** enquête.
v.t. et intr. explorer, sonder, enquêter.

probing ['prəʊbɪŋ] *adj.* **1.** qui sert à sonder. **2.** *(fig.)* inquisiteur, pénétrant.

⚠ **proceed** [prə'si:d] *v. intr.* **1.** avancer, marcher. **2.** commencer. ***He proceeded to tell us a hard luck story,*** il se mit à nous raconter ses malheurs. **3.** continuer. ***You can proceed with your experiment,*** vous pouvez poursuivre votre expérience.

proceedings [prə'si:dɪŋz] *n. pl.* **1.** cérémonie, séance, débat. **2.** *(Jur.)* poursuites judiciaires. ***He threatened to take proceedings against me,*** il menaça d'intenter un procès contre moi.

proceeds ['prəʊsi:dz] *n. pl.* recette ; produit d'une vente.

⚠ **process** ['prəʊses] *n.* **1.** processus. **2.** procédé. ♦ ***We are in the process of moving,*** nous sommes en train de déménager.
v.t. (Tech.) traiter, transformer. ***Processed cheese,*** fromage fondu ; ***we process data,*** nous traitons l'information (par ordinateur).

⚠ **procession** [prə'seʃən] *n.* cortège, défilé. ***The strikers marched in procession to the ministry,*** les grévistes se rendirent en cortège au ministère.

⊳ **proclaim** [prə'kleɪm] *v.t.* proclamer.

procrastinate [prə'kræstɪneɪt] *v. intr.* temporiser, retarder le mouvement.

⊳ **procure** [prə'kjʊə] *v.t.* (se) procurer, acquérir.

⚠ **procurer** [prə'kjʊərə] *n.* (*fém.* **procuress**) proxénète.

prod [prɒd] *v.t. et intr.* **1.** pousser (avec quelque chose de pointu). **2.** *(fig.)* aiguillonner, inciter, pousser.
n. petit coup (avec quelque chose de pointu). *(fig.)* ***He needs a prod,*** il a besoin qu'on le secoue.

⊳ **prodigal** ['prɒdɪgəl] *adj. et n.* prodigue.

⊳ **prodigy** ['prɒdɪdʒɪ] *n.* prodige.

produce[1] [prə'dju:s] *v.t.* **1.** présenter, montrer (un document). **2.** *(Ind.)* produire, fabriquer. **3.** *(Agr. et Fin.)* produire, rendre. **4.** éditer (un livre). **5.** *(Th., T.V.)* mettre en scène, réaliser. **6.** *(Ciné.)* produire (film). **7.** causer, provoquer. ***It produced a sensation,*** cela a fait sensation..

produce[2] ['prɒdju:s] *n.* produit (agricole).

producer [prə'dju:sə] *n.* **1.** *(Ind. et T.V.)* producteur. **2.** *(Th.)* metteur en scène, **3.** *(Ciné.)* producteur. **4.** *(Radio et T.V.)* réalisateur.

⊳ **product** ['prɒdʌkt] *n.* produit.

⊳ **profess** [prə'fes] *v.t.* professer, affirmer, déclarer. ***He professed himself satisfied,*** il se déclara satisfait ; ***I don't profess to be an expert,*** je ne prétends pas être expert en la matière.

professed [prə'fest] *adj.* déclaré ; prétendu.

professedly [prə'fesɪdlɪ] *adv.* de son propre aveu ; soi-disant ; prétendument.

⊳ **professional** [prə'feʃənəl] *adj.* **1.** professionnel. ***He turned*** (ou ***went) professional,*** il est passé professionnel ; ***professional armies,*** armées de métier ; ***professional officers,*** officiers de carrière.

⚠ **professor** [prə'fesə] *n.* professeur d'université.

proficiency [prə'fɪʃənsɪ] *n.* compétence.

proficient [prə'fɪʃənt] *adj.* compétent.

profit ['prɒfɪt] *n.* profit, bénéfice ; avantage. ***Non-profit-making organisa-***

tion, organisme sans but lucratif ; ***profit margin,*** marge bénéficiaire ; ***profit-sharing,*** participation aux bénéfices.
v. intr. (fig.) tirer avantage, profiter.

⚠ **profitable** ['prɒfɪtəbl] *adj.* **1.** lucratif, rentable. **2.** *(fig.)* profitable.

⚠ **profiteer** [,prɒfɪ'tɪə] *n. (péj.)* profiteur. *v. intr. (péj.)* faire des bénéfices scandaleux.

profligacy ['prɒflɪgəsɪ] *n.* débauche.

profligate ['prɒflɪgɪt] *n. et adj.* débauché.

profound [prə'faʊnd] *adj. (fig.)* profond.

profundity [prə'fʌndɪtɪ] *n. (fig.)* profondeur.

profuse [prə'fju:z] *adj.* **1.** abondant. **2.** excessif ; trop généreux.

progeny ['prɒdʒɪnɪ] *n. (lit.* ou *hum.)* progéniture.

⚠ **progress** ['prəʊgres] *n.* **1.** progrès. **2.** marche. ***In progress,*** en cours. *v. intr.* [prə'gres] progresser.

prohibit [prə'hɪbɪt] *v.t.* prohiber, interdire. ***Smoking prohibited,*** interdiction de fumer.

▻ **project** ['prɒdʒəkt] *n.* projet ; étude. *v.t.* [prə'dʒekt] projeter. *v. intr.* être en saillie, en surplomb.

projecting [prə'dʒektɪŋ] *adj.* en saillie, en surplomb.

prom [prɒm] *(fam.)* (= **promenade**) **1.** promenade (de front de mer), esplanade. **2.** *(Th.)* promenoir. **3.** *(Mus.)* (= **promenade concert**) concert où les auditeurs peuvent circuler. **4.** *(amér.)* bal d'étudiants.

⚠ **prominence** ['prɒmɪnəns] *n.* **1.** proéminence. **2.** éminence. **3.** importance.

⚠ **prominent** ['prɒmɪnənt] *adj.* **1.** proéminent, en saillie. **2.** éminent. **3.** important, en vue.

promiscuous [prə'mɪskjʊəs] *adj.* **1.** de mœurs faciles. **2.** hétéroclite, en vrac.

▻ **promise** ['prɒmɪs] *n.* promesse. ***Did you keep your promise?*** avez-vous tenu parole? *v.t. et intr.* promettre.

promote [prə'məʊt] *v.t.* promouvoir.

⚠ **prompt** [prɒmpt] *adj.* **1.** prompt. **2.** ponctuel, à l'heure.
adv. ponctuellement. ***At 9 o'clock prompt,*** à 9 heures pile.
v.t. **1.** inciter, pousser. ***He was prompted to steal by poverty,*** ce fut la misère qui le poussa à voler. **2.** *(Th.)* souffler.

prompting ['prɒmptɪŋ] *n.* incitation, instigation.

promptness ['prɒmptnɪs] *n.* promptitude.

prone [prəʊn] *adj.* **1.** couché sur le ventre. **2.** enclin, sujet. ***Everybody is prone to make mistakes,*** tout le monde peut se tromper.

proneness ['prəʊnnɪs] *n.* tendance, prédisposition.

prong [prɔŋ] *n.* dent (de fourchette ou de fourche).

▻ **pronounce** [prə'naʊns] *v.t. et intr.* prononcer.

pronouncement [prə'naʊnsmənt] *n.* déclaration.

▻ **pronunciation** [prə,nʌnsɪ'eɪʃən] *n.* prononciation.

proof [pru:f] *n.* **1.** preuve concluante. **2.** épreuve, test. ***He put us to the proof,*** il nous a mis à l'épreuve. **3.** épreuve (de photographe ou d'imprimeur). ♦ *(fig.)* ***The proof of the pudding is in the eating,*** c'est à l'œuvre qu'on connaît l'artisan.
adj. à l'épreuve de. ***This material is proof against corrosion,*** ce matériau résiste à toute corrosion.

prop [prɒp] *n.* **1.** support, soutien. **2.** (souvent *pl.*) *(Th.)* (= **property**) accessoire. *v.t.* soutenir ; maintenir.

▻ **propagate** ['prɒpəgeɪt] *v.t. et intr.* (se) propager.

propel [prə'pel] *v.t.* propulser, faire avancer.

propeller [prə'pelə] *n.* hélice.

propensity [prə'pensɪtɪ] *n.* propension, tendance naturelle.

proper ['prɒpə] *adj.* **1.** approprié, adéquat. ***I haven't got the proper tools for the job,*** je n'ai pas les outils qu'il faut pour ce travail. **2.** vrai, véritable. ***She's not a proper nurse,*** elle n'est pas infirmière qualifiée. **3.** convenable, correct. ***That's not a proper way to behave,*** il n'est pas convenable de se comporter ainsi. **4.** propre, même. ***The town proper,*** la ville même. **5.** *(Gram.)* propre. ***Proper noun,*** nom propre. **6.** *(fam.)* complet, extrême.

The country is in a proper mess, le pays est dans une belle pagaïe.

property ['prɒpətɪ] *n.* **1.** propriété, bien(s). ***Landed property,*** biens fonciers ; ***lost property,*** objets perdus. **2.** *(Th.)*accessoire. **3.** propriété. ***Medicinal properties,*** propriétés médicinales.

▻ **prophecy** ['prɒfɪsɪ] *n.* prophétie.

prophesy ['prɒfəsaɪ] *v.t. et intr.* prophétiser.

▻ **prophet** ['prɒfɪt] *n.* prophète.

propitiate [prə'pɪʃɪeɪt] *v.t.* se concilier, gagner la faveur de.

▻ **propitious** [prə'pɪʃəs] *adj.* propice.

proportionate [prə'pɔːʃənɪt] *adj.* proportionnel.

proposal [prə'pəʊzəl] *n.* **1.** proposition, offre. **2.** demande (en mariage).

⚠ **propose** [prə'pəʊz] *v.t. et intr.* **1.** proposer. **2.** projeter. **3.** présenter (une motion...). **4.** faire une demande en mariage. **5.** porter (un toast). ***I propose the chairman's health!*** à la santé du président !

⚠ **proposition** [ˌprɒpə'zɪʃən] *n.* **1.** axiome, proposition. **2.** offre. ***He made her a proposition,*** il lui a fait une offre ; il lui a fait des avances. ♦ ***He's a tough proposition,*** il est coriace ; ***it's a paying proposition,*** c'est une affaire rentable.

propound [prə'paʊnd] *v.t.* exposer (un problème, une idée).

proprietary [prə'praɪətrɪ] *adj.* de propriété. ***Proprietary medicines,*** spécialités pharmaceutiques.

⚠ **propriety** [prə'praɪətɪ] *n.* **1.** justesse, bien-fondé. **2.** bienséance. **3.** opportunité.

⚠ **pros** [prəʊz] *n. pl.* ♦ ***The pros and cons,*** les avantages et les inconvénients, le pour et le contre.

prosecute ['prɒsɪkjuːt] *v.t. et intr.* poursuivre en justice.

prosecution [ˌprɒsɪ'kjuːʃən] *n.* *(Jur.)* poursuites judiciaires. ***The case for the prosecution,*** les chefs d'accusation.

prosecutor ['prɒsɪkjuːtə] *n.* **1.** plaignant. ***Public Prosecutor,*** procureur de la République, ministère public.

prospect[1] [prə'spekt] *n.* perspective. ***What are the economic prospects?*** quelles sont les perspectives économiques ?

▻ **prospect**[2] ['prɒspekt] *v.t. et intr.* prospecter.

⚠ **prospective** [prə'spektɪv] *adj.* futur ; éventuel, possible.

▻ **prospector** [pre'spektə] *n.* prospecteur, chercheur (d'or ou de minerais).

▻ **prosperous** ['prɒspərəs] *adj.* prospère.

▻ **prostitute** ['prɒstɪtjuːt] *n.* prostituée. *v.t.* se prostituer.

prostrate ['prɒstreɪt] *adj.* **1.** étendu (à plat ventre). **2.** prosterné. **3.** prostré. *v.t.* [prɒ'streɪt] **1.** (se) prosterner. **2.** *(fig.)*accabler (chagrin, chaleur).

prostration [prɒ'streɪʃn] *n.* **1.** prosternement. **2.** *(fig.)* abattement, accablement ; *(Méd.)*prostration.

protect [prə'tekt] *v.t.* protéger ; sauvegarder.

protective [prə'tektɪv] *adj.* protecteur. ***She's a very protective mother,*** c'est une vraie mère poule.

protest ['prəʊtest] *n.* **1.** protestation. ***Protest march*** (ou ***demonstration***) ; manifestation (revendicative) ; ***we entered a protest,*** nous avons élevé une protestation. **2.** *(Jur.)* réserve. ***I signed the document under protest,*** j'ai signé le document sous réserve.
v.t. et intr. [prə'test] protester. ***He protested his innocence,*** il protesta de son innocence ; ***they protested about the delay,*** ils se sont plaints du retard.

protract [prə'trækt] *v.t.* prolonger ; faire traîner (en longueur).

protrude [prə'truːd] *v. intr.* avancer, faire saillie.

protruding [prə'truːdɪŋ] *adj.* protubérant. ***Protruding ears,*** oreilles décollées ; ***protruding eyes,*** yeux globuleux ; ***protruding rock,*** rocher en saillie.

protrusion [prə'truːʒn] *n.* saillie, avancée.

proud [praʊd] *adj.* **1.** fier. **2.** orgueilleux, hautain. ***Proud as a peacock,*** fier comme Artaban ; *(péj.)* vaniteux comme un paon. **3.** imposant, majestueux. ♦ *(fam.)* ***He does himself proud,*** il ne se prive de rien ; *(fam.)* ***they've done us proud,*** ils se sont mis en frais pour nous.

⚠ **prove** [pru:v] *v.t. et intr.* **1.** prouver, démontrer. ***That remains to be proved,*** cela reste à démontrer. **2.** mettre à l'épreuve, éprouver. ***He has still to prove himself,*** il doit encore faire ses preuves. **3.** s'avérer, se révéler. ***It proved to be a false alarm,*** cela s'est avéré être une fausse alerte.

provender ['prɒvɪndə] *n.* fourrage, provende.

provide [prə'vaɪd] *v.t.* **1.** fournir, pourvoir, munir de. ***This plant provides the whole town with electricity,*** cette usine fournit de l'électricité à toute la ville. **2.** *(Jur.)* prévoir, stipuler. *v. intr.* **1.** pourvoir, subvenir aux besoins. ***He has his mother to provide for,*** il a sa mère à sa charge; ***the children are well provided for,*** les enfants sont à l'abri du besoin. **2.** prévoir, tenir compte. ***We have to provide for*** (ou ***against***) ***rising costs of production,*** il nous faut prendre des précautions en cas d'une augmentation éventuelle du coût de la production. **3.** *(Jur.)* prévoir, stipuler. ***The law provides for compensation,*** la loi prévoit une compensation.

provided [prə'vaɪdɪd] *conj.* ***Provided (that),*** pourvu que, à condition que (aussi **providing**).

provident ['prɒvɪdənt] *adj.* prévoyant, prudent.

⚠ **province** ['prɒvɪns] *n.* **1.** province. ***In the provinces,*** en province. **2.** *(fig.)* domaine, compétence. ***That is not (within) my province,*** ce n'est pas de mon ressort.

⚠ **provision** [prə'vɪʒn] *n.* **1.** provision, réserve. ***A good provision of oil,*** une bonne provision de petrole. **2.** fourniture, approvisionnement. **3.** disposition. ***Make provisions for the future,*** garantir l'avenir. **4.** *(Jur.)* stipulation, disposition, clause. **5.** *(pl.)* provisions, vivres.

proviso [prə'vaɪzəʊ] *n.* stipulation; *(Jur.)* clause restrictive. ***With the proviso that,*** à condition que, sous réserve que.

provocative [prə'vɒkətɪv] *adj.* provocateur; provocant; aguichant.

▻ **provoke** [prə'vəʊk] *v.t.* provoquer.

⚠ **provoking** [prə'vəʊkɪŋ] *adj.* contrariant.

prow [praʊ] *n. (Naut.)* proue.

▻ **prowess** ['praʊɪs] *n.* prouesse.

prowl [praʊl] *v. intr.* rôder.
n. ***He's always on the prowl,*** il est toujours en train de rôder.

prowler ['praʊlə] *n.* rôdeur.

proxy ['prɒksɪ] *n. (Jur.)* **1.** procuration, pouvoir, mandat. **2.** mandataire.

▻ **prude** [pru:d] *n.* prude, bégueule.

▻ **prudery** ['pru:dərɪ] *n.* pruderie, pudibonderie (aussi **prudishness**).

prudish ['pru:dɪʃ] *adj.* prude, pudibond.

⚠ **prune**[1] [pru:n] *n.* pruneau.

⚠ **prune**[2] [pru:n] *v.t.* élaguer, émonder, tailler (arbres, buissons); *(fig.)* élaguer (écriture).

pruning ['pru:nɪŋ] *n.* élagage, taille. ***Pruning knife,*** serpette; ***pruning shears,*** cisailles.

pry [praɪ] *v. intr.* fureter, faire l'indiscret. ***He's always prying (into everything),*** il faut toujours qu'il se mêle de tout.

prying ['praɪɪŋ] *adj.* indiscret, fureteur.

▻ **psalm** [sɑ:m] *n.* psaume.

▻ **psychiatrist** [saɪ'kaɪətrɪst] *n.* psychiatre.

▻ **psychic** ['saɪkɪk] *adj. et n.* psychique.

▻ **psychoanalyse** [ˌsaɪkəʊ'ænəlaɪz] *v.t.* psychanalyser.

▻ **psychoanalysis** [ˌsaɪkəʊ'ə'næləsɪs] *n.* psychanalyse.

▻ **psychoanalyst** [ˌsaɪkəʊ'ænəlɪst] *n.* psychanalyste.

▻ **psychological** [ˌsaɪkə'lɒdʒɪkl] *adj.* psychologique.

▻ **psychologist** [saɪ'kɒlədʒɪst] *n.* psychologue.

pub [pʌb] *n.* (= **public house**) bistrot, pub. ♦ *(fam.)* ***We went on a pub-crawl,*** nous avons fait la tournée des bistrots.

⚠ **public** ['pʌblɪk] *adj.* public. ***He's a public figure,*** c'est une personnalité bien connue; ***he's very much in the public eye,*** c'est un homme très en vue; ***public holiday,*** jour férié; ***public house,*** bistrot, pub; ***public library,*** bibliothèque municipale; *(Polit.)* ***public ownership,*** étatisation; ***public school,*** *(G.B.)* collège secondaire privé, *(U.S.)* école publique; ***public spirit,*** civisme; ***public transport,***

transports en commun.
n. public. ***The general public,*** le grand public.

△ **publican** ['pʌblɪkən] *n.* patron de pub.

publicist ['pʌblɪsɪst] *n.* agent publicitaire.

publicize ['pʌblɪsaɪz] *v.t.* **1.** faire de la publicité pour. **2.** rendre public.

publish ['pʌblɪʃ] *v.t.* **1.** publier, éditer. **2.** faire connaître, rendre public.

publisher ['pʌblɪʃə] *n.* éditeur.

publishing ['pʌblɪʃɪŋ] *n.* **1.** publication. **2.** édition. ***He's in publishing,*** il travaille dans l'édition.

puck [pʌk] *n.* palet (hockey sur glace).

pucker ['pʌkə] *v.t. et intr.* (se) plisser. *(fig.)* ***She puckered her brow,*** elle plissa le front. *n.* faux pli.

△ **pudding** ['pʊdɪŋ] *n.* **1.** pudding. **2.** dessert, entremets. ***Rice pudding,*** riz au lait. **3.** tourte. **4.** (= **black pudding**) boudin. ♦ ***He's a pudding head,*** c'est un gros bêta.

puddle ['pʌdl] *n.* flaque d'eau.

puff [pʌf] *v.t. et intr.* **1.** souffler, haleter. ***He's always puffing away at a cigarette,*** il a toujours une cigarette à la bouche; ***she's puffing hard,*** elle est bien essoufflée. **2.** gonfler. ***He puffed out his chest,*** il bomba le torse.
n. bouffée (air, fumée); souffle (haleine). ♦ ***Powder puff,*** houppette; ***puff pastry*** (*amér.* **paste**), pâte feuilletée; ***puff sleeves,*** manches bouffantes.

puffy ['pʌfɪ] *adj.* **1.** gonflé, boursouflé (visage). **2.** *(fam.)* essoufflé.

pugnacious [pʌg'neɪʃəs] *adj.* querelleur, batailleur.

pull [pʊl] *v.t. et intr.* tirer. ♦ ***Did you pull any strings?*** est-ce que tu as été pistonné? ***he didn't pull any punches,*** il n'a pas ménagé son adversaire; ***he pulled a gun on us,*** il a braqué un revolver sur nous; ***he pulled me out of a hole,*** il m'a sorti du pétrin; ***is he pulling his weight?*** est-ce qu'il fait sa part de travail? ***pull a cork,*** enlever un bouchon; ***pull a (long) face,*** faire la grimace; ***pull a muscle,*** claquer un muscle; ***pull a tooth,*** arracher une dent; ***pull flowers,*** cueillir des fleurs; ***pull the trigger,*** presser la détente; ***the car pulled in to the kerb,*** la voiture se rangea le long du trottoir; ***the critics pulled the film to pieces,*** les critiques ont démoli le film; ***they don't pull together,*** ils ne s'entendent pas; ***they pulled a fast one on me,*** ils m'ont roulé; ***they pulled the wool over our eyes,*** ils nous ont bien menés en bateau; ***you're pulling my leg!*** tu me fais marcher! tu plaisantes!
n. **1.** traction, attraction. ***The pull of the moon on the sea,*** l'attraction de la lune sur la mer. **2.** attirance. ***The pull of the theatre,*** l'attirance exercée par le théâtre. ♦ ***He gave a pull at the rope,*** il tira sur la corde; ***he took a pull at the bottle,*** il but une lampée à même la bouteille; ***I've still got some pull in this city,*** j'ai encore le bras long dans cette ville; ***there's a long pull to the top,*** on monte encore pendant un bon moment.

pull ahead, *v. part. intr. (Aut.)* prendre de l'avance.

pull away, *v. part. intr. (Aut.)* démarrer; s'éloigner.

pull down, *v. part. t.* **1.** baisser, descendre. **2.** démolir, abattre; *(fig.)* renverser (un gouvernement).

▻ **pulley** ['pʊlɪ] *n.* poulie.

pull in, *v. part. intr. (Aut.)* arriver, s'arrêter. *v.t.* **1.** ramener; faire entrer; (faire) rentrer. **2.** arrêter, appréhender (police). **3.** *(amér.)* gagner (argent).

pull off, *v. part. t.* **1.** enlever, ôter. **2.** réaliser, réussir.

pull on, *v. part. t.* mettre, enfiler (vêtement).

pull out, *v. part. t.* extraire, sortir. *v. intr.* **1.** *(Aut.)* démarrer, s'ébranler. **2.** se retirer; *(fig.)* tirer son épingle du jeu.

pull over, *v. part. t.* **1.** tirer de côté. **2.** renverser. *v. intr. (Aut.)* se ranger, se rabattre sur le côté.

pull through, *v. part. t. et intr.* (se) tirer d'affaire.

pull together, *v. part. t. et intr.* **1.** tirer ensemble. **2.** *(fig.)* coopérer, s'entendre. **3.** *(fig.)* ***Pull yourself together!*** ressaisis-toi!

pull up, *v. part. t.* **1.** remonter, hisser. **2.** arrêter, stopper. **3.** réprimander. *v.*

intr. (Aut.) **1.** s'arrêter, stopper. **2.** rattraper. ***He pulled up (level) with the others,*** il rattrapa les autres (voitures).

▷ **pulp** [pʌlp] *n.* pulpe. ♦ ***Pulp magazine,*** magazine à sensation.

pulpit ['pʊlpɪt] *n. (Rel.)* chaire.

pulsate [pʌl'seɪt] *v. intr.* palpiter, vibrer.

pulse [pʌls] *n. (Méd.)* pouls. *v. intr.* palpiter.

pumice ['pʌmɪs] *n.* pierre ponce (aussi **pumice stone**).

pummel ['pʌml] *v.t.* rouer de coups.

pump [pʌmp] *n.* pompe. *v.t.* **1.** pomper. **2.** *(Comm.)* injecter (des capitaux). ♦ *(fig.)* ***You can't pump me!*** tu ne vas pas me tirer les vers du nez !

pump up, *v. part.* gonfler (pneu, etc.).

pumpkin ['pʌmpkɪn] *n.* citrouille, potiron.

pun [pʌn] *n.* calembour, jeu de mots.

⚠ **punch** [pʌntʃ] *n.* **1.** coup de poing. *(fig.)* ***Punch line,*** phrase clé (d'un discours). **2.** punch, dynamisme. **3.** perforateur, emporte-pièce ; pointeau. *v.t. et intr.* **1.** donner un coup de poing (à). **2.** perforer, poinçonner. ***Punch (ed) card,*** carte perforée (d'ordinateur).

punch-drunk ['pʌntʃdrʌŋk] *adj. (Sp.)* groggy, sonné.

punctilious [pʌŋk'tɪlɪəs] *adj.* pointilleux.

▷ **punctual** ['pʌŋktʃʊəl] *adj.* ponctuel, à l'heure.

▷ **punctuate** ['pʌŋktʃʊeɪt] *v.t.* ponctuer.

puncture ['pʌŋktʃə] *n.* **1.** crevaison. ***I had a puncture yesterday,*** j'ai crevé hier. **2.** perforation. **3.** *(Méd.)* ponction.
v.t. **1.** crever. **2.** percer, perforer.

pundit ['pʌndɪt] *n.* (souvent *hum.*) pontife.

pungent ['pʌndʒnt] *adj.* **1.** piquant (goût). **2.** *(fig.)* acerbe, mordant.

punish ['pʌnɪʃ] *v.t.* **1.** punir. **2.** malmener.

punishment ['pʌnɪʃmənt] *n.* punition, châtiment. ***Our car has taken a lot of punishment,*** notre voiture a beaucoup souffert.

punt [pʌnt] *n.* bateau à fond plat qu'on fait avancer à l'aide d'une longue perche. *v.t. et intr.* **1.** faire du bateau à fond plat. **2.** *(fam.)* parier aux courses. **3.** *(Sp.)* donner un coup de pied de volée.

puny ['pju:nɪ] *adj.* chétif, frêle, malingre.

pup [pʌp] *n.* chiot. ♦ *(fam.)* ***They've sold us a pup,*** on nous a roulés.

pupil[1] ['pju:pl] *n.* élève (amér. **student**).

▷ **pupil**[2] ['pju:pl] *n. (Anat.)* pupille (de l'œil).

puppet ['pʌpɪt] *n.* marionnette, pantin. *(fig. et péj.)* ***Puppet government,*** gouvernement fantoche.

puppy ['pʌpɪ] *n.* chiot (aussi **pup**). ♦ *(fam.)* ***Puppy fat,*** adiposité d'adolescence ; ***puppy love,*** les premières amours.

purchase ['pɜ:tʃɪs] *n.* **1.** achat. ***Purchase price,*** prix d'achat. **2.** prise. ***These tyres give an excellent purchase,*** ces pneus accrochent bien.
v.t. acheter. ***I purchased this car from my cousin,*** j'ai acheté cette voiture à mon cousin ; ***purchasing power,*** pourvoir d'achat.

▷ **pure** [pjʊə] *adj.* pur.

▷ **purgatory** ['pɜ:gətrɪ] *n.* purgatoire.

▷ **puritanical** [ˌpjʊrɪ'tænɪkl] *adj. (péj.)* puritain.

purple ['pɜ:pl] *adj.* violet ; pourpre. ***He went purple in the face,*** il est devenu cramoisi ; *(Lit.)* ***purple patch,*** morceau de bravoure. *n.* violet, pourpre.

purport ['pɜ:pɔ:t] *n.* sens ; intention. *v. intr.* [pɜ:'pɔ:t] prétendre, laisser entendre.

purpose ['pɜ:pəs] *n.* **1.** but, intention. ***For this purpose,*** dans ce but. **2.** résolution. ***He lacks purpose,*** il manque de volonté. ♦ ***He did it on purpose,*** il l'a fait exprès ; ***it was to no purpose,*** cela n'a servi à rien ; ***this answers our purpose,*** cela fait notre affaire.
v. intr. (lit.) se proposer.

purposeful ['pɜ:pəsfəl] *adj.* résolu, décidé.

purposeless ['pɜ:pəslɪs] *adj.* **1.** (individu) indécis. **2.** (action) inutile.

purposely ['pɜ:pəslɪ] *adv.* exprès, délibérément.

purr [pɜ:] *v. intr.* ronronner. *(Téléph.)* ***Purring sound,*** tonalité sourde.
n. ronronnement.

purse [pɜːs] *n.* porte-monnaie, bourse. ***It's beyond my purse,*** c'est au-delà de mes moyens; ***she holds the purse strings,*** c'est elle qui tient les cordons de la bourse.
v.t. plisser, froncer. ***He pursed (up) his lips,*** il fit la moue.

purser ['pɜːsə] *n. (Naut.)* commissaire de bord.

purse-snatcher ['pɜːs,snætʃə] *n. (amér.)* voleur à la tire.

pursuance [pə'sjuːəns] *n.* accomplissement. ***In the pursuance of his duty,*** dans l'exercice de son devoir.

pursue [pə'sjuː] *v.t.* **1.** poursuivre; rechercher (un voleur,...). **2.** poursuivre, accomplir (études,...).

pursuer [pə'sjuːə] *n.* poursuivant.

⚠ **pursuit** [pə'sjuːt] *n.* **1.** poursuite. ***In pursuit,*** à la poursuite. **2.** activité, occupation; passe-temps.

purvey [pɜː'veɪ] *v.t.* fournir, approvisionner en.

purveyor [pɜː'veɪə] *n.* fournisseur; traiteur.

push [pʊʃ] *v.t. et intr.* **1.** pousser, appuyer (sur). ***Don't push me!*** ne me bousculez pas! (aussi *fig.*); ***he pushed (his way) through the crowd,*** il se fraya un chemin dans la foule; ***I'm pushed for time (money),*** je suis pressé par le temps (à court d'argent); ***push the button!*** appuyez sur le bouton! **2.** pousser, faire pression. ***They are pushing for higher wages,*** ils revendiquent une augmentation de salaire.
n. **1.** poussée. ***He gave the door a push,*** il a poussé la porte. **2.** *(Mil.)* poussée, attaque. **3.** *(fig.)*coup de collier. **4.** *(fam.)* dynamisme, énergie. ***He's got plenty of push,*** c'est un battant, il en veut. ♦ *(fam.)* ***At a push,*** à la rigueur, au besoin; ***if it comes to the push,*** s'il faut en arriver là; *(argot)* ***they got the push,*** ils ont été renvoyés, remerciés.

push along, *v. part. intr. (fam. et fig.)* ***Stop pushing me around!*** arrête de me marcher sur les pieds!

pushbike ['pʊʃbaɪk] *n. (fam.)*vélo (aussi **bike**).

push-button ['pʊʃ,bʌtn] *adj.* presse-bouton.

pushcart ['pʊʃkɑːt] *n.* charrette à bras.

pushchair ['pʊʃtʃeə] *n.* poussette (pour enfants).

pusher ['pʊʃə] *n.* **1.** arriviste. **2.** *(argot)* revendeur (de drogue).

push off, *v. part. intr.* **1.** *(argot)* filer, déguerpir. **2.** *(Naut.)* pousser au large.

push on, *v. part. intr.* pousser plus loin, continuer, persévérer.

push out, *v. part. t. et intr.* se frayer un chemin; pousser dehors; *(fig.)* évincer.

pushover ['pʊʃ,əʊvə] *n. (fam. et fig.)* ***It was a pushover!*** c'était du gâteau! c'était un jeu d'enfant!

push through, *v. part. t. et int.* **1.** se frayer un chemin. **2.** faire entériner à la sauvette (une mesure).

push up, *v. part. t.* faire augmenter. ***This pushes up prices,*** cela fait monter les prix. ♦ *(fam. et fig.)* ***He's pushing up the daisies,*** il mange les pissenlits par la racine.

puss [pʊs] *n.* minet, minou (aussi **pussy, pussycat**).

put [pʊt] *v.t.* **1.** mettre, poser. ***He put an advertisement in the paper,*** il a mis une annonce dans le journal; ***he put his head round the door,*** il passa la tête (par la porte); ***it's time you put your mind to your work,*** il est grand temps que tu te mettes sérieusement au travail; ***she put the blame on me,*** elle m'en a rendu responsable; ***they put us to shame,*** ils nous ont fait honte; ***will he be put on trial?*** est-ce qu'on le traduira en justice? **2.** poser (une question). **3.** exprimer. ***How can I put it?*** comment dire? **4.** soumettre (un problème). **5.** estimer, chiffrer. ***They put the damage at £ 500,*** ils ont évalué les dégâts à 500 livres. ♦ ***Don't put yourself to any trouble for me!*** ne vous dérangez pas pour moi! *(fam.)* ***don't try to put that across me!*** tu ne m'auras pas comme ça! ***I'll put that right immediately,*** je vais rectifier cela tout de suite; ***it put me off my food,*** cela m'a coupé l'appétit; ***they put him through it,*** ils lui ont fait passer un mauvais quart d'heure; ***you'll be hard put to it to borrow a sum like that,*** vous aurez du mal à emprunter une telle somme.

put across, *v. part. t.* **1.** communiquer, faire comprendre. **2.** faire accepter. ***He has to put across a different image to the public,*** il doit se donner une autre image de marque auprès du public.

put aside, *v. part. t.* **1.** mettre de côté. **2.** *(fig.)* écarter.

put away, *v. part. t.* (aussi **put by**) **1.** mettre de côté (argent,...). **2.** ranger.

put back, *v. part. t.* **1.** remettre (en place). **2.** retarder. *v. intr. (Naut.)* rentrer (au port).

put down, *v. part. t.* **1.** poser, déposer. **2.** noter. ***I put it down in my diary,*** je l'ai inscrit dans mon agenda. **3.** écraser, mater (une révolte). **4.** faire piquer (un animal familier). **5.** attribuer. ***I put it down to carelessness,*** je l'attribue à la négligence. **6.** estimer. ***I put it down as a swindler,*** je le tiens pour un escroc.

put forward, *v. part. t.* avancer, proposer (idée, argument,...).

put in, *v. part. t. et intr.* **1.** introduire, insérer. ***Have you put everything in?*** tu as tout mis (dans la voiture, la lettre, etc.)? **2.** passer (du temps). **3.** présenter (une requête); faire une demande écrite. ***I've put in (my application) for the job,*** j'ai posé ma candidature à ce poste. **4.** *(Naut.)* faire escale. ♦ ***He puts in an appearance occasionally,*** il fait acte de présence de temps à autre.

put off, *v. part. t. et intr.* **1.** ajourner, différer. ***He always puts off answering letters,*** il ne se décide jamais à répondre aux lettres; ***the match has been put off,*** le match a été ajourné. **2.** dissuader; déconcerter. **3.** éteindre (électricité, gaz, etc.). **4.** *(Naut.)* pousser au large; débarquer (des passagers).

put on, *v. part. t.* **1.** mettre (un vêtement). **2.** *(Radio, TV...)* mettre en marche. ***I'm going to put the meal on,*** je vais mettre le repas en train. **3.** organiser (un spectacle). **4.** feindre, simuler. ***She's putting it on,*** elle fait semblant; elle se donne des airs. **5.** augmenter. ***She has put on weight,*** elle a pris du poids; ***the car put on speed,*** la voiture accéléra. **6.** *(Téléph.)* ***Put me on to Mr. Brown,*** passez-moi M. Brown (cf. **put through**).

put out, *v. part. t.* **1.** sortir, mettre dehors. **2.** étendre, allonger, avancer. ***He put out his hand to me,*** il m'a tendu la main; ***she put her tongue out at me,*** elle m'a tiré la langue. **3.** éteindre (feu, électricité). **4.** déconcerter; contrarier. **5.** publier, sortir (livre, communiqué). *v. intr. (Naut.)* prendre le large.

puttee ['pʌtɪ, pʌ'ti:] *n.* bande molletière.

put through, *v.part. t.* **1.** mener à bien. **2.** *(Téléph.)* ***Put me through to Mr. Brown,*** passez-moi M. Brown.

put together, *v. part. t.* **1.** mettre ensemble. **2.** assembler (un meuble). **3.** rassembler (faits, idées). ♦ ***Let's put our heads together!*** réfléchissons ensemble; ***she knows how to put two and two together,*** elle sait tirer des conclusions.

putty ['pʌtɪ] *n.* mastic. *v.t.* mastiquer.

put up, *v. part. t. et intr.* **1.** augmenter (prix...). **2.** lever, élever, remonter. **3.** descendre (à l'hôtel). **4.** héberger. **5.** fournir (argent). **6.** inciter. ***Who put him up to proposing that?*** qui lui a donné l'idée de proposer cela? **7.** supporter, tolérer. ***We had to put up with a lot of abuse,*** nous avons dû supporter beaucoup d'insultes.

⚠ **puzzle** ['pʌzl] *n.* **1.** mystère, énigme. **2.** devinette, casse-tête. ***Crossword puzzle,*** mots croisés; ***jigsaw puzzle,*** puzzle.

v.t. et intr. **1.** laisser perplexe; intriguer. **2.** essayer de comprendre. ***I'm still puzzling over that business,*** je continue à me poser des questions sur cette affaire.

puzzling ['pʌzlɪŋ] *adj.* troublant, qui rend perplexe, mystérieux.

▻ **pyjamas** [pɪ'dʒɑ:məz] *n. pl.* ***(Pair of) pyjamas,*** pyjama (*amér.* **pajamas**).

pyre [paɪə] *n.* bûcher funéraire.

pyromaniac [ˌpaɪrəʊ'meɪnɪæk] *n.* pyromane, incendiaire.

Q

Q, q [kjuː] 17e lettre de l'alphabet. ♦ ***Mind your p's and q's,*** mesure tes paroles, sois diplomate.

quack[1] [kwæk] *n.* coin-coin.
v. intr. faire coin-coin, crier (canard).

quack[2] [kwæk] *n. (Méd.)* charlatan.

quadrangle ['kwɒdræŋgl] *n.* **1.** *(Math.)* quadrilatère. **2.** *(Ens.)* cour (aussi **quad**).

quaff [kwɒf,kwɔːf] *v.t.* *(lit.)* boire à longs traits, lamper.

quagmire ['kwægmaɪə] *n.* *(lit.)* fondrière; *(fig.)* bourbier.

quail[1] [kweɪl] *n. (Zool.)* caille.

quail[2] [kweɪl] *v. intr.* perdre courage, trembler.

quaint [kweɪnt] *adj.* **1.** bizarre, original. **2.** pittoresque, d'un charme vieillot.

quake [kweɪk] *v. intr.* trembler (de peur). *n.* (= **earthquake**) tremblement de terre.

⚠ **qualification** [ˌkwɒlɪfɪ'keɪʃn] *n.* (souvent *pl.*) **1.** compétence, capacité. **2.** *(Ens.)* titre, diplôme. ***Paper qualifications,*** titres universitaires, etc. **3.** réserve, restriction. ***He accepted our proposal without qualification(s),*** il accepta notre proposition sans restrictions.

⚠ **qualify** ['kwɒlɪfaɪ] *v.t.* **1.** qualifier. **2.** atténuer; nuancer (une affirmation, un jugement,...). *v. intr.* **1.** *(Sp.)* se qualifier. **2.** *(Ens.)* obtenir un diplôme. ***He qualified last year as an engineer,*** il a obtenu son titre d'ingénieur l'an dernier. ♦ *(fig.)* ***To my mind that doesn't qualify as a victory,*** à mes yeux cela ne constitue pas une victoire.

qualm [kwɑːm] *n.* (souvent *pl.*) doute, scrupule; remords.

quandary ['kwɒndrɪ] *n.* dilemme. ***I'm in a quandary about this,*** cela m'embarrasse bien.

quarantine ['kwɒrəntiːn] *n. (Méd.)* quarantaine. *v.t.* mettre en quarantaine.

quarrel ['kwɒrəl] *n.* dispute, querelle, brouille. ***He tried to pick a quarrel with me,*** il m'a cherché querelle; ***I have no quarrel with that,*** je n'ai rien à dire à cela; ***they've had a quarrel,*** ils se sont disputés; ils sont brouillés. *v. intr.* **1.** se disputer, se brouiller. **2.** trouver à redire.

quarrelsome ['kwɒrəlsm] *adj.* querelleur.

quarry[1] ['kwɒrɪ] *n.* proie, gibier (chasse).

quarry[2] ['kwɒrɪ] *n.* carrière (de pierre, etc.). *v.t.* extraire (le marbre, etc.), exploiter (une région). *v. intr.* exploiter une carrière.

quarter ['kwɔːtə] *n.* **1.** quart (espace et temps). ***It's a quarter of a mile from here,*** c'est à un quart de mille d'ici; ***it's a quarter past four,*** il est quatre heures et quart. **2.** quartier (de bœuf). **3.** quartier (d'une ville). **4.** quartier (lune). **5.** *(Comm.)* trimestre; terme (loyer). ***Pay by the quarter,*** payer trimestriellement. **6.** *(pl.)* direction, côté. ***They came from all quarters,*** ils sont venus de toutes parts; ***this must be reported to the proper quarters,*** il faut signaler le fait à qui de droit. **7.** *(pl.)* domicile; *(Mil.)* quartier. **8.** *(lit.)* quartier, grâce. ***No quarter!*** pas de quartier! **9.** *(U.S.)* pièce de 25 cents.
v.t. **1.** diviser en quatre. **2.** *(Mil.)* cantonner, caserner, loger (des troupes).

quarterly ['kwɔːtəlɪ] *adj.* trimestriel. *n.* publication trimestrielle. *adv.* trimestriellement.

quartermaster ['kwɔːtəˌmɑːstə] *n.* **1.** *(Mil.)* intendant. **2.** *(Naut.)* maître de manœuvre.

⚠ **quartet(te)** [kwɔː'tet] *n.* **1.** *(Mus.)* quatuor. **2.** quartette (jazz).

quash [kwɒʃ] *v.t.* **1.** *(Jur.)* casser (un verdict). **2.** réprimer (une révolte).

quaver ['kweɪvə] *n.* **1.** *(Mus.)* croche. **2.** tremblement (de la voix), trémolo.
v. intr. chevroter. ***Quavering voice,*** voix tremblotante.

quay [kiː] *n. (Naut.)* quai (cf. **platform**).

queasy ['kwiːzɪ] *adj.* mal à l'aise. ***I feel queasy,*** j'ai la nausée; *(fig.)* je n'ai pas la conscience tranquille.

queen [kwiːn] *n.* **1.** reine. ***Queen Elisabeth,*** la reine Élisabeth; ***the* Queen Elisabeth,** le *Queen Elisabeth* (paquebot). **2.** dame (cartes, échecs). **3.** *(argot)* pédale, tante.

queenly ['kwiːnlɪ] *adj.* digne d'une

reine.

queer [kwɪə] *adj.* **1.** bizarre, étrange. ***He's a queer customer,*** c'est un drôle d'individu; *(fam.)* ***he's queer in the head,*** il est un peu toqué; *(fam.)* ***we'll soon be in Queer Street,*** nous allons bientôt nous trouver dans une mauvaise passe. **2.** louche, suspect. ***There's something queer about the whole business,*** il y a quelque chose de louche dans toute cette affaire. **3.** *(fam.)* patraque. ***I feel all queer,*** je me sens tout mal fichu. **4.** *(fam.)* pédé(raste).
n. (fam. et péj.) pédé(raste).
v.t. détraquer. ***You've queered my pitch!*** tu m'as coupé l'herbe sous les pieds!

quell [kwel] *v.t.* étouffer, réprimer (émotion, révolte).

quench [kwentʃ] *v.t.* **1.** éteindre (feu). **2.** *(fig.)* refroidir, étouffer, réprimer (émotions). ♦ ***It quenched my thirst,*** cela m'a désaltéré.

querulous ['kwerʊləs] *adj.* plaintif, bougon.

query ['kwɪərɪ] *n.* **1.** question, doute. ***This raises queries about his honesty,*** ceci soulève des doutes concernant sa probité. **2.** *(Gram.)* point d'interrogation (aussi **question mark**).
v.t. **1.** mettre en doute. **2.** *(amér.)* interroger (conférence de presse, etc.).

quest [kwest] *n. (lit.)* recherche, quête. ***In quest of,*** à la recherche de, en quête de .

question ['kwestʃn] *n.* **1.** question. ***Ask him a question about it!*** pose-lui une question à ce propos! ***it's an open question (whether),*** la question reste posée (de savoir si); ***it's (all) a question of what you mean by that,*** (tout) cela dépend de ce que vous voulez dire par là; ***question mark,*** point d'interrogation; ***that's a leading question,*** c'est une question tendancieuse; ***that's out of the question,*** c'est hors de question. **2.** doute. ***Beyond*** (ou ***without) question,*** incontestablement, sans aucun doute.
v.t. interroger. ***He was closely questioned,*** on lui a fait subir un interrogatoire serré. **2.** mettre en doute. ***I question whether he is as honest as he says,*** je doute qu'il soit aussi honnête qu'il le dit.

questionable ['kwestʃnəbl] *adj.* douteux, discutable.

questioning ['kwesʃnɪŋ] *adj.* interrogateur (regard,...).

▻ **queue** [kju:] *n.* queue. ***He stood in the queue for an hour,*** il a fait la queue pendant une heure; *(fam.)* ***you can't jump the queue like that!*** attends ton tour comme tout le monde!
v. intr. (souvent suivi de **up**) faire la queue.

quibble ['kwɪbl] *n.* argutie, chicane. *v. intr.* chicaner, ergoter. ***Stop quibbling over everything!*** cesse de couper tout le temps les cheveux en quatre!

quibbler ['kwɪblə] *n.* ergoteur, chicaneur.

quick[1] [kwɪk] *adj.* rapide. ***Be quick!*** dépêche-toi! ***he always has a quick answer,*** il a toujours la réponse prête; ***let's have a quick drink!*** si on prenait un pot en vitesse! ***she has a quick ear,*** elle a l'oreille fine; ***she has a quick temper,*** elle s'emporte facilement; ***she is quick at figures,*** elle calcule vite; ***she is quick to take offence,*** elle s'offense pour un rien.
adv. vite. ***Come quick!*** dépêche-toi!

quick[2] [kwɪk] *n. (Anat.)* chair vive. ***He has bitten his nails to the quick,*** il s'est rongé les ongles jusqu'à la chair; *(fig.)* ***she cut me to the quick,*** elle m'a piqué au vif.

quicken ['kwɪkən] *v.t. et intr.* (s') accélérer.

quick-freeze ['kwɪkfri:z] *v.t. irr.* (*p.* **quick-froze,** *p.p.* **quick-frozen**) surgeler.

quicklime ['kwɪk-laɪm] *n.* chaux vive.

quicksand ['kwɪksænd] *n.* (souvent *pl.*) sable(s) mouvant(s).

quicksilver ['kwɪk,sɪlvə] *n.* vif-argent.

quick-witted [,kwɪk'wɪtɪd] *adj.* qui a l'esprit vif; qui a de la répartie.

quid[1] [kwɪd] *n. (pl. inv.) (G.B.) (fam.)* livre (sterling).

quid[2] [kwɪd] *n.* chique (de tabac).

quiet ['kwaɪət] *adj.* **1.** silencieux, calme, tranquille. ***A quiet street,*** une rue calme; ***keep quiet!*** tais-toi! ***quiet!*** silence! ***quiet music,*** musique douce. **2.** paisible, sans agitation. ***The patient***

has had a quiet night, le malade a passé une nuit tranquille; ***they had a quiet wedding,*** le mariage a eu lieu dans l'intimité; ***this town is too quiet,*** cette ville n'est pas très animée. **3.** secret, caché. ***Keep it quiet! keep quiet about it!*** n'en parlez pas! gardez-le pour vous! **4.** tranquille, rassuré. ***You may be quiet on that score,*** ne vous inquiétez pas pour cela, vous pouvez dormir tranquille. **5.** sobre, discret (couleurs).

n. **1.** silence, tranquillité. **2.** paix, calme. ***Let's enjoy some peace and quiet for 5 minutes!*** si on se donnait 5 minutes de répit! ♦ ***He did it on the quiet,*** il l'a fait en cachette, en douce.

quieten ['kwaɪətn] *v.t. et intr.* (souvent suivi de **down**) (s') apaiser, (se) calmer.

quilt [kwɪlt] *n.* édredon, couette.

quilted ['kwɪltɪd] *adj.* molletonné, capitonné.

quince [kwɪns] *n.* **1.** coing. **2.** cognassier.

▻ **quintet(te)** [kwɪn'tet] *n. (Mus.)* quintette.

quirk [kwɜːk] *n.* bizarrerie; excentricité, petite manie. ***A quirk of fate,*** un caprice du destin.

△ **quit** [kwɪt] *v.t. et intr. (p. et p.p.* **quitted** ou **quit***);* **1.** *(fam.)* quitter. **2.** *(amér.)* cesser. ***Quit fooling!*** sois sérieux! **3.** renoncer. ***I quit!*** j'abandonne la partie! **4.** *(fam.)* démissionner. ***He quit (his job) yesterday,*** il a rendu son tablier hier.

quite [kwaɪt] *adv.* **1.** entièrement, tout à fait. ***I don't quite see what you mean,*** je ne vois pas exactement ce que vous voulez dire; ***I quite agree!*** tout à fait d'accord! ***she was quite right,*** elle avait tout à fait raison; ***that's quite enough (of that)!*** ça suffit comme ça! **2.** assez, plutôt. ***He waited quite a long time,*** il a attendu assez longtemps; ***I quite enjoyed the film,*** le film m'a assez plu; ***your accent is quite good!*** votre accent n'est pas mauvais.

▻ **quits** [kwɪts] *adj.* quitte. ♦ *(fam.)* ***Let's call it quits!*** restons-en là!

quiver[1] ['kwɪvə] *n.* carquois.

quiver[2] ['kwɪvə] *v. intr.* trembler, frémir, frissonner (d'émotion); vaciller (flamme); palpiter (ailes); battre (paupières).

n. tremblement, frémissement, frisson, palpitation, battement.

quixotic [kwɪk'sɒtik] *adj.* donquichottesque.

quiz [kwɪz] *v.t.* interroger, poser des colles. *n. (Radio, T.V.)* jeu-concours; devinette; *(Ens.)* colle.

quizzical ['kwɪzɪkl] *adj.* moqueur, narquois.

quod [kwɒd] *n. (argot)* taule, bloc. ***He's in quod,*** il est à l'ombre.

quota ['kwəʊtə] *n.* **1.** part, quotepart. **2.** *(Comm.)* contingent, quota.

quotation [kwəʊ'teɪʃn] *n.* **1.** citation. ***In quotation marks,*** entre guillemets.

quote [kwəʊt] *v.t. et intr.* **1.** citer. **2.** *(Comm.)* indiquer (prix).

R

R, r [ɑː] 18° lettre de l'alphabet. ***The 3 R's,*** l'enseignement de base ***(Reading, wRiting, aRithmetic).***

rabbi ['ræbaɪ] *n.* rabbin.

rabbit ['ræbɪt] *n.* lapin.

rabble ['ræbl] *n. (péj.)* cohue, populace.

rabid ['ræbɪd] *adj.* **1.** *(Méd.)* atteint de la rage, enragé. **2.** *(fig.)* furieux, violent; fanatique.

▻ **race**[1] [reɪs] *n.* race.

△ **race**[2] [reɪs] *n.* course. *(fig.)* ***A race against time,*** une course contre la montre; *(Sp.)* ***he ran a good race,*** il a fait une bonne course.

v.t. **1.** faire la course avec. **2.** faire courir (un cheval); *(Aut.)* emballer (un moteur).

v. intr. aller à toute vitesse.

racecourse ['reɪskɔːs] *n.* champ de courses (*amér.* **racetrack**).

racehorse ['reɪshɔːs] *n.* cheval de course.

racialism ['reɪʃəlɪzm] *n.* racisme (aussi **racism**).

racialist ['reɪʃəlɪst] *n.* raciste (aussi **racist**).

racing ['reɪsɪŋ] *n.* courses. ***Racing bicycle,*** vélo de course; ***racing driver,*** coureur automobile; ***racing man,*** turfiste.

rack¹ [ræk] *n.* **1.** étagère. **2.** râtelier (animaux). **3.** casier. ♦ *(Rail)* ***Luggage rack,*** porte-bagages; *(Aut.)* ***roof rack,*** galerie.

rack² [ræk] *n.* *(vx.)* chevalet (torture). *v.t.* **1.** supplicier (chevalet). **2.** *(fig.)* tourmenter. ***He racked his brains,*** il s'est creusé la cervelle; ***racked with remorse,*** tenaillé par le remords; ***racking pain,*** douleur atroce.

rack³ [ræk] *n.* ♦ ***Everything is going to rack and ruin,*** tout va à vau-l'eau (aussi **wrack**).

▷ **racket¹** ['rækɪt] *n.* *(Sp.)* raquette (aussi **racquet**).

⚠ **racket²** ['rækɪt] *n.* **1.** *(fam.)* vacarme, tapage. **2.** *(fam.)* racket, combine, trafic.

racketeer [,rækɪ'tɪə] *n.* escroc, racketteur.

racy ['reɪsɪ] *adj.* savoureux (récit,...); plein de verve.

radiance ['reɪdɪəns] *n.* éclat, rayonnement.

radiant ['reɪdɪənt] *adj.* radieux, rayonnant.

radiate ['reɪdɪeɪt] *v. t et intr.* rayonner, dégager.

radiation [,reɪdɪ'eɪʃn] *n.* rayonnement, radiation.

▷ **radio** ['reɪdɪəʊ] *n.* radio. ***On the radio,*** à la radio. *v. t. et intr.* appeler (ou envoyer un message) par radio.

radish ['rædɪʃ] *n.* *(Bot.)* radis.

⚠ **radius** ['reɪdɪəs] *n.* (*pl.* **radii** ['reɪdɪaɪ]). **1.** *(Math.)* rayon. ***Within a radius of 5 km,*** dans un rayon de 5 km. **2.** *(Anat.)* radius.

▷ **raffia** ['ræfɪə] *n.* raphia.

raffish ['ræfɪʃ] *adj.* dissolu, libertin.

⚠ **raffle** ['ræfl] *n.* loterie, tombola. *v.t.* mettre en loterie.

raft [rɑ:ft] *n.* radeau.

rafter ['rɑ:ftə] *n.* *(Arch.)* chevron.

rag¹ [ræg] *n.* *(G.B.)* farce, canular. *v. t. et intr.* chahuter (un professeur); bizuter (un camarade).

rag² [ræg] *n.* **1.** chiffon. ***I feel like a wet rag,*** je me sens mou comme une chiffe. **2.** *(pl.)* haillons. ***In rags,*** en loques. **3.** *(fam. et péj.)* torchon, feuille de chou. **4.** *(fig.)* ***Not a rag of proof,*** pas la moindre preuve.

ragamuffin ['rægə,mʌfɪn] *n.* va-nu-pieds.

ragbag ['rægbæg] *n.* **1.** sac à chiffons. **2.** *(fig. et péj.)* ramassis (d'idées, de préjugés).

⚠ **rage** [reɪdʒ] *n.* fureur, rage. ***She flew into a (fit of) rage,*** elle est entrée en fureur. **2.** *(fig.)* fureur, grande mode. ***It's all the rage,*** cela fait fureur. *v. intr.* **1.** être furieux, en furie. **2.** faire rage.

ragged ['rægɪd] *adj.* en lambeaux, déguenillé; *(fig.)* déchiqueté (rocher); effiloché (tissu).

⚠ **raid** [reɪd] *n.* **1.** *(Mil.)* raid, incursion; **2.** descente, rafle (police). ♦ ***Air raid,*** bombardement aérien. *v.t.* **1.** *(Mil.)* faire un raid, une incursion dans. **2.** faire une descente, une rafle dans (police).

raider ['reɪdə] *n.* **1.** brigand, pillard. **2.** *(Mil.)* commando.

⚠ **rail** [reɪl] *n.* **1.** rail, voie ferrée (aussi **railway**). **2.** chemin de fer. **3.** (= **handrail**) garde-fou, bastingage, balustrade, main courante. *v.t.* clôturer.

railing ['reɪlɪŋ] *n.* **1.** garde-fou, balustrade. **2.** barrière, grille.

railway ['reɪlweɪ] *n.* *(amér.* **railroad***)* **1.** voie ferrée. **2.** chemin de fer. ***Railway station,*** gare de chemin de fer.

rain [reɪn] *n.* pluie. ***It looks like rain,*** le temps est à la pluie; ***my wife is as right as rain again,*** ma femme se porte à nouveau comme un charme; ***the rain in on again,*** il pleut à nouveau; ***they had to go out in the rain,*** il leur a fallu sortir sous la pluie. *v. intr.* pleuvoir. ***It's raining buckets*** (ou ***cats and dogs),*** il pleut à seaux, à torrents, à verse. ♦ ***It never rains but it pours,*** un malheur n'arrive jamais seul. *v.t.* *(fig.)* faire pleuvoir (des coups).

rainbow ['reɪnbəʊ] *n.* arc-en-ciel.

raincoat ['reɪnkəʊt] *n.* imperméable.

raindrop ['reɪndrɒp] *n.* goutte de pluie.

rainfall ['reɪnfɔ:l] *n.* précipitation.

rainproof ['reɪnpru:f] *adj.* imperméable.

rainstorm ['reɪnstɔ:m] *n.* trombe d'eau.

rainwater ['reɪnwɔ:tə] *n.* eau de pluie.

rainy ['reɪnɪ] *adj.* pluvieux. *(fig.)* ***Put something away for a rainy day,*** garder une poire pour la soif.

raise [reɪz] *v.t.* soulever, lever. *(fig.)* ***He didn't raise an eye-brow,*** il n'a pas sourcillé; ***he raised his hat to me,*** il m'a donné un coup de chapeau; ***I have never raised my fist to anyone,*** je n'ai jamais menacé personne du poing; ***she never raises her voice,*** elle ne hausse jamais le ton. **2.** augmenter, majorer (prix). **3.** élever, ériger (édifice). **4.** soulever (objection, question). **5.** élever (animaux, enfants). **6.** cultiver (légumes). **7.** lever (impôts); se procurer (argent). ♦ ***I'm going to raise Cain*** (ou ***hell***), je vais faire un scandale, un éclat; ***it raised a laugh,*** cela a provoqué les rires; ***the government is going to raise a loan,*** le gouvernement va lancer un emprunt.

n. (amér. surtout*)* augmentation de salaire.

⚠ **raisin** ['reɪzn] *n.* raisin sec.

rake[1] [reɪk] *n.* râteau. *v.t.* ratisser (feuilles, foin, etc.); râteler (sol). *v. intr.* fouiller. ***He raked through his memory,*** il fouilla dans sa mémoire.

rake[2] [reɪk] *n.* coureur, débauché.

rake in *v. part. t. (fam.)* amasser (argent). ***He's raking it in,*** il fait son beurre.

rake out *v. part. t. (fam. et fig.)* dénicher.

rake up *v. part. t.* **1.** ratisser (feuilles, foin, etc.). **2.** *(fig.)* ranimer, ressusciter (passé, griefs, etc.).

rakish ['reɪkɪʃ] *adj.* **1.** libertin. **2.** cavalier, désinvolte. **3.** (surtout *Naut.*) élégant, élancé.

⚠ **rally** ['rælɪ] *n.* **1.** ralliement, rassemblement. **2.** *(Aut.)* rallye.

v.t. rallier, rassembler. *v. intr.* **1.** se rallier, se rassembler. **2.** *(Méd.)* reprendre le dessus (d'une maladie).

rally round *v. part. intr.* venir au secours.

ram [ræm] *n.* bélier. *v.t.* enfoncer; tasser. ***He's always trying to ram his theories down my throat,*** il ne cesse de me rebattre les oreilles de ses théories.

ramble ['ræmbl] *v. intr.* **1.** errer, faire des randonnées. **2.** *(fig. et péj.)* raconter des histoires à dormir debout, radoter.

n. balade, randonnée.

rambling ['ræmblɪŋ] *adj.* **1.** *(Arch.)* sans plan. **2.** (discours) décousu.

⚠ **ramp** [ræmp] *n.* **1.** rampe, talus. **2.** *(Tech.)* pont (garage). **3.** *(argot)* escroquerie.

rampage [ræm'peɪdʒ] *v.t.* faire du tapage. *n.* ***They're on the rampage,*** ils sont déchaînés.

⚠ **rampant** ['ræmpənt] *adj.* luxuriant. *(fig.)* ***Poverty was rampant,*** on voyait la misère partout.

ramshackle ['ræmʃækl] *adj.* branlant, délabré, déglingué.

ran [ræn] (**run,** *v.*)

rancid [rænsɪd] *adj.* rance.

random ['rændəm] *n.* ♦ ***Choose at random,*** choisir au hasard. *adj.* **1.** *(Inf.)* aléatoire. **2.** au hasard. ***Random remark,*** remarque faite au hasard, en passant.

rang [ræŋ] (**ring,** *v.*)

⚠ **range** [reɪndʒ] *n.* **1.** chaîne (de montagnes). **2.** portée. ***Out of range,*** hors de portée; ***within range,*** à portée. **3.** gamme (de couleurs), choix (de denrées), éventail (de salaires), étendue (de connaissances).

v.intr. **1.** errer, **2.** s'étendre. **3.** avoir une portée de.

rank[1] [rænk] *n. (Mil.)* rang. ***He has risen from the ranks,*** il est sorti du rang; ***the rank and file.*** *(Mil.)* la troupe; *(fig.)* les militants de base, la base. **2.** *(Mil.)* grade. **3.** *(fig.)* rang (social). ***People of all ranks,*** gens de toutes conditions.

v. t. et intr. (se) classer, (se) ranger.

rank[2] [rænk] *adj.* **1.** luxuriant. **2.** fétide, rance, répugnant, grossier. **3.** flagrant, absolu. ***Rank injustice,*** injustice criante.

rankle ['rænkl] *v. intr.* ♦ ***It has always rankled (with me),*** cela m'est toujours resté sur le cœur.

ransack ['rænsæk] *v.t.* **1.** fouiller (poches, tiroirs). **2.** piller, mettre à sac...

ransom ['rænsm] *n.* rançon. *v.t.* rançonner.

rant [rænt] *v. t. et intr.* **1.** *(Th.)* déclamer. **2.** tempêter.

rap [ræp] *n.* petit coup sec. ***There was a rap at the door,*** quelqu'un a frappé à la porte. ♦ ***He doesn't care a rap,*** il s'en fiche éperdument; *(fam.)* ***I refuse to take the rap,*** je refuse de payer les pots cassés.
v.t. frapper d'un coup sec. ♦ *(fig.)* ***He was rapped over the knuckles,*** il s'est fait taper sur les doigts.

rapacious [rə'peɪʃəs] *adj.* rapace.

⚠ **rape** [reɪp] *n.* viol. *v.t.* violer.

rapist ['reɪpɪst] *n.* auteur d'un viol.

⚠ **rapt** [ræpt] *adj.* intense, extasié.

rapture ['ræptʃə] *n.* extase, ravissement.

rapturous ['ræptʃrəs] *adj.* extatique.

⚠ **rare** [rɜə] *adj.* **1.** rare. **2.** *(Cuis.)* saignant (viande).

rascal ['rɑ:skl] *n.* fripon; polisson

rash[1] [ræʃ] *n.* éruption, rougeur.

rash[2] [ræʃ] *adj.* téméraire; irréfléchi.

rasher ['ræʃə] *n.* tranche de bacon.

rasp [rɑ:sp] *n.* **1.** râpe (à bois). **2.** grincement. *v.t.* *(Tech)* râper. *v. intr.* grincer.

raspberry ['rɑ:zbrɪ] *n.* framboise.

⚠ **rat** [ræt] *n.* rat. ♦ ***I smell a rat,*** je crois qu'il y a anguille sous roche; ***it's a rat race,*** c'est la foire d'empoigne, la loi de la jungle; ***you're a rat!*** tu es un salaud!

ratchet ['rætʃɪt] *n.* *(Tech.)* cliquet.

⚠ **rate** [reɪt] *n.* **1.** taux. ***Birth rate,*** taux de natalité; *(Comm.)* ***exchange rate,*** taux du change. **2.** allure, vitesse. ***He was going at a terrific rate,*** il menait un train d'enfer. **3.** (souvent *pl.*) impôts locaux. ♦ ***At any rate,*** en tout cas.
v.t. **1.** estimer, évaluer. **2.** fixer la valeur locative imposable de.

ratepayer ['reɪt,peɪə] *n.* contribuable (impôts locaux) (cf. **taxpayer**).

rather[1] ['rɑ:ðə] *adv.* **1.** un peu (trop). ***He's rather young for the job,*** il est un peu (trop) jeune pour ce poste; ***it's rather a pity,*** c'est un peu dommage. **2.** (dans des comparaisons) plutôt, un peu. ***He's rather younger than his wife,*** il est un peu plus jeune que sa femme; ***I'd (much) rather walk (than go by car),*** j'aimerais (bien) mieux aller à pied (que de prendre la voiture); ***no thanks, I'd rather not (go out),*** non merci, je n'ai pas envie (de sortir); ***rather than cause trouble, he gave up the scheme,*** plutôt que de causer des ennuis, il renonça à son projet. **3.** plutôt, plus précisément. ***He rather bellowed than shouted,*** il beuglait plutôt qu'il ne criait. **4.** très, extrêmement. ***She's rather extraordinary,*** elle est tout à fait extraordinaire; ***that's rather disappointing!*** quelle déception!

rather[2] [rɑ:'ðɜ:] *interj.* bien sûr. *«**Would you like a drink? – Rather!**»* «Tu veux boire quelque chose? – Et comment!»

ratio ['reɪʃɪəʊ] *n.* proportion, rapport.

rattle ['rætl] *n.* **1.** hochet; crécelle. **2.** cliquetis, crépitement, fracas. **3.** *(Méd.)* râle.
v. t. et intr. **1.** (faire) cliqueter, crépiter. ***That window's rattling again!*** j'entends taper cette fenêtre à nouveau! **2.** *(fig.)* bouleverser. ***He gets easily rattled,*** il panique facilement.

rattle off *v. part. t.* débiter à toute allure.

rattlesnake ['rætlsneɪk] *n.* serpent à sonnette.

rattletrap ['rætltræp] *n.* *(fam.)* guimbarde, tacot, bagnole.

raucous ['rɔ:kəs] *adj.* éraillé (cf. **hoarse**).

⚠ **rave** [reɪv] *v. intr.* **1.** *(Méd.)* délirer. **2.** s'emporter, pester. **3.** s'extasier. ***They all rave about him,*** tout le monde en est fou.

ravel ['rævl] *v.t. et intr.* (s') enchevêtrer, (s') emmêler, (s') embrouiller.

ravel out, *v. part. t.* démêler; débrouiller.

raven ['reɪvn] *n.* (grand) corbeau.

ravenous ['rævənəs] *adj.* affamé.

raving ['reivɪŋ] *adj. et adv.* *(fig.)* délirant. ***You're raving mad!*** tu es complètement fou!

ravings ['reɪvɪŋz] *n. pl.* paroles extravagantes.

ravish ['rævɪʃ] *v.t.* ravir, enchanter.

ravishing ['rævɪʃɪŋ] *adj.* ravissant.

raw [rɔ:] *adj.* **1.** cru. ***Raw carrots,*** carottes crues. **2.** *(Ind.)* non traité, brut. ***Raw materials,*** matières premières;

raw ore, minerai brut; ***raw silk,*** soie grège. **3.** inexpérimenté. ***Raw hand,*** novice; ***raw troops,*** troupes non aguerries. **4.** sensible, à vif. ***Her nerves are raw,*** elle a les nerfs à fleur de peau; ***raw wound,*** plaie vive. **5.** (climat, temps) âpre, froid, humide, rigoureux. ♦ *(fam.)* ***He gave me a raw deal,*** il a été injuste avec moi.
n. ♦ ***He got me on the raw,*** il m'a piqué au vif; ***life in the raw,*** la nature à l'état brut.

raw-boned [,rɔː'bəʊnd] *adj.* décharné.

rawhide ['rɔːhaɪd] *n.* cuir vert.

ray[1] [reɪ] *n.* **1.** rayon (de lumière). **2.** radiation. ♦ ***A ray of hope,*** une lueur d'espoir.

ray[2] [reɪ] *n.* raie (poisson).

⚠ **rayon** ['reɪɒn] *n.* rayonne.

raze [reɪz] *v.t.* abattre, raser. ***The town was razed to the ground,*** la ville entière fut rasée.

▷ **razor** ['reɪzə] *n.* rasoir.

reach [riːtʃ] *n.* **1.** portée, atteinte. ***Out of reach,*** hors de portée; ***within easy reach,*** à proximité; ***within your reach,*** à votre portée. **2.** étendue (paysage).
v. intr. (souvent suivi de **across, down, for, up**) étendre le bras, avancer la main. ***He reached up for his cap,*** il étendit le bras pour prendre sa casquette. *v.t.* **1.** atteindre. ***He reached London in the early morning,*** il est arrivé à Londres tôt le matin; ***they have reached an understanding,*** ils sont parvenus à un accord; ***where can I reach you?*** où puis-je vous joindre? **2.** faire passer. ***Could you reach me the salt?*** peux-tu me faire passer le sel?

react [rɪ'ækt] *v. intr.* réagir.

read [riːd] *v.t. et intr.* (*p. et p.p.* **read** [red]) **1.** lire. ***Can you read music?*** est-ce que tu sais déchiffrer la musique? ***his novel reads well,*** son roman se lit agréablement; ***I read about it in the paper,*** je l'ai lu dans le journal. **2.** étudier. ***He's reading hard for his exams,*** il prépare ses examens d'arrache-pied; ***he's reading law,*** il fait son droit. ♦ ***I often have to read myself to sleep,*** il faut souvent que je lise pour m'endormir; ***we can take that as read,*** il n'y a pas lieu de revenir là-dessus.

readable ['riːdəbl] *adj.* **1.** lisible. **2.** agréable, ou facile à lire (cf. **legible**).

reader ['rɪːdə] *n.* **1.** lecteur. **2.** *(Ens.)* maître de conférences.

readership ['riːdəʃɪp] *n.* **1.** circulation, tirage (d'un journal). **2.** *(Ens.)* maîtrise de conférences.

readily ['redɪlɪ] *adv.* volontiers.

readiness ['redɪnɪs] *n.* **1.** préparation. **2.** bonne volonté.

reading ['riːdɪŋ] *n.* **1.** lecture. **2.** interprétation (d'un texte). **3.** relevé (d'un compteur).

▷ **readjust** [,riːə'dʒʌst] *v.t. et intr.* (se) rajuster.

read up, *v. part. t.* étudier (un sujet).

ready ['redɪ] *adj.* prêt. ***«Dinner's ready!»*** «à table!»; ***get ready for a surprise!*** prépare-toi à (avoir) une surprise! ***I'm quite ready to believe that,*** je veux bien le croire; ***she has a ready tongue,*** elle a la langue bien pendue; ***you're too ready to criticize,*** tu es trop enclin à critiquer; ***you've to pay in ready cash,*** il te faut payer en espèces, en liquide.

ready-made [,redɪ'meɪd] *adj.* tout fait. ***Ready-made suit,*** costume de confection.

⚠ **real** [rɪəl] *adj.* **1.** réel, vrai, véritable. **2.** *(Comm.)* ***Real estate,*** biens fonciers; ***real estate agent,*** agent immobilier.

realistic [rɪə'lɪstɪk] *adj.* réaliste.

⚠ **realize** ['rɪəlaɪz] *v.t.* **1.** se rendre compte de, prendre conscience de. ***I realize I'm disturbing you,*** je sais bien que je vous dérange; ***she doesn't realize things,*** elle est inconsciente. **2.** réaliser (un projet). **3.** *(Fin.)* réaliser (un avoir); atteindre (un prix).

realm [relm] *n.* *(lit. et fig.)* royaume.

realtor ['rɪəltə] *n.* *(U.S.)* agent immobilier (cf. **estate agent**).

reap [riːp] *v.t. et intr.* **1.** moissonner, faucher. **2.** *(fig.)* récolter, tirer profit.

reaper ['riːpə] *n.* (personne) moissonneur. **2.** (machine) moissonneuse.

reappear [,riːə'pɪə] *v. intr.* réapparaître, reparaître.

rear[1] [rɪə] *n.* **1.** arrière, derrière. **2.** *(Mil.)* arrière-garde (aussi **rearguard**).

rear² [rɪə] *v.t.* **1.** élever (une famille, des animaux). **2.** relever, dresser (la tête). *v. intr.* se cabrer.

▷ **reason** ['ri:zn] *n.* **1.** raison, motif, cause. ***That's the reason why I refused,*** voilà pourquoi j'ai refusé; ***the reason for the accident,*** la cause de l'accident; ***they have every reason to be pleased,*** ils ont tout lieu d'être contents. **2.** raison, faculté de raisonnement. ***He lost his reason,*** il a perdu la raison. **3.** raison, bon sens. ***It stands to reason,*** cela va de soi; ***they won't listen to reason,*** on ne peut pas leur faire entendre raison.
v.t. et intr. raisonner. ***You can't reason her out of anything,*** il n'y a pas moyen de la faire renoncer à quoi que ce soit; ***you can't reason with her,*** impossible de la raisonner.

reassure [,ri:ə'ʃʊə] *v.t.* rassurer.

rebate ['ri:beɪt] *n.* **1.** rabais. **2.** remboursement.

▷ **rebel** ['rebl] *n.* rebelle. *v. intr.* [rɪ'bel] se révolter, s'insurger.

rebellious [rɪ'beljəs] *adj.* rebelle, indocile.

▷ **rebound** [rɪ'baʊnd] *v. intr.* rebondir. *n.* ['ri:baʊnd] rebond. *(fig.)* ***On the rebound,*** sous le coup d'une déception sentimentale.

rebuff [rɪ'bʌf] *n.* rebuffade. *v.t.* rabrouer.

rebuke [rɪ'bju:k] *n.* *(lit.)* réprimande. *v.t.* réprimander.

⚠ **rebut** [rɪ'bʌt] *v.t.* réfuter.

recall [rɪ'kɔ:l] *v. t.* **1.** rappeler (un ambassadeur). **2.** rappeler. ***This recalls my army day,*** cela me fait penser à mon service militaire. **3.** se rappeler. ***I can't recall ever seeing him before,*** je ne crois pas l'avoir déjà vu.
n. rappel.

recant [rɪ'kænt] *v.t. et intr.* (se) rétracter.

recast [,ri:'kɑ:st] *v.t. irr.* (*p. et p.p.* **-cast**). **1.** *(Tech.)* refondre. **2.** *(Th.)* redistribuer (les rôles). **3.** *(fig.)* remanier.

recede [rɪ'si:d] *v. intr.* s'éloigner; descendre (marée). ♦ ***His hair is receding,*** son front se dégarnit.

receipt [rɪ'si:t] *n.* *(Comm.)* **1.** reçu. **2.** recette(s), rentrées. *v.t.* acquitter (une facture).

receive [rɪ'si:v] *v.t.* **1.** recevoir, obtenir. **2.** recevoir, accueillir. **3.** *(Jur.)* receler (objets volés).

receiver [rɪ'si:və] *n.* **1.** destinataire. **2.** *(Radio et Téléph.)* récepteur. **3.** *(Jur.)* receleur.

recess [rɪ'ses] *n.* **1.** vacances (parlementaires...). **2.** recoin, renfoncement, alcôve.

recipe ['resɪpɪ] *n.* *(Cuis. et fig.)* recette.

⚠ **recipient** [rɪ'sɪpɪənt] *n.* **1.** destinataire, bénéficiaire. **2.** *(Méd.)* receveur (d'organe greffé).

reciprocal [rɪ'sɪprəkl] *adj.* réciproque.

reciprocate [rɪ'sɪprəkeɪt] *v.t. et intr.* payer de retour; retourner le compliment.

reckless ['rekləs] *adj.* insouciant, téméraire, imprudent.

reckon ['rekən] *v.t. et intr.* **1.** calculer, compter. **2.** estimer, juger. ♦ *(fig.)* ***You'll have to reckon with the mother-in-law,*** il te faudra compter avec la belle-mère.

reckoning ['rekənɪŋ] *n.* évaluation. ***The day of reckoning,*** le jour d'expiation; ***we were out in our reckoning,*** nous nous sommes trompés dans notre calcul.

⚠ **reclaim** [rɪ'kleɪm] *v.t.* **1.** récupérer en défrichant ou en asséchant (terrain). **2.** *(Tech.)* récupérer (matériaux). **3.** réclamer (un dû). **4.** *(fig.)* récupérer, corriger, amender (une personne).

⚠ **reclamation** [,reklə'meɪʃn] *n.* **1.** défrichement, assèchement. **2.** récupération. **3.** réclamation. **4.** amendement.

recline [rɪ'klaɪn] *v.t. et intr.* (s') allonger, (s') appuyer.

▷ **recluse** [rɪ'klu:s] *n.* reclus, solitaire.

recognition [,rekəg'nɪʃn] *n.* reconnaissance. ♦ ***He has changed out of all recognition,*** on ne le reconnaît plus, tellement il a changé.

recognize ['rekəgnaɪz] *v.t.* reconnaître.

recoil [rɪ'kɔɪl] *v. intr.* reculer.
n. recul.

recollect [,rekə'lekt] *v.t.* se rappeler. ***As far as I recollect,*** autant que je m'en souvienne.

▷ **recommend** [,rekə'mend] *v.t.* recommander.

⚠ **reconcile** ['rekənsaɪl] *v.t.* **1.** concilier. **2.** réconcilier. ♦ ***He can't reconcile***

himself to leaving her, il ne peut pas se résigner à la quitter.

recondite ['rekəndaɪt, rɪ'kɒndaɪt] *adj. (lit.)* abstrus, obscur.

reconnaissance [rɪ'kɒnɪsns] *n. (Mil.)* reconnaissance.

reconnoitre [,rekə'nɔɪtə] *v.t. et intr. (Mil.)* reconnaître, effectuer une reconnaissance.

⚠ **record**[1] [rɪ'kɔ:d] *v.t.* **1.** inscrire, noter. ***He records all the events of the day in his diary,*** il consigne tous les événements de la journée dans un journal intime. **2.** enregistrer. ***Record on tape,*** enregistrer sur bande. **3.** enregistrer, marquer. ***The speedometer recorded 180 km/h,*** le compteur de vitesse marquait 180 km/h.

⚠ **record**[2] ['rekɔ:d] *n.* **1.** récit, rapport, mention. ***I keep a record of everything I spend,*** je note toutes mes dépenses; ***it's been the coldest winter on record,*** nous avons eu l'hiver le plus froid de mémoire d'homme. **2.** dossier. ***Military record,*** états de service; ***police record,*** casier judiciaire; ***school record,*** dossier scolaire. **3.** enregistrement, disque. ***Cut a record,*** graver un disque. **4.** *(Sp. et fig.)* record. ***Beat*** (ou ***break***) ***the record,*** battre le record; ***he holds the world record,*** il détient le record mondial. **5.** *(n. pl.)* ***(Public) records,*** archives. ♦ ***He's got a clean record,*** il a un casier judiciaire vierge; ***my remarks are strictly off the record,*** ce que je dis est purement confidentiel.
adj. record. ***A record crop,*** une récolte record.

recorder [rɪ'kɔ:də] *n.* **1.** archiviste. **2.** *(Jur.)* magistrat, juge. **3.** appareil enregistreur; magnétophone (= **tape recorder**). **4.** *(Mus.)* flûte à bec.

recording [rɪ'kɔ:dɪŋ] *n.* enregistrement.

record library ['rekɔ:d,laɪbrərɪ] *n.* discothèque (de prêt).

record player ['rekɔ:d,pleɪə] *n.* électrophone, tourne-disque (aussi *amér.* **phonograph**).

recount[1] [rɪ'kaʊnt] *v.t.* raconter.

recount[2] [,ri:'kaʊnt] *v.t.* recompter. *n.* ['ri:kaʊnt] pointage (de voix).

⚠ **recoup** [rɪ'ku:p] *v.t. et intr. (Comm.)* **1.** récupérer (des pertes). **2.** (se) dédommager.

▷ **recourse** [rɪ'kɔ:s] *n.* recours. ***They had recourse to stealing,*** ils ont eu recours au vol (cf. **resort**).

⚠ **recover**[1] [rɪ'kʌvə] *v.t.* **1.** retrouver, récupérer. ***He recovered his car undamaged,*** sa voiture a été retrouvée en bon état. **2.** *(Comm.)* ***Recover expenses,*** rentrer dans ses frais. **3.** *(Jur.)* ***Recover damages,*** obtenir des dommages-intérêts. ♦ ***He will soon recover his strength,*** il reprendra bientôt des forces; ***I couldn't recover my breath,*** je n'arrivais pas à reprendre haleine; ***recover consciousness,*** reprendre connaissance; ***try to recover your composure!*** essaie de te ressaisir! *v. intr.* **1.** *(Méd.)* guérir, se remettre, se rétablir. ***He hasn't quite recovered from his flu,*** il n'est pas tout à fait rétabli de sa grippe. **2.** *(Fin.)* se rétablir, se redresser. ***The economy is recovering,*** l'activité économique reprend.

recover[2] [,ri:'kʌvə] *v.t.* regarnir, recouvrir.

recovery [rɪ'kʌvrɪ] *n.* **1.** récupération. ***The recovery of the space capsule,*** la récupération de la capsule spatiale. **2.** *(Méd.)* guérison, rétablissement. ***She is well on the way to recovery,*** elle sera bientôt rétablie. **3.** *(Écon.)* reprise.

▷ **recreate** [,ri:kri:'eɪt] *v.t.* recréer.

▷ **recreation** [,rekrɪ'eɪʃn] *n.* **1.** récréation, activité de détente, violon d'Ingres. ***Recreation ground,*** terrain de jeux. **2.** *(Ens.)* récréation.

▷ **recriminate** [rɪ'krɪmɪneɪt] *v. intr.* récriminer.

▷ **recruit** [rɪ'kru:t] *n. (Mil. et fig.)* recrue. *v.t. (Mil. et fig.)* recruter; embaucher.

⚠ **rector** ['rektə] *n.* **1.** *(Rel.)* pasteur anglican. **2.** *(Ens.)* proviseur (d'établissement secondaire en Écosse); président (d'une université).

rectory ['rektrɪ] *n.* presbytère anglican.

recumbent [rɪ'kʌmbənt] *adj. (lit.)* couché, étendu, renversé.

recur [rɪ'kɜ:] *v. intr.* revenir; se reproduire.

recurrence [rɪ'kʌrəns] *n.* réapparition, retour; répétition; *(Méd.)* rechute.

recurrent [rɪ'kʌrənt] *adj.* périodique.
recurring [rɪ'kʌrɪŋ] *adj. (Math.)* ***Recurring decimal,*** fraction périodique.
red [red] *adj.* **1.** rouge. **2.** roux (cheveux). ♦ ***They both turned red (in the face),*** ils ont rougi tous les deux; ***that's just a red herring!*** ce n'est qu'une feinte, une diversion; ***they painted the town red,*** ils ont fait les 400 coups; ***they rolled out the red carpet for him,*** ils l'ont reçu avec tous les honneurs; ***what a lot of red tape!*** quelle paperasserie!
n. rouge. ***I never wear red,*** je ne porte jamais rien de rouge. ♦ *(Fin.)* ***I'm in the red,*** j'ai un découvert.
red-blooded [,red'blʌdɪd] *adj.* vigoureux, viril.
redbreast ['redbrest] *n.* rouge-gorge (cf. **robin**).
redbrick ['red,brɪk] *n. (G.B.)* université de province fondée depuis moins d'un siècle.
redcap ['redkæp] *n.* **1.** policier militaire. **2.** *(amér.)* porteur.
redcoat ['redkəʊt] *n. (vx.)* militaire anglais.
redcurrant [,red'kʌrənt] *n.* groseille (rouge).
redden ['redn] *v.t. et intr.* rougir; roussir.
reddish ['redɪʃ] *adj.* rougeâtre; roux.
⚠ **redecorate** [ri:'dekəreɪt] *v.t. et intr.* repeindre (une pièce), retapisser.
redeem [rɪ'di:m] *v.t.* **1.** racheter, récupérer. **2.** *(Fin.)* amortir, rembourser (des obligations). **3.** *(Rel.)* racheter, sauver. **4.** tenir (une promesse). ***He has redeemed his promise,*** il a tenu parole.
redeemable [rɪ'di:məbl] *adj.* **1.** rachetable. **2.** *(Fin.)* amortissable, remboursable.
Redeemer [rɪ'di:mə] *n. (Rel.)* Rédempteur.
redeeming [rɪ'di:mɪŋ] *adj.* rédempteur.
⚠ **redemption** [rɪ'dempʃn] *n.* **1.** rachat. **2.** *(Fin.)* amortissement, remboursement. **3.** *(Rel.)* rédemption. ♦ *(fig.)* ***A scoundrel beyond*** (ou ***past***) ***redemption,*** un voyou irrécupérable.
red-handed [,red'hændɪd] *adj. (fig.)* ***He was caught red-handed,*** il a été pris la main dans le sac, en flagrant délit.
redhead ['redhed] *n. (fam.)* personne rousse, un(e) rouquin(e).
red-hot [,red'hɒt] *adj.* **1.** chauffé au rouge. **2.** *(fig.)* ardent, enthousiaste.
redid [ri:'dɪd] (**redo,** *v.*)
redirect [,ri:daɪ'rekt, ri:dɪ'rekt] *v.t.* faire suivre (le courrier) (aussi **readdress**).
red-letter [,red'letə] *n.* ***Red-letter day,*** jour à marquer d'une pierre blanche.
red-light [,red'laɪt] *n.* ***Red-light district,*** quartier mal famé.
redo [ri:'du:] *v.t. irr.* (*p.* **redid,** *p.p.* **redone**) refaire. ♦ ***I've got to redo my hair,*** il faut que je me recoiffe.
redone [ri:'dʌn] (**redo,** *v.*)
reduce [rɪ'dju:s] *v.t.* réduire, baisser, diminuer. ***Reduce prices,*** baisser les prix; ***reduce speed,*** ralentir; *(Mil.)* ***reduce to the ranks,*** casser (un officier).
v. intr. perdre du poids, maigrir.
▻ **reduction** [rɪ'dʌkʃn] *n.* réduction, baisse, diminution. ***Sell at a reduction,*** vendre au rabais, en promotion.
⚠ **redundancy** [rɪ'dʌndənsɪ] *n.* **1.** *(lit.)* redondance, pléonasme. **2.** surnombre, excès. **3.** *(Ind.)* mise à pied, licenciement. ***Redundancy is on the increase,*** il y a de plus en plus de chômage.
⚠ **redundant** [rɪ'dʌndənt] *adj.* **1.** *(lit.)* redondant, tautologique. **2.** en surnombre. **3.** *(Ind.)* au chômage. ***He was made redundant,*** il a été licencié.
redwood ['redwʊd] *n. (Bot.)* séquoia.
re-echo [ri:'ekəʊ] *v. t. et intr.* (faire) retentir.
reed [ri:d] *n. (Bot.)* roseau; *(Mus.)* anche. ***The reeds,*** les instruments à anche. ♦ *(fam.)* ***He's a broken reed,*** on ne peut pas compter sur lui, il n'est d'aucun secours.
reedy ['ri:dɪ] *adj.* **1.** couvert de roseaux. **2.** ***Reedy voice,*** voix flûtée.
reef[1] [ri:f] *n.* récif, écueil.
reef[2] [ri:f] *n. (Naut.)* ris. ***Reef knot,*** nœud plat (*amér.* **square knot**).
v.t. prendre un ris dans.
reefer[1] ['ri:fə] *n.* caban.
reefer[2] ['ri:fə] *n. (fam.)* joint (marijuana).
reek [ri:k] *n.* puanteur. *v. intr.* puer, empester. ***His breath reeked of drink,*** il empestait l'alcool à pleine bouche.
reel[1] [ri:l] *n.* **1.** bobine (de coton). **2.**

(*Tech.*) dévidoir. **3.** moulinet (pêche). **4.** (*Ciné.*) bande, bobine. ***Newsreel,*** les actualités.
v. intr. chavirer, tournoyer; tituber, chanceler. (*fig.*) ***My head is reeling with all those figures,*** tous ces chiffres me font tourner la tête.
reel² [ri:l] *n.* branle (écossais).
reel in, *v. part. t.* enrouler, ramener.
reel off, *v. part. t.* débiter (une liste).
reel up, *v. part.* enrouler, ramener.
ref [ref] *n.* (*fam.*)(= **referee**) arbitre.
▻ **refectory** [rɪ'fektrɪ] *n.* réfectoire.
⚠ **refer** [rɪ'fɜ:] *v.t.* renvoyer; soumettre. ***I'll have to refer his problem to the director,*** il faudra que je soumette ce problème au directeur. *v. intr.* **1.** faire mention, faire allusion. ***What are you referring to?*** à quoi faites-vous allusion? **2.** se référer, s'appliquer. ***The new regulation refers to territorial waters only,*** le nouveau règlement ne concerne que les eaux territoriales. **3.** se référer, se reporter. ***I'll have to refer (back) to my director,*** il me faudra en référer à mon directeur; ***please refer to p. 5,*** prière de se reporter à la page 5.
referee [,refə'ri:] *n.* (*Sp.*) arbitre.
refill [,ri:'fɪl] *v.t.* remplir (à nouveau). *n.* ['ri:fɪl] recharge.
▻ **refine** [rɪ'faɪn] *v.t. et intr.* raffiner.
▻ **refinery** [rɪ'faɪnrɪ] *n.* raffinerie.
refit [,ri:'fɪt] *v.t.* (*Naut.*) remettre en état, réparer.
reflect [rɪ'flekt] *v.t.* **1.** refléter, réfléchir, renvoyer. ***The trees are reflected in the water,*** les arbres se reflètent dans l'eau. **2.** exprimer. ***This novel reflects the author's own obsessions,*** ce roman traduit les propres obsessions de l'auteur. *v. intr.* **1.** réfléchir, méditer. **2.** se dire, penser. **3.** nuire. ***This scandal is bound to reflect on his reputation,*** ce scandale ne peut que rejaillir sur sa réputation, lui porter préjudice.
reflection [rɪ'flekʃn] *n.* **1.** réflexion (lumière, chaleur...). **2.** reflet (dans un miroir). **3.** réflexion, pensée. ***On reflection,*** à la réflexion. **4.** critique, réflexion. ***This is no reflection on your honesty,*** ceci ne met aucunement en cause votre honnêteté.
reflective [rɪ'flektɪv] *adj.* pensif, méditatif; réfléchi.
reflector [rɪ'flektə] *n.* réflecteur; cataphote.
reflexive [rɪ'fleksɪv] *adj.* (*Gram.*) réfléchi.
refloat [,ri:'fləʊt] *v.t.* (*Naut. et fig.*) renflouer, remettre à flot. *v. intr.* être renfloué, remis à flot.
▻ **reform** [rɪ'fɔ:m] *v.t. et intr.* (se) réformer, (se) corriger. *n.* réforme.
▻ **re-form** [,ri:'fɔ:m] *v.t. et intr.* (se) reformer.
reformation [,refə'meɪʃn] *n.* **1.** (*Psy.*) transformation. **2.** (*Rel.*) ***Reformation,*** la Réforme.
reformer [rɪ'fɔ:mə] *n.* réformateur.
▻ **refractory** [rɪ'fræktrɪ] *adj.* réfractaire.
⚠ **refrain¹** [rɪ'freɪn] *v. intr.* s'abstenir. ***Please refrain from smoking,*** prière de ne pas fumer.
▻ **refrain²** [rɪ'freɪn] *n.* refrain.
refresh [rɪ'freʃ] *v.t.* rafraîchir; désaltérer; délasser.
refresher [rɪ'freʃə] *n.* (*Ens.*) ***Refresher course,*** cours de recyclage.
refreshing [rɪ'freʃɪŋ] *adj.* **1.** rafraîchissant; désaltérant; délassant. **2.** nouveau et stimulant.
refuel [,ri:'fju:əl] *v.t. et intr.* (se) ravitailler (en carburant).
▻ **refuge** ['refju:dʒ] *n.* refuge, abri; (*fig.*) asile. ***Seek refuge,*** chercher refuge; (*fig.*) ***take refuge in telling lies,*** se réfugier dans les mensonges.
▻ **refugee** [,refjʊ'dʒi:] *n.* réfugié.
refund [rɪ'fʌnd] *v.t.* rembourser. *n.* ['ri:fʌnd] remboursement.
refusal [rɪ'fju:zl] *n.* **1.** refus. ***He gave a flat refusal,*** il a refusé net. **2.** option, offre. ***He has the first refusal,*** il a le droit de préemption.
▻ **refuse¹** [rɪ'fju:z] *v. t. et intr.* refuser.
⚠ **refuse²** ['refju:s] *n.* ordures, détritus.
regain [rɪ'geɪn] *v.t.* regagner, recouvrer. ***He regained consciousness,*** il a repris connaissance.
⚠ **regal** ['ri:gl] *adj.* royal; (*fig.*) majestueux.
▻ **regale** [rɪ'geɪl] *v.t.* régaler.
regalia [rɪ'geɪlɪə] *n. pl.* insignes (royaux).
⚠ **regard** [rɪ'gɑ:d] *v.t.* **1.** (*lit.*) regarder,

contempler. **2.** regarder, considérer. ***I regard him as a swindler,*** je le tiens pour un escroc. ♦ ***As regards,*** en ce qui concerne.
n. **1.** *(lit.)* regard. **2.** estime, respect. ***I have a great regard for her,*** j'ai beaucoup d'estime pour elle; ***you show no regard for my feelings,*** tu n'as pas d'égards pour moi. ♦ ***With regard to,*** en ce qui concerne, quant à.

regarding [rɪ'gɑ:dɪŋ] *prép.* relativement à.

regardless [rɪ'gɑ:dlɪs] *adv. (fam.)* quand même.

regardless of, *prép.* indifférent à; en dépit de. ***Regardless of expense,*** sans regarder à la dépense.

⚠ **regards** [rɪ'gɑ:dz] *n. pl.* ***Give him my (best) regards,*** fais-lui mes amitiés.

▷ **regency** ['rɪ:dʒnsɪ] *n.* régence.

▷ **regenerate** [rɪ:'dʒenəreɪt] *v.t. et intr.* (se) régénérer. *adj.* régénéré.

register ['redʒɪstə] *n.* registre. *(Ens.)* ***Attendance register,*** cahier d'absences; ***electoral register,*** liste électorale; ***register of births, marriages and deaths,*** registre d'état civil.
v.t. **1.** inscrire, enregistrer; immatriculer (un véhicule). **2.** indiquer, exprimer. ***Her face registered anxiety,*** son visage reflétait l'inquiétude; ***the thermometer registered 25°C,*** le thermomètre marquait 25°C. **3.** recommander (lettre, paquet).
v. intr. **1.** s'inscrire (dans un hôtel, pour un examen...). **2.** *(fam.)* produire un effet. ***Nothing registers with him,*** il ne pige rien.

registered ['redʒɪstəd] *adj.* inscrit. ♦ ***Registered nurse,*** infirmière diplômée; ***registered trademark,*** marque déposée; ***send by registered post,*** envoyer en recommandé.

registrar [ˌredʒɪ'strɑ:] *n.* **1.** *(Jur.)* greffier. **2.** *(Ens.)* secrétaire (général). **3.** officier de l'état civil. ***They were married by the registrar,*** ils se sont mariés civilement.

registration [ˌredʒɪs'treɪʃn] *n.* **1.** enregistrement; inscription. **2.** immatriculation (d'un véhicule). **3.** recommandation (d'une lettre, d'un paquet). **4.** dépôt (de marque de fabrique). ♦ *(Aut.)* ***Registration number,*** numéro minéralogique.

registry ['redʒɪstrɪ] *n.* bureau d'état civil.

regret [rɪ'gret] *v.t.* regretter. ***I regret saying that...,*** je regrette d'avoir dit que...; ***I regret to say that...,*** je regrette de dire (ou d'avoir à dire) que...; ***we deeply regret that we cannot come,*** nous sommes désolés de ne pouvoir venir. *n.* regret. ***Much (ou greatly) to our regret,*** à notre grand regret; ***she has no regrets,*** elle ne regrette rien.

regretful [rɪ'gretfəl] *adj.* plein de regrets.

⚠ **regular** ['regjʊlə] *adj.* **1.** régulier. ***He keeps regular hours,*** il a une vie bien réglée; ***his life is as regular as clockwork,*** sa vie est réglée comme une horloge. **2.** normal, en règle. ***He would rather consult a healer than a regular doctor,*** il préfère aller voir un guérisseur que de consulter un vrai docteur. **3.** habituel, ordinaire. ***He is part of the regular staff,*** il fait partie du personnel titulaire; ***my regular doctor,*** mon médecin traitant. **4.** *(fam.)* véritable. ***She is a regular slave to her husband,*** son mari la traite comme une véritable esclave. ♦ ***A regular army,*** une armée de métier.

regulate ['regjʊleɪt] *v.t.* **1.** régler. **2.** ajuster (une machine).

⚠ **regulation** [ˌregjʊ'leɪʃn] *n.* **1.** règlement. **2.** ajustage (d'une machine). **3.** contrôle.

⚠ **rehabilitate** [ˌri:hə'bɪlɪteɪt] *v.t.* **1.** réhabiliter. **2.** rééduquer; réintégrer (dans la vie).

⚠ **rehash** [ri:'hæʃ] *v.t. (fam. et péj.)* remanier (un texte, discours...). *n. (fam. et péj.)* [ri:'hæʃ] resucée.

rehearsal [rɪ'hɜ:sl] *n.* **1.** *(Th. et fig.)* répétition. ***Dress rehearsal,*** répétition générale. **2.** récit, énumération.

rehearse [rɪ'hɜ:s] *v.t. et intr. (Th. et fig.)* **1.** (faire) répéter. **2.** réciter, énumérer.

rehouse [ˌrɪ:'haʊz] *v.t.* reloger.

▷ **reign** [reɪn] *n.* règne. ***In the reign of George IV,*** sous le règne de George IV. *v. intr.* régner.

▷ **reimburse** [ˌriːɪm'bɜːs] *v.t.* rembourser.

▷ **rein** [reɪn] *n.* rêne. ♦ ***He gave free rein to his feelings,*** il a donné libre cours à ses sentiments; ***she keeps a tight rein on all expenditure,*** elle contrôle de près toutes les dépenses.

rein back *v. part. t. et intr.* arrêter (un cheval), s'arrêter (à cheval).

▷ **reincarnate** [ˌriːɪn'kɑːneɪt] *v.t.* réincarner. *adj.* [ˌriːɪn'kɑːnɪt] réincarné.

reindeer ['reɪndɪə] *n. (pl. inv.)* renne.

▷ **reinforce** [ˌriːɪn'fɔːs] *v.t.* renforcer. ***Reinforced concrete,*** béton armé.

▷ **reinforcement** [ˌriːɪn'fɔːsmənt] *n.* **1.** renforcement. **2.** *(Mil. et fig.)* renfort.

rein in, *v. part. t.* **1.** ralentir (un cheval). **2.** *(fig.)* brider, contenir (sentiments).

▷ **reinsert** [riːɪn'sɜːt] *v.t.* réinsérer.

reinstate [ˌriːɪn'steɪt] *v.t.* réintégrer.

▷ **reinvigorate** [ˌriːɪn'vɪgəreɪt] *v.t.* revigorer.

reissue [ˌriː'ɪʃuː] *n.* réédition (d'un livre), redistribution (d'un film). *v.t.* rééditer, redistribuer.

▷ **reject** [rɪ'dʒekt] *v.t.* rejeter, refuser. *n.* ['riːdʒekt] *(Comm.)* pièce de rebut.

rejection [rɪ'dʒekʃn] *n.* rejet, refus.

rejoice [rɪ'dʒɔɪs] *v.t. et intr. (lit.)* (se) réjouir.

rejoicing [rɪ'dʒɔɪsɪŋ] *n.* réjouissance, joie.

▷ **rejoin**[1] [ˌriː'dʒɔɪn] *v.t.* rejoindre.

⚠ **rejoin**[2] [rɪ'dʒɔɪn] *v. intr.* répliquer.

rejoinder [rɪ'dʒɔɪndə] *n.* réplique, repartie.

rejuvenate [rɪ'dʒuːvəneɪt] *v.t. et intr.* rajeunir.

rekindle [riː'kɪndl] *v.t. et intr.* (se) rallumer; *(fig.)* (se) ranimer.

relapse [rɪ'læps] *v. intr. (Méd. et fig.)* rechuter, retomber; récidiver. *n.* rechute, récidive.

▷ **relate**[1] [rɪ'leɪt] *v.t. (lit.)* relater, raconter ♦ ***Strange to relate,*** assez curieusement, chose étrange.

⚠ **relate**[2] [rɪ'leɪt] *v.t.* rapprocher, apparenter, rattacher. ***Relate cause to effect,*** établir un lien de cause à effet. *v. intr.* établir une relation. ***She doesn't relate very well to her mother,*** elle a du mal à s'entendre avec sa mère.

⚠ **relation** [rɪ'leɪʃn] *n.* **1.** relation, rapport. ***This bears no relation to the subject,*** ceci n'a aucun rapport avec le sujet; ***with*** (ou ***in) relation to this,*** à cet égard. **2.** parent. ***I have some relations in Canada,*** j'ai de la famille au Canada.

relationship [rɪ'leɪʃnʃɪp] *n.* **1.** relation, rapport. **2.** (liens de) parenté.

⚠ **relative** ['relətɪv] *n.* parent. ***She's no relative of mine,*** elle n'est pas de ma famille *adj.* relatif.

relax [rɪ'læks] *v.t. et intr.* (se) détendre, (se) desserrer, (se) décontracter. ***He relaxed his grip,*** il a desserré sa prise; ***sit down and relax!*** assieds-toi et détends-toi! ***this tranquillizer should relax you,*** ce tranquillisant devrait vous aider à vous détendre; ***you mustn't relax your efforts now,*** il ne faut pas relâcher vos efforts maintenant.

relaxation [ˌriːlæk'seɪʃn] *n.* **1.** détente, décontraction. ***His relaxation was impressive,*** il était étonnamment décontracté. **2.** détente, délassement. ***Tennis is my favourite relaxation,*** le tennis est mon passe-temps préféré; ***you need a bit of relaxation after work,*** on a besoin d'un peu de détente après le travail.

relaxing [rɪ'læksɪŋ] *adj.* **1.** délassant. **2.** sédatif (climat); *(péj.)* débilitant.

relay ['riːleɪ] *n.* relais. *(Sp.)* ***Relay race,*** course de relais. *v.t.* relayer; retransmettre.

release [rɪ'liːs] *v.t.* **1.** libérer, relâcher (de prison). **2.** *(Jur.)* relaxer. **3.** lâcher. ***He released his grip,*** il a lâché prise. **4.** desserrer (un frein). **5.** faire paraître (film, information).
n. **1.** libération, élargissement (de prison). **2.** *(Jur.)* relaxe. **3.** lâchage, largage (d'une bombe). **4.** desserrage (d'un frein). **5.** parution, sortie (film, livre); publication (information).

⚠ **relent** [rɪ'lent] *v. intr.* s'adoucir, se laisser attendrir ou fléchir.

relentless [rɪ'lentləs] *adj.* impitoyable, implacable, inflexible.

relevance ['relɪvəns] *n.* (aussi ***relevancy***) rapport, pertinence. ***This has no relevance (to the problem),*** ceci n'a aucun rapport (avec le problème).

⚠ **relevant** ['relɪvənt] *adj.* pertinent, approprié. ***That's not relevant (to the***

problem), cela n'a rien à voir (avec le problème).

reliability [rɪˌlaɪəˈbɪlɪtɪ] *n.* sûreté, fiabilité ; sérieux, constance.

⚠ **reliable** [rɪˈlaɪəbl] *adj.* sûr, fiable, sérieux, digne de confiance. ***A reliable car,*** une voiture solide ; ***a reliable man,*** un homme sérieux, digne de confiance ; ***reliable information,*** une information digne de foi.

reliance [rɪˈlaɪəns] *n.* confiance. ***You can place reliance on him,*** vous pouvez avoir confiance en lui, lui faire confiance.

reliant [rɪˈlaɪənt] *adj.* dépendant. ***We are too reliant on oil,*** nous dépendons trop du pétrole.

▻ **relic** [ˈrelɪk] *n.* **1.** *(rel.)*relique. **2.** vestige.

⚠ **relief**[1] [rɪˈliːf] *n.* **1.** soulagement. ***This drug brings relief from pain,*** ce remède soulage la douleur ; ***what a relief to know you are safe!*** quel soulagement de savoir que tu es sain et sauf ! **2.** *(Mil. et fig.)* relève. ***Relief road,*** route de délestage ; ***relief train,*** train supplémentaire. **3.** aide, secours. ***Send relief to a stricken area,*** envoyer des secours à une zone sinistrée. **4.** libération (d'une ville). **5.** *(Jur.)*exonération, dégrèvement (fiscal).

▻ **relief**[2] [rɪˈliːf] *n. (Art. et Géog.)* relief. ***Low relief,*** bas-relief ; ***the tower stood out in bold relief against the sky,*** la tour se détachait nettement sur le ciel.

⚠ **relieve** [rɪˈliːv] *v.t.* **1.** soulager. ***I feel relieved at the news,*** la nouvelle me soulage. **2.** débarrasser. ***The new drug relieved her (of pain),***le nouveau remède l'a soulagée ; ***he was relieved of his post,*** il a été relevé de ses fonctions. **3.** secourir (une population). **4.** délivrer (une ville). **5.** *(Mil. et fig.)*relever, relayer. **6.** atténuer (monotonie,...).

reline [ˌriːˈlaɪn] *v.t.* changer la doublure (d'un vêtement) ; changer les garnitures (des freins).

relinquish [rɪˈlɪŋkwɪʃ] *v.t. (lit.)*renoncer à.

relish [ˈrelɪʃ] *n.* **1.** *(Cuis.)* goût, saveur ; assaisonnement. **2.** *(fig.)* goût. ***I have no relish for bullfights,*** les courses de taureaux ne me disent rien ; ***they ate and drank with great relish,*** ils ont bu et mangé de bon cœur.

v.t. savourer. ***He relishes his food,*** il mange de bon appétit ; ***I don't relish starting work again,*** cela ne me dit rien de reprendre le travail.

reload [ˌriːˈləʊd] *v.t. et intr.* recharger.

reluctance [rɪˈlʌktəns] *n.* répugnance. ***He showed (a) great reluctance to help us,*** il rechignait beaucoup à nous aider.

reluctant [rɪˈlʌktənt] *adj.* peu disposé, qui agit à contrecœur.

⚠ **rely** [rɪˈlaɪ] *v. intr.* compter ; dépendre. ***We rely on oil for most of our electricity,*** nous dépendons du pétrole pour la plus grande partie de notre électricité ; ***you can rely on me,*** tu peux compter sur moi ; ***you can rely on them being on time,*** tu peux compter sur eux pour être à l'heure.

remain [rɪˈmeɪn] *v. intr.* **1.** rester. ***It only remains for me to say that...,*** il ne me reste plus qu'à dire que... ; ***that remains to be seen,*** cela reste à voir. **2.** rester, continuer. ***Please remain seated,*** veuillez rester assis ; ***she remained silent,*** elle a gardé le silence ; ***the weather should remain fine,*** il devrait continuer à faire beau.

remainder [rɪˈmeɪndə] *n.* reste.

remains [rɪˈmeɪnz] *n. pl.* **1.** restes (repas, édifice). **2.** ***His remains,*** sa dépouille mortelle, ses restes.

remake [ˈriːˈmeɪk] *v.t. irr. (p.* **remade,** *p.p.* **remade)** refaire.

n. [ˈriːmeɪk] *(Ciné.)* remake.

remand [rɪˈmɑːnd] *v.t. (Jur.)* renvoyer. ***The case was remanded for a week,*** l'affaire fut renvoyée à huitaine ; ***the man has been remanded in custody,*** l'homme est en détention préventive.

n. renvoi.

⚠ **remark** [rɪˈmɑːk] *v.t et intr.* **1.** remarquer, observer. **2.** faire remarquer, faire une réflexion. ***Did he remark on your new dress?*** est-ce qu'il a dit quelque chose sur votre nouvelle robe ?

n. remarque, observation, réflexion. ***He passed some rude remarks about the food,*** il a fait quelques remarques désobligeantes sur la nourriture.

▻ **remarkable** [rɪˈmɑːkəbl] *adj.* remarquable.

remarry [ˌriːˈmærɪ] *v.t. et intr.* se remarier (avec).

remedial [rɪˈmiːdɪəl] *adj.* réparateur; *(Méd.)* curatif. ***Remedial exercises,*** gymnastique corrective; *(Ens.)* ***remedial work,*** travail de rattrapage.

remedy [ˈremɪdɪ] *n. (Méd.* et surtout *fig.)* remède. ***Remedy for unemployment,*** remède contre le chômage; ***the political regime was corrupt beyond remedy,*** le régime politique était irrémédiablement corrompu.
v.t. remédier à. ***It can't be remedied,*** c'est sans remède; ***remedy an injustice,*** réparer une injustice.

remember [rɪˈmembə] *v.t. et intr.* se rappeler, se souvenir de. ***He can't remember anything,*** il ne se souvient de rien; ***I must remember to post that letter,*** il ne faut pas que j'oublie de poster cette lettre; ***she couldn't remember seeing me before,*** elle ne se souvenait pas de m'avoir déjà rencontré; ***she distinctly remembers you learning to ride a bike,*** elle se souvient très clairement de tes débuts à bicyclette. ♦ ***As far as I remember,*** à ma connaissance, si j'ai bonne mémoire; ***remember me to your aunt,*** rappelez-moi au bon souvenir de votre tante.

remembrance [rɪˈmembrəns] *n.* souvenir, mémoire. ***In remembrance of,*** en souvenir de; ***Remembrance Day,*** jour de commémoration de l'Armistice de 1918.

remind [rɪˈmaɪnd] *v.t.* rappeler, faire penser à. ***Remind me to buy bread,*** fais-moi penser à acheter du pain; ***you remind me of your mother,*** vous me rappelez votre mère. ♦ ***That reminds me...,*** à propos.... j'allais oublier.

reminder [rɪˈmaɪndə] *n.* **1.** rappel; pense-bête. ***Tie a knot in your handkerchief as a reminder,*** fais un nœud à ton mouchoir pour ne pas oublier. **2.** *(Comm.)*(lettre de) rappel.

reminisce [ˌremɪˈnɪs] *v.t.* égrener des souvenirs.

reminiscent [ˌremɪˈnɪsənt] *adj.* **1.** évocateur. **2.** nostalgique.

remiss [rɪˈmɪs] *adj.* négligent.

⚠ **remission** [rɪˈmɪʃn] *n.* **1.** *(Rel.)*rémission. **2.** *(Jur.)*remise. **3.** *(Méd.)*rémission.

⚠ **remit** [rɪˈmɪt] *v.t. et intr.* **1.** *(Rel.)*pardonner. **2.** *(Jur.)*remettre. **3.** envoyer (de l'argent) par la poste.

remittance [rɪˈmɪtns] *n.* envoi (d'argent); versement. ***She receives a monthly remittance,*** on lui envoie de l'argent tous les mois.

remnant [ˈremnənt] *n.* **1.** reste(s); *(fig.)* vestige. **2.** *(Comm.)* fin de série; coupon (de tissu).

▷ **remonstrance** [rɪˈmɒnstrəns] *n.* **1.** remontrance. **2.** protestation.

remonstrate [ˈremənstreɪt] *v. intr.* **1.** faire des remontrances. ***I remonstrated with him about his attitude,*** je lui ai fait des remontrances sur son attitude. **2.** protester. ***He remonstrated against the growing pollution,*** il a élevé une protestation contre la pollution croissante.

remorse [rɪˈmɔːs] *n.* remords. ***Some remorse,*** un remords, des remords; ***without remorse,*** sans pitié.

remorseful [rɪˈmɔːsfəl] *adj.* plein de remords.

remorseless [rɪˈmɔːslɪs] *adj.* sans remords; *(fig)* impitoyable.

remote [rɪˈməʊt] *adj.* **1.** éloigné (dans l'espace et dans le temps). ***A remote village,*** un village éloigné de tout; ***in the remote past,*** dans un passé lointain. **2.** éloigné (intellectuellement). ***There's only a very remote connection between these two concepts,*** entre ces deux concepts le lien est très ténu. **3.** distant, froid (comportement). ***Her manner was rather remote,*** elle était assez distante. **4.** difficilement perceptible. ***I haven't the remotest idea,*** je n'en ai pas la moindre idée; ***it's a remote chance,*** c'est tout juste possible.

remote-controlled [rɪˈməʊtkənˈtrəʊld] *adj.* télécommandé.

remotely [rɪˈməʊtlɪ] *adv.* **1.** faiblement; vaguement. ***He's not remotely interested in horses,*** il ne s'intéresse pas le moins du monde aux chevaux.

remould [ˈriːməʊld] *n.* (*amér.* **remold**) pneu rechapé (aussi **retread**). *v.* rechaper.

removable [rɪˈmuːvəbl] *adj.* amovible.

removal [rɪ'mu:vl] *n.* **1.** enlèvement (d'un objet). **2.** suppression. **3.** renvoi (d'un employé). **4.** déménagement; emménagement. ***Removal van,*** camion de déménagement.

remove [rɪ'mu:v] *v.t.* **1.** enlever (un objet). ***He removed his hat,*** il a ôté son chapeau; ***the surgeon removed the appendix,*** le chirurgien a enlevé l'appendice. **2.** supprimer (douleur, abus...). ***The offending clause has now been removed,*** la clause litigieuse vient d'être supprimée. **3.** déplacer; renvoyer (un employé). **4.** déménager.
v. intr. déménager, emménager.

remover [rɪ'mu:və] *n.* **1.** déménageur. **2.** produit qui détache. ***Nail-varnish remover,*** dissolvant (de vernis à ongles); ***paint-remover,*** décapant.

remunerative [rɪ'mju:nərətɪv] *adj.* rémunérateur.

renaissance [rɪ'neɪsns] (aussi **renascence**) *n.* renaissance; renouveau.

renew [rɪ'nju:] *v.t.* renouveler.

renewal [rɪ'nju:əl] *n.* renouvellement.

renounce [rɪ'naʊns] *v.t.* **1.** renoncer à. ***He has renounced the title,*** il a renoncé au titre. **2.** *(Rel.)* abjurer.

▻ **renovate** ['renəveɪt] *v.t.* rénover, restaurer.

▻ **renown** [rɪ'naʊn] *n.* renom, renommée.

⚠ **rent¹** [rent] *n.* loyer; location.
v.t. louer (logement).

⚠ **rent²** [rent] *n.* déchirure.

rental ['rentl] *n.* prix de location; valeur locative.

rent-free [,rent'fri:] *adj.* exempt de loyer.

▻ **renunciation** [ri,nʌnsɪ'eɪʃn] *n.* renonciation.

reopen [ri:'əʊpən] *v.t. et intr.* (se) rouvrir.

rep¹ [rep] *n.* reps.

rep² [rep] *n.* *(fam.)* (= **repertory**) théâtre de répertoire.

rep³ [rep] *n.* *(Comm. argot)* (= **representative**) représentant.

repaid [rɪ'peɪd] (**repay,** *v.*)

▻ **repair** [rɪ'peə] *v.t.* réparer. *n.* réparation. ***Beyond repair,*** irréparable; ***in good repair,*** en bon état; ***under repair,*** en réparation.

▻ **repatriate** [ri:'pætrɪeɪt] *v.t.* rapatrier.

repay [ri:'peɪ] *v.* (*p.* **repaid,** *p.p.* **repaid**) **1.** rembourser. ***I've repaid Paul his £ 5,*** j'ai rendu ses 5 livres à Paul. **2.** récompenser, dédommager. ***How can I ever repay you for your kindness?*** comment pourrai-je jamais vous remercier de votre gentillesse?

repeal [rɪ'pi:l] *v.t.* révoquer; abroger.
n. révocation, abrogation, annulation.

⚠ **repeat** [rɪ'pi:t] *v.t.* **1.** répéter, réitérer. **2.** répéter, redire. **3.** *(Ens.)* redoubler. **4.** *(Comm.)* renouveler (une commande). *v. intr.* *(fam.)* revenir, donner des renvois. ***Onions repeat on me,*** les oignons me donnent des renvois.

repeatedly [rɪ'pi:tɪdlɪ] *adv.* à maintes reprises, bien des fois.

repeater [rɪ'pi:tə] *n.* fusil à répétition.

repel [rɪ'pel] *v.t.* **1.** repousser. ***We repelled the enemy,*** nous avons repoussé l'ennemi. **2.** rebuter. ***Such people repel me,*** ces gens-là me répugnent.

repellent [rɪ'pelənt] *adj.* répugnant.
n. répulsif. ***Mosquito repellent,*** produit anti-moustiques.

repent [rɪ'pent] *v.t. et intr.* se repentir (de).

repentance [rɪ'pentens] *n.* repentir.

▻ **repertory** ['repətrɪ] *n.* **1.** répertoire. **2.** (= **repertory theatre**) théâtre de répertoire.

▻ **repetition** [,repɪ'tɪʃn] *n.* répétition, réitération.

⚠ **replace** [rɪ'pleɪs] *v.t.* **1.** replacer, remettre en place. **2.** remplacer.

replaceable [rɪ'pleɪsəbl] *adj.* remplaçable.

⚠ **replacement** [rɪ'pleɪsmənt] *n.* remplacement.

replay [,ri:'pleɪ] *v.t. et intr.* rejouer.
n. ['ri:pleɪ] **1.** *(Sp.)* match rejoué. **2.** *(T.V., Mus...)* répétition d'une séquence, d'un passage.

replenish [rɪ'plenɪʃ] *v.t.* remplir. ***Replenish the deep freeze,*** regarnir le congélateur.

repletion [rɪ'pli:ʃn] *n.* *(lit.)* satiété.

▻ **replica** ['replɪkə] *n.* *(Art.)* réplique, copie.

reply [rɪ'plaɪ] *v. intr.* répondre.
n. réponse.

⚠ **report** [rɪ'pɔ:t] *n.* **1.** rapport; compte rendu; description. **2.** reportage. **3.** *(Ens.)*(= **school report**) bulletin scolaire. **4.** coup de fusil, détonation. **5.** rumeur publique.
v.t. **1.** rapporter, signaler, rendre compte de. ***The hijacking was widely reported in the press,*** le détournement de l'avion a été largement décrit dans la presse. **2.** notifier. ***The theft was reported to the police immediately,*** le vol a été signalé à la police tout de suite; ***three climbers are reported missing,*** trois alpinistes sont portés manquants. **3.** dénoncer. ***The player was reported for bribe-taking,*** le joueur a été dénoncé pour avoir accepté des pots-de-vin.
v. intr. se présenter. ***They report (for work) at 9 a.m.,*** ils prennent leur service à 9 heures du matin.
report back, *v. part. intr.* **1.** présenter son rapport. **2.** *(Mil.)* rejoindre son unité.
repository [rɪ'pɒzɪtrɪ] *n.* **1.** dépositaire (d'une confidence).
representative [,reprɪ'zentətɪv] *adj.* représentatif. *n.* représentant.
repress [rɪ'pres] *v.t.* **1.** réprimer. ***He repressed his indignation,*** il a réprimé son indignation; ***the revolt was repressed with great bloodshed,*** la révolte fut matée dans un bain de sang. **2.** *(Psy.)* refouler.
⚠ **repression** [rɪ'preʃn] *n.* **1.** répression. **2.** *(Psy.)* refoulement.
reprieve [rɪ'pri:v] *v.t.* *(Jur. et fig.)* accorder un sursis à. *n.* sursis.
reprint [,ri:'prɪnt] *v.t. et intr.* réimprimer. *n.* ['ri:prɪnt] réimpression.
reprisal [rɪ'praɪzl] *n.* représailles.
reproach [rɪ'prəʊtʃ] *v.t.* reprocher. ***What can you reproach him with?*** que pouvez-vous lui reprocher?
n. reproche. ***His conduct was beyond reproach,*** sa conduite a été irréprochable.
reprobate ['reprəbeɪt] *adj. et n.* *(hum.)* dépravé; vaurien.
reproduce [,ri:prə'dju:s] *v.t. et intr.* (se) reproduire.
reproof[1] [rɪ'pru:f] *n.* *(lit.)* reproche, réprobation.
reproof[2] [,ri:'pru:f] *v.t.* réimperméabiliser.
reprove [rɪ'pru:v] *v.t.* *(lit.)* réprimander.
reproving [rɪ'pru:vɪŋ] *adj.* *(lit.)* réprobateur.
repulse [rɪ'pʌls] *v.t.* repousser; rejeter. *n.* *(Mil.)* échec; refus.
repulsive [rɪ'pʌlsɪv] *adj.* rebutant, repoussant.
reputable ['repjutəbl] *adj.* honorable, estimé.
request [rɪ'kwest] *n.* demande, requête. ***At your request,*** à votre demande; ***by request of the audience,*** à la demande de l'auditoire; ***prospectuses will be sent on request,*** des prospectus seront envoyés sur demande; ***request stop,*** arrêt (d'autobus) facultatif; ***these pullovers are in great request,*** ces pull-overs se vendent bien.
v.t. demander (courtoisement). ***May I request your attention?*** puis-je vous demander de m'accorder votre attention? ***passengers are requested to fasten their seat belts,*** les voyageurs sont priés d'attacher leur ceinture de sécurité.
require [rɪ'kwaɪə] *v.t.* **1.** exiger. ***You are not required to have an identity card in Britain,*** le port de la carte d'identité n'est pas obligatoire en Grande-Bretagne. **2.** avoir besoin de; nécessiter. ***Have you everything you require?*** avez-vous tout ce qu'il vous faut? ***this car requires an oil change every 5,000 miles only,*** cette voiture n'a besoin d'être vidangée que tout les 8 000 km.
required [rɪ'kwaɪəd] *adj.* exigé, requis.
requirement [rɪ'kwaɪəmənt] *n.* **1.** condition requise. **2.** besoin, nécessité. ***Meet the requirements,*** satisfaire à la demande.
requisite ['rekwɪzɪt] *adj.* requis, nécessaire. *n.* nécessaire.
requital [rɪ'kwaɪtl] *n.* *(lit.)* récompense.
requite [rɪ'kwaɪt] *v.t.* *(lit.)* récompenser.
rescue ['reskju:] *n.* sauvetage; délivrance. ***Come*** (ou ***get***) ***to the rescue,*** voler au secours, à la rescousse.
v.t. sauver, délivrer.
rescuer ['reskjʊə] *n.* sauveteur; libérateur.
research [rɪ'sɜ:tʃ] *n.* recherche (scientifique). ***Research worker,*** chercheur.

v. intr. faire des recherches. ***We are researching into the causes of cancer,*** nous faisons des recherches sur les causes du cancer.

▷ **resemble** [rɪ'zembl] *v.t.* ressembler à.

⚠ **resent** [rɪ'zent] *v.t.* s'offenser de; prendre ombrage de; s'indigner de. ***I strongly resent such insinuations,*** je m'élève énergiquement contre de telles insinuations.

resentful [rɪ'zentfəl] *adj.* **1.** froissé, indigné. **2.** rancunier.

▷ **resentment** [rɪ'zentmənt] *n.* ressentiment.

⚠ **reservation** [,rezə'veɪʃn] *n.* **1.** réserve, arrière-pensée. ***Mental reservation,*** restriction mentale. **2.** *(Rel.)* ***Reservations of the sacrament,*** les Saintes Réserves. **3.** *(U.S.)* réserve (indienne). **4.** (surtout *amér.*) réservation, location (d'une place, d'une chambre...) (cf. **booking**).

▷ **reserve** [rɪ'zɜːv] *v.t.* **1.** réserver, mettre de côté. ***We reserve this whisky for special occasions,*** nous gardons ce whisky pour les grandes occasions. **2.** (surtout *amér.*) réserver, retenir (une chambre...) (cf **book**).

n. **1.** réserve, restriction. ***Without reserve,*** sans arrière-pensée; sans condition. **2.** réserve, retenue. ***An attitude of reserve,*** attitude réservée. **3.** réserve, stock. ***The world's reserves of oil,*** les réserves mondiales de pétrole. **4.** *(Mil.)* la réserve. ***Call up the reserves,*** appeler les réservistes. **5.** *(Sp.)* remplaçant.

▷ **reserved** [rɪ'zɜːvd] *adj.* réservé.

reshape [rɪː'ʃeɪp] *v.t.* refaçonner.

reshuffle [riː'ʃʌfl] *v.t.* **1.** rebattre (les cartes). **2.** *(fig.)* remanier (le personnel).

n. *(fig.* et *Polit.)* ***Cabinet reshuffle,*** remaniement ministériel.

▷ **resident** [ßrezɪdənt] *n.* habitant; résident; riverain; pensionnaire. *adj.* résident. ♦ ***Resident doctor,*** interne.

residue ['rezɪdjuː] *n.* reste; *(Jur.)* reliquat.

⚠ **resign** [rɪ'zaɪn] *v.t.* **1.** se démettre de. ***He resigned his post,*** il a donné sa démission. **2.** résigner. ***She resigned herself to being a housewife,*** elle s'est résignée à être femme au foyer. *v. intr.* démissionner. ***He resigned (from the Ministry),*** il a donné sa démission (du ministère).

⚠ **resignation** [,rezɪg'neɪʃn] *n.* **1.** démission. **2.** résignation.

▷ **resigned** [rɪ'zaɪnd] *adj.* résigné.

resilience [rɪ'zɪlɪəns] *n.* élasticité.

resilient [rɪ'zɪlɪənt] *adj.* (surtout *fig.*) élastique, qui a du ressort (physique et moral).

resist [rɪ'zɪst] *v.t.* résister à. ***He couldn't resist (having) a second glass,*** il n'a pas pu s'empêcher de prendre un deuxième verre; ***they can't resist another attack,*** ils ne pourront pas résister à une autre attaque.

resole [,riː'səʊl] *v.t.* ressemeler.

resolute ['rezəluːt] *adj.* (caractère) résolu.

resolve [rɪ'zɒlv] *v.t. et intr.* résoudre.

▷ **resonant** ['rezənənt] *adj.* sonore, résonnant.

⚠ **resort** [rɪ'zɔːt] *n.* **1.** lieu de séjour, station. ***Holiday resort,*** lieu de vacances, villégiature; ***seaside resort,*** station balnéaire; ***winter sports resort,*** station de sports d'hiver. **2.** lieu qu'on fréquente souvent. ***The billiard saloon is one of his favourite resorts,*** on le voit souvent dans la salle de billard. **3.** recours. ***As a last resort,*** en dernier ressort.

v. intr. avoir recours, recourir.

resound [rɪ'zaʊnd] *v. intr.* résonner, retentir.

▷ **resource** [rɪ'zɔːs, rɪ'sɔːs] *n.* ressource.

resourceful [rɪ'zɔːsfəl, rɪ'sɔːsfəl] *adj.* plein de ressources, jamais à court d'invention.

⚠ **respect** [rɪ'spekt] *n.* **1.** respect, estime. **2.** égard. ***In many respects,*** à bien des égards; ***in respect of,*** à l'égard de, concernant. **3.** *(pl.)* hommages. ***Give her my respects,*** présentez-lui mes hommages.

v.t. respecter.

respectful [rɪ'spektfəl] *adj.* respectueux.

▷ **respite** ['respaɪt] *n.* dépit.

resplendent [rɪs'plendənt] *adj.* resplendissant.

respond [rɪ'spɒnd] *v. intr.* répondre, réagir. ***He responded to my proposal with a shake of the head,*** il a répondu à ma proposition en faisant « non » de la tête ; ***how is the patient responding to the new treatment?*** est-ce que le malade réagit bien au nouveau traitement ?

response [rɪ'spɒns] *n.* réponse ; réaction.

▷ **responsibility** [rɪ,spɒnsɪ'bɪlɪtɪ] *n.* responsabilité. ***I take full responsibility for everything,*** j'assume l'entière responsabilité de tout ; ***he did it on his own responsibility,*** il l'a fait de son propre chef.

responsible [rɪ'spɒnsɪbl] *adj.* responsable.

responsive [rɪ'spɒnsɪv] *adj.* qui répond bien, qui réagit comme il faut.

⚠ **rest**[1] [rest] *v.t. et intr.* **1.** (se) reposer. ***I must rest my legs,*** il faut que je me repose les jambes ; ***let me rest for a minute,*** laissez-moi me reposer un instant. **2.** (se) poser. ***She rested her head on my shoulder,*** elle a posé la tête sur mon épaule ; ***their elbows were resting on the table,*** ils étaient accoudés à la table. ♦ *(Jur.)* ***I rest my case,*** je conclus mon plaidoyer ; ***rest assured that...,*** soyez certain que... ; ***the decision rests with you,*** c'est à vous de décider ; ***they must have been resting on their laurels,*** ils ont dû s'endormir sur leurs lauriers ; ***they won't rest till they have won the cup,*** ils n'auront de cesse qu'ils n'aient gagné la coupe.

n. **1.** repos. ***I must have a rest,*** il faut que je me repose un peu. **2.** support, soutien. ♦ ***He was laid to rest on Thursday,*** on l'a inhumé jeudi ; ***the golf ball came to rest on the edge of the hole,*** la balle s'immobilisa au bord du trou ; ***you can set your mind at rest,*** vous pouvez dormir sur vos deux oreilles.

▷ **rest**[rest] *n.* reste, restant. ***All the rest of the money,*** tout l'argent qui reste ; ***all the rest of the players,*** tous les autres joueurs ; ***the rest of us,*** nous autres. ♦ ***For the rest,*** quant au reste.

restful ['restfəl] *adj.* reposant, tranquille.

restless ['restləs] *adj.* rétif ; agité, inquiet. ***Paul is very restless by nature,*** Paul ne sait pas rester tranquille ; ***she had a restless night,*** elle a mal dormi ; ***the crowd was growing restless,*** la foule commençait à s'impatienter.

⚠ **restoration** [,restə'reɪʃn] *n.* **1.** restauration. **2.** restitution.

⚠ **restore** [rɪ'stɔː] *v.t.* **1.** restaurer. **2.** restituer.

restrain [rɪ'streɪn] *v.t.* retenir, contenir ; limiter, restreindre. ***Try to restrain yourself,*** essaie de te modérer ; essaie de te calmer.

restrained [rɪ'streɪnd] *adj.* contenu ; sobre.

restraint [rɪ'streɪnt] *n.* contrainte ; gêne ; maîtrise de soi ; sobriété. ♦ ***Without restraint,*** librement.

restrict [rɪ'strɪkt] *v.t.* restreindre, limiter. ***We ought to restrict the sale of alcohol,*** nous devrions limiter les ventes d'alcool.

restricted [rɪ'strɪktɪd] *adj.* restreint, limité. ***Restricted area,*** *(Mil.)* zone interdite ; *(Aut.)* zone à vitesse limitée.

▷ **result** [rɪ'zʌlt] *n.* résultat. ***As a result,*** en conséquence.

v. intr. résulter ; aboutir. ***It resulted in our quarrelling,*** cela s'est terminé par une dispute.

⚠ **resume** [rɪ'zjuːm] *v.t. et intr.* reprendre, recommencer. ***Classes resume on Monday,*** les cours reprennent lundi ; ***we resume (work) on Monday,*** nous reprenons (le travail) lundi.

⚠ **résumé** ['rezjʊmeɪ] *n.* **1.** résumé. **2.** *(amér.)* curriculum vitae.

resumption [rɪ'zʌmpʃn] *n.* reprise (d'une activité).

resurgence [rɪ'sɜːdʒns] *n.* **1.** *(lit.)* résurrection, renouveau. **2.** *(Géol.)* résurgence.

resurrect [,rezə'rekt] *v.t.* ressusciter, remettre en vogue.

▷ **resuscitate** [rɪ'sʌsɪteɪt] *v.t.* ressusciter ; *(Méd.)* réanimer. *v. intr.* ressusciter.

retail ['rɪ'teɪl] *n. (Comm.)* (vente au) détail. ***Retail dealer,*** détaillant. *v.t. et intr.* (se) vendre au détail. **2.** *(fig.)* colporter (des ragots). *adv.* au détail.

retailer ['riːteɪlə] *n. (Comm.)* détaillant.

▷ **retain** [rɪ'teɪn] *v.t.* retenir.

retaliate [rɪ'tælɪeɪt] *v. intr.* riposter ; se venger.

retaliation [rɪ,tælɪ'eɪʃn] *n.* représailles.

retaliatory [rɪ'tælɪətrɪ] *adj.* de représailles.

retch [retʃ] *v. intr.* avoir des haut-le-cœur. *n.* haut-le-cœur.

retentive [rɪ'tentɪv] *adj.* qui retient. ***He has a retentive memory,*** il a une bonne mémoire.

⚠ **retinue** ['retɪnju:] *n.* cortège, suite.

⚠ **retire** [rɪ'taɪə] *v. intr.* **1.** se retirer. ***He retired to his own room,*** il se retira dans sa chambre; *(Mil.)* ***the regiment retired in good order,*** le régiment se replia en bon ordre; *(Sp.)* ***the young challenger had to retire from the competition after his accident,*** le jeune challenger a dû abandonner le championnat à la suite de son accident. **2.** *(lit.)* se coucher. **3.** prendre sa retraite. ***He retired at the age of sixty,*** il a pris sa retraite à soixante ans. ♦ ***He has retired into himself,*** il s'est replié sur lui-même.
v. t. mettre à la retraite.

⚠ **retirement** [rɪ'taɪəmənt] *n.* **1.** retraite. ***Retirement age,*** l'âge de la retraite. **2.** *(Mil.)* repli. **3.** *(Sp.)* abandon.

retiring [rɪ'taɪrɪŋ] *adj.* **1.** réservé, timide. **2.** ***Retiring age,*** l'âge de la retraite.

retort [rɪ'tɔ:t] *v. intr.* riposter, répliquer. *n.* riposte, réplique.

⚠ **retrace** [rɪ'treɪs, ˌri:'treɪs] *v.t.* **1.** retracer. **2.** revenir sur. ***We retraced our steps,*** nous avons rebroussé chemin.

retrain [ˌri:'treɪn] *v.t. et intr.* (se) recycler.

retraining [ˌri:'treɪnɪŋ] *n.* recyclage. ***He is on a retraining course,*** il est en stage de recyclage.

retread ['ri:tred] *n.* pneu rechapé (cf. **remould**). *v.t.* rechaper (*amér. fam.* **recap**).

retreat [rɪ'tri:t] *n.* **1.** *(Mil. et fig.)* retraite. ***We beat a (hasty) retreat,*** nous avons battu en retraite (précipitamment). **2.** *(Rel.)* retraite. **3.** asile, lieu de retraite.
v. intr. **1.** *(Mil.)* battre en retraite. **2.** se retirer.

retreating [rɪ'tri:tɪŋ] *adj.* **1.** en fuite. **2.** fuyant (front).

retrench [rɪ'trentʃ] *v.t.* réduire (les dépenses). *v. intr.* faire des économies.

⚠ **retribution** [ˌretrɪ'bju:ʃn] *n.* châtiment.

retrieve [rɪ'tri:v] *v.t.* **1.** retrouver. **2.** réparer (une erreur). **3.** relever, rétablir (honneur, fortune). **4.** *(Comm.)* recouvrer (des biens). *v. intr.* rapporter (pour un chien de chasse).

retrospect ['retrəʊspekt] *n.* examen rétrospectif. ***In retrospect,*** rétrospectivement.

⚠ **return** [rɪ'tɜ:n] *v. intr.* revenir, rentrer. *v. t.* **1.** rendre, restituer. **2.** répondre, répliquer. **3.** *(Polit.)* élire.
n. **1.** retour. ***By return of post,*** par retour de courrier; ***many happy returns!*** bon anniversaire! ***on my return,*** à mon retour; ***return ticket,*** billet d'aller-retour. **2.** *(Comm.)* bénéfice, rendement, recettes. **3.** déclaration, rapport, relevé. ***Income tax return,*** déclaration de revenus. **4.** élection (d'un député).

▻ **reveal** [rɪ'vi:l] *v.t.* révéler.

reveille [rɪ'vælɪ] *n.* *(Mil.)* réveil. ***Sound reveille,*** sonner la diane.

revel ['revl] *v. intr.* se réjouir, se délecter.

reveller ['revlə] *n.* **1.** *(péj.)* noceur, fêtard. **2.** convive.

revelry ['revlrɪ] *n.* réjouissances, festivités.

revenge [rɪ'vendʒ] *n.* **1.** vengeance. ***Take revenge on,*** se venger de. **2.** *(Sp.)* revanche. *v.t.* venger.

revengeful [rɪ'vendʒfəl] *adv.* vindicatif; vengeur.

⚠ **revenue** ['revɪnju:] *n.* **1.** revenu. **2.** fisc.

⚠ **reverberate** [rɪ'vɜ:bəreɪt] *v.t. et intr.* résonner; renvoyer; (se) réverbérer.

⚠ **reverse** [rɪ'vɜ:s] *n. et adj.* **1.** inverse, contraire. **2.** *(Aut.)* marche arrière. ***Put the car into reverse (gear),*** mettre la voiture en marche arrière. **3.** revers, défaite.
v.t. renverser, inverser. ♦ ***Reverse a car,*** faire une marche arrière; ***reverse the charges,*** téléphoner en P.C.V.; *(Jur.)* ***reverse the sentence,*** casser le jugement.
v. intr. faire marche arrière.

revert [rɪ'vɜ:t] *v. intr.* revenir (à un état antérieur...).

review [rɪ'vju:] *n.* **1.** *(Mil.)* revue. **2.** révision. **3.** critique (d'un livre...). **4.** revue, périodique.

v.t. **1.** *(Mil.)* passer en revue. **2.** réexaminer. **3.** faire la critique de.
revival [rɪ'vaɪvl] *n.* renaissance; renouveau; *(Th. et Comm.)* reprise.
revive [rɪ'vaɪv] *v.t. et intr.* ressusciter; (se) ranimer; (faire) revivre.
▻ **revoke** [rɪ'vəʊk] *v.t.* révoquer; annuler.
▻ **revolt** [rɪ'vəʊlt] *n.* révolte. *v. t. et intr.* (se) révolter. ***They revolted against the old regime,*** ils se sont soulevés contre l'ancien régime.
revolve [rɪ'vɔlv] *v.t. et intr.* (faire) tourner.
reward [rɪ'wɔːd] *n.* récompense. *v.t.* récompenser.
⚠ **rhyme** [raɪm] *n.* rime. ***Nursery rhyme,*** comptine. *v.t. et intr.* (faire) rimer.
▻ **rhythm** ['rɪðm] *n.* rythme.
rib [rɪb] *n. (Anat.)* côte.
ribald ['rɪbəld] *adj.* licencieux, grivois.
ribaldry ['rɪbəldrɪ] *n.* grivoiserie.
ribbon ['rɪbən] *n.* ruban. ***Tear to ribbons,*** mettre en lambeaux.
rice [raɪs] *n.* riz. ***Rice pudding,*** riz au lait.
▻ **rich** [rɪtʃ] *adj.* riche. ***The rich,*** les riches.
rick [rɪk] *n.* meule (de foin).
rickets ['rɪkɪts] *n. pl. (Méd.)* rachitisme.
rickety ['rɪkɪtɪ] *adj. (Méd.)* rachitique; *(fig.)* bancal, branlant (mobilier).
rickshaw ['rɪkʃɔː] *n.* pousse-pousse.
rid [rɪd] *v.t. irr.* (*p.* **rid** ou **ridded** *p.p.* **rid**) débarrasser. ***They got rid of the mosquitoes,*** ils se sont débarrassés des moustiques; ***they rid the country of the mosquitoes,*** ils ont débarrassé le pays des moustiques.
riddance ['rɪdns] *n. (fam.)* ***Good riddance!*** bon débarras!
ridden ['rɪdn] (**ride,** *v.*)
riddle[1] ['rɪdl] *n.* énigme, devinette.
riddle[2] ['rɪdl] *n.* crible. *v.t.* **1.** passer au crible. **2.** *(fig.)* cribler (de balles, de trous...).
ride [raɪd] *v.t. et intr. irr.* (*p.* **rode** *p.p.* **ridden**) **1.** monter (à cheval, moto, vélo). **2.** se promener (à cheval, à bicyclette, en voiture...). ♦ ***He has ridden a good race,*** il a fait une bonne course; ***he rode roughshod over all our objections,*** il a passé outre à toutes nos objections; *(amér., fam.)* ***stop riding her!*** fiche-lui la paix! ***the boats were all riding at anchor,*** tous les bateaux étaient au mouillage.
n. **1.** promenade, balade. ***Let's go for a ride in the car,*** allons faire un tour en voiture. **2.** trajet.
rider ['raɪdə] *n.* **1.** cavalier; cycliste; motard. **2.** annexe, clause additionnelle.
ridge [rɪdʒ] *n.* **1.** arête (nez, montagne, toit). **2.** faîte, corniche, crête (de montagne). **3.** *(Agr.)* billon, butte.
⚠ **ridicule** ['rɪdɪkjuːl] *n.* dérision, moquerie, raillerie, ridicule. ***They held him up to ridicule,*** ils l'ont tourné en ridicule.
v.t. tourner en dérision, ridiculiser.
ridiculous [rɪ'dɪkjʊləs] *adj.* ridicule.
rife [raɪf] *adj.* **1.** répandu. ***Violence is rife everywhere,*** la violence sévit partout. **2.** rempli. ***All cities are rife with violence,*** la violence sévit dans toutes les grandes villes.
riff-raff ['rɪfræf] *n. (péj.)* racaille, canaille.
rifle[1] ['raɪfl] *n.* fusil (à canon rayé).
rifle[2] ['raɪfl] *v.t. et intr.* piller; dévaliser.
rift [rɪft] *n.* fissure. ***Rift in the clouds,*** éclaircie.
rig [rɪg] *n.* **1.** *(Naut.)* gréement. **2.** ***Oil rig derrick,*** plate-forme de forage. **3.** *(fam.)* accoutrement. *v.t.* **1.** *(Naut.)* gréer. **2.** ***Rig an election,*** truquer une élection.
rigging ['rɪgɪŋ] *n.* **1.** *(Naut.)* gréement. **2.** truquage.
right[1] [raɪt] *adj.* droit. ***Right angle,*** angle droit; ***right hand,*** main droite.
adv. à droite. ***Turn right,*** tourner à droite.
n. droite. ***Keep to the right,*** gardez votre droite; *(Polit.)* ***the Right,*** la droite.
right[2] [raɪt] *adj.* **1.** bon, juste. ***It's only right,*** ce n'est que justice; ***you were right in doing so,*** tu as eu raison d'agir de la sorte. **2.** correct, exact, juste. ***Have you got the right time?*** avez-vous l'heure exacte? ***put things right,*** rectifier les choses; ***she was right,*** c'est elle qui a vu juste. **3.** approprié, qui convient. ***He came at the right time,*** il est arrivé au bon moment; ***he found the right word,*** il a

trouvé le mot juste ; ***he's the right man in the right place,*** c'est l'homme qu'il nous faut, l'homme de la situation ; **4.** *(Méd.)* en bonne santé. ***He's not quite right in his mind,*** il n'a pas toute sa raison ; ***right as rain,*** en pleine forme. ♦ ***Right you are!*** d'accord ! ***she knows how to get on the right side of him,*** elle sait le prendre ; ***she's still on the right side of fifty,*** elle n'a pas encore la cinquantaine ; *(fig.)* ***things will come right eventually,*** les choses finiront par s'arranger.
adv. **1.** exactement. ***Do it right now!*** fais-le tout de suite ! **2.** directement. ***Go right home!*** rentre directement. **3.** comme il faut, correctement. ***Try to get it right this time!*** essaie de le réussir cette fois ! **4.** complètement. ***There's a hedge right round the house,*** il y a une haie tout autour de la maison.
n. **1.** bien. ***Right and wrong,*** le bien et le mal ; ***you're in the right,*** vous êtes dans le vrai. **2.** droit. ***He has no right to say so,*** il n'a pas le droit de dire ça ; ***she is within her rights,*** elle est dans son droit ; ***she was a duchess in her own right,*** elle était duchesse de son propre chef. ♦ ***I'd like to know the rights (and wrongs) of it,*** j'aimerais en avoir le cœur net ; ***she thinks she can put the world to rights,*** elle croit pouvoir refaire la société ; ***you must stand on your rights,*** il te faut faire valoir tes droits.
v.t. rétablir, redresser. ***Everything will right itself,*** tout s'arrangera.
right away [,raɪtə'weɪ] *adv.* (aussi **right off**) tout de suite, d'emblée.
righteous ['raɪtʃəs] *adj.* vertueux ; juste.
rightful ['raɪtfəl] *adj.* légitime ; juste.
right-hand [,raɪt'hænd] *adj.* ***Take a right-hand turn,*** tourner à droite ; *(fig.)* ***right-hand man,*** bras droit, homme de confiance.
rightly ['raɪtlɪ] *adv.* **1.** correctement. **2.** à juste titre. ***Rightly or wrongly,*** à tort ou à raison.
rigmarole ['rɪgmərəʊl] *n.* discours incohérent.
rig-out ['rɪgaʊt] *n.* *(fam.)* accoutrement.
rig out, *v. part. t.* *(fam.)* nipper.
rig up, *v. part. t.* **1.** *(Naut.)* gréer. **2.** *(fam.)* monter, installer.
rile [raɪl] *v.t.* *(fam.)* agacer, énerver.
rim [rɪm] *n.* **1.** bord (d'un verre...). **2.** *(Aut.)* jante. *v.t.* border, cercler.
△ **rime** [raɪm] *n.* gelée blanche, givre.
rind [raɪnd] *n.* peau (de fruit) ; couenne (de lard) ; croûte (de fromage).
△ **ring**[1] [rɪŋ] **1.** cercle. ***In a ring,*** en cercle ; ***ring road,*** boulevard périphérique. **2.** anneau, bague. ***Key ring,*** porte-clefs ; ***weddingring,*** alliance. **3.** *(Tech.)* segment (de piston). **4.** *(Sp.)* ring ; piste. **5.** clique, gang. ♦***He has rings round his eyes,*** il a les yeux cernés ; ***she can run rings round him,*** elle est bien plus douée que lui.
v.t. **1.** encercler ; entourer d'un cercle ; baguer.
ring[2] [rɪŋ] *v.t. et intr. irr.* (*p.* **rang,** *p.p.* **rung**) **1.** sonner, (faire) tinter. ***Ring for some water,*** sonner pour demander de l'eau ; ***ring the door bell,*** sonner à la porte. **2.** résonner, retentir. ***The room rang with their laughter,*** la salle retentissait de leurs rires. **3.** téléphoner. ***Ring (up) the doctor,*** téléphoner au médecin. ♦***It rings false,*** cela sonne faux ; *(fam.)* ***that rings a bell,*** cela me rappelle quelque chose.
n. **1.** tintement, sonnerie. ***He gave a ring,*** il a sonné. **2.** coup de téléphone. ***I gave him a ring,*** je lui ai passé un coup de fil. ♦***There's a ring of truth about it,*** cela a un accent de vérité ; ***there was a ring of laughter,*** on entendit un éclat de rire.
ringleader ['rɪŋ,liːdə] *n.* chef de bande, meneur.
ringlet ['rɪŋlɪt] *n.* anglaise, frisette.
ringmaster ['rɪŋmɑːstə] *n.* maître de manège, Monsieur Loyal.
ring off, *v. part. intr.* *(Téléph.)* raccrocher.
ringside ['rɪŋsaɪd] *n. et adj.* *(Boxe et fig.)* ***We had ringside seats,*** nous étions au premier rang.
ring up, *v. part. t.* téléphoner à.
ringworm ['rɪŋwɜːm] *n.* *(Méd.)* teigne.
rink [rɪnk] *n.* patinoire.
▷ **rinse** [rɪns] *v.t.* rincer. *n.* rinçage.
riot ['raɪət] *n.* **1.** émeute. **2.** *(fig.)* profusion. ***A riot of colours,*** une débauche de couleurs. ♦ ***Run riot,*** se déchaîner ;

(fam.) ***that film was a riot in London,*** ce film a fait fureur à Londres.

rioter ['raɪətə] *n.* émeutier.

riotous ['raɪətəs] *adj.* **1.** tumultueux (foule). **2.** tapageur, chahuteur (individu).

rip [rɪp] *v. t. et intr.* (se) déchirer. *n.* déchirure.

ripcord ['rɪpkɔːd] *n.* poignée d'ouverture (de parachute).

ripe [raɪp] *adj.* mûr. ***Ripe cheese,*** fromage fait; ***ripe old age,*** âge avancé.

ripen ['raɪpən] *v.t. et intr.* mûrir.

rip-off ['ripɒf] *n. (argot, amér.)* vol; *(fig.)* coup de barre.

ripple ['rɪpl] *v.t. et intr.* **1.** (faire) onduler; (se) rider (eau, cheveux...). **2.** clapoter. *n.* **1.** ondulation; ride. **2.** clapotis.

rise [raɪz] *v. intr. irr.* (*p.* **rose,** *p.p.* **risen**) **1.** monter, se lever (soleil, vent...). **2.** prendre sa source (rivière). **3.** se lever, se mettre debout. **4.** *(Comm. et Fin.)* augmenter. **5.** se soulever, se révolter. **6.** s'ajourner (tribunal, Parlement...). ♦ ***They rose to the occasion,*** ils se sont montrés à la hauteur de la situation; ***you have risen in the world,*** tu as fait ton chemin.

n. **1.** montée, côte; hauteur. **2.** *(Comm. et Fin.)* hausse. ***Rise in wages,*** augmentation de salaire. **3.** source, origine. ***The river takes rise in a lake,*** la rivière prend sa source dans un lac. ♦***It gave rise to great discussion,*** cela a donné lieu à de grandes discussions; *(fam.)* ***they were taking a rise out of him,*** ils le faisaient marcher.

risen ['rɪzn] (**rise,** *v.*)

rising[1] ['raɪzɪŋ] *n.* soulèvement, révolte.

rising[2] ['raɪzɪŋ] *adj.* qui monte. ***The rising generation,*** la nouvelle génération.

▷ **risk** [rɪsk] *n.* risque. *v.t.* risquer.

▷ **risky** ['rɪskɪ] *adj.* risqué, hasardeux.

▷ **rival** ['raɪvl] *n. et adj.* rival. *v.t.* rivaliser avec, égaler.

rivalry ['raɪvlrɪ] *n.* rivalité.

▷ **river** ['rɪvə] *n.* rivière; fleuve. ♦ *(fig.)* ***We've been sold down the river,*** on nous a vendus.

riverside ['rɪvəsaɪd] *n.* bord de rivière.

▷ **rivet** ['rɪvɪt] *n.* rivet. *v.t. (Tech.)* river. ♦ ***It riveted our attention,*** cela a capté notre attention.

road [rəʊd] *n.* **1.** route, voie. *(fam.)* ***Get out of the road!*** tirez-vous de là! ***my car holds the road well,*** ma voiture a une bonne tenue de route; *(fig.)* ***one for the road,*** le coup de l'étrier; ***« road up »,*** « travaux ». **2.** (*Naut.* souvent *pl.*) rade.

roadblock ['rəʊdblɒk] *n.* barrage routier.

roadhog ['rəʊdhɒg] *n.* chauffard.

roadhouse ['rəʊdhaʊs] *n.* relais, motel.

roadman ['rəʊdmən] *n.* (*pl.* **-men**) cantonnier (aussi **road mender**).

roadstead ['rəʊdsted] *n.* rade (cf. **road** 2).

roadworthy ['rəʊd,wɜːðɪ] *adj.* en état de marche (véhicule).

roam [rəʊm] *v.t. et intr.* errer, rôder; parcourir.

roar [rɔː] *v. intr.* hurler, rugir, mugir. *n.* hurlement, rugissement; mugissement. ***Roar of laughter,*** éclat de rire.

roaring ['rɔːrɪŋ] *adj.* hurlant, rugissant. ♦***Do a roaring trade,*** faire des affaires en or; ***roaring drunk,*** complètement soûl; ***roaring success,*** succès fou.

roast [rəʊst] *v.t. et intr.* (faire) rôtir; torréfier (café). *n.* rôti. *adj.* rôti. ***Roast beef,*** rosbif.

rob [rɒb] *v.t.* dévaliser. ***The bank was robbed of £ 500,000,*** on a volé 500 000 livres à la banque.

robber ['rɒbə] *n.* voleur.

robbery ['rɒbrɪ] *n.* vol *(fig.)* ***Day-light robbery,*** escroquerie.

⚠ **robe** [rəʊb] *n.* robe (de cérémonie); toge.

robin ['rɒbɪn] *n. (Zool.)* rouge-gorge.

⚠ **rock**[1] [rɒk] *n.* **1.** rocher, roche. **2.** bâton de sucre d'orge. ♦ *(fam.)* ***I'm on the rocks,*** je suis fauché, dans la dèche; ***solid as a rock,*** solide comme le roc; ***their marriage is on the rocks,*** leur ménage s'en va à vau-l'eau; ***whisky on the rocks,*** whisky aux glaçons.

⚠ **rock**[2] [rɒk] *v.t. et intr.* **1.** balancer, osciller. **2.** bercer. **3.** secouer, ébranler. ♦ *(fig.)* ***You musn't rock the boat now!*** ce n'est pas le moment de faire chavirer le bateau!

rock-climbing ['rɒk,klaɪmɪŋ] *n. (Sp.)* varappe.
rocker ['rɒkə] *n.* **1.** bascule (de chaise...). **2.** *(amér.)* rocking-chair. ♦ *(argot)* ***He's off his rocker,*** il est cinglé.
rockery ['rɒkrɪ] *n.* jardin de rocaille.
rocket ['rɒkɪt] *n.* **1.** fusée. **2.** *(Mil.)* roquette. ♦ *(fam.)* ***He's just been given a rocket,*** on vient de lui passer un savon. *v. intr.* **1.** *(Comm.)* monter en flèche (prix...). **2.** passer en trombe.
rocky[1] ['rɒkɪ] *adj.* rocheux, rocailleux.
rocky[2] ['rɒkɪ] *adj.* chancelant, branlant.
rod [rɒd] *n.* **1.** baguette. **2.** *(Tech.)* tige; tringle. **3.** (= **fishing-rod**) canne à pêche. **4.** *(argot, amér.)* flingue. ♦ *(fig.)* ***He ruled with a rod of iron,*** il gouvernait d'une main de fer.
rode [rəʊd] (**ride,** *v.*)
rodent ['rəʊdnt] *n. (Zool.)* rongeur.
roe[1] [rəʊ] *n.* (= **roe deer**) *(Zool.)* chevreuil.
roe[2] [rəʊ] *n.* œufs de poisson; laitance.
⚠ **rogue** [rəʊg] *n.* coquin, polisson.
roguish ['rəʊgɪʃ] *adj.* coquin, polisson, espiègle.
⚠ **roll** ['rəʊl] *v.t. et intr.* (faire) rouler. ***He's rolling in money,*** il roule sur l'or; ***the tears began to roll,*** les larmes ont commencé à couler.
n. **1.** rouleau. **2.** liasse. **3.** petit pain. **4.** *(Naut.)* roulis; houle. **5.** roulement (tambour); grondement (tonnerre...). **6.** tableau, liste. ***Electoral roll,*** liste électorale; *(Ens.)* ***he has just called the roll,*** il vient de faire l'appel.
rolled [rəʊld] *adj.* ***Rolled gold watch,*** montre plaquée or.
roller ['rəʊlə] *n.* rouleau; laminoir. ***Roller skates,*** patins à roulettes.
rolling ['rəʊlɪŋ] *adj.* houleux (mer); accidenté (région,...). *(Tech.)* ***Rolling mill,*** laminerie; laminoir; *(Cuis.)* ***rolling pin,*** rouleau (à pâtisserie); *(fig.)* ***rolling stone,*** quelqu'un qui roule sa bosse.
⚠ **romance** [rəʊ'mæns] *n.* **1.** histoire romanesque. **2.** idylle. **3.** charme, attrait. ***The romance of the sea,*** la poésie de la mer.
⚠ **romanesque** [,rəʊmə'nesk] *adj. (Arch.)* roman.
⚠ **romantic** [rəʊ'mæntɪk] *adj.* **1.** romantique. **2.** romanesque.
romanticism [rəʊ'mæntɪsɪzm] *n.* romantisme.
romanticize [rəʊ'mæntɪsaɪz] *v.t. et intr.* romancer.
⚠ **romp** [rɒmp] *v. intr.* s'ébattre. ♦ ***Our horse romped home,*** notre cheval est arrivé dans un fauteuil.
rompers ['rɒmpəz] *n. pl.* barboteuse.
romp through, *v. part. intr.* réussir (à un examen) haut la main.
roof [ru:f] *n.* toit. ♦ *(fig.)* ***Go through the roof,*** piquer une colère, exploser; *(Anat.)* ***roof of the mouth,*** voûte du palais; *(Aut.)* ***sunshine roof,*** toit ouvrant.
rook[1] [rʊk] *n. (Zool.)* corneille, freux.
rook[2] [rʊk] *n. (Échecs)* tour.
rook[3] [rʊk] *v.t. (fam.)* escroquer, rouler.
rookie ['rʊkɪ] *n. (amér., argot, Mil.)* bleu.
room [ru:m, rʊm] *n.* **1.** pièce; salle; chambre. ***Dining room,*** salle à manger; ***drawing room,*** salon; ***living*** (ou ***sitting***) ***room,*** salle de séjour; ***spare room,*** chambre d'ami. **2.** place, espace. ***There's not enough room to swing a cat,*** il n'y a pas la place de se retourner; ***there's some room left,*** il y a encore de la place; ***your work leaves room for improvement,*** votre travail laisse à désirer.
roomy ['ru:mɪ] *adj.* spacieux.
roost [ru:st] *v. intr.* se percher, se jucher (poules). ♦ *(fig.)* ***He rules the roost,*** c'est lui qui fait la loi.
n. perchoir, juchoir.
root [ru:t] *n.* **1.** *(Bot.)* racine. **2.** *(fig.)* origine, cause. ***Money is the root of all evil,*** l'argent est la source de tous les maux; ***we must get to the root of the trouble,*** il nous faut trouver la vraie cause du problème. **3.** *(Math.)* ***Square root,*** racine carrée.
v.t. et intr. **1.** *(Bot. et fig.)* (s') enraciner. ♦ ***He stood rooted to the spot,*** il est resté cloué sur place. **2.** *(amér., Sp.)* applaudir (une équipe).
rootless ['ru:tləs] *adj. (fig.)* sans racines.
root out, *v. part. t.* **1.** extirper. **2.** dénicher (après des recherches).
rope [rəʊp] *n.* corde; cordage. ♦ ***He knows the ropes,*** il connaît son affaire; ***I'll show you the ropes,*** je te

mettrai au courant. *v.t.* corder, encorder. ***Roped together,*** en cordée.
ropedancer ['rəʊp,dɑːnsə] *n.* funambule.
rope in, *v. part. t. (fam.)* embringuer.
rope off, *v. part. t.* réserver (un emplacement) au moyen d'une corde tendue.
rosary ['rəʊzərɪ] *n. (Rel.)* chapelet; rosaire.
rose[1] [rəʊz] (**rise,** *v.*)
⊳ **rose**[2] [rəʊz] *n. (Bot.)* rose. ***Rose garden,*** roseraie; *(Arch.)* ***rose window,*** rosace; ***wild rose,*** églantine. ♦ *(fig.)* ***Life is not all roses,*** tout n'est pas rose dans la vie.
rosebud ['rəʊzbʌd] *n.* bouton de rose.
rose-coloured ['rəʊzkʌləd] *adj.* rose. *(fig.)* ***He sees the world through rose-coloured spectacles,*** il voit la vie en rose.
rosemary ['rəʊzmrɪ] *n. (Bot.)* romarin.
rosewater ['rəʊz,wɔːtə] *n.* eau de rose.
rostrum ['rɒstrəm] *n.* tribune.
⚠ **rot** [rɒt] *v.t. et intr.* (faire) pourrir. *n.* **1.** pourriture, décomposition. ***Stop the rot,*** empêcher la situation de se dégrader; ***the rot has set in,*** la situation a commencé à se dégrader. **2.** *(fam.)* balivernes. ***What rot!*** quelle idiotie!
rotary ['rəʊtərɪ] *adj.* rotatif.
rotate [rəʊ'teɪt] *v. t. et intr.* (faire) tourner.
rotgut ['rɒtgʌt] *n. (fam.)* tord-boyaux.
rotproof ['rɒtpruːf] *adj.* imputrescible.
rotten ['rɒtn] *adj.* **1.** pourri, décomposé. **2.** *(fig. et fam.)* mauvais. ***I feel rotten,*** je me sens patraque; ***what rotten weather!*** quel temps de chien!
rough [rʌf] *adj.* **1.** rude, rêche. **2.** fruste, brutal. ***Rough play,*** jeu brutal; ***rough sea,*** mer agitée; ***rough weather,*** gros temps. **3.** grossier, rude. ***Rough manners,*** manières bourrues; ***rough people,*** personnes mal dégrossies. **4.** inachevé, approximatif. ***Make a rough guess,*** faire une approximation; ***rough draft,*** brouillon; ***rough sketch,*** croquis, esquisse. ♦ ***He's a bit rough and ready,*** il n'est pas très raffiné; ***I gave him the rough side of my tongue,*** je lui ai dit ses quatre vérités; ***it's rough on him,*** il n'a pas de chance.
adv. durement. ***Live rough,*** vivre à la dure. ♦ *(fam.)* ***Cut up rough,*** se mettre en colère.
n. **1.** voyou. **2.** *(Golf)* rough. ♦ ***In the rough,*** à l'état d'ébauche; ***we must take the rough with the smooth,*** il faut prendre les choses comme elles viennent.
v.t. (fam.) ***Rough it,*** vivre à la dure.
roughage ['rʌfɪdʒ] *n. (Méd.)* fibres alimentaires.
rough-and-tumble [,rʌfn'tʌmbl] *adj.* désordonné. *n.* bagarre, vie mouvementée.
roughcast ['rʌfkɑːst] *n.* crépi. *v.t.* crépir.
rough-dry ['rʌfdraɪ] *v.t.* sécher sans repasser.
roughen ['rʌfn] *v.t. et intr.* rendre ou devenir rugueux.
rough-hewn [,rʌf'hjuːn] *adj.* dégrossi.
roughhouse ['rʌfhaʊs] *n.* bagarre.
rough in, *v. part. t.* esquisser, ébaucher.
roughneck ['rʌfnek] *n. (amér. fam.)* voyou, loubard.
rough out, *v. part. t.* esquisser, ébaucher.
roughrider ['rʌf,raɪdə] *n.* dresseur de chevaux (surtout dans des rodéos).
⚠ **round** [raʊnd] *adj.* rond, circulaire. ***Round figure,*** chiffre rond; ***round trip,*** voyage aller retour.
n. **1.** rond, cercle. **2.** tournée (facteur, docteur). ***He's on his rounds,*** il fait sa tournée. **3.** *(Mil.)* ronde. **4.** tournée. ***He stood a round of drinks,*** il a payé une tournée. **5.** *(Mil.)* cartouche. **6.** *(Sp.)* round, reprise; tour de piste; manche. **7.** série (de négociations). **8.** salve (d'applaudissements). ♦ ***One continual round of pleasure,*** une longue suite de plaisirs; ***the daily round,*** le train-train quotidien; ***the story has gone the rounds of the village,*** l'histoire a fait le tour du village.
adv. en cercle; tout autour. ***Go round,*** tourner, contourner; ***hand round the cakes,*** faire passer les gâteaux; ***he turned round,*** il s'est retourné; ***it's a long way round,*** cela fait un grand détour; ***Paul plays golf all the year round,*** Paul joue au golf tout au long de l'année. ♦ ***She has***

invited us round for dinner, elle nous a invités à dîner chez elle; ***there isn't enough whisky to go round,*** il n'y a pas assez de whisky pour tout le monde.
prép. autour de. ***Go round the town,*** faire le tour de la ville; ***have a look round a castle,*** visiter un château; ***show a friend round the town,*** faire visiter la ville à un ami; ***they got round the obstacle,*** ils ont contourné l'obstacle; ***they work round the clock,*** ils travaillent 24 heures sur 24. ♦ *(fam.)* ***I'm going round the bend!*** je deviens dingue!
v.t. et intr. **1.** (s') arrondir. **2.** contourner. **3.** *(Naut.)* doubler (un cap).

roundabout ['raʊndəbaʊt] *n.* **1.** chevaux de bois, manège. **2.** *(Aut.)* rond-point (avec sens giratoire). *adj.* indirect.

round off, *v. part. t.* clore, conclure

round on, *v. prep.* attaquer.

round-shouldered [,raʊnd'ʃəʊldəd] *adj.* voûté.

round up, *v. part. t.* rassembler; ramasser.

rouse [raʊz] *v.t.* **1.** réveiller. **2.** *(fig.)* éveiller; provoquer; soulever. **3.** mettre en colère.

rousing ['raʊzɪŋ] *adj.* véhément, vibrant.

rout [raʊt] *n.* déroute. *v.t.* mettre en déroute.

⚠ **route** [ru:t] *n.* itinéraire; parcours.

rove [rəʊv] *v.t. et intr. (lit.* ou *fig.)* errer; parcourir.

rover ['rəʊvə] *n. (lit.)* vagabond.

roving ['rəʊvɪŋ] *adj.* **1.** *(lit.)* vagabond. **2.** itinérant. ♦ ***He has a roving eye,*** il aime regarder les filles.

row[1] [rəʊ] *v. t. et intr.* ramer.
n. promenade en canot.

row[2] [rəʊ] *n.* rang, rangée. ***In the back row,*** au dernier rang.

row[3] [raʊ] *n.* **1.** chahut, vacarme. ***Make a row,*** faire du chahut. **2.** dispute. **3.** réprimande. *v. intr. (fam.)* se disputer.

rowan ['rəʊən, 'raʊən] *n. (Bot.)* sorbier.

rowdy ['raʊdɪ] *adj.* chahuteur.
n. (argot) voyou, loubard.

rowing ['rəʊɪŋ] *n.* canotage; *(Sp.)* aviron.

⚠ **royalty** ['rɔɪəltɪ] *n.* **1.** royauté. **2.** (souvent *pl.*) droits d'auteur; *(Ind.)* royalties.

rub [rʌb] *v.t. et intr.* (se) frotter. ♦ ***Don't rub him the wrong way,*** il ne faut pas le prendre à rebrousse-poil; ***he has rubbed shoulders with politicians,*** il a fréquenté des hommes politiques.

rub along, *v. part. intr. (fam.)* **1.** se débrouiller. **2.** s'entendre tant bien que mal.

rubber ['rʌbə] *n.* **1.** caoutchouc. ***Foam rubber,*** caoutchouc mousse; ***rubber stamp,*** timbre en caoutchouc, tampon. **2.** gomme. **3.** *(Bridge)* robre.

rubberneck ['rəbənek] *n. (amér.)* badaud. *v. intr.* faire le badaud.

rubber-stamp [,rʌbə'stæmp] *v.t. (péj.)* entériner sans vraie discussion.

rubbery ['rʌbrɪ] *adj.* caoutchouteux.

rubbish ['rʌbɪʃ] *n.* **1.** détritus, ordures. **2.** *(fig.)* camelote, pacotille. **3.** *(fig.)* bêtises, balivernes. ***He was talking sheer rubbish,*** il débitait de pures balivernes; ***that's rubbish,*** c'est idiot, ça!

rubble ['rʌbl] *n.* décombres.

rub down, *v. part. t. et intr.* (se) frictionner; bouchonner (un cheval); poncer (un mur...).

rub in, *v. part. t.* **1.** faire pénétrer en frottant. **2.** *(fig.)* ***Don't rub it in!*** n'insiste pas! cela suffit comme ça!

rub out, *v. part. t.* effacer.

rub up, *v. part. t.* astiquer, frotter. ***I must rub up my Spanish,*** il faut que je me remette à l'espagnol.

▷ **ruby** ['ru:bɪ] *n. (pl.* **rubies***)* rubis, *adj.* couleur de rubis.

rucksack ['rʌksæk] *n.* sac à dos.

ruction ['rʌkʃn] *n. (fam.)* grabuge, casse.

rudder ['rʌdə] *n. (Naut.)* gouvernail.

ruddy ['rʌdɪ] *adj.* rougeaud; rougeoyant.

⚠ **rude** [ru:d] *adj.* **1.** grossier, impoli. **2.** obscène, scabreux. **3.** primitif, grossier. ♦ ***It was a rude awakening,*** c'était un rappel brutal (à la réalité).

⚠ **rue** [ru:] *v.t.* regretter amèrement.

rueful ['ru:fəl] *adj.* plein de regrets; amer.

ruffle ['rʌfl] *v.t.* **1.** ébouriffer. **2.** (se) contrarier.

rug [rʌg] *n.* **1.** carpette, descente de lit. **2.** couverture. ***Travelling rug,*** plaid.

rugged ['rʌgɪd] *adj.* rugueux, rude, bourru.

rule [ru:l] *n.* **1.** règle, règlement. ***Bend*** (ou ***stretch) the rules,*** faire une entorse au règlement; ***by rule of thumb,*** empiriquement; ***rules and regulations,*** statuts; ***work to rule,*** faire la grève du zèle. **2.** coutume, habitude. ***As a rule,*** en règle générale. **3.** autorité; administration. ***Under foreign rule,*** sous l'occupation. **4.** règle graduée. ***Slide rule,*** règle à calcul.
v.t. et intr. **1.** gouverner; régner (sur). ***The country is ruled (over) by Parliament,*** le pays est gouverné par le Parlement. **2.** dominer. ***Don't be ruled by what he says,*** ne prends pas ce qu'il dit pour parole d'évangile; ***everything he does is ruled by his ambition,*** c'est l'ambition qui le mène; ***he rules the roost,*** c'est lui qui fait la loi. **3.** *(Sp. et Jur.)* décider. **4.** tracer (une ligne).

rule out *v. part. t.* **1.** barrer. **2.** *(fig.)* exclure.

ruler ['ru:lə] *n.* **1.** souverain; dirigeant. **2.** règle graduée.

ruling ['ru:lɪŋ] *adj.* dominant, souverain. ***Ruling classes,*** la classe dirigeante. *n. (Sp. et Jur.)* décision; statut.

⊳ **rum** [rʌm] *n.* rhum.

rumble ['rʌmbl] *n.* grondement, fracas (aussi **rumbling**). *v. intr.* **1.** gronder. **2.** grommeler.

ruminate ['ru:mɪneɪt] *v. intr.* ruminer.

rummage ['rʌmɪdʒ] *v. t. et intr.* fouiller, fourrager.

rumour ['ru:mə] *n.* bruit (qui court); on-dit. ***Rumour has it that...,*** le bruit circule que...
v.t. ***It is rumoured that...,*** le bruit court que..., on dit que...

rumourmonger ['ru:mə,mʌŋgə] *n.* pipelette.

rump [rʌmp] *n. (Anat.)* croupe; croupion; postérieur. *(Cuis.)* ***Rump steak,*** rumsteak.

rumple ['rʌmpl] *v.t.* chiffonner, froisser; ébouriffer.

rumpus ['rʌmpəs] *n.* vacarme, chahut. ***Kick up a rumpus,*** faire du boucan.

run [rʌn] *v. t. et intr.* (*p.* **ran,** *p.p.* **run**) **1.** (faire) courir. ***He can run fast,*** il court vite; ***he ran me off my legs,*** il m'a imposé une cadence infernale; *(fig.)* il m'a mis sur les genoux; ***he's running a race,*** il dispute une course; ***I ran four km,*** j'ai couru sur 4 km; ***she's running 2 horses in this race,*** elle a engagé 2 chevaux dans cette course. **2.** (faire) couler. ***His face was running with sweat,*** sa figure ruisselait de sueur; ***tears ran down her cheeks,*** les larmes coulaient le long de ses joues; ***the river runs into a lake,*** la rivière se jette dans un lac; ***these colours tend to run,*** ces couleurs risquent de déteindre; ***you might run me a bath,*** tu pourrais peut-être me faire couler un bain. **3.** (faire) fonctionner. ***Could you run the engine a little?*** pourriez-vous faire tourner un peu le moteur? ***my car is running well,*** ma voiture marche bien; ***Paul runs a Rolls,*** Paul possède une Rolls; ***this car runs on electricity,*** cette voiture marche à l'électricité; ***this office runs very smoothly,*** ce bureau marche comme sur des roulettes; ***those people couldn't run the country,*** ces gens-là ne sauraient administrer le pays; ***which trains run non-stop to London?*** quels sont les trains rapides pour Londres? ***yesterday they ran 20 extra trains for the match,*** hier on a mis en service 20 trains supplémentaires pour le match. **4.** *(Polit.)* (se) présenter (aux élections). ***Our party is running 3 candidates,*** notre parti présente 3 candidats; *(amér.)* ***Paul is running for President,*** Paul est candidat à la présidence. **5.** *(Ciné.)* passer; *(Th.)* tenir l'affiche. ***Is that film still running?*** est-ce qu'on passe toujours ce film? **6.** *(Comm.)* durer; être valable. ***The contract has a month to run,*** le contrat expire dans un mois. ♦ ***Feelings are running high,*** les passions montent; ***he ran rings round his opponent,*** il l'a emporté haut la main; ***his feelings ran away with him,*** il s'est laissé emporter par ses sentiments; ***his words keep running through my head,*** je ne cesse d'entendre ses paroles; ***I can't run to a new***

car this year, je ne peux pas m'offrir une voiture neuve cette année ; ***I'll run you to the station,*** je vous conduirai en voiture jusqu'à la gare ; ***I'm run off my feet,*** je suis débordé (de travail) ; ***I ran foul of her,*** je me la suis mise à dos ; ***I've run short of money,*** je me trouve à court d'argent ; ***money runs through my fingers,*** l'argent me file entre les doigts ; ***run for it!*** sauvez-vous ! ***the news ran like wild fire,*** la nouvelle s'est répandue comme une traînée de poudre ; ***the story runs like this,*** je vais te raconter l'histoire ; ***they were running guns,*** ils faisaient passer des fusils en contrebande ; ***you're running a high temperature,*** tu as beaucoup de fièvre ; ***you're running to seed!*** tu te laisses aller ! tu te négliges !

n. **1.** course. ***At a run,*** au pas de course ; ***break into a run,*** se mettre à courir ; ***she's always on the run,*** elle est tout le temps à courir. **2.** excursion. ***Let's go for a run in the car,*** allons faire un tour en voiture. **3.** trajet. ***It's a 40 minute run,*** c'est un trajet de 40 minutes. **4.** *(Cricket)* point. **5.** *(Cartes)* séquence. **6.** *(Th. et Ciné.)* ***This play has had a 3-month run,*** cette pièce a tenu l'affiche pendant 3 mois. **7.** *(Comm. et Fin)* ruée, forte demande. ***There was a sudden run on the bank,*** les guichets des banques ont été subitement pris d'assaut. **8.** série. ***Run of bad luck,*** série noire. **9.** piste. ***Ski run,*** piste de ski. **10.** *(amér.)* grille (à un collant). ♦ ***In the long run,*** à la longue ; ***prices have come down with a run,*** les prix ont dégringolé ; ***the thief is still on the run,*** le voleur court toujours ; ***this is out of the ordinary run (of things),*** cela sort de l'ordinaire ; cela nous change de notre train-train habituel ; ***we'll give them a good run for their money,*** il faudra qu'ils y mettent le prix (pour nous battre) ; ***we have (been given) the run of the garden,*** on a mis le jardin à notre disposition.

runabout ['rʌnə,baʊt] *n.* petite voiture.

run across, *v. prép.* trouver (par hasard).

run after, *v. prép.* **1.** faire la chasse à. **2.** être aux petits soins pour.

run along, *v. part. intr.* (souvent impératif) déguerpir.

run around, *v. part. intr.* ***She runs around with Paul,*** elle sort avec Paul, c'est la petite amie de Paul.

runaway ['rʌnəweɪ] *adj. et n.* fugitif, fuyard ; emballé (cheval).

run away, *v. part. intr.* se sauver. ♦ ***Don't run away with that idea!*** ne te fais pas d'illusions ! ***it runs away with a lot of money,*** cela coûte cher.

run-down [,rʌn'daʊn] *adj.* fatigué ; déprimé. *n.* ['rʌndaʊn] **1.** *(Ind.)* réduction d'activité. **2.** récit très détaillé.

run down, *v. part. t. et intr.* **1.** descendre en courant. **2.** *(Aut.)* renverser, écraser. **3.** dénigrer. **4.** (se) décharger (batterie). **5.** dénicher (après de longues recherches).

rung [rʌŋ] (**ring,** *v.*)

run in, *v. part. t.* **1.** *(Aut.)* roder. **2.** *(fam.)* coffrer.

run into, *v. prép.* **1.** *(Aut.)* entrer en collision avec. **2.** (fam.) rencontrer (par hasard). *(fig.)* ***They've run into debt,*** ils se sont endettés ; *(fig.)* ***you'll run (yourself) into trouble,*** tu vas t'attirer des ennuis.

runner ['rʌnə] *n.* **1.** *(Sp.)* coureur (à pied). **2.** patin (de traîneau). **3.** chemin (d'escalier, de table).

runner-up [,rʌnə(r)'ʌp] *n.* *(Sp. et fig.)* second.

running ['rʌnɪŋ] *n.* *(Sp.)* course. ♦ *(fig.)* ***He's out of the running,*** il n'est plus dans la course ; ***she made (all) the running,*** c'est elle qui a mené le jeu.

adj. ***Running commentary,*** reportage en direct ; ***running costs,*** frais d'entretien ; ***running water,*** eau courante ; ***the car is in good running order,*** la voiture est en bon état de marche.

adv. consécutivement. ***Three days running,*** trois jours de suite.

run off, *v. part. t. et intr.* **1.** se sauver. **2.** *(fam.)* imprimer ; photocopier.

run-of-the-mill [,rʌnəvðə'mɪl] *adj.* **1.** ordinaire. **2.** banal. **3.** routinier.

run on, *v. part. intr.* **1.** continuer à courir. **2.** s'écouler (temps). **3.** continuer à parler ; parler sans arrêt.

run out, *v. part. intr.* **1.** sortir en courant. **2.** expirer (temps, délai). **3.**

s'épuiser (argent, patience...). ♦ ***He ran out on his wife,*** il a abandonné sa femme.

run over, *v. part. t. et intr.* **1.** déborder (liquides). **2.** faire un bond, une petite visite. **3.** *(Aut.)* renverser, écraser.

run through, *v. prép. intr.* **1.** traverser en courant. **2.** parcourir (un document). **3.** *(Th.)* répéter. **4.** passer. ***He ran a comb through his hair,*** il s'est donné un coup de peigne rapide. ♦ ***He has run through all his money,*** il a gaspillé tout son argent.

run up, *v. part. t. et intr.* **1.** accourir. **2.** monter (un escalier) en courant. **3.** hisser (un drapeau). ♦ ***Run up against a difficulty,*** rencontrer une difficulté; ***run up bills,*** laisser s'accumuler des factures; ***run up debts,*** faire des dettes.

runway ['rʌnweɪ] *n. (Av.)* piste d'envol.

⚠ **rupture** ['rʌptʃə] *n.* **1.** *(Méd.)* rupture (d'une veine). **2.** *(Méd.)* hernie. **3.** *(fig.)* rupture; brouille. *v.t. et intr. (Méd. et fig.)* **1.** (se) rompre. **2.** claquer (un muscle). **3.** ***He ruptured himself,*** il s'est fait une hernie.

rush[1] [rʌʃ] *v.t. et intr.* **1.** (se) précipiter. ***He was rushed to the hospital,*** il a été hospitalisé d'urgence; ***I don't want to rush you (into making a decision),*** je ne veux pas vous mettre le couteau sous la gorge; ***the blood rushed to her face,*** elle a rougi violemment; ***we're rushed off our feet,*** nous ne savons pas où donner de la tête; ***you mustn't rush things!*** pas de précipitation! *n.* **1.** précipitation. ***He is always in a rush,*** il est toujours pressé; ***he made a rush at me,*** il s'est rué sur moi; ***there's no rush!*** il n'y a pas le feu! **2.** bousculade. ***The rush hour,*** l'heure de pointe. **3.** *(Ciné.)* projection d'essai, rush.

rush[2] [rʌʃ] *n.* (souvent *pl.*) *(Bot.)* jonc.

rusk [rʌsk] *n.* biscotte.

russet ['rʌsɪt] *n. (Bot.)* reinette. *adj.* feuille-morte.

rust ['rʌst] *n.* rouille. *v.t. et intr.* (se) rouiller.

rust-coloured ['rʌst,kʌləd] *adj.* (couleur) rouille.

rustle[1] ['rʌsl] *v.t. et intr.* (faire) bruire. *n.* bruissement, froissement.

rustle[2] ['rʌsl] *v.t. (amér.)* voler (bétail...).

rustler ['rʌslə] *n. (amér.)* voleur (de bétail...).

rustless ['rʌstləs] *adj.* inoxydable.

rustle up, *v. part. t. (fam.)* dénicher; préparer.

rustling[1] ['rʌstlɪŋ] *n.* bruissement, froissement.

rustling[2] ['rʌslɪŋ] *n. (amér.)* vol (de bétail...).

rustproof ['rʌstpru:f] *adj.* inoxydable.

rusty ['rʌstɪ] *adj.* rouillé.

⚠ **rut** [rʌt] *n.* ornière. *(fig)* ***I'm in a rut,*** je m'encroûte; *(fig.)* ***we must get out of the rut!*** il nous faut sortir de l'ornière!

rutted ['rʌtɪd] *adj.* plein d'ornières.

rye [raɪ] *n.* **1.** *(Agr.)* seigle. **2.** *(amér.* = **rye whisky**) whisky.

S

Sabbath ['sæbəθ] *n.* **1.** Sabbat (des juifs). **2.** dimanche. **3.** *(fig.)* repos dominical.

sabbatical [sə'bætɪkl] *adj.* sabbatique. *n. (Ens.)* année sabbatique.

⚠ **sable** ['seɪbl] *n.* zibeline; martre.

sabotage ['sæbətɑ:ʒ] *n.* sabotage. *v.t.* saboter.

▻ **sack[1]** [sæk] *n.* sac (à charbon, pomme de terre, etc...).

⚠ **sack[2]** [sæk] *v.t. (fam.)* congédier, flanquer à la porte. *n.* renvoi. ***They gave him the sack,*** ils l'ont mis à la porte.

sack[3] [sæk] *n.* sac, pillage. *v.t.* saccager, mettre à sac (une ville).

▻ **sacred** ['seɪkrɪd] *adj. (Rel.)* sacré.

⚠ **sacrifice** ['sækrɪfaɪs] *n.* **1.** sacrifice. **2.** victime. ♦ ***We sell it at a sacrifice,*** nous le vendons à perte. *v.t.* sacrifier. ♦ ***Cost £ 70: sacrificed for £ 50,*** coût 70 livres, sacrifié à 50 livres.

▻ **sacrosanct** ['sækrəʊsæŋkt] *adj.* sacro-saint.

sad [sæd] *adj.* **1.** triste. **2.** pitoyable, déplorable. **3.** cruel (perte). ♦ ***It left him a sadder and a wiser man,*** il en est sorti, instruit par le malheur; ***it makes me sad,*** ça m'attriste.
sadden ['sædn] *v.t.* attrister.
saddle ['sædl] *n.* selle. *v.t.* seller (un cheval).
saddler ['sædlə] *n.* sellier.
▻ **sadism** ['seɪdɪzm] *n.* sadisme.
sadist ['seɪdɪst] *n.* sadique.
sadistic [sə'dɪstɪk] *adj.* sadique.
sadly ['sædlɪ] *adv.* tristement. ♦ ***You are sadly mistaken,*** vous vous trompez lourdement.
safe [seɪf] *adj.* **1.** sain, sauf. ***Safe and sound,*** sain et sauf. **2.** en sécurité, à l'abri. **3.** sûr, sans risque. ***I had rather be on the safe side,*** je préférerais ne pas prendre de risque.
n. **1.** coffre-fort. **2.** garde-manger.
safeguard ['seɪfgɑːd] *n.* sauvegarde, garantie. *v.t.* sauvegarder.
safekeeping [ˌseɪf'kiːpɪŋ] *n.* sûreté, bonne garde. ***Give him the key for safekeeping,*** confiez-lui la clef.
safely ['seɪflɪ] *adv.* **1.** sans accident. ***We arrived safely,*** nous sommes arrivés à bon port. **2.** sans danger. ***You can walk safely in this district,*** on peut se promener sans risque dans ce quartier. **3.** à coup sûr. ***It can be safely assumed that...,*** on peut supposer à coup sûr que...
safety ['seɪftɪ] *n.* sécurité, sûreté. ***Safety valve,*** soupape de sûreté.
safety-belt ['seɪftɪbelt] *n.* ceinture de sécurité.
sag [sæg] *v. intr.* s'affaisser.
▻ **sage**[1] [seɪdʒ] *adj. (lit.)* sage. *n.* sage.
⚠ **sage**[2] [seɪdʒ] *n. (Bot.)* sauge.
sagging ['sægɪŋ] *adj.* affaissé.
said [sed] (**say,** *v.*)
sail [seɪl] *n.* **1.** voile. **2.** promenade à la voile. ***We went for a sail,*** nous sommes allés faire de la voile. **3.** aile (de moulin à vent). ♦ ***In full sail,*** toutes voiles dehors.
v.t. naviguer. *v. intr.* faire voile.
sailing ['seɪlɪŋ] *n.* navigation à voile. ***It's plain sailing,*** ça va comme sur des roulettes; ***sailing boat,*** bateau à voile.
sailor ['seɪlə] *n.* marin, matelot. ***He is a good sailor,*** il a le pied marin.
▻ **saint** [seɪnt] *n.* saint. ***All Saints' Day,*** la Toussaint.
saintly ['seɪntlɪ] *adj.* saint, vénérable.
sake [seɪk] *n.* (employé avec «for») **1.** pour l'amour de, pour, à cause de. ***For God's sake!*** pour l'amour de Dieu! ***for peace' sake,*** pour avoir la paix; ***you should do it for her sake,*** tu devrais le faire pour elle. **2.** dans le but de, en vue de. ***Art for art's sake,*** l'art pour l'art; ***he said it just for the sake of lying,*** il l'a dit uniquement pour le plaisir de mentir.
salable ['seɪləbl] *adj.* vendable, de bonne vente (aussi **saleable**).
▻ **salad** ['sæləd] *n.* salade. ***Fruit salad,*** salade de fruits; ***ham salad,*** jambon accompagné de salade; ***salad bowl,*** saladier; ***salad dressing,*** vinaigrette; ***tomato salad,*** salade de tomates.
▻ **salary** ['sælərɪ] *n.* salaire, appointements, traitement.
sale [seɪl] *n.* **1.** vente, mise en vente. ***For sale,*** à vendre; ***on sale,*** en vente. **2.** vente au rabais, solde. ***That shop is having a sale,*** il y a des soldes dans ce magasin. **3.** (= **auction-sale**) vente aux enchères.
saleroom ['seɪlrʊm] *n.* salle des ventes.
salesman ['seɪlzmən] *n. (pl.* **-men***)* **1.** vendeur. **2.** représentant.
salient ['seɪlɪənt] *adj.* **2.** saillant. **2.** frappant.
▻ **saliva** [sə'laɪvə] *n.* salive.
sallow ['sæləʊ] *adj.* jaunâtre, blême.
sally ['sælɪ] *n.* **1.** *(Mil.)* sortie. **2.** *(fam.)* excursion. **3.** boutade.
salmon ['sæmən] *n.* saumon.
⚠ **saloon** [sə'luːn] *n.* **1.** grand salon (d'un hôtel, d'un paquebot). **2.** *(amér.)* bar, débit de boisson. **3.** section moins populaire d'un pub anglais. ♦ ***Saloon car,*** conduite intérieure.
salt [sɔːlt] *n.* sel. *adj.* salé. *v.t.* saler. ♦ ***Take it with a pinch of salt,*** ne le prenez pas au pied de la lettre.
saltcellar ['sɔːltˌselə] *n.* salière.
salteless ['sɔːltləs] *adj.* **1.** sans sel. **2.** *(fig.)* insipide.
salty ['sɔːltɪ] *adj.* **1.** salé. **2.** qui a un goût de sel. **3.** grivois, leste.
salubrious [sə'luːbrɪəs] *adj.* salubre, sain.

▻ **salutary** ['sæljʊtrɪ] *adj.* salutaire.

⚠ **salute** [sə'lu:t] *n.* **1.** (= **military salute**) salut. **2.** salve. ***They fired a salute of eleven guns,*** ils ont tiré une salve de onze coups de canon.
v.t. saluer militairement.

salvage ['sælvɪdʒ] *n.* **1.** sauvetage. **2.** objets sauvés ou récupérés (d'un incendie, en mer). **3.** récupération (de matières pour l'industrie).
v.t. sauver, récupérer.

salvation [sæl'veɪʃn] *n.* *(Rel.)* salut, rédemption.

⚠ **salve** [sɑ:v] *n.* **1.** onguent, pommade. **2.** remède, baume. ***It is a salve for all sores,*** c'est un remède à tous les maux. *v.t.* soulager, calmer, apaiser.

same [seɪm] *adj.* même. *n.* et *pr.* le, la, même. ♦ ***Her book is the same as mine,*** son livre est le même que le mien ; ***it comes to the same thing,*** ça revient au même ; ***it's all the same to me,*** ça m'est égal.

sameness ['seɪmnɪs] *n.* identité, similitude. **2.** uniformité, monotonie.

sample ['sɑ:mpl] *n.* échantillon. *v.t.* **1.** échantillonner. **2.** goûter (vin, plat).

▻ **sanctify** ['sæŋktɪfaɪ] *v.t.* sanctifier.

sanctimonious [,sæŋktɪ'məʊnɪəs] *adj.* hypocritement dévot.

▻ **sanction** ['sæŋktʃn] *n.* sanction. *v.t.* sanctionner, autoriser.

sanctity ['sænktɪtɪ] *n.* sainteté.

▻ **sanctuary** ['sæŋktʃʊrɪ] *n.* **1.** sanctuaire. **2.** asile, refuge.

sand [sænd] *n.* sable. *v.t.* sabler.

▻ **sandal** ['sændl] *n.* sandale.

sandblast ['sændblɑ:st] *n.* jet de sable. *v.t.* décaper, ravaler à la sableuse.

sandglass ['sændglɑ:s] *n.* sablier.

sandpaper ['sænd,peɪpə] *n.* papier de verre. *v.t.* passer au papier de verre.

sandpit ['sænd,pɪt] *n.* sablière, carrière de sable. **2.** bac à sable (pour enfants).

sandshoes ['sændʃu:z] *n. pl.* tennis, espadrilles.

sandstone ['sændstəʊn] *n.* grès.

sandy ['sændɪ] *adj.* **1.** de sable, sablonneux. **2.** blond roux. ***Sandy-haired,*** aux cheveux d'un blond roux.

sane [seɪn] *adj.* **1.** sain (d'esprit). **2.** sensé.

sang [sæŋ] (**sing,** *v.*)

⚠ **sanguine** ['sæŋgwɪn] *adj.* **1.** optimiste, confiant. ***She is of a sanguine disposition,*** elle est d'un tempérament optimiste. **2.** rouge, rubicond (teint). **3.** *(lit.)* de sang, sanguin.

⚠ **sanitary** ['sænɪtrɪ] *adj.* **1.** sanitaire. **2.** hygiénique, salubre.

sanitation [,sænɪ'teɪʃn] *n.* **1.** installations sanitaires (d'une maison). **2.** système sanitaire (d'une ville). **3.** hygiène publique.

sanity ['sænɪtɪ] *n.* **1.** santé mentale. **2.** jugement sain, bon sens. ***I am glad sanity prevailed,*** je suis heureux que le bon sens l'ait emporté.

sank [sæŋk] (**sink,** *v.*)

Santa Claus ['sæntəklɔ:z] *n.* Père Noël.

⚠ **sap**[1] [sæp] *n.* **1.** sève. **2.** vigueur, force. ***The sap of youth,*** la force de la jeunesse.

▻ **sap**[2] [sæp] *n.* sape, galerie souterraine. *v.t.* **1.** saper, miner. **2.** détruire petit à petit.

sapless ['sæpləs] *adj.* **1.** sans sève. **2.** desséché. **3.** sans vie.

sapling ['sæplɪŋ] *n.* jeune arbre.

sappy ['sæpɪ] *adj.* **1.** plein de sève. **2.** vigoureux.

sash [sæʃ] *n.* **1.** large ceinture nouée (de robe). **2.** écharpe (de maire...). **3.** châssis (de fenêtre). ***Sash window,*** fenêtre à guillotine.

sat [sæt] (**sit,** *v.*)

satchel ['sætʃl] *n.* sac d'écolier, cartable.

sate [seɪt] *v.t.* rassassier, assouvir.

satiate ['seɪʃɪeɪt] *v.t.* **1.** rassasier. **2.** (surtout au passif) blaser.

▻ **satiety** [sə'taɪətɪ] *n.* satiété.

satisfactory [,sætɪs'fæktrɪ] *adj.* satisfaisant.

⚠ **satisfy** ['sætɪsfaɪ] *v.t.* **1.** satisfaire, contenter. ***You should be satisfied with it,*** vous devriez en être content. **2.** assouvir (passion). **3.** acquitter (dette). **4.** convaincre. ***I am satisfied that he did his best,*** je suis convaincu qu'il a fait de son mieux.

satisfying ['sætɪsfaɪ-ɪŋ] *adj.* **1.** satisfaisant. **2.** nourrissant, substantiel.

saturate ['sætʃəreɪt] *v.t.* saturer.

Saturday ['sætədɪ] *n.* samedi.

⚠ **sauce** [sɔ:s] *n.* **1.** sauce. **2.** *(amér. argot)* insolence, toupet. *v.t.* assaisonner.

sauceboat ['sɔ:sbəʊt] *n.* saucière.

saucepan ['sɔːspən] *n.* casserole.
saucer ['sɔːsə] *n.* soucoupe. ***Flying saucer,*** soucoupe volante.
⚠ **saucy** ['sɔːsɪ] *adj.* insolent, impertinent.
sauerkraut ['saʊəkraʊt] *n.* choucroute.
saunter ['sɔːntə] *n.* flânerie, petit tour en flânant. *v. intr.* flâner, se promener sans se presser.
sausage ['sɒsɪdʒ] *n.* **1.** saucisse (à cuire). **2.** saucisson sec.
⚠ **savage** ['sævɪdʒ] *adj.* **1.** sauvage. ***Savage tribes,*** des tribus sauvages. **2.** cruel, féroce. ***Savage criticism,*** une critique virulente. **3.** furieux. ***She gave me a savage look,*** elle m'a jeté un regard furieux. *n.* sauvage.
v.t. attaquer férocement.
save [seɪv] *v.t.* **1.** sauver. ***He saved my life,*** il m'a sauvé la vie; ***God save the Queen,*** que Dieu sauve la reine. **2.** préserver de, garantir contre. ***Save me from her anger,*** préservez-moi de sa colère. **3.** épargner, économiser. ***A penny saved, a penny gained,*** il n'y a pas de petites économies. **4.** épargner, éviter. ***It will save us time,*** ça nous fera gagner du temps.
v. intr. faire des économies, épargner.
prép. sauf, excepté. ***All save one,*** tous sauf un.
save up, *v. part. intr.* mettre de l'argent de côté. ***I am saving up for a new TV set,*** je mets de l'argent de côté pour m'acheter un nouveau poste de télévision.
saving ['seɪvɪŋ] *n.* **1.** sauvetage. **2.** (aussi *pl.* **savings**) économies, épargne. *adj.* économe, ménager, économique. *prép.* sauf (cf. **save**).
saviour ['seɪvɪə] *n.* sauveur.
⚠ **savour** ['seɪvə] *n.* **1.** saveur, goût. **2.** *(fig.)* pointe, trace, soupçon.
v.t. savourer, déguster. *v. intr.* sentir. ***His attitude savours of jealousy,*** son attitude sent la jalousie.
savoury ['seɪvrɪ] *adj.* **1.** savoureux. **2.** appétissant, relevé.
n. entremets non sucré.
saw[1] [sɔː] (**see,** *v.*)
saw[2] [sɔː] *n.* **1.** scie. **2.** adage, dicton. *v.t. irr.* (*p.* **sawed,** *p.p.* **sawn,** *irr.* **sawed**) scier.
sawdust ['sɔːdʌst] *n.* sciure de bois.
sawn [sɔːn] (**saw**[2], *v.*).
say [seɪ] *v. t. irr.* (*p.* **said** [sed], *p.p.* **said** [sed]) **1.** dire. **2.** réciter (leçon). **3.** faire (ses prières). ♦ ***He said he would come,*** il a dit qu'il viendrait; ***he said so,*** il l'a dit; ***I say,*** dis donc; ***it goes without saying,*** cela va sans dire; ***the less said the better,*** moins on en parlera, mieux ça vaudra.
n. expression d'une opinion personnelle. ***They have their say in the matter,*** ils ont leur mot à dire.
saying ['seɪ-ɪŋ] *n.* dicton, adage. ***As the saying goes,*** comme dit le proverbe.
scab [skæb] *n.* **1.** croûte (sur blessure). **2.** jaune (non gréviste).
scabby ['skæbɪ] *adj.* couvert de croûtes, galeux.
scaffold ['skæfld] *n.* échafaud.
v.t. échafauder.
scaffolding ['skæfldɪŋ] *n.* échafaudage.
scald [skɔːld] *n.* brûlure (par eau bouillante). *v.t.* échauder, ébouillanter.
scalding ['skɔːldɪŋ] *adj.* **1.** brûlant. ***Scalding hot,*** bouillant, torride. **2.** *(fig.)* virulent. ***A scalding report,*** un rapport virulent.
scale [skeɪl] *n.* **1.** graduation, échelle, barème. ***The scale of wages,*** l'échelle des salaires. **2.** *(Géog.)* échelle. **3.** *(Mus.)* gamme. **4.** écaille de poisson. **5.** plateau (balance). *v.t.* escalader.
scales [skeɪlz] *n. pl.* balance.
⚠ **scallop** ['skæləp] *n.* coquille Saint-Jacques.
⚠ **scalp** [skælp] *n.* **1.** cuir chevelu. **2.** scalp. *v.t.* scalper.
scamp [skæmp] *n.* chenapan, coquin.
scamper ['skæmpə] *n.* galopade, course rapide. *v.t.* décamper, détaler.
scan [skæn] *v.t.* examiner, scruter.
⚠ **scandal** ['skandl] *n.* **1.** scandale. **2.** médisance.
▻ **scandalize** ['skændlaɪz] *v. intr.* scandaliser.
scandalmonger ['skændl,mʌŋgə] *n.* mauvaise langue, colporteur de ragots.
▻ **scandalous** ['skændləs] *adj.* scandaleux.
▻ **scanner** ['skænə] *n. (Méd.)* scanner, tomographe.
scantily ['skæntɪlɪ] *adv.* d'une manière insuffisante, faiblement.

scanty ['skæntɪ] *adv.* insuffisant (aussi **scant**). ***A scanty meal,*** un maigre repas.

scapegoat ['skeɪpgəʊt] *n.* bouc émissaire.

scar [skɑ:] *n.* cicatrice, balafre.
v.t. cicatriser, balafrer.

scarce [skeəs] *adj.* rare, peu abondant.

scarcely ['skeəslɪ] *adv.* à peine, presque pas. ***I scarcely know her,*** je la connais à peine.

scarcity ['skeəsɪtɪ] *n.* manque, pénurie, rareté.

scare [skeə] *n.* peur. ***I gave you a scare, didn't I?*** je vous ai fait peur, n'est-ce pas?
v.t. effrayer, épouvanter.

scarecrow ['skeəkrəʊ] *n.* épouvantail.

scaremonger ['skeə,mʌŋgə] *n.* alarmiste.

scarf [skɑ:f] *n.* (*pl.* **scarfs, scarves**) écharpe.

scarlet ['skɑ:lɪt] *adj. et n.* écarlate. ***Scarlet fever,*** scarlatine.

scathing ['skeɪθɪŋ] *adj.* acerbe, caustique.

scatter ['skætə] *v.t.* **1.** mettre en fuite, disperser. **2.** éparpiller, disséminer.
v. intr. se disperser, s'éparpiller.

scatterbrain ['skætəbreɪn] *n.* étourdi, écervelé.

scavenger ['skævɪndʒə] *n.* éboueur, balayeur.

⚠ **scene** [si:n] *n.* scène, lieu. ***This is the scene of a famous battle,*** voici le théâtre d'une bataille célèbre. **2.** vue, spectacle. ***Let's go abroad for a change of scene,*** allons à l'étranger pour changer d'horizon. **3.** scène (d'une pièce). **4.** scène, dispute. **5.** *n. pl.* décors de théâtre. ***Behind the scenes,*** dans les coulisses.

scenery ['si:nərɪ] *n.* paysage, vue. ***I love watching the scenery from the train,*** j'adore regarder le paysage du train.

⚠ **scenic** ['si:nɪk] *adj.* touristique. ***A scenic road,*** une route touristique.

scent [sent] *n.* **1.** odeur, senteur. ***The scent of hay,*** l'odeur du foin. **2.** parfum. ***Scent bottle,*** flacon de parfum. **3.** piste, voie. ***You are on the right scent,*** vous êtes sur la bonne piste.
v.t. **1.** parfumer. **2.** sentir, flairer. **3.** pressentir, deviner (un complot...).

scentless ['sentləs] *adj.* inodore, sans odeur.

▷ **sceptical** ['skeptɪkl] *adj.* sceptique.

▷ **scepticism** ['skeptɪsɪzm] *n.* scepticisme.

schedule ['ʃedju:l] *n.* **1.** liste, inventaire. **2.** horaire. ***Ahead of schedule,*** en avance; ***on schedule,*** à l'heure.
v.t. **1.** inventorier, enregistrer. **2.** établir un horaire, un programme.

⚠ **scheme** [ski:m] *n.* **1.** combinaison, arrangement. ***A colour scheme,*** une combinaison de coloris. **2.** plan, projet. **3.** machination, intrigue.
v.t. projeter. *v. intr.* comploter.

⚠ **scholar** ['skɒlə] *n.* **1.** étudiant boursier. **2.** savant, érudit.

scholarly ['skɒləlɪ] *adj.* savant, érudit.

scholarship ['skɒləʃɪp] *n.* **1.** érudition, savoir. **2.** bourse d'études.

⚠ **scholastic** [skə'læstɪk] *adj.* scolaire, universitaire. ***The scholastic year,*** l'année scolaire.

school [sku:l] *n.* école. ***Boarding school,*** pensionnat; ***comprehensive school,*** collège, lycée d'enseignement général; ***infant school,*** école maternelle.
v.t. instruire, enseigner.

schooling ['sku:lɪŋ] *n.* instruction. ***Compulsory schooling,*** scolarité obligatoire.

schoolmate ['sku:lmeɪt] *n.* camarade de classe (aussi **schoolfellow**).

▷ **scientific** [,saɪən'tɪfɪk] *adj.* scientifique.

scientist ['saɪəntɪst] *n.* **1.** scientifique. ***My brother is a scientist,*** mon frère est un scientifique. **2.** homme de science, savant.

scissors ['sɪzəz] *n. pl.* (= **a pair of scissors**) ciseaux.

scoff [skɒf] *n.* sarcasme, moquerie.
v. intr. se moquer de. ***Stop scoffing at him,*** cessez de vous moquer de lui.

scoffer ['skɒfə] *n.* moqueur, railleur.

scold [skəʊld] *v.t.* réprimander, gronder.

scone [skɒn, skəʊn] *n.* petit pain au lait.

⚠ **scoop** [sku:p] *n.* **1.** pelle à main. **2.** seau à charbon. **3.** reportage exclusif ou à sensation, scoop.

⚠ **scooter** ['sku:tə] *n.* **1.** trottinette, patinette. **2.** scooter.

scope [skəʊp] *n.* portée, étendue, envergure, champ d'action. ***An undertaking of wide scope,*** une entreprise de grande envergure; ***I wish I had full scope,*** j'aimerais avoir les coudées franches; ***that work is within the scope of an amateur,*** ce travail est à la portée d'un amateur.

scorch [skɔ:tʃ] *v.t.* brûler, griller, roussir. *v. intr.* se brûler.

scorching ['skɔ:tʃɪŋ] *adj.* **1.** brûlant, très chaud (air, soleil,...). **2.** *(fig.)* mordant, caustique. ***A scorching remark,*** une remarque cinglante.

⚠ **score** [skɔ:] *n.* **1.** entaille. **2.** compte. **3.** vingt, vingtaine. **4.** *(Sp.)* nombre de points, de buts marqués, score. **5.** *(Mus.)* partition.
v.t. et intr. marquer (des points).

scorn [skɔ:n] *n.* dédain. *v.t.* dédaigner.

scornful ['skɔ:nfəl] *adj.* dédaigneux.

scoundrel ['skaʊndrəl] *n.* gredin, coquin, scélérat.

scour [skaʊə] *v.t.* nettoyer, récurer (une casserole).

scourge [skɜ:dʒ] *v.t.* fouetter, flageller. *n. (fig.)* fléau.

⚠ **scout** [skaʊt] *n.* **1.** éclaireur (soldat). **2.** scout, éclaireur. **3.** (= **road-scout**) membre de la sécurité routière.
v.t. et intr. reconnaître (le terrain); aller en éclaireur.

scowl [skaʊl] *n.* air renfrogné, menaçant; froncement de sourcils.
v. intr. se renfrogner, froncer les sourcils. ***He scowled at her,*** il la regarda de travers.

scramble ['skræmbl] *n.* **1.** marche ou ascension difficile. **2.** mêlée, bousculade. ***There was a scramble for tickets,*** on s'arracha les billets.
v.t. **1.** brouiller un message (radio, téléphone). **2.** cuire brouillés. ***Scrambled eggs,*** œufs brouillés. *v. intr.* **1.** avancer difficilement, se hisser. **2.** se bousculer (pour atteindre). ***They scrambled for seats,*** ils se battirent pour avoir des places.

scrap [skræp] *n.* morceau, fragment, bout, reste inutile. ***Scrap heap,*** tas de ferraille; ***scrap iron,*** ferraille. *v.t.* mettre au rebut, envoyer à la casse.

scrape [skreɪp] *n.* **1.** frottement, action de racler, de gratter. **2.** grincement. **3.** révérence. ***With much bowing and scraping,*** avec force révérences. **4.** situation fâcheuse, mauvais pas.
v.t. **1.** gratter, racler, frotter (pour nettoyer). **2.** traîner, frotter (les pieds). **3.** amasser sou par sou. *v. intr.* **1.** frotter (contre). **2.** passer avec peine. ***She scraped through her exam,*** elle a été reçue de justesse à son examen. **3.** grincer (en frottant). **4.** faire une révérence. **5.** amasser de l'argent péniblement.

scrappy ['skræpɪ] *adj.* hétéroclite, décousu, fragmentaire. ***A scrappy knowledge,*** des bribes de connaissance; ***a scrappy meal,*** un repas fait de restes.

scratch [skrætʃ] *n.* **1.** égratignure. **2.** coup de griffe ou d'ongle. **3.** raie, rayure. **4.** ligne de départ. ***He started from scratch,*** il est parti de rien.
v.t. et intr. **1.** griffer, égratigner. **2.** (se) gratter. **3.** rayer. **4.** *(fig.)* éliminer.

scrawl [skrɔ:l] *n.* griffonnage, pattes de mouches. *v.t.* griffonner.

scream [skri:m] **1.** cri perçant. **2.** éclat (de rire). **3.** personne, chose qui fait rire aux éclats. ***He is a perfect scream,*** on ne peut le voir sans se tordre.
v. intr. **1.** pousser des cris perçants. **2.** rire aux larmes.

screech [skri:tʃ] *n.* cri perçant, cri rauque. *v. intr.* pousser des cris perçants, des cris rauques.

screen [skri:n] *n.* **1.** écran. **2.** (= **folding-screen**), paravent. **3.** rideau (d'arbres). *v.t.* **1.** masquer, cacher. **2.** mettre (un roman) à l'écran.

screw [skru:] *n.* vis. *v.t.* **1.** visser. **2.** pincer (les lèvres), plisser (les yeux). ***He screwed up his lips,*** il pinça les lèvres.

screw-driver ['skru:ˌdraɪvə] *n.* tournevis.

scribble ['skrɪbl] *n.* griffonnage, mauvaise écriture. *v.t.* griffonner.

⚠ **script** [skrɪpt] *n.* **1.** manuscrit. **2.** *(Ciné.)* scénario. **3.** script, écriture.

Scripture ['skrɪptʃə] *n.* l'Écriture sainte.

scrub[1] [skrʌb] *n.* nettoyage à la brosse dure. *v.t.* frotter fort, récurer.

scrub[2] [skrʌb] *n.* broussailles, maquis.

scrubby ['skrʌbɪ] *adj.* **1.** rabougri, chétif. **2.** broussailleux.

scruff [skrʌf] *n.* ***The scruff of the neck,***

la peau du cou.
▷ **scruple** ['skru:pl] *n.* scrupule.
▷ **scrupulous** ['skru:pjʊləs] *adj.* scrupuleux, méticuleux.
scrutinize ['skru:tɪnaɪz] *v.t.* scruter, examiner à fond ou de près.
scrutiny ['skru:tɪnɪ] *n.* examen minutieux, recherche attentive.
scuba ['skju:bə] *n.* bouteille de plongée sous-marine.
scuffle ['skʌfl] *n.* mêlée, bousculade, bagarre. *v. intr.* **1.** se bousculer, se battre. **2.** traîner les pieds.
scull [skʌl] *n.* rame, godille.
v. intr. ramer, godiller.
scum [skʌm] *n.* **1.** écume, mousse (à la surface d'un liquide). **2.** *(fig.)* rebut, lie. ***The scum of the earth,*** le rebut du genre humain. *v.t.* écumer.
scurry ['skʌrɪ] *n.* débandade, précipitation. *v. intr.* se précipiter, se hâter.
scurvy ['skɜ:vɪ] *n. (Méd.)* scorbut.
scuttle[1] ['skʌtl] *n.* (= **coal-scuttle**) seau à charbon.
scuttle[2] ['skʌtl] *v. intr.* déguerpir, filer.
scythe [saɪθ] *n. (Agr.)* faux.
sea [si:] *n.* mer. ♦ ***At sea,*** en mer; ***go to sea,*** se faire marin, prendre la mer; ***heavy sea,*** mer houleuse; *(fig.)* ***I'm all at sea,*** je n'y comprends rien; ***in the open sea,*** en pleine mer, au grand large.
seafaring ['si:ˌfeərɪŋ] *adj.* marin. ***Seafaring life,*** vie de marin.
seafood ['si:fu:d] *n.* fruits de mer.
seagull ['si:gʌl] *n.* mouette, goéland (aussi **gull**).
seal[1] [si:l] *n.* sceau, cachet. *v.t.* sceller, cacheter. ***Sealing wax,*** cire à cacheter.
seal[2] [si:l] *n.* phoque.
seam [si:m] *n.* **1.** couture. **2.** *(Géol.)* couche, gisement. *v.t.* **1.** coudre. **2.** couturer. ***His face was seamed with wrinkles,*** il avait le visage sillonné de rides.
seamstress ['si:mstrɪs] *n.* couturière (aussi **sempstress**).
seamy ['si:mɪ] *adj.* **1.** plein de coutures. **2.** *(fig.)* vilain, mauvais (côté). ***The seamy side of life,*** le côté peu reluisant de la vie.
search [sɜ:tʃ] *n.* **1.** recherche (s). ***In search of,*** à la recherche de. **2.** fouille, perquisition. *v.t.* chercher, fouiller, perquisitionner. *v. intr.* (re) chercher. ***I searched for it all over the place,*** je l'ai cherché partout.
searching ['sɜ:tʃɪŋ] *adj.* **1.** perçant, pénétrant (regard). **2.** minutieux (examen).
searchlight ['sɜ:tʃlaɪt] *n.* projecteur.
seasick ['si:ˌsɪk] *adj.* qui a le mal de mer.
seasickness ['si:ˌsɪknɪs] *n.* mal de mer.
▷ **season** ['si:zn] *n.* **1.** saison. **2.** période, temps.
⚠ **season-ticket** ['si:znˌtɪkɪt] *n.* carte d'abonnement.
seat [si:t] *n.* **1.** siège. **2.** place (de théâtre...). **3.** (= **country-seat**) grande demeure, château. **4.** siège, haut lieu (du savoir...).
v.t. **1.** asseoir, faire asseoir. **2.** contenir tant de places. *(Aut.)* ***It's a four-seater,*** c'est une quatre places.
seat-belt ['si:tbelt] *n.* ceinture de sécurité (aussi **safety-belt**).
seaweed ['si:wi:d] *n.* algue, goémon, varech.
secede [sɪ'si:d] *v. intr.* se séparer (de..., **from**).
secluded [sɪ'klu:dɪd] *adj.* retiré, isolé.
seclusion [sɪ'klu:ʒn] *n.* isolement, solitude. ***He lives in seclusion,*** il mène une vie retirée.
▷ **second**[1] ['sekənd] *n.* **1.** seconde. **2.** *(fam.)* instant. ***Just a second!*** un instant!
▷ **second**[2] ['sekənd] *n. et adj.* second, deuxième. ***On second thoughts,*** à la réflexion, après tout. *v.t.* seconder, appuyer quelqu'un, une proposition.
▷ **secondary** ['sekəndrɪ] *adj.* secondaire.
⚠ **seconds** ['sekəndz] *n. pl. (Comm.)* articles, marchandises de second choix.
secrecy ['si:krɪsɪ] *n.* **1.** secret. ***In strict secrecy,*** en grand secret. **2.** discrétion. ***I rely on your secrecy,*** je compte sur votre discrétion.
secretarial [ˌsekrə'terɪəl] *adj.* de secrétaire. ***She has a secretarial job,*** elle est secrétaire.
secretive ['si:krɪtɪv] *adj.* **1.** discret, réservé. **2.** dissimulé, cachottier.
secretly ['si:krɪtlɪ] *adv.* **1.** secrètement. **2.** intérieurement.

secure [sɪ'kjʊə] *adj.* **1.** en sûreté. ***Secure from*** (ou ***against***) ***danger,*** à l'abri du danger. **2.** sûr, assuré. ***He has a secure job,*** il a un poste sûr. **3.** bien fixé ou fermé.
v.t. mettre en sûreté. **2.** assurer, garantir. **3.** fixer, retenir quelque chose à sa place. **4.** obtenir, se procurer.

⚠ **security** [sɪ'kjʊrɪtɪ] *n.* **1.** sécurité. **2.** moyen de sécurité. **3.** *(Fin.)* caution. **4.** *(pl.* **securities)** valeurs, titres.

sedate [sɪ'deɪt] *adj.* posé, calme.

sedately [sɪ'deɪtlɪ] *adv.* posément, calmement.

seduce [sɪ'dju:s] *v.t.* séduire.

see [si:] *v.t. et intr. irr.* (*p.* **saw,** *p.p.* **seen) 1.** voir. **2.** voir, comprendre. **3.** envisager, considérer. ***I see things in a different light now,*** je vois désormais les choses sous un autre jour. ♦ ***I'll see him off,*** je vais l'accompagner au train; ***seeing that,*** étant donné que, vu que; ***see that everything is ready,*** veillez à ce que tout soit prêt; ***see you on Monday,*** à lundi; ***we'll see to it,*** nous y veillerons.

seed [si:d] *n.* semence, graine.

seedy ['si:dɪ] *adj.* **1.** râpé, miteux, minable. **2.** *(fam.)* mal fichu, patraque.

seek [si:k] *v.t. et intr. irr.* (*p.* **sought,** *p.p.* **sought)** chercher, rechercher. ***They have been seeking for him for months,*** ils le recherchent depuis des mois; ***this record is much sought after,*** ce disque est très recherché, très demandé.

seem [si:m] *v. intr.* sembler, paraître. ***So it seems,*** à ce qu'il paraît.

seemingly ['si:mɪŋlɪ] *adv.* apparemment.

seen [si:n] **(see,** *v.)*

seep [si:p] *v. intr.* suinter, s'infiltrer.

seesaw ['si:sɔ:] *n.* balançoire (bascule).

seethe [si:ð] *v. intr.* **1.** bouillir, bouillonner. **2.** *(fig.)* être en effervescence. ***He was seething with anger,*** il était fou de colère.

segregate ['segrɪgeɪt] *v.t.* séparer, isoler.

seize [si:z] *v.t.* saisir, se saisir de.

seldom ['seldəm] *adv.* rarement.

select [sɪ'lekt] *adj.* choisi, de premier choix. *v.t.* choisir. ***Select... from,*** choisir... parmi.

self¹ [self] *n.* (*pl.* **selves)** moi, individu, personnalité. ***For my own self,*** pour ma part; ***she isn't her old self,*** elle n'est plus la même.

self-² *préfixe* auto-. ***Self-adhesive,*** auto-adhésif; ***self-censorship,*** autocensure;...

self-confident [,sefl'kɒnfɪdənt] *adj.* sûr de soi.

self-conscious [,self'kɒnʃəs] *adj.* embarrassé, gêné.

self-denial [,selfdə'naɪəl] *n.* abnégation.

selfish ['selfɪʃ] *adj.* égoïste.

self-possession [,selfpə'zeʃn] *n.* calme, sang-froid.

self-sufficient [,selfsə'fɪʃnt] *adj.* indépendant, autonome.

self-taught [,self'tɔ:t] *adj.* autodidacte.

sell [sel] *v.t. et intr. irr.* (*p.* **sold,** *p.p.* **sold)** vendre, se vendre.

sell off, *v. part. t.* liquider, solder.

sell out, *v. part. t. (Comm.)* vendre tout son stock. ***Sorry, that book is sold out,*** désolé, ce livre est épuisé.

semi-detached [,semɪdɪ'tætʃt] *adj. et n.* (maison) jumelle.

semi-final [,semɪ'faɪnl] *n.* demi-finale.

▻ **seminar** ['semɪnɑ:] *n.* **1.** séminaire, colloque. **2.** enseignement donné à un petit groupe d'étudiants.

▻ **semolina** ['semə'li:nə] *n.* semoule.

▻ **senate** ['senɪt] *n.* sénat.

send [send] *v.t.* (*p.* **sent,** *p.p.* **sent)** envoyer, faire parvenir, expédier. ***My parcel has been sent back,*** mon colis a été renvoyé; ***they sent for the doctor,*** ils envoyèrent chercher le médecin.

sender ['sendə] *n.* expéditeur.

send-off ['sendɒf] *n.* fête d'adieu. ***They gave him a wonderful send-off,*** son départ a été l'occasion d'une belle fête d'amitié.

send off, *v. part. t.* **1.** expédier (lettre,...). **2.** *(Sp.)* sortir (un joueur). **3.** faire des adieux à.

send on, *v. part. t.* faire suivre (lettre).

senior ['si:nɪə] *n.* **1.** aîné, plus âgé. ***He is my senior by four years,*** il est mon aîné de quatre ans. **2.** *(amér.)* lycéen ou étudiant de quatrième année.
adj. **1.** aîné, plus âgé. ***He is ten years senior to you,*** il est plus âgé que vous de dix ans; ***senior citizens,*** les personnes du troisième âge. **2.** plus an-

cien, plus gradé. ***A senior officer,*** un officier supérieur.

seniority [ˌsiːnɪ'ɒrɪtɪ] *n.* **1.** priorité d'âge. **2.** ancienneté. ***Promotion by seniority,*** avancement à l'ancienneté.

sensation [sen'seɪʃn] *n.* **1.** sensation. **2.** impression. ***She had a gliding sensation,*** elle avait l'impression de planer. **3.** sensation, émoi, scandale. ***That caused a sensation,*** cela a fait sensation.

⚠ **sensational** [sen'seɪʃnl] *adj.* à sensation, à effet. ***Sensational press,*** les journaux à sensation.

sense [sens] *n.* **1.** sens. ***The sense of hearing,*** le sens de l'ouïe. **2.** sentiment, conscience. ***Sense of duty,*** sentiment du devoir; ***she has a sense of humour,*** elle a le sens de l'humour. **3.** sensation, impression. **4.** (= **common sense**) bon sens. **5.** signification, acceptation. **6.** *n. pl.* **(senses)** sens, équilibre mental. ***He has lost his senses,*** il a perdu la tête; ***she was frightened out of her senses,*** elle était folle de terreur.
v.t. sentir intuitivement, pressentir.

senseless ['sensləs] *adj.* **1.** sans connaissance, insensible. **2.** insensé, absurde.

▻ **sensibility** [ˌsensɪ'bɪlɪtɪ] *n.* sensibilité, sentiment.

⚠ **sensible** ['sensɪbl] *adj.* **1.** sensé, raisonnable. **2.** conscient de. *(lit.)* ***He is sensible of the trouble he caused,*** il se rend compte des ennuis qu'il a créés. **3.** appréciable, sensible.

⚠ **sensitive** ['sensɪtɪv] *adj.* **1.** sensible (à). ***She is very sensitive to cold,*** elle est très frileuse. **2.** sensitif, impressionnable. **3.** susceptible, ombrageux.

sensitiveness ['sensɪtɪvnɪs] *n.* **1.** sensibilité. **2.** susceptibilité (aussi **sensitivity**).

▻ **sensual** ['senʃʊəl] *adj.* **1.** sensuel. **2.** des sens.

sensuous ['senʃʊəs] *adj.* voluptueux, sensuel.

sent [sent] (**send,** *v.*)

⚠ **sentence** ['sentəns] *n.* **1.** phrase. **2.** *(Jur.)* jugement, arrêt, sentence.
v.t. condamner. ***He was sentenced to ten years' imprisonment,*** il a été condamné à dix ans de prison.

sentry ['sentrɪ] *n.* sentinelle, factionnaire. ***To be on sentry duty,*** être de faction (aussi **sentinel**).

sentry-box ['sentrɪbɒks] *n.* guérite.

▻ **separate** ['seprɪt] *adj.* **1.** séparé, détaché. **2.** indépendant, distinct.
v.t. ['sepəreɪt] séparer, trier. ***Let's separate the red ones from the blue ones,*** séparons les rouges des bleus. *v. intr.* se séparer.

separately ['seprɪtlɪ] *adv.* séparément.

⚠ **septic** ['septɪk] *adj.* **1.** septique. ***Septic tank,*** fosse septique. **2.** infecté (blessure).

⚠ **sequel** ['siːkwəl] *n.* **1.** suite, conséquence. **2.** suite (d'un feuilleton).

⚠ **sequence** ['siːkwəns] *n.* **1.** ordre, succession. ***In sequence,*** par ordre. **2.** série, suite. **3.** *(Ciné.)* séquence.

⚠ **sequester** [sɪ'kwestə] *v.t.* **1.** *(Jur.)* mettre sous séquestre. **2.** séparer, isoler. ***A sequestered life,*** une vie retirée.

▻ **serene** [sɪ'riːn] *adj.* serein, calme.

⚠ **sergeant** ['sɑːdʒnt] *n.* **1.** sergent (d'infanterie). **2.** maréchal des logis (cavalerie, artillerie). **3.** brigadier (de police).

serial ['siːrɪəl] *n.* **1.** *(T.V.)* feuilleton. ***A twenty part serial,*** un feuilleton en vingt épisodes. **2.** publication périodique. *adj.* **1.** de série. **2.** paraissant par livraisons ou en feuilleton.

serialize ['siːrɪəlaɪz] *v.t.* publier en feuilleton. **2.** *(T.V.)* adapter en feuilleton. ***It was serialized in ten parts,*** cela a été adapté en dix épisodes.

▻ **series** ['siːriːz] *n.* série, suite, succession.

⚠ **serious** ['siːrɪəs] *adj.* **1.** sérieux. **2.** grave. ***A serious illness,*** une maladie grave. **3.** sérieux, sincère. ***I am serious,*** je ne plaisante pas.

seriousness ['siːrɪəsnɪs] *n.* **1.** sérieux. ***In all seriousness,*** sérieusement, en toute sincérité.

serried ['serɪd] *adj.* *(lit.)* compact, serré. ***In serried ranks,*** en rangs serrés.

⚠ **servant** ['sɜːvənt] *n.* serviteur, servante, domestique. ***Civil servant,*** fonctionnaire.

⚠ **serve** [sɜːv] *v.t.* **1.** servir. **2.** servir à, être bon à. **3.** faire (apprentissage). **3.** desservir (une localité). **4.** *(Jur.)* purger (une peine). ♦ ***Are you being served?*** on s'occupe de vous? (dans un magasin); ***he served a sentance of ten years imprisonment,*** il a fait dix ans de prison; ***(it) serves him right!*** (c'est) bien fait pour lui! ***this will serve our purpose,*** cela fera notre affaire.

⚠ **service** ['sɜːvɪs] *n.* **1.** service (comme domestique). **2.** service public. **3.** utilité, aide. **4.** service (restaurant, hôtel). **5.** service (de trains, bus). **6.** office religieux. **7.** service (de porcelaine...). **8.** *(Tennis)* service. **9.** service après vente, entretien, réparation. **10.** *n. pl.* services rendus. ♦ ***It may be of service to you,*** cela peut vous être utile; *(Mil.)* ***on active service,*** en activité.
v.t. (Tech.) réviser. ***Put one's car in for service,*** faire réviser sa voiture; ***the Senior Service,*** la marine anglaise; ***the Civil Service,*** l'Administration.

serviceable ['sɜːvɪsəbl] *adj.* **1.** en état de fonctionner, utilisable. **2.** commode, pratique. **3.** de bon usage, durable, solide.

serviceman ['sɜːvɪsmən] *n.* (*pl.* **-men**) militaire.

servicing ['sɜːvɪsɪŋ] *n.* **1.** service après vente. **2.** révision.

⚠ **serviette** ['sɜːvɪet] *n.* serviette de table (cf. **napkin**).

⚠ **session** ['seʃn] *n.* **1.** session. **2.** séance.

set [set] *n.* **1.** assortiment, jeu, série. **2.** (= **radio-set, T.V. set**) poste, appareil. **3.** cercle, clan, milieu. **4.** *(Tennis)* set. **5.** *(Ciné.)* décor, mise en scène, plateau. **6.** mise en plis. **7.** ensemble (mathématique). ♦ ***A set of false teeth,*** un dentier; ***a set of furniture,*** un mobilier; ***a tea set,*** un service à thé; ***in sets of six,*** par jeu de six; ***the racing set,*** le monde des courses.
adj. **1.** mis, posé, placé. **2.** serti. **3.** prêt. **4.** arrêté, fixe. **5.** réglé. **6.** préparé. ♦ ***All set?*** prêt? on y va? ***a set smile,*** un sourire figé; ***set books,*** auteurs du programme; ***set fair,*** beau fixe; ***set lunch,*** déjeuner à prix fixe; ***set phrase,*** cliché; ***set speech,*** discours non improvisé.
v.t. irr. (*p.* **set,** *p.p.* **set**) **1.** mettre, placer, poser. **2.** disposer, installer, dresser. **3.** sertir, enchâsser. **4.** remettre (membre désarticulé). **5.** serrer (les dents). **6.** mettre en musique. **7.** donner (un devoir). **8.** faire prendre, faire durcir. **9.** affûter (outil). **10.** composer (imprimerie).
v. intr. **1.** se fixer. **2.** se mettre à. **3.** prendre, durcir. **4.** se coucher (soleil). **5.** tomber en arrêt (chien). ♦ ***He set up as a grocer,*** il s'est installé comme épicier; ***it was set to music by...,*** ce fut mis en musique par...; ***set an example,*** donner l'exemple; ***set... on fire, set fire to...,*** mettre le feu à...; ***set sail,*** mettre à la voile; ***set something going,*** mettre quelque chose en train; ***set store by,*** attacher du prix à; ***set the table,*** mettre le couvert; ***set up a business,*** monter une affaire; ***this dress sets off her beauty,*** cette robe met en valeur sa beauté; ***this is the right way to set about it,*** c'est la bonne façon de s'y prendre; ***what time do we set off?*** à quelle heure partons-nous? ***you should set the alarm-clock for six,*** tu devrais mettre le réveil à sonner à six heures.

setback ['setbæk] *n.* **1.** recul. **2.** échec, revers.

setsquare ['setskweə] *n.* équerre.

settee [se'tiː] *n.* canapé. ***Bed-settee,*** canapé-lit.

⚠ **setter** ['setə] *n.* **1.** chien d'arrêt. **2.** (= **bone-setter**) rebouteur, rebouteux.

setting ['setɪŋ] *n.* **1.** cadre (d'un récit). **2.** mise en scène. **3.** monture (d'une pierre précieuse). **4.** affûtage (d'un outil). **5.** coucher (du soleil). **6.** remboîtement (d'un os). **7.** mise en musique.

settle ['setl] *v.t.* **1.** établir, installer (quelqu'un). **2.** mettre de l'ordre dans (ses affaires). **3.** dissiper (doutes). **4.** calmer (nerfs). **5.** fixer (date). **6.** régler (compte, question, problème). **7.** coloniser (un pays).
v.intr. **1.** s'établir, s'installer, se fixer. **2.** se percher (oiseau). **3.** se calmer, se ranger. **4.** prendre, ne pas fondre (neige). ♦ ***He is unable to settle to any work,*** il est incapable d'aucun travail continu; ***he settled down at school after a few days,*** il s'est habitué à l'école au bout de quelques jours; ***it is***

time John got married and settled down, il est temps que Jean se marie et qu'il mène une vie stable; ***that settles the matter,*** voilà qui tranche la question; ***things will settle themselves,*** les choses s'arrangeront.

settled ['setld] *adj.* **1.** fixe, établi. **2.** invariable, sûr. **3.** calme, tranquille. ♦ ***Settled habit,*** habitude enracinée.

settlement ['setlmənt] *n.* **1.** installation, établissement. **2.** colonie, colonisation. **3.** accord, contrat, arrangement. ***Marriage settlement,*** contrat de mariage. **4.** règlement (d'une dispute, d'une facture).

settler ['setlə] *n.* colon, immigrant.

set-up ['setʌp] *n.* organisation. ***Do you know the set-up?*** savez-vous comment ça marche?

sever ['sevə] *v.t.* **1.** séparer, diviser (de). **2.** disjoindre. **3.** sectionner, couper. ***To sever one's connections with,*** cesser toutes relations avec. *v. intr.* se séparer (de).

several ['sevrəl] *adj. quant.* **1.** plusieurs, divers. **2.** distinct, respectif.
pr. quant. plusieurs. ***Several of us,*** plusieurs d'entre nous.

⚠ **severe** [sɪ'vɪə] *adj.* **1.** sévère, strict. **2.** rigoureux, rude (temps). **3.** violent, aigu (douleur). **4.** grave (maladie).

sew [səʊ] *v. t. irr. (p.* ***sewed,*** *p.p.* ***sewn)*** **1.** coudre. ***Sew on a button,*** coudre un bouton. **2.** brocher (un livre).

sewage ['sju:ɪdʒ] *n.* eaux d'égout. ***Sewage system,*** tout-à-l'égout.

sewer ['sju:ə] *n.* égout. ***Main sewer,*** égout collecteur.

sewerage ['sju:ərɪdʒ] *n.* système d'égouts, égouts.

sewing ['səʊɪŋ] *n.* couture.

sewing-machine ['səʊɪŋmə,ʃi:n] *n.* machine à coudre.

sewn [səʊn] *(***sew,** *v.)*

▷ **sex** [seks] *n.* sexe. ***The fair sex,*** le sexe faible, le beau sexe.

sextet [seks'tet] *n. (Mus.)* sextuor.

shabbiness ['ʃæbɪnɪs] *n.* **1.** mauvais état (de vêtement). **2.** *(fig.)* mesquinerie, petitesse.

shabby ['ʃæbɪ] *adj.* **1.** élimé, râpé. **2.** mal mis, mal vêtu. **3.** mesquin, petit, ignoble.

shackle ['ʃækl] *v.t.* **1.** enchaîner. **2.** *(fig.)* entraver, embarrasser.

shackles ['ʃæklz] *n. pl.* fers, chaînes. **2.** *(fig.)* entraves.

shade [ʃeɪd] *n.* **1.** ombre, ombrage. ***In the shade of a tree,*** sous l'ombrage d'un arbre. **2.** (= **lamp-shade)** abat-jour. **3.** nuance (couleur). **4.** légère différence. ***A shade smaller,*** un tantinet plus petit. **5.** *(amér.)* store (cf. **blind**[2]).
v.t. **1.** couvrir d'ombre. **2.** obscurcir. **3.** abriter, mettre à l'ombre. **4.** ombrer, nuancer. ***Shaded tones,*** tons dégradés. **5.** hachurer (une carte).

shadow ['ʃædəʊ] *n.* ombre. *v.t.* **1.** ombrager. **2.** filer, espionner.

shady ['ʃeɪdɪ] *adj.* **1.** ombragé, ombreux. **2.** sombre. **3.** *(fam.)* louche, véreux.

shaft ['ʃɑ:ft] *n.* **1.** flèche, dard, trait. **2.** brancard (de charrette). **3.** souche (de cheminée). **4.** *(Arch.)* fût (d'une colonne). **5.** puits (de mine). **6.** cage (d'ascenseur). **7.** rayon (de lumière). **8.** *(Tech.)* arbre. ***Connecting shaft,*** arbre de transmission.

shaggy ['ʃægɪ] *adj.* **1.** poilu, velu. ***Shaggy eyebrows,*** sourcils broussailleux. **2.** raboteux (terrain). ♦ ***A shaggy-dog story,*** une histoire sans queue ni tête.

shake [ʃeɪk] *n.* **1.** secousse. ***Give it a good shake,*** secouez-le bien. **2.** signe de tête négatif. **3.** tremblement.
v.t. irr. (p. **shook,** *p.p.* **shaken)** **1.** secouer, agiter, faire trembler. **2.** hocher (la tête). ***She shook her head,*** elle fit signe que non de la tête. **3.** serrer (la main). ***They shook hands,*** ils se serrèrent la main; ***they shook hands with all their friends,*** ils serrèrent la main à tous leurs amis. **4.** bouleverser. ***She was all shaken up by her husband's death,*** elle était toute bouleversée par la mort de son mari. ♦ ***He shook his fist at me,*** il m'a menacé du poing; ***shake oneself free from,*** se libérer d'une secousse de, s'affranchir de; ***«shake the bottle»,*** «agiter avant de s'en servir»; ***shake to pieces,*** faire tomber en morceaux, en pièces.
v. intr. **1.** trembler (de). ***He was shaking with cold,*** il tremblait de froid.

2. s'agiter, branler. 3. être ballotté, sauter. 4. chanceler.

shake-up ['ʃeɪkʌp] *n.* 1. ébranlement. ***He got a good shake-up,*** il a été bien secoué (par sa maladie, une émotion...). 2. remaniement, réorganisation (cf. **re-shuffle**). ***A government shake-up,*** un remaniement ministériel.

shaky ['ʃeɪkɪ] *adj.* 1. branlant, peu solide. 2. faible. ***I feel shaky,*** je ne me sens pas d'aplomb.

shall [ʃəl, ʃæl] *aux. mod.* (surtout en interrogation avec ***I*** et ***we***). ♦ ***Shall I go?*** faut-il que j'y aille? ***shall I help you?*** voulez-vous que je vous aide? ***shall we have a game?*** et si nous faisions une partie?

▷ **shallot** [ʃə'lɒt] *n. (Bot.)* échalote.

shallow ['ʃæləʊ] *adj.* 1. peu profond. 2. *(fig.)* superficiel, léger, borné. *n.* haut-fond.

shallowness ['ʃæləʊnɪs] *n.* 1. manque de profondeur. 2. *(fig.)* nature superficielle.

sham [ʃæm] *n.* 1. comédie, frime. 2. imitation. ***That diamond was a sham,*** ce diamant était du toc.
adj. 1. feint, simulé. 2. faux, factice.
v.t. feindre. ***Sham illness,*** faire semblant d'être malade.
v. intr. feindre, jouer la comédie, simuler.

shamble ['ʃæmbl] *v. intr.* marcher en traînant les pieds.

shambles ['ʃæmblz] *n. (fam.)* pagaille. ***What a shambles!*** quelle pagaille!

shame [ʃeɪm] *n.* honte. ♦ ***It's a shame!*** c'est honteux! ***what a shame!*** c'est dommage!
v.t. faire honte à, humilier.

shamefaced [,ʃeɪm'feɪst] *adj.* à l'air penaud.

shameful ['ʃeɪmfəl] *adj.* honteux, infâme.

shameless ['ʃeɪmləs] *adj.* éhonté, effronté.

shampoo [ʃæm'pu:] *n.* shampooing.
v.t. faire un shampooing à.

shandy ['ʃændɪ] *n.* bière panachée, panaché.

shan't [ʃɑ:nt] (**= shall not**).

shanty ['ʃæntɪ] *n.* cabane, bicoque, hutte.

shanty-town ['ʃæntɪtaʊn] *n.* bidonville.

shape [ʃeɪp] *n.* 1. forme, figure. 2. tournure, taille (de personne). 3. façon, coupe de (vêtement). ♦ ***He's in poor shape,*** il est mal en point; ***in the shape of,*** en forme de; ***it's a funny shape,*** cela a une drôle de forme; ***it's like a box in shape,*** c'est en forme de boîte; ***what shape is your house?*** quelle forme a votre maison?
v.t. 1. former, façonner. 2. modeler (sur).
v. intr. se former, prendre forme. ♦ ***Heart-shaped,*** en forme de cœur; ***how are you shaping?*** comment vous en sortez-vous? ***shaped like a box,*** en forme de boîte; ***things are shaping well,*** ça commence à prendre bonne tournure.

shapeless ['ʃeɪpləs] *adj.* informe, sans forme.

shapely ['ʃeɪplɪ] *adj.* bien fait, beau.

share [ʃeə] *n.* 1. part, portion. 2. action valeur, titre. *v.t. et intr.* 1. partager. 2. prendre ou avoir part à. ♦ ***I share your opinion,*** je suis de votre avis; ***share in,*** avoir part à, participer à.

shareholder ['ʃeə,həʊldə] *n.* actionnaire.

shark [ʃɑ:k] *n.* 1. requin. 2. *(fig.)* escroc.

sharp[1] [ʃɑ:p] *adj.* 1. tranchant, affilé. 2. pointu, aigu. 3. anguleux (traits). 4. saillant (angle). 5. piquant, aigre (goût). 6. vif, intelligent, pénétrant. 7. rusé, astucieux. ***Sharp practice,*** rouerie, filouterie.
adv. exactement, vivement. ♦ ***At five sharp,*** à cinq heures pile; ***look sharp about it!*** et que ça saute! ***turn sharp left,*** prendre tout de suite à gauche.

sharp[2] [ʃɑ:p] *n. (Mus.)* dièse.

sharpen ['ʃɑ:pən] *v.t.* 1. affûter, aiguiser. 2. tailler (en pointe). 3. *(fig.)* rendre vif.

sharply ['ʃɑ:plɪ] *adv.* 1. rudement, vivement. 2. nettement, clairement.

sharpness ['ʃɑ:pnɪs] *n.* 1. tranchant (d'une lame). 2. pointe (acuité). 3. acidité (de fruit). 4. violence (douleur, sentiment). 5. âpreté (de langage). 6. netteté (de contour). 7. perspicacité, finesse, intelligence.

shatter ['ʃætə] *v.t.* 1. fracasser, briser. 2. *(fig.)* ébranler. *v. intr.* se briser. ♦ ***It***

shattered her nerves, ça lui a détraqué les nerfs ; ***she was shattered by Peter's death,*** la mort de Pierre l'a atterrée.

shave [ʃeɪv] *v.t.* **1.** raser, faire la barbe à. **2.** effleurer. *v.intr.* **1.** se raser, se faire la barbe. *n.* rasage. ***Have a shave,*** se raser. ♦ ***Have a narrow shave,*** l'échapper belle.

shaver ['ʃeɪvə] *n.* (= **electric shaver**) rasoir électrique.

shaving ['ʃeɪvɪŋ] *n.* **1.** rasage. **2.** copeau.

shawl [ʃɔ:l] *n.* châle.

she [ʃi:] *pr. pers.* **1.** elle. **2.** femelle (de certains animaux). ♦ ***She-cat,*** chatte.

sheaf [ʃi:f] *n.* *(pl.* **sheaves***)* **1.** gerbe. **2.** liasse (de papier).

shear [ʃɪə] *v.t. irr.* *(p.* **sheared,** *p.p.* **sheared** ou **shorn***)* **1.** tondre. **2.** *(fig.)* dépouiller.

shearing ['ʃɪərɪŋ] *n.* tonte, tondaison.

shears [ʃɪəz] *n. pl.* **1.** grands ciseaux. **2.** cisailles (pour la haie, pour métal).

sheath [ʃi:θ] *n.* (*pl.* **sheaths**). **1.** gaine. **2.** fourreau (à épée). **3.** étui (à ciseaux).

sheathe [ʃi:ð] *v.t.* **1.** mettre dans le fourreau, rengainer. **2.** envelopper. **3**. revêtir (de).

shed[1] [ʃed] *n.* **1.** hangar. **2.** (= **cow-shed**) étable.

shed[2] [ʃed] *v.t. irr.* (*p.* **shed,** *p.p.* **shed**) **1.** répandre, verser (larmes, lumière). **2.** perdre (ses feuilles). ♦ ***To shed light on a matter,*** éclairer une affaire.

sheep [ʃi:p] *n.* mouton. ♦ ***Black sheep,*** brebis galeuse ; ***lost sheep,*** brebis égarée.

sheepish ['ʃi:pɪʃ] *adj.* penaud, bête, niais.

sheer [ʃɪə] *adj.* **1.** pur. ***Sheer nonsense,*** pure sottise. **2.** escarpé, à pic, abrupt.

sheet [ʃi:t] *n.* **1.** drap. **2.** feuille (de papier, de métal). **3.** nappe (d'eau).

sheet-iron ['ʃi:t,aɪən] *n.* tôle.

shelf [ʃelf] *n.* (*pl.* **shelves**). **1.** planche. **2.** (= **book-shelf**) rayon. **3.** tablette.

shell [ʃel] *n.* **1.** coque (d'œuf, fruits). **2.** coquille. **3.** cosse (de petits pois). **4.** obus. *v.t.* **1.** écosser (petits pois). **2.** bombarder.

shellfish ['ʃelfɪʃ] *n. inv.* coquillage, mollusque, crustacé.

shell-proof ['ʃel,pru:f] *adj.* blindé.

shelter ['ʃeltə] *n.* **1.** abri, couvert. **2.** *(fig.)* asile. ♦ ***Take shelter,*** s'abriter ; ***under shelter,*** à l'abri. *v.t. et intr.* (s') abriter.

shepherd ['ʃepəd] *n.* **1.** berger. **2.** *(fig.)* pasteur. *v.t.* piloter, guider, veiller sur.

sherry ['ʃerɪ] *n.* vin de Xérès.

shield [ʃi:ld] *n.* bouclier. **2.** écran protecteur. *v.t.* protéger. ***Shield from*** (ou ***against),*** protéger contre.

shift [ʃɪft] *n.* **1.** changement. **2.** expédient, ressource. **3.** faux-fuyant, ruse. **4.** équipe d'ouvriers, poste. ***Work in shifts,*** se relayer. ♦ ***He is at his last shift,*** il ne sait plus à quel saint se vouer ; ***make shift to,*** trouver moyen de ; ***make shift with,*** s'accommoder de.
v.t. **1.** changer. **2.** déplacer, changer de place. **3.** transférer, transporter. ♦ ***Shift the blame on to someone else,*** rejeter le blâme sur quelqu'un d'autre. *v. intr.* **1.** changer de place. **2.** changer. **3.** *(fig.)* trouver des expédients. ♦ ***The wind has shifted,*** le vent a tourné ; ***they now have to shift for themselves,*** il faut maintenant qu'ils se débrouillent tout seuls.

shifty ['ʃɪftɪ] *adj.* **1.** retors, roublard. **2.** sournois, fuyant (regard).

shilly-shally ['ʃɪlɪ,ʃælɪ] *n.* irrésolution, hésitation. *v. intr.* hésiter, être irrésolu.

shimmer ['ʃɪmə] *n.* lueur. *v. intr.* miroiter.

shin [ʃɪn] *n.* **1.** devant de la jambe. **2.** jarret (de bœuf).

shinbone ['ʃɪn,bəʊn] *n.* tibia.

shine [ʃaɪn] *v. intr. irr.* (*p.* **shone,** *p.p.* **shone**) **1.** luire, reluire. **2.** briller. ***The sun is shining,*** il fait du soleil.
n. brillant, éclat, lustre.

shingle ['ʃɪŋgl] *n.* galets.

shingles ['ʃɪŋgəlz] *n.* *(Méd.)* zona.

shiny ['ʃɪnɪ] *adj.* luisant, reluisant, lustré (tissu).

ship [ʃɪp] *n.* navire, vaisseau. ♦ ***On board ship,*** à bord. *v.t.* **1.** embarquer. **2.** expédier (marchandises). *v. intr.* s'embarquer.

shipbuilding ['ʃɪp,bɪldɪŋ] *n.* construction navale. ***Shipbuilding yard,*** chantier naval.

shipment ['ʃɪpmənt] *n.* cargaison, fret.

shipshape ['ʃɪpʃeɪp] *adj. (fam.)* bien tenu, en ordre.
shipwreck ['ʃɪprek] *n.* naufrage. *v.t.* faire faire naufrage. ♦ ***Be shipwrecked,*** faire naufrage.
shipyard ['ʃɪpjɑ:d] *n.* chantier naval.
shire [ʃaɪə] *n. (vx.)* comté (cf. **county**).
shirk [ʃɜ:k] *v.t.* éviter, éluder. ***Shirk one's duty,*** manquer à son devoir. *v. intr.* **1.** finasser. **2.** tirer au flanc.
shirker ['ʃɜ:kə] *n.* tire-au-flanc.
shirt [ʃɜ:t] *n.* chemise (d'homme). ♦ ***In one's shirt sleeves,*** en bras de chemise.
shiver ['ʃɪvə] *n.* frisson, tremblement. *v. intr.* frissonner, grelotter, trembler. ♦ ***Shiver with cold,*** grelotter de froid.
shoal [ʃəʊl] *n.* banc (de poisson).
▻ **shock**[1] [ʃɒk] *n.* choc, heurt. *v.t.* choquer, heurter, scandaliser.
⚠ **shock**[2] [ʃɒk] *n.* (= **shock of hair**) tignasse.
shock-absorber ['ʃɒkəbz,ɔ:bə] *n. (Aut.)* amortisseur.
shocking ['ʃɒkɪŋ] *adj.* choquant, affreux.
shod [ʃɒd] *adj.* **1.** ferré (cheval). **2.** chaussé.
shoddy ['ʃɒdɪ] *adj.* de mauvaise qualité.
shoe [ʃu:] *n.* **1.** soulier, chaussure. **2.** (= **horseshoe**) fer (à cheval). ♦ ***I wouldn't like to be in your shoes,*** je ne voudrais pas être à votre place: ***that's where the shoe pinches,*** c'est là que le bât blesse. *v.t. irr.* (*p.* **shod,** *p.p.* **shod**) **1.** chausser. **2.** ferrer (cheval).
shoe-horn ['ʃu:hɔ:n] *n.* chausse-pied.
shoe-lace ['ʃu:leɪs] *n.* lacet de chaussure.
shoemaker ['ʃu:,meɪkə] *n.* cordonnier; fabricant de chaussures.
shoepolish ['ʃu:,pɒlɪʃ] *n.* cirage.
shone [ʃɒn] (**shine,** *v.*)
shoot[1] [ʃu:t] *n.* **1.** *(Bot.)* rejeton, pousse. **2.** sarment (vigne). *v. intr. irr.* (*p.* **shot,** *p.p.* **shot**) *(Bot.)* donner des rejetons.
shoot[2] [ʃu:t] *n.* **1.** tir. **2.** partie de chasse (aussi **shooting party**). *v.t. irr.* (*p.* **shot,** *p.p.* **shot**) **1.** lancer (un projectile). **2.** tirer (coup de fusil). **3.** tuer, fusiller. **4.** chasser (gibier). **5.** tourner (un film). *v. intr.* **1.** tirer. ***Shoot at,*** tirer sur. **2.** chasser (gibier). **3.** *(fig.)* s'élancer. **4.** filer. ***A shooting star,*** une étoile filante. **5.** lanciner (douleur). ♦ ***Go out shooting,*** partir à la chasse; ***shoot somebody dead,*** abattre quelqu'un; *(fig.)* ***you'll get shot for that!*** tu vas te faire incendier!
shooting[1] ['ʃu:tɪŋ] *n.* **1.** coups de feu, fusillade, tir. **2.** chasse au fusil. **3.** élancement (douleur). **4.** tournage (de film). *adj.* lancinant (douleur).
shooting[2] ['ʃu:tɪŋ] *n. (Bot.)* pousse.
shop [ʃɒp] *n.* **1.** boutique, magasin. **2.** (= **workshop**) atelier. ♦ ***At the grocer's (shop),*** chez l'épicier; ***closed shop policy,*** exclusion des travailleurs non syndiqués. *v. intr.* faire des emplettes. ♦ ***Go shopping,*** aller faire des courses.
shop assistant ['ʃɒpə,sɪstənt] *n.* vendeur, vendeuse (aussi **salesman, saleswoman**).
shopkeeper ['ʃɒp,ki:pə] *n.* marchand.
shoplifting ['ʃɒp,lɪftɪŋ] *n.* vol à l'étalage.
shop-soiled ['ʃɒpsɔɪld] *adj.* défraîchi.
shop window [,ʃɒp'wɪndəʊ] *n.* devanture.
shore [ʃɔ:] *n.* rivage, bord, plage, côte.
shorn [ʃɔ:n] (**shear,** *v.*)
short [ʃɔ:t] *adj.* **1.** court. **2.** bref. **3.** petit (taille). **4.** sec, brusque (ton). **5.** insuffisant. ***Oil is short*** (ou ***in short supply***), on manque de pétrole. ♦ ***A short cut,*** un raccourci; ***«Jackie» is short for Jacqueline,*** «Jackie» est le diminutif de Jacqueline; ***they are claiming for shorter hours,*** ils demandent une diminution des heures de travail; ***we are short of money,*** nous sommes à court d'argent: ***work short time,*** être en chômage partiel. *adv.* court, vivement, brusquement. ♦ ***Petrol is running short,*** l'essence commence à manquer; ***stop short,*** s'arrêter court, rester court. *n. (fam.)* **1.** *(Ciné.)* court métrage. **2.** *(Élec.)* (= **short circuit**) court-circuit.
shortage ['ʃɔ:tɪdʒ] *n.* manque, pénurie.
shortcoming ['ʃɔ:tkʌmɪŋ] *n.* défaut.
shorten ['ʃɔ:tn] *v.t. et intr.* (se) raccourcir.
shorthand ['ʃɔ:thænd] *n.* sténographie.

Shorthand typist, sténodactylo.

shortly [ˈʃɔːtlɪ] *adv.* **1.** bientôt, sous peu. **2.** brièvement.

shorts [ʃɔːts] *n. pl.* (**a pair of shorts**) short.

short-sighted [ˌʃɔːtˈsaɪtɪd] *adj.* **1.** myope. **2.** *(fig.)* peu prévoyant.

short-tempered [ˌʃɔːtˈtempəd] *adj.* vif, pétulant, brusque, soupe au lait.

shot[1] [ʃɒt] (**shoot,** *v.*)

shot[2] [ʃɒt] *n.* **1.** coup de feu. **2.** balle; plomb, boulet (de canon). **3.** portée (étendue). **4.** tireur. ***He is a good shot,*** c'est un bon tireur. **5.** *(Méd.)* injection. **6.** *(Sp.)* poids. ***Put the shot,*** lancer le poids. **7.** *(Ciné.)* prise. ♦ *(fam.)* ***A big shot,*** une grosse légume; ***fire a shot at,*** tirer sur; ***good shot!*** bien visé! ***have a shot,*** essayer, tenter; ***I'd go like a shot,*** j'irais sans hésiter.

should [ʃʊd] *aux. mod.* ♦ ***I should do it if I were you,*** je le ferais si j'étais vous; ***we should do it*** (ou ***we would do it) if we could,*** nous le ferions si nous le pouvions; ***you should have helped her,*** tu aurais dû l'aider.

shoulder [ˈʃəʊldə] *n.* **1.** épaule. **2.** accotement. ***Soft shoulder,*** accotement non stabilisé.

shoulder-blade [ˈʃəʊldəbleɪd] *n.* omoplate.

shout [ʃaʊt] *n.* cri. ***Give a shout,*** crier. *v. t. et intr.* crier, pousser des cris.

shove [ʃʌv] *n.* coup, poussée. *v.t. et intr.* pousser. ♦ ***Pushing and shoving,*** bousculade; ***shove away,*** repousser, éloigner.

shovel [ʃʌvl] *n.* pelle. *v.t.* pelleter.

show [ʃəʊ] *n.* **1.** apparence, semblant. **2.** étalage, parade. **3.** *(Th.)* spectacle. **4.** exposition. ♦ ***By show of hands,*** à main levée; ***good show!*** bien joué! bravo! ***motor show,*** salon de l'auto; ***put up a good show,*** faire bonne figure, bien se défendre; ***show flat,*** appartement témoin.

v.t. et irr. (*p.* **showed,** *p.p.* **shown**) **1.** montrer, faire voir, exposer. ***I'll show you my book, I'll show it to you,*** je te montrerai mon livre, je te le montrerai. **2.** manifester, témoigner, démontrer. **3.** indiquer. **4.** expliquer. *v. intr.* se voir. ♦ ***Show him in,*** faites-le entrer; ***show one's age,*** faire son âge; ***show one's hand*** (ou ***cards***), dévoiler ses intentions; ***show round,*** faire visiter.

showdown [ˈʃəʊdaʊn] *n. (fam.)* déballage, explication décisive, épreuve de force.

shower [ˈʃaʊə] *n.* **1.** ondée, averse. **2.** avalanche (coup, cadeaux...). **3.** (= **shower-bath**) douche.

v.t. accabler, combler. ***Shower gifts upon somebody*** (ou ***shower somebody with gifts***), combler quelqu'un de cadeaux.

showery [ˈʃaʊərɪ] *adj.* pluvieux, à ondées (temps).

show off *v. part. intr.* poser, se donner des airs, crâner.

show-off [ˈʃəʊɒf] *n.* m'as-tu-vu.

shown [ʃəʊn] (**show,** *v.*)

show up, *v. part. t.* **1.** faire monter (un visiteur). **2.** dénoncer, démasquer. **3.** faire honte à (en public). *v. intr.* **1.** ressortir. ***The tall tree showed up against the sky,*** le grand arbre se détachait sur le ciel. **2.** *(fam.)* se pointer.

showy [ˈʃəʊɪ] *adj.* voyant, tape-à-l'œil.

shrank [ˈʃræŋk] (**shrink,** *v.*)

shred [ʃred] *n.* **1.** lambeau, bout. ***Tear to shreds,*** déchirer en lambeaux. **2.** *(fig.)* once. ***There is not a shred of truth in that,*** il n'y a pas une ombre de vérité là-dedans.

v.t. déchiqueter, effilocher.

shrewd [ʃruːd] *adj.* sagace, fin, perspicace.

shriek [ʃriːk] *n.* cri perçant. *v.t. et intr.* crier, hurler.

shrill [ʃrɪl] *adj.* strident, aigu, perçant.

shrimp [ʃrɪmp] *n.* crevette (grise).

shrine [ʃraɪn] *n.* **1.** châsse. **2.** lieu saint, lieu de pèlerinage. **3.** *(fig.)* haut lieu.

shrink [ʃrɪŋk] *v.t. irr.* (*p.* **shrank,** *p.p.* **shrunk**) rétrécir, faire rétrécir. *v. intr.* **1.** rétrécir, se rétrécir. **2.** se tasser (en vieillissant). **3.** faire un mouvement de recul. ***Shrink away*** (ou ***back) from,*** reculer, se dérober devant. **4.** répugner à. ***Shrink from doing something,*** répugner à faire quelque chose.

n. (amér., argot) (= **head-shrinker**) psychiatre.

shrivel [ʃrɪvl] *v.t.* faire ratatiner, faire recroqueviller, rider, racornir. *v.intr.*

se ratatiner, se recroqueviller.
shroud [ʃraʊd] *n.* linceul, suaire.
shrouded ['ʃraʊdɪd] *adj.* enveloppé, voilé. ***Shrouded in mist,*** enveloppé de brume.
shrub [ʃrʌb] *n.* arbuste, arbrisseau.
shrug [ʃrʌg] *n.* haussement d'épaules. *v.t.* hausser. ***Shrug one's shoulders,*** hausser les épaules.
shrunk [ʃrʌŋk] (**shrink,** *v.*)
shudder ['ʃʌdə] *n.* frisson, frémissement. *v. intr.* frissonner, frémir. ***Shudder from horror,*** frémir d'horreur.
shuffle [ʃʌfl] *n.* **1.** démarche traînante. ***The shuffle of footsteps,*** le bruit de pas traînants. **2.** battage (cartes). *v.t.* **1.** traîner (les pieds). **2.** battre (cartes). *v. intr.* **1.** traîner les pieds. ***The old man shuffled out,*** le vieillard sortit d'un pas traînant. **2.** battre les cartes. **3.** tergiverser.
shun [ʃʌn] *v.t.* éviter, fuir, esquiver.
shunt [ʃʌnt] *v.t. et intr.* **1.** *(Rail)* aiguiller (un train); se garer. **2.** *(Élec.)* shunter, dériver.
shut [ʃʌt] *v.t. irr.* (*p.* **shut,** *p.p.* **shut**) fermer, enfermer. *v. intr.* fermer, se fermer.
shut off, *v. part. t.* **1.** couper (eau, gaz). **2.** isoler, séparer. ***To shut off... from,*** isoler... de.
shutter ['ʃʌtə] *n.* **1.** volet. **2.** *(Phot.)* obturateur.
shuttle [ʃʌtl] *n.* **1.** navette. **2.** (= **shuttle-service**) service de navette. *v. intr.* faire la navette.
shuttlecock ['ʃʌtlkɒk] *n.* volant (badminton).
shut up, *v. part. t.* **1.** fermer, enfermer. **2.** condamner (porte). *v. intr.* se taire. ***Shut up!*** ferme-la!
shy [ʃaɪ] *adj.* réservé, timide, honteux. *v. intr.* **1.** être ombrageux, faire un écart (cheval). **2.** répugner à. ***Shy away from doing,*** répugner à faire.
sick [sɪk] *adj.* **1.** malade. **2.** qui a des nausées. ♦ ***He's homesick,*** il a le mal du pays; ***he's off sick,*** il est en congé de maladie; *(fam.)* ***I'm sick to death*** (ou ***to the (back) teeth),*** j'en ai ras le bol; ***it makes me sick to think of it,*** ça me dégoûte d'y penser; ***she gets sick in planes,*** elle a le mal de l'air.
sick benefits ['sɪk,benɪfɪts] *n. pl.* prestations de l'assurance-maladie (aussi **sickness benefits**).
sicken [sɪkn] *v.t.* **1.** rendre malade. **2.** *(fig.)* lasser, dégoûter. *v. intr.* tomber malade.
sickening ['sɪknɪŋ] *adj.* **1.** écœurant, à soulever le cœur. **2.** *(fig.)* navrant.
sickle [sɪkl] *n.* faucille.
sick leave ['sɪkli:v] *n.* congé de maladie.
sickly ['sɪklɪ] *adj.* maladif.
side [saɪd] *n.* **1.** côté. **2.** flanc. **3.** bord. **4.** versant (de montagne). **5.** rive. **6.** parti. ***He is on our side,*** il est de notre bord. **7.** équipe, camp. ♦ ***By her side,*** à côté d'elle; ***side by side,*** côte à côte; ***take sides,*** prendre parti; ***the right*** (ou ***wrong) side of sixty,*** moins (ou plus) de soixante ans; ***they did it on the side,*** ils ont fait cela mine de rien; ***wrong side out,*** à l'envers. *adj.* **1.** de côté, latéral. **2.** indirect, oblique. *v. intr.* prendre parti pour. ***He always sides with the majority,*** il se range toujours du côté de la majorité.
sideboard ['saɪdbɔ:d] *n.* buffet, desserte.
sideburns ['saɪdbɜ:nz] *n. pl.* favoris, pattes.
sideline ['saɪdlaɪn] *n.* **1.** *(Sp.)* ligne de touche. **2.** occupation secondaire. ***It's just a sideline,*** ce n'est pas notre spécialité.
sidewalk ['saɪdwɔ:k] *n.* *(amér.)* trottoir (cf. **pavement**).
sideways [saɪdweɪz] *adv.* de côté.
sidle [saɪdl] *v. intr.* **1.** marcher de côté. **2.** s'insinuer, se couler.
sieve [sɪv] *n.* tamis, crible. *v.t.* tamiser.
sift [sɪft] *v.t.* **1.** passer au tamis. **2.** examiner minutieusement.
sigh [saɪ] *n.* soupir. ***Heave*** (ou ***give)*** ***a sigh,*** soupirer. *v. intr.* soupirer. ♦ ***Sigh after,*** soupirer après; ***sigh over,*** gémir sur; ***sigh with joy,*** soupirer de joie.
sight [saɪt] *n.* **1.** (= **eyesight**) vue, vision. **2.** regard, yeux. **3.** spectacle. ***It's a wonderful sight!*** c'est merveilleux à voir. **4.** mire, guidon (de fusil). ♦ ***At first sight,*** à première vue; ***catch sight of,*** apercevoir; ***come into sight,*** apparaître; ***know by sight,*** connaître de vue; ***love at first sight,*** le coup de foudre; ***out of sight out of mind,*** loin

des yeux, loin du cœur; ***she can't bear the sight of him,*** elle ne peut pas le voir en peinture.

sights [saɪts] *n. pl.* monuments, curiosités (d'une ville).

sightseeing ['saɪtˌsiːɪŋ] *n.* tourisme, visite (d'une ville). ***Go sightseeing,*** aller voir les curiosités.

sightseer ['saɪtˌsɪə] *n.* touriste (aussi **tourist**).

⚠ **sign** [saɪn] *n.* **1.** signe. **2.** indice, trace. **3.** (= **shop-sign**) enseigne. ♦ ***As a sign of,*** en signe de; ***make signs,*** faire des signes.
v.t. **1.** signer. ***Sign one's name,*** signer. **2.** embaucher, engager. *v. intr.* **1.** signer, pointer, s'inscrire. **2.** faire signe (à).

⚠ **signal** ['sɪgnl] *n.* **1.** signal. **2.** signe. *adj.* remarquable, insigne. *v.t. et intr.* signaler, faire signe à, donner un signe.

⚠ **signature tune** ['sɪgnətʃətjuːn] *n.* indicatif musical.

signet-ring ['sɪgnɪtrɪŋ] *n.* chevalière.

significance [sɪg'nɪfɪkəns] *n.* **1.** signification, sens. **2.** importance, portée.

significant [sɪg'nɪfɪkənt] *adj.* **1.** significatif, révélateur. **2.** important.

signpost ['saɪnpəʊst] *n.* poteau indicateur (aussi **road-sign**).
v.t. signaliser, flécher. ***The sign-posting is very poor in this city,*** la signalisation est très mauvaise dans cette ville.

⊳ **silence** ['saɪləns] *n.* silence. *v.t.* réduire au silence, faire taire.

silencer ['saɪlənsə] *n.* **1.** silencieux (de revolver). **2.** *(Aut.)* pot d'échappement.

silent ['saɪlənt] *adj.* **1.** silencieux, peu loquace. **2.** muet (film). ♦ ***Be*** (ou ***keep) silent,*** se taire, garder le silence.

⊳ **silhouette** [ˌsɪluː'et] *n.* silhouette (sur l'horizon). *v.t. et intr.* (se) silhouetter. ***Silhouetted against,*** se découpant, se profilant sur.

silk [sɪlk] *n.* soie. ***Shot silk,*** soie chatoyante.

silky ['sɪlkɪ] *adj.* de soie, soyeux.

sill [sɪl] *n.* **1.** seuil (d'une porte). **2.** (= **window-sill**) rebord (de fenêtre).

silly ['sɪlɪ] *adj. et n.* sot, nigaud, niais. ♦ ***Silly ass!*** imbécile! ***silly thing,*** bêtise; ***you silly (thing)!*** grand(e) nigaud(e).

silver ['sɪlvə] *n.* **1.** argent. **2.** monnaie d'argent. ***£ 5 in silver,*** cinq livres en pièces d'argent. **3.** (= **silver plate**) argenterie (vaisselle). *adj.* **1.** d'argent. **2.** argenté. ♦ ***Every cloud has a silver lining,*** après la pluie le beau temps; ***silver birch,*** bouleau argenté.
v.t. **1.** argenter. **2.** étamer (miroir). *v. intr.* s'argenter (cheveux).

silver-plated [ˌsɪlvə'pleɪtɪd] *adj.* argenté, plaqué argent.

⊳ **similar** ['sɪmɪlə] *adj.* semblable, pareil.

similarly ['sɪmɪləlɪ] *adv.* pareillement.

simile ['sɪmɪlɪ] *n.* *(lit.)* comparaison, image.

simmer ['sɪmə] *v. intr.* **1.** bouillir lentement, mijoter. **2.** *(fig.)* être tout excité. ***She was simmering with rage,*** elle bouillait de rage; ***simmer down!*** du calme!

simper ['sɪmpə] *n.* sourire niais, affecté. *v. intr.* sourire niaisement, minauder.

simpering ['sɪmprɪŋ] *adj.* minaudier, affecté, mignard. *n.* minauderie(s).

⊳ **simple** ['sɪmpl] *adj.* **1.** simple, facile. **2.** sans recherche (cf. **plain**). **3.** naïf, sot, niais. **4.** simple. ***It's cheating pure and simple,*** c'est de la triche pure et simple.

simply ['sɪmplɪ] *adv.* **1.** simplement. ***Dress simply,*** s'habiller simplement. **2.** absolument. ***It's simply ridiculous,*** c'est parfaitement ridicule. **3.** uniquement. ***I simply wanted to say,*** je voulais seulement dire.

simulate ['sɪmjʊleɪt] *v.t.* feindre, simuler.

⊳ **simultaneous** [ˌsɪməl'teɪnɪəs] *adj.* simultané.

sin [sɪn] *n.* **1.** péché. **2.** *(fig.)* offense. *v. intr.* pécher.

since [sɪns] *conj.* **1.** puisque, étant donné que. **2.** depuis que. ♦ ***How long is it since you arrived?*** depuis combien de temps êtes-vous arrivé? ***it is a long time since I saw you,*** il y a longtemps que je ne vous ai vu.
prép. depuis. ♦ ***I have lived here since 1960,*** j'habite ici depuis 1960; ***she had been living there since her father's death,*** elle habitait là depuis la mort de son père.

adv. depuis. ***Ever since,*** depuis ce temps-là ; ***it has happened since,*** c'est arrivé depuis.
sincerely [sɪn'sɪəlɪ] *adv.* sincèrement. ***« Yours sincerely »,*** « veuillez croire, cher monsieur, à mes sentiments les meilleurs ».
sinew ['sɪnju:] *n.* **1.** *(Anat.)* tendon. **2.** *(fam.)* nerf. ***The sinews of war,*** le nerf de la guerre.
sinful ['sɪnfəl] *adj.* pécheur, coupable.
sing [sɪŋ] *v.t. et intr. irr.* (*p.* **sang,** *p.p.* **sung**) **1.** chanter, célébrer, louer. **2.** siffler (vent). **3.** bourdonner, tinter (oreilles). ♦ ***Sing a baby to sleep,*** chanter pour endormir un bébé ; ***sing small,*** filer doux, se faire tout petit.
⚠ **singe** [sɪndʒ] *n.* **1.** légère brûlure. **2.** tache de roussi (sur vêtement).
v.t. **1.** brûler légèrement. **2.** roussir (vêtement). **3.** flamber (volaille).
singer ['sɪŋə] *n.* chanteur, chanteuse.
single ['sɪŋgl] *adj.* **1.** seul, simple, unique. **2.** particulier (individuel). **3.** singulier (combat). **4.** non marié, célibataire. ♦ ***Every single day,*** tous les jours sans exception ; ***remain single,*** rester célibataire ; ***single bedroom,*** chambre à un lit ; ***two single tickets to Glasgow,*** deux billets, aller simple, pour Glasgow ; ***type in single spacing,*** taper à simple interligne.
v.t. **1.** choisir. **2.** distinguer de la foule (aussi **single out**).
single-decker [,sɪŋgl'dekə] *n.* (= **single-decker bus**) autobus (ou tramway) sans impériale.
single-minded [,sɪŋgl'maɪndɪd] *adj.* résolu, ferme. ***He is single-minded about it,*** il concentre tous ses efforts là-dessus.
singles ['sɪŋglz] *n. pl.* simple (tennis). ***Ladies' singles,*** simple dames.
singlet ['sɪŋglɪt] *n.* maillot, tricot de corps.
singly ['sɪŋglɪ] *adv.* **1.** seulement. **2.** séparément. **3.** individuellement, un à un.
⊳ **singular** ['sɪŋgjʊlə] *n.* *(Gram.)* singulier. *adj.* **1.** singulier, remarquable. **2.** étrange, bizarre. **3.** simple, pas complexe.
sink[1] [sɪŋk] *n.* **1.** évier. ***Sink unit,*** bloc-évier. **2.** égout (conduit), puisard. **3.** *(fig.)* cloaque. ***A sink of iniquity,*** un cloaque du vice.
sink[2] [sɪŋk] *v.t. irr.* (*p.* **sank,** *p.p.* **sunk**). **1.** faire tomber au fond, enfoncer. **2.** couler (navire). **3.** creuser (puits...). **4.** perdre, engloutir (argent). *v. intr.* **1.** aller, tomber au fond. **2.** s'enfoncer. **3.** couler (navire). **4.** décliner (santé...). **5.** s'effondrer (prix). **6.** être abattu (âme, cœur...). **7.** descendre, se coucher (soleil). **8.** dégénérer (en). ♦ ***Her voice sank to a whisper,*** elle s'est mise à chuchoter ; ***it's sink or swim,*** il faut s'en sortir, s'en tirer ; ***my father is sinking fast,*** mon père décline rapidement ; ***she sank into an armchair,*** elle s'est laissée tomber dans un fauteuil ; ***sink to one's knees,*** tomber à genoux ; ***sunk in thought,*** plongé(e) dans ses pensées.
sinner ['sɪnə] *n.* pécheur, pécheresse.
sip [sɪp] *n.* petit coup, petite gorgée. *v.t. et intr.* boire à petits coups, siroter.
⚠ **sir** [sɜ:] *n.* **1.** monsieur (sans nom ou prénom). **2.** « mon capitaine », « mon lieutenant », etc. **3.** ***Sir*** (titre d'un baronet ou d'un chevalier). ***Sir Laurence Olivier.***
v.t. donner du monsieur à quelqu'un.
sirloin ['sɜ:lɔɪn] *n.* aloyau, faux filet.
sissy ['sɪsɪ] *adj. et n.* *(fam.)* poule mouillée.
sister ['sɪstə] *n.* **1.** sœur. **2.** religieuse, (bonne) sœur. **3.** infirmière en chef.
sister-in-law ['sɪstə(r)ɪn,lɔ:] *n.* belle-sœur.
sit [sɪt] *v.t. irr.* (*p.* **sat,** *p.p.* **sat**). **1.** asseoir, installer. **2.** se tenir sur (cheval). *v. intr.* **1.** s'asseoir (le plus souvent **sit down**). **2.** être assis. **3.** siéger, se réunir (assemblée, cour). **4.** couver (poule). **5.** percher (oiseau). **6.** poser (pour un portrait). ♦ ***She sat back and did nothing about it,*** elle n'a pas levé le petit doigt ; ***sit back in an armchair,*** se carrer dans un fauteuil ; ***sit for an exam,*** se présenter à un examen ; ***we sat down under the insult,*** nous avons encaissé l'insulte.
sit-down [,sɪtdaʊn] *n.* (= **sit-down strike**) grève sur le tas.
⚠ **site** [saɪt] *n.* **1.** situation, emplacement. **2.** (= **building-site**) chantier. **3.** site (paysage).

v.t. placer, situer.
sit-in ['sɪtɪn] *n.* grève sur le tas, occupation de locaux.
sitter ['sɪtə] *n.* **1.** personne assise. **2.** *(Art.)* modèle. **3.** (= **baby-sitter**) babby-sitter.
sitting ['sɪtɪŋ] *n.* **1.** séance, audience (d'une cour, etc.). **2.** couvaison (des œufs). **3.** place (réservée). **4.** *(Art.)* séance de pose. **5.** service (d'une cantine). ***We serve 300 people in two sittings,*** nous servons 300 personnes en deux services.
adj. **1.** assis. **2.** en séance (cour, etc.). **3.** perché (oiseau). **4.** qui couve (poule).
situated ['sɪtjʊeɪtɪd] *adj.* **1.** situé, sis. **2.** *(fig.)* dans une situation donnée. ***I'm rather badly situated,*** je suis en assez mauvaise posture.
sit up, *v. part. intr.* (*p.* **sat,** *p.p.* **sat**). **1.** se tenir droit. **2.** veiller, ne pas se coucher.
sizable ['saɪzəbl] *adj.* d'une bonne grosseur (aussi **sizeable**).
size [saɪz] *n.* **1.** grandeur, dimension. **2.** taille, encolure, pointure. *v.t.* classer (par taille).
size up *v. part. t.* juger, jauger.
sizzle ['sɪzl] *n.* grésillement. *v. intr.* grésiller.
skate[1] [skeɪt] *n.* patin. ***Ice skate,*** patin à glace; ***roller skate,*** patin à roulette.
v. intr. patiner. ***Go skating,*** faire du patinage ou du patin.
skate[2] [skeɪt] *n.* *(Zool.)* raie.
skate-board ['skeɪtbɔːd] *n.* planche à roulettes.
skating-rink ['skeɪtɪŋ,rɪŋk] *n.* patinoire.
skein [skeɪn] *n.* écheveau.
sketelon ['skelɪtn] *n.* squelette. ***The skeleton in the cupboard,*** la honte cachée, le honteux secret de la famille.
⚠ **sketch** [sketʃ] *n.* **1.** croquis, esquisse. **2.** *(fig.)* ébauche, aperçu. **3.** saynète.
v.t. esquisser, ébaucher.
sketchy ['sketʃɪ] *adj.* **1.** d'esquisse, ébauché. **2.** sommaire, incomplet, rudimentaire.
skewer ['skjʊə] *n.* brochette. *v.t.* embrocher.
ski [skiː] *n.* skier. ***Cross-country skiing,*** ski de fond; ***go skiing,*** faire du ski; ***ski touring,*** ski de randonnée.
skid [skɪd] *n.* dérapage. *v. intr.* déraper.
skiful ['skɪlfəl] *adj.* adroit, habile.
ski-lift ['skiːlɪft] *n.* remonte-pente.
skill [skɪl] *n.* habileté, dextérité, adresse.
skilled [skɪld] *adj.* habile, adroit. ***Skilled labour,*** main-d'œuvre qualifiée.
skim [skɪm] *v.t.* **1.** écumer. **2.** écrémer (lait). **3.** *(fig.)* raser, effleurer. ***Skim through a book,*** parcourir rapidement un livre.
skin [skɪn] *n.* peau. ♦ ***Be all skin and bone,*** n'avoir que la peau et les os; ***escape by the skin of one's teeth,*** l'échapper belle; ***wet*** (ou ***soaked***) ***to the skin,*** trempé jusqu'aux os.
v.t. **1.** écorcher, dépouiller (lapin...). **2.** peler (fruit).
skin-deep [ˌskɪn'diːp] *adj.* superficiel.
skin diving ['skɪndaɪvɪŋ] *n.* plongée sous-marine (sans bouteille).
skinflint ['skɪnflɪnt] *n.* grippe-sou, radin.
skinny ['skɪnɪ] *adj.* maigre, décharné.
skip [skɪp] *n.* saut, bond. *v.t.* **1.** sauter. **2.** passer (en lisant). *v.intr.* sauter, sautiller. ***Skipping rope,*** corde à sauter.
skipper ['skɪpə] *n.* **1.** capitaine, patron (de navire marchand). **2.** *(Sp.)* capitaine.
skirmish ['skɜːmɪʃ] *n.* escarmouche.
v. intr. escarmoucher. ***Skirmishing,*** escarmouches.
skirt [skɜːt] *n.* **1.** pan (d'un habit). **2.** jupe. ***Divided skirt,*** jupe culotte.
v.t. border, longer, contourner.
skirts [skɜːts] *n. pl.* **1.** lisière, extrémité, bord (d'une forêt...). **2.** (= **outskirts**) faubourgs.
skit [skɪt] *n.* satire, parodie.
skittish ['skɪtɪʃ] *adj.* capricieux, volage.
skittle ['skɪtl] *n.* quille. ***Life is not all beer and skittles,*** la vie n'est pas toujours rose.
skull [skʌl] *n.* crâne. ***Skull and crossbones,*** tête de mort (emblème).
sky [skaɪ] *n.* ciel. ♦ ***Prices went sky-high,*** les prix ont monté en flèche.
skyjack ['skaɪdʒæk] *v.t.* détourner, pirater (un avion) (aussi **highjack, hijack**).
skylight ['skaɪlaɪt] *n.* lucarne faîtière.
skyline ['skaɪlaɪn] *n.* **1.** ligne d'horizon.

2. ligne des toits (d'une ville).
skyscraper ['skaɪ,skreɪpə] *n.* gratte-ciel.
slab [slæb] *n.* **1.** dalle, plaque. **2.** tablette (chocolat). **3.** grosse tranche (gâteau).
slack [slæk] *n.* **1.** poussier. **2.** mou (de corde), battant, jeu.
adj. **1.** lâche, mal tendu, desserré. **2.** stagnant, creux. ***The slack season,*** la morte-saison. **3.** mou, faible, indolent. **4.** négligent, peu sérieux. ♦ ***Be slack,*** avoir du jeu; ***be slack in answering letters,*** mettre longtemps à répondre aux lettres; ***she is slack about her work,*** elle se relâche dans son travail.
v. intr. ne pas travailler assez.
slacken ['slækən] *v.t.* **1.** ralentir (le pas), diminuer (la vitesse). **2.** détendre, relâcher (corde), desserrer (écrou). **3.** affaiblir (la rigueur).
v. intr. **1.** se relâcher, se détendre. **2.** se ralentir. **3.** diminuer.
slacker ['slækə] *n.* *(fam.)* flemmard (e).
slacks [slæks] *n. pl.* pantalon.
slagheap ['slæghi:p] *n.* crassier.
slain [sleɪn] (**slay,** *v.*)
slake [sleɪk] *v.t.* **1.** étancher (sa soif). ***Slake one's thirst,*** se désaltérer. **2.** éteindre (chaux).
slam [slæm] *n.* **1.** claquement (de porte). **2.** chelem (bridge).
v.t. fermer avec violence, faire claquer. *v. intr.* se fermer avec bruit.
slander ['slɑ:ndə] *n.* calomnie. *v.t.* calomnier.
slanderous ['slɑ:ndrəs] *adj.* calomnieux.
slang [slæŋ] *n.* argot.
slant [slɑ:nt] *n.* inclinaison, pente. *v.t. et intr.* incliner, être de biais.
slanting ['slɑ:ntɪŋ] *adj.* incliné, oblique.
slap [slæp] *n.* claque, tape. ***Slap in the face,*** gifle, soufflet. *adv.* tout droit, en plein; ***slap in the middle,*** au beau milieu.
v.t. donner une tape, une claque ou une fessée. **2.** poser brusquement.
slapdash ['slæpdæʃ] *adj.* bâclé (travail, ...).
slash [slæʃ] *n.* **1.** entaille. **2.** balafre.
v.t. **1.** taillader. **2.** balafrer. **3.** casser, écraser (prix). **4.** éreinter. ***Slashing criticism,*** critique cinglante. *v. intr.* frapper.
slate [sleɪt] *n.* ardoise.
slaughter ['slɔ:tə] *n.* **1.** carnage, massacre. **2.** abattage (de bétail). *v.t.* **1.** abattre (bête de boucherie). **2.** massacrer (des gens).
slaughterhouse ['slɔ:təhaʊs] *n.* abattoir.
slave [sleɪv] *n.* esclave. ***Be a slave to,*** être esclave de. *v. intr.* peiner, trimer.
slavery ['sleɪvərɪ] *n.* esclavage.
slavish ['sleɪvɪʃ] *adj.* d'esclave, servile.
slay [sleɪ] *v.t. irr.* (*p.* **slew,** *p.p.* **slain**) tuer.
sledge [sledʒ] *n.* **1.** luge. **2.** traîneau. *v. intr.* faire de la luge (aussi ***go sledging***).
sledgehammer ['sledʒ,hæmə] *n.* marteau de forgeron.
sleek [sli:k] *adj.* **1.** lisse, luisant. **2.** (trop) soigné, bichonné. **3.** *(fig.)* doucereux, onctueux.
sleep [sli:p] *n.* sommeil. ♦ ***Go to sleep,*** s'endormir; ***I didn't get a wink of sleep all night,*** je n'ai pas fermé l'œil de la nuit; ***sound sleep,*** profond sommeil.
v. intr. irr. (*p.* **slept,** *p.p.* **slept**) dormir, coucher (à, chez, dans). ***Sleep like a log,*** dormir comme un loir; ***sleep the clock round,*** faire le tour du cadran. *v.t.* **1.** faire passer en dormant. ***Sleep oneself sober,*** cuver son vin. **2.** avoir la place pour faire coucher. ***Can you sleep us all?*** pouvez-vous nous faire coucher tous?
sleeper ['sli:pə] *n.* **1.** dormeur. ***He is a light sleeper,*** il a le sommeil léger. **2.** traverse (de chemin de fer). **3.** wagon-lit, couchette (aussi **sleeping-car**).
sleepily ['sli:pɪlɪ] *adv.* d'un air endormi.
sleeping bag ['sli:pɪŋ bæg] *n.* sac de couchage.
sleeping tablet ['sli:pɪŋ,tæblɪt] *n.* somnifère (aussi **sleeping draught** ou **pill**).
sleepless ['sli:pləs] *adj.* sans sommeil. ***A sleepless night,*** une nuit blanche.
sleepwalker [sli:p,wɔ:kə] *n.* somnambule.
sleepy ['sli:pɪ] *adj.* **1.** somnolent. **2.** apathique, engourdi. ***Be*** (ou ***feel***) ***sleepy,*** avoir sommeil.
sleet [sli:t] *n.* **1.** neige fondue. **2.** grésil.
sleeve [sli:v] *n.* manche. ♦ ***In (one's) shirt sleeves,*** en bras de chemise;

laugh up one's sleeve, rire sous cape.

sleigh [sleɪ] *n.* traîneau.

slender ['slendə] *adj.* **1.** mince, svelte. **2.** léger, faible (espoir...). **3.** maigre (revenu).

slept [slept] (**sleep,** *v.*)

slew [slu:] (**slay,** *v.*)

slice [slaɪs] *n.* tranche. ***Slice of bread and butter,*** tartine beurrée. *v.t.* **1.** couper en tranches. **2.** couper (balle, au tennis...).

slick[1] [slɪk] *adj. (fam.)* **1.** lisse, brillant. **2.** glissant (chaussée). **3.** rusé, astucieux. ***A slick customer,*** une fine mouche.

slick[2] [slɪk] *n.* **1.** nappe de pétrole. **2.** (= **oil slick**) marée noire.

slid [slɪd] (**slide,** *v.*)

slide [slaɪd] *n.* **1.** glissoire, glissade. **2.** diapositive. **3.** coulisse. ***Slide rule,*** règle à calcul.
v.t. irr. (*p.* **slid,** *p.p.* **slid**) faire glisser, glisser. ***He slid the drawer into place,*** il remit le tiroir en place. *v. intr.* **1.** glisser, faire des glissades. **2.** se glisser.

sliding ['slaɪdɪŋ] *n.* glissade, glissement. *adj.* qui glisse. ♦ ***Sliding door,*** porte à coulisse; ***sliding roof,*** toit ouvrant; ***sliding scale,*** échelle mobile (des salaires, etc.).

slight[1] [slaɪt] *adj.* **1.** mince, menu, frêle. **2.** insignifiant. ♦ ***I've a slight headache,*** j'ai un léger mal de tête; ***not in the slightest,*** pas le moins du monde.

slight[2] [slaɪt] *n.* offense, humiliation. *v.t.* manquer d'égards envers, blesser, offenser.

slightly ['slaɪtlɪ] *adv.* un peu, légèrement.

slim [slɪm] *adj.* **1.** mince, svelte. **2.** faible (espoir...). *v. intr.* suivre un régime amaigrissant.

slime [slaɪm] *n.* **1.** vase, limon. **2.** dépôt visqueux, gluant. **3.** bave (de colimaçon).

slimy ['slaɪmɪ] *adj.* **1.** vaseux, limoneux. **2.** gluant, visqueux. **3.** *(fig.)* lèche-bottes, lécheur.

sling [slɪŋ] *n.* **1.** fronde. **2.** bandoulière. **3.** écharpe. ***Have one's arm in a sling,*** avoir le bras en écharpe.
v.t. irr. (*p.* **slung,** *p.p.* **slung**) lancer avec force.

⚠ **slip** [slɪp] *n.* **1.** glissade. **2.** légère erreur. ***A slip of the tongue,*** un lapsus. **3.** (= **pillow slip**) taie (d'oreiller). **4.** combinaison (sous-vêtement). **5.** fiche, bande étroite (de papier).
v.t. **1.** glisser, introduire furtivement. **2.** échapper à. ***It slipped her memory,*** elle avait complètement oublié cela. *v. intr.* **1.** glisser (accidentellement). **2.** se glisser, se faufiler. **3.** faire une erreur, un faux pas.

slipknot ['slɪpnɒt] *n.* nœud coulant.

slipper ['slɪpə] *n.* pantoufle.

slippery ['slɪprɪ] *adj.* glissant.

slipshod ['slɪpʃɒd] *adj.* **1.** négligé, débraillé. **2.** négligé, décousu (style). **3.** bâclé.

slit [slɪt] *n.* fente, fissure. *v.t. et intr. irr.* (*p.* **slit,** *p.p.* **slit**) (se) fendre. ♦ ***Slit-eyed,*** aux yeux bridés; ***slit someone's throat,*** couper la gorge à quelqu'un.

slither ['slɪðə] *v. intr.* **1.** glisser. **2.** ramper, onduler (reptile).

slobber ['slɒbə] *v. intr.* **1.** baver. **2.** larmoyer.

sloe [sləʊ] *n. (Bot.)* prunelle.

slog [slɒg] *n.* long travail pénible.
v. intr. trimer, s'éreinter.

slop [slɒp] *v. intr.* répandre, renverser.

slope [sləʊp] *n.* pente. *v. intr.* être en pente.

sloping ['sləʊpɪŋ] *adj.* en pente, incliné. ***Sloping shoulders,*** épaules tombantes.

sloppy ['slɒpɪ] *adj.* **1.** boueux, humide. **2.** bâclé, saboté. **3.** débraillé. **4.** vague (vêtement). **5.** fadement sentimental. **6.** *(fig.)* mou.

slops [slɒps] *n. pl.* eaux sales, de vaisselle...

slot [slɒt] *n.* **1.** fente. **2.** rainure, mortaise.

slot machine ['slɒtməˌʃi:n] *n.* distributeur automatique, appareil ou machine à sous.

slouch [slaʊtʃ] *n.* **1.** démarche lourde.
v. intr. **1.** marcher lourdement. **2.** être avachi.

slovenly ['slʌvənlɪ] *adj.* négligé, débraillé.

slow [sləʊ] *adj.* **1.** lent. **2.** peu doué. **3.** inintéressant, ennuyeux. ♦ ***In a slow oven,*** à four doux; ***my watch is five minutes slow,*** ma montre retarde de

cinq minutes; *(Ciné.)* ***slow motion,*** ralenti. *adv.* lentement.
v.t. et intr. (se) ralentir.
slowness ['sləʊnɪs] *n.* **1.** lenteur. **2.** paresse.
sludge [slʌdʒ] *n.* **1.** boue, vase. **2.** cambouis.
slug [slʌg] *n.* **1.** limace. **2.** *(fig.)* fainéant.
sluggish ['slʌgɪʃ] *adj.* paresseux, mou.
sluice [slu:s] *n.* écluse. *v.t.* inonder.
slum [slʌm] *n.* **1.** taudis. **2.** *(pl.)* bas quartiers. ***Slum . clearance,*** lutte contre les taudis.
slumber ['slʌmbə] *n.* sommeil (paisible). *v. intr.* dormir (sommeil paisible), sommeiller.
slump [slʌmp] *n.* **1.** baisse subite. **2.** récession, marasme. *v. intr.* s'effondrer (prix...).
slung [slʌŋ] (**sling,** *v.*)
slunk [slʌŋk] (**slink,** *v.*)
slur [slɜ:] *n.* **1.** tache, atteinte. ***Cast a slur on somebody,*** porter atteinte à la réputation de quelqu'un. **2.** *(Mus.)* liaison.
v.t. **1.** lier à tort. ***She slurred her words,*** elle n'articulait pas. **2.** *(Mus.)* lier. ♦ ***Slur over,*** glisser sur (détails...).
slush [slʌʃ] *n.* **1.** fange, boue. **2.** neige fondante. **3.** propos sentimentaux, larmoyants.
slut [slʌt] *n.* souillon (aussi **slattern**).
sly [slaɪ] *adj.* rusé, sournois. ***On the sly,*** en douce; ***sly dog,*** fin matois.
smack[1] [smæk] *n.* **1.** claquement (de fouet). **2.** claque, gifle. **3.** gros baiser. *adv.* en plein. ***Smack into the tree,*** tout droit dans l'arbre. *v.t.* **1.** faire claquer (lèvres). **2.** frapper d'une claque. ***I'll smack your bottom,*** je vais te donner une fessée.
smack[2] [smæk] *n.* *(fig.)* saveur, soupçon. *v. intr.* sentir. ***Smack of heresy,*** sentir l'hérésie.
smack[3] [smæk] *n.* (= **fishing-smack**) bateau de pêche.
small [smɔ:l] *adj.* **1.** petit. **2.** fin, menu. **3.** *(fig.)* chétif, mince, pauvre. **4.** insignifiant. **5.** mesquin. ♦ ***In the small hours,*** de grand matin; ***small change,*** menue monnaie; ***small letters,*** minuscules; ***small talk,*** papotage; ***they felt small,*** ils étaient dans leurs petits souliers.
n. partie mince. ***The small of the back,*** le bas du dos.
smallish ['smɔ:lɪʃ] *adj.* un peu petit.
smallpox ['smɔ:lpɒks] *n.* *(Méd.)* petite vérole.
smart [smɑ:t] *n.* douleur cuisante (physique ou morale). *adj.* **1.** piquant, cuisant, cinglant. **2.** élégant, chic. **3.** intelligent. **4.** vif, rapide, déluré. ♦ ***He was trying to be smart,*** il faisait le malin; ***it's considered smart,*** on trouve que ça fait bien; ***smart alec(k),*** bêcheur, cuistre; ***that was smart work,*** ça n'a pas traîné.
v. intr. cuire, éprouver une vive douleur (physique ou morale).
smarten ['smɑ:tn] *v.t.* bien arranger, bichonner, améliorer. ***Smarten oneself up,*** se faire beau, se pomponner.
smartly ['smɑ:tlɪ] *adv.* **1.** lestement, vivement. **2.** habilement. **3.** vigoureusement, rudement. **4.** élégamment.
⚠ **smash** [smæʃ] *n.* **1.** fracas, coup violent. **2.** *(Tennis)* smash. **3.** accident, collision. **4.** *(Fin.)* effondrement (financier). *adv.* en plein. ***Run smash into a tree,*** heurter un arbre de plein fouet.
v.t. et intr. (se) briser, (s') écraser.
smashing ['smæʃɪŋ] *adj.* *(fam.)* sensas, super.
smattering ['smætrɪŋ] *n.* connaissances superficielles. ***I only have a smattering of Russian,*** je ne sais que quelques mots de russe.
smear [smɪə] *n.* **1.** tache. **2.** *(fig.)*calomnie. *v.t.* **1.** barbouiller. ***His face was smeared with cream,*** il avait le visage barbouillé de crème. **2.** *(fig.)*salir (réputation).
smell [smel] *n.* **1.** odeur. **2.** odorat. *v.t. et intr. irr.* (*p.* **smelt,** *p.p.* **smelt**) sentir. ♦ ***I smell a rat,*** je soupçonne quelque chose; ***smell of garlic,*** sentir l'ail; ***your socks smell,*** tes chaussettes sentent mauvais.
smelt[1] [smelt] (**smell,** *v.*)
smelt[2] [smelt] *v.t.* fondre (du minerai).
smile [smaɪl] *n.* sourire. ♦ ***Give somebody a smile,*** sourire à quelqu'un; ***with a smile on his (her) lips,*** le sourire aux lèvres. *v. intr.* sourire. ***She smiled at him,*** elle lui sourit.

smirch [smɜːtʃ] *n.* tache. *v.t.* souiller, salir.
smirk [smɜːk] *n.* petit sourire affecté ou satisfait. *v. intr.* minauder.
smithereens [smɪðəˈriːnz] *n. pl. (fam.)* ***Smash to smithereens,*** mettre en miettes.
smithy [ˈsmɪðɪ] *n.* forge.
smock [smɒk] *n.* **1.** blouse. **2.** robe de grossesse.
smog [smɒg] *n.* brouillard épais et enfumé.
smoke [sməʊk] *n.* fumée. ***Have a smoke,*** fumer. *v.t. et intr.* fumer. ♦ ***Smoke a pipe,*** fumer la pipe ; *(fam.)* ***smoke like a chimney,*** fumer comme un pompier.
smokestack [ˈsməʊkstæk] *n.* cheminée (d'usine).
smoky [ˈsməʊkɪ] *adj.* enfumé, qui fume, fumeux.
smooth [smuːð] *adj.* **1.** uni. **2.** égal, régulier. **3.** doux, onctueux. **4.** lisse, poli. **5.** plat (mer). **6.** doucereux, mielleux. **7.** facile, coulant (style).
v.t. **1.** polir. **2.** adoucir. **3.** aplanir, unir. **4.** dérider (front). **5.** lisser (cheveux). **6.** faciliter, aplanir (obstacles).
smoothly [ˈsmuːðlɪ] *adv.* sans à-coups. ***Everything went smoothly,*** tout a marché comme sur des roulettes.
smother [ˈsmʌðə] *v.t. et intr.* suffoquer, étouffer.
smoulder [ˈsməʊldə] *v. intr.* **1.** se consumer lentement. **2.** *(fig.)* couver.
smudge [smʌdʒ] *n.* barbouillage, tache. *v.t.* barbouiller, salir, tacher d'encre.
smug [smʌg] *adj.* suffisant, content de soi.
smuggle [ˈsmʌgl] *v.t.* passer en contrebande. *v. intr.* faire la contrebande.
snag [snæg] *n.* *(fig.)* obstacle caché (aussi **catch**). ***There is a snag somewhere,*** il y a un os quelque part.
snail [sneɪl] *n.* escargot, limaçon. *(fig.)* ***At a snail's pace,*** à un pas de tortue.
snake [sneɪk] *n.* serpent. ***Snakes and ladders,*** (sorte de) jeu de l'oie.
snap [snæp] *n.* **1.** coup de dent. **2.** cassure nette. **3.** claquement (de fouet). **4.** bruit sec. **5.** fermoir (de sac à main). **6.** courte période. ***A cold snap,*** une vague de froid. **7.** (= **snapshot**) photo, instantané. **8.** *(fig.)* nerf. ***Come on! Put some snap in it!*** allons, un peu de nerf!
adj. imprévu. ***To make a snap decision,*** se décider tout d'un coup.
v.t. **1.** saisir, happer. **2.** casser, rompre, éclater. **3.** faire claquer (un fouet, ses doigts). **4.** fermer avec un bruit sec. **5.** dire d'un ton sec. **6.** prendre un instantané de.
v. intr. **1.** tâcher de mordre ou de happer. **2.** se casser net ou avec un bruit sec. **3.** craquer.
snappy [ˈsnæpɪ] *adj.* vif. *(fam.)* ***Make it snappy!*** grouille-toi!
snare [sneə] *n.* **1.** lacet, collet. **2.** *(fig.)* piège. *v.t.* prendre au piège.
snarl [snɑːl] *n.* grognement, grondement féroce. *v. intr.* grogner, montrer les dents.
snatch [snætʃ] *n.* **1.** geste vif pour saisir. **2.** court instant, accès. ***To work in snatches,*** travailler par à-coups. **3.** fragment, petit morceau. ***Snatches of conversation,*** bribes de conversation. *v.t.* saisir. ***Snatch a kiss,*** voler un baiser ; ***snatch at,*** chercher à saisir ; ***snatch from,*** arracher à ; ***snatch up,*** empoigner.
sneak [sniːk] *n.* **1.** pleutre, lâche. **2.** faux jeton. **3.** mouchard, rapporteur. *v.t.* chiper. *v. intr.* se glisser, s'en aller furtivement.
sneaking [ˈsniːkɪŋ] *adj.* **1.** rampant, servile. **2.** furtif, secret, inavoué (admiration...).
sneer [snɪə] *n.* **1.** rire ou sourire moqueur. **2.** sarcasme, ricanement. *v. intr.* ricaner. ***Sneer at,*** se moquer de.
sneeze [sniːz] *n.* éternuement.
v. intr. éternuer.
sniff [snɪf] *n.* reniflement. *v.t.* flairer. *v. intr.* renifler (aussi **sniffle**).
snigger [ˈsnɪgə] *n.* rire en dessous. *v. intr.* rire sous cape, ricaner.
snip [snɪp] *n.* **1.** coup de ciseaux. **2.** bout, morceau coupé. **3.** *(fam.)* certitude, gagnant sûr (aux courses). **4.** bonne affaire. *v.t.* couper (d'un coup de ciseaux).
snipe [snaɪp] *n.* bécassine. *v. intr.* **1.** *(Mil.)* canarder. **2.** *(fig.)* critiquer par en dessous.
sniper [ˈsnaɪpə] *n.* tireur embusqué.

snivel ['snɪvl] *n.* morve, goutte au nez. *v. intr.* **1.** être morveux. **2.** *(fig.)* pleurnicher.

snobbery ['snɒbrɪ] *n.* snobisme (aussi **snobbishness**).

snobbish ['snɒbɪʃ] *adj.* affecté, poseur, snob.

snooze [snu:z] *n. (fam.)* somme. *v. intr.* sommeiller.

snore [snɔ:] *n.* ronflement. *v. intr.* ronfler.

snort [snɔ:t] *n.* **1.** grognement (d'impatience). **2.** ébrouement (cheval). *v. intr.* renâcler.

snout [snaʊt] *n.* **1.** museau. **2.** groin (porc...).

snow [snəʊ] *n.* neige. *v. intr.* neiger.

snowbound ['snəʊbaʊnd] *adj.* bloqué par la neige (aussi **snowed up**).

snowdrift ['snəʊdrɪft] *n.* congère.

snowdrop ['snəʊdrɒp] *n. (Bot.)* perce-neige.

snowplough ['snəʊplaʊ] *n.* chasse-neige.

snowy ['snəʊɪ] *adj.* neigeux, de neige.

snub[1] [snʌb] *adj.* retroussé, camus. ***Snub-nosed,*** au nez retroussé ou camus.

snub[2] [snʌb] *n.* rebuffade, affront. *v.t.* rabrouer, rembarrer, remettre à sa place.

snuff[1] [snʌf] *n.* tabac à priser. ♦ ***A pinch of snuff,*** une prise ; ***take snuff,*** priser.

snuff[2] [snʌf] *v.t.* moucher (une chandelle).

snug [snug] *adj.* confortable, douillet. ♦ ***A snug little job,*** un petit boulot pépère ; ***we are very snug in here,*** nous sommes on ne peut mieux ici.

snuggle ['snʌgl] *v.t. et intr.* (se) serrer.

so [səʊ] *adv. et conj.* **1.** ainsi, de cette manière. **2.** de même, tel (pareillement). **3.** si, tant, à peu près. ♦ ***And so on,*** et ainsi de suite ; ***is that so?*** vraiment ? ***I think so,*** je crois ; ***I will do so,*** je le ferai ; ***Mr. So-and-So,*** monsieur un tel ; ***so as to,*** de manière à ; ***so do I*** (ou ***so could I***), et moi aussi ; ***so good that,*** si bon que ; ***so long,*** au revoir ; ***so much, so many,*** tant ; ***so much so that,*** à tel point que ; ***so to speak,*** pour ainsi dire ; ***ten or so,*** dix environ.

soak [səʊk] *v.t.* **1.** tremper. **2.** *(fam.)* estamper. *v. intr.* tremper, s'infiltrer. ♦ ***Soaked through*** (ou ***soaking wet***), trempé jusqu'aux os.

soap [səʊp] *n.* savon. *v.t.* savonner.

soapflakes ['səʊpfleɪks] *n. pl.* savon en paillettes.

soap opera ['səʊp,ɒprə] *n. (amér., Radio, TV)* feuilleton mélodramatique.

soapsuds ['səʊpsʌdz] *n. pl.* eau de savon.

soar [sɔ:] *v. intr.* **1.** prendre son essor, s'élever. **2.** faire un bond (prix).

sob [sɒb] *n.* sanglot. *v. intr.* sangloter.

⚠ **sober** ['səʊbə] *adj.* **1.** qui n'a pas bu, qui n'est pas ivre. **2.** sobre, tempéré. **3.** grave, sérieux. ***In sober earnest,*** sans plaisanterie. **4.** sensé, raisonnable. **5.** calme, posé. *v.t.* **1.** dégriser. **2.** *(fig.)* calmer.

soberness ['səʊbənɪs] *n.* **1.** sobriété, tempérance. **2.** gravité, sérieux (aussi **sobriety**).

so-called [,səʊ'kɔ:ld] *adj.* soi-disant, prétendument.

soccer ['sɒkə] *n.* football, foot.

⚠ **social** ['səʊʃl] *n.* petite fête. *adj.* social. ***Social climber,*** arriviste, snob ; ***social science,*** sciences humaines ; ***social security,*** aide sociale ; ***social worker,*** assistant(e) social(e).

⚠ **socialite** ['səʊʃlaɪt] *n.* personnalité en vue de la haute société ; mondain(e).

⚠ **socialize** ['səʊʃlaɪz] *v. intr.* **1.** fréquenter des gens, se faire des amis. **2.** s'entretenir, bavarder.

society [sə'saɪətɪ] *n.* **1.** société. **2.** (= **high society**) haute société. **3.** société, compagnie. ***We enjoy his society,*** nous nous plaisons en sa compagnie. **4.** société, association. ***Charitable society,*** œuvre de bienfaisance ; ***dramatic society,*** club théâtral.

⚠ **sock** [sɒk] *n.* chaussette. ***Ankle socks,*** socquettes.

⚠ **socket** ['sɒkɪt] *n.* **1.** emboîture. **2.** orbite (de l'œil). **3.** alvéole (d'une dent). **4.** trou, cavité. **5.** douille (de lampe, d'outil).

sod [sɒd] *n.* **1.** gazon, motte de gazon. **2.** *(vulg.)* salaud, salopard.

⚠ **soda** ['səʊdə] *n.* **1.** soude. ***Baking soda*** (ou ***bicarbonate of soda***), bicarbonate de soude. **2.** (= **soda water**) soda.

sodden ['sɒdn] *adj.* **1.** imprégné d'eau, détrempé. **2.** pâteux (pain). **3.** abruti, hébété. ***Sodden with drink,*** abruti par l'alcool.

▻ **sofa** ['səʊfə] *n.* canapé, sofa. ***Sofa bed,*** canapé-lit.

soft [sɒft] *adj.* **1.** mou, mol, mollet. **2.** délicat, doux, facile, pas résistant. **3.** tendre. **4.** efféminé. **5.** faible. **6.** sot, niais. ♦ ***He's soft,*** c'est une mauviette; ***she's too soft with him,*** elle est trop bonne avec lui; ***soft fruit,*** fruits rouges; ***soft landing,*** atterrissage en douceur; ***soft lighting*** (ou ***soft lights),*** éclairages tamisés; ***soft palate,*** voile du palais; ***soft verges,*** accotement non stabilisé; ***they have a soft sport for him,*** ils ont un faible pour lui.
adv. mollement, doucement.
interj. doucement! tout doux!.

soft-boiled [ˌsɒft'bɔɪld] *adj. (Cuis.)* à la coque, mollet (œuf).

soften ['sɒfn] *v.t. et intr.* **1.** (se) ramollir. **2.** (s') adoucir. **3.** (s') affaiblir. **4.** (s') attendrir.

softener ['sɒfnə] *n.* adoucisseur. ***Water softener,*** adoucisseur d'eau.

softly ['sɒftlɪ] *adv.* **1.** mollement. **2.** doucement. **3.** tendrement.

▻ **software** ['sɒftweə] *n. (Inf.)* software, logiciel (≠ **hardware**).

soggy ['sɒgɪ] *adj.* **1.** détrempé. **2.** pâteux (pain).

soil¹ [sɔɪl] *n.* **1.** sol, terrain, terroir. **2.** terre, pays (aussi **land**). ♦ ***A man of the soil,*** un homme de la terre; ***my native soil,*** mon pays natal.

soil² [sɔɪl] *n.* tache, souillure.
v.t. salir, souiller.

sojourn ['sɒdʒɜːn] *n.* séjour.
v. intr. séjourner.

solace ['sɒlɪs] *n.* consolation, réconfort.
v.t. consoler, soulager.

▻ **solar** ['səʊlə] *adj.* solaire. ♦ ***Solar eclipse,*** éclipse du soleil.

sold [səʊld] (**sell,** *v.*)

⚠ **solder** ['səʊldə] *n.* soudure. *v.t.* souder. ***Soldering iron,*** fer à souder.

soldier ['səʊldʒə] *n.* soldat. ***Private soldier,*** simple soldat. *v. intr.* servir dans l'armée.

⚠ **sole¹** [səʊl] *adj.* seul, unique. ***Sole agent for,*** agent exclusif de, dépositaire exclusif de.

⚠ **sole²** [səʊl] *n.* **1.** plante (du pied). **2.** semelle (de chaussure). *v.t.* ressemeler. ***I had my shoes soled,*** j'ai fait ressemeler mes chaussures.

▻ **sole³** [səʊl] *n.* sole. ***Lemon sole,*** limande-sole.

solely ['səʊl-lɪ] *adv.* seulement, uniquement.

solemn ['sɒləm] *adj.* solennel.

⚠ **solicit** [sə'lɪsɪt] *v.t.* **1.** solliciter. ***Solicit somebody for something, solicit something from somebody,*** solliciter quelque chose de quelqu'un. **2.** racoler (prostituée).

⚠ **solicitor** [sə'lɪsɪtə] *n.* avoué et notaire.

⚠ **solid** ['sɒlɪd] *n.* solide. *adj.* **1.** solide, massif, plein. **2.** *(fig.)* grave, sérieux, posé (personne). ♦ ***Manchester is solid for Labour,*** Manchester vote massivement pour les travaillistes; ***they slept twelve solid hours,*** ils dormirent douze heures d'affilée; ***solid common sense,*** gros bon sens; ***solid soup,*** soupe épaisse.

⚠ **solidly** ['sɒlɪdlɪ] *adv.* **1.** solidement. **2.** massivement, presque à l'unanimité (vote...).

▻ **soliloquy** [sə'lɪləkwɪ] *n.* soliloque, monologue.

▻ **solitary** ['sɒlɪtrɪ] *adj.* **1.** solitaire, retiré. ***In solitary confinement,*** au régime cellulaire. **2.** seul, unique.

▻ **soloist** ['səʊləʊɪst] *n.* soliste.

▻ **soluble** ['sɒljʊbl] *adj.* **1.** soluble (qui se dissout). **2.** (= **solvable**) soluble (qu'on peut résoudre).

⚠ **solvable** ['sɒlvəbl] *adj.* soluble (problème).

solve [sɒlv] *v.t.* résoudre, expliquer.

solvency ['sɒlvənsɪ] *n. (Fin.)* solvabilité.

⚠ **solvent** ['sɒlvənt] *n.* dissolvant, solvant. *adj.* **1.** dissolvant. **2.** *(Fin.)* solvable.

some [səm,sʌm] *adj. quant.* **1.** quelque(s). **2.** un certain, certains, plusieurs. **3.** du, de la, de l', des, de. **4.** quelconque. **5.** un certain nombre de, un peu de, une partie de. ♦ ***I didn't have any beer but I had some wine,*** je n'ai pas bu de bière mais j'ai bu du vin; ***it'll be some price,*** cela coûtera une jolie somme; ***it'll take some time,*** cela demandera pas mal de temps; ***some way or other,*** d'une ma-

nière quelconque; ***to some extent,*** dans une certaine mesure; ***you'll have to do it some day,*** tu devras le faire un jour ou l'autre.
adv. à peu près, environ, quelque. ***It's some ten years since,*** il y a quelque dix ans de cela.
pr. quant. [sʌm] **1.** quelques-uns, quelques-unes. **2.** les uns, les unes, les autres. **3.** un peu, une certaine quantité. **4.** en. ♦ ***If you have no bread left, I'll give you some,*** s'il ne vous reste plus de pain, je vous en donnerai; ***she gave me some more,*** elle m'en a donné encore; ***some of them came,*** certains sont venus; ***some were blue, some were red,*** les uns étaient bleus, les autres rouges.

somebody ['sʌmbədɪ] *pr.* quelqu'un(e), on. ***Somebody else,*** quelqu'un d'autre.

somehow ['sʌmhaʊ] *adv.* **1.** d'une manière ou d'une autre. **2.** tant bien que mal.

someone ['sʌmwʌn] *pr.* (= **somebody**) quelqu'un.

somersault ['sʌməsɔːlt] *n.* **1.** saut périlleux, culbute. **2.** tonneau (voiture). ***To turn a somersault,*** faire le saut périlleux.

something ['sʌmθɪŋ] *n. et pr.* quelque chose. ♦ ***Something new,*** quelque chose de neuf; ***there's something for John, there's nothing for Peter,*** il y a quelque chose pour Jean, il n'y a rien pour Pierre.

sometime ['sʌmtaɪm] *adj.* ancien. ***Mr. Heath, sometime Prime Minister,*** M. Heath, ancien Premier ministre. *adv.* à un moment indéterminé. ***Sometime or other,*** tôt ou tard.

sometimes ['sʌmtaɪmz] *adv.* quelquefois.

somewhat ['sʌmwɒt] *adv.* **1.** quelque peu, un peu. **2.** assez.

somewhere ['sʌmweə] *adv.* quelque part. ***Somewhere else,*** ailleurs.

son [sʌn] *n.* **1.** fils. **2.** *(fig.)* descendant.

song [sɒŋ] *n.* chanson, chant. ♦ *(fig.)* ***For a song,*** pour une bouchée de pain.

▻ **sonic** ['sɒnɪk] *adj.* sonique. ***Sonic boom,*** bang (super) sonique.

son-in-law ['sʌnɪnˌlɔː] *n.* gendre, beau-fils.

soon [suːn] *adv.* **1.** bientôt. **2.** tôt, de bonne heure. ♦ ***As soon as,*** dès que; ***none too soon,*** juste à temps; ***no sooner said than done,*** aussitôt dit, aussitôt fait; ***see you soon,*** à bientôt; ***sooner or later,*** tôt ou tard, ***the sooner the better,*** le plus tôt sera le mieux.

soot [sʊt] *n.* suie. *v.t.* couvrir de suie.

soothe [suːð] *v.t.* apaiser, calmer.

sop [sɒp] *n.* **1.** morceau de (pain) trempé, mouillette. **2.** *(fig.)* pot-de-vin. **3.** *(fam.)* poule mouillée, lavette (cf. **sissy**). *v.t.* tremper.

⚠ **sophisticated** [sə'fɪstɪkeɪtɪd] *adj.* **1.** raffiné. **2.** blasé. **3.** hautement perfectionné.

sopping ['sɒpɪŋ] *adj.* (= **sopping wet**) trempé.

soppy ['sɒpɪ] *adj.* **1.** (dé) trempé. **2.** *(fam.)* à l'eau de rose. **3.** *(fam.)* qui manque de nerf. **4.** bébête.

sore [sɔː] *n.* plaie. ***Running sore,*** plaie qui suppure. *adj.* **1.** douloureux, endolori. **2.** contrarié, vexé. **3.** *(fig.)* rude. ♦ ***I've a sore throat,*** j'ai mal à la gorge.

sorely ['sɔːlɪ] *adv.* gravement, fortement, cruellement, rudement.

sorrow ['sɒrəʊ] *n.* chagrin.

sorry ['sɒrɪ] *adj.* **1.** fâché, désolé. **2.** triste, lamentable. ♦ ***(I'm) sorry!*** pardon! ***I'm sorry for her,*** je la plains; ***what a sorry sight!*** quel spectacle affligeant!

⚠ **sort**[1] [sɔːt] *n.* **1.** sorte, espèce. **2.** manière, façon. ♦ ***And all that sort of thing,*** et autres choses du même genre, et tout ça; ***I feel out of sorts,*** je ne me sens pas dans mon assiette; *(fam.)* ***I was sort of petrified,*** j'étais comme pétrifié; ***nothing of the sort,*** pas du tout.

⚠ **sort**[2] [sɔːt] *v.t.* **1.** assortir, classer. **2.** trier (lettres...). ♦ ***Sort from,*** séparer de; ***we'll sort that out,*** nous trouverons une solution à cela.

so-so ['səʊsəʊ] *adj. et adv. (fam.)* comme ci comme ça.

sought [sɔːt] (**seek,** *v.*)

soul [səʊl] *n.* **1.** âme. **2.** *(fig.)* être. ♦ ***All Souls' Day,*** le jour des Morts; ***keep body and soul together,*** gagner assez pour vivre; *(amér.)* ***soul music,*** sorte de blues.

sound[1] [saʊnd] *n.* **1.** détroit, goulet. **2.** *(Méd.)* sonde. *v.t.* **1.** sonder (profondeurs). **2.** *(Méd.)* ausculter.

sound[2] [saʊnd] *adj.* **1.** sain, en bon état. **2.** *(fig.)* solide. **3.** profond (sommeil). **4.** bien fondé, valide. ♦ ***Safe and sound,*** sain et sauf.

sound[3] [saʊnd] *n.* son, bruit. *v.t.* **1.** faire sonner. **2.** proclamer. *v. intr.* **1.** sonner. **2.** résonner, retentir. **3.** sembler. ♦ ***He sounds like a Scot,*** on dirait un Écossais (à l'entendre); ***it sounds better,*** c'est mieux (à l'ouïe); ***she sounds as if she were crying,*** on dirait qu'elle pleure (à l'entendre).

sound barrier ['saʊnd,bærɪə] *n.* mur du son.

soundly ['saʊndlɪ] *adv.* **1.** vigoureusement, rudement, ferme, bien. **2.** solidement, sainement. **3.** profondément (sommeil).

soundproof ['saʊndpru:f] *adj.* insonorisé.

soundtrack ['saʊndtræk] *n.* *(Ciné.)* bande sonore, piste sonore.

sour [saʊə] *adj.* **1.** aigre, acide. **2.** tourné (lait). **3.** *(fig.)* âpre.
v.t. aigrir. **2.** *(fig.)* empoisonner. *v. intr.* s'aigrir.

south [saʊθ] *n. adj. et adv.* (du, vers le, au) sud.

southerly ['sʌðəlɪ] *adj.* du sud (vent...).

southern ['sʌðən] *adj.* du sud, méridional (pays, région, ...).

Southerner ['sʌðənə] *n.* méridional.

▷ **sovereign** ['sɒvrɪn] *adj. et n.* souverain.

sow[1] [saʊ] *n.* **1.** *(Agr.)* truie. **2.** *(Tech.)* gueuse (de fer).

sow[2] [səʊ] *v.t. et intr. irr.* (*p.* **sowed** *p.p.* **sown**) semer. ***Sow one's wild oats,*** jeter sa gourme.

sown [səʊn] (**sow,** *v.*)

space [speɪs] *n.* **1.** espace. **2.** étendue. **3.** place. **4.** intervalle. ♦ ***A parking space,*** une place pour se garer; ***a short space of time,*** un court laps de temps; ***space-saving,*** qui économise ou gagne de la place; ***take up a lot of space,*** être encombrant.
v.t. (souvent **space out**) **1.** espacer. **2.** échelonner (paiements).

spacecraft ['speɪskrɑ:ft] *n.* engin ou vaisseau spatial (aussi **spaceship**).

spaceflight ['speɪs-flaɪt] *n.* voyage spatial.

spacing ['speɪsɪŋ] *n.* **1.** espacement. **2.** interligne. ***Single spacing,*** interligne simple.

spade [speɪd] *n.* **1.** bêche. **2.** pelle (d'enfants). **3.** pique (cartes). ♦ ***Call a spade a spade,*** appeler un chat un chat; ***«spades are trumps»,*** «atout pique».

span [spæn] *n.* **1.** *(Av.)* (= **wing span**) envergure. **2.** travée (de pont...). **3.** moment, instant.
v.t. (pour un pont) franchir, enjamber (une rivière).

spangle ['spæŋgl] *n.* paillette. *v.t.* pailleter.

spank [spæŋk] *n.* fessée (aussi **spanking**). *v.t.* fesser. *v. intr.* filer à bonne allure.

spanner ['spænə] *n.* *(Tech.)* clef. ***Adjustable spanner,*** clef à molette, clef anglaise.

spare [speə] *adj.* **1.** disponible, de reste. **2.** libre (temps). **3.** de rechange. **4.** frugal (repas). **5.** maigre, sec. ♦ ***In my spare time,*** à mes moments perdus; ***I've a spare copy,*** j'ai un exemplaire en trop, de réserve; ***spare parts,*** pièces détachées; ***spare room,*** chambre d'ami; ***spare wheel,*** roue de secours.
v.t. **1.** épargner. **2.** ménager, économiser. **3.** se passer de, se priver de. **4.** donner, céder. **5.** prêter. ♦ ***Can you spare the time?*** êtes-vous libre? ***I wanted to spare her the trouble,*** je voulais lui éviter de se déranger; ***spare the rod and spoil the child,*** qui aime bien châtie bien; ***you should spare yourself,*** tu devrais te ménager.

sparingly ['speərɪŋlɪ] *adv.* **1.** frugalement, avec parcimonie. **2.** économiquement.

spark [spɑ:k] *n.* étincelle. *v.t.* provoquer, déclencher (rébellion...) (aussi ***spark off***). *v. intr.* produire des étincelles.

sparking plug ['spɑ:kɪŋ-plʌg] *n.* *(Aut.)* bougie *(amér.* ***spark-plug****).*

sparkle ['spɑ:kl] *n.* **1.** étincellement, éclat. **2.** vivacité (d'esprit). *v. intr.* **1.** étinceler, scintiller. **2.** pétiller (boisson).

sparkling ['spɑːklɪŋ] *adj.* **1.** étincelant, brillant. **2.** mousseux, gazeux (boisson).
sparrow ['spærəʊ] *n.* moineau, passereau.
sparse [spɑːs] *adj.* épars, clairsemé, éparpillé.
△ **spasm** ['spæzm] *n.* **1.** spasme. **2.** accès, à-coup.
spasmodically [spæz'mɒdɪklɪ] *adv.* par à-coups.
spastic ['spæstɪk] *n. et adj.* handicapé moteur.
spat [spæt] (**spit,** *v.*)
spatter ['spætə] *v.t. et intr.* éclabousser.
spawn [spɔːn] *n.* frai, œufs de poisson.
speak [spiːk] *v. intr. irr.* (*p.* **spoke,** *p.p.* **spoken**) **1.** parler. **2.** causer (avec). **3.** faire un discours. **4.** dire. ♦ ***It's nothing to speak of,*** ce n'est pas grand-chose; ***it speaks for itself,*** c'est évident; ***so to speak,*** pour ainsi dire; ***speak highly of,*** dire du bien de; *(Téléph.)* ***«speaking»,*** «lui-même»; ***speak out,*** parler à haute voix; ***speak up,*** parler plus fort.
v.t. **1.** parler. **2.** dire. ♦ ***It speaks volumes for,*** cela en dit long sur; ***speak the truth,*** dire la vérité.
spear [spɪə] *n.* lance. ***Spear gun,*** fusil sous-marin. *v.t.* percer d'un coup de lance.
special ['speʃl] *adj.* **1.** spécial, exprès. **2.** extraordinaire. *n.* (= **today's special**) plat du jour.
▻ **specialize** ['speʃəlaɪz] *v. intr.* se spécialiser.
species ['spiːʃiːz] *n.* espèce.
▻ **specify** ['spesɪfaɪ] *v.t.* spécifier. ***Unless otherwise specified,*** sauf indication contraire.
speck [spek] *n.* **1.** petite tache, marque. **2.** grain (de poussière). *v.t.* tacher, marquer.
speckle ['spekl] *n.* tacheture, moucheture. *v.t.* tacheter, marqueter, moucheter.
△ **spectacles** ['spektəklz] *n. pl.* lunettes (aussi *fam.* **specs**).
spectrum ['spektrəm] *n.* (*pl.* **spectra**) **1.** spectre. **2.** *(fig.)* gamme, éventail.
△ **speculate** ['spekjʊleɪt] *v. intr.* **1.** spéculer (sur). **2.** s'interroger. ***He was speculating about doing it,*** il se demandait s'il devait le faire ou non.
sped [sped] (**speed,** *v.*)
speech [spiːtʃ] *n.* **1.** parole. **2.** discours, allocution. **3.** langue, parler. ♦ ***Extempore speech,*** improvisation; ***freedom of speech,*** liberté d'expression; ***make a speech,*** faire un discours; ***speech therapist,*** orthophoniste.
speechless ['spiːʃləs] *adj.* **1.** sans voix. **2.** muet, interdit, interloqué.
speed [spiːd] *n.* **1.** vitesse, rapidité. **2.** hâte, diligence. ♦ ***At full speed,*** à toute vitesse; ***gather speed,*** aller de plus en plus vite.
v.t. irr. (*p.* **sped,** *p.p.* **sped**) **1.** expédier, hâter. **2.** faire réussir, faciliter. ***Speed things up,*** activer les choses. *v. intr.* se hâter, se dépêcher, aller à toute allure.
speedily ['spiːdɪlɪ] *adv.* vite, rapidement.
speedometer [spɪ'dɒmɪtə] *n.* compteur de vitesse.
speedy ['spiːdɪ] *adj.* rapide, prompt.
spell[1] [spel] *n.* **1.** temps, période. **2.** tour (de service). ♦ ***She's going through a bad spell,*** elle est dans une mauvaise passe; ***they each took a spell at the wheel,*** ils se sont relayés au volant.
spell[2] [spel] *n.* charme. ♦ ***Break a spell,*** rompre un charme; ***cast a spell upon,*** jeter un sort sur, ensorceler.
spell[3] [spel] *v.t. et intr. irr.* (*p. et p.p.* **spelt**) **1.** épeler. **2.** orthographier, écrire correctement. **3.** signifier. ♦ ***How do you spell it?*** comment écrit-on cela? ***she can't spell, she spells badly,*** elle fait des fautes d'orthographe; ***spell out,*** déchiffrer, lire; *(fig.)* ***this would spell ruin,*** ce serait la ruine complète.
spellbound ['spelbaʊnd] *adj.* charmé, fasciné.
spelling ['spelɪŋ] *n.* orthographe.
spelt [spelt] (**spell**[3], *v.*)
spend [spend] *v.t. irr.* (*p.* **spent,** *p.p.* **spent**) **1.** dépenser (de l'argent, ses forces...). **2.** passer (du temps). ♦ *(fam.)* ***Spend a penny,*** aller au petit coin; ***spend money on clothes,*** dépenser de l'argent en vêtements; ***spend one's time reading,*** passer son temps à lire.

v. intr. **1.** dépenser. **2.** se perdre, se dissiper. **3.** se consumer.
spendthrift ['spendθrɪft] *n.* dépensier.
spent [spent] (**spend,** *v.*)
spice [spaɪs] *n.* épice *v.t.* épicer.
spick-and-span [ˌspɪkən'spæn] *adj.* **1.** tiré à quatre épingles. **2.** bien astiqué.
spicy ['spaɪsɪ] *adj.* **1.** épicé, relevé. **2.** *(fig.)* salé, piquant, croustillant (histoire, détail).
spider ['spaɪdə] *n.* araignée.
spike [spaɪk] *n.* **1.** pointe (de fer). **2.** clou à grosse tête. **3.** piquant (de fil barbelé). *v.t.* **1.** clouer. **2.** garnir de pointes, de clous.
spill [spil] *v.t. irr.* (*p.* **spilt,** *p.p.* **spilt,** *amér.* **spilled**) **1.** répandre, verser. **2.** renverser, faire tomber. *v. intr.* se verser, se répandre.
n. renversement. **2.** culbute, chute (de cheval...). ***Oil spill,*** nappe de pétrole ou marée noire.
spilt [spɪlt] (**spill,** *v.*)
spin [spɪn] *n.* tournoiement. ♦ *(Av.)* ***Go into a spin,*** tomber en vrille; *(Sp.)* ***put a spin on a ball,*** donner de l'effet à une balle.
v.t. irr. (*p.* **spun,** *p.p.* **spun**) **1.** filer (laine). **2.** faire tourner. ♦ ***Spin a yarn,*** débiter une longue histoire. *v. intr.* **1.** filer, aller vite. **2.** tourner. ***My head is spinning,*** la tête me tourne.
spinach ['spɪnɪdʒ] *n.* épinards.
spin-dry [ˌspɪn'draɪ] *v.t.* essorer (à la machine).
spine [spaɪn] *n.* *(Anat.)* colonne vertébrale.
spinster ['spɪnstə] *n.* **1.** *(Jur.)* célibataire (femme). **2.** (souvent *péj.*) vieille fille.
spiral ['spaɪərəl] *n.* **1.** spirale. **2.** montée, descente en spirale. **3.** montée en flèche. ***Wage-price spiral,*** montée en flèche des prix et des salaires.
adj. spiral. ***Spiral staircase,*** escalier en colimaçon. *v. intr.* **1.** monter en spirale. **2.** monter en flèche.
spire [spaɪə] *n.* aiguille, flèche (d'église).
spirit[1] ['spɪrɪt] *n.* esprit, âme, fantôme, spectre (apparition). *v.t.* faire disparaître. ***Spirit away*** (ou ***spirit off***) ***documents,*** subtiliser des documents.
⚠ **spirit[2]** ['spɪrɪt] *n.* **1.** esprit, disposition, intention. **2.** *(surtout pl.)* humeur. **3.** courage, cran. **4.** ardeur, feu, élan, entrain. **5.** fougue (d'un cheval). **6.** verve, bonne humeur. ♦ ***Community spirit,*** civisme; ***her spirits rose,*** elle reprit courage; ***in good spirits,*** de bonne humeur; ***in high spirits,*** plein d'entrain; ***recover one's spirits,*** reprendre courage; ***that's the spirit,*** voilà l'attitude à prendre.
v.t. animer, encourager.
spirit[3] ['spɪrɪt] *n. sing. ou pl.* **1.** spiritueux. **2.** alcool. ♦ ***Methylated spirit,*** alcool à brûler; ***surgical spirit,*** alcool à 90°.
spirited ['spɪrɪtɪd] *adj.* vif, animé, fougueux.
spirit level ['spɪrɪtˌlevl] *n.* niveau à bulle.
spit[1] [spɪt] *n.* *(Cuis.)* broche. *v.t.* embrocher.
spit[2] [spɪt] *v.t. et intr. irr.* (*p.* **spat,** *p.p.* **spat**) cracher. *n.* crachat, bave. ♦ ***A spit of rain,*** quelques gouttes de pluie.
spite [spaɪt] *n.* **1.** dépit. **2.** rancune (aussi **spitefulness**). ♦ ***In spite of,*** en dépit de, malgré; ***out of spite,*** par dépit; ***she has a spite against him,*** elle lui en veut.
v.t. vexer, blesser, contrarier.
spiteful ['spaɪtfəl] *adj.* rancunier, méchant.
splash [splæʃ] *n.* **1.** éclaboussure. **2.** clapotement, clapotis. **3.** flac (bruit). ♦ ***A great splash of publicity,*** une débauche de publicité.
v.t. éclabousser. *v. intr.* **1.** éclabousser. **2.** clapoter. **3.** patauger.
splashdown ['splæʃdaʊn] *n.* amerrissage (d'engin spatial).
splash down, *v. part. intr.* amerrir.
⚠ **spleen** [spli:n] *n.* **1.** *(Anat.)* rate. **2.** *(fig.)* fiel, animosité. **3.** spleen, mélancolie.
splice [splaɪs] *n.* épissure. *v.t.* épisser, joindre.
splinter ['splɪntə] *n.* **1.** éclat (de bois...). **2.** écharde. ***Splinter-proof glass,*** verre sécurit. *v.t. et intr.* (se) briser en éclats.
split [splɪt] *v.t. et intr. irr.* (*p.* **split,** *p.p.* **split**) (se) fendre. ♦ ***My head's splitting,*** j'ai un mal de tête fou; ***split hairs,*** couper les cheveux en quatre.
n. **1.** fente. **2.** *(fig.)* scission.

adj. fendu. ♦ ***Split-level flat,*** duplex; ***split personality,*** double personnalité; *(Tech.)* ***split pin,*** goupille.
splutter ['splʌtə] *v.t. et intr.* bredouiller, bafouiller, envoyer des postillons. *n.* bredouillement, bafouillage (aussi **sputter**).
spoil [spɔɪl] *v. intr. irr.* (*p.* **spoilt,** *p.p.* **spoilt**) gâter. ♦ ***Spare the rod and spoil the child,*** qui aime bien châtie bien. *n.* (souvent *pl.*) butin.
spoke[1] [spəʊk] *n.* rayon (de roue).
spoke[2] [spəʊk] (**speak,** *v.*)
spoken ['spəʊkən] (**speak,** *v.*)
spokesman ['spəʊksmən] *n.* (*pl.* **-men**) porte-parole.
sponge [spʌndʒ] *n.* éponge. *(fig.)* ***Throw in the sponge,*** jeter l'éponge. *v.t.* éponger. *v. intr.* **1.** boire. **2.** écornifler. ***Sponge on,*** vivre aux dépens de.
sponger ['spʌndʒə] *n.* pique-assiette, parasite (aussi **sponge**).
sponsor ['spɒnsə] *n.* **1.** garant, caution. **2.** parrain, marraine. ***Stand sponsor to,*** se porter caution pour. *v.t.* **1.** être le garant de, répondre pour. **2.** parrainer, patronner.
spool [spu:l] *n.* bobine. *v.t.* bobiner.
spoon [spu:n] *n.* cuillère. ♦ ***He was born with a silver spoon in his mouth,*** il est né fortuné.
spoonerism ['spu:nərɪzm] *n.* contrepèterie.
spoonful ['spu:nfʊl] *n.* cuillerée (aussi **spoonsful**).
⚠ **sport** [spɔ:t] *n.* **1.** sport. **2.** divertissement, amusement. **3.** chic type, brave fille. ♦ ***Good at sport,*** sportif, doué pour le sport; ***it's great sport,*** c'est très divertissant; ***sports car,*** voiture de course. *v.t.* arborer, exhiber. *v. intr.* folâtrer, batifoler.
⚠ **sportive** ['spɔ:tɪv] *adj.* folâtre, badin.
⚠ **sportsman** ['spɔ:tsmən] *n.* (*pl.* **-men**) **1.** sportif. **2.** chasseur.
sportsmanship ['spɔ:tsmənʃɪp] *n.* sportivité.
spot [spɒt] *n.* **1.** tache. **2.** endroit, lieu. **3.** *(fam.)* petite quantité. **4.** *(Th., Radio, T.V.)* numéro. ♦ ***A spot of gin,*** deux doigts de gin; ***I'm in a bad*** (ou ***tight***) ***spot,*** je suis dans le pétrin; ***on the spot,*** sur-le-champ, immédiatement.
v.t. **1.** tacheter. ***Spotted with blue,*** tacheté de bleu. **2.** tacher, souiller. **3.** *(fam.)* repérer. **4.** *(fam.)* observer.
spotless ['spɒtləs] *adj.* sans tache, immaculé.
spotlight ['spɒtlaɪt] *n.* feu de projecteur. ♦ ***She is in the spotlight,*** elle est en vedette.
⚠ **spouse** [spaʊs] *n. (Jur.)* conjoint(e).
spout [spaʊt] *n.* **1.** tuyau. **2.** gouttière (de maison). **3.** bec (de théière...). *v. intr.* **1.** jaillir. **2.** *(fam.)* parler à jet continu.
sprain [spreɪn] *n.* entorse, foulure. *v.t.* fouler. ***Sprain one's ankle,*** se fouler la cheville, se faire une entorse (à la cheville).
sprang [spræŋ] (**spring,** *v.*)
sprawl [sprɔ:l] *v. intr.* s'étendre, s'étaler. ***Sprawling suburbs,*** banlieue tentaculaire.
spray [spreɪ] *n.* **1.** embrun. **2.** poussière (d'eau). **3.** vaporisateur. *v.t.* vaporiser, asperger.
spread [spred] *v.t. et intr. irr.* (*p.* **spread,** *p.p.* **spread**) (s') étendre, (se) déployer. **2.** (se) répandre. **3.** se propager. *n.* **1.** étendue. **2.** progression, prolifération. **3.** envergure (ailes). **4.** housse.
spree [spri:] *n.* fête, bombe. ♦ ***Go out on a spree, have a spree,*** faire la noce.
sprig [sprɪg] *n.* brin, brindille, rameau.
spring [sprɪŋ] *n.* **1.** bond, saut. **2.** ressort. **3.** élasticité, détente. **4.** source. **5.** cause, origine. **6.** printemps. **7.** *pl.* suspension (de voiture). ♦ ***Give a spring,*** bondir; ***he has a spring in his step,*** il marche d'un pas souple; ***in, with, at one spring,*** d'un bond.
v.t. irr. (*p.* **sprang,** *p.p.* **sprung**). **1.** faire (eau). ***Spring a leak,*** faire une voie d'eau. **2.** présenter brusquement (nouvelle, suggestion). ***She sprang it on me,*** elle m'a pris de court. *v. intr.* **1.** bondir. **2.** jaillir **3.** pousser, naître. **4.** paraître, poindre (jour). **5.** provenir, découler. ♦ ***The door sprang open,*** la porte s'ouvrit brusquement; ***where did you spring from?*** d'où sors-tu?
springboard ['sprɪŋbɔ:d] *n.* tremplin.
springy ['sprɪŋɪ] *adj.* élastique, souple.
sprinkle ['sprɪŋkl] *v.t.* **1.** répandre (eau, sable...). **2.** asperger, arroser, saupoudrer.

sprinkler ['sprɪŋklə] *n.* arroseur rotatif.
sprinkling ['sprɪŋklɪŋ] *n.* **1.** arrosage. **2.** petit nombre, petite quantité ici et là.
sprout [spraʊt] *n.* pousse, rejeton. ***Brussels sprouts,*** choux de Bruxelles. *v.intr.* **1.** pousser, germer. **2.** *(fig.)* proliférer, se multiplier.
spruce [spru:s] *adj.* pimpant, soigné. *v.t.* attifer. ***Spruce oneself up,*** se faire beau.
sprung [sprʌŋ] (**spring,** *v.*)
spun [spʌn] (**spin,** *v.*)
spur [spɜ:] *n.* éperon. **2.** *(fig.)* aiguillon, stimulant. ♦ ***On the spur of the moment,*** sous l'impulsion du moment. *v.t.* éperonner, stimuler. ♦ ***Spur on,*** aiguillonner, presser.
spurn [spɜ:n] *v.t.* repousser avec mépris.
spurt [spɜ:t] *n.* **1.** jaillissement. **2.** effort soudain. **3.** *(Sp.)* démarrage. ♦ ***Put on a spurt,*** piquer un sprint; *(fig.)* donner un coup de collier. *v.t.* **1.** faire gicler. **2.** s'élancer. **3.** démarrer.
⚠ **spy** [spaɪ] *n.* espion. *v. intr.* épier, espionner. ***Spy on somebody,*** espionner quelqu'un. *v.t.* apercevoir.
squabble ['skwɒbl] *n.* dispute. *v. intr.* se chamailler.
squad [skwɒd] *n.* **1.** escouade, peloton. **2.** brigade (de cheminots). **3.** (= **rescue squad**) équipe (de sauvetage). ♦ ***The flying squad,*** la brigade mobile (de la police).
⚠ **squadron** ['skwɒdrən] *n.* **1.** *(Mil.)* escadron. **2.** *(Av.)* escadrille. **3.** *(Naut.)* escadre.
squalid ['skwɒlɪd] *adj.* sale, misérable, sordide.
squall [skwɔ:l] *n.* **1.** cri. **2.** coup de vent, bourrasque, rafale. *v. intr.* crier, brailler.
squalor ['skwɒlə] *n.* saleté, misère, aspect sordide (aussi **squalidness**).
squander ['skwɒndə] *v.t.* gaspiller, dissiper.
⚠ **square** [skweə] *n.* **1.** carré. **2.** carreau (de verre...). **3.** place (dans une ville). **4.** équerre. **5.** foulard, carré. **6.** personne «vieux jeu». ♦ ***Out of square,*** qui n'est pas d'équerre; ***they are on the square,*** ils sont honnêtes; ***we're back to square one,*** nous repartons tous de zéro.
adj. **1.** carré. **2.** soldé (compte). **3.** honnête, régulier. **4.** de superficie (mesure). **5.** «vieux jeu». ♦ ***Of square build*** (ou ***square-built),*** trapu; ***they gave him a square deal,*** ils ont agi honnêtement avec lui; ***3 square meters,*** 3 mètres carrés; ***we are all square,*** nous sommes quittes. *v.t.* **1.** carrer. **2.** équarrir. **3.** balancer (comptes). **4.** *(fig.)* régler, ajuster. ♦ ***I can't square that with what she said yesterday,*** ça ne cadre pas avec ce qu'elle a dit hier; ***will you square that with him?*** voulez-vous arranger cela avec lui?
v. intr. cadrer, s'accorder (avec).
squash [skwɒʃ] *n.* **1.** écrasement, aplatissement. **2.** foule serrée. **3.** (= **lemon squash, orange squash**) citronade, orangeade. **4.** *(Sp.)* squash. **5.** gourde, courge. *v.t.* **1.** écraser, aplatir, entasser. **2.** *(fig.)* rembarrer.
squat [skwɒt] *adj.* **1.** accroupi, blotti. **2.** trapu, ramassé. *v. intr.* **1.** s'accroupir, se blottir. **2.** *(amér.)* s'établir (sans droit).
squawk [skwɔ:k] *n.* **1.** cri rauque. **2.** couac. *v. intr.* pousser des cris rauques.
squeal [skwi:l] *n.* cri perçant. ♦ ***Give a squeal of pain,*** pousser un cri de douleur. *v. intr.* pousser des cris perçants.
squeamish ['skwi:mɪʃ] *adj.* **1.** qui se soulève (l'estomac). **2.** trop délicat, difficile.
squeeze [skwi:z] *n.* **1.** compression. **2.** étreinte. **3.** cohue. **4.** (= **credit squeeze**) restrictions de crédit. ♦ ***Put the squeeze on somebody,*** presser, harceler quelqu'un.
v.t. serrer, presser. ♦ ***Squeeze money out of,*** extorquer de l'argent à; ***squeeze out,*** exprimer; ***squeeze through,*** forcer à travers. *v.intr.* se serrer, se presser. ♦ ***He squeezed in,*** il trouva une petite place, il rentra tout juste; ***she squeezed through the crowd,*** elle se fraya un passage à travers la foule.
squib [skwɪb] *n.* **1.** pétard. **2.** *(fig.)* satire.
squid [skwɪd] *n.* calmar.
squint [skwɪnt] *n.* regard louche. ***He has a squint,*** il louche.

v. intr. loucher.

squirm [skwɜːm] *v. intr.* **1.** se tortiller, se tordre (de douleur, d'embarras). **2.** être au supplice, avoir un haut-le-corps.

squirrel ['skwɪrəl] *n.* écureuil.

squirt [skwɜːt] *n.* jet, giclée (de liquide). *v.t.* **1.** faire jaillir. **2.** injecter (de l'huile). *v. intr.* jaillir, gicler.

stab [stæb] *n.* coup de poignard, de couteau... *v.t.* poignarder. ♦ ***He stabbed her to death,*** il l'a tuée d'un coup de poignard.

stabbing ['stæbɪŋ] *adj.* lancinant (douleur).

stabilizer ['steɪbɪlaɪzə] *n.* stabilisateur.

⚠ **stable**[1] [steɪbl] *n.* écurie.

⊳ **stable**[2] [steɪbl] *adj.* **1.** stable, solide, fixe. **2.** *(fig.)* constant, ferme, équilibré.

⚠ **staccato** [stə'kɑːtəʊ] *adj.* saccadé. *adv. (Mus.)* en staccato.

stack [stæk] *n.* **1.** souche (de cheminée). **2.** pile, tas. **3.** meule (de foin...). ♦ *(fam.)* ***He's got stacks of things to do,*** il a plein de choses à faire ; *(fam.)* ***she has stacks of money,*** elle roule sur l'or.

v.t. empiler, entasser. **2.** mettre (foin) en meule.

⊳ **stadium** ['steɪdɪəm] *n.* stade.

staff[1] [stɑːf] *n.* (*pl.* **staves** [steɪvz]) *n.* **1.** bâton. **2.** (= **flagstaff**) hampe (de drapeau). **3.** *(Mus.)* portée. ♦ ***Bread is the staff of life,*** le pain est le soutien de la vie.

staff[2] [stɑːf] *n.* (*pl.* **staffs**) personnel. ♦ ***Editorial staff,*** rédaction ; ***he's on the teaching staff,*** il fait partie du corps enseignant.

v.t. pourvoir en personnel.

stag [stæg] *n.* cerf.

⚠ **stage** [steɪdʒ] *n.* **1.** estrade. **2.** *(Th.)* scène. **3.** *(fig.)* théâtre. **4.** étape (voyage). **5.** *(fig.)* degré, phase. ♦ ***He held the stage,*** il était le point de mire, en vedette.

v.t. **1.** monter (une pièce). **2.** organiser. ***They staged a demonstration,*** ils ont organisé une manifestation.

stagecoach ['steɪdʒkəʊtʃ] *n.* diligence.

stagedoor [ˌsteɪdʒ'dɔː] *n. (Th.)* entrée des artistes.

stage fright ['steɪdʒfraɪt] *n. (Th.)* trac.

stagger ['stægə] *v.t.* **1.** faire chanceler. **2.** *(fig.)* étonner. **3.** échelonner (vacances...). *v.intr.* chanceler, tituber.

staggering ['stægərɪŋ] *n.* **1.** démarche chancelante. **2.** étalement (des vacances). *adj.* renversant, stupéfiant (nouvelle...).

⊳ **stagnate** [stæg'neɪt] *v. intr.* être stagnant.

stain [steɪn] *n.* **1.** tache. **2.** *(fig.)* honte, opprobre. **3.** couleur, colorant. ♦ ***Without a stain on her character,*** sans atteindre à sa réputation.

v.t. tacher. ***Stained with blood,*** taché de sang. **2.** *(fig.)* souiller. **3.** teindre, teinter (bois...).

stained glass [ˌsteɪnd'glɑːs] *n.* vitrail.

stainless ['steɪnləs] *adj.* **1.** sans tache, pur. **2.** inoxydable.

stair [steə] *n.* **1.** marche, degré. **2.** *(pl.)* (= **a flight of stairs**) escalier.

staircase ['steəkeɪs] *n.* **1.** escalier. **2.** cage d'escalier (aussi **stairwell**). ♦ ***Moving staircase,*** escalier roulant ; ***spiral staircase,*** escalier en colimaçon.

stake [steɪk] *n.* **1.** pieu, poteau. **2.** tuteur (pour plante...). **3.** bûcher. **4.** mise, enjeu (cartes...). ***Her life is at stake,*** il en va de sa vie.

v.t. **1.** délimiter avec des piquets. **2.** ramer (haricots), soutenir avec des tuteurs. **3.** miser, jouer. ♦ ***He'd stake his life on it,*** il en donnerait sa tête à couper.

stale [steɪl] *adj.* **1.** rassis (pain). **2.** *(fig.)* suranné, vieilli, usé. ♦ ***He's getting stale,*** il perd son entrain ; ***stale joke,*** plaisanterie éculée ; ***stale smell,*** odeur de renfermé.

stalk[1] [stɔːk] *n.* tige (de plante).

stalk[2] [stɔːk] *n.* démarche fière. *v.t.* chasser à l'affût. *v. intr.* marcher fièrement.

⚠ **stall**[1] [stɔːl] *n.* **1.** stalle (d'église ou d'écurie), box. **2.** étable. **3.** écurie. **4.** échoppe, boutique, étalage. ***Newspaper stall,*** kiosque à journaux. **5.** fauteuil d'orchestre. ***The stalls,*** l'orchestre.

stall[2] [stɔːl] *v.intr.* caler (machine).

stalwart ['stɔːlwət] *adj.* **1.** vigoureux, robuste. **2.** vaillant, déterminé, résolu.

stamina ['stæmɪnə] *n.* vigueur, endurance.

stammer ['stæmə] *n.* bégaiement. ***He has a stammer,*** il bégaye, il est bègue. *v.t. et intr.* bégayer, balbutier.

stamp [stæmp] *n.* **1.** empreinte, marque (impression), timbre, estampille. **2.** (= **postage stamp**) timbre-poste. ***Stamp book,*** carnet de timbres. **3.** coup de pied, trépignement. **4.** *(fig.)* caractère, trempe. ***John is of the same stamp as his brother,*** Jean est du même acabit que son frère.
v.t. **1.** empreindre, imprimer, estamper, marquer. **2.** timbrer, affranchir. *v. intr.* frapper du pied, trépigner. ♦ ***A stamped addressed envelope,*** une enveloppe timbrée pour la réponse.

stampede [stæm'pi:d] *n.* débandade, panique. *v. intr.* **1.** fuir en désordre. **2.** se ruer vers.

⚠ **stand** [stænd] *n.* **1.** arrêt, halte, pause. **2.** étalage, stand (d'exposition...). **3.** socle, pied, support. **4.** *(fig.)* cessation, résistance. ♦ ***Music stand,*** pupitre; ***taxi stand,*** station de taxis.
v. intr. irr. (*p.* **stood,** *p.p.* **stood**) **1.** être, se tenir, rester debout. **2.** se trouver, être (bâtiment). **3.** reposer (liquide), infuser. **4.** se présenter (comme candidat). **5.** être mis (pour). ***Jr. stands for «junior»,*** jr est l'abréviation de «junior». ♦ ***As things stand,*** les choses étant ce qu'elles sont; ***how do we stand?*** où en sommes-nous? ***it stands to reason,*** cela va de soi; ***we don't stand on ceremony,*** nous ne faisons pas de façons.
v.t. **1.** mettre debout, poser. **2.** endurer, souffrir, supporter, soutenir. ***He stood his ground,*** il tint bon. **3.** subir. ***Our town stood heavy bombardments,*** notre ville a subi de lourds bombardements. **4.** payer (à boire). ***I'll stand you a drink,*** je vais te payer un verre. ♦ ***I can't stand him,*** je ne peux pas le sentir; ***you don't stand a chance,*** tu n'as pas la moindre chance.

⚠ **standard** ['stændəd] *n.* **1.** étendard, pavillon. **2.** étalon, norme, critère. **3.** degré (d'excellence), niveau. **4.** support, pied. ♦ ***The gold standard,*** l'étalon d'or; ***the standard of living,*** le niveau de vie; ***up to the standard,*** au niveau, à la hauteur.
adj. type, normal, standard. ♦ ***It's standard practice,*** ça se fait couramment; ***of standard size,*** de taille courante; ***standard English,*** anglais correct; ***standard joke,*** plaisanterie classique; ***standard lamp,*** lampadaire.

standby ['stændbaɪ] *n.* **1.** remplaçant, suppléant. **2.** remplacement, renfort. ***Keep on standby,*** garder en réserve, en secours.

stand by, *v. part. intr.* **1.** se trouver à proximité. **2** rester inactif. **3.** *(Mil.)* être sur le qui-vive.

⚠ **standing** ['stændɪŋ] *n.* **1.** position debout. **2.** rang. ***A gentleman of high standing,*** un personnage haut placé. **3.** durée, date. ***A friendship of twenty years' standing,*** une amitié qui dure depuis vingt ans.
adj. **1.** debout. **2.** fixe, permanent. ♦ ***A standing order,*** un virement automatique (sur compte); ***it's a standing joke,*** c'est un sujet de plaisanterie continuel.

standoffish [stænd'ɒfɪʃ] *adj.* distant.

standpoint ['stændpɔɪnt] *n.* point de vue.

standstill ['stænd,stɪl] *n.* arrêt. ***Come to a standstill,*** s'immobiliser.

stand up, *v. part. intr.* **1.** se lever (pour une personne). **2.** faire bon usage (pour un produit,...).

stank [stæŋk] (**stink,** *v.)*

staple[1] ['steɪpl] *n.* agrafe. *v.t.* agrafer.

staple[2] ['steɪpl] *n.* **1.** produit, article de base. **2.** *(fig.)* fond, élément principal (d'une conversation, d'un repas...). *adj.* principal. ♦ ***Staple commodity,*** article de première nécessité; ***staple diet,*** nourriture de base.

stapler ['steɪplə] *n.* agrafeuse.

⚠ **star** [stɑ:] *n.* **1.** étoile. **2.** *(Ciné.)* vedette. ♦ ***See stars,*** voir trente-six chandelles; ***she was born under a lucky star,*** elle est née sous une bonne étoile; ***the Stars and Stripes,*** la bannière étoilée (drapeau américain).
v.t. **1.** étoiler. **2.** avoir comme vedette. ***Starring Paul Newman as...,*** avec Paul Newman dans le rôle de...

starboard ['stɑ:bəd] *n.* *(Naut.)* tribord.

starch [stɑːtʃ] *n.* **1.** amidon. **2.** fécule (aliment). **3.** *(fig.)*raideur. ♦ ***He had to cut out all starches,*** il a dû supprimer tous les féculents.
v.t. empeser, amidonner.

stare [steə] *n.* regard fixe ou ébahi.
v. intr. **1.** regarder fixement. ***Stop staring at me,*** cesse de me regarder fixement. **2.** ouvrir de grands yeux.
v.t. dévisager. ***He stared me in the face,*** il m'a dévisagé.

starfish ['stɑːˌfɪʃ] *n.* étoile de mer.

stark [stɑːk] *adv.* complètement. ♦ ***Stark naked,*** nu comme un ver.

starling ['stɑːlɪŋ] *n.* étourneau, sansonnet.

start [stɑːt] *n.* **1.** tressaillement. **2.** saut, bond. **3.** commencement, début. **4.** départ. ♦ ***For a start,*** pour commencer; ***from the start,*** dès le début; ***you gave her such a start!*** ce que vous lui avez fait peur!
v.t. **1.** commencer. **2.** faire partir. **3.** mettre en marche (machine).
v. intr. **1.** tressaillir. ***He started with fear,*** il tressaillit de peur. **2.** partir, s'en aller. **3.** commencer, débuter. **4.** sursauter. ♦ ***Her eyes started out of her head,*** les yeux lui sortaient de la tête; ***it starts with...*** ça commence par...; ***let's get started,*** allons-y, on s'y met; ***starting from Tuesday,*** à partir de mardi; ***to start with...,*** pour commencer...

⚠ **starter** ['stɑːtə] *n.* **1.** partant (cheval). **2.** *(Sp.)*starter. **3.** *(Aut.)*démarreur. ♦ ***He's a slow starter,*** il est lent à démarrer.

starting point ['stɑːtɪŋpɔɪnt] *n.* point de départ.

starting post ['stɑːtɪŋpəʊst] *n.* *(Sp.)*poteau de départ.

startle ['stɑːtl] *v.t.* faire tressaillir, effrayer.

startling ['stɑːtlɪŋ] *adj.* étonnant, saisissant.

starvation [stɑː'veɪʃn] *n.* inanition, faim.

starve [stɑːv] *v.t. et intr.* (faire) mourir de faim.

starving ['stɑːvɪŋ] *adj.* affamé, mourant de faim. ♦ ***I'm starving,*** j'ai une faim de loup.

state[1] [steɪt] *n.* **1.** état, condition. **2.** *(Polit.)* état. **3.** rang, classe. **4.** pompe, apparat. ♦ ***In state,*** en grande pompe; ***she got into a terrible state about it,*** ça l'a mise dans tous ses états; ***the dead king lay in state,*** le défunt roi reposait sur son lit de parade.

state[2] [steɪt] *v.t.* énoncer, déclarer.

stated ['steɪtɪd] *adj.* réglé, fixe (date...).

stately ['steɪtlɪ] *adj.* imposant, majestueux.

statement ['steɪtmənt] *n.* exposé, énoncé. ***He made a statement,*** il fit une déclaration.

statesman ['steɪtsmən] *n.* (*pl.* **-men**) homme d'État.

⚠ **station** ['steɪʃn] *n.* **1.** station. **2.** rang (social). **3.** (= **railway station**) gare. **4.** *(Mil.)*poste, garnison. ♦ ***Power station,*** centrale électrique; ***transformer station,*** transformateur; ***she has ideas above her station,*** elle a des idées de grandeur.
v.t. **1.** placer, ranger, poser. **2.** *(Mil.)* poster.

▻ **stationary** ['steɪʃnrɪ] *adj.* stationnaire, fixe.

⚠ **stationer** ['steɪʃnə] *n.* papetier.

⚠ **stationery** ['steɪʃənrɪ] *n.* fournitures de bureau, d'école, papeterie.

station-master ['steɪʃnˌmɑːstə] *n.* chef de gare.

station waggon, station wagon ['steɪʃnˌwægən] *n.* *(Aut., amér.)* break (*G.B.* **estate car**).

statistics [stə'tɪstɪks] *n. pl.* la statistique.

⚠ **status** ['steɪtəs] *n.* **1.** statut légal. **2.** condition, rang. **3.** prestige. ***Status symbol,*** signe extérieur de richesse.

staunch [stɔːntʃ] *adj.* **1.** solide, ferme. **2.** *(fig.)* sûr, dévoué, à toute épreuve (ami...).

stave [steɪv] *n.* **1.** douve (de baril). **2.** *(Mus.)*portée (cf. **staff**[1]). **3.** verset (de psaume).

stave off, *v. part. t.* chasser, repousser, éloigner, écarter (danger...).

stay [steɪ] *v. intr.* séjourner, rester. ♦ ***Stay-at-home,*** casanier, pantouflard; ***stay-in strike,*** grève sur le tas.
n. séjour.

stead [sted] *n.* lieu, place. *(lit.)* ***He did it in my stead,*** il l'a fait à ma place.

steadfast ['stedfɑːst] *adj.* ferme, constant.

steady ['stedɪ] *adj.* **1.** ferme, solide. **2.** fixe, rigide. **3.** régulier (travail...), assidu. ♦ ***We did a steady 50 miles per hour,*** nous avons roulé régulièrement à 80 kilomètres à l'heure.
adv. **1.** fermement. **2.** régulièrement. ♦ ***They've been going steady for a year,*** ils sortent ensemble depuis un an.
interj. **1.** ne bougez pas! **2.** doucement! du calme!
v.t. **1.** affermir. **2.** assujettir, fixer, caler. **3.** calmer.

▻ **steak** [steɪk] *n.* tranche de viande, bifteck. ***Steak and chips,*** bifteck frites.

steal [sti:l] *v.t. irr.* (*p.* **stole,** *p.p.* **stolen**) voler (quelque chose), dérober. ***You stole it from me,*** tu me l'as volé.
v. intr. se dérober, se glisser furtivement.

stealthy ['stelθɪ] *adj.* dérobé, furtif.

steam [sti:m] *n.* vapeur. *(fig.)* ***He let off steam a bit,*** il se défoula un peu, il épancha sa bile.
v.t. cuire à la vapeur. *v. intr.* **1.** jeter de la vapeur. **2.** fumer.

steam-engine ['sti:m,endʒɪn] *n.* locomotive.

steam-roller ['sti:m,rəʊlə] *n.* rouleau compresseur. *v.t. (fig.)*écraser, briser.

steamship ['sti:m,ʃɪp] *n. (Naut.)*vapeur, steamer.

steel [sti:l] *n.* acier. *v.t.* **1.** acérer, garnir d'acier. **2.** *(fig.)* fortifier. ***He steeled himself to...,*** il s'arma de courage pour...

steel-wool ['sti:lwʊl] *n.* paille de fer.

steelworks ['sti:lwɜ:ks] *n.* aciérie.

steep[1] [sti:p] *adj.* escarpé, à pic, raide.

steep[2] [sti:p] *v.t.* **1.** tremper. **2.** *(fig.)*saturer. ***Steeped in prejudice,*** plein de préjugés.

steeple ['sti:pl] *n.* clocher.

steer ['stɪə] *v.t.* **1.** gouverner, diriger. **2.** conduire (une voiture...). *v. intr.* se diriger.

steering wheel ['stɪərɪŋwi:l] *n. (Aut.)*volant.

stem [stem] *n.* **1.** *(Bot.)* tige. **2.** queue (d'une fleur...). **3.** pied (de verre...). **4.** *(fig.)*souche (d'une famille).
v.t. **1.** refouler (courant...). **2.** *(fig.)*résister à. *v. intr.* **1.** être issu (de). **2.** découler (de), résulter (de).

stench [stentʃ] *n.* odeur fétide, puanteur.

step[1] [step] *n.* **1.** pas. **2.** degré, marche (d'escalier). **3.** échelon (d'échelle). **4.** marchepied (de voiture...). **5.** *(fig.)*démarche. **6.** *pl.* (= **flight of steps**) escalier, perron; escabeau. ♦ ***He followed in his father's steps,*** il a marché sur les traces de son père; ***she took the necessary steps,*** elle a fait les démarches nécessaires; ***step by step,*** pas à pas, graduellement.
v. intr. faire un pas, des pas, aller, marcher. ♦ ***He stepped back,*** il fit un pas en arrière; *(fam.)* ***he stepped on it!*** il mit tous les gaz! ***she stepped aside,*** elle s'écarta; ***step this way,*** venez par ici.

step-[2] [step] préfixe marquant la parenté créée par le second mariage de l'un des parents. ♦ ***Stepmother,*** bellemère; ***stepsister,*** demi-sœur...

⚠ **sterling** ['stɜ:lɪŋ] *adj.* **1.** sterling. **2.** *(fig.)*vrai, de bon aloi, sûr (personne). ♦ ***Pound sterling,*** livre sterling; ***sterling area,*** zone sterling; ***sterling qualities,*** de solides qualités.

stern[1] [stɜ:n] *n. (Naut.)*poupe, arrière.

stern[2] [stɜ:n] *adj.* **1.** sévère, dur. **2.** rigoureux.

stetson ['stetsən] *n.* chapeau de cowboy.

stevedore ['sti:vɪdɔ:] *n.* docker, débardeur.

stew [stju:] *n.* ragoût, civet.
v.t. cuire en ragoût, en civet. **2.** faire cuire (fruits...). *v. intr.* **1.** cuire à l'étuvée. **2.** *(fig.)*cuire dans sa peau. ♦ *(fig.)* ***I let him stew in his own juice,*** je l'ai laissé mijoter (dans son jus); ***stewed apples,*** compote de pommes.

⚠ **steward** ['stju:əd] *n.* **1.** intendant, régisseur (d'une propriété). **2.** économe (de collège). **3.** commissaire (de bal...). **4.** steward.

stewardess [,stju:ə'des] *n.* hôtesse.

stick[1] [stɪk] *n.* **1.** bâton. **2.** (= **walking-stick**) canne. **3.** *(Av.)* manche. **4.** *(fam.)*type, gars. ***Morning, old stick!*** salut, vieille branche! ♦ ***He used the big stick,*** il maniait la trique; *(fig.)* ***you've got (hold of) the wrong end of the stick,*** tu as mal compris.

stick[2] [stɪk] *v.t. irr.* (*p.* **stuck,** *p.p.* **stuck**) **1.** percer, piquer, enfoncer. **2.** coller.

3. *(fam.)* mettre, fourrer. 4. *(fam.)* supporter, sentir (cf. **stand**). *v. intr.* 1. se coller, s'attacher. 2. rester, demeurer. ♦ ***I'll help you if you're stuck,*** je t'aiderai si tu as un problème ; ***it stuck in his throat,*** cela lui est resté en travers de la gorge ; ***stick no bills,*** défense d'afficher ; ***stick to*** (ou ***at) it,*** tiens bon, persévère.

sticker ['stɪkə] *n.* autocollant.

sticking plaster ['stɪkɪŋ'plɑ:stə] *n.* sparadrap (aussi **adhesive plaster**).

stick out, *v. part. intr.* 1. faire saillie. 2. *(fig.)* apparaître comme évident. 3. ***Stick out for,*** insister pour obtenir.

sticky ['stɪkɪ] *adj.* collant, gluant.

stiff [stɪf] *adj.* 1. raide, rigide, dur. 2. ferme, consistant. 3. gêné (contraint). 4. affecté, guindé (style...). 5. difficile (examen). 6. *(fam.)* salé (prix). 7. tassé (whisky).

stiffen ['stɪfn] *v.t. et intr.* (se) raidir.

stiff neck ['stɪfnek] *n.* torticolis.

stiff-necked [,stɪf'nekt] *adj.* opiniâtre.

stiffness ['stɪfnɪs] *n.* 1. raideur. 2. gêne (contrainte), opiniâtreté. 3. air guindé.

stifle ['staɪfl] *v.t. et intr.* étouffer, suffoquer.

stifling ['staɪflɪŋ] *adj.* étouffant, suffocant. ♦ ***It's stifling hot,*** il fait une chaleur étouffante.
n. suffocation.

stigma ['stɪgmə] *n.* stigmate, tache.

stile [staɪl] *n. (Agr.)* échalier, barrière.

still[1] [stɪl] *adj.* 1. silencieux. 2. tranquille, calme, paisible, en repos. 3. non gazeux (boisson). ♦ ***Keep still,*** ne bougez pas ; ***still waters run deep,*** il n'est pas pire eau que l'eau qui dort ; ***the still small voice,*** la voix de la conscience.
v.t. 1. calmer, apaiser. 2. faire taire.

still[2] [stɪl] *adv.* 1. encore, toujours (continuité). 2. cependant, pourtant, toutefois.

still[3] [stɪl] *n.* alambic.

stillborn ['stɪlbɔ:n] *adj.* mort-né(e).

still life [,stɪl'laɪf] *n. (Art.)* nature morte.

stilt [stɪlt] *n.* 1. échasse. 2. *(Arch.)* pilotis.

stilted ['stɪltɪd] *adj.* guindé (style...).

▻ **stimulate** ['stɪmjʊleɪt] *v.t.* stimuler.

▻ **stimulus** ['stɪmjʊləs] *n.* (*pl.* **stimuli**) stimulant, aiguillon, stimulus.

sting [stɪŋ] *v.t. et intr. irr.* (*p.* **stung,** *p.p.* **stung**) piquer, brûler, picoter. ♦ ***A stinging remark,*** une remarque cinglante ; ***stung by remorse,*** bourré de remords ; ***the smoke made his eyes sting,*** la fumée lui picotait les yeux.
n. dard, aiguillon. 2. piqûre (d'abeille...). 3. douleur cuisante.

stingy ['stɪndʒɪ] *adj.* *(fam.)* chiche, avare.

stink [stɪŋk] *v. intr. irr.* (*p.* **stank,** *p.p.* **stunk**) puer, sentir mauvais. ***It stinks of bad eggs,*** ça sent les œufs pourris.

stinker ['stɪŋkə] *n.* *(fam.)* 1. sale type. 2. lettre carabinée. 3. vacherie (examen...).

stint [stɪnt] *n.* 1. ration de travail, besogne assignée. ***He's done his stint for today,*** il a fait ce qu'il avait à faire aujourd'hui. 2. limite, borne. ***Without stint,*** sans compter, généreusement.
v.t. 1. restreindre, limiter. 2. lésiner sur. ♦ ***He stints himself,*** il se prive.

stir [stɜ:] *v.t. et intr.* 1. (se) remuer, bouger. 2. *(fig.)* (s') agiter, (s') exciter. ♦ ***He didn't stir a finger,*** il n'a pas levé le petit doigt ; ***I stirred him up to do it,*** je l'ai poussé à le faire ; ***she would not stir an inch,*** elle ne voulait pas bouger d'un centimètre ou faire la moindre concession.
n. 1. mouvement, remue-ménage, bruit, agitation. 2. action de remuer. ♦ ***Give your coffee a stir,*** remue ton café ; ***the news caused*** (ou ***made) a great stir,*** la nouvelle a fait beaucoup de bruit ; ***there was a great stir in the village,*** le village était en émoi.

stirring ['stɜ:rɪŋ] *adj.* remuant, émouvant.

stirrup ['stɪrəp] *n.* étrier.

stitch [stɪtʃ] *n.* 1. point (couture). 2. maille (tricot). 3. *(Méd.)* point de suture. 4. point de côté. ♦ ***A stitch in time saves nine,*** un point à temps en épargne cent ; ***he hadn't a stitch on,*** il était complètement nu.
v.t. 1. piquer, coudre. 2. brocher (livres). 3. *(Méd.)* suturer.

△ **stock** [stɒk] *n.* 1. souche (d'arbre, famille...), cep (de vigne). 2. bloc (de bois...). 3. *(Cuis.)* consommé. 4. *(fig.)*

race, famille. **5.** approvisionnement, stock, assortiment. **6.** *(pl.)* fonds, valeurs, actions. **7.** *(Bot.)* giroflée des jardins. ♦ ***In stock,*** en magasin, disponible ; ***out of stock,*** épuisé ; ***this shop has a large stock (of),*** ce magasin est bien approvisionné (en); ***we took stock of the situation,*** nous avons fait le point de la question.
adj. courant, habituel. ♦ ***Stock phrase,*** cliché, banalité ; ***stock size,*** taille normalisée.
v.t. **1.** pourvoir de. **2.** stocker (magasin). ♦ ***Her memory is stocked with dates,*** sa mémoire a emmagasiné des tas de dates.

stockbroker ['stɒk,brəʊkə] *n.* *(Fin.)* agent de change.

Stock Exchange ['stɒkɪks,tʃeɪndʒ] *n.* *(Fin.)* Bourse.

stockholder ['stɒk,həʊldə] *n.* actionnaire.

stocking ['stɒkɪŋ] *n.* bas.

stock-still [,stɒk'stɪl] *adj.* immobile.

stocky ['stɒkɪ] *adj.* trapu, râblé.

stodgy ['stɒdʒɪ] *adj.* pâteux, lourd, indigeste.

stoke [stəʊk] *v.t.* alimenter (feu, chaudière).

stole [stəʊl] (**steal,** *v.*)

stolen ['stəʊln] (**steal,** *v.*)

stolid ['stɒlɪd] *adj.* lourd, impassible.

⚠ **stomach** ['stʌmək] *n.* **1.** estomac. **2.** ventre (aussi **belly**).
v.t. **1.** avaler. **2.** endurer.

stone [stəʊn] *n.* **1.** pierre. **2.** noyau (de fruit). **3.** pépin (de raisin). **4.** *(Méd.)* calcul. **5.** *inv.* stone, unité de poids = 6,348 kg. ♦ ***He left no stone unturned,*** il a remué ciel et terre ; ***kill two birds with one stone,*** faire d'une pierre deux coups ; *(fam.)* ***stone deaf,*** sourd comme un pot ; ***within a stone's throw of,*** à deux pas de.
v.t. **1.** lapider. **2.** dénoyauter (fruits).

stony ['stəʊnɪ] *adj.* **1.** de pierre. **2.** pierreux. **3.** *(fig.)* insensible.

stood [stʊd] (**stand,** *v.*)

stool [stu:l] *n.* **1.** tabouret. **2.** escabeau.

stoop [stu:p] *n.* **1.** inclinaison. **2.** *(fig.)* abaissement. ♦ ***He has a stoop,*** il a le dos rond ou voûté. *v. intr.* **1.** se pencher, se baisser. **2.** se voûter. **3.** *(fig.)* s'abaisser.

⚠ **stop** [stɒp] *v.t.* **1.** arrêter, empêcher. **2.** couper (le souffle). **3.** suspendre (paiement...). **4.** retenir (la paye...). **5.** boucher (trou...). ♦ ***I stopped him short,*** je l'ai arrêté net ; ***they stopped £ 5 out of his wages,*** ils ont retenu cinq livres sur son salaire.
v. intr. **1.** s'arrêter, stopper. **2.** descendre, séjourner (dans un hôtel). ♦ ***«All buses stop here»,*** arrêt fixe ou obligatoire ; ***stop doing that!*** cesse de faire cela !
n. **1.** halte. **2.** pause. **3.** obstacle. **4.** jeu d'orgue. **5.** arrêt (de train...). **6.** (= **full stop**) point (ponctuation). ♦ ***Request stop,*** arrêt facultatif ; ***stop street,*** rue non prioritaire ; ***they came to a dead stop,*** ils se sont arrêtés court.

stopgap ['stɒpgæp] *n.* bouche-trou.

stoppage ['stɒpɪdʒ] *n.* **1.** interruption, halte. **2.** arrêt (d'un train...). **3.** obstruction. **4.** retenue (de salaire). **5.** chômage, grève.

stopper ['stɒpə] *n.* bouchon (en verre).

stop press [,stɒp'pres] *n.* «dernière heure».

stopwatch ['stɒpwɒtʃ] *n.* chronomètre.

storage ['stɔ:rɪdʒ] *n.* emmagasinage.

⚠ **store** [stɔ:] *n.* **1.** provision. **2.** approvisionnement, réserve. ***In store,*** en réserve. **3.** magasin, boutique. ***Chain store,*** magasin à succursales multiples ; ***department store, general store,*** grand magasin ; ***the village store,*** l'alimentation, l'épicerie du village. ♦ ***He sets great store by it,*** il en fait grand cas.
v.t. amasser, emmagasiner.

storehouse ['stɔ:haʊs] *n.* entrepôt, dépôt.

storey ['stɔ:rɪ] *n.* étage (*amér.* **story**).

stork [stɔ:k] *n.* cigogne.

storm [stɔ:m] *n.* orage, tempête.
v.t. donner l'assaut à, prendre d'assaut. *v. intr.* **1.** faire rage (vent). **2.** *(fig.)* fulminer, pester.

stormy ['stɔ:mɪ] *adj.* orageux, houleux.

story[1] ['stɔ:rɪ] *n.* étage (cf. **storey**).

story[2] ['stɔ:rɪ] *n.* **1.** histoire, récit. **2.** (= **short story**) nouvelle, conte. ♦ ***Always the same old story!*** toujours la même histoire ! ***as the story goes,*** à ce que dit l'histoire ; ***I heard her story,*** j'ai entendu sa version des faits ;

(*fam.*) ***that's quite another story,*** ça c'est une autre paire de manches.

stout[1] [staʊt] *n.* stout, bière brune forte.

stout[2] [staʊt] *adj.* **1.** fort. **2.** gros, corpulent. **3.** (*fig.*) brave. ♦ ***Stout-hearted,*** intrépide.

stove [stəʊv] *n.* **1.** poêle. **2.** fourneau (cuisine).

stow [stəʊ] *v.t.* **1.** mettre en place, ranger. **2.** (*Naut.*) arrimer. ♦ ***Stow it away,*** range-le.

straddle ['strædl] *v.t.* enfourcher, être à califourchon sur. *v. intr.* écarter les jambes, marcher les jambes écartées.

straggle ['strægl] *v. intr.* **1.** s'écarter, se détacher (d'un groupe). **2.** marcher à la débandade, traîner.

straggler ['stræglə] *n.* traînard.

straggling ['stræglɪŋ] *adj.* disséminé. ♦ ***A straggling village,*** un village aux maisons éparses, tout en longueur.

straight [streɪt] *adj.* **1.** droit. **2.** (*fig.*) équitable, juste, honnête. **3.** sec (whisky, etc...). ♦ ***A straight answer,*** une réponse franche, sans équivoque; ***he kept a straight face,*** il a gardé son sérieux; ***they put things straight,*** ils mirent de l'ordre, ils débrouillèrent l'affaire; ***we're straight now,*** nous sommes quittes maintenant.

adv. droit, tout droit, directement. ♦ ***I'm telling you straight,*** je vous le dis tout net; ***straight away,*** sur-le-champ, tout de suite; ***straight from the horse's mouth,*** de source sûre; ***straight on*** (ou ***ahead),*** continuez tout droit.

straighten ['streɪtn] *v.t.* **1.** rendre droit, redresser. **2.** ajuster (habits). **3.** mettre en ordre (affaires, maison...).

straightforward [ˌstreɪt'fɔːwəd] *adj.* **1.** droit, direct. **2.** (*fig.*) franc. **3.** simple, facile.

strain[1] [streɪn] *n.* **1.** grand effort. **2.** tension. **3.** entorse. **4.** foulure (de muscles). **5.** *pl.* chant, accents (guerriers...). ♦ ***That was a great strain on his nerves,*** cela a mis ses nerfs à rude épreuve.

v.t. **1.** tendre. **2.** forcer, contraindre. **3.** se fouler (muscles). **4.** filtrer, passer (liquide). ♦ ***He strained every nerve to succeed,*** il a fourni un effort intense pour réussir.

v. intr. **1.** s'efforcer. **2.** se filtrer (liquide). ♦ ***She strained after success,*** elle fit tous les efforts possibles pour obtenir le succès.

strain[2] [streɪn] *n.* **1.** lignée, race. **2.** tendance, prédisposition naturelle.

strainer ['streɪnə] *n.* passoire.

strait [streɪt] *n.* **1.** (souvent *pl.*) détroit. ***The Straits of Dover,*** le pas de Calais. **2.** *pl.* gêne, embarras, détresse.

straiten ['streɪtn] *v.t.* rétrécir, resserrer. **2.** (*fig.*) gêner. ♦ ***In straitened circumstances,*** dans la gêne.

straitjacket ['streɪtˌdʒækɪt] *n.* camisole de force.

strand[1] [strænd] *n.* (*lit.*)plage, grève (cf. **beach**). *v.t.* jeter à la côte, échouer. ♦ ***He was stranded without passport or money,*** il s'est retrouvé sans passeport ni argent.

strand[2] [strænd] *n.* cordon, brin (de cordage). ***A strand of hair,*** une mèche de cheveux.

strange [streɪndʒ] *adj.* **1.** inconnu. **2.** étrange, bizarre. **3.** un peu dépaysé. ♦ ***Strange to say!*** chose curieuse!

strangely ['streɪndʒlɪ] *adv.* étrangement, singulièrement. ♦ ***Strangely enough...,*** aussi étrange que ça puisse paraître...

strangeness ['streɪndʒnɪs] *n.* **1.** étrangeté, bizarrerie. **2.** nouveauté (cf. **novelty**).

stranger ['streɪndʒə] *n.* inconnu, étranger. ♦ ***He's a stranger to me,*** je ne le connais pas du tout; ***I'm a stranger here,*** je ne suis pas d'ici.

strangle ['strængl] *v.t.* étrangler.

strap [stræp] *n.* **1.** courroie. **2.** bande, sangle, lanière (de cuir...). ♦ ***He was given the strap,*** on lui a administré une correction; ***chin strap,*** jugulaire; ***watch strap,*** bracelet de montre.

v.t. **1.** attacher avec une courroie. **2.** lier. **3.** punir à coups de lanière.

strapping ['stræpɪŋ] *adj.* bien bâti, costaud.

stratum ['strɑːtəm] *n.* (*pl.* **strata**) (*Géol.*) couche.

straw [strɔː] *n.* paille. ♦ (*fig.*) ***It's the last straw,*** c'est le comble; (*fam.*) ***she doesn't care a straw,*** elle s'en moque.

v.t. rempailler.

strawberry ['strɔ:brɪ] *n.* **1.** fraise. **2.** (= **strawberry plant**) fraisier.

stray [streɪ] *n.* animal, enfant perdu, errant. **2.** épave. ♦ ***Waifs and strays,*** enfants abandonnés. *adj.* **1.** égaré. **2.** *(fig.)* fortuit. ***Stray bullets,*** balles perdues; ***stray sheep,*** brebis égarée.
v. intr. **1.** s'égarer, errer, vaguer. **2.** s'écarter de.

streak [strɪ:k] *n.* **1.** raie, bande. **2.** *(fig.)* tendance, propension. ♦ ***She has a streak of jealousy,*** elle a tendance à être jalouse; ***streak of lightning,*** éclair.
v.t. **1.** rayer, strier. **2.** barioler, bigarrer. ♦ ***His hair is streaked with grey,*** ses cheveux commencent à grisonner. *v. intr.* filer. ***She streaked past,*** elle est passée comme un éclair.

stream [stri:m] *n.* **1.** courant. **2.** cours d'eau, rivière. **3.** ruisseau. **4.** jet (de lumière). **5.** torrent (de paroles). **6.** *(Ens.)* classe de niveau. **7.** *(fig.)* cours. *v. intr.* **1.** couler à flots. **2.** ruisseler. **3.** rayonner (lumière...). **4.** flotter (au vent).

streamer ['stri:mə] *n.* **1.** banderole. **2.** *pl.* (= **paper streamers**) serpentins (de papier).

streaming ['stri:mɪŋ] *n.* *(Ens.)* répartition des élèves par groupes de niveau.

streamlined ['stri:mlaɪnd] *adj.* aérodynamique.

street [stri:t] *n.* rue. ♦ ***Back street,*** rue écartée ou mal fréquentée; ***high street, main street,*** grand-rue; ***she's on the streets,*** elle fait le trottoir; ***the man in the street,*** l'homme moyen, l'homme de la rue.

streetcar ['stri:tkɑ:] *n.* *(amér.)* tramway (cf. **tram**).

streetwalker ['stri:t,wɔ:kə] *n.* prostituée.

strength [streŋθ] *n.* **1.** force. **2.** solidité. **3.** *(Mil.)* effectifs.

strengthen ['streŋθən] *v.t.* fortifier, affermir. *v. intr.* se fortifier, s'affermir.

strenuous ['strenjʊəs] *adj.* **1.** actif, énergique (personne). **2.** ardu, acharné (effort...).

⚠ **stress** [stres] *n.* **1.** force, contrainte. **2.** tension. **3.** insistance. **4.** *(Méd.)* stress. **5.** accent (tonique...). ♦ ***He laid the stress on humour,*** il a insisté sur l'humour; ***that put her under stress,*** cela a mis ses nerfs à rude épreuve; ***under the stress of anger,*** poussé par la colère.
v.t. appuyer sur, accentuer, insister.

stretch [stretʃ] *n.* **1.** extension, élasticité. **2.** étendue (de pays), de section (de route). **3.** période (de temps). **4.** *(fig.)* effort. ♦ ***All in one stretch, at a stretch,*** d'une seule traite, d'affilée; ***by a stretch of the imagination,*** en faisant un effort d'imagination; ***not by a long stretch!*** loin de là!
v.t. **1.** tendre (un élastique...). **2.** étendre. **3.** déployer (ailes...). **4.** élargir. **5.** forcer (faire violence à). **6.** *(fig.)* exagérer.
v. intr. **1.** s'étendre. **2.** s'étirer. **3.** se déployer. **4.** s'élargir. **5.** prêter (tissu).

stretcher ['stretʃə] *n.* brancard, civière.

stretchy ['stretʃɪ] *adj.* extensible.

strew [stru:] *v.t. irr.* (*p.* **strewed,** *p.p.* **strewed ou strewn**) répandre, parsemer, semer. ♦ ***Strewn with daffodils,*** parsemé de jonquilles.

strewn [stru:n] (**strew,** *v.*)

stricken ['strɪkən] *adj.* **1.** affligé. **2.** *(Méd.)* atteint (de). ♦ ***A stricken city,*** une ville sinistrée.

▻ **strict** [strɪkt] *adj.* **1.** exact, strict, précis. **2.** rigide. **3.** sévère.

strictly ['strɪktlɪ] *adv.* strictement, formellement. ♦ ***Strictly forbidden,*** absolument interdit; ***strictly speaking,*** rigoureusement parlant.

stridden ['strɪdn] (**stride,** *v.*)

stride [straɪd] *n.* **1.** grand pas, enjambée. **2.** *(fig.)* progrès.
v. intr. (*p.* **strode,** *p.p.* **stridden**) marcher à grands pas ou à grandes enjambées.

strife [straɪf] *n.* lutte, querelle, dispute.

strike [straɪk] *v.t. irr.* (*p.* **struck,** *p.p.* **struck**) **1.** frapper. **2.** battre, cogner. **3.** asséner, porter (un coup). **4.** sonner (l'heure). **5.** rendre (muet). **6.** allumer (allumette). **7.** faire, conclure (marché). *v. intr.* **1.** frapper. **2.** toucher. **3.** échouer (contre un récif...). **4.** heurter, donner contre. **5.** sonner (pendule). **6.** *(Bot. et fig.)* prendre racine. **7.** faire grève, se mettre en grève. **8.** prendre, aller (à gauche, à

droite). ♦ ***He was struck off for unprofessional conduct,*** il fut radié pour faute professionnelle grave ; ***she struck up a friendship with Mary,*** elle s'est liée d'amitié avec Marie ; ***the orchestra struck up,*** l'orchestre commença à jouer ; ***the thought struck me,*** l'idée me vint.
n. **1.** coup (frappé). **2.** grève. **3.** découverte (d'un gisement). ♦ ***A lucky strike,*** un coup de chance ; ***go-slow strike,*** grève perlée ; ***lightning strike,*** grève surprise ; ***sit-down strike,*** grève sur le tas ; ***they went on strike,*** ils se mirent en grève ; ***token strike,*** grève symbolique.

strikebound ['straɪkbaʊnd] *adj.* immobilisé par une grève.

striker ['straɪkə] *n.* **1.** frappeur. **2.** gréviste.

striking ['straɪkɪŋ] *n.* **1.** frappement. **2.** frappe. **3.** sonnerie (de pendule). *adj.* **1.** frappant, saisissant. **2.** remarquable.

string [strɪŋ] *n.* **1.** ficelle, corde, fil. **2.** cordon, lacet (de chaussures...), bride. **3.** chapelet (d'oignons...). **4.** *(pl.) (Mus.)* les cordes. **5.** *(fig.)* suite, série. ♦ ***He has more than one string to his bow,*** il a plus d'une corde à son arc.
v.t. irr. (p. **strung,** *p.p.* **strung)** **1.** garnir de cordes. **2.** enfiler (grains...). **3.** *(Mus.)* mettre des cordes à.

string bag [ˌstrɪŋ'bæg] *n.* filet à provisions.

stringent ['strɪŋdʒənt] *adj.* rigoureux, strict. ***Stringent measures,*** des mesures énergiques.

string-pulling ['strɪŋˌpʊlɪŋ] *n. (fam.)* piston (faveur) (aussi **wire-pulling**).

stringy ['strɪŋɪ] *adj.* filandreux, fibreux.

strip [strɪp] *n.* **1.** bande, ruban. **2.** lambeau, langue (de terre). ♦ ***Comic strip*** (ou ***strip cartoon),*** bande dessinée.
v.t. **1.** dépouiller (de). **2.** dévaliser (voler). **3.** déshabiller, dévêtir.
v. intr. se déshabiller (aussi **strip off**).

stripe [straɪp] *n.* **1.** raie, rayure. **2.** *(Mil.)* galon. **3.** marque (cicatrice). *v.t.* barrer, rayer. ***Striped with blue,*** rayé de bleu.

stripling ['strɪplɪŋ] *n.* adolescent.

strive [straɪv] *v. intr. irr. (p.* **strove,** *p.p.* **striven)** **1.** s'efforcer de, faire des efforts. **2.** se disputer, rivaliser. **3.** ***Strive after,*** rechercher (l'effet,...).

striven ['strɪvn] (**strive,** *v.)*

strode [strəʊd] (**stride,** *v.)*

stroke [strəʊk] *n.* **1.** coup. **2.** trait. **3.** trait de plume. **4.** coup d'aviron. **5.** brassée (nage). **6.** caresse. **7.** course (de piston). **8.** *(Méd.)* attaque. ♦ ***A four-stroke engine,*** un moteur à quatre temps ; ***at a stroke, at one stroke,*** d'un (seul) coup ; ***he didn't do a stroke of work,*** il n'a rien fait du tout.
v.t. **1.** caresser, flatter de la main. **2.** (= **strike out**) barrer, biffer.

stroll [strəʊl] *n.* petite promenade. ♦ ***We went for a stroll,*** nous avons fait un petit tour. *v. intr.* errer, flâner.

strong [strɒŋ] *adj.* **1.** fort, solide. **2.** *(fig.)* vigoureux, résolu.
adv. fort, avec énergie. ***Still going strong,*** toujours solide.

strongbox ['strɒŋbɒks] *n.* coffre-fort.

stronghold ['strɒŋhəʊld] *n.* forteresse, bastion.

strong room ['strɒŋrʊm] *n.* chambre forte.

strove [strəʊv] (**strive,** *v.)*

struck [strʌk] (**strike,** *v.)*

struggle ['strʌgl] *n.* lutte, effort. ♦ ***I had a struggle to convince him,*** j'ai eu beaucoup de mal à le convaincre.
v. intr. lutter, se débattre, se démener.

strum [strʌm] *v.t.* tapoter, taper sur, gratter (une guitare).

strung [strʌŋ] (**string,** *v.)*

strut[1] [strʌt] *n.* support, étai.

strut[2] [strʌt] *n.* démarche fière ou affectée. *v. intr.* se pavaner, se rengorger.

stub [stʌb] *n.* souche, bout (de cigarette...).

stubble ['stʌbl] *n.* **1.** chaume (après la moisson). **2.** barbe de plusieurs jours.

stubborn ['stʌbən] *adj.* obstiné, opiniâtre.

stubby ['stʌbɪ] *adj.* trapu, boulot(te).

stuck [stʌk] (**stick,** *v.)*

stuck-up [ˌstʌk'ʌp] *adj.* guindé, prétentieux.

stud[1] [stʌd] *n.* **1.** bouton de chemise. **2.** clou à grosse tête. *v.t.* **1.** clouter. **2.** parsemer de. ***Studded with stars,*** criblé d'étoiles.

stud[2] [stʌd] *n.* **1.** écurie (de courses). **2.**

(= **stud-farm**) haras.
student ['stju:dənt] *n.* étudiant(e); *(amér.)* élève.
▷ **studio** ['stju:dɪəʊ] *n.* **1.** atelier d'artiste. **2.** *(Ciné., T.V., radio)* studio.
study ['stʌdɪ] *n.* **1.** étude(s). **2.** soin, application, attention. **3.** bureau, cabinet de travail. ♦ ***In a brown study,*** plongé dans ses pensées.
v.t. et intr. étudier.
stuff [stʌf] *n.* **1.** étoffe, tissu. **2.** *(fig.)* matière, substance. **3.** fatras, bêtises, choses, fourbi, truc. ♦ ***His poetry's poor stuff,*** sa poésie ne vaut pas grand-chose; ***she knows her stuff,*** elle connaît son affaire; ***stuff and nonsense!*** balivernes! ***that's the stuff,*** bravo, c'est ça!
v.t. **1.** rembourrer. **2.** remplir. **3.** boucher (trou). **4.** empailler. **5.** *(Cuis.)* farcir. *v. intr.* **1.** se bourrer. **2.** se gorger.
stuffing ['stʌfɪŋ] *n.* **1.** bourre (substances). **2.** rembourrage (opération). **3.** *(Cuis.)* farce. **4.** empaillage.
stuffy ['stʌfɪ] *adj.* privé d'air, renfermé.
stumble ['stʌmbl] *n.* **1.** faux pas. **2.** hésitation (en récitant...). *v. intr.* trébucher.
stumbling block ['stʌmblɪŋ-blɒk] *n.* pierre d'achoppement.
stump [stʌmp] *n.* **1.** souche (d'arbre). **2.** chicot (de dent). **3.** trognon (de chou). **4.** moignon (de membre). **5.** piquet (de cricket).
v. intr. aller clopin-clopant.
stumpy ['stʌmpɪ] *adj.* trapu, boulot, courtaud.
stun [stʌn] *v.t.* **1.** étourdir, assommer. **2.** *(fig.)* abasourdir, stupéfier, renverser.
stung [stʌŋ] (**sting,** *v.)*
stunk [stʌŋk] (**stink,** *v.)*
stunner ['stʌnə] *n.* *(fam.)* fille, voiture... sensationnelle, formidable.
stunning ['stʌnɪŋ] *adj.* **1.** étourdissant (coup). **2.** stupéfiant (nouvelle...). **3.** *(fam.)* épatant, sensationnel, formidable.
stunt [stʌnt] *n.* **1.** tour de force, exploit. **2.** coup, affaire de publicité.
stunted ['stʌntɪd] *adj.* rabougri, chétif.
stuntman ['stʌntmən] *n.* *(pl.* **-men***)* *(Ciné.)* cascadeur.
stupendous [stju:'pendəs] *adj.* prodigieux.
sturdy ['stɜ:dɪ] *adj.* **1.** vigoureux, fort, robuste. **2.** hardi, résolu, ferme.
stutter ['stʌtə] *n.* bégaiement. ♦ ***He has a stutter,*** il bégaye. *v.t. et intr.* bégayer.
sty[1] [staɪ] *n.* (= **pigsty**) porcherie.
sty[2] [staɪ] *n.* *(Méd.)* orgelet.
⚠ **style** [staɪl] *n.* **1.** style (d'écrivain...). **2.** mode, genre, modèle. **3.** allure, chic. **4.** *(fig.)* genre, manière, ton. **5.** titre, nom. ♦ ***Living style,*** style de vie; ***that car isn't my style,*** ce n'est pas mon genre de voiture; ***that's the style!*** bravo!; ***the three styles are the same price,*** les trois modèles sont au même prix; ***they live in (great) style,*** ils mènent grand train.
v.t. **1.** appeler, qualifier de. **2.** dessiner, créer (robe, coiffure...).
stylish ['staɪlɪʃ] *adj.* élégant, chic.
stylus ['staɪləs] *n.* **1.** style (outil). **2.** tête de lecture (d'électrophone).
⚠ **suave** [swɑ:v] *adj.* **1.** suave. **2.** doucereux, onctueux, insinuant.
subconscious [sʌb'kɒnʃəs] *n.* subconscient.
subcontractor [ˌsʌbkən'træktə] *n.* sous-entrepreneur, sous-traitant.
subdivide [ˌsʌbdɪ'vaɪd] *v.t. et intr.* (se) subdiviser.
subdue [səb'dju:] *v.t.* **1.** soumettre, dompter. **2.** contenir, réfréner (sentiments). **3.** adoucir, atténuer (lumière, couleur). **4.** baisser (voix). ♦ ***In a subdued tone,*** en baissant la voix; ***subdued light,*** lumière tamisée.
subject ['sʌbdʒɪkt] *n.* **1.** sujet, question. **2.** *(Ens.)* matière, discipline. **3.** sujet, ressortissant. **4.** particulier, personne. ♦ ***Let's drop the subject,*** parlons d'autre chose; ***off the subject,*** hors sujet, à côté de la question; ***on the subject of,*** au sujet de.
adj. **1.** assujetti (à), soumis (à). **2.** sujet (à), exposé (à).
v.t. [səb'dʒekt] **1.** assujettir, soumettre. **2.** rendre sujet à, exposer à.
subjection [səb'dʒekʃn] *n.* soumission, sujétion.
subject matter ['sʌbdʒɪktˌmætə] *n.* sujet, matière traitée (dans un livre...)
sublet [sʌb'let] *n.* sous-location. *v.t. irr.*

(*p.* **sublet,** *p.p.* **sublet**) sous-louer (aussi **sublease**).

submarine ['sʌbmərɪ:n] *n. et adj.* sous-marin.

submerge [səb'mɜ:dʒ] *v.t.* submerger. *v. intr.* plonger. ♦ *(fig.)* ***Submerged in work,*** débordé de travail.

submission [səb'mɪʃn] *n.* **1.** soumission. **2.** résignation, déférence.

submissive [səb'mɪsɪv] *adj.* soumis, docile.

submit [səb'mɪt] *v.t. et intr.* (se) soumettre (à).

▻ **subordinate** [sə'bɔ:dɪnət] *n.* subordonnée. *adj.* subordonné (à). *v.t.* subordonner (à).

subscribe [səb'skraɪb] *v.t.* souscrire. *v. intr.* **1.** souscrire (à, pour). **2.** s'abonner (à un journal).

subscriber [səb'skraɪbə] *n.* abonné.

⚠ **subscription** [səbs'krɪpʃn] *n.* **1.** souscription. **2.** abonnement (à un journal...).

subsequent ['sʌbsɪkwənt] *adj.* **1.** ultérieur, postérieur. **2.** consécutif, résultant.

subservient [səb'sɜ:vɪənt] *adj.* **1.** subordonné (à). **2.** qui contribue (à). **3.** obséquieux.

⚠ **subside** [səb'saɪd] *v. intr.* **1.** s'affaisser (être accablé). **2.** baisser, s'abaisser, se calmer, s'apaiser (s'adoucir). **3.** se taire (personne).

subsidize ['sʌbsɪdaɪz] *v.t.* subventionner.

subsidy ['sʌbsɪdɪ] *n.* subvention, allocation.

⚠ **substantially** [səb'stænʃlɪ] *adv.* **1.** considérablement. **2.** en grande partie. **3.** solidement (construit...).

substantiate [səb'stænʃɪeɪt] *v.t.* apporter des preuves à l'appui de, justifier.

⚠ **substitute** ['sʌbstɪtju:t] *n.* **1.** suppléant, remplaçant. **2.** succédané, ersatz. ♦ ***«Beware of substitutes»,*** «Refusez toutes imitations ou contrefaçons».
v.t. substituer (à).

subtitle ['sʌb,taɪtl] *n.* sous-titre.

▻ **subtle** ['sʌtl] *adj.* **1.** subtil, rusé. **2.** fin.

▻ **subtlety** ['sʌtəltɪ] *n.* subtilité, finesse.

subtract [səb'trækt] *v.t.* soustraire.

subtraction [səb'trækʃn] *n.* soustraction.

suburb ['sʌbɜ:b] *n.* **1.** faubourg, banlieue. **2.** *(pl.)* alentours, environs, banlieue. ***We live in the suburbs,*** nous habitons en banlieue. ♦ ***Garden suburb,*** cité-jardin; ***the outer suburbs,*** la grande banlieue.

suburban [sə'bɜ:bən] *adj.* (souvent *péj.*) de la banlieue, suburbain.

suburbanite [sə'bɜ:bənaɪt] *n.* *(fam.)* habitant de la banlieue, banlieusard.

suburbia [sə'bɜ:bɪə] *n.* (souvent *péj.*) **1.** la banlieue. **2.** vie de banlieue.

subway ['sʌbweɪ] *n.* **1.** passage souterrain. **2.** *(amér.)* métro (cf. **underground**).

⚠ **succeed** [sək'si:d] *v.t.* succéder à, suivre. ***They succeeded each other,*** ils se succédaient. *v. intr.* **1.** succéder. **2.** hériter (une propriété). **3.** parvenir (à), réussir (avoir du succès). ♦ ***As year succeeded year,*** comme les années passaient; ***I succeeded in doing it,*** j'ai réussi à le faire; ***nothing succeeds like success,*** un succès en entraîne un autre.

succeeding [sək'si:dɪŋ] *adj.* **1.** suivant (dans le passé). **2.** à venir, futur (à l'avenir). **3.** successif, consécutif.

▻ **success** [sək'ses] *n.* **1.** succès, réussite. **2.** bonne chance. ♦ ***He's a success,*** il réussit, il a du succès; ***we made a success of it,*** nous avons mené l'affaire à bien.

successful [sək'sesfəl] *adj.* qui a réussi, qui réussit.

▻ **succession** [sək'seʃn] *n.* **1.** succession, suite, série. **2.** avènement (au trône...). **3.** postérité (descendance). ♦ ***In rapid succession,*** coup sur coup; ***ten years in succession,*** dix années consécutives.

▻ **succumb** [sə'kʌm] *v. intr.* succomber, céder (à).

such [sʌtʃ] *adj.* tel, pareil, semblable. ♦ ***No such thing,*** rien de semblable; ***such a novel,*** un roman de cette sorte; ***there is no such thing as that,*** ça n'existe pas. *pr.* tel(le). ♦ ***As such,*** en tant que tel; ***such is life,*** c'est la vie.
adv. quant. si, tellement. ♦ ***It's such a strange case,*** c'est un cas si étrange.

suck [sʌk] *v.t. et intr.* **1.** sucer. **2.** têter (à

la mamelle). **3.** aspirer, pomper.
sucker ['sʌkə] *n.* **1.** suceur. **2.** *(fam.)* poire.
sucking pig ['sʌkɪŋpɪg] *n.* cochon de lait.
suckle ['sʌkl] *v.t.* allaiter, nourrir.
sudden ['sʌdn] *adj.* subit, soudain. ♦ ***All of a sudden,*** tout à coup, brusquement.
suds [sʌdz] *n. pl.* (= **soap-suds**) eau de savon, lessive.
⚠ **sue** [su:] *v.t.* poursuivre (en justice). ♦ ***He was sued for libel,*** il a été poursuivi en diffamation.
⚠ **suède** [sweɪd] *n.* **1.** daim (chaussures). **2.** suède, peau de suède (gants).
suet ['su:ɪt] *n.* graisse de bœuf.
⚠ **suffer** ['sʌfə] *v.t.* **1.** souffrir. **2.** supporter, endurer, subir. **3.** laisser, permettre, autoriser.
v. intr. souffrir (de). ♦ ***He suffers from heart trouble,*** il souffre du cœur; ***you'll suffer for it,*** il vous en cuira.
⚠ **sufferance** ['sʌfrəns] *n.* *(Jur.)* tolérance. ♦ ***On sufferance,*** par tolérance.
suffering ['sʌfrɪŋ] *n.* souffrance, douleur. *adj.* souffrant.
suffice [sə'faɪs] *v.t. et intr.* satisfaire (à). *(lit.)* ***Suffice it to say that...,*** je dirai seulement que...
sufficient [sə'fɪʃnt] *adj.* suffisant, assez.
⊳ **suffocate** ['sʌfəkeɪt] *v.t. et intr.* suffoquer, étouffer. ***He was suffocating with anger,*** il étouffait de colère.
suffuse [sə'fju:z] *v.t.* **1.** répandre, couvrir (de). **2.** (se) répandre sur. ♦ ***Eyes suffused with tears,*** yeux baignés de larmes.
sugar ['ʃʊgə] *n.* sucre. ♦ ***A lump of sugar,*** un morceau de sucre; ***brown sugar,*** cassonade; ***castor sugar,*** sucre en poudre.
v.t. **1.** sucrer. **2.** *(fig.)* adoucir, dorer (la pilule).
sugar almond ['ʃʊgə,ɑ:mənd] *n.* dragée.
sugar-basin ['ʃʊgə,beɪsn] *n.* sucrier.
sugary ['ʃʊgərɪ] *adj.* **1.** sucré. **2.** trop sucré. **3.** *(fig)* doucereux, mielleux.
suggest [sə'dʒest] *v.t.* **1.** suggérer. ***He suggested having a beer,*** il a proposé que nous prenions une bière; ***I suggest that we go to the cinema,*** je suggère qu'on aille au cinéma; ***John suggested that they (should) go to York,*** Jean leur a suggéré d'aller à York. **2.** inspirer, donner l'idée de.
suicidal [,su:ɪ'saɪdl] *adj.* suicidaire, fatal.
⊳ **suicide** ['su:ɪsaɪd] *n.* suicide. ♦ ***He committed suicide,*** il s'est suicidé.
⚠ **suit** [su:t] *n.* **1.** suite, collection complète, assortiment. **2.** couleur (cartes). **3.** sollicitation, prière. **4.** demande en mariage. **5.** (= **law-suit**) instance, procès. **6.** complet d'homme, tailleur. ♦ ***He followed suit,*** il en fit autant; ***she brought a suit against him,*** elle lui intenta un procès.
v.t. **1.** adapter. **2.** convenir à, aller à. **3.** plaire à. ♦ ***He suited the action to the word,*** il joignit le geste à la parole; ***suit yourself,*** fais comme tu voudras. *v. intr.* convenir, aller. ***Tuesday will suit all right,*** mardi conviendra très bien.
suitable ['su:təbl] *adj.* qui convient.
suitcase ['su:tkeɪs] *n.* valise.
⚠ **suite** [swi:t] *n.* **1.** suite, ensemble. **2.** (= **suite of rooms**) appartement. **3.** (= **suite of furniture**) mobilier assorti. **4.** *(Mus.)* suite. ♦ ***A three-piece suite,*** ensemble canapé et fauteuils.
suitor ['su:tə] *n.* soupirant, prétendant.
sulk [sʌlk] *v. intr.* bouder, faire la mine.
sulks [sʌlks] *n.* bouderie, maussaderie.
sullen ['sʌln] *adj.* maussade, renfrogné.
sully ['sʌlɪ] *v.t.* *(fig.)* souiller, ternir.
sulphur ['sʌlfə] *n.* soufre.
⚠ **sultana** [sʌl'tɑ:nə] *n.* **1.** sultane. **2.** raisins secs de Smyrne.
sultry ['sʌltrɪ] *adj.* étouffant (chaleur). ***It's sultry,*** il fait lourd.
⚠ **sum** [sʌm] *n.* **1.** somme, total. **2.** problème (d'arithmétique), calcul, opération. ♦ ***He's doing sums,*** il fait du calcul.
summarize ['sʌməraɪz] *v.t.* résumer.
summary ['sʌmrɪ] *n.* résumé, sommaire.
summer ['sʌmə] *n.* été. ♦ ***Indian summer,*** l'été de la Saint-Martin; ***summer camp,*** colonie de vacances; ***summer home,*** maison de campagne; ***summer school,*** cours de vacances.
v. intr. estiver.

summerhouse ['sʌməhaus] *n.* pavillon (dans un jardin).
summing-up [ˌsʌmɪŋ'ʌp] *n.* résumé, récapitulation.
⊳ **summit** ['sʌmɪt] *n.* sommet, cime.
summon ['sʌmən] *v.t.* **1.** convoquer (une réunion...). **2.** appeler, faire venir (quelqu'un). **3.** *(Jur.)* sommer, citer.
summons ['sʌmənz] *n.* **1.** sommation (commandement). **2.** convocation. **3.** appel, invitation. **3.** *(Jur.)* citation, mandat de comparution. ♦ ***I got a summons for drunken driving,*** j'ai eu une citation à comparaître pour conduite en état d'ivresse.
v.t. assigner, appeler à comparaître (en justice).
summon up, *v. part. t.* faire appel à, rassembler (ses forces, son courage...).
sum up, *v. part. t.* résumer, récapituler.
sun [sʌn] *n.* soleil. ♦ ***Everything under the sun,*** tout ce qu'il est possible d'imaginer; ***in the sun,*** au soleil.
v.t. exposer au soleil.
sunbathe ['sʌnbeɪð] *v. intr.* prendre un bain de soleil, se bronzer.
sunbeam ['sʌnbi:m] *n.* rayon de soleil.
sunblind ['sʌnblaɪnd] *n.* store.
sunburnt ['sʌnbɜ:nt] *adj.* **1.** bronzé, hâlé. **2.** brûlé par le soleil.
sundae ['sʌndeɪ] *n.* dessert à la glace et aux fruits. ♦ ***Peach sundae,*** pêche melba.
Sunday ['sʌndɪ] *n.* dimanche. ♦ ***In one's Sunday best,*** tout endimanché; ***Sunday school,*** catéchisme.
sundial ['sʌndaɪəl] *n.* cadran solaire.
sundries ['sʌndrɪz] *n. pl.* choses diverses.
sundry ['sʌndrɪ] *adj.* divers, différent. ♦ ***All and sundry,*** tout le monde, n'importe qui.
sunflower ['sʌnˌflaʊə] *n.* *(Bot.)* tournesol.
sung [sʌŋ] (**sing,** *v.*)
sunk [sʌŋk] (**sink,** *v.*)
sunken ['sʌŋkən] *adj.* **1.** enfoncé. **2.** cave (joues). **3.** creux (yeux). ♦ ***A sunken garden,*** un jardin en contrebas.
sunny ['sʌnɪ] *adj.* **1.** ensoleillé. **2.** *(fig.)* riant, heureux. ♦ ***It's sunny,*** il fait soleil; *(amér.)* ***sunny side up,*** œuf sur le plat; ***the sunny side of things,*** le bon côté des choses.
sunrise ['sʌnraɪz] *n.* lever du soleil (aussi *amér.* **sunup**).
sunset ['sʌnset] *n.* coucher du soleil (aussi *amér.* **sundown**).
sunshade ['sʌnʃeɪd] *n.* parasol, ombrelle.
sunshine ['sʌnʃaɪn] *n.* **1.** soleil, clarté du soleil. ***In the sunshine,*** au soleil. **2.** *(fig.)* gaieté, bonne humeur.
sunstroke ['sʌnstrəʊk] *n.* coup de soleil, insolation.
super ['su:pə] *adj.* *(fam.)* sensas, formid(able) (aussi **super-duper**).
superannuation [ˌsu:pərænjʊ'eɪʃn] *n.* (mise à la) retraite. ♦ ***Superannuation fund,*** caisse de retraite.
supercilious [ˌsu:pə'sɪlɪəs] *adj.* hautain.
⚠ **superintendent** [ˌsu:pərɪn'tendənt] *n.* **1.** chef. **2.** directeur, inspecteur, surintendant. **3.** commissaire de police.
⊳ **supermarket** ['su:pəˌmɑ:kɪt] *n.* supermarché.
supernatural [ˌsu:pə'nætʃrəl] *n. et adj.* surnaturel.
supersede [ˌsu:pə'si:d] *v.t.* **1.** remplacer. **2.** prendre la place de quelqu'un. **3.** supplanter. ♦ ***Superseded idea,*** idée périmée.
supertanker ['su:pəˌtæŋkə] *n.* pétrolier géant.
supervise ['su:pəvaɪz] *v.t.* **1.** surveiller. **2.** diriger (une entreprise, des travaux).
supper ['sʌpə] *n.* souper, dîner.
⊳ **supple** ['sʌpl] *adj.* souple, flexible.
supplement ['sʌplɪmənt] *n.* supplément. *v.t.* **1.** suppléer à. **2.** compléter, arrondir (revenus...).
⚠ **supplier** [sə'plaɪə] *n.* fournisseur.
supplies [sə'plaɪz] *n. pl.* provisions, réserves. ♦ ***Food supplies,*** vivres.
supply [sə'plaɪ] *n.* **1.** fourniture. **2.** provision, approvisionnement, réserve. **3.** alimentation (en eau, électricité...). ♦ ***Sugar is in short supply,*** on manque de sucre; ***supply and demand,*** l'offre et la demande; ***supply teacher,*** suppléant, remplaçant.
v.t. **1.** fournir. **2.** pourvoir (à), subvenir (à) (besoins), ravitailler. ♦ ***They supply us with milk,*** ils nous fournis-

sent le lait.

⚠ **support** [sə'pɔ:t] *n.* **1.** appui, soutien. **2.** support (physique). **3.** entretien (des dépendants).
v.t. **1.** supporter, soutenir (une voûte...). **2.** appuyer, encourager. **3.** faire subsister (une famille...). ♦ ***He supports himself,*** il gagne sa vie; ***our school is supported by money from...,*** notre école reçoit une aide financière de...; ***the communists will support it,*** les communistes voteront pour.

⚠ **supporter** [sə'pɔ:tə] *n.* **1.** adhérent, partisan. **2.** appui, soutien. **3.** *(Sp.)* supporter.

suppose [sə'pəʊz] *v.t.* supposer, s'imaginer, croire, penser. ♦ ***I suppose so,*** probablement; ***suppose he came,*** si par hasard il venait; ***suppose we go now,*** si nous y allions.

supposed [sə'pəʊzd] *adj.* **1.** présumé. **2.** prétendu, soi-disant. **3.** censé. ***He's supposed to come,*** il est censé venir.

supposedly [sə'pəʊzɪdlɪ] *adv.* censément.

supposing [sə'pəʊzɪŋ] *conj.* supposons, supposé (que). ♦ ***Supposing he came,*** s'il venait.

suppress [sə'pres] *v.t.* **1.** supprimer. **2.** réprimer (révolte...). **3.** retenir (sanglots...). ♦ ***A suppressed laugh,*** un rire étouffé.

sure [ʃʊə] *adj.* **1.** sûr, certain. **2.** assuré. ♦ ***He's sure to come,*** il ne manquera pas de venir; ***I'll do it for sure,*** je le ferai sans faute; ***I'll make sure of it,*** je vais m'en assurer; ***to be sure!*** bien sûr! *adv.* sûrement. ***Sure enough!*** à coup sûr!

surely ['ʃʊəlɪ] *adv.* **1.** sûrement. **2.** assurément.

⚠ **surf** [sɜ:f] *n.* ressac. *v. intr.* **1.** se baigner dans le ressac. **2.** faire du surfing.

⊳ **surface** ['sɜ:fɪs] *n.* surface. ♦ ***Surface mail,*** courrier par voie de terre ou maritime.

surfeit ['sɜ:fɪt] *n.* rassasiement, satiété.

surge [sɜ:dʒ] *n.* **1.** houle. **2.** mouvement (de foule...). **3.** vague (de colère...).
v. intr. **1.** être houleux (mer). **2.** déferler, se presser (foule). **3.** monter, croître (colère...). ***The blood surged to her cheeks,*** le sang lui est monté au visage.

surgeon ['sɜ:dʒn] *n.* chirurgien(ne). ♦ ***Dental surgeon,*** chirurgien-dentiste; ***house surgeon,*** interne en chirurgie.

surgery ['sɜ:dʒrɪ] *n.* chirurgie. **2.** cabinet de consultation. ♦ ***Plastic surgery,*** chirurgie esthétique; ***surgery hours,*** heures de consultation.

surgical ['sɜ:dʒɪkl] *adj.* chirurgical. ♦ ***Surgical shock,*** choc opératoire; ***surgical spirit,*** alcool à 90 degrés.

surly ['sɜ:lɪ] *adj.* morose, maussade, bourru.

surmise [sə'maɪz] *n.* soupçon, conjecture. *v.t.* soupçonner. présumer.

⊳ **surmount** [sə'maʊnt] *v.t.* surmonter.

⚠ **surname** ['sɜ:neɪm] *n.* nom de famille.

surplus ['sɜ:pləs] *n.* surplus, excédent. ***Surplus stock,*** soldes.

⊳ **surprise** [sə'praɪz] *n.* **1.** surprise. **2.** étonnement. ♦ ***Much to her surprise,*** à sa grande surprise; *(Mil.)* ***surprise attack,*** coup de main; ***we took him by surprise,*** nous l'avons pris au dépourvu.
v.t. surprendre, étonner. ♦ ***I'm surprised at you,*** vous m'étonnez; ***I shouldn't be surprised,*** ça ne m'étonnerait pas; ***it's nothing to be surprised at,*** ça n'a rien de surprenant.

surprisingly [sə'praɪzɪŋlɪ] *adv.* étonnamment, étrangement. ♦ ***Surprisingly enough...,*** chose étonnante...

surrender [sə'rendə] *n.* **1.** reddition, capitulation. **2.** abandon (d'un titre, d'un droit...). **3.** *(Jur.)* cession. ♦ ***Unconditional surrender,*** reddition sans condition.
v.t. **1.** rendre. **2.** *(fig.)* abandonner, livrer (personne...). **3.** *(Jur.)* céder. *v. intr.* se rendre, capituler.

surreptitious [ˌsʌrəp'tɪʃəs] *adj.* subreptice, clandestin, furtif.

surround [sə'raʊnd] *v.t.* entourer, cerner.

surroundings [sə'raʊndɪŋz] *n. pl.* **1.** alentours, environs. **2.** milieu, cadre (de vie).

⚠ **survey** ['sɜ:veɪ] *n.* **1.** vue, coup d'œil. **2.** étude générale (d'une question...). **3.** inspection, examen détaillé. **4.** expertise, évaluation. **5.** arpentage (de terrain). **6.** levé topographique. ♦

Official survey, cadastre; ***sample survey,*** enquête par sondage; ***survey of public opinion,*** sondage d'opinion.
v.t. [sə'veɪ] **1.** embrasser du regard. **2.** faire un tour d'horizon, étudier dans les grandes lignes. **3.** inspecter, examiner. **4.** lever le plan de, arpenter. **5.** métrer (travaux).

△ **surveyor** [sə'veɪə] *n.* **1.** inspecteur, contrôleur. **2.** (= **land surveyor**) géomètre, arpenteur. **3.** (= **quantity surveyor**) métreur.

survival [sə'vaɪvl] *n.* **1.** survivance. **2.** survie.

▻ **survive** [sə'vaɪv] *v.t. et intr.* survivre (à).

survivor [sə'vaɪvə] *n.* survivant(e).

△ **susceptible** [sə'septəbl] *adj.* **1.** sensible, impressionnable, émotif. **2.** susceptible.

suspect ['sʌspekt] *n. et adj.* suspect.
v.t. [sə'spekt] soupçonner. ♦ ***I suspect danger,*** je flaire le danger; ***we suspected as much,*** nous nous en doutions.

suspend [sə'spend] *v.t.* **1.** suspendre. **2.** cesser, interrompre. **3.** exclure, renvoyer.

suspenders [sə'spendəz] *n. pl.* **1.** jarretelles. **2.** *(amér.)* bretelles.

▻ **suspension** [sə'spenʃn] *n.* suspension. ***Suspension bridge,*** pont suspendu.

suspicion [sə'spɪʃn] *n.* soupçon. ♦ ***I had a suspicion that...,*** je soupçonnais que...; ***I had (my) suspicions about it,*** je m'en doutais, cela me semblait suspect.

suspicious [sə'spɪʃəs] *adj.* **1.** soupçonneux, méfiant. **2.** suspect, louche, équivoque.

△ **sustain** [sə'steɪn] *v.t.* **1.** soutenir, supporter. **2.** éprouver, essuyer (perte...).

swagger ['swægə] *v. intr.* crâner, se pavaner.

swallow[1] ['swɒləʊ] *n.* hirondelle (oiseau).

swallow[2] ['swɒləʊ] *v.t.* avaler. **2.** engloutir, faire disparaître. **3.** *(fig.)* gober.

swallowtail ['swɒləʊteɪl] *n.* (habit à) queue-de-pie. *adj.* à queue d'aronde (assemblage).

swam [swæm] (**swim,** *v.).*

swamp [swæmp] *n.* marais, marécage. ***Swamp fever,*** paludisme.
v.t. **1.** submerger (un pré). **2.** faire couler (bateau). **3.** *(fig.)* submerger. ***I'm swamped with work,*** je suis submergé de travail.

swampy ['swæmpɪ] *adj.* marécageux.

swan [swɒn] *n.* cygne.

swank [swæŋk] *n.* pose. **2.** *(fam.)* épate.
v. intr. **1.** crâner, poser. **2.** faire du chiqué.

swanky ['swæŋkɪ] *adj.* chic, rupin.

swap [swɒp] (aussi **swop**) *n.* troc, échange. *v.t. et intr. (fam.)* échanger, troquer.

swarm [swɔːm] *n.* essaim. ♦ ***In a swarm, in swarms,*** en masse.
v. intr. **1.** essaimer. **2.** *(fig.)* pulluler, grouiller. ♦ ***The town was swarming with police,*** la ville fourmillait de policiers.

swarthy ['swɔːðɪ] *adj.* basané, hâlé.

swastika ['swɒstɪkə] *n.* croix gammée.

swathe [sweɪð] *v.t.* emmailloter. ♦ ***Swathed in bandages,*** enveloppé de bandages.

sway [sweɪ] *n.* **1.** oscillation, balancement. **2.** *(fig.)* domination, règne, influence. *v.t.* **1.** manier, porter. **2.** balancer, agiter. **3.** *(fig.)* diriger, gouverner. **4.** influencer (l'opinion). *v. intr.* se balancer, osciller.

swear [sweə] *v.t. irr. (p.* **swore,** *p.p.* **sworn***)* **1.** faire prêter serment à (des témoins...). **2.** prêter (serment).
v. intr. **1.** jurer. **2.** prêter serment. ♦ ***He swears like a trooper,*** il jure comme un charretier; ***he swore at me,*** il m'a injurié; ***that official is sworn in,*** ce fonctionnaire est assermenté.

swearword ['sweəwɜːd] *n.* juron, gros mot.

sweat [swet] *n.* sueur, transpiration. ♦ ***He's in a sweat,*** il est en sueur. *v.t. et intr.* (faire) suer, (faire) transpirer.

sweater ['swetə] *n.* chandail, pull-over.

sweatshop ['swet-ʃɒp] *n.* atelier, usine où les ouvriers sont exploités.

sweep [swiːp] *v.t. irr. (p.* **swept,** *p.p.* **swept)** **1.** balayer. **2.** ramoner (cheminée). **3.** draguer (rivière). *v. intr.* passer rapidement. ♦ ***He was swept off his feet,*** il était emballé; ***plague swept through the area,*** la peste a

ravagé la région; ***they swept the board,*** ils ont tout raflé, ils ont remporté un succès complet.
n. **1.** coup de balai. **2.** étendue, portée (distance), courbe. **3.** (= **chimney sweep**) ramoneur. **4.** *(fam.)* sweepstake. ♦ ***He made a clean sweep of it,*** il a fait table rase de cela.

sweeping ['swi:pɪŋ] *n.* **1.** balayage. **2.** ramonage. **3.** *(pl.)* balayures, ordures. *adj.* **1.** rapide, irrésistible. **2.** *(fig.)* (trop) général, hâtif (jugement...), radical (changement).

sweet [swi:t] *n.* **1.** bonbon. **2.** dessert. **3.** chéri, ange. *adj.* **1.** doux, sucré. **2.** parfumé (aussi **sweet-smelling**). **3.** suave, mélodieux. **4.** *(fig.)* joli, charmant, mignon. ♦ ***He's a sweet tooth,*** il aime les sucreries.

sweetbread ['swi:tbred] *n.* ris de veau.

sweetbriar, sweetbrier ['swi:tbraɪə] *n.* églantier odorant.

sweeten ['swi:tn] *v.t.* **1.** sucrer. **2.** purifier (l'air...). **3.** adoucir (la vie...).

sweetheart ['swi:thɑ:t] *n.* bien-aimé(e).

sweetpea [ˌswi:t'pi:] *n.* *(Bot.)* pois de senteur.

swell [swel] *v.t. et intr.* *(p.* **swelled,** *p.p.* **swollen, swelled***)* (se) gonfler, (s')enfler, grossir, augmenter. ♦ ***He was swollen with rage,*** il bouillait de rage; ***the little gathering soon swelled into a crowd,*** le petit attroupement est vite devenu une foule.
n. **1.** élévation, montée. **2.** renflement (de son). **3.** houle (de mer). **4.** *(fam.)* rupin, gros bonnet.
adj. **1.** chic, huppé, rupin. **2.** *(amér.)* sensationnel, formidable.

swellhead ['swelhed] *n.* bêcheur.

swelling ['swelɪŋ] *n.* **1.** *(Méd.)* enflure, bouffissure. **2.** gonflement, protubérance. *adj.* grandissant, qui augmente.

swelter ['sweltə] *v. intr.* étouffer de chaleur. ♦ ***It's sweltering hot,*** il fait une chaleur étouffante.

swept [swept] (**sweep,** *v.)*

swerve [swɜ:v] *n.* embardée, écart. *v. intr.* s'écarter, se détourner, faire une embardée.

swift [swɪft] *adj.* vite, rapide, prompt.

swig [swɪg] *n.* *(fam.)* coup, lampée (de bière...). *v. intr.* *(fam.)* boire à longs traits.

swill [swɪl] *n.* **1.** eaux grasses. **2.** grand coup (d'alcool). *v.t.* **1.** laver, rincer. **2.** boire avidement. *v. intr.* **1.** boire. **2.** *(fam.)* s'enivrer.

swim [swɪm] *v. intr. irr.* *(p.* **swam,** *p.p.* **swum***)* **1.** nager. **2.** *(fam.)* tourner (tête). ***My head's swimming,*** la tête me tourne. **3.** *(fig.)* être inondé (de), être submergé ***Her eyes were swimming with tears,*** ses yeux étaient noyés de larmes.
n. nage. ♦ ***He's in the swim,*** il est à la page; ***we'll go for a swim, we'll have a swim,*** nous irons nous baigner.

swimming ['swɪmɪŋ] *n.* nage, natation. ♦ ***Swimming-pool,*** piscine; ***swimming trunks,*** maillot de bain.

swimmingly ['swɪmɪŋlɪ] *adv.* sans accrocs. ♦ ***It all went swimmingly,*** tout a marché comme sur des roulettes.

swindle ['swɪndl] *n.* escroquerie. ♦ ***It's a swindle,*** c'est du vol.
v.t. escroquer.

swindler ['swɪndlə] *n.* escroc, filou.

swine [swaɪn] *n.* **1.** porc. **2.** *(fam.)* salaud.

swing [swɪŋ] *v.t. irr.* *(p.* **swung,** *p.p.* **swung***)* **1.** balancer. **2.** brandir (une arme...). *v. intr.* **1.** se balancer, osciller. **2.** pendiller, être suspendu. **3.** virer, obliquer vers (voiture...). ♦ ***He swung round,*** il fit volte-face; ***she swings her hips,*** elle roule les hanches; ***the door swung open,*** la porte s'ouvrit; ***there's not room enough to swing a cat,*** il n'y a pas la place de se retourner.
n. oscillation, balancement. **2.** balançoire. **3.** *(Mus.)* rythme, swing. ♦ ***He walks with a swing,*** il marche d'un pas rythmé; ***let's get into the swing of things,*** mettons-nous dans le bain; ***the campaign's in full swing,*** la campagne bat son plein.

swing-door ['swɪŋdɔ:] *n.* porte battante.

swinging ['swɪŋɪŋ] *n.* balancement, oscillation. *adj.* **1.** gai, entraînant. **2.** à la page, dans le vent. ♦ ***Swinging London,*** le Londres chic, où l'on s'amuse.

swing-wing [ˌswɪŋ'wɪŋ] *adj.* *(Av.)* à géométrie variable.

swirl [swɜ:l] *n.* remous. *v. intr.* tourbillonner.

swish [swɪʃ] *v.t.* cingler, fouetter. *v. intr.* siffler, bruire.

switch [swɪtʃ] *n.* **1.** *(Élec.)* interrupteur. **2.** aiguille, aiguillage. **3.** revirement (politique...). **4.** badine, baguette. *v.t.* **1.** aiguiller (train). **2.** changer (de). **3.** houspiller, cingler. ♦ ***He switched the conversation to another subject,*** il a détourné la conversation; ***we'll have to switch plans,*** il nous faudra changer de projet.

switchboard ['swɪtʃbɔ:d] *n.* standard téléphonique. ♦ ***Switchboard operator,*** standardiste.

switch off, *v. part. t. et intr.* couper, fermer, arrêter (gaz, électricité...). ♦ ***Switch off (the lights),*** éteignez.

switch on, *v. part. t. et intr.* brancher, ouvrir (gaz, électricité...). ♦ *(Aut.)* ***Switch on (the ignition),*** mettez le contact.

switchyard ['swɪtʃjɑ:d] *n.* gare de triage.

swivel ['swɪvl] *n.* **1.** émerillon. **2.** pivot. ♦ ***Swivel chair,*** fauteuil pivotant. *v. intr.* pivoter.

swollen[1] ['swəʊln] (**swell,** *v.)*

swollen[2] ['swəʊln] *adj.* **1.** enflé, gonflé.

⚠ **sympathy** ['sɪmpəθɪ] *n.* **1.** compassion. **2.** sympathie, solidarité. **3.** condoléances.

swoon [swu:n] *n.* évanouissement. ♦ ***In a swoon,*** en pâmoison. *v. intr.* s'évanouir.

swoop [swu:p] *v. intr.* piquer, fondre (sur).

sword [sɔ:d] *n.* épée.

swore [swɔ:] (**swear,** *v.)*

sworn[1] [swɔ:n] (**swear,** *v.*)

sworn[2] [swɔ:n] *adj.* **1.** assermenté. **2.** sous serment (témoignage...). **3.** juré (ennemi).

swot [swɒt] *n. (fam.)* **1.** travail intense (en argot d'écolier). **2.** corvée. **3.** bûcheur, bûcheuse. *v. intr. (fam.)* bûcher, piocher.

swotting ['swɒtɪŋ] *n. (fam.)* bachotage. ♦ ***I'm going to do some swotting,*** je vais bosser.

swum [swʌm] (**swim,** *v.)*

swung [swʌŋ] (**swing,** *v.)*

syllabus ['sɪləbəs] *n.* **1.** résumé, sommaire. **2.** *(Ens.)* programme. ♦ ***On the syllabus,*** au programme.

⚠ **sympathetic** [ˌsɪmpə'θetɪk] *adj.* **1.** compatissant. **2.** bien disposé (auditoire). **3.** de condoléance (paroles...). ♦ ***He's sympathetic to the young,*** il est bien disposé à l'égard des jeunes.

⚠ **sympathize** ['sɪmpəθaɪz] *v. intr.* **1.** sympathiser (avec). **2.** compatir (à). ♦ ***I sympathize with you,*** je vous plains, je vous comprends, je m'associe à votre douleur.

⚠ **sympathy** ['sɪmpəθɪ] *n.* **1.** compassion. **2.** sympathie, solidarité. **3.** condoléances.

⚠ **synchronize** ['sɪŋkrənaɪz] *v.t.* synchroniser. *v. intr.* avoir lieu en même temps.

synonymous [sɪ'nɒnɪməs] *adj.* synonyme. ♦ ***Synonymous with...,*** synonyme de...

synopsis [sɪ'nɒpsɪs] *n.* (*pl.* **synopses** [sɪ'nɒpsi:z]) résumé, sommaire, précis.

syringe [sɪ'rɪndʒ] *n.* seringue. *v.t.* seringuer.

syrup ['sɪrəp] *n.* sirop. ♦ ***Golden syrup,*** mélasse raffinée.

system ['sɪstəm] *n.* **1.** système. **2.** organisme. **3.** réseau (ferroviaire, routier...). **4.** méthode. ♦ ***Systems analyst,*** analyste-programmeur; ***you lack system,*** vous manquez de méthode.

T

T, t [ti:] 20e lettre de l'alphabet. ♦ ***It fits you to a T,*** ça vous va comme un gant; ***that's it to a T,*** c'est exactement cela.

tab [tæb] *n.* **1.** étiquette. **2.** patte d'étoffe, pan. ♦ ***I'm keeping a tab*** (ou ***tabs) on him,*** je l'ai à l'œil, je le surveille.

▻ **table** ['teɪbl] *n.* table. ♦ ***Set the table,*** mets le couvert; ***let's clear the table,*** desservons; ***table of contents,*** table des matières; ***table talk,*** menus propos. *v.t.* déposer (une motion...).

tablecloth ['teɪblklɒθ] *n.* nappe.

tableland ['teɪbllænd] *n. (Géog.)* plateau.

tablemat ['teɪblmæt] *n.* **1.** napperon. **2.** dessous-de-plat.

tablespoon ['teɪblspu:n] *n.* cuillère à soupe.

△ **tablet** ['tæblɪt] *n.* **1.** plaque commémorative. **2.** tablette (chocolat...). **3.** cachet, comprimé. ♦ ***A tablet of soap,*** une savonnette.

tack [tæk] *n.* **1.** petit clou. **2.** *(Naut.)* bordée. ♦ ***Let's get down to brass tacks,*** venons-en aux faits; ***you're on the right tack,*** vous êtes sur la bonne voie.
v.t. **1.** clouer. **2.** faufiler, bâtir. *v. intr.* **1.** *(Naut.)* virer de bord. **2.** louvoyer.

tackle ['tækl] *n.* attirail, appareil, engins. ♦ ***Fishing tackle,*** articles de pêche. *v.t.* **1.** empoigner. **2.** s'attaquer à (un problème). **3.** *(Sp.)* plaquer (un adversaire). ♦ ***Let's tackle the job,*** attaquons le boulot.

tadpole ['tædpəʊl] *n. (Zool.)* têtard.

tag [tæg] *n.* **1.** patte (d'étoffe). **2.** attache. **3.** ferret (de lacet), fer, bout ferré. **4.** étiquette. **5.** cliché, lieu commun. **6.** *(Gram.)* (= **question tag**) queue de phrase interrogative comme « n'est-ce pas ? ».
v.t. **1.** marquer, étiqueter. **2.** filer, suivre. **3.** *(fig.)* joindre, lier, attacher, coudre (à).

tail [teɪl] *n.* **1.** queue (d'animal). **2.** empennage (d'avion). **3.** pan (d'habit). **4.** pile (de pièces de monnaie). **5.** *(fig.)* fin, extrémité, bout. ♦ ***Heads or tails?*** pile ou face ?; ***he looked at her out of the tail of his eye,*** il la regarda du coin de l'œil.
v.t. **1.** couper la queue (d'un animal). **2.** ôter (les queues de fruits). **3.** suivre, filer (un criminel...).

tailcoat [teɪl'kəʊt] *n.* queue-de-pie, habit.

tailgate ['teɪlgeɪt] *v.t. (amér.)* coller au pare-choc de (quelqu'un).

taillight ['teɪllaɪt] *n. (Aut.)* feu arrière (aussi **taillamp**).

tailor ['teɪlə] *n.* tailleur.

△ **taint** [teɪnt] *n.* **1.** souillure, corruption. **2.** tache (du péché). *v.t.* corrompre, gâter; entacher (réputation).

take [teɪk] *v.t.* (*p.* **took,** *p.p.* **taken**) **1.** prendre, saisir. **2.** tirer, enlever, ôter, voler. **3.** mener, emmener, conduire (quelqu'un). **4.** soustraire, retrancher. **5.** capturer, s'emparer de. **6.** prendre (repas, boisson...). **7.** retenir (une chambre...). **8.** contenir, avoir une capacité de. **9.** accepter, tolérer, supporter. **10.** considérer (l'exemple de...). **11.** demander, exiger (du temps, du courage...). **12.** supposer, imaginer. *v. intr.* **1.** réussir, avoir du succès. **2.** prendre (feu, vaccin...). ♦ ***Don't take any notice of it,*** n'y faites pas attention; ***he's taking the exam in June,*** il se présente à l'examen en juin; ***he took a dislike to her,*** il l'a prise en grippe; ***he was taken prisoner,*** il fut fait prisonnier; ***I take it that...,*** je suppose que...; *(fam.)* ***it takes some doing,*** ce n'est pas facile; ***I took hold of it,*** je l'ai empoigné; ***I've taken it to pieces,*** je l'ai démonté; ***I was taken ill,*** je suis tombé malade; ***let's take a walk,*** faisons une promenade; ***she takes after her father,*** elle ressemble beaucoup à son père; ***she takes an interest in history,*** elle s'intéresse à l'histoire; ***she took it (away, off) from me,*** elle me l'a enlevé ou arraché; ***take advantage of the opportunity,*** profitez de l'occasion; ***take care,*** prenez garde; ***take care of it,*** prenez-en soin; ***take it back,*** reprends-le; remporte-le; ***take it easy,*** ne t'en fais pas; ne te fatigue pas; ***take it from me,*** croyez-moi sur parole; ***take it or leave it,*** c'est à prendre ou à laisser; ***take my advice,*** suivez mes conseils; ***taken aback,*** surpris, confondu; ***they've taken to drinking,*** ils se sont mis à boire; ***we took to him at once,*** il nous a paru tout de suite sympathique.
n. **1.** *(Ciné.)* prise de vue(s). **2.** enregistrement. **3.** prise (pêche, chasse).

take in, *v. part. t.* **1.** rentrer (moisson...). **2.** faire entrer (visiteur). **3.** recevoir chez soi. **4.** comprendre, consister en. **5.** saisir, comprendre. **6.** tromper, duper. **7.** reprendre, diminuer (tricot, couture). ♦ ***He's a real***

spy, he takes everything in; c'est un véritable espion, rien ne lui échappe; ***I was taken in,*** on m'a roulé.

taken ['teɪkən] (**take,** *v.*)

takeoff ['teɪkɒf] *n.* **1.** *(Av.)* décollage. **2.** *(fam.)* caricature.

take off, *v. part. t.* **1.** enlever, ôter (vêtements). **2.** rabattre (prix). **3.** emmener, transporter. *v. part. intr. (Av.)* décoller. ♦ *(fam.)* ***I'll take myself off now,*** je vais me tirer maintenant; ***they had to take her leg off,*** on a dû l'amputer d'une jambe; ***they took £ 2 off,*** ils ont fait un rabais de 2 livres.

take down, *v. part. t.* **1.** descendre. **2.** prendre en note.

takeover ['teɪk,əʊvə] *n.* *(Ind.)* rachat (d'une entreprise). ***Takeover bid,*** offre publique d'achat (O.P.A.).

take over, *v. part. t. et intr.* prendre la suite (dans une affaire,...).

tale [teɪl] *n.* **1.** conte, récit. **2.** légende. **3.** mensonge, histoire fausse. **4.** rapport, récit (d'événements). ♦ ***Fairy tale,*** conte de fées.

talented ['tælentɪd] *adj.* de talent, doué.

talk [tɔ:k] *n.* **1.** paroles. **2.** bruit, dires. **3.** propos, bavardages. **4.** entretien, causerie, exposé. ♦ ***It's just talk,*** ce sont des on-dit; ***she's the talk of the town,*** on ne parle que d'elle; ***small talk,*** papotage.
v.t. et intr. parler. ♦ *(fam.)* ***He's talking through his hat,*** il dit n'importe quoi; ***we talked him into doing it,*** nous l'avons persuadé de le faire (à force de paroles); ***we were talking shop,*** nous parlions boutique.

talkative ['tɔ:kətɪv] *adj.* bavard, causeur.

talker ['tɔ:kə] *n.* causeur, parleur. ♦ ***He's a good talker,*** il est bon orateur; ***he's a great talker,*** il est très bavard.

tall [tɔ:l] *adj.* **1.** grand, de haute taille. **2.** *(fam.)* excessif, exagéré. ♦ ***He's six feet tall,*** il mesure 1,80 m; ***that's a tall order,*** c'est trop exiger.

tallow ['tæləʊ] *n.* suif.

tally ['tælɪ] *n.* **1.** taille. **2.** entaille; marque. **3.** étiquette (cf. **label, tag**).
v. intr. **1.** correspondre (à). **2.** s'accorder (avec). ♦ ***His figures don't tally with mine,*** ses chiffres ne correspondent pas aux miens.

⚠ **talon** ['tælən] *n.* serre, griffe.

tame [teɪm] *adj.* **1.** apprivoisé. **2.** domestique. **3.** soumis. **4.** *(fig.)* insipide, plat, terne. *v.t.* **1.** apprivoiser, dompter.

tamper ['tæmpə] *v. intr.* **1.** toucher (à) sans autorisation, tripoter. **2.** falsifier (document...). **3.** *(fig.)* se mêler de. ♦ ***The lock was tampered with,*** on a tripoté la serrure.

⚠ **tan** [tæn] *n.* **1.** tan. **2.** tanné (couleur). **3.** (= **suntan**) hâle, bronzage. *v.t.* **1.** tanner (les peaux). **2.** bronzer, brunir. ♦ ***He got tanned, he tanned,*** il a bronzé.

tangerine [,tændʒə'ri:n] *n.* mandarine.

tangle ['tæŋgl] *n.* enchevêtrement. *v.t. et intr.* (s') enchevêtrer, (s') embrouiller.

⚠ **tank** [tæŋk] *n.* **1.** réservoir. **2.** *(Mil.)* char de combat, tank. ♦ *(Aut.)* ***Full tank, please,*** le plein, s'il vous plaît.

tankard ['tæŋkəd] *n.* chope, pot à bière.

tanker [tæŋkə] *n.* **1.** (= **tanker truck**) camion-citerne. **2.** *(Naut.)* pétrolier.

tantalize ['tæntəlaɪz] *v.t.* **1.** mettre au supplice. **2.** *(fig.)* taquiner, tourmenter.

tantrum ['tæntrəm] *n.* mauvaise humeur. ♦ ***The little boy threw a fit of tantrums,*** le petit garçon piqua une colère.

⚠ **tap**[1] [tæp] *n.* **1.** robinet *(amér.* **faucet**). **2.** (= **taproom**) salle de café. ♦ ***Beer on tap,*** bière pression.
v.t. **1.** tirer (liquide). **2.** mettre en perce (baril). **3.** *(fig.)* puiser dans les réserves de. **4.** mettre un téléphone sur écoute. ***His phone's being tapped,*** son téléphone est sur table d'écoute.

⊳ **tap**[2] [tæp] *n.* **1.** petite tape. **2.** petit coup (à la porte...). *v.t. et intr.* taper légèrement, tapoter.

⚠ **tape** [teɪp] *n.* **1.** ruban. **2.** ganse (sur habit). **3.** (= **recording tape**) bande magnétique. **4.** *(Sp.)* bande d'arrivée. ♦ ***Insulating tape,*** chatterton; ***red tape,*** routine administrative, bureaucratie; ***tape deck,*** platine de magnétophone; ***tape machine,*** télescripteur, téléimprimeur; ***tape measure,*** mètre à ruban.

⚠ **taper** ['teɪpə] *n.* **1.** bougie fine. **2.** *(Rel.)* cierge. *v.t.* **1.** effiler. **2.** tailler en pointe. *v. intr.* **1.** s'effiler. **2.** aller en

diminuant.
tape recorder ['teɪprɪ,kɔ:də] *n.* magnétophone.
tapering ['teɪpərɪŋ] *adj.* **1.** en pointe. **2.** effilé, fuselé (doigts...).
tapestry ['tæpɪstrɪ] *n.* tapisserie (toile).
tapping¹ ['tæpɪŋ] *n.* **1.** mise en perce (de baril). **2.** (= **telephone tapping**) écoute téléphonique.
tapping² ['tæpɪŋ] *n.* tapotement.
tar¹ [tɑ:] *n.* goudron. *v.t.* goudronner.
tar² [tɑ:] *n.* (= **jack tar**) loup de mer.
⚠ **target** ['tɑ:gɪt] *n.* **1.** cible. **2.** but, objectif.
⚠ **tariff** ['tærɪf] *n.* **1.** tarif douanier. **2.** tarif, tableau des prix.
tarmac ['tɑ:mæk] *n.* **1.** macadam. **2.** *(Av.)* piste, aire d'envol. *v.t.* goudronner.
tarnish ['tɑ:nɪʃ] *v.t.* **1.** ternir. **2.** *(fig.)* souillon, flétrir. *v. intr.* se ternir.
tarpaulin [tɑ:'pɔ:lɪn] *n.* bâche.
tarry ['tærɪ] *v. intr. (lit.)* s'attarder, tarder.
⚠ **tart¹** [tɑ:t] *n.* **1.** *(Cuis.)* tarte. **2.** *(vulg.)* (= **French tart**) poule, putain, grue.
⚠ **tart²** [tɑ:t] *adj.* **1.** âpre, acide. **2.** *(fig.)* acerbe.
tartly ['tɑ:tlɪ] *adv.* d'une manière acerbe.
task [tɑ:sk] *n.* tâche, besogne, travail. ♦ ***He took me to task,*** il m'a pris à partie; *(Mil.)* ***task force,*** force d'intervention.
tassel ['tæsl] *n.* gland, pompon.
taste [teɪst] *n.* **1.** goût. **2.** *(fig.)* soupçon, trace. ♦ ***It's bad taste,*** c'est de mauvais goût; ***there's no accounting for tastes,*** des goûts et des couleurs on ne discute pas.
v.t. **1.** goûter. **2.** *(fig.)* savourer, éprouver. *v. intr.* avoir un goût. ♦ ***It tastes good*** (ou ***nice),*** ça a bon goût; ***it tastes like garlic,*** cela a un goût d'ail; ***just taste this,*** goûtez un peu à ça.
tasteful ['teɪstfəl] *adj.* de bon goût, d'un goût sûr, élégant.
tasteless ['teɪstlɪs] *adj.* **1.** sans saveur, fade. **2.** de mauvais goût, laid.
tasty ['teɪstɪ] *adj.* **1.** de bon goût, savoureux. **2.** relevé, bien assaisonné. **3.** *(fig)* piquant (nouvelle, scandale...).
tatter ['tætə] *n.* **1.** lambeau (d'étoffe). **2.** *(pl.)* haillons. ♦ ***In tatters,*** en loques.
tattered ['tætəd] *adj.* **1.** déguenillé, en haillons (personne). **2.** en lambeaux, tout déchiré.
▻ **tattoo¹** [tə'tu:] *n.* tatouage. *v.t.* tatouer.
⚠ **tattoo²** [tə'tu:] *n.* **1.** *(Mil.)* battement de tambour. **2.** parade, fête militaire. ♦ ***Torchlight tattoo,*** retraite aux flambeaux.
tatty ['tætɪ] *adj. (fam.)* défraîchi.
taught [tɔ:t] (**teach,** *v.*)
taunt [tɔ:nt] *n.* **1.** reproche méprisant. **2.** raillerie, sarcasme.
v.t. railler, persifler.
taut [tɔ:t] *adj.* tendu, raide, raidi.
tawdry ['tɔ:drɪ] *adj.* criard, clinquant.
tawny ['tɔ:nɪ] *adj.* fauve (couleur).
⚠ **tax** [tæks] *n.* **1.** impôt, contribution, taxe. **2.** *(fig.)* charge, fardeau (imposé). ♦ ***Income tax,*** impôt sur le revenu; ***purchase tax,*** taxe de luxe; ***tax collector,*** percepteur, receveur; ***tax evasion,*** fraude fiscale; ***tax free, free of tax,*** exempt d'impôt, exonéré; ***that was a tax on his nerves,*** cela mit ses nerfs à l'épreuve; ***value-added tax, VAT,*** taxe à la valeur ajoutée, T.V.A.
v.t. **1.** taxer, frapper d'impôt. **2.** imposer (quelqu'un). **3.** mettre à l'épreuve (la patience...). **4.** accuser de. ♦ ***He was taxed with stealing,*** on l'a accusé de vol; ***we're heavily taxed,*** nous payons beaucoup d'impôts.
⚠ **taxation** [tæk'seɪʃn] *n.* imposition, taxation. **2.** charges fiscales, impôts.
taxpayer ['tæks,peɪə] *n.* contribuable.
tea [ti:] *n.* **1.** thé (plante, infusion, repas). ♦ *(fam.)* ***It's not my cup of tea,*** ce n'est pas le genre de choses que j'aime; ***tea break*** (ou ***coffee-break),*** pause (-thé, -café) (pratiquée au bureau, en usine...); ***tea caddy,*** boîte à thé; ***tea cosy,*** couvre-théière; ***tea party,*** thé (réception); ***tea strainer,*** passe-thé; ***tea towel,*** torchon à vaisselle; ***tea trolley,*** table roulante; ***tea urn,*** fontaine à thé.
teacake ['ti:keɪk] *n.* petit pain brioché.
teach [ti:tʃ] *v.t. et intr. (p.* **taught,** *p.p.* **taught***)* enseigner. ♦ ***That will teach her a lesson!*** ça lui apprendra!
teacher ['ti:tʃə] *n.* **1.** maître, instituteur, institutrice. **2.** professeur du secon-

daire.

teaching ['ti:tʃɪŋ] *n.* enseignement. ***He went into teaching,*** il est entré dans l'enseignement; ***teaching hospital,*** centre hospitalo-universitaire, C.H.U.

teacup ['ti:kʌp] *n.* tasse à thé. ♦ *(fig.)* ***A storm in a teacup,*** une tempête dans un verre d'eau.

team [ti:m] *n.* **1.** *(Sp.)* équipe. **2.** attelage.

teamster ['ti:mstə] *n.* *(amér.)* chauffeur de camion, routier.

teapot ['ti:pɒt] *n.* théière.

tear[1] [tɪə] *n.* larme. ♦ ***He burst into tears,*** il a fondu en larmes; ***near*** (ou ***close to) tears,*** au bord des larmes.

tear[2] [teə] *n.* déchirure, accroc. ♦ ***Wear and tear,*** usure.
v.t. irr. (*p.* **tore,** *p.p.* **torn**) **1.** déchirer. **2.** *(fig.)* arracher. *v. intr.* **1.** se déchirer. **2.** aller à toute allure. ♦ ***She store up the stairs,*** elle monta les escaliers quatre à quatre; ***torn between two things,*** tiraillé entre deux choses; ***torn to pieces*** (ou ***to bits***), déchiré en menus morceaux.

tearaway ['teərəweɪ] *n.* *(fam.)* garnement; casse-cou.

teargas ['tɪəgæs] *n.* gaz lacrymogène.

tearoom ['ti:ru:m] *n.* salon de thé.

tease [ti:z] *v.t.* taquiner, tourmenter, faire enrager. *n.* **1.** taquin. **2.** taquinerie.

teashop ['ti:ʃɒp] *n.* pâtisserie-salon de thé.

▷ **technical** ['teknɪkl] *adj.* technique.

technicality [,teknɪ'kælɪtɪ] *n.* **1.** détail technique. **2.** terme de technique.

teddy ['tedɪ] *n.* (= **teddy bear**) ours en peluche.

tedious ['ti:dɪəs] *adj.* ennuyeux, fatigant, fastidieux.

teem [ti:m] *v. intr.* abonder (en), fourmiller (de). ♦ ***His head is teeming with ideas,*** il déborde d'idées; ***it's teeming with rain,*** il pleut à seaux.

teenager ['ti:neɪdʒə] *n.* adolescent.

teens [ti:nz] *n. pl.* l'âge de treize à dix-neuf ans. ♦ ***She's still in her teens,*** elle est encore adolescente.

teeth [ti:θ] *n. pl.* dents *(sing.* **tooth***)*. ♦ ***A set of (false) teeth,*** un râtelier, un dentier; ***he escaped by the skin of his teeth,*** il l'a échappé belle; *(fam.)* ***I'm fed up to the back teeth,*** j'en ai marre; ***it sets my teeth on edge,*** ça me fait grincer les dents.

teethe [ti:ð] *v. intr.* percer ses dents.

teetotaller [ti:'təʊtlə] *n.* personne qui ne boit jamais d'alcool.

▷ **telephone** ['telɪfəʊn] *n.* téléphone. ♦ ***He's on the telephone,*** il est au téléphone (il parle) ou il a le téléphone (chez lui); ***telephone answering machine,*** répondeur automatique; ***telephone box*** (ou ***booth***), cabine téléphonique; ***telephone directory*** (ou ***book***), annuaire; ***telephone exchange,*** central téléphonique; ***telephone tapping,*** mise sur écoute (téléphonique).

teleprinter ['telɪ,prɪntə] *n.* téléscripteur.

televiewer ['telɪvju:ə] *n.* téléspectateur.

▷ **television** ['telɪ,vɪʒn] *n.* télévision. ♦ ***On television,*** à la télévision; ***television set,*** poste de télévision, téléviseur.

tell [tel] *v.t. irr.* (*p.* **told,** *p.p.* **told**). **1.** dire. **2.** faire part de. **3.** raconter, réciter. **4.** montrer, indiquer, expliquer. **5.** révéler, dévoiler. **6.** énumérer, compter. **7.** avouer, confesser. **8.** reconnaître (à). **9.** savoir, deviner, discerner. *v. intr.* **1.** dire. **2.** faire son effet, porter. **3.** juger, interpréter. ♦ ***Do as you're told,*** fais ce qu'on te dit; ***I can't tell one from the other,*** je suis incapable de les distinguer l'un de l'autre; ***I'll tell you what,*** je vais vous dire une chose; ***I told you about it,*** je t'en ai parlé; ***I told you so,*** je te l'avais bien dit; ***it tells on my nerves,*** ça me tape sur les nerfs; ***to tell you the truth,*** à vrai dire; ***who can tell!*** qui sait! ***you're telling me!*** tu parles! à qui le dis-tu!

telling ['telɪŋ] *adj.* qui porte (argument...).

tell off, *v. part. t.* gronder, attraper.

telly ['telɪ] *n.* *(fam.)* télé.

temper ['tempə] *n.* **1.** tempérament, disposition. **2.** humeur. **3.** colère, rage. **4.** sang-froid. **5.** trempe (d'acier...). ♦ ***Keep your temper,*** restez calme; ***he lost his temper,*** il s'est fâché; ***he was in a temper,*** il était en colère.
v.t. **1.** obtempérer, modérer (son ardeur...). **2.** tremper (acier).

temperamental [,tempərə'mentl] *adj.*

capricieux, lunatique.

⚠ **temperate** ['tempərɪt] *adj.* **1.** modéré, sobre, retenu (personne). **2.** tempéré (climat).

temperature ['temprətʃə] *n.* température. ♦ ***He has a temperature,*** il a de la fièvre.

▻ **temple**[1] ['templ] *n. (Rel.)* temple.

⚠ **temple**[2] ['templ] *n. (Anat.)* tempe.

tempt [tempt] *v.t.* tenter, séduire, pousser (à).

▻ **temptation** [temp'teɪʃn] *n.* tentation.

tempting ['temptɪŋ] *adj.* **1.** tentant, séduisant, attrayant. **2.** appétissant (nourriture).

⚠ **tenant** ['tenənt] *n.* locataire.

⚠ **tend**[1] [tend] *v.t.* garder, soigner, veiller (sur).

▻ **tend**[2] [tend] *v. intr.* tendre (à), se diriger (vers). ♦ ***She tends to be lazy,*** elle a tendance à être paresseuse; ***they tended towards fascism,*** ils avaient des tendances fascistes.

tendency ['tendənsɪ] *n.* tendance, penchant.

▻ **tender**[1] ['tendə] *adj.* **1.** tendre (viande...), délicat, fragile (plante). **2.** tendre, affectueux, doux, caressant.

⚠ **tender**[2] ['tendə] *n.* **1.** offre, proposition. **2.** *(Comm.)* soumission. **3.** *(Fin.)* cours. ♦ ***Is that coin legal tender?*** cette pièce a-t-elle cours? ***they invited tenders for it, they put it out to tenders,*** ils l'ont mis en adjudication.
v.t. offrir (ses services...). *v. intr.* *(Comm.)* soumissionner (pour), faire une soumission (pour).

tenement ['tenɪmənt] *n.* (= **tenement house**) immeuble d'habitation, souvent dans les quartiers pauvres.

tenet ['tenɪt] *n.* principe, doctrine.

tenfold ['tenfəʊld] *adj.* décuple. *adv.* dix fois. ♦ ***It increased tenfold,*** cela a décuplé.

tense[1] [tens] *n. (Gram.)* temps.

tense[2] [tens] *adj. (prop. et fig.)* tendu.

▻ **tentacle** ['tentɪkl] *n.* tentacule.

⚠ **tentative** ['tentətɪv] *adj.* provisoire, encore incertain (projet...).

tentatively ['tentətɪvlɪ] *adv.* à titre expérimental, en guise d'essai.

tenterhook ['tentəhʊk] *n.* clou à crochet. ♦ ***I was on tenterhooks,*** j'étais sur des charbons ardents, au supplice.

tenuous ['tenjʊəs] *adj.* mince, ténu.

tenure ['tenjə] *n.* **1.** possession, jouissance (d'un bien, d'un emploi...). **2.** *(amér.)* titularisation. ♦ ***This teacher's on tenure,*** ce professeur est titulaire.

tepid ['tepɪd] *adj.* tiède.

⚠ **term** [tɜːm] *n.* **1.** terme, période. **2.** limite. **3.** *(Ens.)* trimestre. **4.** *(Jur.)* session. **5.** terme, mot. **6.** *(pl.)* relations, rapports. **7.** *(pl.)* *(Comm.)* conditions, prix. ♦ ***I'm on bad terms with him,*** je suis mal avec lui; ***in terms of money,*** sur le plan argent; ***in the long term,*** à long terme; ***they're not on speaking terms,*** ils ne se parlent plus; ***we came to terms,*** nous sommes arrivés à un accord; *(Comm.)* ***we offer it on easy terms,*** nous faisons des facilités de paiement.
v.t. nommer, appeler.

⚠ **terminal** ['tɜːmɪnl] *n.* **1.** terminus. **2.** terminal (d'ordinateur). ♦ ***Air terminal,*** aérogare. *adj.* **1.** final. **2.** *(Ens.)* de fin de trimestre (examen).

⚠ **terrace** ['terɪs] *n.* **1.** terrasse, terre-plein, plate-forme. **2.** rangée de maisons (attenantes les unes aux autres), rue. **3.** *(pl.) (Sp.)* gradins. *v.t.* arranger en terrasses. ♦ ***A terraced house,*** une maison attenante à la maison voisine (souvent semblable).

⚠ **terrible** ['terəbl] *adj.* **1.** terrible, effroyable. **2.** *(fam.)* insupportable, épouvantable.

terribly ['terəblɪ] *adv.* **1.** terriblement. **2.** *(fam.)* extrêmement, très, rudement.

terrific [tə'rɪfɪk] *adj.* **1.** terrifiant, épouvantable. **2.** *(fam.)* énorme. **3.** *(fam.)* sensationnel, formidable.

terrifying ['terɪfaɪɪŋ] *adj.* terrifiant.

terror-stricken ['terə,strɪkən] *adj.* épouvanté (aussi **terror-struck**).

terse [tɜːs] *adj.* concis, net (style, discours).

⚠ **test** [test] *n.* **1.** épreuve, essai. **2.** test, examen, interrogation. ♦ ***Blood test,*** analyse de sang; ***he didn't stand the test,*** il ne s'est pas montré à la hauteur; ***he was put to the test,*** on l'a mis à l'essai; ***test tube (baby),*** (bébé) éprouvette.
v.t. mettre à l'épreuve, tester.

testify ['testɪfaɪ] *v.t.* **1.** témoigner. **2.** *(Jur.)* déposer. *v. intr.* **1.** témoigner (de). ***I can testify to that,*** je puis en témoigner. **2.** *(Jur.)* déposer.

⚠ **testimonial** [ˌtestɪ'məʊnɪəl] *n.* **1.** (lettre de) recommandation, certificat. **2.** témoignage (d'estime...).

testimony ['testɪmənɪ] *n.* témoignage.

testing-bench ['testɪŋbentʃ] *n.* banc d'essai (aussi **test bench**).

testy ['testɪ] *adj.* **1.** irritable (personne). **2.** vif, désagréable (remarque,...).

tetanus ['tetənəs] *n.* *(Méd.)* tétanos.

tether ['teðə] *n.* longe, attache. ♦ *(fig.)* ***I'm at the end of my tether,*** je suis au bout de mon rouleau. *v.t.* attacher (animal).

textbook ['tekstbʊk] *n.* manuel scolaire.

than [ðən,ðæn] *conj.* (de comparaison) **1.** que. ***I'm older than him,*** je suis plus vieux que lui. **2.** de. ***Less than ten,*** moins de dix. **3.** que de. ***I would rather*** (ou ***I had sooner***) ***play than work,*** j'aimerais mieux jouer que travailler; ***you had better work than play,*** vous feriez mieux de travailler que de jouer.

thank [θæŋk] *v.t.* remercier (de). ♦ ***(I) thank you for doing it,*** je vous remercie de le faire ou de l'avoir fait; ***(I) thank you for it,*** je t'en remercie; ***thank God*** (ou ***goodness***), Dieu merci.

thankful ['θæŋkfəl] *adj.* reconnaissant. ♦ ***I'm thankful for that,*** j'en suis reconnaissant.

thankless ['θæŋklɪs] *adj.* ingrat.

thanksgiving [ˌθæŋks'gɪvɪŋ] *n.* action de grâces. ♦ *(U.S.)* ***Thanksgiving Day,*** jour d'actions de grâces (4ᵉ jeudi de novembre).

that [ðæt] *adj. dém.* (*pl.* **those** [ðəʊz]) **1.** ce, cet, cette. **2.** ce...-là, cet...-là, cette...-là. *pr. dém.* **1.** celui-là, celle-là. **2.** cela, ça. ♦ ***At that, with that,*** là-dessus; ***that is (to say),*** c'est-à-dire; ***that's that!*** c'est comme ça! un point c'est tout! ***that son of his,*** son fameux fils; ***you're right in that...,*** vous avez raison en ce sens que...
pr. rel. [ðæt, ðət] qui, que, lequel, laquelle, lesquels, lesquelles.
conj. que.
adv. [ðæt] aussi, si. ***He isn't that stupid,*** il n'est pas idiot à ce point.

thatch [θætʃ] *n.* chaume (de toit). *v.t.* couvrir de chaume. ♦ ***A thatched cottage,*** une chaumière, une chaumine.

thaw [θɔː] *n.* dégel. *v.t. et intr.* **1.** (se) dégeler. **2.** (s') attendrir.

the [ðə, ðɪ] *art.* le, l', la, les. ♦ ***All the better,*** tant mieux; ***he's the professor here,*** c'est lui le grand professeur ici; ***he plays the violin,*** il joue du violon; ***the more so as (because)...,*** d'autant plus que...; ***the sooner the better,*** le plus tôt sera le mieux.

⚠ **theatre** ['θɪətə] *n.* (*amér.* **theater**) **1.** théâtre. **2.** *(Méd.)*(= **operating theatre**) salle d'opération, bloc opératoire.

theatrical [θɪ'ætrɪkl] *adj.* théâtral.

theatricals [θɪ'ætrɪklz] *n. pl.* (= **amateur theatricals**) théâtre d'amateurs.

theft [θeft] *n.* vol. ♦ ***Petty theft,*** larcin.

their [ðeə,ðə,] *adj. poss.* leur(s).

theirs [ðeəz] *pr. poss.* le leur, la leur, les leurs. ♦ ***A friend of theirs,*** un de leurs amis.

them [ðəm,ðem] *pr. pers.* eux, elles, les, leur (à eux, à elles). ♦ ***Both of them,*** les deux; ***every one of them,*** tous; ***half of them,*** la moitié d'entre eux; ***several of them,*** plusieurs.

▻ **theme** [θiːm] *n.* thème, sujet. ♦ ***Theme song,*** chanson leitmotiv (d'un film...).

themselves [ðəm'selvz] *pr. réfl.* eux-mêmes, elles-mêmes, se.

then [ðen] *adv.* **1.** alors, en ce temps-là. **2.** puis, ensuite. **3.** dans ce cas. **4.** donc. ♦ ***By then he had gone,*** il était déjà parti; ***but then,*** en revanche; ***now and then,*** de temps en temps; ***there and then*** (ou ***then and there***), séance tenante.

▻ **theoretical** [θɪə'retɪkl] *adj.* théorique.

there [ðeə] *adv.* **1.** là, y. **2.** il (impersonnel). ***There comes a time when...,*** il vient un moment où... **3.** en cela. **4.** voilà. ♦ ***Here and there,*** çà et là; ***in there,*** là-dedans; ***over there,*** là-bas; ***there and then,*** séance tenante; ***there he is!*** le voilà! ***there isn't just one book, there are five,*** il n'y a pas qu'un livre, il y en a cinq; ***there you are!*** voilà!

thereabouts [ˌðeərə'baʊts] *adv.* **1.** par

là, près de là. **2.** à peu près, environ (aussi **thereabout**). ♦ ***It's two o'clock or thereabouts,*** il est environ deux heures.

thereby [ðeə'baɪ] *adv.* par là, par ce moyen, de cette façon.

therefore ['ðeəfɔː] *adv.* par conséquent, donc.

thereupon [,ðeərə'pɒn] *adv.* là-dessus, sur cela, sur ce (aussi **thereon, thereat**).

thermos ['θɜːməs] *n.* (= **thermos flask, thermos bottle**) bouteille thermos.

these [ðiːz] (*sing.* **this** [ðɪs]) *adj. dém.* ces, ces...-ci. *pr. dém.* ceux-ci, celles-ci. ♦ ***I've been here these last two hours,*** il y a deux heures que je suis ici; ***these are mine, those are his,*** ceux-ci sont à moi, ceux-là sont à lui.

thesis ['θiːsɪs] (*pl.* **theses** ['θiːsiːz]) *n.* thèse.

they [ðeɪ, ðə] *pr. pers.* **1.** ils, eux, elles. **2.** (suivi d'un relatif) ceux, celles. **3.** on (les gens). ♦ ***So they say,*** c'est ce qu'on dit.

they'd [ðeɪd] contraction de **they had** ou **they would.** ♦ ***They'd have been happy if they'd done it,*** ils auraient été heureux s'ils l'avaient fait.

they'll [ðeɪl] contraction de **they will.**

thick [θɪk] *adj.* **1.** épais. **2.** gros. **3.** fort, solide (porte...). **4.** consistant (soupe...), trouble (boisson...). **5.** dru, serré, touffu. **6.** indistinct, pâteux (voix). **7.** *(fam.)* intime. **8.** *(fam.)* obtus, borné. ♦ ***As thick as a brick,*** bête comme ses pieds; ***that's a bit thick!*** ça c'est un peu raide!
adv. épais, dru (vite), de partout (aussi **thickly**). ♦ ***The arrows fell thick and fast,*** les flèches pleuvaient de partout.
n. partie charnue, gras (de la jambe...). ♦ ***In the thick of the fight,*** au plus fort de la mêlée.

thicken ['θɪkən] *v.t. et intr.* **1.** (s') épaissir. **2.** (se) lier (sauce).

thicket ['θɪkɪt] *n.* fourré, hallier, taillis.

thickheaded [,θɪk'hedɪd] *adj.* sot, bête.

thickset [,θɪk'set] *adj.* **1.** trapu, râblé. **2.** planté serré, touffu, épais.

thief [θiːf] *n.* (*pl.* **thieves** [θiːvz]) voleur.

thigh [θaɪ] *n.* cuisse.

thighbone ['θaɪbəʊn] *n.* fémur. ♦ ***He fractured the neck of his thighbone,*** il s'est cassé le col du fémur.

thimble ['θɪmbl] *n.* dé (à coudre).

thin [θɪn] *adj.* **1.** mince. **2.** maigre, décharné. **3.** élancé, svelte. **4.** peu nombreux (gens). **5.** clair (soupe...). **6.** clairsemé, rare (arbres...). **7.** grêle, faible (voix...). ♦ ***As thin as a rake*** (ou ***a lath***), maigre comme un clou; ***he's grown thin(ner),*** il a maigri; ***John's rather thin on top,*** Jean perd ses cheveux.
adv. d'une manière éparse, clair (aussi **thinly**).
v.t. **1.** délayer, allonger (sauce...). **2.** s'éclaircir, s'amenuiser. ♦ ***His hair is thinning,*** il perd ses cheveux.

thing [θɪŋ] *n.* **1.** chose, objet, affaire. **2.** être, créature. **3.** *(pl.)* affaires, effets. ♦ ***For one thing,*** d'abord, en premier lieu; ***how are things with you?*** comment ça va, toi? ***I haven't done a thing,*** je n'ai absolument rien fait; ***just the thing,*** exactement ce qu'il faut; ***poor little thing,*** pauvre petit(e); ***the thing is to know where...,*** ce qu'il faut c'est savoir où...

thingamajig ['θɪŋəmədʒɪg] *n. (fam.)* bidule, machin, truc.

think [θɪŋk] *v.t. et intr. irr.* (*p.* **thought,** *p.p.* **thought**) **1.** penser. **2.** croire (tenir pour vrai). **3.** (s') imaginer. ♦ ***Don't think of*** (ou ***about***) ***it,*** n'y pensez pas; ***he thinks highly of you,*** il a une haute opinion de vous; ***I think so,*** je crois que oui; ***it needs thinking out,*** il faut y réfléchir à fond; ***I was thinking to myself,*** je me disais; ***think it over,*** réfléchissez-y; ***to think that...,*** et dire que...; ***who thought up that plan?*** qui a inventé ce projet?

third [θɜːð] *adj. num.* troisième. ♦ ***The Third World,*** le tiers-monde; ***third party insurance,*** assurance au tiers.

third-rate [,θɜːd'reɪt] *adj.* de qualité très inférieure.

thirst [θɜːst] *n.* soif. *v. intr.* avoir soif (de). ♦ *(fig.)* ***Thirsting for revenge,*** assoiffé de vengance.

thirsty ['θɜːstɪ] *adj.* **1.** qui a soif. **2.** altéré. ♦ ***I'm thirsty,*** j'ai soif.

this [ðɪs] *adj. dém.* (*pl.* **these** [ðiːz]) **1.** ce, cet, cette. **2.** ce...-ci, cet...-ci, cette... -ci. ♦ ***This book, not that one,*** ce li-

vre-ci, pas celui-là; ***this coming Monday,*** lundi prochain.
pr. dém. celui-ci, celle-ci. ♦ ***They were talking of this and that,*** ils parlaient de choses et d'autres; ***this is Tuesday,*** nous sommes mardi; ***with this*** (ou ***at this***), sur ce, sur ces mots.
adv. si, aussi. ♦ ***This far,*** jusqu'ici; ***this big,*** aussi gros que ça.

thistle [θɪsl] *n. (Bot.)* chardon.

thorn [θɔ:n] *n.* épine.

thorny ['θɔ:nɪ] *adj.* épineux.

thorough ['θʌrə] *adj.* **1.** complet, parfait, absolu. **2.** consciencieux. **3.** fait à fond.

thoroughbred ['θʌrəbred] *adj. et n.* pur sang.

thoroughfare ['θʌrəfeə] *n.* rue passante, artère. ♦ ***«No thoroughfare»,*** «passage interdit».

thoroughly ['θʌrəlɪ] *adv.* **1.** tout à fait, entièrement. **2.** à fond.

thoroughness ['θʌrənɪs] *n.* caractère achevé, perfection, minutie.

those [ðəʊz] *adj. dém.* (*sing.* **that**) **1.** ces. **2.** ces... -là. *pr. dém.* ceux-là, celles-là.

though [ðəʊ] *conj.* **1.** quoique, bien que. **2.** quand même. ♦ ***As though,*** comme si; ***even though,*** même si; ***strange though it may seem,*** si étrange que cela puisse paraître.
adv. cependant, pourtant. ♦ ***It's good though,*** c'est pourtant bon.

thought[1] [θɔ:t] *n.* **1.** pensée. **2.** idée. **3.** sentiment. ♦ ***On second thoughts,*** réflexion faite; ***thought transference,*** transmission de pensée.

thought[2] [θɔ:t] (**think,** *v.*)

thoughtful ['θɔ:tfəl] *adj.* **1.** pensif, réfléchi. **2.** rêveur, méditatif. **3.** inquiet, troublé. **4.** prévenant, attentif. ♦ ***Thoughtful of others,*** prévenant, plein d'égards.

thoughtless ['θɔ:tlɪs] *adj.* **1.** irréfléchi, étourdi, léger. **2.** insouciant, négligent.

thrash [θræʃ] *v.t.* **1.** battre, rosser. **2.** *(Sp.)* battre à plate couture. **3.** battre (le blé...) (cf. **thresh**).

thrashing ['θræʃɪŋ] *n.* **1.** rossée, correction. **2.** *(Sp.)* défaite retentissante (aussi **threshing**).

thread [θred] *n.* **1.** fil. **2.** pas (de vis). *v.t.* **1.** enfiler. **2.** traverser, faire son chemin à travers. ♦ ***I threaded my way through the crowd,*** je me suis faufilé à travers la foule.

threadbare ['θredbeə] *adj.* **1.** usé, râpé, élimé. **2.** *(fig.)* usé, rebattu.

threat [θret] *n.* menace. ♦ ***Bomb threat,*** alerte à la bombe.

threaten ['θretn] *v.t. et intr.* menacer (de). ***Threatened with a beating,*** menacé de correction.

three [θri:] *adj. num.* trois. ♦ ***A three-piece suite,*** salon comprenant un canapé et deux fauteuils; ***the three R's (Reading, wRiting, aRithmetic),*** les trois bases de l'enseignement (lecture, écriture, calcul...).

thresh [θreʃ] *v.t. (Agr.)* battre (cf. **thrash**). ♦ ***Threshing machine,*** batteuse (aussi **thresher**).

threshold ['θreʃhəʊld] *n.* seuil, entrée.

threw [θru:] (**throw,** *v.*)

thrift [θrɪft] *n.* épargne, économie (aussi **thriftiness**).

thrifty ['θrɪftɪ] *adj.* économe, frugal.

thrill [θrɪl] *n.* **1.** frisson, tressaillement. **2.** vive émotion. *v.t.* faire frissonner ou tressaillir. *v. intr.* frémir, tressaillir. ♦ ***He was thrilled to bits,*** il était aux anges.

thriller ['θrɪlə] *n.* roman, film à sensation.

thrilling ['θrɪlɪŋ] *adj.* saisissant, poignant, palpitant (film, nouvelle...).

thrive [θraɪv] *v. intr.* (*p. vx.* **throve, thrived,** *p.p. vx.* **thriven, thrived**). **1.** se (bien) développer. **2.** prospérer.

thriven ['θrɪvn] *vx.* (**thrive,** *v.*)

thriving ['θraɪvɪŋ] *adj.* **1.** vigoureux, robuste. **2.** florissant, prospère.

throat [θrəʊt] *n.* gorge. ♦ ***I've a sore throat,*** j'ai mal à la gorge.

throb [θrɒb] *n.* **1.** pulsation, battement (du cœur). **2.** vrombissement (d'une machine). *v. intr.* **1.** palpiter. **2.** vrombir.

throbbing ['θrɒbɪŋ] *n.* **1.** battement. **2.** ronflement (de moteur...). *adj.* **1.** palpitant, vibrant. **2.** lancinant (douleur...).

throes [θrəʊz] *n. pl.* douleurs, angoisses.

thrombosis [θrɒm'bəʊsɪs] *n. (Méd.)* thrombose. ♦ ***Coronary thrombosis,***

infarctus du myocarde.
▻ **throne** [θrəʊn] *n.* trône.
throng [θrɒŋ] *n.* foule, multitude. *v.t.* remplir (de monde). ***Streets thronged with people,*** des rues grouillantes de monde. *v. intr.* accourir en foule, se presser, affluer.
throttle ['θrɒtl] *n.* **1.** *(fam.)* gosier. **2.** *(Aut.)* manette des gaz. ♦ ***Full throttle,*** à pleins gaz. *v.t.* étrangler. **2.** étouffer. **3.** *(Aut.)* mettre au ralenti.
through [θru:] *prép.* **1.** à travers, par. **2.** durant, pendant. **3.** par, grâce à, à cause de, par l'intermédiaire de. ♦ ***I got through my exam,*** j'ai été reçu à mon examen; ***I've got through that book,*** j'ai fini ce livre; ***I went through the red light,*** j'ai grillé le feu rouge; *(amér.)* ***Tuesday through*** (ou ***thru***) ***Sunday,*** de mardi à dimanche compris.
adv. **1.** directement, droit (sans s'arrêter). **2.** de part en part. **3.** d'un bout à l'autre. **4.** jusqu'à la fin. **5.** complètement. ♦ ***Did you get through?*** as-tu été reçu? (à l'examen); ***soaked*** (ou ***wet***) ***through,*** trempé jusqu'aux os; ***we went through with it*** (ou ***we saw it through***), nous avons mené la chose à bonne fin; *(Téléph.)* ***will you put me through to...?*** voulez-vous me passer...?
throughout [θru:'aʊt] *prép.* **1.** partout dans. **2.** durant tout (ce temps,...). *adv.* **1.** partout. **2.** tout le temps. **3.** entièrement, complètement.
throughway, thruway ['θru:weɪ] *n.* *(amér.)* autoroute.
throve [θrəʊv] *vx.* (**thrive,** *v.*)
throw [θrəʊ] *v.t. irr.* (*p.* **threw,** *p.p.* **thrown**). **1.** jeter, lancer. **2.** renverser, projeter, désarçonner. ♦ ***Don't throw it away,*** ne le jette pas, ne le gaspille pas; ***he threw it aside,*** il le jeta de côté, il le repoussa.
n. jet, lancement (d'un objet). ♦ ***Within a stone's throw of,*** à deux pas de.
throwaway ['θrəʊəweɪ] *adj.* à jeter (empaquetage...). ♦ ***Throwaway society,*** société de gaspillage.
thrown [θrəʊn] (**throw,** *v.*)
throw up, *v. part. intr.* *(argot)* vomir.
thru [θru:] *(amér.)* voir **through.**
thrush [θrʌʃ] *n.* grive.
thrust [θrʌst] *v.t. et intr. irr.* (*p.* **thrust,** *p.p.* **thrust**) pousser, enfoncer, fourrer, se frayer (un passage). *n.* poussée, coup.
thud [θʌd] *n.* bruit sourd, son mat. *v. intr.* émettre un bruit sourd, un son mat.
thug [θʌg] *n.* agresseur, gangster, bandit.
thumb [θʌm] *n.* pouce. ♦ ***Under the thumb of,*** sous la domination de. *v.t.* feuilleter (un livre...). ♦ ***He thumbed a lift to London,*** il est allé à Londres en auto-stop.
thump [θʌmp] *n.* **1.** grand coup, bourrade. **2.** bruit lourd et sourd. *v.t. et intr.* frapper lourdement (sur), cogner, battre fort.
thunder ['θʌndə] *n.* **1.** tonnerre. **2.** *(fig.)* foudre. *v. intr.* **1.** tonner. **2.** *(fig.)* fulminer.
thunderbolt ['θʌndəbəʊlt] *n.* **1.** (coup de) foudre. **2.** nouvelle foudroyante.
thunderclap ['θʌndəklæp] *n.* coup de tonnerre.
thundering ['θʌndərɪŋ] *adj.* 1. tonnant, fulminant. **2.** *(fam.)* énorme, monumental. ♦ ***In a thundering rage,*** dans une rage folle; ***thundering success,*** succès monstre.
thunderstorm ['θʌndəstɔ:m] *n.* orage.
thunderstruck ['θʌndəstrʌk] *adj.* **1.** foudroyé. **2.** atterré. **3.** abasourdi, stupéfié.
thundery ['θʌndərɪ] *adj.* orageux.
Thursday ['θɜ:zdɪ] *n.* jeudi.
thus [ðʌs] *adv.* **1.** ainsi, de cette façon. **2.** ainsi, donc. ♦ ***Thus far,*** jusqu'ici.
thwart [θwɔ:t] *v.t.* contrecarrer, contrarier.
▻ **thyme** [taɪm] *n.* *(Bot.)* thym. ♦ ***Wild thyme,*** serpolet.
⚠ **tick**¹ [tɪk] *n.* **1.** tic-tac. **2.** *(fam.)* moment, instant. **3.** marque, coche. ♦ ***In a tick,*** en un clin d'œil; ***on the tick,*** à l'heure tapante. *v.t.* cocher. *v. intr.* faire tic-tac.
▻ **tick**² [tɪk] *n.* *(Zool.)* tique.
⚠ **tick**³ [tɪk] *n.* *(fam.)* crédit. ***On tick,*** à crédit.
ticker ['tɪkə] *n.* **1.** téléscripteur. **2.** *(argot)* tocante, montre. **3.** *(argot)* cœur, palpitant.
⚠ **ticket** ['tɪkɪt] *n.* **1.** billet; ticket. **2.**

étiquette, fiche. **3.** *(amér.)* liste électorale. **4.** *(Aut., amér.)* P.V. ♦ ***He's running on the Republican ticket,*** il se présente sur la liste des républicains; ***return ticket,*** billet d'aller et retour; ***season ticket,*** carte d'abonnement; ***single ticket,*** billet simple; ***ticket collector,*** contrôleur; ***ticket office,*** guichet.
v.t. **1.** étiqueter, numéroter. **2.** *(Aut., amér.)* mettre un P.V. à.

ticking ['tɪkɪŋ] *n.* tic-tac, battement.

tickle ['tɪkl] *v.t.* **1.** chatouiller. **2.** amuser. ♦ ***He was tickled to death,*** il se tordait de rire. *v. intr.* **1.** chatouiller. **2.** démanger.
n. chatouillement.

ticklish ['tɪklɪʃ] *adj.* **1.** chatouilleux. **2.** susceptible (personne). **3.** délicat (problème).

tidal ['taɪdl] *adj.* de marée. ♦ ***Tidal wave,*** raz de marée.

tide [taɪd] *n.* **1.** marée. **2.** courant (flot). **3.** *(fig.)* époque, période, saison.

tidily ['taɪdɪlɪ] *adv.* soigneusement, proprement, en bon ordre, avec ordre.

tidy ['taɪdɪ] *adj.* rangé, bien arrangé, propre, net. *v.t.* ranger (aussi **tidy up**).

tie [taɪ] *n.* **1.** lien. **2.** nœud. **3.** entrave. **4.** cravate. ♦ ***Family ties,*** liens de parenté.
v.t. **1.** lier, attacher. **2.** nouer, faire un nœud. **3.** *(fig.)* lier. **4.** limiter.
v. intr. **1.** se lier, se nouer. **2.** être ex aequo. ♦ ***He's tied hand and foot,*** il a pieds et poings liés; ***I'm tied to my desk all day,*** je suis cloué à mon bureau toute la journée; *(Sp.)* ***we tied with them 2 – all,*** nous avons fait match nul 2 partout.

⚠ **tier** [tɪə] *n.* rang, rangée, gradin. ♦ ***In tiers,*** en amphithéâtre.

tiff [tɪf] *n.* prise de bec, petite querelle.

tight [taɪt] *adj.* **1.** serré. **2.** raide, tendu (corde). **3.** trop étroit, juste (vêtement). **4.** étanche. **5.** sévère (restriction, mesure...). **6.** resserré (crédit). **7.** *(fam.)* gris, saoul. ♦ ***He's tight with his money,*** il est radin; ***she's in a tight corner,*** elle est dans une situation difficile.
adv. **1.** solidement, fort. **2.** hermétiquement.

tighten ['taɪtn] *v.t. et intr.* **1.** (se) serrer. **2.** (se) tendre (contrainte). **3.** *(fig.)* (se) resserrer.

tightfisted [,taɪt'fɪstɪd] *adj.* radin.

tightrope ['taɪtrəʊp] *n.* corde raide. ***Tightrope walker,*** funambule.

tights [taɪts] *n. pl.* collant, maillot.

tile [taɪl] *n.* **1.** tuile. **2.** carreau. *v.t.* **1.** couvrir de tuiles. **2.** carreler (une pièce).

till[1] [tɪl] *prép.* jusqu'à. ♦ ***Goodbye, till tomorrow,*** au revoir, à demain. *conj.* jusqu'à ce que. ***Till he comes,*** jusqu'à ce qu'il vienne.

till[2] [tɪl] *n.* caisse, tiroir-caisse. ♦ ***He was caught with his hand in the till,*** il a été pris en flagrant délit.

till[3] [tɪl] *v.t.* labourer, cultiver.

tiller ['tɪlə] *n.* barre de gouvernail.

tilt [tɪlt] *n.* **1.** inclinaison, pente. **2.** joute. ♦ ***(At) full tilt,*** à fond de train.
v.t. et intr. (se) pencher, (s')incliner.

timber ['tɪmbə] *n.* **1.** bois de construction. **2.** madrier, poutre. *v.t.* boiser.

time [taɪm] *n.* **1.** temps. **2.** saison, époque. **3.** terme, période. **4.** heure (de la journée). **5.** moment. **6.** occasion. **7.** fois (répétition). **8.** *(pl.)* époque, siècle (d'histoire). **9.** *(Mus.)* mesure. ♦ ***At one time,*** autrefois; ***at times,*** parfois; ***behind the times,*** vieux jeu; ***for the time being,*** pour le moment; ***in no time,*** en un rien de temps; ***in time,*** à temps; ***it's time I went,*** il est temps que je parte; ***on time,*** à l'heure précise; ***time bomb,*** bombe à retardement; ***time flies,*** le temps passe vite; ***time lag,*** décalage horaire; ***time's up,*** c'est l'heure; ***time switch,*** minuterie; ***time zone,*** fuseau horaire; ***what's the time*** (ou ***what time is it***)? quelle heure est-il?
v.t. **1.** fixer l'heure de. **2.** chronométrer.

time-honoured ['taɪm,ɒnəd] *adj.* **1.** consacré par l'usage. **2.** vénérable. **3.** séculaire.

timely ['taɪmlɪ] *adj.* opportun, à propos (aussi **well-timed**).

timetable ['taɪm,teɪbl] *n.* **1.** indicateur horaire. **2.** *(Ens.)* emploi du temps.

⚠ **timid** ['tɪmɪd] *adj.* craintif, timoré.

timing ['taɪmɪŋ] *n.* minutage, chronométrage.

tin [tɪn] *n.* **1.** étain. **2.** boîte (de

conserve). ♦ ***Tin opener,*** ouvre-boîte. *v.t.* **1.** étamer. **2.** mettre (des conserves) en boîte. ***Tinned fruit,*** fruits en conserve.
tinder ['tındə] *n.* amadou.
tinge [tındʒ] *n.* **1.** teinte, nuance. **2.** soupçon (goût). *v.t.* teindre, tinter. ♦ ***His expression was tinged with sadness,*** son expression était teintée de tristesse.
tingle ['tıŋgl] *v. intr.* **1.** tinter. **2.** picoter, cuire (douleur). ♦ ***His fingers were tingling with cold,*** le froid lui brûlait les doigts.
tinker ['tıŋkə] *n.* **1.** rétameur. **2.** *(fam.)* polisson(ne) (enfant). *v.t.* **1.** rétamer. **2.** raccommoder. *v. intr.* bricoler. ***He's tinkering (about) with the engine,*** il bricole le moteur.
tinkle ['tıŋkl] *n.* tintement. *v.t.* faire tinter. *v. intr.* tinter.
tinsel ['tınsl] *n.* **1.** lamé, paillettes, guirlandes (de Noël) argentées. **2.** clinquant.
tint [tınt] *n.* **1.** teinte, nuance. **2.** shampooing colorant. *v.t.* teinter, nuancer, colorer.
tiny ['taını] *adj.* tout petit, minuscule.
tip[1] [tıp] *n.* bout, extrémité, pointe. *v.t.* garnir le bout. ♦ ***Tipped cigarettes,*** cigarettes (à bout) filtre.
tip[2] [tıp] *n.* **1.** tape, petit coup. **2.** pourboire. **3.** *(fam.)* tuyau. *v.t.* **1.** toucher, effleurer. **2.** donner un pourboire à. **3.** tuyauter.
tip[3] [tıp] *n.* dépotoir. ***Rubbish tip,*** décharge publique. *v.t. et intr.* **1.** pencher, incliner. **2.** déverser, décharger. ***No tipping,*** défense de déposer des ordures.
tipsy ['tıpsı] *adj.* gris, éméché.
tiptoe ['tıptəʊ] *n.* pointe du pied. ***On tiptoe,*** sur la pointe des pieds. *v. intr.* marcher, aller sur la pointe des pieds.
tip-top [,tıp'tɒp] *adj.* *(fam.)* excellent.
tire[1] [taıə] *n.* *(amér.)* pneu (cf. **tyre**).
tire[2] [taıə] *v.t. et intr.* **1.** (se) lasser, (se) fatiguer. **2.** (s') ennuyer (moralement).
tired [taıəd] *adj.* **1.** las, fatigué. **2.** ennuyé. **3.** rebattu (cliché). ♦ ***Tired out,*** épuisé.
tireless ['taıəlıs] *adj.* infatigable.
tiresome ['taıəsəm] *adj.* **1.** fatigant. **2.** ennuyeux, assommant, exaspérant.
tiring ['taıərıŋ] *adj.* fatigant.
⚠ **tissue** ['tıʃu:] *n.* **1.** tissu. **2.** étoffe. ♦ ***Tissue paper,*** papier de soie.
tit[1] [tıt] *n.* mésange (aussi **tomtit**).
tit[2] [tıt] *n.* ***Tit for tat,*** un prêté pour un rendu.
titbit ['tıt,bıt] *n.* **1.** friandise, bon morceau. **2.** potin. **3.** entrefilet croustillant (dans un journal) *(amér.* **tidbit***).*
▻ **titillate** ['tıtıleıt] *v. intr.* chatouiller, titiller.
title ['taıtl] *n.* **1.** titre. **2.** *(Jur.)* droit, titre(s). ♦ ***Title deed,*** titre de propriété ; *(Th.)* ***title role,*** rôle principal.
titter ['tıtə] *n.* petit rire étouffé, nerveux ou sot. *v. intr.* rire bêtement.
tittle-tattle ['tıtl,tætl] *n.* *(fam.)* cancans, potins. *v. intr.* jaser, bavarder.
T-junction ['ti:,dʒʌŋkʃn] *n.* embranchement de deux routes, carrefour en T.
to [tə, tʊ, tu:] *prép.* **1.** à, de (devant un infinitif). **2.** pour, afin de. **3.** à (un endroit). **4.** en (Angleterre...), au (Japon...). **5.** dans. **6.** vers (un endroit). **7.** contre (dans un pari). **8.** près de (cour royale, ambassade...). **9.** outre, en plus de. **10.** pour (faire quelque chose). **11.** en comparaison de, auprès de. **12.** jusqu'à (telle limite). **13.** envers, à l'égard de. ♦ ***Assistant to the manager,*** adjoint du directeur ; ***he came to,*** il reprit connaissance ; ***he was going to and fro,*** il allait et venait ; ***I'll try to (come...),*** j'essaierai de (venir...) ; ***ten to three,*** trois heures moins dix ; ***that's all there is to it,*** ce n'est pas plus difficile que ça ; ***to my mind,*** à mon avis ; ***two persons to a room,*** deux personnes par chambre ; ***two years ago to a day,*** il y a deux ans jour pour jour ; ***what's that to him?*** qu'est-ce que ça lui fait ?
toad [təʊd] *n.* crapaud.
toadstool ['təʊdstu:l] *n.* champignon vénéneux.
toady ['təʊdı] *adj.* *(péj.)* flagorneur, lèche-bottes. *v. intr.* faire des flagorneries.
toast [təʊst] *n.* **1.** pain grillé. ***A slice of toast,*** un toast. **2.** toast (à la santé de). ***We proposed*** (ou ***gave***) ***a toast to Bob,*** nous portâmes un toast à Bob. *v.t.* **1.** griller. **2.** porter un toast à.

toaster ['təʊstə] *n.* grille-pain électrique.

tobacco [tə'bækəʊ] *n.* tabac. ***Tobacco jar,*** pot à tabac ; ***tobacco pouch,*** blague à tabac.

tobacconist [tə'bækənɪst] *n.* marchand de tabac. ***Tobacconist's (shop),*** bureau de tabac.

⚠ **toboggan** [tə'bɒgən] *n.* **1.** toboggan. **2.** luge. *v.t.* **1.** faire du toboggan ou de la luge. **2.** dégringoler (prix...).

today [tə'deɪ] *n. et adv.* ♦ ***Today's paper,*** le journal d'aujourd'hui ; ***today week*** (ou ***a week today***), aujourd'hui en huit.

toddle ['tɒdl] *v. intr.* **1.** marcher à petits pas (enfant). **2.** *(fam.)* aller, se balader.

toddler ['tɒdlə] *n.* tout petit enfant.

toe [təʊ] *n.* **1.** orteil, doigt de pied. **2.** bout, pointe (de chaussure, de bas). *v.t.* toucher du bout de l'orteil. ♦ ***He had to toe the line,*** il a dû jouer le jeu, il a dû se plier.

toffee, toffy ['tɒfɪ] *n.* caramel au beurre.

toga ['təʊgə] *n.* toge.

together [tə'geðə] *adv.* **1.** ensemble, à la fois, en même temps. **2.** de conserve (entre eux). **3.** de suite, consécutivement. ♦ ***For weeks together,*** pendant des semaines entières ; ***together with him,*** en même temps que lui ; ***we brought them together,*** nous les avons réunis.

toil [tɔɪl] *n.* dur travail, labeur. *v. intr.* travailler dur, peiner.

toilet ['tɔɪlɪt] *n.* **1.** toilette. **2.** les toilettes. ♦ ***Toilet paper,*** papier hygiénique.

token ['təʊkən] *n.* **1.** témoignage, signe, gage (d'amitié...), souvenir. **2.** jeton, coupon, bon (pour cadeau). ♦ ***As a token of*** (ou ***in token of***), en témoignage de ; ***book token,*** chèque-livre, bon de livre.

told [təʊld] (**tell,** *v.)*

toll[1] [təʊl] *n.* **1.** péage, droit, octroi. **2.** prix (d'une guerre...), nombre de victimes. ♦ ***Toll road*** (ou ***tollway***), route à péage.

toll[2] [təʊl] *n.* tintement, glas (de cloche), *v.t. et intr.* tinter, sonner (le glas).

tomato [tə'mɑːtəʊ] *n.* tomate.

tomb [tuːm] *n.* tombe, tombeau.

tomboy ['tɒmbɔɪ] *n.* garçon manqué.

tombstone ['tuːmstəʊn] *n.* pierre tombale.

tomcat ['tɒmkæt] *n.* matou.

tomfoolery [tɒm'fuːlərɪ] *n.* sottise, bêtise.

tomorrow [tə'mɒrəʊ] *n. et adv.* demain. ♦ ***A week tomorrow,*** il y aura huit jours demain ; ***the day after tomorrow,*** après-demain ; ***tomorrow is another day,*** il fera jour demain ; ***tomorrow week,*** demain en huit.

tomtit ['tɒmtɪt] *n.* mésange.

ton [tʌn] *n.* **1.** tonne (poids). **2.** *(Naut.)* tonneau. ♦ *(fam.)* ***Tons of books,*** des tas de livres.

tone [təʊn] *n.* **1.** ton. **2.** accent, timbre (de voix). ♦ *(Téléph.)* ***Dialling*** (ou ***dial***) ***tone,*** tonalité ; ***in a friendly tone*** (ou ***in friendly tones***), sur un ton amical.

tone down, *v. part. t.* **1.** adoucir (une couleur). **2.** baisser (le son). **3.** *(fig.)* atténuer, freiner (colère, critique...).

tongs [tɒŋz] *n. pl.* **1.** pincettes. **2.** pince(s), tenailles. ♦ ***Sugar tongs,*** pince à sucre ; ***they went at it hammer and tongs,*** ils en mettaient un coup ; ils se sont battus comme des chiffonniers.

tongue [tʌŋ] *n.* langue. ♦ ***Mother tongue,*** langue maternelle ; ***tongue in cheek*** (ou ***with his tongue in his cheek***), en plaisantant ironiquement ; ***tongue twister,*** phrase très difficile à prononcer.

tongue-tied ['tʌŋtaɪd] *adj.* muet, interdit. ♦ ***Tongue-tied from fear,*** muet de peur.

tonic [tɒnɪk] *n. et adj.* tonique, fortifiant. ♦ ***Tonic water,*** Schweppes.

tonight [tə'naɪt] *n. et adv.* ce soir, cette nuit.

tonsil ['tɒnsl] *n.* amygdale. ♦ ***He's had his tonsils out,*** il a été opéré des amygdales.

too [tuː] *adv.* **1.** trop. **2.** aussi, de même, pareillement. **3.** d'ailleurs, de plus, en plus. ♦ ***Don't drink too much,*** ne bois pas trop ; ***too good to be true,*** trop beau pour être vrai, trop bon pour être honnête ; ***too much bread,*** trop de pain ; ***too many sweets,*** trop de bonbons.

took [tʊk] (**take,** *v.*)
tool [tu:l] *n.* **1.** outil, instrument. **2.** *(fig.)* agent. ♦ ***Machine tool,*** machine-outil.
toot [tu:t] *n.* coup de klaxon. *v.t. et intr.* klaxonner.
tooth [tu:θ] *n.* (*pl.* **teeth** [ti:θ]) ♦ ***Back tooth,*** molaire; ***I'd a tooth out,*** je me suis fait arracher une dent; ***tooth and nail,*** avec acharnement, farouchement; ***you're a sweet tooth,*** tu aimes les sucreries.
toothache ['tu:θeɪk] *n.* mal de dents. ♦ ***I've a toothache,*** j'ai mal aux dents.
toothpaste ['tu:θpeɪst] *n.* dentifrice.
toothpick ['tu:θ,pɪk] *n.* cure-dents.
top[1] [tɒp] *n.* **1.** haut, sommet, cime, faîte. **2.** surface, dessus (d'une table...). **3.** tête (de page...). **4.** haut, bout (de la table). **5.** couvercle. ♦ ***At the top of my voice,*** à tue-tête; ***from top to bottom,*** de bas en haut, de fond en comble; ***on (the) top of,*** sur; ***on the top of the world,*** aux anges; ***the men at the top,*** les dirigeants, les responsables; ***then on top of all that,*** et puis par-dessus le marché; ***top of the pops,*** en tête du hit-parade.
adj. **1.** supérieur, de dessus, du haut. **2.** premier, principal, extrême. ♦ ***He's top in maths,*** il est le premier en maths; *(Aut.)* ***in top gear,*** en cinquième; *(fam.)* ***she's out of the top drawer,*** elle fait partie du gratin; ***top hat,*** chapeau haut de forme.
v.t. **1.** surmonter, couronner, coiffer (de). ***Topped by*** (ou ***with) a crown,*** surmonté d'une couronne. **2.** dépasser, surpasser. ♦ ***And to top it all,*** et pour comble...
top[2] [tɒp] *n.* toupie (jouet). ♦ ***He sleeps like a top,*** il dort comme un loir.
topic ['tɒpɪk] *n.* sujet, thème (de conversation...). ♦ ***Topics of the day,*** questions d'actualité.
topical 'tɒpɪkl] *adj.* d'actualité.
top-level ['tɒplevl] *adj.* au sommet (conférence, rencontre...).
topmost ['tɒpməʊst] *adj.* le plus haut, le plus élevé.
topple ['tɒpl] *v.t. et intr.* (faire) tomber, (faire) basculer.
top-secret [,tɒp'si:krɪt] *adj.* ultra secret.
topsy-turvy [,tɒpsɪ'tɜ:vɪ] *adj. et adv.* sens dessus dessous.
⚠ **torch** [tɔ:tʃ] *n.* **1.** torche, flambeau. **2.** lampe de poche.
tore [tɔ:] (**tear,** *v.*)
torment ['tɔ:ment] *n.* tourment, torture, supplice. ♦ ***She was in torment,*** elle était au supplice. *v.t.* [tɔ:'ment] tourmenter, torturer.
torn [tɔ:n] (**tear,** *v.*)
▻ **tornado** [tɔ:'neɪdəʊ] *n.* tornade, ouragan, cyclone.
torpedo [tɔ:'pi:dəʊ] *n.* torpille. ♦ ***Torpedo boat,*** torpilleur. *v.t.* torpiller.
torpid ['tɔ:pɪd] *adj.* engourdi, inerte.
⚠ **torso** ['tɔ:səʊ] *n.* **1.** *(Anat.)* torse. **2.** *(Art)* buste.
tortoise ['tɔ:təs] *n.* tortue.
torture ['tɔ:tʃə] *n.* torture, supplice. ♦ ***They put him to torture,*** on lui fit subir des tortures.
v.t. torturer. **2.** *(fig.)* faire souffrir.
toss [tɒs] *v.t.* **1.** lancer, jeter (en l'air). **2.** ballotter. **3.** secouer.
v. intr. **1.** s'agiter, se balancer. **2.** jouer à pile ou face (aussi **toss up**). ♦ ***Let's toss (up) for it,*** faisons pile ou face; ***we tossed a corn,*** nous avons joué à pile ou face.
n. **1.** jet, lancement (en l'air). **2.** coup de pile ou face (aussi **toss-up**). ♦ ***With a toss of his head,*** d'un mouvement de tête dédaigneux ou impatient.
tot [tɒt] *n.* **1.** (= **tiny tot**) bambin. **2.** doigt (de whisky...). ♦ ***Just a tot,*** une larme.
▻ **total** ['təʊtl] *n.* total, montant, somme. *adj.* total, complet, entier. *v.t.* **1.** totaliser, faire le total de. **2.** se monter à (tant).
totter ['tɒtə] *v. intr.* **1.** chanceler. **2.** *(fig.)* vaciller, menacer ruine (pays...).
⚠ **touch** [tʌtʃ] *n.* **1.** (le sens du) toucher. **2.** attouchement, contact. **3.** légère attaque (d'une maladie). **4.** *(fig.)* soupçon, trace, pointe. **5.** *(Sp.)* touche. ♦ ***Get in touch with him,*** mettez-vous en rapport avec lui; ***I'm out of touch with him,*** j'ai perdu le contact avec lui; ***he gave the finishing touch(es) to it,*** il y mit la dernière main; ***he lacks the human touch,*** il manque de chaleur humaine; ***keep in touch,*** garde le contact; tiens-moi au courant.
v.t. **1.** toucher. **2.** effleurer, frôler. **3.**

valoir, égaler. *v. intr.* (se) toucher.
touchdown ['tʌtʃdaʊn] *n.* atterrissage.
touched ['tʌtʃt] *adj.* **1.** touché, ému. **2.** *(fam.)* légèrement timbré.
touching ['tʌtʃɪŋ] *adj.* touchant, émouvant.
touch up, *v. part. t.* **1.** faire des retouches (à), retoucher.
touchy ['tʌtʃɪ] *adj.* susceptible, irritable.
tough [tʌf] *adj.* **1.** dur, raide, résistant. **2.** coriace (viande). **3.** fort, solide, robuste. **4.** rude, difficile (tâche...). ♦ ***It was tough on them,*** ç'a été dur pour eux ; ***tough guy,*** dur ; ***tough luck,*** pas de veine.
toughen ['tʌfn] *v.t.* **1.** durcir. **2.** rendre plus sévère (conditions, mesures). *v. intr.* **1.** s'endurcir. **2.** devenir plus sévère (conditions, mesures, restrictions...).
⚠ **tour** [tʊə] *n.* **1.** tour, voyage organisé. **2.** excursion, randonnée. ♦ ***I went on a cycling tour,*** j'ai fait une randonnée à bicyclette ; ***they're going on a tour to Italy,*** ils partent en Italie en voyage organisé.
v.t. visiter (un pays).
tournament ['tʊənəmənt] *n.* tournoi.
tousled ['taʊzld] *adj.* **1.** échevelé, ébouriffé. **2.** en désordre, fripé.
⚠ **tout** [taʊt] *n.* **1.** racoleur. **2.** (= **ticket-tout**) revendeur de billet au marché noir. *v.t.* **1.** racoler. **2.** revendre au marché noir.
tow [təʊ] *n.* remorque. ♦ ***«On tow»,*** «véhicule en remorque». *v.t.* remorquer, haler. ♦ ***Tow away zone,*** zone bleue (avec mise en fourrière des véhicules).
towards [tə'wɔːdz] (aussi **toward**) *prép.* **1.** vers, envers. **2.** du côté de. **3.** à l'égard de (par respect pour). **4.** sur, environ, vers (telle heure...).
towboat ['təʊbəʊt] *n.* remorqueur.
towel ['taʊəl] *n.* **1.** serviette de toilette. **2.** (= **dish-towel, tea-towel**) torchon. **3.** (= **sanitary towel**) serviette hygiénique. ♦ ***Towel rail,*** porte-serviettes.
tower ['taʊə] *n.* **1.** tour. **2.** (**tower block**) tour d'habitation. *v. intr.* s'élever (au-dessus de), dominer.
towering ['taʊərɪŋ] *adj.* **1.** très haut, imposant. **2.** dominant. **3.** violent. ***In a towering rage,*** dans une colère noire.
town [taʊn] *n.* ville. ♦ ***Town-and-country planning,*** aménagement du territoire ; ***town clerk,*** secrétaire de mairie ; ***town hall,*** mairie, hôtel de ville ; ***town planning,*** urbanisme ; *(fam.)* ***we painted the town red,*** nous avons fait la noce, la bombe.
townsfolk ['taʊnzfəʊk] *n.* citadins (aussi **townspeople**).
towpath ['təʊpɑːθ] *n.* chemin de halage.
toy [tɔɪ] *n.* jouet. ♦ ***Toy car,*** petite auto. *v. intr.* **1.** jouer. **2.** folâtrer, s'amuser (avec). **3.** caresser (une idée...). ♦ ***He's been toying with that scheme for days,*** il caresse ce projet depuis longtemps.
⚠ **trace** [treɪs] *n.* **1.** trace, vestige. **2.** soupçon, pointe. **3.** tracé (calque).
v.t. **1.** tracer (un plan), esquisser, dessiner, décalquer. **2.** suivre la trace de. **3.** *(fig.)* remonter à l'origine de.
tracing ['treɪsɪŋ] *n.* **1.** tracé, calquage. **2.** dessin calqué, calque. ♦ ***Tracing paper,*** papier calque.
track [træk] *n.* **1.** trace, piste. **2.** chemin. **3.** (= **railway track**) voie de chemin de fer. **5.** *(Sp.)* piste. ♦ ***I kept track of him,*** je ne l'ai pas perdu de vue ; ***I've lost track of those letters,*** j'ai oublié où sont ces lettres ; ***off the beaten track,*** hors des sentiers battus ; ***on the right track,*** en bonne voie ; *(Ciné.)* ***sound track,*** bande sonore ; ***we lost all track of time,*** nous perdîmes toute notion du temps ; *(fam.)* ***you're off the track,*** tu n'y es pas du tout.
v.t. suivre à la trace. ♦ ***They tracked him down,*** ils l'ont capturé.
tracksuit ['træksuːt] *n.* survêtement.
⚠ **tract**[1] [trækt] *n.* étendue, espace, région.
▻ **tract**[2] [trækt] brochure, tract.
⚠ **tractable** ['træktəbl] *adj.* **1.** accommodant, souple. **2.** malléable, maniable (outils...).
▻ **tractor** ['træktə] *n.* tracteur.
trade [treɪd] *n.* **1.** commerce, trafic, négoce. **2.** métier, profession. ♦ ***Board of Trade,*** ministère du Commerce ; ***free trade,*** libre-échange ; ***special terms for the trade,*** tarif spécial pour les professionnels ; ***trade name,*** marque déposée ; ***trade price,*** prix de

gros ; ***trade union,*** syndicat.
v.t. échanger, troquer. *v. intr.* **1.** trafiquer, faire le commerce de. **2.** *(fig.)* abuser de. ♦ ***Don't trade (up) on her kindness,*** n'abuse pas de sa bonté.

trademark ['treɪdmɑːk] *n.* marque de fabrique, label. ♦ ***Registered trademark,*** marque déposée.

trader ['treɪdə] *n.* négociant, commerçant.

tradesman ['treɪdzmən] *n.* (*pl.* **-men**) **1.** marchand, boutiquier. **2.** fournisseur.

trading ['treɪdɪŋ] *n.* commerce, négoce. ♦ ***Trading estate,*** zone industrielle ; ***trading post,*** comptoir (commercial).

⚠ **traffic** ['træfɪk] *n.* **1.** trafic (de drogues, d'armes...). **2.** commerce, négoce. **3.** circulation (de voitures...). ♦ ***Heavy traffic,*** circulation intense ; ***traffic island,*** refuge ; ***traffic jam*** (ou ***traffic holdup***), bouchon (de circulation) ; ***traffic lights,*** feux de circulation ; ***traffic warden,*** contractuel(le).
v. intr. trafiquer, commercer.

trafficator ['træfɪkeɪtə] *n. (Aut.)* clignotant (aussi **traffic indicator**).

trafficker ['træfɪkə] *n.* trafiquant.

trail [treɪl] *n.* **1.** traînée (de fumée...). **2.** piste, trace. **3.** sentier, chemin. *v.t.* **1.** suivre à la piste. **2.** traîner (tirer après soi). *v. intr.* traîner.

trailer ['treɪlə] *n.* **1.** remorque. **2.** *(amér.)* caravane. **3.** *(Ciné.)* film annonce. ♦ *(amér.)* ***Trailer court,*** (ou ***trailer park***), camp de caravaning.

⚠ **train** [treɪn] *n.* **1.** *(Rail.)* train. **2.** suite, cortège. **3.** série, succession, enchaînement. **4.** traîne (de robe).
v.t. **1.** former, instruire. **2.** dresser (un animal). *v. intr.* s'entraîner.

trained [treɪnd] *adj.* qualifié, compétent.

⚠ **trainee** [treɪ'niː] *n.* stagiaire, apprenti.

trainer ['treɪnə] *n.* **1.** dresseur. **2.** *(Sp.)* entraîneur. **3.** chaussure de sport.

training ['treɪnɪŋ] *n.* **1.** éducation, instruction. **2.** dressage. **3.** *(Sp.)* entraînement. ♦ ***Training college,*** école normale ; ***training ship,*** navire-école.

▻ **traitor** ['treɪtə] *n.* traître.

▻ **tram(-car)** ['træmkɑː] *n.* tram(way) *(amér.* **streetcar***)*.

tramline ['træmlaɪn] *n.* **1.** voie de tramway; **2.** ligne de tramway (aussi **tramway**).

trammel ['træml] *v.t.* entraver, empêcher (de). *n. pl.* **(trammels)** entraves, obstacles.

tramp [træmp] *n.* **1.** bruit de pas lourds. **2.** randonnée. **3.** clochard. **4.** *(fig.)* coureuse. ♦ ***Let's go for a tramp,*** partons en randonnée.
v.t. faire à pied (un trajet). ♦ ***Tramp the streets,*** battre le pavé. *v. intr.* **1.** marcher lourdement. **2.** vagabonder.

trample ['træmpl] *v.t.* fouler (aux pieds).

⚠ **trance** [trɑːns] *n.* **1.** extase. **2.** *(Méd.)* catalepsie. ♦ ***In a trance,*** en extase.

tranquillizer ['træŋkwɪlaɪzə] *n. (Méd.)* calmant, tranquillisant.

transcribe [træn'skraɪb] *n.* transcrire.

⚠ **transfer** ['trænsfɜː] *n.* **1.** transfert, mutation, passation. **2.** décalcomanie. **3.** *(Rail.)* billet de correspondance. **4.** *(Fin.)* virement.
v.t. [træns'fɜː] transférer, déplacer. **2.** *(Jur.)* céder (une propriété). **3.** *(Fin.)* virer. ♦ ***He transferred his affection to John,*** il a reporté son affection sur Jean ; ***transferred charge call,*** communication en P.C.V.

transferable [træns'fɜːrəbl] *adj.* transmissible. ♦ *(Jur.)* ***Not transferable,*** personnel.

transfix [træns'fɪks] *v.t.* **1.** transpercer. **2.** *(fam.)* pétrifier (d'horreur...).

⚠ **transformer** [træns'fɔːmə] *n. (Élec.)* transformateur (de tension).

transient ['trænzɪənt] *adj.* éphémère.

translate [trænz'leɪt] *v.t.* traduire. ♦ ***Translate from French into English,*** traduisez du français en anglais.

⚠ **translation** [trænz'leɪʃn] *n.* traduction.

translator [trænz'leɪtə] *n.* traducteur.

translucent [trænz'luːsənt] *adj.* translucide (aussi **translucid**).

⚠ **transmit** [trænz'mɪt] *v.t.* **1.** transmettre, envoyer. **2.** *(Radio)* émettre.

transmitter [trænz'mɪtə] *n.* *(Radio)* émetteur.

transplant ['trænsplɑːnt] *n.* *(Méd.)* greffe ; organe greffé. ♦ ***He had a kidney transplant,*** on lui a fait une greffe du rein. *v.t.* [træns'plɑːnt] **1.** *(Méd.)* transplanter ; greffer. **2.** repiquer (des plants). **3.** *(fig.)* déplacer.

⚠ **transportation** [ˌtrænspɔːˈteɪʃn] *n.* **1.** (moyen de) transport. **2.** *(vx.)* déportation.

transporter [trænˈspɔːtə] *n.* **1.** transporteur. **2.** (= **car transporter**) camion ou wagon pour transport d'automobiles. ♦ ***Transporter bridge,*** pont transbordeur.

transverse [trænzˈvɜːs] *adj.* transversal.

transvestite [trænzˈvestaɪt] *n.* travesti(e).

⚠ **trap** [træp] *n.* **1.** piège. **2.** (= **trapdoor**) trappe. **3.** *(vulg.)* gueule. ***Shut your trap!*** ta gueule! ♦ ***They were caught like rats in a trap,*** ils ont été faits comme des rats.
v.t. **1.** prendre au piège. **2.** bloquer, immobiliser. **3.** *(Sp.)* bloquer (la balle).

▻ **trapper** [ˈtræpə] *n.* trappeur.

trappings [ˈtræpɪŋz] *n. pl.* **1.** harnais. **2.** ornements, atours. **3.** *(fig.)* fioritures, façade.

trapshooting [ˈtræpˌʃuːtɪŋ] *n.* ball-trap.

trash [træʃ] *n.* **1.** rebut. **2.** camelote. **3.** racaille **3.** *(amér.)* ordures. ♦ ***She talks a lot of trash,*** elle dit beaucoup d'inepties.

trashcan [ˈtræʃkæn] *n.* *(amér.)* poubelle (cf. **dustbin**).

travel [ˈtrævl] *n.* voyage(s). ♦ ***Travel agency*** (ou ***travel bureau***), agence de voyage; ***travel broadens the mind,*** les voyages forment la jeunesse; ***travel brochure,*** dépliant touristique.
v. intr. **1.** voyager **2.** être représentant (de commerce). ♦ ***He travels in perfumes,*** il est représentant en parfums; ***he travels light,*** il voyage avec peu de bagages.

travelled [ˈtrævld] *adj.* qui a beaucoup voyagé (aussi **well-travelled**).

traveller [ˈtrævələ] *n.* voyageur *(amér.* **traveler**). ♦ ***Commercial traveller,*** voyageur de commerce; ***fellow traveller,*** compagnon de voyage; *(Polit.)* pro-communiste; ***traveller's cheque,*** chèque de voyage.

⚠ **travelling** [ˈtrævəlɪŋ] *n.* voyage(s). *adj.* **1.** voyageur, de voyage. **2.** itinérant. ♦ ***Travelling clock,*** réveil de voyage; ***travelling salesman,*** représentant de commerce.

trawl [trɔːl] *n.* chalut (filet). *v. intr.* pêcher au chalut.

trawler [ˈtrɔːlə] *n.* chalutier.

tray [treɪ] *n.* plateau (pour le thé,...).

treacherous [ˈtretʃərəs] *adj.* traître, perfide.

treachery [ˈtretʃərɪ] *n.* perfidie, trahison.

treacle [ˈtriːkl] *n.* mélasse.

tread [tred] *v.t.* (*p.* **trod,** *p.p.* **trodden**) fouler, écraser. *v. intr.* **1.** mettre le pied, marcher (sur). **2.** se poser (pieds). *n.* **1.** pas. **2.** bruit de pas.

treadmill [ˈtredˌmɪl] *n.* travail monotone.

⚠ **treason** [ˈtriːzn] *n.* trahison (envers son pays).

treasure [ˈtreʒə] *n.* trésor. ♦ *(fig.)* ***Our new maid is a treasure,*** notre nouvelle bonne est une perle; ***treasure hunt,*** chasse au trésor; *(Jur.)* ***treasure trove,*** trésor trouvé. *v.t.* **1.** tenir beaucoup à. **2.** garder précieusement.

treasurer [ˈtreʒərə] *n.* trésorier.

treasury [treʒərɪ] *n.* trésor public, trésorerie. ♦ ***The First Lord of the Treasury,*** le Premier ministre; ***Treasury bill,*** bon du Trésor.

⚠ **treat** [triːt] *n.* **1.** régal, festin. **2.** fête. **3.** *(fig.)* plaisir. ♦ ***It's my treat,*** c'est moi qui régale; ***I want to give you a treat,*** je veux vous faire plaisir.
v.t. **1.** traiter. ***Don't treat her like a child,*** ne la traite pas en enfant. **2.** régaler. ***I'll treat you to a drink,*** je vais te payer un verre. **3.** *(Méd.)* traiter.

treatise [ˈtriːtɪz] *n.* traité, ouvrage.

▻ **treatment** [ˈtriːtmənt] *n.* traitement. ♦ ***I got very good treatment,*** j'ai été très bien traité; j'ai été très bien soigné; ***we gave him preferential treatment,*** nous lui avons accordé un régime de faveur; *(fam.)* ***they give him the treatment,*** ils lui en font voir de toutes les couleurs.

▻ **treaty** [ˈtriːtɪ] *n.* traité (accord).

treble [ˈtrebl] *n.* **1.** triple. **2.** soprano. *adj.* **1.** triple. **2.** soprano. *adv.* trois fois plus que. *v.t.* tripler.

tree [triː] *n.* arbre. ♦ ***Apple tree,*** pommier; ***family tree,*** arbre généalogique; *(fam.)* ***up a (gum) tree,*** à bout de ressources, coincé.

trefoil [ˈtriːfɔɪl] *n.* trèfle (cf. **clover**).

trek [trek] *n.* voyage long et difficile.

v. intr. avancer avec peine, se traîner.
▻ **trellis** ['trelɪs] *n.* treillis, treillage.
tremendous [trɪ'mendəs] *adj.* **1.** énorme. **2.** formidable, sensationnel.
tremor ['tremə] *n.* tremblement. ♦ ***Earth tremor,*** secousse sismique.
tremulous ['tremjʊləs] *adj.* **1.** tremblant. **2.** chevrotant (voix). **3.** *(fig.)* craintif.
trench [trentʃ] *n.* tranchée, fossé.
trenchant ['trentʃənt] *adj.* incisif (ton...).
trend [trend] *n.* direction, tendance, mode. ♦ ***The trend of events,*** la tournure des événements. *v. intr.* tendre (vers).
trendsetter ['trend,setə] *n.* **1.** personne qui lance une mode. **2.** article dernier cri.
trendy ['trendɪ] *adj. (fam.)* dans le vent.
⚠ **trespass** ['trespəs] *v. intr.* **1.** s'introduire sans permission. **2.** empiéter (sur). **3.** *(Rel.)* pécher. **4.** transgresser. ♦ ***No trespassing,*** entrée interdite.
n. **1.** violation de propriété. **2.** délit. **3.** péché, offense.
trestle ['tresl] *n.* tréteau, chevalet.
trial ['traɪəl] *n.* **1.** *(Jur.)* procès. **2.** essai, épreuve. **3.** *(Sp.)* épreuve de sélection. **4.** épreuve douloureuse, souci. ♦ ***By trial and error,*** par tâtonnements; ***on trial,*** à l'essai.
tribe [traɪb] *n.* tribu, peuplade.
⚠ **tributary** ['trɪbjʊtərɪ] *n.* **1.** tributaire. **2.** *(Géog.)* affluent. *adj.* tributaire.
tribute ['trɪbju:t] . **1.** tribut. **2.** hommage. ♦ ***We paid a tribute to him,*** nous lui avons rendu hommage.
trice [traɪs] *n.* ***In a trice,*** en un clin d'œil.
trick [trɪk] *n.* **1.** tour, ruse. **2.** astuce, truc. **3.** tic, manie. **4.** levée (cartes). ♦ ***He knows the tricks of the trade,*** il connaît les ficelles du métier; ***he played a dirty trick on me,*** il m'a joué un sale tour; ***it's a trick of the light,*** c'est une illusion d'optique; *(fam.)* ***she never misses a trick,*** rien ne lui échappe.
v.t. **1.** duper, tromper, rouler. **2.** tricher (jeu).
trickle ['trɪkl] *n.* filet (d'eau..). *v. intr.* couler goutte à goutte, suinter.
tricky ['trɪkɪ] *adj.* **1.** fourbe, rusé. **2.** *(fig.)* compliqué, épineux. **3.** délicat (à manier).
tried [traɪd] *adj.* éprouvé (méthode...).
trifle ['traɪfl] *n.* **1.** bagatelle, vétille. **2.** tantinet, soupçon. **3.** *(Cuis.)* charlotte. *adv.* un peu. ***A trifle difficult,*** un tantinet difficile.
v. intr. jouer, badiner. ♦ ***He trifles away his time,*** il gaspille son temps.
trifling ['traɪflɪŋ] *adj.* insignifiant.
trigger ['trɪgə] *n.* détente, gâchette. ♦ ***He's quick on the trigger,*** il est prompt à tirer; *(fig.)* il réagit vite.
trigger-happy ['trɪgə,hæpɪ] *adj.* prêt à tirer, à déclencher la guerre pour rien.
trigger off, *v. part. t.* déclencher (une suite d'événements,...).
▻ **trill** [trɪl] *n. (Mus.)* trille. *v. intr.* triller.
⚠ **trim** [trɪm] *n.* **1.** bon ordre, bon état. **2.** coupe de cheveux. ***Just a trim,*** un simple rafraîchissement. *adj.* net, soigné. *v.t.* **1.** mettre en ordre. **2.** parer, orner (tissus, vêtements). **3.** émonder, tailler. **4.** rafraîchir (cheveux).
trimmings ['trɪmɪŋz] *n. pl.* **1.** garnitures (de vêtements). **2.** *(fam.)* accessoires; garniture (d'un plat).
trinket ['trɪŋkɪt] *n.* bibelot, babiole.
trip [trɪp] *n.* **1.** excursion, voyage. **2.** croc-en-jambe, faux pas. **3.** erreur, gaffe. ♦ ***It was a trip of the tongue,*** ma langue a fourché; ***round trip,*** voyage aller et retour; ***we went on a trip to Scotland,*** nous sommes allés en voyage en Écosse.
v.t. faire trébucher. *v. intr.* **1.** trébucher. **2.** courir légèrement.
⚠ **tripe** [traɪp] *n.* **1.** *(Cuis.)* tripes. **2.** bêtises.
⚠ **triplet** ['trɪplɪt] *n.* **1.** *(lit.)* tercet. **2.** *(Mus.)* triolet. **3.** *pl.* triplé(e)s.
tripod ['traɪpɒd] *n.* trépied.
trite [traɪt] *adj.* banal, rebattu, usé.
▻ **triumph** ['traɪəmf] *n.* triomphe.
v. intr. triompher. ***Triumph over,*** triompher sur.
⚠ **trivial** ['trɪvɪəl] *adj.* banal, insignifiant.
⚠ **triviality** [,trɪvɪ'ælɪtɪ] *n.* **1.** insignifiance. **2.** banalité, vétille.
trod [trɒd] *(**tread,** v.)*
trodden ['trɒdn] *(**tread,** v.)*

⚠ **trolley** ['trɒlɪ] *n.* **1.** chariot. **2.** (= **tea trolley**) table roulante. **3.** trolley (de tramway).

trollop ['trɒləp] *n.* **1.** souillon. **2.** garce.

troop [tru:p] *n.* **1.** troupe, bande. **2.** *pl.* troupes, soldats.
v. intr. s'attrouper, s'assembler. *v.t.* présenter (le drapeau). ***Trooping the colour,*** le salut au drapeau.

⚠ **trooper** ['tru:pə] *n.* **1.** soldat de cavalerie. **2.** *(U.S.)* membre de la police d'un État. ♦ ***He swears like a trooper,*** il jure comme un charretier.

▻ **trot** [trɒt] *n.* trot. ♦ ***At a trot,*** au trot; *(fam.)* ***she's always on the trot,*** elle court tout le temps. *v. intr.* trotter.

⚠ **trouble** ['trʌbl] *n.* **1.** peine, dérangement. **2.** souci, chagrin. **3.** ennui, difficulté. **4.** *(Méd.)* dérangement, affection. **5.** conflits (sociaux...). ♦ ***He has heart trouble,*** il est cardiaque; ***I went to the trouble of checking,*** j'ai pris la peine de vérifier; ***no trouble!*** pas de problème! ***trouble spot,*** point chaud (du monde); ***you'll get into trouble,*** tu vas t'attirer des ennuis.
v.t. **1.** tourmenter, inquiéter. **2.** déranger, gêner. *v. intr.* se déranger. ♦ ***May I trouble you for the salt?*** puis-je vous demander le sel?

troublemaker ['trʌbl,meɪkə] *n.* fauteur de troubles, provocateur.

troublesome ['trʌblsəm] *adj.* **1.** ennuyeux. **2.** fatigant (enfant). **3.** pénible, difficile.

trough [trɒf] *n.* **1.** auge, abreuvoir. **2.** *(Cuis.)* pétrin. **3.** *(Géog.)* dépression, creux.

trousers ['traʊzəz] *n. pl.* (= **a pair of trousers**) pantalon.

trout [traʊt] *n. inv.* truite.

trowel ['traʊəl] *n.* **1.** truelle. **2.** déplantoir.

⚠ **truant** ['tru:ənt] *n.* ***He played truant,*** il a fait l'école buissonnière.

truce [tru:s] *n.* trêve.

⚠ **truck** [trʌk] *n.* **1.** *(amér.)* camion (cf. **lorry**). **2.** *(Rail.)* wagon. **3.** chariot à bagages, diable.

⚠ **truculent** ['trʌkjʊlənt] *adj.* féroce, brutal, agressif.

trudge [trʌdʒ] *v. intr.* marcher péniblement.

true [tru:] *adj.* **1.** vrai, véritable. **2.** fidèle, véridique. **3.** exact, juste. **4.** loyal, honnête. **5.** droit (vertueux). ♦ ***It came true,*** ça s'est réalisé; ***the same holds true for...,*** il en va de même pour...; ***too good to be true,*** trop beau pour être vrai; ***true to life,*** réaliste.

▻ **truffle** ['trʌfl] *n.* *(Bot.)* truffe.

truly ['tru:lɪ] *adv.* vraiment, véritablement. ♦ ***Yours truly,*** je vous prie d'agréer l'expression de mes sentiments distingués.

trump [trʌmp] *n.* atout (cartes). ♦ ***What's trump(s)?*** quel est l'atout?

trumpet ['trʌmpɪt] *n.* trompette. *v. intr.* **1.** sonner de la trompette. **2.** barrir (éléphant).

truncheon ['trʌnʃən] *n.* bâton d'agent de police.

trundle ['trʌndl] *v.t.* faire rouler, pousser.

⚠ **trunk** [trʌŋk] *n.* **1.** *(Anat, Bot.)* tronc. **2.** malle (boîte). **3.** trompe d'éléphant. **4.** *(amér., Aut.)* coffre, malle (cf. **boot**). **5.** *(Téléph.)* inter. ♦ ***Trunk call,*** communication interurbaine; ***trunk road,*** (route) nationale.

⚠ **trunks** [trʌŋks] *n. pl.* slip (d'homme). ♦ ***Bathing trunks,*** caleçon de bain.

⚠ **trust** [trʌst] *n.* **1.** confiance. **2.** *(Jur.)* charge. **3.** *(Fin.)* trust, cartel. ♦ ***Breach of trust,*** abus de confiance; ***on trust,*** de confiance, les yeux fermés.
v.t. **1.** se fier à, se confier à. **2.** confier à; ***I'd trust her with my car,*** je lui confierais ma voiture. *v. intr.* **1.** se fier à. ***I trust in you,*** je vous fais confiance; ***trust to luck!*** tente le coup! **2.** s'attendre (à).

trusted ['trʌstɪd] *adj.* de confiance, sûr.

trustee [trʌs'ti:] *n.* **1.** dépositaire. **2.** administrateur. **3.** *(Jur.)* curateur, syndic.

trusteeship [trʌs'ti:ʃɪp] *n.* poste ou rôle d'administrateur, curateur, syndic.

trusting ['trʌstɪŋ] *adj.* confiant, qui a confiance (aussi **trustful**).

trustworthy ['trʌst,wɜ:ðɪ] *adj.* **1.** digne de confiance. **2.** digne de foi, exact, fidèle.

truth [tru:θ] *n.* vérité. ♦ ***I'll tell him a few home truths,*** je lui dirai ses quatre vérités; ***to tell (you) the truth,*** à vrai dire; ***truth drug,*** sérum de vérité.

truthful ['tru:θfəl] *adj.* **1.** sincère. **2.** véridique, vrai. **3.** fidèle (portrait...).

try [traɪ] *v.t.* **1.** essayer. **2.** éprouver, mettre à l'épreuve. **3.** tenter. **4.** *(Jur.)* juger. *v. intr.* essayer, tâcher (de). ♦ ***I tried my best,*** j'ai fait de mon mieux; ***try them on,*** essaie-les (vêtements, chaussures).
n. essai, tentative. ♦ ***At the first try,*** du premier coup; ***have a try,*** essaie, tente le coup; *(Rugby)* ***he scored a try,*** il a marqué un essai.

trying ['traɪɪŋ] *adj.* éprouvant, pénible.

⚠ **tub** [tʌb] *n.* **1.** baquet, bac. **2.** (*amér.* = **bathtub**) baignoire.

⚠ **tube** [tju:b] *n.* **1.** tube, tuyau. **2.** *(Anat.)* canal, conduit. **3.** *(Rail.)* métro. ♦ ***Cathode ray tube,*** tube cathodique; ***inner tube,*** chambre à air.

tuck [tʌk] *v.t.* **1.** plisser, froncer (étoffe). **2.** rentrer, retrousser, replier. **3.** ranger, serrer. **4.** *(fam.)* fourrer. *n.* petit pli.

tuck up *v.t.* border (un enfant au lit) (aussi **tuck in**).

Tuesday ['tju:zdɪ] *n.* mardi. ♦ ***Shrove Tuesday,*** mardi gras.

tuft [tʌft] *n.* **1.** touffe (d'herbe ou de cheveux). **2.** huppe (d'oiseau).

tug [tʌg] *n.* **1.** saccade, traction. **2.** (= **tug-boat**) remorqueur. *v.t. et intr.* tirer (sur)

tuition [tju:'ɪʃn] *n.* enseignement, instruction. ♦ ***Private tuition,*** cours particuliers.

tumble ['tʌmbl] *v.t.* culbuter. *v. intr.* **1.** tomber. **2.** rouler, descendre en roulant. **3.** dégringoler (se tourner). ♦ ***The house is tumbling down,*** la maison tombe en ruine; ***tumble dryer,*** séchoir à linge électrique.

tumbler ['tʌmblə] *n.* verre sans pied.

tummy ['tʌmɪ] *n.* *(fam.)* ventre, estomac.

tuna ['tju:nə] *n.* (= **tuna-fish**) thon.

tune [tju:n] *n.* **1.** *(Mus.)* air. **2.** accord. **3.** *(fig.)* harmonie, humeur. ♦ ***Out of tune,*** faux; ***to the tune of,*** sur l'air de. *v.t.* **1.** *(Mus.)* accorder. **2.** *(Aut., Radio)* accorder, mettre au point. ♦ ***You are tuned (in) to...,*** vous êtes à l'écoute de...

tuning ['tju:nɪŋ] *n.* **1.** *(Mus.)* action d'accorder. **2.** *(Radio, Aut.)* réglage. ♦ ***Tuning fork,*** diapason; ***tuning knob,*** bouton de réglage.

tunny ['tʌnɪ] *n.* thon.

turbojet ['tɜ:bəʊdʒet] *n.* *(Av.)* turboréacteur.

turboprop ['tɜ:bəʊprɒp] *n.* *(Av.)* turbopropulseur.

tureen [tjʊ'ri:n] *n.* soupière.

⚠ **turf** [tɜ:f] *n.* **1.** gazon. **2.** motte de gazon. **3.** tourbe. **4.** *(Sp.)* turf. ♦ ***Turf accountant,*** bookmaker.

turgid ['tɜ:dʒɪd] *adj.* enflé, boursouflé.

⚠ **turkey** ['tɜ:kɪ] *n.* dinde, dindon. ♦ *(amér., fam.)* ***Talk turkey,*** parler franc, parler net.

turmoil ['tɜ:mɔɪl] *n.* agitation, tumulte.

turn [tɜ:n] *n.* **1.** tour. **2.** tournant, virage. **3.** *(Méd., fam.)* petite crise, attaque. **4.** *(Th.)* numéro. ♦ ***At the turn of the century,*** en début ou en fin de siècle; ***in*** (ou ***by***) ***turns,*** à tour de rôle; ***turn of mind,*** tournure d'esprit; ***will you do me a good turn?*** voulez-vous me rendre un service?
v.t. **1.** (faire) tourner. **2.** retourner (vêtement...). **3.** changer, transformer. *v. intr.* **1.** (se) détourner, s'écarter. **2.** se changer (en). **3.** devenir, se faire. ♦ ***Don't turn up your nose at her,*** ne la méprise pas; ***he has*** (ou ***is***) ***turned fifty,*** il a cinquante ans passés; ***he turned back,*** il se retourna; il rebroussa chemin; ***he turned over a new leaf,*** il décida de s'amender; ***he turns his back on me,*** il me bat froid; ***it turned out that...,*** il se trouva que...; ***turn on*** (ou ***off***), ouvrir (ou fermer) (gaz, eau...); ***without turning a hair,*** sans broncher.

turnabout ['tɜ:nəbaʊt] *n.* volte-face.

turncoat ['tɜ:nkəʊt] *n.* renégat. ***He's a turncoat,*** il a tourné casaque.

turn down, *v. part. t.* **1.** rabattre (col,...). **2.** baisser (gaz,...). **3.** refuser (offre...).

turn in, *v. part. intr.* *(fam.)* aller se coucher.

turning ['tɜ:nɪŋ] *n.* tournant, virage.

turning point ['tɜ:nɪŋpɔɪnt] *n.* moment décisif, tournant.

turnip ['tɜ:nɪp] *n.* *(Agr.)* navet.

turn out, *v. part. t.* **1.** mettre à la porte.

2. vider (un tiroir...). 3. nettoyer à fond (une pièce...). 4. couper, éteindre (gaz...). 5. fabriquer, produire, former (des ingénieurs...). *v. intr.* 1. sortir, paraître en public. 2. se révéler être. ***It turned out to be true,*** c'était finalement vrai. ♦ ***Well turned out,*** élégant.

turnout ['tɜ:naʊt] *n.* 1. assistance, participation (au vote...). 2. nettoyage à fond. 3. *(Ind.)* production. 4. tenue (vêtement).

turnover ['tɜ:n,əʊvə] *n.* chiffre d'affaires.

turnpike ['tɜ:npaɪk] *n.* 1. barrière de péage. 2. *(amér.)* autoroute à péage.

turnstile ['tɜ:nstaɪl] *n.* tourniquet.

turntable ['tɜ:n,teɪbl] *n.* 1. platine (de tourne-disques). 2. *(fig.)* plaque tournante.

turn up, *v. part.* 1. relever (col...), retrousser (manches...). 2. déterrer (un objet), dénicher. 3. *(Radio, T.V.,...)* mettre plus fort.
v. intr. arriver, se présenter.

turpentine ['tɜ:pəntaɪn] *n.* térébenthine.

turret ['tʌrɪt] *n.* tourelle.

turtle ['tɜ:tl] *n.* tortue de mer.

turtledove ['tɜ:tldʌv] *n.* tourterelle.

tusk [tʌsk] *n.* défense (d'éléphant,...).

tussle ['tʌsl] *n.* *(fam.)* mêlée, bagarre, prise de bec. *v. intr.* se bagarrer.

⚠ **tutor** ['tju:tə] *n.* *(Ens.)* professeur chargé d'un étudiant ou d'un petit groupe. ♦ ***(Private) tutor,*** précepteur.

tutorial [tju:'tɔ:rɪəl] *n.* *(Ens.)* séance de travail avec un petit groupe d'étudiants.

tuxedo [tʌk'si:dəʊ] *n.* *(amér.)* smoking (cf. **dinner jacket**).

twang [twæŋ] *n.* 1. son vibrant (de corde pincée). 2. accent nasillard (américain).

twelfth [twelfθ] *adj. num.* douzième. ♦ ***Twelfth Night,*** la fête des Rois.

twice [twaɪs] *adv.* deux fois. ♦ ***Twice as much,*** (ou ***as many***), deux fois plus (de).

twiddle ['twɪdl] *v.t.* tripoter, (se) tourner oisivement (les pouces).
v. intr. jouer (avec).

twig[1] [twɪg] *n.* brindille, petite branche.

twig[2] [twɪg] *v.t.* *(fam.)* piger, comprendre.

twilight ['twaɪlaɪt] *n.* crépuscule.

twin [twɪn] *n. et adj.* jumeau, jumelle. ♦ ***Identical twins,*** vrais jumeaux; ***Siamese twins,*** siamois(es); ***twin towns,*** villes jumelées. *v.t.* jumeler (villes...).

twine [twaɪn] *v. t. et intr.* (s') entrelacer.

twinge [twɪndʒ] *n.* élancement (de douleur). ♦ ***A twinge of conscience,*** un remords.

twinkle ['twɪŋkl] *n.* 1. scintillement. 2. pétillement (du regard). ♦ ***In a twinkle,*** (ou ***in the twinkle of an eye***), en un clin d'œil. *v. intr.* 1. scintiller. 2. pétiller (regard).

twinkling ['twɪŋklɪŋ] *n.* scintillement, clignotement (des yeux). ♦ ***In the twinkling of an eye,*** en un clin d'œil. *adj.* scintillant.

twirl [twɜ:l] *v.t. et intr.* (faire) tournoyer.

⚠ **twist** [twɪst] *n.* 1. torsion, contorsion. 2. tour, virage. 3. tournure d'esprit particulière. 4. duperie. 5. twist (danse).
v.t. 1. tordre, tortiller. 2. pervertir, dénaturer. 3. rouler, avoir.
v. intr. 1. se tordre, s'entortiller. 2. twister (danser). ♦ ***I twisted my ankle,*** je me suis tordu la cheville; ***twist off,*** dévisser pour enlever (couvercle...).

twister ['twɪstə] *n.* 1. filou. 2. tâche très difficile. ♦ ***Tongue twister,*** mot ou phrase très difficile à prononcer.

twitch ['twɪtʃ] *n.* 1. saccade. 2. (= **nervous twitch**) tic. 3. tiraillement (de douleur). *v.t.* 1. tirer brusquement. 2. crisper. *v. intr.* se contracter nerveusement.

twitter ['twɪtə] *n.* gazouillement. ♦ ***All of a twitter,*** tout en émoi. *v. intr.* gazouiller.

twofold ['tu:fəʊld] *adj.* double.

tycoon [taɪ'ku:n] *n.* magnat, roi (du pétrole,...).

⚠ **type** [taɪp] *n.* 1. type, genre. 2. caractère (d'imprimerie). 3. *(fam.)* type. *v.t.* taper (à la machine) (aussi **typewrite**).

typescript ['taɪp,skrɪpt] *n.* manuscrit ou texte dactylographié.

typewriter ['taɪp,raɪtə] *n.* machine à écrire.

typify ['tɪpɪfaɪ] *v.t.* symboliser.

typing ['taɪpɪŋ] *n.* dactylographie. ♦ ***Typing error,*** faute de frappe.

typist ['taɪpɪst] *n.* dactylo. ♦ ***Short-hand typist,*** sténodactylo.
▻ **tyrant** ['taɪərənt] *n.* tyran.
tyre [taɪə] *n.* pneu (aussi *amér.* **tire**). ♦ ***Spare tyre,*** pneu de rechange ; ***tyre gauge,*** manomètre (pour pneus) ; ***tyre lever,*** démonte-pneu ; ***tyre pressure,*** pression (de gonflage).
tyro ['taɪərəʊ] *n.* novice, débutant. (aussi **tiro**).

U

U, u [ju:] **1.** 21ᵉ lettre de l'alphabet. **2.** (= **U film**) film «pour tous». *adj.* (= **upper class**) de bon ton, chic (≠ **non-U**).
U-boat ['ju:bəʊt] *n.* sous-marin allemand.
udder ['ʌdə] *n.* mamelle, pis.
ugliness ['ʌglɪnɪs] *n.* laideur.
ugly ['ʌglɪ] *adj.* laid. ♦ ***An ugly customer,*** un sale type ; ***he gave her an ugly look,*** il l'a regardée d'un sale œil.
⚠ **ulterior** [ʌl'tɪərɪə] *adj.* **1.** ultérieur. **2.** *(fig.)* caché, secret. ♦ ***Without ulterior motive,*** sans arrière-pensée.
ultimate ['ʌltɪmɪt] *adj.* **1.** dernier, final. **2.** extrême, suprême.
ultimately ['ʌltɪmɪtlɪ] *adv.* **1.** finalement, à la fin. **2.** en fin de compte, en définitive.
ultramarine [ˌʌltrəmə'ri:n] *n. et adj.* (bleu d') outremer.
▻ **umbilical** [ʌm'bɪlɪkl] *adj.* ombilical. ♦ ***Umbilical cord,*** cordon ombilical.
⚠ **umbrella** [ʌm'brelə] *n.* parapluie. ♦ ***Umbrella stand,*** porte-parapluies.
umpire ['ʌmpaɪə] *n.* arbitre. *v.t.* arbitrer.
umpteen [ˌʌmp'ti:n] *adj. quant. (fam.)* beaucoup de. ♦ ***I've told you umpteen times,*** je te l'ai dit x fois.
unabashed [ˌʌnə'bæʃt] *adj.* nullement décontenancé.
unabated [ˌʌnə'beɪtɪd] *adj.* non diminué. ♦ ***With unabated interest,*** avec un intérêt soutenu.
unable [ˌʌn'eɪbl] *adj.* incapable. ♦ ***Unable to do it,*** incapable de le faire.
unabridged [ˌʌnə'brɪdʒd] *adj.* **1.** non abrégé. **2.** en entier, complet, intégral.
unaccountable [ˌʌnə'kaʊntəbl] *adj.* inexplicable, inconcevable.
▻ **unanimous** [ju:'nænɪməs] *adj.* unanime. ♦ ***Accepted by a unanimous vote,*** voté à l'unanimité.
unassuming [ˌʌnə'sju:mɪŋ] *adj.* sans prétention, modeste.
unavailable [ˌʌnə'veɪləbl] *adj.* **1.** inutilisable (billet). **2.** indisponible (fonds, personne).
unavailing [ˌʌnə'veɪlɪŋ] *adj.* inutile (effort...), inefficace (méthode...).
unavoidable [ˌʌnə'vɔɪdəbl] *adj.* inévitable.
unaware [ˌʌnə'weə] *adj.* ignorant, pas au courant. ♦ ***He was unaware of my presence,*** il ne se rendait pas compte de ma présence ; ***she's socially unaware,*** elle n'est pas sensibilisée aux problèmes sociaux.
unawares [ˌʌnə'weəz] *adv.* **1.** à l'improviste. **2.** sans s'en rendre compte. ♦ ***I was taken unawares,*** je fus pris au dépourvu.
unbearable [ʌn'beərəbl] *adj.* insupportable.
unbecoming [ˌʌnbɪ'kʌmɪŋ] *adj.* **1.** peu convenable, mal séant. **2.** qui ne va pas bien (vêtement).
unbelievable [ˌʌnbɪ'li:vəbl] *adj.* incroyable.
unbiassed [ˌʌn'baɪəst] *adj.* impartial.
unbroken [ˌʌn'brəʊkən] *adj.* **1.** non brisé. **2.** intact. **3.** tenu (promesse). **4.** non battu (record). **5.** ininterrompu (silence...).
unburden [ˌʌn'bɜ:dn] *v.t.* soulager, décharger. ♦ ***He unburdened himself to her,*** il s'ouvrit à elle, il se confia à elle.
▻ **unbutton** [ˌʌn'bʌtn] *v.t.* déboutonner.
uncanny [ʌn'kænɪ] *adj.* étrange, mystérieux.
▻ **uncertain** [ʌn'sɜ:tn] *adj.* incertain.
unchallenged [ˌʌn'tʃæləndʒd] *adj.* incontesté, indiscuté.
▻ **unchangeable** [ˌʌn'tʃeɪndʒəbl] *adj.*

invariable, immuable.
unchecked [ˌʌn'tʃekt] *adj.* **1.** non réprimé, sans frein. **2.** non vérifié.
▷ **unchristian** [ʌn'krɪstɪən] *adj.* **1.** peu chrétien. **2.** *(fam.)* impossible, indu (heure).
unclaimed [ˌʌn'kleɪmd] *adj.* non réclamé, non revendiqué. ♦ ***Unclaimed letter,*** lettre au rebut.
unclasp [ˌʌn'klɑːsp] *v.t.* dégrafer, défaire.
▷ **uncle** ['ʌŋkl] *n.* oncle.
▷ **uncomfortable** [ʌn'kʌmftəbl] *adj.* **1.** inconfortable. **2.** *(fig.)* gêné, mal à l'aise.
uncommonly [ʌn'kɒmənlɪ] *adv.* **1.** rarement. **2.** infiniment. ♦ ***Not uncommonly,*** assez souvent.
uncommunicative [ˌʌnkə'mjuːnɪkətɪv] *adj.* peu expansif, renfermé.
uncompromising [ʌn'kɒmprəmaɪzɪŋ] *adj.* intransigeant, inflexible.
unconcerned [ˌʌnkən'sɜːnd] *adj.* imperturbable, indifférent, insouciant.
▷ **unconditional** [ˌʌnkən'dɪʃənl] *adj.* inconditionnel, sans réserve. ♦ ***Unconditional surrender,*** reddition sans condition.
unconscious [ʌn'kɒnʃəs] *adj.* **1.** *(Méd.)* sans connaissance. **2.** ignorant (de). ♦ ***He was unconscious of it,*** il ne s'en rendait pas compte; ***knocked unconscious,*** assommé; ***she became unconscious,*** elle perdit connaissance; ***the unconscious mind,*** l'inconscient.
n. inconscient.
unconvincing [ʌnkən'vɪnsɪŋ] *adj.* peu convaincant.
uncouth [ʌn'kuːθ] *adj.* **1.** bizarre. **2.** grossier. **3.** gauche, fruste, lourd, maladroit.
uncover [ʌn'kʌvə] *v.t.* **1.** découvrir. **2.** *(fig.)* dévoiler (secret, plan...).
undamaged [ˌʌn'dæmɪdʒd] *adj.* **1.** non endommagé, en bon état. **2.** intact (réputation...).
undaunted [ʌn'dɔːntɪd] *adj.* **1.** intrépide. **2.** sans se laisser intimider.
undecided [ˌʌndɪ'saɪdɪd] *adj.* **1.** indécis, incertain (issue...). **2.** hésitant.
undefinable [ˌʌndɪ'faɪnəbl] *adj.* indéfinissable.
undelivered [ˌʌndɪ'lɪvəd] *adj.* **1.** non délivré. **2.** non remis, non distribué. ♦ ***If undelivered return to sender,*** en cas d'absence prière de retourner à l'expéditeur.
undemonstrative [ˌʌndɪ'mɒnstrətɪv] *adj.* peu expansif, réservé.
▷ **undeniable** [ˌʌndɪ'naɪəbl] *adj.* indéniable.
undependable [ˌʌndɪ'pendəbl] *adj.* sur qui on ne peut pas compter, peu sûr.
under ['ʌndə] *prép.* **1.** sous. **2.** au-dessous de (inférieur à). **3.** dans, en (en état de). **4.** avec, à (ayant). ♦ ***He spoke under his breath,*** il parlait à mi-voix; ***I'm under the necessity of,*** je suis dans la nécessité de; ***in under two hours,*** en moins de deux heures; ***I work under him,*** je travaille sous ses ordres; ***under age,*** mineur; ***under an assumed name,*** sous un faux nom; ***under consideration,*** à l'examen; ***under cover of,*** sous prétexte de; ***under discussion,*** en discussion; ***under sentence of death,*** condamné à mort; ***under these circumstances,*** dans ces circonstances; ***under the terms of the contract,*** aux termes du contrat; ***under way,*** en marche, en route, en cours (action).
adv. dessous, au-dessous. ♦ ***Five degrees under,*** cinq degrés au-dessous de zéro; ***see under.*** voir ci-dessous.
undercarriage ['ʌndəˌkærɪdʒ] *n.* *(Av.)* train d'atterrissage.
underclothes ['ʌndəkləʊðz] *n. pl.* sous-vêtements (aussi **underclothing**).
undercover [ˌʌndə'kʌvə] *adj.* secret (agent); clandestin.
undercurrent ['ʌndəˌkʌrənt] *n.* **1.** courant sous-marin. **2.** *(fig.)* courant sous-jacent.
underdeveloped [ˌʌndədɪ'veləpt] *adj.* **1.** *(Anat.)* qui n'est pas complètement développé ou formé. **2.** sous-développé (pays).
underdog ['ʌndədɒg] *n.* opprimé.
underdone [ˌʌndə'dʌn] *adj.* **1.** *(Cuis.)* saignant (bœuf...). **2.** pas assez cuit.
underemployment [ˌʌndərɪm'plɔɪmənt] *n.* **1.** sous-emploi. **2.** sous-exploitation.
underestimate [ˌʌndər'estɪmeɪt] *v.t.* sous-estimer, mésestimer, méconnaître.
underfed [ˌʌndə'fed] *adj.* sous-ali-

menté.
underfoot [ˌʌndəˈfʊt] *adv.* sous les pieds. ♦ ***They trampled it underfoot,*** ils l'ont foulé aux pieds.
undergo [ˌʌndəˈgəʊ] *v.t. irr.* (*p.* **-went,** *p.p.* **-gone**) subir, endurer.
undergraduate [ˌʌndəˈgrædʒʊɪt] *n.* étudiant non diplomé.
underground [ˈʌndəgraʊnd] *n.* métro. *adj.* **1.** souterrain. **2.** clandestin. **3.** *(Art, Ciné.)* d'avant-garde. *adv.* [ˌʌndəˈgraʊnd] **1.** sous-terre. **2.** secrètement.
undergrowth [ˈʌndəgrəʊθ] *n.* **1.** broussailles. **2.** sous-bois.
underhand [ˌʌndəˈhænd] *adj.* **1.** secret, clandestin. **2.** sournois (personne).
underline [ˌʌndəˈlaɪn] *v.t.* souligner.
underlying [ˌʌndəˈlaɪɪŋ] *adj.* **1.** sous-jacent, latent. **2.** de base, fondamental.
undermine [ˌʌndəˈmaɪn] *v.t.* miner, saper.
underneath [ˌʌndəˈnɪ:θ] *prép.* sous, au-dessous de. *adv.* dessous, au (en, par) dessous.
underprivileged [ˌʌndəˈprɪvɪlɪdʒd] *adj.* **1.** déshérité. **2.** économiquement faible.
underrate [ˌʌndəˈreɪt] *v.t.* sous-estimer.
undersigned [ˈʌndəsaɪnd] *adj. et n.* soussigné. ♦ ***I the undersigned...,*** je soussigné(e)...
undersized [ˌʌndəˈsaɪzd] *adj.* **1.** au-dessous de la moyenne. **2.** trop petit, chétif.
understaffed [ˌʌndəˈstɑ:ft] *adj.* à court de personnel.
understand [ˌʌndəˈstænd] *v.t. irr.* (*p.* **understood,** *p.p.* **understood**). **1.** comprendre. **2.** (croire) comprendre, entendre dire. **3.** sous-entendre. *v. intr.* comprendre. ♦ ***Am I to understand that...?*** dois-je comprendre que...? ***I made myself understood,*** je me suis fait comprendre.
understandable [ˌʌndəˈstændəbl] *adj.* **1.** intelligible. **2.** compréhensible, normal.
understanding [ˌʌndəˈstændɪŋ] *n.* **1.** entendement, intelligence. **2.** compréhension. **3.** entente, accord. ♦ ***On the understanding that,*** à condition que; ***she showed a quick understanding of the problem,*** elle a vite compris le problème; ***we came to an understanding,*** nous sommes tombés d'accord. *adj.* compréhensif.
understatement [ˌʌndəˈsteɪtmənt] *n.* euphémisme, litote.
understood [ˌʌndəˈstʊd] (**understand,** *v.*)
understudy [ˈʌndəˌstʌdɪ] *n. (Th.)* doublure.
undertake [ˌʌndəˈteɪk] *v.t. irr.* (*p.* **-took,** *p.p.* **-taken**). **1.** entreprendre, se charger de. **2.** s'engager (à).
undertaker [ˈʌndəteɪkə] *n.* entrepreneur des pompes funèbres.
undertaking [ˌʌndəˈteɪkɪŋ] *n.* entreprise. ♦ ***It's quite an undertaking,*** ce n'est pas une mince affaire.
undertone [ˈʌndətəʊn] *n.* ton bas, peu élevé. ♦ ***In an undertone,*** à mi-voix.
undertook [ˌʌndəˈtʊk] (**undertake,** *v.*)
underwater [ˌʌndəˈwɔ:tə] *adj.* sous-marin. *adv.* sous l'eau.
underwear [ˈʌndəweə] *n.* linge de corps, lingerie (aussi **underclothes, underclothing**).
underwent [ˌʌndəˈwent] (**undergo,** *v.*)
underworld [ˈʌndəwɜ:ld] *n.* **1.** enfer, régions infernales. **2.** *(fig.)* bas-fonds, pègre.
undeserved [ˌʌndɪˈzɜ:vd] *adj.* immérité.
⚠ **undeterred** [ˌʌndɪˈtɜ:d] *adj.* non découragé. ♦ ***He carried on undeterred,*** il continua comme si de rien n'était.
undeveloped [ˌʌndɪˈveləpt] *adj.* **1.** non développé. **2.** inculte, inexploité (terrain).
undisputed [ˌʌndɪˈspju:tɪd] *adj.* incontesté.
undivided [ˌʌndɪˈvaɪdɪd] *adj.* sans partage, tout entier. ♦ ***Undivided attention,*** attention soutenue, complète.
undo [ˌʌnˈdu:] *v.t. irr.* (p. **undid,** *p.p.* **undone**). **1.** défaire. **2.** délier, détacher, dénouer. **3.** ruiner, perdre (détruire).
undoing [ʌnˈdu:ɪŋ] *n.* ruine, perte. ***Wine was his undoing,*** c'est le vin qui l'a perdu.
undone [ˌʌnˈdʌn] *adj.* **1.** non exécuté, à faire. **2.** défait (lacet). **3.** perdu, ruiné. ♦ ***I left it undone,*** je ne l'ai pas fait; ***what is done cannot be undone,*** ce qui est fait est fait.
undoubtedly [ʌnˈdaʊtɪdlɪ] *adv.* indubi-

tablement, assurément, sans aucun doute.

undreamt-of [ʌn'dremt əv] *adj.* inattendu, qui dépasse l'imagination, insoupçonné, inespéré (aussi **undreamed-of**).

undress [ʌn'dres] *v.t. et intr.* (se) déshabiller. ♦ ***He got undressed*** (ou ***he undressed***), il se déshabilla.

undrinkable [ˌʌn'drɪŋkəbl] *adj.* **1.** imbuvable. **2.** non potable.

undue [ˌʌn'dju:] *adj.* **1.** non dû. **2.** excessif.

unduly [ʌn'dju:lɪ] *adv.* **1.** indûment. **2.** à tort. **3.** trop, à l'excès, outre mesure.

unearned [ˌʌn'ɜ:nd] *adj.* **1.** non gagné. **2.** immérité. ♦ ***Unearned income,*** rentes ; *(Fin.)* ***unearned increment,*** plus-value.

unearth [ˌʌn'ɜ:θ] *v.t.* **1.** déterrer. **2.** *(fig.)* découvrir (un secret), dénicher.

unearthly [ʌn'ɜ:θlɪ] *adj.* **1.** surnaturel, mystérieux, sinistre. **2.** infernal (bruit). **3.** indu (heure).

uneasy [ʌn'i:zɪ] *adj.* **1.** difficile. **2.** gêné, mal à l'aise. **3.** inquiet. **4.** agité (sommeil).

unemployed [ˌʌnɪm'plɔɪd] *adj.* **1.** sans travail, au chômage. **2.** inutilisé. ♦ ***The unemployed,*** les chômeurs.

unemployment [ˌʌnɪm'plɔɪmənt] *n.* chômage. ♦ ***Unemployment benefit*** (ou ***pay***), allocation de chômage.

unending [ʌn'endɪŋ] *adj.* interminable.

unequal [ʌn'i:kwəl] *adj.* **1.** inégal. **2.** au-dessous de. ♦ ***He's unequal to the task,*** il n'est pas à la hauteur de la tâche.

unequalled [ʌn'i:kwəld] *adj.* inégalé, sans égal, qui n'a pas son pareil.

unequivocal [ˌʌnɪ'kwɪvəkl] *adj.* sans équivoque. ♦ ***An unequivocal «no»,*** un « non » catégorique.

unerring [ʌn'ɜ:rɪŋ] *adj.* infaillible, sûr.

uneven [ʌn'i:vn] *adj.* **1.** inégal, accidenté, raboteux. **2.** rugueux. **3.** changeant, irrégulier. **4.** impair (nombre). ♦ *(Aut.)* ***My engine sounds uneven,*** mon moteur ne tourne pas rond.

uneventful [ˌʌnɪ'ventfəl] *adj.* sans incidents, calme, tranquille, monotone.

unexceptionable [ˌʌnɪk'sepʃnəbl] *adj.* irréprochable, irrécusable, sans défaut.

▷ **unexceptional** [ˌʌnɪk'sepʃənl] *adj.* qui n'a rien d'exceptionnel.

unexciting [ˌʌnɪk'saɪtɪŋ] *adj.* **1.** peu passionnant. **2.** ordinaire (nourriture).

unexpected [ˌʌnɪk'spektɪd] *adj.* **1.** inattendu, imprévu. **2.** inespéré (résultat).

unfailing [ʌn'feɪlɪŋ] *adj.* **1.** infaillible, sûr, inébranlable. **2.** inépuisable (source...).

unfair [ˌʌn'feə] *adj.* injuste, inéquitable.

unfaithful [ʌn'feɪθfəl] *adj.* infidèle.

unfaltering [ʌn'fɔ:ltərɪŋ] *adj.* **1.** ferme, assuré (voix, pas). **2.** résolu, inconditionnel (soutien,...).

unfamiliar [ˌʌnfə'mɪljə] *adj.* peu (ou mal) connu, inconnu. ♦ ***I'm unfamiliar with Russian,*** je connais mal le russe ; ***this face is not unfamiliar to me,*** j'ai déjà vu ce visage quelque part.

unfasten [ʌn'fɑ:sn] *v.t.* ouvrir, détacher, défaire.

unfeeling [ʌn'fi:lɪŋ] *adj.* insensible, dur.

unfit [ʌn'fɪt] *adj.* **1.** impropre (à). **2.** inapte (à). **3.** en mauvaise santé. ♦ ***He is unfit to drive,*** il n'est pas en état de conduire ; ***unfit for national service,*** inapte au service militaire.

unflagging [ʌn'flægɪŋ] *adj.* infatigable, inlassable.

unfledged [ʌn'fledʒd] *adj.* qui manque d'expérience, novice.

unflinching [ʌn'flɪntʃɪŋ] *adj.* impassible, stoïque.

unfold [ʌn'fəʊld] *v.t.* **1.** déplier, déployer. **2.** dévoiler. *v. intr.* **1.** se déplier, se déployer. **2.** se dévoiler. **3.** s'ouvrir (fleur).

unforeseeable [ˌʌnfɔ:'si:əbl] *adj.* imprévisible.

unforeseen [ˌʌnfɔ:'si:n] *adj.* imprévu.

unforgettable [ˌʌnfə'getəbl] *adj.* inoubliable.

unforgivable [ˌʌnfə'gɪvəbl] *adj.* impardonnable.

unforgiving [ˌʌnfə'gɪvɪŋ] *adj.* implacable.

⚠ **unfortunate** [ʌn'fɔ:tʃʊnɪt] *adj.* **1.** malheureux, infortuné. **2.** regrettable (erreur...).

unfortunately [ʌn'fɔ:tʃʊnɪtlɪ] *adv.* malheureusement.

unfurl [ʌn'fɜ:l] *v.t. et intr. (Naut.)* (se) déployer, larguer.

ungainly [ʌn'geɪnlɪ] *adj.* disgracieux, gauche.

ungodly [ʌn'gɒdlɪ] *adj.* **1.** impie, irréligieux. **2.** *(fig.)* indu (heure...).

⚠ **unguarded** [ʌn'gɑːdɪd] *adj.* **1.** sans défense. **2.** irréfléchi, inconsidéré. ♦ ***In an unguarded moment,*** dans un moment d'inattention.

unhealthy [ʌn'helθɪ] *adj.* **1.** insalubre, malsain. **2.** maladif.

unheard-of [ˌʌn'hɜːdəv] *adj.* **1.** sans précédent. **2.** inconnu, inouï, extraordinaire.

⚠ **unicorn** ['juːnɪkɔːn] *n.* licorne.

unidentified [ˌʌnaɪ'dentɪfaɪd] *adj.* non identifié. ♦ ***Unidentified flying object,*** objet volant non identifié (aussi **UFO**).

unimpaired [ˌʌnɪm'peəd] *adj.* inaltéré, intact. ♦ ***Her eyesight is unimpaired,*** sa vue ne s'est pas détériorée.

unimportant [ˌʌnɪm'pɔːtənt] *adj.* peu important, sans importance, insignifiant.

uninhabited [ˌʌnɪn'hæbɪtɪd] *adj.* inhabité.

▻ **unintentional** [ˌʌnɪn'tenʃənl] *adj.* involontaire, sans intention.

▻ **uninteresting** [ˌʌn'ɪntrɪstɪŋ] *adj.* inintéressant, ennuyeux, sans intérêt.

⚠ **union** ['juːnɪən] *n.* **1.** union. **2.** (= **trade union**) syndicat. **3.** (= **students'union**) association des étudiants. ♦ ***Union Jack,*** Union Jack (drapeau du Royaume-Uni).

unionist ['juːnɪənɪst] *n.* syndiqué(e).

unit ['juːnɪt] *n.* **1.** unité. **2.** bloc, groupe, élément. ♦ ***Unit furniture,*** mobilier par éléments; ***unit price,*** prix unitaire; ***unit trust,*** société d'investissement.

unite [juː'naɪt] *v.t. et intr.* (s')unir (à).

united [juː'naɪtɪd] *adj.* uni, unifié, conjugué (effort). ***The United Kingdom,*** le Royaume-Uni; ***united we stand, divided we fall,*** l'union fait la force.

unkempt [ˌʌn'kempt] *adj.* **1.** négligé, débraillé. **2.** mal peigné, ébouriffé.

unkind [ˌʌn'kaɪnd] *adj.* **1.** désobligeant. **2.** peu aimable, pas gentil. **3.** dur, cruel.

unknown [ˌʌn'nəʊn] *adj.* inconnu. ♦ ***Unknown to me,*** à mon insu.

unleash [ʌn'liːʃ] *v.t.* **1.** lâcher (chien). **2.** *(fig.)* déchaîner, déclencher (colère...).

unless [ʌn'les] *conj.* à moins que... ne. **2.** à moins de. **3.** si... ne... pas. **4.** si ce n'est, excepté que. ♦ ***Unless I am mistaken,*** à moins que je ne me trompe; ***unless I hear to the contrary,*** sauf contrordre; ***unless otherwise stated,*** sauf indication contraire.

unlike [ˌʌn'laɪk] *adj.* différent (de), qui ne ressemble pas (à). *prép.* à la différence de, contrairement à. ***That is unlike her,*** cela ne lui ressemble pas.

unlikely [ʌn'laɪklɪ] *adj.* **1.** improbable. **2.** invraisemblable. ♦ ***It's unlikely that he will come*** (ou ***he's unlikely to come***), il y a peu de chances pour qu'il vienne.

unlock [ʌn'lɒk] *v.t.* ouvrir. ♦ ***The door was unlocked,*** la porte n'était pas fermée à clef.

unlucky [ʌn'lʌkɪ] *adj.* **1.** malchanceux. **2.** malencontreux. ♦ ***It's unlucky to walk under a ladder,*** ça porte malheur de passer sous une échelle.

unmarried [ˌʌn'mærɪd] *adj.* célibataire. ♦ ***Unmarried mother,*** mère célibataire.

unmask [ʌn'mɑːsk] *v.t.* **1.** démasquer. **2.** *(fig.)* dévoiler (machination...).

unmatched [ˌʌn'mætʃt] *adj.* **1.** dépareillé. **2.** *(fig.)* sans pareil, sans égal.

unmistak(e)able [ˌʌnmɪ'steɪkəbl] *adj.* évident, clair, indubitable.

unmitigated [ʌn'mɪtɪgeɪtɪd] *adj.* **1.** non mitigé, absolu. **2.** fieffé (coquin, menteur...).

unmoved [ʌn'muːvd] *adj.* **1.** immobile. **2.** non ému, insensible, indifférent.

unnatural [ˌʌn'nætʃrəl] *adj.* **1.** contre nature. **2.** dénaturé (personne).

⚠ **unnerve** [ˌʌn'nɜːv] *v.t.* **1.** faire perdre courage (à), démonter. **2.** déconcerter, dérouter.

unnoticed [ˌʌn'nəʊtɪst] *adj.* inaperçu, inobservé. ♦ ***He went unnoticed,*** il passa inaperçu.

unobtrusive [ˌʌnəb'truːsɪv] *adj.* discret, effacé.

unpaid [ˌʌn'peɪd] *adj.* non payé. ♦ ***He works unpaid,*** il travaille à titre bénévole.

unparalleled [ʌn'pærəleld] *adj.* **1.** sans pareil, sans égal. **2.** sans précédent.

unperturbed [ˌʌnpə'tɜːbd] *adj.* impassible.
unpleasant [ʌn'pleznt] *adj.* désagréable.
unpopular [ˌʌn'pɒpjʊlə] *adj.* impopulaire.
unprecedented [ʌn'presɪdentɪd] *adj.* sans précédent.
unpredictable [ˌʌnprɪ'dɪktəbl] *adj.* imprévisible. ♦ ***She's quite unpredictable,*** on ne sait jamais ce qu'elle va faire.
unprepossessing [ˌʌnpriːpə'zesɪŋ] *adj.* peu avenant, peu engageant, rébarbatif.
⚠ **unqualified** [ʌn'kwɒlɪfaɪd] *adj.* **1.** incompétent. **2.** sans diplômes. **3.** *(Jur.)* incompétent (tribunal,...). **4.** sans réserve, absolu. ***She received unqualified praise,*** elle a été unanimement louée.
unquestionable [ʌn'kwestʃənəbl] *adj.* incontestable, indubitable.
unravel [ʌn'rævl] *v.t. et intr.* (se) démêler.
unreadable [ʌn'riːdəbl] *adj.* illisible.
unreal [ˌʌn'rɪəl] *adj.* irréel, imaginaire.
unreasonable [ʌn'riːznəbl] *adj.* **1.** déraisonnable. **2.** extravagant, absurde, exorbitant.
unrelenting [ˌʌnrɪ'lentɪŋ] *adj.* inflexible, implacable, impitoyable, acharné.
unreliable [ˌʌnrɪ'laɪəbl] *adj.* **1.** peu sûr. **2.** sur qui ou sur quoi on ne peut compter.
unremitting [ˌʌnrɪ'mɪtɪŋ] *adj.* inlassable.
unrequited [ˌʌnrɪ'kwaɪtɪd] *adj.* non partagé (amour), non payé de retour.
unrest [ʌn'rest] *n.* agitation (sociale,...).
unrivalled [ʌn'raɪvld] *adj.* sans égal.
unroll [ʌn'rəʊl] *v.t. et intr.* (se) dérouler.
unruly [ʌn'ruːlɪ] *adj.* **1.** indiscipliné, turbulent. **2.** en désordre, rebelle (cheveux).
unsafe [ˌʌn'seɪf] *adj.* peu sûr, dangereux.
unsavoury [ʌn'seɪvərɪ] *adj.* **1.** insipide. **2.** peu recommandable, louche. **3.** repoussant.
unscrew [ʌn'skruː] *v.t. et intr.* (se) dévisser.
unscrupulous [ʌn'skruːpjʊləs] *adj.* **1.** peu scrupuleux, indélicat. **2.** sans scrupules.
unseemly [ʌn'siːmlɪ] *adj.* inconvenant.
unseen [ʌn'siːn] *adj.* sans être vu, invisible. *n. (Ens.)* version (sans préparation).
unsettled [ˌʌn'setld] *adj.* **1.** mal fixé. **2.** incertain (temps). **3.** irrésolu (personne). **4.** dérangé, troublé (esprit). **5.** changeant, inconstant, instable. **6.** pendant (question). **7.** *(Comm.)* impayé, non acquitté.
unshak(e)able [ʌn'ʃeɪkəbl] *adj.* inébranlable, à toute épreuve (aussi **unshaken**).
unshrinkable [ˌʌn'ʃrɪnkəbl] *adj.* irrétrécissable (au lavage).
unsightly [ʌn'saɪtlɪ] *adj.* laid, vilain.
unskilled [ˌʌn'skɪld] *adj.* **1.** inexpérimenté. **2.** non qualifié. ♦ ***Unskilled worker,*** manœuvre, ouvrier non qualifié.
unsociable [ʌn'səʊʃəbl] *adj.* farouche, sauvage, peu sociable. ♦ ***I feel unsociable today,*** je n'ai pas envie de voir des gens aujourd'hui.
unsound [ˌʌn'saʊnd] *adj.* **1.** défectueux, malsain. **2.** faux, erroné. ♦ *(Jur.)* ***Of unsound mind,*** qui ne jouit pas de toutes ses facultés mentales.
unsparing [ʌn'speərɪŋ] *adj.* **1.** prodigue, généreux (effort...). **2.** impitoyable.
unsuitable [ˌʌn'suːtəbl] *adj.* **1.** inapte (à). **2.** impropre, mal adapté (à). **3.** déplacé (remarque...). ♦ ***Brown is unsuitable for the post,*** Brown n'est pas l'homme qu'il faut pour le poste; ***he married a very unsuitable person,*** il a fait une mésalliance.
unswerving [ʌn'swɜːvɪŋ] *adj.* inébranlable.
unthinkable [ʌn'θɪŋkəbl] *adj.* impensable.
unthinkingly [ʌn'θɪŋkɪŋlɪ] *adv.* sans réfléchir, étourdiment.
unthought of [ʌn'θɔːtəv] *adj.* **1.** imprévu, inattendu. **2.** que l'on n'imagine pas.
untidy [ʌn'taɪdɪ] *adj.* **1.** en désordre (pièce) **2.** mal peigné (cheveux). **3.** négligé, débraillé. **4.** désordonné (personne).
until [ʌn'tɪl] *prép.* **1.** jusqu'à. **2.** avant. ♦

He did not come back until Monday, il n'est pas revenu avant lundi; ***until then,*** jusque-là, en attendant.
conj. **1.** jusqu'à ce que. **2.** avant que (aussi **till**). ***He won't do it until he's told,*** il ne le fera pas tant qu'on ne le lui aura pas dit.

untimely [ʌn'taɪmlɪ] *adj.* **1.** prématuré, précoce. **2.** inopportun. ♦ ***He came to an untimely end,*** il est mort prématurément.

untrue [ˌʌn'tru:] *adj.* faux, mensonger.

unusual [ʌn'ju:ʒʊəl] *adj.* peu commun, rare.

unveil [ˌʌn'veɪl] *v.t.* **1.** dévoiler. **2.** inaugurer (une statue...).

unwarranted [ʌn'wɒrəntɪd] *adj.* **1.** injustifié, non autorisé. **2.** non garanti.

unwavering [ʌn'weɪvərɪŋ] *adj.* inébranlable (soutien...).

unwell [ʌn'wel] *adj.* indisposé, souffrant.

unwillingly [ʌn'wɪlɪŋlɪ] *adv.* à contrecœur, de mauvaise grâce.

unwind [ʌn'waɪnd] *v.t. irr.* (*p.* **unwound,** *p.p.* **unwound**) dérouler. *v. intr.* **1.** se dérouler. **2.** *(fam.)* se détendre, se relaxer.

unwise [ˌʌn'waɪz] *adj.* imprudent, malavisé.

unwittingly [ˌʌn'wɪtɪŋlɪ] *adv.* involontairement, inconsciemment, sans le savoir.

unworkable [ˌʌn'wɜ:kəbl] *adj.* impraticable, infaisable, inexploitable.

unwritten [ˌʌn'rɪtn] *adj.* **1.** non écrit. **2.** oral, verbal. ♦ ***It is an unwritten law*** (ou ***rule) that...,*** il est tacitement admis que...

unyielding [ʌn'ji:ldɪŋ] *adj.* inflexible.

unzip [ˌʌn'zɪp] *v.t.* ouvrir la fermeture Éclair de.

up [ʌp] *adv.* **1.** au haut, en haut, haut. **2.** en l'air. **3.** levé (pas au lit). **4.** debout (pas assis). **5.** fini, expiré. **6.** en hausse (prix...). ♦ ***Drink it up,*** finis de le boire; ***hard up,*** à court d'argent; ***he's up to his ears in work,*** il a du travail par-dessus la tête; ***it's up to you,*** c'est votre affaire; ***road up,*** rue barrée; ***she sits up late,*** elle veille tard; ***she sat up,*** elle se dressa sur son séant; ***speak up,*** parler plus fort; ***the game is up,*** c'est fichu; ***«this side up»,*** «haut» (sur un colis); ***time is up,*** c'est l'heure; ***up and down,*** de haut en bas (ou de long en large); ***up to,*** jusqu'à la hauteur de; ***up to date,*** à jour, au courant; *(fam.)* ***what is he up to?*** qu'est-ce qu'il trafique? ***what's up?*** qu'est-ce qui se passe?
prép. **1.** en haut de, au haut de. **2.** en (re)montant. ♦ ***He was walking up and down the street,*** il arpentait la rue; ***up and down the country,*** dans tout le pays; ***up hill and down dale,*** par monts et par vaux; ***up the river,*** en amont.
n. haut. ♦ ***The ups and downs,*** les hauts et les bas (de la vie).

up-and-coming [ˌʌpən'kʌmɪŋ] *adj.* plein d'avenir, plein de promesses.

upbringing ['ʌpbrɪŋɪŋ] *n.* éducation (manière dont on est élevé).

updated [ˌʌp'deɪtɪd] *adj.* (re)mis à jour.

upheaval [ʌp'hi:vl] *n.* **1.** bouleversement, perturbation. **2.** soulèvement, insurrection.

uphold [ˌʌp'həʊld] *v.t. irr.* (*p.* **upheld,** *p.p.* **upheld**) soutenir, donner son soutien à.

upholster [ʌp'həʊlstə] *v.t.* rembourrer, capitonner.

upholsterer [ʌp'həʊlstərə] *n.* tapissier.

upholstery [ʌp'həʊlstərɪ] *n.* **1.** rembourrage, capitonnage. **2.** métier de tapissier.

upkeep ['ʌpki:p] *n.* (frais d') entretien.

upland(s) ['ʌplənd(z)] *n.* *(Géog.)* plateau(x).

upon [ə'pɒn] *prép.* sur. ♦ ***(There was) once upon a time,*** il était une fois; ***upon my word!*** ma parole!

upper ['ʌpə] *adj.* **1.** supérieur, d'en haut, de dessus. **2.** haut. ♦ ***He got the upper hand of his opponent,*** il prit l'avantage sur son adversaire; ***the upper class(es),*** l'aristocratie; ***the upper crust,*** le gratin; ***the upper middle class,*** la haute bourgeoisie; *(fam.)* ***the upper storey,*** le cerveau.

uppermost ['ʌpəməʊst] *adj.* **1.** le plus haut. **2.** prédominant, le plus important.

uppish ['ʌpɪʃ] *adj.* *(fam.)* bêcheur, fier.

upright ['ʌpraɪt] *adj.* **1.** (bien) droit, vertical. **2.** droit, honnête. *adv.* verticalement.

uproar ['ʌprɔ:] *n.* tumulte, désordre, tapage. ♦ ***In (an) uproar,*** dans le tumulte.
uproot [ˌʌp'ru:t] *v.t.* déraciner, extirper.
upset [ˌʌp'set] *v.t.* (*p.* **upset,** *p.p.* **upset**) **1.** renverser, culbuter. **2.** désorganiser, déranger (projets...). **3.** dérégler (l'estomac). **4.** *(fig.)* vexer, attrister, contrarier. ♦ ***He was so upset about it,*** il en était si bouleversé; ***she got upset,*** elle se vexa.
v. intr. se renverser, chavirer.
upshot ['ʌpʃɒt] *n. (fam.)* résultat, fin mot.
upside down [ˌʌpsaɪd'daʊn] *adv.* **1.** sens dessus dessous, à l'envers. **2.** en désordre.
upstairs [ˌʌp'steəz] *adv.* en haut, dans les étages supérieurs. ♦ ***Go upstairs,*** montez; *(argot)* ***she hasn't got much upstairs,*** elle n'a pas inventé la poudre.
adj. d'en haut (pièce...).
upstream [ˌʌp'stri:m] *adv.* en amont.
uptake ['ʌpteɪk] *n.* compréhension. ♦ ***He's quick on the uptake,*** il comprend vite.
uptown [ˌʌp'taʊn] *adj. et adv. (amér.)* dans le quartier résidentiel.
upturn ['ʌptɜ:n] *v.t.* retourner, mettre à l'envers. ♦ ***Upturned nose,*** nez retroussé.
upwards ['ʌpwədz] *adv.* **1.** vers le haut. **2.** en montant. ♦ ***£ 5 and upwards,*** cinq livres et au-dessus; ***from 10 years old upwards,*** à partir de dix ans; ***upwards of 5,000,*** au-dessus de 5 000.
▷ **urban** ['ɜ:bən] *adj.* urbain. ♦ ***Urban renewal,*** rénovation urbaine; ***urban sprawl,*** étalement tentaculaire des villes.
⚠ **urbane** [ɜ:'beɪn] *adj.* courtois, poli.
urchin ['ɜ:tʃɪn] *n.* **1.** gamin, polisson. **2.** *(fam.)* mioche, gosse. ♦ ***Sea urchin,*** oursin; ***street urchin,*** enfant de la rue.
⚠ **urge** [ɜ:dʒ] *n.* impulsion, forte incitation. ♦ ***I felt*** (ou ***had***) ***the urge to do it,*** j'éprouvais une forte envie de le faire.
v.t. pousser, exhorter, conseiller vivement. ♦ ***They urged him on,*** ils le talonnaient.
⚠ **urgent** ['ɜ:dʒənt] *adj.* **1.** urgent. **2.** pressant (personne), implorant (regard,...). ♦ ***It's urgent that she should go,*** elle doit y aller d'urgence; ***she was in urgent need of...,*** elle avait un besoin urgent de...
⚠ **urn** [ɜ:n] *n.* **1.** urne. **2.** fontaine (à thé...).
us [əs, ʌs] *pr. pers.* nous. ♦ ***Several of us,*** plusieurs d'entre nous; ***there are five of us,*** nous sommes cinq; ***you're one of us,*** tu es des nôtres.
usable ['ju:zəbl] *adj.* utilisable.
use [ju:s] *n.* **1.** usage, emploi. **2.** jouissance, droit de se servir de. **3.** utilité. **4.** *(lit.)* usage, coutume. ♦ ***Directions for use,*** mode d'emploi; ***he's no use,*** il est nul, incapable; ***is this of any use to you?*** cela peut-il vous servir? ***it's no use trying,*** ça ne sert à rien d'essayer; ***I've no use for him,*** je le méprise; ***out of use,*** en dérangement; ***what's the use?*** à quoi bon? ***we make use of it,*** nous nous en servons.
v.t. [ju:z] **1.** user de, employer, se servir de. **2.** utiliser. **3.** consommer. ♦ ***I use it as a hammer,*** ça me sert de marteau; ***use your brains*** (ou ***head***)! réfléchis!
⚠ **used[1]** [ju:zd] *adj.* **1.** utilisé. **2.** d'usage courant. **3.** *(Aut.)* d'occasion. ♦ ***No longer used,*** inusité (mot...), qui ne sert plus; ***used up,*** fini, épuisé.
⚠ **used[2]** [ju:st] *adj.* habitué. ***She was used to doing it,*** elle avait l'habitude de le faire; ***you'll soon get used to it,*** tu t'y feras.
used to [ju:stə] *aux. mod.* ♦ ***I used to smoke a lot,*** je fumais beaucoup (autrefois).
useful ['ju:sfəl] *adj.* utile, profitable.
usefulness ['ju:sfəlnɪs] *n.* utilité.
useless ['ju:slɪs] *adj.* **1.** inutile. **2.** vain, inefficace. **3.** *(fam.)* bon à rien.
usher ['ʌʃə] *v.t.* faire entrer, introduire. ♦ ***He ushered me into the sitting room,*** il me fit entrer dans le salon.
n. huissier, placeur.
usherette [ˌʌʃə'ret] *n. (Ciné.)* ouvreuse.
usual ['ju:ʒʊəl] habituel, usuel, ordinaire. ♦ ***As usual,*** comme d'habitude.
▷ **usurer** ['ju:ʒərə] *n.* usurier.
⚠ **usurper** [ju:'zɜ:pə] *n.* usurpateur.
▷ **utensil** [ju:'tensl] *n.* ustensile, outil.
⚠ **utility** [ju:'tɪlɪtɪ] *n.* **1.** degré d'utilité.

2. (souvent *pl.* **-ies**) service (public) (eau, gaz...).

utmost ['ʌtməʊst] *adj.* **1.** extrême, dernier, le plus éloigné. **2.** le plus grand possible. ♦ ***Of the utmost importance,*** de la plus haute importance. *n.* extrême, comble. ♦ ***He did his utmost to help us,*** il a fait tout son possible pour nous aider; ***to the utmost of his ability,*** à la limite de ses capacités (aussi **uttermost**).

utter[1] ['ʌtə] *adj.* complet, total, absolu, pur. ♦ ***An utter fool,*** un parfait imbécile.

utter[2] ['ʌtə] *v.t.* émettre (son, cri, parole). ♦ ***She did not utter a word,*** elle n'a pas desserré les dents.

utterly ['ʌtəlɪ] *adv.* complètement.

U-turn ['ju:tɜ:n] *n.* *(Aut.)* demi-tour. ♦ ***«No U-turns»,*** «défense de faire demi-tour».

V

V, v [vi:] **1.** 22e lettre de l'alphabet. **2.** chiffre romain pour 5.

⚠ **vacancy** ['veɪkənsɪ] *n.* **1.** poste vacant. **2.** chambre à louer. ♦ ***«No vacancies»,*** «pas d'embauche»; «complet» (hôtel).

⚠ **vacant** ['veɪkənt] *adj.* **1.** vacant, vide. **2.** libre, inoccupé. **3.** vide d'expression (regard...). ♦ ***With vacant possession,*** avec jouissance immédiate (maison...).

vacate [və'keɪt] *v.t.* **1.** évacuer, quitter (chambre d'hôtel...). **2.** abandonner (poste).

⚠ **vacation** [və'keɪʃn] *n.* vacation, vacances. ♦ ***On vacation,*** en vacances; ***the long*** (ou ***summer***) ***vacation,*** les grandes vacances.

▻ **vaccinate** ['væksɪneɪt] *n.* vacciner.

▻ **vaccine** ['væksi:n] *n.* vaccin.

vacuum ['vækjʊəm] *n.* vide. ♦ ***Vacuum cleaner,*** aspirateur; ***vacuum flask,*** thermos.

vacuum-packed ['vækjʊəmpækt] *adj.* emballé sous vide.

vagary ['veɪgərɪ] *n.* (souvent *pl.* **-ies**) fantaisie, caprice, lubie.

vagrant ['veɪgrənt] *n.* vagabond, mendiant (aussi **vagabond**).
adj. errant, vagabond.

▻ **vague** [veɪg] *adj.* **1.** flou, imprécis, vague. **2.** vague, indécis (personne). ♦ ***I haven't the vaguest idea,*** je n'en ai pas la moindre idée.

▻ **vain** [veɪn] *adj.* **1.** vain, futile. **2.** vaniteux (aussi **vainglorious**). ♦ ***In vain,*** en vain.

▻ **valid** ['vælɪd] *adj.* valide, valable. ♦ ***No longer valid,*** périmé (billet, passeport...).

▻ **valley** ['vælɪ] *n.* vallée (aussi **vale**).

⚠ **valuable** ['væljʊəbl] *adj.* précieux. *n.* (souvent *pl.*) objet(s) de grande valeur.

valuation [ˌvæljʊ'eɪʃn] *n.* évaluation.

value ['vælju:] *n.* valeur, prix, mérite. ♦ ***Don't take that statement at its face value,*** ne prends pas cette déclaration au pied de la lettre; ***I took him at his face value,*** je l'ai jugé sur les apparences; ***of no value,*** sans valeur; ***value added tax,*** taxe à la valeur ajoutée; ***you get good value for money,*** on en a pour son argent.
v.t. **1.** évaluer, expertiser. **2.** apprécier, priser, tenir à.

⚠ **valve** [vælv] *n.* **1.** soupape, clapet, valve. **2.** *(Radio)* lampe, tube. **3.** *(Anat.)* valvule (du cœur).

⚠ **van** [væn] *n.* **1.** camionnette. **2.** *(Rail.)* fourgon, wagon. ♦ ***Furniture van,*** voiture de déménagement.

⚠ **vane** [veɪn] *n.* (= **weather vane**) girouette.

vanguard ['vængɑ:d] *n.* avant-garde.

vanish ['vænɪʃ] *v. intr.* disparaître. ♦ ***He vanished into thin air,*** il s'est volatilisé.

vantagepoint ['vɑ:ntɪdʒpɔɪnt] *n.* **1.** point de vue.

variance ['veərɪəns] *n.* désaccord. ♦ ***At variance,*** en désaccord; en contradiction.

varicose ['værɪkəʊs] *adj.* variqueux. ♦

Varicose veins, varices.
variegated ['veərɪəgeɪtɪd] *adj.* bigarré.
▷ **variety** [və'raɪətɪ] *n.* **1.** variété, diversité. **2.** *(Th.)* variétés. ♦ ***Variety show,*** spectacle de music-hall.
various ['veərɪəs] *adj.* **1.** varié, divers. **2.** différent, plusieurs. ♦ ***At various times,*** à différentes reprises.
varnish ['vɑːnɪʃ] *n.* vernis. *v.t.* **1.** vernir, vernisser. **2.** *(fig.)* maquiller (la vérité...).
vary ['veərɪ] *v.t. et intr.* (faire) varier. *v. intr.* différer (d'avis).
vastly ['vɑːstlɪ] *adv.* extrêmement.
vastness ['vɑːstnɪs] *n.* immensité.
vat [væt] *n.* cuve.
⚠ **vault**[1] [vɔːlt] *n.* **1.** voûte. **2.** cave, cellier. **3.** caveau. **4.** chambre forte, coffre-fort.
⚠ **vault**[2] [vɔːlt] *n.* saut, bond. ♦ ***Pole vault,*** saut à la perche. *v.t. et intr.* sauter.
veal [viːl] *n.* veau (viande).
veer [vɪə] *v. intr.* **1.** tourner, changer de direction. **2.** *(Naut.)* virer. ♦ ***He veered round to my opinion,*** il s'est rangé à mon point de vue.
⚠ **vegetable** ['vedʒtəbl] *n.* **1.** (souvent *pl.*) légume. **2.** végétal, plante. ♦ ***Early vegetables,*** primeurs; ***vegetable garden,*** potager; ***vegetable marrow,*** courge; ***vegetable salad,*** salade (ou macédoine) de légumes.
▷ **vehicule** ['viːɪkl] *n.* véhicule. ♦ ***Commercial vehicle,*** véhicule utilitaire.
veil [veɪl] *n.* **1.** voile. **2.** voilette (de dame). *v.t.* **1.** voiler. **2.** déguiser (la vérité...).
⚠ **vein** [veɪn] *n.* **1.** *(Anat.)* veine. **2.** *(Bot.)* nervure. **3.** *(Géog.)* filon. **4.** disposition, humeur. ♦ ***In the same vein,*** dans le même esprit; ***there is a vein of cruelty...,*** il y a un fond de cruauté... *v.t.* veiner.
velvet ['velvɪt] *n.* velours. ♦ ***You're on velvet,*** tu joues sur du velours.
vending machine ['vendɪŋmə,ʃiːn] *n.* distributeur automatique.
▷ **vendor** ['vendə] *n.* **1.** vendeur (de petits articles). **2.** *(Jur.)* vendeur. ♦ ***Street vendor,*** marchand ambulant.
veneer [vɪ'nɪə] *n.* **1.** feuille (de bois...), placage. **2.** *(fig.)* vernis (culturel). *v.t.* plaquer.
▷ **venerate** ['venəreɪt] *v.t.* vénérer.
venereal [vɪ'nɪərɪəl] *adj.* vénérien. ***Venereal disease,*** maladie vénérienne.
venetian [vɪ'niːʃn] *adj.* vénitien. ♦ ***Venetian blind,*** jalousie, store vénitien.
⚠ **vengeance** ['vendʒəns] *n.* vengeance. ♦ ***With a vengeance,*** pour de bon, d'arrache-pied (travail); ***you should not take vengeance on...,*** vous ne devriez pas vous venger sur...
▷ **venial** ['viːnɪəl] *adj.* véniel, pardonnable.
venom ['venəm] *n.* **1.** venin. **2.** méchanceté.
venomous ['venəməs] *adj.* venimeux. ♦ ***Venomous tongue,*** langue de vipère.
⚠ **vent** [vent] *n.* **1.** issue, passage, cours. **2.** trou (de baril). **3.** soupirail (pour l'air). ♦ ***He gave vent to his anger,*** il donna libre cours à sa colère. *v.t.* donner issue à, exhaler, décharger. ♦ ***Don't vent your anger on your children,*** ne passe pas ta colère sur tes enfants.
⚠ **ventilate** ['ventɪleɪt] *v.t.* **1.** aérer. **2.** discuter au grand jour, étaler.
▷ **ventriloquist** [ven'trɪləkwɪst] *n.* ventriloque.
venture ['ventʃə] *n.* aventure, entreprise risquée, coup d'essai. ♦ ***At a venture,*** à l'aventure, au hasard.
v.t. **1.** risquer (sa vie...). **2.** oser (faire, dire...), hasarder. *v. intr.* **1.** oser, se hasarder, s'aventurer. **2.** s'aviser de, se permettre de. ♦ ***Nothing ventured, nothing gained,*** qui ne risque rien n'a rien; ***when I ventured on this...,*** quand je me suis lancé là-dedans...
⚠ **verbal** ['vɜːbəl] *adj.* **1.** *(Gram.)* verbal. **2.** oral. **3.** littéral. ♦ ***Verbal memory,*** mémoire auditive.
verbena [vɜː'biːnə] *n.* *(Bot.)* verveine.
verbose [vɜː'bəʊs] *adj.* verbeux, prolixe.
⚠ **verge** [vɜːdʒ] *n.* bord, accotement. ♦ *(fig.)* ***On the verge of tears,*** au bord des larmes.
v. intr. incliner, tendre vers. ♦ ***Verging on madness,*** qui frôle la folie.
⚠ **verger** ['vɜːdʒə] *n.* bedeau.
verisimilitude [,verɪsɪ'mɪlɪtjuːd] *n.* vraisemblance.
vernacular [və'nækjʊlə] *n.* langue vernaculaire, dialecte, jargon. *adj.* du

pays (langue), vernaculaire.

△ **versatile** ['vɜːsətaɪl] *adj.* **1.** aux talents multiples et variés, doué, universel, encyclopédique. **2.** aux usages multiples.

△ **verse** [vɜːs] *n.* **1.** vers. **2.** poésie. **3.** strophe. **4.** couplet. **5.** verset (Bible).

▻ **version** ['vɜːʃn] *n.* version (des faits). ♦ ***According to her version,*** d'après elle.

versus ['vɜːsəs] *prép. (Sp., Jur.)* contre.

vertigo ['vɜːtɪgəʊ] *n. (Méd.)* vertige.

very ['verɪ] *adv.* très, fort, bien. ♦ ***At the very most (least),*** tout au plus (moins); ***the very first,*** le tout premier; ***the very same coat,*** exactement le même manteau; ***tomorrow at the very latest,*** demain dernier délai; ***very much,*** beaucoup.
adj. vrai, même. ♦ ***The very thing I want,*** exactement ce qu'il me faut.

▻ **vesicle** ['vesɪkl] *n. (Anat.)* vésicule.

△ **vessel** ['vesl] *n.* **1.** récipient. **2.** *(Naut.)* vaisseau. **3.** (= **blood vessel**) vaisseau sanguin.

△ **vest**[1] [vest] *n.* **1.** tricot de corps. **2.** *(amér.)* gilet.

△ **vest**[2] [vest] *v.t.* investir (d'une autorité). ♦ ***Vested interests,*** droits acquis, intérêts privés.

vestry ['vestrɪ] *n.* sacristie.

vet [vet] *n.* (= **veterinary surgeon, veterinarian**) vétérinaire.

△ **veteran** ['vetərən] *n.* **1.** vétéran. **2.** *(amér.)* ancien combattant. *adj.* de vétéran, expérimenté. ♦ ***Veteran car,*** voiture d'époque.

▻ **veto** ['viːtəʊ] *n.* (*pl.* **-oes**) veto. ♦ ***He used his veto,*** il exerça son droit de veto; ***I put my veto on that,*** j'y mets mon veto. *v.t.* mettre, opposer son veto à.

△ **vex** [veks] *v.t.* contrarier, fâcher, agacer. ♦ ***He got vexed,*** il se fâcha; ***he was vexed with me,*** il était fâché contre moi; ***vexed question,*** question controversée.

△ **vexation** [vek'seɪʃn] *n.* ennui, contrariété.

▻ **viaduct** ['vaɪədʌkt] *n.* viaduc.

▻ **vibrate** [vaɪ'breɪt] *v. intr.* vibrer.

△ **vicar** ['vɪkə] *n.* **1.** pasteur anglican. **2.** vicaire (du christ).

vicarage ['vɪkərɪdʒ] *n.* presbytère, cure.

▻ **vice**[1] [vaɪs] *n.* **1.** vice. **2.** défaut. ♦ ***Vice squad,*** brigade des mœurs.

△ **vice**[2] [vaɪs] *n.* étau.

vicinity [vɪ'sɪnɪtɪ] *n.* voisinage, proximité, alentours. ♦ ***In the vicinity of the town,*** à proximité de la ville.

△ **vicious** ['vɪʃəs] *adj.* **1.** méchant, cruel. **2.** rageur, violent (critique). **3.** rétif (animal). **4.** vicieux, pervers. ♦ ***A vicious tongue,*** une langue de vipère; ***vicious circle,*** cercle vicieux.

victimize ['vɪktɪmaɪz] *v.t.* **1.** exercer des représailles contre. **2.** duper, escroquer.

victor ['vɪktə] *n.* vainqueur.

△ **vie** [vaɪ] *v. intr.* rivaliser (avec), le disputer (à). ♦ ***They were vying with each other for the lead,*** ils se disputaient la première place.

view [vjuː] *n.* **1.** vue, perspective, scène. **2.** regard. **3.** aperçu. **4.** intention, dessein. **5.** opinion. ♦ ***In my view,*** à mon avis; ***in view of,*** étant donné, vu; ***on view,*** exposé, ouvert au public; ***the ship came into view,*** le navire apparut; ***with a view to reforming the system,*** en vue de réformer le système.
v.t. **1.** envisager (un problème). **2.** inspecter (lieu).

viewfinder ['vjuːˌfaɪndə] *n. (Phot.)* viseur.

viewer ['vjuːə] *n.* **1.** téléspectateur. **2.** *(Phot.)* visionneuse.

viewpoint ['vjuːpɔɪnt] *n.* point de vue.

△ **vile** [vaɪl] *adj.* **1.** vil, abject, bas. **2.** *(fam.)* exécrable (temps, nourriture, humeur...).

vilify ['vɪlɪfaɪ] *v.t.* diffamer, calomnier.

villager ['vɪlɪdʒə] *n.* villageois(e).

△ **villain** ['vɪlən] *n.* **1.** scélérat, vaurien. **2.** *(fam.)* coquin, gredin. **3.** *(Th.)* le traître.

vindicate ['vɪndɪkeɪt] *v.t.* **1.** défendre (cause...). **2.** justifier. **3.** établir (bonne foi...).

vindication [ˌvɪndɪ'keɪʃn] *n.* justification, défense. ♦ ***In vindication of,*** pour justifier, en défense de.

vindictive [vɪn'dɪktɪv] *adj.* vindicatif.

△ **vine** [vaɪn] *n.* **1.** vigne (plante). **2.** plante grimpante. ♦ ***Vine grower,*** vigneron, viticulteur; ***vine growing,*** viticulture; ***vine harvest,*** vendange(s); ***vine stock,*** cep de vigne.

▷ **vinegar** ['vɪnɪgə] *n.* vinaigre.

vineyard ['vɪnjəd] *n.* vignoble.

vintage ['vɪntɪdʒ] *n.* **1.** vendange(s) (saison). **2.** récolte (du raisin). **3.** année, millésime. ♦ ***Guaranteed vintage,*** appellation contrôlée; ***vintage car,*** voiture d'époque; ***vintage wine,*** vin de grand cru.

⚠ **viola** [vɪ'əʊlə] *n. (Mus.)* alto. ♦ ***Viola player,*** altiste.

▷ **violate** ['vaɪəleɪt] *v.t.* **1.** violer, enfreindre (loi). **2.** profaner (un sanctuaire...).

▷ **violet** ['vaɪəlɪt] *n.* **1.** *(Bot.)* violette. **2.** violet (couleur). *adj.* violet.

▷ **violin** ['vaɪəlɪn] *n.* violon. ♦ ***He plays the violin,*** il joue du violon.

virgin ['vɜːdʒɪn] *n. et adj.* vierge.

⚠ **virtual** ['vɜːtʃʊəl] *adj.* de fait. ♦ ***It's a virtual insult,*** c'est une véritable insulte.

⚠ **virtually** ['vɜːtʃʊəlɪ] *adv.* en fait, en pratique, pratiquement, tout comme.

▷ **virtue** ['vɜːtʃuː] *n.* **1.** vertu (morale). **2.** vertu, chasteté. **3.** mérite, avantage. **4.** pouvoir, efficacité. ♦ ***By*** (ou ***in) virtue of,*** en vertu de; ***healing virtue,*** pouvoir thérapeutique; ***they made a virtue of necessity,*** ils firent de nécessité vertu; ***woman of easy virtue,*** femme de petite vertu.

▷ **virtuous** ['vɜːtʃʊəs] *adj.* vertueux.

⚠ **visit** ['vɪzɪt] *n.* **1.** visite. **2.** séjour. ♦ ***I paid him a visit,*** je lui ai rendu visite. *v.t.* **1.** visiter (un endroit). **2.** rendre visite à. **3.** séjourner chez. **4.** *(Jur.)* inspecter. **5.** *(Mil.)* passer en revue. ♦ ***They visited the scene of the crime,*** ils se rendirent sur les lieux du crime.

visiting ['vɪzɪtɪŋ] *n.* visites, action de faire des visites. ♦ ***They are not on visiting terms,*** ils ne se connaissent pas assez pour se recevoir; ***visiting card,*** carte de visite. *adj.* en visite, de visite. ♦ *(Sp.)* ***The visiting team,*** les visiteurs; ***visiting professor,*** professeur associé.

⚠ **visitor** ['vɪzɪtə] *n.* **1.** visiteur. **2.** client (d'hôtel), voyageur. ♦ ***Summer visitors,*** estivants; ***visitors' book,*** livre d'or; registre (à l'hôtel).

⚠ **visor** ['vaɪzə] *n.* **1.** visière. **2.** *(Aut.)* (= **sun visor**) pare-soleil.

vista ['vɪstə] *n.* vue, perspective, horizon.

▷ **visual** ['vɪʒʊəl] *adj.* visuel. ♦ ***Audio-visual aids,*** auxiliaires audio-visuels.

visualize ['vɪʒʊəlaɪz] *v.t.* se représenter.

⚠ **vital** ['vaɪtl] *adj.* **1.** vital. **2.** essentiel, indispensable. **3.** énergique, plein d'entrain. ♦ ***Vital parts*** (ou ***organs),*** organes vitaux; ***vital statistics,*** statistiques démographiques; *(fam.)* mensurations (femme).

vitally ['vaɪtəlɪ] *adv.* absolument. ♦ ***Vitally important,*** d'une importance capitale.

⚠ **vivacious** [vɪ'veɪʃəs] *adj.* vif, enjoué, gai.

vivid ['vɪvɪd] *adj.* **1.** vif, éclatant (couleur). **2.** vif (imagination), net (souvenir). **3.** frappant, vivant (description).

vividly ['vɪvɪdlɪ] *adv.* d'une façon vivante (raconter...), d'une façon précise (se souvenir).

vixen ['vɪksn] *n.* **1.** *(Zool.)* renarde. **2.** *(péj.)* mégère.

⚠ **vocal** ['vəʊkl] *adj.* **1.** vocal. **2.** *(fam.)* bruyant, véhément.

⚠ **vocational** [vəʊ'keɪʃnəl] *adj.* professionnel. ♦ ***Vocational guidance,*** orientation professionnelle; ***vocational training,*** formation professionnelle.

vociferous [və'sɪfərəs] *adj.* bruyant, criard, braillard.

▷ **voice** [vɔɪs] *n.* voix. ♦ ***At the top of one's voice,*** à tue-tête; ***he has a voice in the matter,*** il a voix au chapitre; ***his voice has broken,*** il a mué; ***in a low voice,*** à voix basse; ***she gave voice to her bitterness,*** elle exprima son amertume.
v.t. exprimer, formuler (son avis...).

voiceless ['vɔɪslɪs] *adj.* **1.** aphone. **2.** muet, silencieux. **3.** sourd (consonne).

void [vɔɪd] *n.* vide. ♦ ***Her death has left a void,*** sa mort a laissé un vide.
adj. **1.** vide (cf. **vacant**). **2.** dénué. ***Void of interest,*** dépourvu d'intérêt. **3.** *(Jur.)* nul. ♦ ***Null and void,*** nul et non avenu.

⚠ **volatile** ['vɒlətaɪl] *adj.* **1.** volatile. **2.** volage, inconstant, changeant. **3.** plein de vie.

▷ **volcano** [vɒl'keɪnəʊ] *n.* volcan.

volition [və'lɪʃn] *n.* volition, volonté.

♦ ***Of one's own volition,*** de son propre gré.

⚠ **volley** ['vɒlɪ] *n.* **1.** *(Mil.)* volée, salve. **2.** bordée, torrent (d'injures...). **3.** *(Sp.)* volée.

voluble ['vɒljʊbl] *adj.* volubile, loquace.

▻ **volume** ['vɒljuːm] *n.* volume. ♦ ***It speaks volumes for...,*** cela en dit long sur...

▻ **voluntary** ['vɒləntərɪ] *adj.* **1.** volontaire, spontané. **2.** libre. **3.** intentionnel. ♦ ***A voluntary worker,*** un travailleur bénévole.

▻ **volunteer** [ˌvɒlən'tɪə] *n.* volontaire. *v.t.* donner (renseignements...), offrir de son plein gré. *v. intr.* **1.** se proposer (pour faire quelque chose). **2.** *(Mil.)* s'engager.

▻ **vomit** ['vɒmɪt] *n.* vomissement, vomi. *v.t. et intr.* vomir, rendre.

vortex ['vɔːteks] *n.* tourbillon. ♦ ***Drawn into the vortex of politics,*** pris dans le tourbillon de la politique.

⚠ **vote** [vəʊt] *n.* **1.** vote. **2.** voix (élections). ♦ ***Vote of no confidence,*** motion de censure; ***vote of thanks,*** motion de remerciements.
v.t. et intr. **1.** voter. **2.** élire.

voter ['vəʊtə] *n.* **1.** électeur, electrice. **2.** votant.

voting ['vəʊtɪŋ] *n.* vote, scrutin. ♦ ***Voting booth,*** isoloir; ***voting paper,*** bulletin de vote; ***voting right,*** droit de vote.

voucher ['vaʊtʃə] *n.* **1.** bon. ***Luncheon voucher,*** ticket-restaurant, chèque-repas. **2.** reçu, récépissé, quittance. **3.** pièce justificative.

vouch for, *v. prép.* se porter garant de, répondre de, garantir.

vow [vaʊ] *n.* vœu, serment. ♦ ***I took a vow to...,*** je fis le vœu de... *v.t.* jurer.

vowel ['vaʊəl] *n.* voyelle.

⚠ **voyage** ['vɔɪɪdʒ] *n.* voyage par mer, traversée.

▻ **vulgar** ['vʌlgə] *adj.* vulgaire, commun. ♦ ***Vulgar word,*** gros mot, grossièreté.

vulture ['vʌltʃə] *n.* vautour.

W

wad [wɒd] *n.* **1.** tampon (d'ouate...). **2.** liasse (de billets de banque). *v.t.* (rem)bourrer. ***He wadded it into his pocket,*** il le fourra dans sa poche.

wadding ['wɒdɪŋ] *n.* bourre, rembourrage.

waddle ['wɒdl] *v. intr.* se dandiner.

wade [weɪd] *v.t.* passer, traverser à gué. *v. intr.* marcher (dans l'eau, la vase).

wafer ['weɪfə] *n.* **1.** *(Cuis.)* gaufrette. **2.** *(Rel.)* hostie.

waffle[1] ['wɒfl] *n.* *(Cuis.)* gaufre. ♦ ***Waffle iron,*** gaufrier.

waffle[2] ['wɒfl] *n.* *(argot)* blablabla, rabâchage. *v. intr.* rabâcher.

waft ['wɑːft] *n.* petite bouffée (d'air,...). *v.t.* porter, apporter (une odeur,...). *v. intr.* flotter (parfum, son...).

wag[1] [wæg] *n.* *(fam.)* farceur, plaisantin.

wag[2] [wæg] *n.* mouvement (de tête, de la queue d'un chien).
v.t. et intr. (s') agiter, (se) remuer. ♦ ***Tongues were wagging,*** la conversation allait bon train.

wage[1] [weɪdʒ], **wages** ['weɪdʒɪz] *n.* gages, salaire, paie. ♦ ***Minimum living wage,*** salaire minimal; ***wage adjustment,*** réajustement de salaire; ***wage(s) claim,*** revendication salariale; ***wage differential (s),*** écart, grille des salaires; ***wage earner,*** salarié; soutien de famille; ***wage freeze,*** blocage des salaires; ***wage packet,*** enveloppe de paye, paye.

wage[2] [weɪdʒ] *v.t.* mener (guerre, campagne).

waggle ['wægl] *v.t.* agiter, remuer légèrement. *v. intr.* s'agiter, frétiller (cf. **wag**).

⚠ **waggon** ['wægən] *n.* (*amér.* **wagon**) **1.** charrette, chariot. **2.** *(Rail.)* wagon (de marchandises). ♦ ***On the (water) wagon,*** au régime sec.

waif [weɪf] *n.* enfant misérable, abandonné. ♦ ***Waifs and strays,*** enfants

abandonnés.
wail [weɪl] *n.* gémissement. *v. intr.* gémir.
wainscot ['waɪnskət] *n.* lambris, boiserie.
waist [weɪst] *n.* taille, ceinture. ♦ ***Waist measurement*** (ou ***size***), tour de taille.
waistcoat ['weɪskəʊt] *n.* gilet (*amér.* **vest**).
waistline ['weɪstlaɪn] *n.* taille, ligne.
wait [weɪt] *v. intr.* attendre. ***Wait for me,*** attends-moi. ♦ ***Don't keep her waiting,*** ne la fais pas attendre; ***don't wait up for me,*** ne veillez pas pour m'attendre; ***he did not wait to be told twice,*** il ne se l'est pas fait dire deux fois; ***just you wait!*** tu vas voir ce que tu vas voir! ***wait and see policy,*** politique d'attente, attentisme. *n.* attente.
waiter ['weɪtə] *n.* garçon (de café, restaurant,...).
waiting ['waɪtɪŋ] *n.* attente. ♦ ***He's playing a waiting game,*** il attend son heure; ***no waiting,*** stationnement interdit; ***waiting room,*** salle d'attente.
wait on, *v. prép.* servir (un client au café, ...).
waitress ['weɪtrɪs] *n.* serveuse (café, ...).
wake[1] [weɪk] *n.* (*Naut.*) sillage.
wake[2] [weɪk] *v.t. et intr. irr.* (*p.* **woke, waked,** *p.p.* **woken, waked**) (s') éveiller, (se) réveiller. ♦ ***Wake up!*** réveille-toi!
waken ['weɪkən] *v.t. et intr.* (s') éveiller.
waking ['weɪkɪŋ] *adj.* éveillé. ♦ ***Waking hours,*** heures de veille. *n.* (état de) veille. ♦ ***Between waking and sleeping,*** dans un demi-sommeil.
walk [wɔːk] *n.* **1.** marche. **2.** promenade, tour. **3.** démarche, allure. **4.** allée, sentier. **5.** (*fig.*) sphère, milieu. ♦ ***At a walk,*** au pas; ***it's only a short walk,*** il n'y a pas loin à marcher; ***let's go for a walk*** (ou ***let's take a walk***), allons nous promener; ***the various walks of life,*** les divers milieux sociaux ou champs d'activité.
v. intr. **1.** marcher. **2.** aller à pied. **3.** se promener. *v.t.* **1.** faire à pied. **2.** parcourir (rues...). **3.** faire marcher, conduire à pied. ♦ ***He walks in his sleep,*** il est somnambule; ***I'll walk you home,*** je vais te raccompagner; ***you can walk it,*** vous pouvez y aller à pied; ***you must walk before you can run,*** on apprend petit à petit.
walking ['wɔːkɪŋ] *adj.* **1.** ambulant. **2.** de marche. ♦ ***At a walking pace,*** au pas; ***walking stick,*** canne.
n. **1.** la marche. **2.** promenade à pied. ♦ ***We were within walking distance,*** nous pouvions y aller à pied.
walkout ['wɔːkaʊt] *n.* débrayage, grève.
wall [wɔːl] *n.* mur. ♦ ***Tariff wall,*** barrières douanières; (*fig.*) ***up against the wall,*** le dos au mur, acculé; ***wall lamp*** (ou ***light***), applique; ***wall-to-wall carpeting,*** moquette.
v.t. entourer d'un mur, fortifier.
wall up, *v. part.* murer, condamner (porte, ...).
wallet ['wɒlɪt] *n.* portefeuille.
wallflower ['wɔːl,flaʊə] *n.* giroflée. (*fig.*) ***She's a wallflower,*** elle fait tapisserie.
wallop ['wɒləp] *n.* (*fam.*) torgnole. *v.t.* (*fam.*) rosser.
walloping ['wɒləpɪŋ] *adj.* (*fam.*) sacré. ♦ ***Walloping big,*** vachement grand.
wallow ['wɒləʊ] *v. intr.* se vautrer, se rouler (dans la boue, le vice). ♦ ***Wallowing in money,*** bourré d'argent.
wallpaper ['wɔːl,peɪpə] *n.* papier peint.
walnut ['wɔːlnʌt] *n.* **1.** noix. **2.** (= **walnut tree**) noyer. **3.** (bois de) noyer.
walrus ['wɔːlrəs] *n.* (*Zool.*) morse. ♦ ***Walrus moustache,*** moustache à la gauloise.
waltz [wɔːls] *n.* valse. *v. intr.* valser.
wan [wɒn] *adj.* blême, pâle, blafard.
wand [wɒnd] *n.* baguette (magique).
wander ['wɒndə] *v. intr.* **1.** errer. **2.** se promener au hasard. **3.** divaguer, délirer, radoter. *v.t.* parcourir au hasard (les rues...). ♦ ***Her attention wandered,*** elle était distraite; ***you're wandering from the subject,*** vous vous écartez du sujet.
wandering ['wɒndərɪŋ] *adj.* **1.** errant, vagabond. **2.** en lacets (route, ...). **3.** distrait, vague (regard). **4.** délirant (pensées, discours...).
n. (souvent *pl.*) **1.** voyages à l'aventure. **2.** (*fig.*) divagations, délire.
wane [weɪn] *n.* **1.** déclin. **2.** (*fig.*) décadence. ♦ ***On the wane,*** sur son déclin.

v. intr. **1.** décroître (lune). **2.** *(fig.)* décliner.

want [wɒnt] *n.* **1.** besoin. **2.** manque, défaut. **3.** indigence, misère. ♦ ***For want of anything better,*** faute de mieux ; ***I'm in want of,*** j'ai besoin de ; ***in want,*** dans le besoin, la gêne.
v.t. **1.** avoir besoin de. **2.** manquer de. **3.** vouloir, désirer. **4.** demander, réclamer. *v. intr.* manquer (de). ♦ ***I want her to come,*** je veux qu'elle vienne ; ***two forks are wanting,*** il manque deux fourchettes ; ***your car wants cleaning,*** ta voiture a besoin d'être lavée ; ***you're wanted on the phone,*** on vous demande au téléphone ; ***wanted for murder,*** recherché pour meurtre.

wanton ['wɒntən] *adj.* **1.** folâtre, capricieux. **2.** libertin, licencieux. **3.** gratuit, absurde.

war [wɔː] *n.* guerre. ♦ ***At war with,*** en guerre contre ; ***they made*** (ou ***waged***) ***war on*** (ou ***upon, against***), ils firent la guerre contre ; ***they went to war,*** ils se mirent en guerre ; ***war fever,*** psychose de guerre ; ***war memorial,*** monument aux morts.
v.intr. (lit. ou *fig.)* faire la guerre.

warble ['wɔːbl] *v.t. et intr.* gazouiller.

ward [wɔːd] *n.* **1.** *(Jur.)* pupille. **2.** tutelle, protection. **3.** salle, pavillon (hôpital...).

warden ['wɔːdn] *n.* **1.** directeur (d'une institution). **2.** (= **traffic warden**) contractuel(le).

warder ['wɔːdə] *n.* gardien de prison.

ward off, *v. part. t.* parer (coup), détourner.

wardrobe ['wɔːdrəʊb] *n.* garde-robe ; penderie.

wardroom ['wɔːdrʊm] *n. (Naut.)* carré des officiers.

ware ['weə] *n.* **1.** articles fabriqués. ***Kitchen ware,*** ustensiles de cuisine. **2.** *pl.* marchandises.

warehouse ['weəhaʊs] *n.* entrepôt, magasin.

warfare ['wɔːfeə] *n.* guerre, opérations.

warhead ['wɔːhed] *n. (Mil.)* ogive. ♦ ***Atomic warhead,*** ogive, tête nucléaire.

warlike ['wɔːlaɪk] *adj.* guerrier, belliqueux.

warm [wɔːm] *adj.* **1.** chaud, tiède. **2.** chaleureux. **3.** zélé, ardent. ♦ ***I am warm,*** j'ai chaud ; ***it is warm,*** il fait chaud. *v.t. et intr.* (souvent **warm up**) **1.** (se) chauffer, échauffer. **2.** *(fig.)* s'animer, s'exciter.

warming ['wɔːmɪŋ] *n.* chauffage. ♦ ***Warming pan,*** bassinoire ; ***we had a house-warming party,*** nous avons pendu la crémaillère.

warmonger ['wɔː'mʌngə] *n.* belliciste.

warmth [wɔːmθ] *n.* **1.** chaleur. **2.** cordialité.

warn [wɔːn] *v.t.* avertir. ♦ ***I warn you not to do it*** (ou ***against doing it***), je vous déconseille de le faire.

warning ['wɔːnɪŋ] *n.* **1.** avertissement. **2.** avis, préavis, congé. ♦ ***Air-raid warning,*** alerte ; ***bomb warning,*** alerte à la bombe.

warp [wɔːp] *v.t. et intr.* (se) gauchir, (se) voiler. ♦ ***A warped account,*** un récit tendancieux ; ***a warped mind,*** un esprit tordu.

warrant ['wɒrənt] *n.* **1.** justification, autorisation, titre. **2.** garantie, garant. **3.** *(Jur.)* mandat. ♦ ***Death warrant,*** ordre d'exécution ; ***search warrant,*** mandat de perquisition ; ***you've no warrant for saying so,*** rien ne vous autorise à dire cela.
v.t. **1.** justifier. **2.** garantir, assurer.

warren ['wɒrən] *n.* garenne.

warrior ['wɒrɪə] *n.* guerrier, soldat.

warship ['wɔːʃɪp] *n.* navire de guerre.

wart [wɔːt] *n.* verrue.

wary ['weərɪ] *adj.* prudent, circonspect. ♦ ***He was wary of it,*** il s'en méfiait ; ***keep a wary eye on him,*** surveillez-le de près, ayez-le à l'œil.

was [wɒz, wəz] (**be,** *v.*)

wash [wɒʃ] *v.t.* **1.** laver. **2.** baigner (rivage). **3.** emporter (courant). *v. intr.* **1.** se laver. **2.** faire la lessive. **3.** supporter le lavage. **4.** clapoter (contre). ♦ ***Have a glass of water to wash it down,*** prends un verre d'eau pour le faire descendre ; ***I wash my hands of it,*** je m'en lave les mains ; ***that excuse won't wash with him,*** cette excuse ne prendra pas avec lui ; ***washed overboard,*** emporté par une vague pardessus bord.
n. **1.** lavage, toilette. **2.** lessive. **3.**

(Naut.) sillage, remous. ♦ ***Give it a good wash,*** lave-le bien ; ***I'll have a wash,*** je vais faire ma toilette ; ***your blue shirt is in the wash,*** ta chemise bleue est au lavage.

washable ['wɒʃəbl] *adj.* lavable.

washbasin ['wɒʃ,beɪsɪn] *n.* lavabo.

washcloth ['wɒʃklɒθ] *n. (amér.)* gant de toilette (cf. **facecloth**).

washed-out [,wɒʃ'taʊt] *adj.* **1.** décoloré, déteint. **2.** *(fam.)* vanné, flapi, lessivé.

washer ['wɒʃə] *n.* **1.** laveur. **2.** (= **dish washer**) lave-vaisselle. ♦ *(Aut.)* ***Windscreen washer,*** lave-glace.

washhouse ['wɒʃhaʊs] *n.* buanderie, lavoir.

washing ['wɒʃɪŋ] *n.* **1.** lavage, ablutions. **2.** lessive. ♦ ***Washing line,*** corde à linge ; ***washing machine,*** machine à laver ; ***washing soda,*** cristaux de soude ; ***washing powder,*** lessive en poudre, détergent.

washing-up [,wɒʃɪŋ'ʌp] *n.* (lavage de la) vaisselle.

wash-leather ['wɒʃ,leðə] *n.* peau de chamois.

washout ['wɒʃaʊt] *n. (fam.)* **1.** fiasco, désastre. **2.** raté, nullité, zéro (personne).

wash up, *v. part. intr.* **1.** faire la vaisselle. **2.** *(amér.)* faire sa toilette.

washy ['wɒʃɪ] *adj.* **1.** délavé, terne. **2.** *(fig.)* fade, insipide.

wasp [wɒsp] *n.* guêpe. ♦ ***Wasps' nest,*** guêpier.

wastage ['weɪstɪdʒ] *n.* **1.** gaspillage, perte. **2.** déchets, rebuts.

waste [weɪst] *n.* **1.** gaspillage, gâchis. **2.** déchet(s). **3.** terre inculte, désolée. ♦ ***It went*** (ou ***ran***) ***to waste,*** cela se perdit inutilement ; ***waste disposal unit,*** broyeur d'ordures ; ***waste pipe,*** (tuyau de) vidange ; ***what a waste!*** quel gaspillage !
adj. **1.** de rebut. **2.** sans valeur. **3.** perdu, inemployé. **4.** inculte (terre). ♦ ***The South was laid waste,*** le Sud fut dévasté ; ***waste land,*** terre inculte ou terrain vague (en ville) ; ***waste paper basket,*** corbeille à papier.
v.t. **1.** gaspiller. **2.** dévaster. ♦ ***Don't waste your time on that,*** ne perds pas ton temps à cela ; ***the irony was wasted on him,*** il n'a pas saisi l'ironie ; ***wasted effort,*** de vains efforts ; ***waste not, want not,*** l'économie protège du besoin.

waste away, *v. part. intr.* s'user, s'épuiser. ***She's wasting away,*** elle dépérit.

watch [wɒtʃ] *n.* **1.** montre. **2.** guet, surveillance, quart. **3.** veilleur, garde. ♦ ***By my watch,*** à ma montre ; ***keep watch on*** (ou ***over***) ***him,*** surveillez-le de près ; ***on the watch for,*** à l'affût de.
v.t. **1.** regarder. **2.** surveiller, garder. **3.** faire attention à. *v. intr.* **1.** veiller (ne pas dormir). **2.** prendre garde. **3.** monter la garde, faire le quart. ♦ *(fam.)* ***Watch it!*** ou ***watch out!*** ou ***watch your step!*** attention ! pas de gaffe ! ***watch out for him!*** guettez-le ! attention à lui !

watchband ['wɒtʃbænd] *n.* bracelet de montre (aussi **watch-strap**).

watchdog ['wɒtʃdɒg] *n.* chien de garde.

watchful ['wɒtʃfəl] *adj.* vigilant, attentif.

watchmaker ['wɒtʃ,meɪkə] *n.* horloger.

watchman ['wɒtʃmən] *n.* (*pl.* **-men**) gardien. ♦ ***Night watchman,*** veilleur de nuit.

watchword ['wɒtʃwɜːd] *n.* **1.** mot de passe (cf. **password**). **2.** mot d'ordre (cf. **slogan**).

water ['wɔːtə] *n.* **1.** eau. **2.** marée (flux). **3.** urine. ♦ ***Drinking water,*** eau potable ; ***fresh water,*** eau douce ; ***pass*** (ou ***make***) ***water,*** uriner ; ***that plan won't hold water,*** ce projet ne tient pas debout ; ***water lily,*** nénuphar.
v.t. arroser. *v. intr.* pleurer, larmoyer (yeux). ♦ ***It makes my mouth water,*** cela me fait venir l'eau à la bouche.

watercolour ['wɔːtə,kʌlə] *n. (Art.)* aquarelle.

watercress ['wɔːtəkres] *n. (Bot.)* cresson.

waterfall ['wɔːtəfɔːl] *n.* cascade.

waterfront ['wɔːtəfrʌnt] *n.* front de mer.

watering ['wɔːtərɪŋ] *n.* arrosage. ♦ ***Watering can,*** arrosoir ; ***watering place,*** station thermale (aussi **spa**) ou balnéaire.

waterlogged ['wɔːtəlɒgd] *adj.* détrempé.

watermark ['wɔːtəmɑːk] *n.* filigrane.

watermelon ['wɔːtə,melən] *n. (Bot.)* pastèque.

waterpower ['wɔːtə,paʊə] *n.* énergie hydraulique, houille blanche.

waterproof ['wɔːtəpruːf] *n. et adj.* imperméable. *v.t.* imperméabiliser.

waters ['wɔːtəz] *n. pl.* **1.** eaux. ***She's taking*** (ou ***drinking***) ***the waters at Bath,*** elle fait une cure à Bath. **2.** eaux territoriales.

waterspout ['wɔːtəspaʊt] *n.* **1.** tuyau de descente. **2.** trombe.

watertight ['wɔːtətaɪt] *adj.* étanche.

waterway ['wɔːtəweɪ] *n.* voie navigable.

watery ['wɔːtrɪ] *adj.* **1.** aqueux. **2.** détrempé. **3.** larmoyant (œil). **4.** délavé (couleur). **5.** faible (thé), trop liquide (soupe), fade. **6.** qui annonce la pluie (lune).

wave [weɪv] *n.* **1.** vague. **2.** *(Radio)* onde. **3.** ondulation (des cheveux). **4.** geste (de la main). ♦ *(Radio)* ***Long waves,*** grandes ondes; ***permanant wave,*** permanente.
v.t. **1.** agiter, faire signe (de la main). **2.** onduler (cheveux). *v. intr.* **1.** ondoyer, onduler, flotter. **2.** faire signe (à). ♦ ***He waved me on,*** il me fit signe de continuer; ***they waved each other goodbye,*** ils échangèrent des signes d'adieu; ***they waved him aside,*** ils l'écartèrent d'un geste de la main.

waver ['weɪvə] *v. intr.* vaciller, hésiter.

wavy ['weɪvɪ] *adj.* ondoyant, onduleux.

wax[1] [wæks] *n.* cire; *(Ski)* fart. ♦ ***Sealing wax,*** cire à cacheter. *v.t.* cirer, encaustiquer; *(Ski)* farter.

wax[2] [wæks] *v. intr.* croître (la lune).

waxworks ['wæksw3ːks] *n.* figures de cire.

way [weɪ] *n.* **1.** chemin, route, voie, direction. **2.** moyen, méthode, manière, façon. ♦ ***All the way,*** jusqu'au bout; ***a long way off,*** (très) loin; ***am I in your way?*** je vous gêne? ***by the way,*** à propos; ***down your way,*** du côté de chez toi; ***find a way to do it*** (ou ***of doing it***), trouve moyen de le faire; ***he knows his way about,*** il sait se débrouiller; ***he went out of his way to help,*** il a tout fait pour aider; ***in a*** (ou ***one***) ***way,*** dans un certain sens; ***in many ways,*** à bien des égards; ***in the family way,*** enceinte; ***on the way,*** en chemin, chemin faisant; ***out of the way,*** isolé (village, ...); *(Aut.)* ***right of way,*** priorité; ***that's the way,*** voilà! c'est bien! ***the American way of life,*** la vie à l'américaine; ***there is no way out,*** il n'y a pas de solution; ***they live in a small way,*** ils vivotent; ***this way,*** par ici; ***under way,*** en cours (action); ***way in,*** entrée; ***ways and customs,*** us et coutumes; ***where there is a will there is a way,*** vouloir c'est pouvoir; ***which way?*** par où? d'où? de quelle manière? ***you can't have it both ways,*** il faut choisir.

waylay [weɪ'leɪ] *v.t.* (*p.* **waylaid,** *p.p.* **wailaid**). **1.** attirer dans une embuscade **2.** prendre à part (pour parler).

wayward ['weɪwəd] *adj.* capricieux, difficile.

we [wiː, wɪ] *pr.* nous.

weak [wiːk] *adj.* faible, infirme, débile.

weaken ['wiːkən] *v.t. et intr.* (s') affaiblir.

weakly ['wiːklɪ] *adj.* faible, maladif, chétif. *adv.* faiblement, sans force.

weakness ['wiːknɪs] *n.* faiblesse. ♦ ***He has weakness for...,*** il a un faible pour...

wealth [welθ] *n.* **1.** richesse. **2.** profusion.

wealthy ['welθɪ] *adj.* riche, opulent, nanti.

wean [wiːn] *v.t.* **1.** sevrer. **2.** *(fig.)* détacher.

wear [weə] *v. t. irr.* (*p.* **wore,** *p.p.* **worn**) porter, mettre ou user (vêtements). *v. intr.* **1.** s'user, s'éliminer. **2.** se porter (vêtements). **3.** *(fig.)* se conserver. ♦ ***His patience is wearing thin,*** sa patience est presque à bout; ***it'll wear off,*** ça s'effacera; ***it wears well,*** ça fait bon usage; ***she wears the trousers*** (ou ***pants***), elle porte la culotte; ***worn with care,*** rongé par les soucis.
n. **1.** usage (port). **2.** usure, élimage. ♦ ***Ladies' wear,*** articles pour dames; ***town wear,*** tenue de ville; ***wear and tear,*** usure, détérioration.

wearisome ['wɪərɪsəm] *adj.* lassant.

weary ['wɪərɪ] *adj.* las, fatigué, épuisé.

weasel ['wiːzl] *n.* belette.

weather ['weðə] *n.* temps (qu'il fait). ♦ ***It's fine weather,*** il fait beau; *(fig.)*

keep a (ou ***your***) ***weather eye open,*** veille au grain; *(fam.)* ***under the weather,*** mal fichu; ***weather forecast,*** bulletin météorologique; ***weather permitting,*** si le temps le permet.
v.t. résister à, tenir tête à.

weather-beaten ['weðə,bi:tn] *adj.* **1.** battu par la tempête, effrité. **2.** hâlé.

weathercock ['weðəkɒk] *n.* girouette.

weave [wi:v] *v.t. et intr. irr.* (*p.* **wove,** *p.p.* **woven**) tisser. ♦ *(Aut.)* ***Weaving in and out,*** se faufilant. *n.* tissage. ***Loose weave,*** tissage lâche.

web [web] *n.* **1.** tissu. **2.** (= **cobweb**) toile (d'araignée). **3.** membrane de palmipède.

webbed [webd] *adj.* *(Zool.)* palmé (pieds).

wedding ['wedɪŋ] *n.* mariage, noces. ♦ ***Wedding breakfast,*** repas de noces; ***wedding ring,*** alliance.

wedge [wedʒ] *n.* *(Tech.)* coin, cale. *v.t.* coincer, caler.

wedlock ['wedlɒk] *n.* *(Jur.)* mariage. ♦ ***A child born in lawful wedlock,*** un enfant légitime.

Wednesday ['wenzdɪ] *n.* mercredi.

weed [wi:d] *n.* mauvaise herbe.
v.t. sarcler.

weed-killer ['wi:dkɪlə] *n.* désherbant.

weedy ['wi:dɪ] *adj.* **1.** couvert de mauvaises herbes. **2.** *(fam.)* chétif, malingre.

week [wi:k] *n.* semaine. ♦ ***The working week,*** la semaine de travail; ***tomorrow week*** (ou ***a week tomorrow),*** (de) demain en huit; ***week in, week out,*** des semaines durant.

weekender [,wi:k'endə] *n.* personne partant ou partie en week-end.

weekly ['wi:klɪ] *n.* hebdomadaire. *adv.* par semaine.

weep [wi:p] *v. intr.* (*p.* **wept,** *p.p.* **wept**) pleurer (cf. **cry**). ♦ ***Weeping willow,*** saule pleureur.

weigh [weɪ] *v.t.* **1.** peser. **2.** *(fig.)* juger. **3.** *(Naut.)* lever (l'ancre). *v. intr.* peser. ♦ ***The fear of cancer weighs on him,*** la peur du cancer le tourmente; ***weighed down with responsibilities,*** accablé de responsabilités; ***weighing machine,*** bascule.

weight [weɪt] *n.* poids. ♦ ***He's under weight,*** il est trop maigre; ***I'm putting on weight,*** je grossis; *(Sp.)* ***weight lifting,*** haltérophilie.

weir [wɪə] *n.* barrage (cf. **dam**).

weird [wɪəd] *adj.* **1.** surnaturel, fantastique, mystérieux. **2.** *(fam.)* étrange, bizarre.

welcome ['welkəm] *n.* bienvenue. *adj.* bienvenu, opportun. ♦ ***That will be a welcome change,*** ce ne sera pas malheureux; ***you're welcome,*** de rien, il n'y a pas de quoi. *v.t.* souhaiter la bienvenue, bien accueillir.

weld [weld] *v.t.* souder.

welfare ['welfeə] *n.* bien, bien-être. ♦ ***He's on (the) welfare,*** il est économiquement faible; ***public*** (ou ***social) welfare,*** assistance publique (ou sociale); ***welfare worker,*** assistante sociale, travailleur social.

well[1] [wel] *n.* **1.** puits. **2.** *(fig.)* source, mine. *v. intr.* jaillir, monter (larmes, colère).

well[2] [wel] *adj.* (*comp.* **better,** *superl.* **best**) **1.** bien portant. **2.** bien, satisfaisant. **3.** bon, opportun. ♦ ***I am very well,*** je vais très bien; ***it's all very well, but...,*** c'est bien joli, mais...; ***it would be just as well if...,*** il y aurait avantage à ce que...
adv. **1.** bien. **2.** très, fort. **3.** comme il faut. ♦ ***As well,*** aussi; ***as well as,*** de même que; ***he came off well,*** il s'en est bien sorti; ***I could not very well refuse,*** je ne pouvais guère refuser; ***if you want to come, well and good,*** si tu veux venir, je n'y vois pas d'inconvénient; ***pretty well finished,*** presque fini; ***well away,*** bien lancé (entreprise); *(fam.)* bien parti, saoul; ***well done!*** bravo! ***well up in,*** fort, calé en; ***you are doing well,*** tu t'en sors bien; ***you did well to...,*** tu as bien fait de...
interj. (eh) bien! tiens! donc.

well-advised [,weləd'vaɪzd] *adj.* sage, prudent (action, décision), bien avisé.

wellbeing [,wel'bi:ɪŋ] *n.* bien-être.

well-bred [,wel'bred] *adj.* bien élevé.

well-done [,wel'dʌn] *adj.* *(Cuis.)* bien cuit.

wellingtons ['welɪŋtənz] *n. pl.* (= **wellington boots**) bottes de caoutchouc.

well-meaning [,wel'mi:nɪŋ] *adj.* **1.** bien intentionné (personne). **2.** fait avec les meilleures intentions (remar-

que...).
well-off [ˌwel'ɒf] *adj.* riche, aisé, nanti.
well-read [ˌwel'red] *adj.* cultivé, instruit.
well-timed [ˌwel'taɪmd] *adj.* opportun.
well-to-do [ˌweltə'du:] *adj. (fam.)* riche, aisé.
well-tried [ˌwel'traɪd] *adj.* éprouvé (méthode).
well-wisher ['welˌwɪʃə] *n.* ami, partisan.
Welsh [welʃ] *adj.* gallois. ♦ ***Welsh rabbit*** (ou ***rarebit***), toast au fromage, croque-monsieur.
welter ['weltə] *n.* fatras, confusion, mélange. *v. intr.* se vautrer, se rouler.
wench [wentʃ] *n. (fam.)* jeune fille ou femme. *v. intr.* courir le jupon.
went [went] (**go,** *v.*)
wept [wept] (**weep,** *v.*)
were [wɜ:, weə, wə] (**be,** *v.*)
west [west] *n. adj. adv.* (de, à, vers l') ouest.
westerly ['westəlɪ] *adj.* d'ouest (vent, ...). *adv.* vers l'ouest.
⚠ **western** ['westən] *adj.* **1.** de l'ouest, occidental. **2.** à l'ouest (exposition,...). *n. (Ciné.)* western.
westward(s) ['westwəd(z)] *adv.* vers l'ouest.
wet [wet] *adj.* **1.** mouillé, humide. **2.** pluvieux. **3.** *(fam.)* nouille (personne). ♦ ***I got wet,*** je me suis mouillé; ***it's wet,*** il pleut; ***wet nurse,*** nourrice; ***wet paint,*** peinture fraîche; ***wet suit,*** combinaison de plongée; ***wet through*** (ou ***wet to the skin*** ou ***soaking wet),*** trempé jusqu'aux os.
n. **1.** humidité. **2.** pluie. **3.** nouille, lavette.
v.t. rég. et irr. (*p.* **wet, wetted,** *p.p.* **wet, wetted**) **1.** humecter, mouiller. **2.** tremper (son lit...).
whack [wæk] *n.* **1.** grand coup (aussi **thwack**). **2.** *(fam.)* part.
v.t. frapper, battre.
whacker ['wækə] *n. (fam.)* **1.** chose énorme (cf. **whopper**). **2.** mensonge énorme.
whacking ['wækɪŋ] *n.* raclée, fessée. *adj. (fam.)* énorme (cf. **mammoth**). *adv. (fam.)* vachement (cf. **whopping**).
whale [weɪl] *n. (Zool.)* baleine.
wharf [wɔ:f] *n.* (*pl.* **wharfs, wharves**) **1.** quai, embarcadère, débarcadère. **2.** entrepôt.
what [wɒt] *adj.* quel(s), quelle(s). ♦ ***What wine do you drink?*** quelle sorte de vin buvez-vous? ***what a good wine!*** quel bon vin! ***what little I did I did it for her,*** le peu que j'ai fait je l'ai fait pour elle.
pr. inter. qu'est-ce qui? que? qu'est-ce que? quoi? ♦ ***And what not,*** et que sais-je encore; ***so what?*** et puis après? ***what about a drink?*** si on prenait un verre? ***what about going to...?*** et si on allait à...? ***what about it?*** et alors? ***what about John?*** et Jean? ***what if he comes?*** et s'il vient? ***what is it?*** qu'est-ce que c'est?
pr. rel. **1.** ce qui, ce que. **2.** qui, que. **3.** quoi. ♦ ***I know what you want,*** je sais ce que tu veux; ***I'll tell you what,*** j'ai une idée; ***she knows what's what,*** elle s'y connaît; ***what I like is tea,*** ce que j'aime c'est le thé.
interj. comment! quoi!
whatever [wɒ'tevə] *adj. et pr.* **1.** quoi que ce soit que. **2.** quelque... que. **3.** tout ce qui, tout ce que (aussi **whatsoever**). ♦ ***None whatever,*** pas le moindre; ***whatever did you do that for?*** pourquoi es-tu allé faire cela? ***whatever you like,*** n'importe quoi, tout ce que tu voudras.
wheat [wi:t] *n.* blé, froment.
wheedle ['wi:dl] *v.t.* enjôler, cajoler.
wheel [wi:l] *n.* **1.** roue. **2.** *(Aut.)* (= **steering-wheel**) volant. **3.** (= **spinning wheel**) rouet. ♦ ***Driving wheel,*** roue motrice; ***potter's wheel,*** tour de potier.
v.t. rouler, pousser (landau...). *v. intr.* tournoyer. ♦ ***He wheeled round,*** il fit volte-face.
wheelbarrow ['wi:lˌbærəʊ] *n.* brouette.
wheelchair ['wi:ltʃeə] *n.* fauteuil roulant.
wheeze [wi:z] *v. intr.* respirer péniblement (avec un sifflement).
when [wen] *adv. inter.* quand. *conj.* **1.** quand, lorsque. ***I'll come when I am ready,*** je viendrai quand je serai prêt. **2.** que, où. ***The day when I saw him,*** le jour où je l'ai vu.
whenever [wen'evə] *conj.* toutes les fois

que, quand, à quelque moment que.

where [wɛə] *adv.* **1.** où? **2.** là où. ♦ ***That's where you're wrong,*** c'est là ton erreur.

whereabouts [ˌweərəˈbaʊts] *n.* lieu où se trouve quelqu'un ou quelque chose. ***I don't know his whereabouts,*** je ne sais pas où il est.

whereas [weəˈræz] *conj.* tandis que, alors que (marquant l'opposition).

whereby [weəˈbaɪ] *adv.* par lequel, par où.

whereupon [ˌweərəˈpɒn] *adv.* **1.** sur quoi, sur lequel. **2.** sur ce, là-dessus (aussi **whereon**).

wherever [weəˈrevə] *conj.* partout où.

whet [wet] *v.t.* **1.** aiguiser. **2.** *(fig.)* stimuler.

whether [ˈweðə] *conj.* **1.** si (alternative). ***I don't know whether he'll come (or not),*** je ne sais pas s'il viendra (ou non). **2.** que, soit que. ***Whether you like it or not,*** que ça te plaise ou non. **3.** soit. ***Whether Monday or Tuesday, I promise I'll come,*** que ce soit lundi ou mardi, je promets que je viendrai.

whetstone [ˈwetstəʊn] *n.* pierre à aiguiser.

which [wɪtʃ] *adj. et pr. inter.* **1.** quel(le), quels, quelles. **2.** lequel, laquelle, lesquels, lesquelles. ♦ ***Which book do you prefer?*** quel livre préférez-vous? ***which is yours?*** lequel est à vous?
pr. rel. **1.** qui, que, lequel, laquelle, lesquels, lesquelles. ♦ ***The house (which) I bought,*** la maison que j'ai achetée; ***the house which stands near the river,*** la maison qui se trouve près du fleuve. **2.** ce qui, ce que. ***I did say it, which did not please him,*** je l'ai bel et bien dit, ce qui ne lui a pas fait plaisir.

whichever [wɪˈtʃevə] *adj. rel.* n'importe quel. *pr. rel.* n'importe lequel.

whiff [wɪf] *n.* bouffée.

while [waɪl] *n.* espace de temps. ♦ ***A long*** (ou ***good***) ***while,*** longtemps; ***in a short*** (ou ***little***) ***while,*** sous peu; ***it's worth while,*** ça vaut la peine; ***once in a while,*** de temps en temps.
v.t. passer, faire passer. ♦ ***Just to while away the time,*** juste pour tuer le temps.
conj. **1.** pendant que, tant que, en, tout en (plus participe présent) (aussi **whilst**). ♦ ***Heels repaired while you wait,*** talon minute; ***while speaking I noticed that...,*** tout en parlant je remarquai que...; ***while there's life there's hope,*** tant qu'il y a de la vie il y a de l'espoir. **2.** tandis que (cf. **whereas**).

whim [wɪm] *n.* caprice, lubie, fantaisie.

whimper [ˈwɪmpə] *v. intr.* pleurnicher, geindre. *n.* petit gémissement.

whimsical [ˈwɪmzɪkl] *adj.* **1.** capricieux, fantasque. **2.** saugrenu, bizarre.

whine [waɪn] *n.* geignement, plainte (aussi **whining**). *v. intr.* pleurnicher, geindre.

whinny [ˈwɪnɪ] *n.* hennissement. *v. intr.* hennir.

whip [wɪp] *n.* fouet. *v.t.* **1.** fouetter, battre. **2.** saisir brusquement. **3.** *(fam.)* piquer, faucher. *v. intr.* filer comme un éclair.

whirl [wɜːl] *n.* tourbillon. ♦ ***My head is in a whirl,*** la tête me tourne; ***the social whirl,*** la vie mondaine. *v.t.* faire tournoyer. *v. intr.* **1.** tournoyer. **2.** filer, foncer.

whirlwind [ˈwɜːlˌwɪnd] *n.* trombe, tornade. ♦ ***Sow the wind and reap the whirlwind,*** qui sème le vent récolte la tempête.

whirr [wɜː] *n.* **1.** bruissement (d'ailes). **2.** ronronnement (de machine). *v. intr.* ronfler, ronronner (moteur,...).

whisk [wɪsk] *n.* **1.** mouvement brusque. ***With a whisk of its tail,*** d'un coup de queue. **2.** *(Cuis.)* (= **egg whisk**) fouet. **3.** époussette. *v.t.* **1.** fouetter l'air (queue de vache...). **2.** fouetter (œufs...). **3.** chasser d'une tape (poussière).
v. intr. filer, foncer.

whiskers [ˈwɪskəz] *n. pl.* **1.** moustache (de chat). **2.** (= **side-whiskers**) favoris.

whisper [ˈwɪspə] *n.* chuchotement. ♦ ***In a whisper,*** à voix basse.
v.t. et intr. chuchoter.

whistle [ˈwɪsl] *n.* **1.** sifflet. **2.** coup de sifflet. **3.** sifflement. *v.t. et intr.* siffler.

white [waɪt] *n. et adj.* blanc. ♦ ***As white as a sheet,*** pâle comme un linge; ***dressed in white,*** vêtu de blanc; ***white***

blood cell (ou ***corpuscle),*** globule blanc; ***white paper,*** livre blanc (Parlement...).

white-collar [ˌwaɪt'kɒlə] *adj.* de bureau. ***White-collar worker,*** employé de bureau.

whiten ['waɪtn] *v.t. et intr.* blanchir.

whitewash ['waɪtwɒʃ] *n.* blanc de chaux. *v.t.* **1.** blanchir à la chaux. **2.** badigeonner. **3.** *(fig.)* blanchir (une personne qu'on avait accusée.)

whiting ['waɪtɪŋ] *n.* merlan.

Whitsun ['wɪtsn] *n.* (dimanche de la) Pentecôte (aussi **Whit Sunday**).

whiz(z) [wɪz] *v. intr.* produire un sifflement (vitesse). ***The car whizzed past,*** la voiture passa à toute allure.

who [hu:] *pr. inter.* qui?, qui est-ce qui? ***Who do you think you are?*** pour qui te prends-tu? *pr. rel.* **1.** qui. ***The boy who came,*** le garçon qui est venu. **2.** lequel.

whoever [hu:'evə] *pr.* **1.** qui, quiconque. **2.** qui que ce soit qui. **3.** celui qui.

whole [həʊl] *n.* **1.** tout, ensemble. **2.** totalité. ♦ ***As a whole*** (ou ***on the whole***), dans l'ensemble; ***the whole of the population,*** la population entière.
adj. **1.** tout, entier. ***The whole country,*** tout le pays. **2.** intact, complet, intégral. **3.** sain et sauf.

wholesale ['həʊlseɪl] *n.* vente en gros.
adj. **1.** *(Comm.)* de gros. ***Wholesale dealer,*** grossiste. **2.** *(fig.)* systématique, en bloc.
adv. **1.** en gros. ***I got it wholesale,*** je l'ai eu au prix de gros. **2.** *(fig.)* en série, en masse, en bloc.

wholesome ['həʊlsəm] *adj.* **1.** sain, salubre. **2.** salutaire (conseil...).

wholly ['həʊlɪ] *adj.* entièrement.

whom [hu:m] *pr. rel.* que, lequel. ***It's the man (whom) you met,*** c'est l'homme que vous avez rencontré.
pr. inter. qui? ***Who(m) did you meet?*** qui as-tu rencontré?

whooping cough ['hu:pɪŋkɒf] *n. (Méd.)* coqueluche.

whopper ['wɒpə] *n. (fam.)* **1.** chose énorme. **2.** mensonge énorme. **3.** bourde (cf. **whacker**).

whopping ['wɒpɪŋ] *n.* raclée, fessée. *adj. (fam.)* énorme (cf. **mammoth**).
adv. (fam.) vachement (cf. **whacking**).

whose [hu:z] *pr. rel.* **1.** dont, de qui. **2.** duquel, de laquelle, desquels, desquelles. ***The man whose hat is blue,*** l'homme dont le chapeau est bleu.
pr. inter. à qui? ***Whose hat is it?*** à qui est le chapeau?

why [waɪ] *adv.* pourquoi. ♦ ***The reason why,*** la raison pour laquelle; ***why did you go?*** pourquoi y es-tu allé? ***why not?*** pourquoi pas? ***why say it?*** pourquoi le dire?
interj. eh bien, mais! tiens! voyons (donc).

wick [wɪk] *n.* mèche.

wicked ['wɪkɪd] *adj.* **1.** mauvais, méchant. **2.** malicieux, coquin (enfant...). ♦ ***Wicked weather, isn't it?*** quel temps affreux!

wicker ['wɪkə] *n. et adj.* (en, d') osier.

wicket ['wɪkɪt] *n. (Cricket)* guichet.

wide [waɪd] *adj.* **1.** large. **2.** grand, ample, vaste, immense. ♦ ***How wide is the room?*** quelle est la largeur de la pièce? ***in a wider sense,*** par extension; ***wide interests,*** des goûts éclectiques; ***wide of the mark,*** loin du compte ou de la vérité.
adv. **1.** (au) loin. **2.** largement, tout grand. ♦ ***Far and wide,*** partout; ***wide apart,*** espacé, écarté; ***wide open eyes,*** yeux grands ouverts.

wide-awake [ˌwaɪdə'weɪk] *adj.* **1.** bien éveillé. **2.** *(fig.)* éveillé, alerte, vif.

widen ['waɪdn] *v.t. et intr.* (s')élargir.

widespread ['waɪdspred] *adj.* **1.** répandu, étendu. **2.** général, universel (vérité...).

widow ['wɪdəʊ] *n.* veuve.

widower ['wɪdəʊə] *n.* veuf.

widowhood ['wɪdəʊhʊd] *n.* veuvage.

width [wɪdθ] *n.* largeur, étendue. ♦ ***It's two metres in width,*** ça fait deux mètres de large.

wield [wi:ld] *v.t.* **1.** manier (un outil...). **2.** exercer (le pouvoir, une autorité).

wife [waɪf] *n.* (*pl.* **wives,** [waɪvz]) femme, épouse. ♦ *(fam.)* ***The wife,*** la patronne.

wig [wɪg] *n.* perruque.

wiggle ['wɪgl] *v.t.* agiter. *v. intr.* se dandiner, se tortiller.

wild [waɪld] *adj.* **1.** sauvage. **2.** farouche, inapprivoisé. **3.** déréglé, désordonné. **4.** furieux (de rage...). **5.** insensé, extravagant, fou. ♦ *(fam.)* ***He's wild about strawberries,*** il raffole des fraises; ***make a wild guess,*** risquer une hypothèse; ***run wild,*** vagabonder (enfants), se déchaîner; *(fig.)* ***sow one's wild oats,*** jeter sa gourme; ***wild talk,*** propos en l'air; ***wild with joy,*** fou de joie.

wilderness ['wɪldənɪs] *n.* lieu désert.

wilful ['wɪlfəl] (*amér.* **willful**) *adj.* **1.** opiniâtre, entêté. **2.** délibéré, voulu.

will [wɪl] *aux. mod* (*abrév.* **'ll,** sauf en *inter.*). **1.** (sens futur). ***Will he come tomorrow? – Yes he will*** (ou ***he'll come),*** viendra-t-il demain? – oui. **2.** (habitude). ***He will smoke a cigar on Sundays,*** il fume un cigare le dimanche; ***when the cat is away the mice will play,*** quand le chat est parti les souris dansent. **3.** (volonté). ***I will not do it,*** je refuse de le faire.

v.t. **1.** vouloir, ordonner. **2.** *(Jur.)* léguer.

n. **1.** volonté. **2.** vouloir. **3.** bon plaisir, gré. **4.** testament. ♦ ***At will,*** à volonté; ***of his own free will,*** de son plein gré; ***where there's a will there's a way,*** vouloir c'est pouvoir; ***with a will,*** avec détermination.

willing ['wɪlɪŋ] *adj.* **1.** prêt, disposé (à). ***I'm willing to help,*** je veux bien aider. **2.** de bonne volonté.

will-o'-the-wisp [ˌwɪləðə'wɪsp] *n.* feu follet.

willow ['wɪləʊ] *n.* saule. ***Weeping willow,*** saule pleureur.

willpower ['wɪlˌpaʊə] *n.* volonté, vouloir.

willy-nilly [ˌwɪlɪ'nɪlɪ] *adv.* bon gré mal gré.

wilt [wɪlt] *v.t. et intr.* (se) flétrir, (se) faner.

wily ['waɪlɪ] *adj.* rusé, fin, astucieux.

win [wɪn] *v.t. et intr.* (*p.* **won,** *p.p.* **won)** gagner. ♦ ***I won hands down,*** j'ai gagné haut la main; ***she won through,*** elle y est arrivée; ***we won him over,*** nous l'avons convaincu.

n. (Sp.) victoire.

wince [wɪns] *v. intr.* **1.** tressaillir (de douleur, ...). **2.** broncher, sourciller. *n.* tressaillement.

wind[1] [wɪnd] *n.* **1.** vent. **2.** respiration, haleine. **3.** *(Méd.)* vent, flatuosité. **4.** *(Mus.)* ***The wind,*** les instruments à vent. ♦ ***Get your second wind,*** reprends ton souffle; *(fam.)* ***I got the wind up,*** j'ai eu la frousse; ***sound in wind and limb,*** en parfaite condition physique.

wind[2] [waɪnd] *v.t. irr.* (*p.* **wound,** *p.p.* **wound)** enrouler, (faire) tourner. ♦ ***He wound his way into her affections,*** il s'insinua dans ses bonnes grâces; ***she winds him round her little finger,*** elle le mène par le petit doigt.

v. intr. serpenter.

winding [waɪndɪŋ] *adj.* sinueux. ♦ ***A winding staircase,*** un escalier tournant.

windlass ['wɪndləs] *n.* treuil.

windmill ['wɪndmɪl] *n.* moulin à vent.

window ['wɪndəʊ] *n.* **1.** fenêtre. **2.** glace (de train...). **3.** (= **shop-window**) vitrine. **4.** *(pl.)* vitraux. ♦ ***French window,*** porte-fenêtre; ***window box,*** jardinière; ***window cleaner,*** laveur de carreaux; ***window dressing,*** art de l'étalage; *(fig.)* trompe-l'œil; ***window shopping,*** lèche-vitrine.

windowpane ['wɪndəpeɪn] *n.* carreau.

windowsill ['wɪndəsɪl] *n.* rebord (ou appui) de fenêtre.

windpipe ['wɪndpaɪp] *n. (Anat.)* trachée-artère.

windscreen ['wɪndskriːn] *n. (Aut.)* pare-brise. ♦ ***Windscreen wiper,*** essuie-glace.

wind up ['waɪndʌp] *v. part. t.* remonter (montre). *v. intr. (fam.)* finir. ***You'll wind up in prison,*** tu finiras en prison.

windy ['wɪndɪ] *adj.* **1.** venteux. **2.** exposé au vent. ♦ ***It's windy,*** il fait du vent.

wine [waɪn] *n.* vin. ♦ ***Wine grower,*** viticulteur; ***wine list,*** carte des vins.

wing [wɪŋ] *n.* **1.** aile. **2.** *(pl.)(Th.)* coulisses. **3.** *(Aut.)* aile (*amér.* **fender**). ♦ *(Aut.)* ***Wing mirror,*** rétroviseur extérieur.

winger ['wɪŋə] *(Sp.)* ailier.

wingspan ['wɪŋspæn] *n.* envergure (aussi **wingspread**).

wink [wɪŋk] *n.* clin d'œil, clignement. ♦ ***I did not sleep a wink,*** je n'ai pas

fermé l'œil; ***I had forty winks,*** j'ai piqué un somme.
v. intr. cligner de l'œil.
winkle ['wɪŋkl] *n.* bigorneau.
winner ['wɪnə] *n.* gagnant, vainqueur.
winning ['wɪnɪŋ] *adj.* **1.** gagnant. **2.** adorable (personne). **3.** engageant (sourire...). ♦ *(Sp.)* ***Winning post,*** poteau d'arrivée.
winnings ['wɪnɪŋz] *n. pl.* gains (jeu, pari).
winter ['wɪntə] *n.* hiver.
wintry ['wɪntrɪ] **1.** d'hiver, hivernal. **2.** *(fig.)* glacial (sourire...).
wipe [waɪp] *v.t.* essuyer.
wipe out, *v. part. t.* **1.** détruire, exterminer. **2.** effacer (insulte...). **3.** liquider (dette).
wire [waɪə] *n.* **1.** fil métallique ou électrique. **2.** télégramme. ♦ ***Barbed wire,*** fil de fer barbelé; ***he's a live wire,*** il pète le feu; ***wire mattress,*** sommier métallique; ***wire netting,*** treillage en fil de fer.
v.t. **1.** grillager. **2.** télégraphier à. *v. intr.* télégraphier.
wireless ['waɪəlɪs] *n.* radio. ♦ ***On the wireless,*** à la radio.
wiring ['waɪərɪŋ] *n.* **1.** installation électrique. **2.** canalisation, câblage.
wiry ['waɪərɪ] *adj.* sec et nerveux.
wisdom ['wɪzdəm] *n.* sagesse, prudence.
wise [waɪz] *adj.* **1.** sage, prudent. **2.** judicieux. ♦ ***None the wiser for it,*** guère plus avancé.
wish [wɪʃ] *n.* **1.** désir, envie. **2.** souhait, vœu. **3.** (*pl.* **wishes**) vœux, amitiés, pensées. ♦ ***Give him my best wishes,*** faites-lui mes amitiés; ***with best*** (ou ***all good***) ***wishes from,*** bien amicalement.
v.t. et intr. souhaiter, désirer, vouloir. ♦ ***I wish I were*** (ou ***could***), je voudrais être (ou pouvoir); ***I wish he would come,*** j'aimerais qu'il vienne; ***I wish you every happiness,*** je vous souhaite tout le bonheur possible; ***what do you wish me to do?*** que veux-tu que je fasse?
wishful ['wɪʃfəl] *adj.* désireux (de). ♦ ***It's wishful thinking,*** c'est prendre ses désirs pour des réalités.
wisp [wɪsp] **1.** brin (de paille). **2.** mince volute (de fumée). **3.** mèche (de cheveux).
wistaria [wɪ'steərɪə], **wisteria** [wɪs'tɪərɪə]) *n. (Bot.)* glycine.
wistful ['wɪstfəl] *adj.* nostalgique.
wit [wɪt] *n.* **1.** esprit. ***Full of wit,*** spirituel. **2.** (souvent *pl.*) intelligence, astuce, présence d'esprit. ♦ ***Be at one's wits' end,*** ne plus savoir que faire; ***he lives by his wits,*** il vit d'expédients; ***he seems out of his wits,*** il semble très perturbé.
witch [wɪtʃ] *n.* sorcière.
witchcraft ['wɪtʃkrɑ:ft] *n.* sorcellerie.
with [wɪð] *prép.* **1.** avec. ***Come with me,*** viens avec moi. **2.** de, par, au moyen de. ***Covered with leaves,*** recouvert de feuilles. **3.** chez. ***It's a habit with me,*** c'est une habitude chez moi. **4.** à (là), au(x). ***The man with a hat,*** l'homme au chapeau. **5.** malgré. ***With all her faults,*** malgré tous ses défauts. ♦ ***Angry with,*** fâché contre; ***are you with me?*** vous me suivez? (conversation); ***down with...!*** à bas...! ***he parted with her,*** il s'en sépara; *(fam.)* ***with it,*** dans le vent, à la page.
withdraw [wɪð'drɔ:] *v.t. et intr.* (*p.* **withdrew,** *p.p.* **withdrawn**) (se) retirer.
withdrawal [wɪð'drɔ:əl] *n.* retrait.
withdrawn[1] [wɪð'drɔ:n] (**withdraw,** *v.*)
withdrawn[2] [wɪð'drɔ:n] *adj.* renfermé, réservé.
withdrew [wɪð'dru:] (**withdraw,** *v.*)
wither ['wɪðə] *v. intr.* se faner, se flétrir.
withhold [wɪð'həʊld] *v.t. irr.* (*p.* **-held,** *p.p.* **-held**) retenir, refuser.
within [wɪ'ðɪn] *prép.* **1.** dans, en. **2.** à moins de (pas plus de). ♦ ***Within a mile,*** à moins d'un mille; ***within an hour,*** dans moins d'une heure.
adv. à l'intérieur.
without [wɪ'ðaʊt] *prép.* **1.** sans. ***Without a hat,*** sans chapeau; ***without knocking,*** sans frapper. **2.** sans que. ***Without anybody knowing,*** sans que personne ne le sache.
adv. (vx.) à l'extérieur.
withstand [wɪð'stænd] *v.t. irr.* (*p.* **-stood,** *p.p.* **-stood**) résister à, soutenir (une attaque).
witness ['wɪtnɪs] *n.* **1.** témoin. **2.** témoignage. ♦ *(Jur.)* ***Bear*** (ou ***give***) ***witness,*** témoigner; ***witness box,*** barre des té-

moins.
v.t. **1.** témoigner de. **2.** être témoin de.

witticism ['wɪtɪsɪzm] *n.* mot d'esprit.

witty ['wɪtɪ] *adj.* spirituel, facétieux.

wizard ['wɪzəd] *n.* **1.** sorcier. **2.** as, crack.

wizened ['wɪzənd] *adj.* desséché, ratatiné.

wobble ['wɒbl] *v. intr.* vaciller, ballotter.

wobbly ['wɒblɪ] *adj.* vacillant, branlant.

woe [wəʊ] *n.* *(lit.* ou *hum.)* **1.** peine, chagrin. **2.** *(pl.)* malheurs.

woke [wəʊk] (**wake,** *v.*)

woken ['wəʊkən] (**wake,** *v.*)

wolf [wʊlf] *n.* (*pl.* **wolves**) loup. ♦ ***A wolf in sheep's clothing,*** un loup déguisé en brebis; ***cry wolf,*** crier au loup; ***that will keep the wolf from the door,*** cela nous mettra à l'abri du besoin. *v.t.* bâfrer (aussi **wolf down**).

wolfhound ['wʊlfhaʊnd] *n.* chien-loup.

woman ['wʊmən] *n.* (*pl.* **women** ['wɪmɪn]) femme. ♦ ***A career woman,*** une femme ambitieuse professionnellement; ***woman doctor,*** femme médecin; ***Women's Liberation Movement*** (ou ***Women's Lib),*** Mouvement de libération des femmes, M.L.F.

womb [wu:m] *n.* **1.** *(Anat.)* utérus. **2.** *(fig.)* sein.

won [wɒn] (**win,** *v.*)

wonder ['wʌndə] *n.* **1.** étonnement, surprise, émerveillement. **2.** merveille, prodige, miracle. ♦ ***It does*** (ou ***works***) ***wonders,*** ça fait des miracles; ***it's a wonder that...,*** c'est extraordinaire que...; ***no wonder...,*** rien d'étonnant.
v. intr. **1.** s'étonner. **2.** s'émerveiller. **3.** penser, songer. ♦ ***Wonder at,*** s'étonner de; ***wonder whether,*** se demander si.

wonderful ['wʌndəfəl] *adj.* merveilleux, magnifique, extraordinaire.

won't [wəʊnt] *abrév.* de ***will not.***

wood [wʊd] *n.* bois. ♦ ***He can't see the wood for the trees,*** les arbres lui cachent la forêt; ***in*** (ou ***from***) ***the wood,*** au tonneau (vin...); *(fig.)* ***out of the wood,*** tiré d'affaire, sorti de l'auberge.

woodbine ['wʊdbaɪn] *n.* *(Bot.)* chèvrefeuille.

woodcock ['wʊdkɒk] *n.* *(Zool.)* bécasse.

wooden ['wʊdn] *adj.* de bois, en bois.

woodpecker ['wʊd,pekə] *n.* *(Zool.)* pic. ♦ ***Green woodpecker,*** pivert.

woodwind ['wʊdwɪnd] *n.* *(Mus.)* ***The woodwind,*** les bois.

wool [wʊl] *n.* laine. ♦ ***Ball of wool,*** pelote de laine; ***keep your wool on*** (ou ***don't loose your wool),*** ne te mets pas en colère; ***pull the wool over somebody's eyes,*** en faire accroire à quelqu'un.

woollen ['wʊlən] *adj.* de, en laine.

woollens ['wʊlənz] *n. pl.* lainages.

word [wɜ:d] *n.* **1.** mot. **2.** parole. ♦ ***A man of his word,*** un homme de parole; ***by word of mouth,*** de vive voix; ***get a word in edgeways,*** placer un mot; ***he's as good as his word,*** on peut le croire sur parole; ***I told her in so many words that...,*** je lui ai dit carrément que...; ***play on words,*** jeu de mots; ***suit the action to the word,*** joindre le geste à la parole; ***take him at his word,*** prends-le au mot; ***take my word for it,*** croyez-m'en; ***upon my word!*** ma parole!
v.t. exprimer, formuler.

wording ['wɜ:dɪŋ] *n.* libellé, énoncé.

wordy ['wɜ:dɪ] *adj.* verbeux, diffus.

wore [wɔ:] (**wear,** *v.*)

work [wɜ:k] *n.* **1.** travail. **2.** ouvrage, besogne, tâche. **3.** *(lit.)* œuvre. **4.** *(fig.)* affaire. **4.** *pl.* mécanisme (de moteur...). **5.** *pl.* usine. ♦ ***At work,*** au travail; ***get*** (ou ***set***) ***to work,*** se mettre au travail; ***job work,*** travail à la pièce; ***out of work,*** au chômage; ***road works ahead,*** attention, travaux! ***work council,*** comité d'entreprise.
v. intr. **1.** travailler. **2.** fonctionner, marcher. **3.** avoir de l'effet, agir. ♦ ***He's working at*** (ou ***on***) ***it,*** il y travaille; ***he works shorter hours,*** il a un horaire réduit; ***it works both ways,*** c'est à double tranchant; ***work overtime,*** faire des heures supplémentaires; ***work to rule,*** faire la grève du zèle; ***you worked away all day,*** tu as travaillé sans cesse toute la journée.
v.t. **1.** travailler. **2.** façonner. **3.** se

frayer (un chemin). **4.** payer (son voyage...) en travaillant. **5.** faire marcher (machine...). **6.** exploiter (mine...). ♦ ***He worked himself to death,*** il s'est tué à la tâche ; ***it's worked by electricity,*** ça marche à l'électricité ; ***work oneself up,*** s'exciter ; ***work out,*** résoudre (problème...).

workable ['wɜ:kəbl] *adj.* **1.** réalisable, exécutable (projet). **2.** exploitable (mine).

workaholic [,wɜ:kə'hɒlɪk] *n.* *(fam.)* bourreau de travail.

workbasket ['wɜ:k,bɑ:skɪt] *n.* corbeille à ouvrage (aussi **workbox, workbag**).

workbench ['wɜ:kbentʃ] *n.* établi.

worked up [,wɜ:kt'ʌp] *adj.* excité, énervé.

worker ['wɜ:kə] *n.* **1.** travailleur. **2.** ouvrier. ♦ ***Clerical worker,*** employé de bureau ; ***workers' control,*** autogestion.

working ['wɜ:kɪŋ] *n.* **1.** travail. **2.** marche, fonctionnement. **3.** exploitation (de mine...). **4.** *(pl.)* rouages, mécanisme.
adj. **1.** qui travaille. **2.** qui fonctionne, efficace. ♦ ***Hard working,*** très travailleur ; ***in working order,*** en état de marche ; ***working conditions,*** conditions de travail ; ***working expenses,*** frais généraux.

workman ['wɜ:kmən] *n.* *(pl.* ***-men)*** ouvrier.

workshop ['wɜ:kʃɒp] *n.* atelier.

work-to-rule [,wɜ:ktə'ru:l] *n.* grève du zèle.

world [wɜ:ld] *n.* monde. ♦ ***All over the world,*** ou ***all the world over*** *(*ou ***throughout the world),*** dans le monde entier ; ***it did me a world of good,*** ça m'a fait un bien infini ; ***it's a small world!*** le monde est petit ! ***on top of the world,*** aux anges ; ***the Third World,*** le tiers monde.

worldly ['wɜ:ldlɪ] *adj.* du monde, mondain.

worldly-wise [,wɜ:ldlɪ'waɪz] *adj.* qui a l'expérience du monde, du savoir-faire.

worldwide [,wɜ:ld'waɪd] *adj.* universel.

worm [wɜ:m] *n.* ver. *v.t.* miner. ♦ *(fig.)* ***He wormed himself into...,*** il s'insinua dans...

worn [wɔ:n] *(**wear,** v.)*

worn-out [,wɔ:n'aʊt] *adj.* **1.** usé (vêtement). **2.** épuisé (personne).

worry ['wʌrɪ] *n.* ennui, tracas, souci. *v.t.* tourmenter, harceler. *v. intr.* se tourmenter, s'inquiéter.

worse [wɜ:s] *adj.* **1.** pire. **2.** plus mauvais. **3.** plus malade. ♦ ***He's none the worse for it,*** il ne s'en porte pas plus mal ; ***to make things worse,*** pour comble de malheur ; ***worse and worse,*** de pire en pire ; ***worse than ever,*** pire que jamais.
adv. plus mal, pis. ♦ ***Far worse,*** bien pis ; ***so much the worse,*** tant pis. *n.* pire.

worsen ['wɜ:sn] *v.t. et intr.* empirer.

worship ['wɜ:ʃɪp] *n.* **1.** culte, adoration. **2.** service religieux. **3.** ***Your Worship,*** Monsieur le (juge, maire,...). *v. intr.* *(Rel. et fig.)* adorer.

worst [wɜ:st] *adj.* le plus mauvais, le pire. *adv.* le pis, le plus mal.
n. le plus mauvais, le pire. ♦ ***At the worst of the battle,*** au plus fort de la bataille ; ***if the worst comes to the worst,*** au pire.

worth [wɜ:θ] *adj.* **1.** qui vaut, valant. **2.** qui mérite (digne). ♦ ***It's worth it*** (ou ***worthwhile***), ça vaut le coup ; ***worth knowing,*** bon à savoir.
n. valeur, prix. ♦ ***For all one's worth,*** de toutes ses forces.

worthless ['wɜ:θlɪs] *adj.* qui ne vaut rien, sans valeur.

worthy ['wɜ:ðɪ] *adj.* digne, honorable.

would [wʊd] *aux. mod.* **1.** (conditionnel) ***I would*** (ou ***I'd***) ***do it if I were you,*** je le ferais si j'étais vous. **2.** (habitude) ***I would practise every day at the time,*** je m'entraînais tous les jours à cette époque.

would-be ['wʊdbi:] *adj.* prétendu, soi-disant.

wound[1] [wu:nd] *n.* blessure, plaie.
v.t. blesser. ***Wounded in the head,*** blessé à la tête.

wound[2] [waʊnd] *(**wind,** v.)*

wound up ['waʊndʌp] *adj.* excité.

wove [wəʊv] *(**weave,** v.)*

woven ['wəʊvn] *(**weave,** v.)*

wrack [ræk] *n.* varech, goémon.

wrangle ['ræŋgl] *n.* dispute, querelle.
v. intr. se disputer, se quereller.

wrap [ræp] *v.t.* envelopper. ♦ ***Wrapped up in,*** absorbé dans; entiché de (une femme).
wrapper ['ræpə] *n.* **1.** papier d'emballage. **2.** bande (de journal). **3.** couverture (de livre).
wrath [rɒθ] *n.* courroux, colère (de Dieu).
wreak [ri:k] *v.t.* assouvir (vengeance...).
wreath [ri:θ] *n.* guirlande, couronne.
wreathe ['ri:ð] *v.t. et intr.* **1.** entourer, encercler. **2.** tournoyer doucement.
wreck [rek] *n.* **1.** épave. **2.** naufrage.
v.t. **1.** faire faire naufrage à. **2.** *(fig.)* briser (espoirs...). ♦ ***The ship was wrecked,*** le navire fit naufrage.
wreckage ['rekɪdʒ] *n.* **1.** épaves. **2.** naufrage.
wren [ren] *n. (Zool.)* roitelet.
wrench [rentʃ] *n.* **1.** torsion. **2.** arrachement. **3.** *(Méd.)* entorse. **4.** *(Tech.)* clé (anglaise, à molette).
v.t. **1.** arracher (à ou de) (aussi **wrest**). **2.** se fouler (cheville...).
wrestle ['resl] *v. intr. (Sp. et fig.)* lutter.
wretch [retʃ] *n.* **1.** malheureux, infortuné. **2.** scélérat, gredin, coquin.
wretched ['retʃɪd] *adj.* **1.** malheureux, misérable. **2.** vilain, triste. **3.** pitoyable, minable. ♦ ***In wretched poverty,*** dans une misère noire; ***where is that wretched dog?*** où est ce sale chien?
wriggle ['rɪgl] *v. intr.* se tortiller. ♦ *(fig.)* ***He wriggled out of it,*** il s'est défilé.
wring [rɪŋ] *v.t. irr. (p.* **wrung,** *p.p.* **wrung)** **1.** tordre. **2.** essorer. ***«Do not wring out»,*** «Ne pas essorer». **3.** arracher (à). ♦ ***I'll wring it out of him,*** je lui tirerai les vers du nez.
wrinkle ['rɪŋkl] *n.* ride. *v.t. et intr.* se rider.
wrist [rɪst] *n.* poignet.
wristwatch ['rɪstwɒtʃ] *n.* montre-bracelet.
write [raɪt] *v.t. et intr. irr. (p.* **wrote,** *p.p.* **written)** écrire.
write back, *v. part. intr.* répondre (par lettre).
write down, *v. part. t.* noter, inscrire.
write-off ['raɪtɒf] *n. (Aut.)* épave.
write off, *v. part. t.* **1.** renoncer à. **2.** annuler, délier de (dette).
writer ['raɪtə] *n.* écrivain, auteur.
writhe [raɪð] *v. intr.* se tordre (douleur).
writing ['raɪtɪŋ] *n.* **1.** écriture. **2.** écrit. ♦ ***In writing,*** par écrit; ***writing desk,*** secrétaire; ***writing pad,*** bloc de papier à lettres, bloc-notes.
written ['rɪtn] *(***write,** *v.)*
wrong [rɒŋ] *adj.* **1.** faux, erroné, inexact. **2.** mal, mauvais. ♦ ***He got out of bed on the wrong side,*** il s'est levé du pied gauche; ***that is the wrong way to set*** (ou ***go***) ***about it,*** ce n'est pas ainsi qu'il faut s'y prendre; ***what's wrong with you?*** qu'est-ce que tu as? ***wrong side out,*** à l'envers; ***wrong side up,*** sens dessus dessous; ***you're wrong,*** vous avez tort.
adv. mal, à tort, à faux. ♦ ***Don't get me wrong,*** comprends-moi bien; ***you did wrong to come,*** tu as eu tort de venir; ***you can't go wrong,*** vous ne pouvez pas vous tromper de chemin.
n. **1.** mal. **2.** tort, injustice. ♦ ***You do me wrong in believing...,*** tu me fais tort en croyant...
v.t. faire du tort, nuire à.
wrongly ['rɒŋlɪ] *adv.* mal, à tort. ♦ ***Rightly or wrongly,*** à tort ou à raison.
wrote [rəʊt] *(***write,** *v.)*
wrought-up [ˌrɔ:t'ʌp] *adj.* très tendu, excité.
wrung [rʌŋ] *(***wring,** *v.).*
wry [raɪ] *adj.* **1.** tordu, de travers. **2.** désabusé, forcé (sourire...). ♦ ***He pulled*** (ou ***made***) ***a wry face,*** il faisait la grimace.

X

X, x [eks] **1.** 24ᵉ lettre de l'alphabet. **2.** (chiffre romain) dix. **3.** x (années...). ♦ *(Ciné.)* ***X film,*** film réservé aux adultes.
xerox ['zɪərɒks] *v.t.* photocopier.
Xmas ['krɪsməs] *(fam.)* Noël (cf. **Christmas**)
⚠ **Xray** ['eksreɪ] *n.* **1.** rayon X. **2.** *(Méd.)* radiographie. ♦ ***I had an X-ray,*** je me suis fait faire une radio;

X-ray treatment, radio-thérapie. *v.t.* **1.** *(Méd.)* radiographier. **2.** *(fig.)* passer au crible, examiner avec soin.

Y

yap ['jæp] *v. intr.* **1.** japper. **2.** *(fam.)* jacasser.

yard[1] [jɑ:d] *n.* yard (0,914 m).

yard[2] [jɑ:d] *n.* **1.** cour. **2.** chantier. **3.** *(amér.)* jardin. ♦ ***Shipbuilding yard,*** chantier de constructions navales.

yarn [jɑ:n] *n.* **1.** fil (tissage). **2.** histoire (de marin), conte, récit. ♦ ***Spin a yarn,*** débiter une longue histoire.

yawn [jɔ:n] *n.* bâillement. *v. intr.* **1.** bâiller. **2.** s'ouvrir, être béant (gouffre...).

year [jɜ:] *n.* année, an. ♦ ***All the year round,*** toute l'année; ***every other year,*** tous les deux ans; ***I'm ten years old,*** j'ai dix ans; ***over the years,*** au fil des ans.

yearn [jɜ:n] *v. intr.* soupirer (après). ***I yearn for*** (ou ***after***) ***home,*** j'ai la nostalgie de la maison.

yearning ['jɜ:nɪŋ] *n.* désir ardent, envie.

yeast [ji:st] *n.* levure.

yell [jel] *n.* hurlement. *v. intr.* hurler.

yellow ['jeləʊ] *n.* jaune. *adj.* **1.** jaune. **2.** *(fam.)* poltron. ♦ ***Become yellow,*** jaunir; ***the yellow press,*** les journaux à sensation. *v.t. et intr.* jaunir.

yelp [jelp] *v. intr.* japper, glapir.

yes [jes] *adv.* oui, si.

yes-man ['jesmæn] *n.* *(fam.)* béni-oui-oui.

yesterday ['jestədɪ] *n. et adv.* hier. ♦ ***The day before yesterday,*** avant-hier; ***yesterday week,*** il y a eu hier huit jours.

yet [jet] *conj.* pourtant, cependant. ♦ ***He's ill, yet he goes out,*** il est malade, pourtant il sort.
adv. encore, déjà. ♦ ***As yet,*** jusqu'alors; ***has he arrived yet?*** est-il déjà arrivé? ***he has not written yet*** (ou ***he has not yet written),*** il n'a pas encore écrit; ***not just yet,*** pas pour l'instant.

yew [jʊ:] *n.* *(Bot.)* if (aussi **yew tree**).

yield [ji:ld] *v.t.* **1.** produire, rapporter. **2.** céder (un droit...). *v. intr.* céder (à). *n.* **1.** production, rendement. **2.** *(Agr.)* rendement.

yoke [jəʊk] *n.* joug. **2.** *(fig.)* domination.

yolk [jəʊk] *n.* jaune d'œuf.

you [ju:, jʊ] *pr.* **1.** vous. **2.** tu, te, toi, on. ♦ ***All of you,*** vous tous; ***between you and me,*** entre nous; ***you Frenchmen,*** vous autres Français; ***you idiot!*** espèce d'idiot! ***you never know,*** on ne sait jamais.

young [jʌŋ] *adj.* **1.** jeune. **2.** novice. **3.** *(fig.)* naissant (jour...). ♦ ***In my young days,*** dans ma jeunesse; ***young lady,*** jeune fille, demoiselle; ***young people, the young,*** les jeunes.
n. petit (d'animal).

youngster ['jʌŋstə] *n.* jeune (garçon).

your [jɔ:] *adj. poss.* **1.** votre, vos. **2.** ton, ta, tes. ♦ ***Your turn,*** à vous, à toi; à vous de jouer.

yours [jɔ:z] *pr. poss.* **1.** le, la, les vôtre(s). **2.** le(s) tien(s), la tienne, les tiennes. ♦ ***A friend of yours,*** un de vos amis; ***this is yours,*** ceci est à vous; ***yours (ever),*** bien cordialement (lettre).

yourself [jɔ:'self] *pr. réfl.* *(pl.* **yourselves***)* vous-même(s), toi-même, vous, te. ♦ ***(All) by yourself,*** tout seul; ***are you enjoying yourself?*** tu t'amuses? ***you were talking to yourself!*** tu parlais seul!

youth [ju:θ] *n.* **1.** jeunesse. **2.** jeune homme. **3.** *(pl.)* jeunes. ♦ ***Youth club,*** foyer de jeunes; ***youth hostel,*** auberge de jeunesse.

Z

zeal [zi:l] *n.* zèle, ardeur.
zealot ['zelət] *n.* zélateur, fanatique.
zebra ['zi:brə, 'zebrə] *n.* zèbre. ♦ ***Zebra crossing,*** passage pour piétons.
⚠ **zest** [zest] *n.* **1.** entrain, élan. **2.** *(fig.)* saveur, piquant. **3.** zeste (citron). ♦ ***Zest for living,*** goût pour la vie.
zip [zɪp] *n.* **1.** (= **zip fastener)** fermeture Éclair. **2.** sifflement (de balle). **3.** énergie, entrain. *v. intr.* siffler (balle).
zip code ['zɪpkəʊd] *n. (amér.)* code postal (*G.B.* **postcode**).
zither ['zɪðə] *n. (Mus.)* cithare.
zombie ['zɒmbɪ] *n. (fam.)* lavette.
⚠ **zone** [zəʊn] *n.* zone. ♦ ***«Tow away zone»,*** «stationnement gênant». *v.t.* urbaniser, aménager (ville...).
zoning ['zəʊnɪŋ] *n.* **1.** urbanisation. **2.** aménagement du territoire.
⚠ **zoom** [zu:m] *n.* **1.** vrombissement, ronflement. **2.** montée en flèche (avion, prix...). **3.** *(Phot.)* zoom. *v. intr.* **1.** vrombir, ronfler. **2.** monter en flèche (avion, prix...). **3.** *(Ciné.)* faire un zoom.

COMMON ABBREVIATIONS AND ACRONYMS

Abréviations et sigles courants[1]

A.A. [ˌeɪˈeɪ] **1.** ***(Alcoholics Anonymous)*** Ligue antialcoolique. **2.** ***(anti-aircraft)*** D.C.A. **3.** ***(Automobile Association)*** Automobile-Club.

A.B. [ˌeɪˈbiː] **1.** *(G.B.)* ***(able-bodied) (seaman)*** matelot de deuxième classe. **2.** *(U.S.)* ***(Bachelor of Arts)*** licencié.

A-BOMB [ˈeɪbɒm] ***(atom bomb)*** bombe atomique, bombe A.

a.c. [ˌeɪˈsiː] ***(alternating current)*** *(Elec.)* courant alternatif, c.a.

a/c [ˌeɪˈsiː] ***(account)*** *(Fin.)* compte courant.

A.D. [ˌeɪˈdiː] ***(Anno Domini)*** après Jésus-Christ, ap. J.-C.

A-level [ˈeɪˌlevəl] ***(advanced level)*** baccalauréat (cf. **G.C.E.**).

a.m. [ˌeɪˈem] ***(ante meridiem)*** du matin (≠ **p.m.**).

A.V. [ˌeɪˈviː] **1.** ***(audio-visual)*** audio-visuel. **2.** ***(Authorized Version)*** traduction officielle de la Bible, de 1611.

B.A. [ˌbiːˈeɪ] **1.** *(G.B.)* ***(Bachelor of Arts)*** licencié. **2.** ***(British Airways).***

b and b [ˌbiːndˈbiː] ***(bed and breakfast)*** chambre et petit déjeuner.

B.B.C. [ˌbiːbiːˈsiː] *(G.B.)* ***(British Broadcasting Corporation)*** chaîne nationale de radiodiffusion.

B.C. [ˌbiːˈsiː] **1.** ***(Before Christ)*** av. J.-C. **2.** ***(British Council).***

Bro(s) ***(brothers)*** [ˈbrʌðəz] *(Comm.)* Frères.

B.S. [ˌbiːˈes] *(U.S.)* ***(Bachelor of Science)*** licencié ès sciences.

B.Sc. [ˌbiːesˈsiː] *(G.B.)* ***(Bachelor of Science)*** licencié ès sciences.

Cantab [ˈkæntæb] ***(Cantabrigiensis)*** de l'Université de Cambridge [ˈkeimbrɪdʒ].

C.B.S. [ˌsiːbiːˈes] *(U.S.)* ***(Columbia Broadcasting System)*** radio Columbia.

C.I.A. [ˌsiːaɪˈeɪ] *(U.S.)* ***(Central Intelligence Agency)*** Renseignements généraux.

Co [kəʊ] ***(Company)*** *(Comm.)* Cie, Co, Sté.

C.O. [ˌsiːˈəʊ] *(Mil.)* ***(Commanding Officer)*** officier commandant.

c/o [ˌsiːˈəʊ] ***(care of)*** aux bons soins de.

C.O.D. [ˌsiːəʊˈdiː] ***(cash on delivery)*** *(Comm.)* payable contre remboursement.

C.S.E. [ˌsiːesˈiː] ***(Certificate of Secondary Education)*** certificat d'enseignement secondaire.

d.c. [ˌdiːˈsiː] ***(direct current)*** *(Elec.)* courant continu.

D.C. [ˌdiːˈsiː] *(U.S.)* ***(District of Columbia)*** District de Columbia (avec Washington).

D-day [ˈdiːˌdeɪ] Jour J.

D.G. [ˌdiːˈdʒiː] **1.** *(Rel.)* ***(Dei gratia)*** par la grâce de Dieu. **2.** *(Comm.)* ***(Director General)*** Directeur général.

D.I.Y. [ˌdiːaɪˈwaɪ] ***(Do it yourself)*** bricolage.

Dip. Ed. [ˈdɪpˈed] ***(Diploma in Education)*** certificat d'aptitude à l'enseignement.

D. Lit. [ˌdiːˈlit] ***(Doctor Litterarum)*** Docteur ès lettres.

D.N.A. [ˌdiːenˈeɪ] ***(deoxyribonucleic acid)*** *(Biol.)* A.D.N.

D. Phil. [ˌdiːˈfɪl] ***(Doctor of Philosophy)*** Docteur en Philosophie.

Dr. ***(Doctor)*** [ˈdɒktə] Docteur.

D.Sc. [ˌdiːesˈsiː] ***(Doctor of Science)*** Docteur ès sciences.

D.T.(s) [ˌdiːˈtiː(z)] ***(delirium tremens).***

E.E.C. [ˌiːiːˈsiː] ***(European Economic Community)*** C.E.E.

E.F.T.A. [ˌiːeftiːˈeɪ] ***(European Free Trade Association)*** A.E.L.E. (Association européenne de libre-échange).

e.g. [ˌiːˈdʒiː] ***(exempli gratia)*** p. ex. (par exemple).

E.R. [ˌiːˈɑː] ***(Elizabeth Regina).***

Esq. [esk] ***(Esquire)*** ***(John Smith Esq.,*** VX et recherché pour ***Mr. John***

(1) Tout ne peut ni n'a besoin d'être traduit, mais l'équivalent français est donné quand il existe. Pour les poids et mesures, consulter le tableau spécial.

Smith.)

et al [ˌet'æl] *(et alii)* et autres (auteurs, ...).

F.A. [ˌef'ʼeɪ] *(Football Association).*

F.A.O. [ˌefeɪ'əʊ] *(Food and Agricultural Organisation)* F.A.O.

F.B.I. [ˌefbiː'aɪ] *(U.S.)* *(Federal Bureau of Investigation)* service de contre-espionnage.

F.M. [ˌef'em] *(Radio)* *(Frequency Modulation)* modulation de fréquence.

F.O. [ˌef'əʊ] *(G.B.)* *(Foreign Office)* ministère des Affaires étrangères.

G.B. [ˌdʒiː'biː] *(Great Britain)* Grande-Bretagne.

G.C.E. [ˌdʒiːsiː'iː] *(G.B.)* *(General Certificate of Education)* (cf. **A-level,** baccalauréat, **O-level,** B.E.P.C.).

G.I. [ˌdʒiː'aɪ] *(U.S.)* *(Government Issue)* soldat américain.

G.M. [ˌdʒiː'em] *(General Manager)* Directeur général.

G.M.T. [ˌdʒiːem'tiː] *(Greenwich Mean Time)* temps universel, T.U.

G.N.P. [ˌdʒiːen'piː] *(Gross National Product)* Produit national brut, P.N.B.

G.P. [ˌdʒiː'piː] *(Méd.)* *(General Practitioner)* médecin généraliste.

G.P.O. [ˌdʒiːpiː'əʊ] *(General Post Office)* Postes et Télécommunications, P et T.

H-Bomb ['eɪtʃbɒm] *(Hydrogen Bomb)* bombe à hydrogène, bombe H.

H.F. [ˌeɪtʃ'ef] *(Radio)* *(High Frequency)* haute fréquence.

H.P. [ˌeɪtʃ'piː] *(Hire Purchase)* location vente, vente à tempérament.

h.p. [ˌeɪtʃ'piː] *(Tech.)* *(horse power)* cheval-vapeur.

H.Q. [ˌeɪtʃ'kjuː] *(Mil.)* *(headquarters)* quartier général, Q.G.

i.e. [ˌaɪ'iː] *(id est)* c'est-à-dire.

I.M.F. [ˌaɪem'ef] *(International Monetary Fund)* Fonds monétaire international, F.M.I.

I.O.U. [ˌaɪəʊ'juː] *(I owe you)* reconnaissance de dette.

I.Q. [ˌaɪ'kjuː] *(Intelligence Quotient)* quotient intellectuel, Q.I.

I.R.A. [ˌaɪɑː'eɪ] *(Irish Republican Army).*

I.T.A. [ˌaɪtiː'eɪ] *(G.B.)* *(Independent Television Authority)* chaîne de télévision privée.

J.P. [ˌdʒeɪ'piː] *(Jur.)* *(Justice of the Peace)* juge de paix.

L.E.A. [ˌeliː'eɪ] *(G.B.)* *(Ens.)* *(Local Education Authority)* inspection académique.

L.S.D. [ˌeles'diː] *(lysergic acid diethylamide)* L.S.D.

Ltd. *(limited)* ['lɪmɪtɪd] *(Comm.)* à responsabilité limitée.

M.A. [ˌem'eɪ] *(Master of Arts)* maîtrise de lettres.

M.C. [ˌem'siː] **1.** *(Master of ceremonies)* maître de cérémonies. **2.** *(Military Cross)* croix de guerre. **3.** *(U.S.)* *(Member of Congress)* député.

M.D. [ˌem'diː] *(Medicine Doctor)* Docteur en médecine.

Messrs. ['mesəz] *(Comm.)* *(Messieurs)* MM.

M.I.5. [ˌemaɪ'faɪv] *(Military Intelligence)* Deuxième Bureau.

M.O. [ˌem'əʊ] **1.** *(Mil.)* *(Medical Officer)* médecin militaire. **2.** *(Money Order)* mandat-poste.

M.P. [ˌem'piː] **1.** *(G.B.)* *(Member of Parliament)* député. **2.** *(Military Police)* police militaire.

Mr. ['mɪstə] Monsieur (devant un nom).

Mrs. ['mɪsɪz] Madame (devant un nom).

Ms. [mɪz] Madame ou Mademoiselle.

MS (*manuscript* ['mænjuːskrɪpt]) (*pl.* **MSS**) manuscrit(s).

M.Sc [ˌemes'siː] *(Master of Science)* maîtrise de sciences.

NATO ['neɪtəʊ] *(North Atlantic Treaty Organisation)* OTAN.

N.C.O. [ˌensiː'əʊ] *(Mil.)* *(Non-commissioned Officer)* sous-officier.

N.H.S. [ˌeneɪtʃ'es] *(G.B.)* *(National Health Service)* Sécurité sociale.

non-U [ˌnɒn'juː] *(G.B)* *(not upper class)* vulgaire.

N.S.P.C.C. [ˌenesˌpiːsiː'siː] *(G.B.)* *(National Society for the Prevention of Cruelty to Children)* Société protectrice des enfants (cf. **R.S.P.C.A.**).

O.E.C.D. [ˌəʊiːsiː'diː] *(Organisation for Economic Co-operation and Development)* O.C.D.E.

O-Level ['əʊˌlevəl] *(Ordinary level)* B.E.P.C. (cf. **G.C.E.**).

O.P.E.C. ['əʊpek] *(Organisation of Petroleum Exporting Countries)*

O.P.E.P.

Oxon ['ɒksən] ***(Oxoniensis)*** de l'Université d'Oxford.

p. [piː] ***(penny, pence)*** *(fam.)* ***It costs only 10 p.,*** ça ne coûte que 10 pence.

P.A.Y.E. [ˌpiːeɪwaɪ'iː] *(G.B.)* ***(Pay as your earn)*** impôt à la source.

P.C. [ˌpiː'siː] **1.** *(G.B.)* ***(Police constable)*** agent de police. **2.** *(G.B.)* ***(Privy Council)*** Conseil privé (de la reine). **3.** *(U.S.)* ***(Peace Corps)*** Corps des volontaires pour la paix.

Ph.D. [ˌpiːeɪtʃ'diː] ***(Doctor of Philosophy)*** Docteur en philosophie.

p.m. [ˌpiː'em] ***(post meridiem)*** de l'après-midi (≠ **a.m.**).

P.O. [ˌpiː'əʊ] **1.** ***(Post office)*** poste. ***P.O.Box,*** Boîte postale, B.P. **2.** ***(Postal Order)*** mandat-poste (cf. **M.O.**). **3.** *(Marine)* ***(Petty officer)*** officier marinier.

P.O.W. [ˌpiːəʊ'dʌbəljuː] ***(Prisoner of War)*** prisonnier de guerre.

P.T. [ˌpiː'tiː] *(Ens.)* ***(Physical Training)*** Éducation physique (aussi **P.E.** = ***Physical Education***).

P.T.O [ˌpiːtiː'əʊ] ***(Please turn over)*** tourner s'il vous plaît, T.S.V.P.

R.A.F. [ˌɑːeɪ'ef] aussi [ræf] *(G.B.)* ***(Royal Air Force)*** Armée de l'air.

R.N. [ˌɑː'en] *(G.B.)* ***(Royal Navy)*** marine.

R.S.P.C.A. [ˌɑːesˌpiːsiː'eɪ] ***(Royal Society for the Prevention of Cruelty to Animals)*** Société protectrice des animaux, S.P.A.

S.A.L.T. [sɔːlt] ***(Strategic Arms Limitation Talks)*** Accords SALT.

S.F. [ˌes'ef] ***(Science fiction)*** science-fiction (aussi **Sci. Fi.** [ˌsaɪ'faɪ]).

S.H.A.P.E. [ʃeɪp] ***(Supreme Headquarters of Allied Powers in Europe)*** SHAPE.

S.O.S. [ˌesəʊ'es] ***(Save our souls)*** S.O.S.

T.B. [ˌtiː'biː] ***(Tuberculosis)*** tuberculose.

T.U. [ˌtiː'juː] ***(Trade Union)*** syndicat.

T.U.C. [ˌtiːjuː'siː] ***(Trades Union Congress)*** Confédération générale des syndicats.

U.F.O. [ˌjuːef'əʊ] aussi [juːfəʊ] ***(Unidentified Flying Object)*** objet volant non identifié, ovni.

U.H.F. [ˌjuːeɪtʃ'ef] *(Radio)* ***(Ultra high frequency)*** ultra-haute fréquence, U.H.F.

U.K. [ˌjuː'keɪ] ***(United Kingdom)*** Royaume-Uni, R.U.

UNESCO [juː'neskəʊ] ***(United Nations Educational, Scientific and Cultural Organisation)*** Organisation des Nations unies pour l'éducation, la science et la culture, U.N.E.S.C.O.

UNICEF [ˌjuːnɪsef] ***(United Nations (International) Children's (Emergency) Fund)*** Fonds international de secours à l'enfance, F.I.S.E., U.N.I.C.E.F.

UNO ['juːnəʊ] ***(United Nations Organisation)*** O.N.U. (aussi **U.N.** [ˌjuː'en]) Nations unies.

U.S.A. [ˌjuːes'eɪ] ***(United States of America)*** États-Unis d'Amérique (aussi **U.S., E.U.**).

U.S.S.R. [ˌjuːeses'ɑː] ***(Unions of Soviet Socialist Republics)*** U.R.S.S.

V.A.T. [ˌviːeɪ'tiː] ***(Value Added Tax)*** Taxe à la valeur ajoutée, T.V.A.

V.E.Day [ˌviːiː'deɪ] ***(Victory in Europe Day)*** Jour de la Victoire en Europe, 8 mai 1945.

V.I.P. [ˌviːaɪ'piː] ***(Very Important Person)*** personnage haut placé.

viz. [vɪz] ***(videlicet)*** à savoir.

vs. [ˌviː'es] ***(versus)*** contre.

V.S.O. [ˌviːes'əʊ] *(G.B.)* ***(Voluntary Service Overseas)*** service de la Coopération.

WASP [wɒsp] *(U.S.)* ***(White Anglo-Saxon Protestant)*** traditionaliste protestant de la Vieille-Angleterre.

W.H.O. [ˌdʌbəljuːeɪtʃ'əʊ] aussi [huː] ***(World Health Organisation)*** Organisation mondiale de la santé, O.M.S.

W.O. [ˌdʌbəljuː'əʊ] *(Mil.)* ***(Warrant Officer)*** adjudant.

W.R.A.C. [ˌdʌbəljuːɑːeɪ'siː] *(Mil.)* ***(Women's Royal Army Corps)*** Auxiliaire féminine de l'Armée de terre, A.F.A.T.

W.R.N.S. [ˌdʌbəljuːɑːen'es] aussi [renz] ***(Women's Royal Naval Service)*** Services féminins de la Flotte, S.F.F.

Xmas ['krɪsməs] aussi [eksməs] ***(Christmas)*** *(fam.)* Noël.

Y.H.A. [ˌwaɪeɪtʃ'eɪ] ***(Youth Hostels Association)*** Auberges de la jeunesse.

Y.M.C.A. [ˌwaɪemsiː'eɪ] ***(Young Men's Christian Association).***

Y.W.C.A. [ˌwaɪˌdʌbəljuːsiː'eɪ] ***(Young Women's Christian Association).***

FRANÇAIS-ANGLAIS

A

à *prép.* at, in ; into, to ; by ; for ; on ; with ; of...
abaisser *v.* lower ; pull down ; debase.
abaisser (s'—) *v.* go down ; stoop.
abandon *n.m.* desertion, abandonment.
abandonné *adj.* deserted, abandoned.
abandonner *v.* desert, abandon ; give up.
abasourdi *adj.* stunned, dumbfounded.
abat-jour *n.m.* (lamp-) shade.
abattement *n.m.* reduction ; allowance (fiscal) ; dejection.
abattoir *n.m.* slaughter-house.
abattre *v.* fell, cut down ; pull down, demolish ; slaughter.
abattu *adj.* low-spirited, dejected.
▷ **abbaye** *n.f.* abbey ['æbɪ].
abbé *n.m.* abbot ['æbət] ; priest.
▷ **abcès** *n.m.* abscess ['æbses].
▷ **abdiquer** *v.* abdicate ; renounce ; give up.
abécédaire *n.m.* primer ['praɪmə].
abeille *n.f.* bee.
▷ **aberrant** *adj.* absurd, aberrant.
▷ **abhorrer** *v.* loathe, abhor.
abîme *n.m.* abyss, chasm ; gulf.
abîmé *adj.* damaged ; spoilt ; ruined.
abîmer *v.* damage ; spoil.
▷ **abject** *adj.* base ; despicable ; abject.
▷ **abjurer** *v.* renounce ; recant (foi) ; abjure.
▷ **ablation** *n.f.* removal, ablation.
▷ **abnégation** *n.f.* self-denial, abnegation.
aboiement *n.m.* bark ; barking.
abois (aux—) *loc.* at bay ; *(fig.)* hard-pressed.
▷ **abolir** *v.* abolish.
▷ **abolitionniste** *n.m.* abolitionist.
▷ **abominable** *adj.* abominable ; dreadful.
⚠ **abondance** *n.f.* plenty, abundance ; affluence.
▷ **abondant** *adj.* plentiful, copious, abundant.
abonder *v.* abound (in).
abonné *n.m.* subscriber ; season-ticket holder.
abonnement *n.m.* subscription ; season ticket.
abonner (s'—) *v.* subscribe (to).
abord *n.m.* access ; manner.
abord (au premier—) *loc.* at first sight.
abord (d'—) *adv.* (at) first.
abordable *adj.* accessible ; reasonable.
aborder *v.* land ; accost ; collide with, board ; broach, tackle (sujet).
abords *n.m.pl.* outskirts, surroundings.
aboutir *v.* succeed (in) ; end up (in) ; result (in).
aboutissement *n.m.* success ; outcome.
aboyer *v.* bark.
abrégé *n.m.* summary.
abréger *v.* shorten ; abridge ; cut short.
abreuver *v.* water ; *(fig.)* shower (with).
abreuvoir *n.m.* watering-place ; trough.
▷ **abréviation** *n.f.* abbreviation.
abri *n.m.* shelter, refuge, cover.
▷ **abricot** *n.m.* apricot ['eɪprɪkɒt].
abriter *v.* shelter.
abriter (s'—) *v.* (take) shelter, take cover.
abroger *v.* abrogate, repeal.
⚠ **abrupt** *adj.* steep, sheer ; abrupt, brusque.
abruti *adj.* stunned, dazed, stupefied.
abruti *n.m.* moron.
abrutir *v.* stun, daze, stupefy.
absence *n.f.* absence ; lack ; blank (mémoire).
absent *adj.* absent ; from home ; lacking.
⚠ **absent** *n.m.* absentee [,æbsən 'ti:].
▷ **absentéisme** *n.m.* absenteeism.
absenter (s'—) *v.* go out, leave.
absolu *adj.* absolute ; utter.
⚠ **absorbant** *adj.* absorbent ; engrossing.
⚠ **absorber** *v.* absorb ; take up, engross.
absoudre *v.* absolve.
abstenir (s'—) *v.* abstain ; refrain.
▷ **abstentionniste** *adj. et n.m.* abstentionist.

abstraction (faire—) *loc.* leave aside ; disregard.
abstrait *adj.* abstract.
▷ **absurde** *adj.* preposterous, absurd.
abus *n.m.* abuse ; misuse.
abus de confiance *n.m.* breach of trust.
abuser *v.* go too far ; deceive, mislead.
abusif *adj.* excessive, exhorbitant ; improper.
▷ **académicien** *n.m.* academician.
▷ **académie** *n.f.* academy ; learned society.
acajou *n.m.* mahogany.
acariâtre *adj.* sour (-tempered).
accablant *adj.* oppressive ; overwhelming.
accabler *v.* overwhelm, overcome ; condemn ; heap, shower (injures) ; weigh down.
accalmie *n.f.* lull ; *(fig.)* respite.
accaparer *v.* monopolize ; take up (temps).
accéder *v.* reach ; accede (to) ; grant ; attain.
▷ **accélérateur** *n.m.* accelerator.
▷ **accélération** *n.f.* acceleration, speeding up.
▷ **accélérer** *v.* accelerate ; speed up.
⚠ **accent** *n.m.* stress ; tone ; accent.
⚠ **accentuer** *v.* stress, emphasize ; accent ; accentuate.
▷ **acceptable** *adj.* satisfactory, acceptable.
⚠ **acceptation** *n.f.* acceptance.
▷ **accepter** *v.* accept ; agree to.
acception *n.f.* meaning, sense, acceptation.
⚠ **accès** *n.m.* access, approach ; fit, bout.
▷ **accessible** *adj.* accessible, open to.
⚠ **accessoire** *adj.* secondary ; accidental.
▷ **accessoire** *n.m.* accessory.
▷ **accident (par—)** *loc.* by chance.
accidenté *n.m.* casualty ['kæʒʊəltɪ].
▷ **accidentel** *adj.* accidental, fortuitous.
acclamations *n.f.pl.* cheers, cheering.
▷ **acclamer** *v.* cheer, acclaim.
▷ **acclimater** *v.* acclimatize.
accolade *n.f.* embrace ; brace.
accommodant *adj.* accommodating.
accommodement *n.m.* compromise.
accommoder *v.* prepare ; reconcile ; focus.
accommoder (s'—) *v.* put up (with), make do (with).
accompagnateur *n.m.* accompanist ; guide ; courier (voyage accompagné).
▷ **accompagnement** *n.m.* accompaniment.
▷ **accompagner** *v.* accompany ; go with.
accomplir *v.* carry out, perform ; fulfil.
accomplissement *n.m.* fulfilment.
accord *n.m.* agreement ; harmony ; *(Mus.)* chord.
accord (être d'—) *loc.* agree.
▷ **accordéon** *n.m.* accordion [ə'kɔːdɪən].
accorder *v.* grant ; *(Mus.)* tune.
accorder (s'—) *v.* agree, get on together ; match.
▷ **accoster** *v.* accost ; draw alongside.
accotement *n.m.* verge, shoulder.
accouchement *n.m.* delivery, childbirth.
accoucher *v.* give birth (to) ; be in labour ; deliver.
accoucheuse *n.f.* midwife.
accouder (s'—) *v.* lean (one's elbows).
accoudoir *n.m.* armrest.
accouplement *n.m.* mating ; coupling.
accourir *v.* rush ; run up ; hurry.
accoutrement *n.m.* get up, rig-out.
accoutumance *n.f.* habit, addiction.
accoutumer (s'—) *v.* get used (to).
accréditer *v.* substantiate ; accredit.
accroc *n.m.* tear ; *(fig.)* hitch, snag.
accrochage *n.m.* collision ; encounter ; hanging (up).
accrocher *v.* hang (up) ; catch ; bump.
accroissement *n.m.* increase, growth.
accroître *v.* increase.
accroupi *adj.* squatting, crouching (down).
accroupir (s'—) *v.* squat, crouch (down).
accu *n.m.* battery ; accumulator.
accueil *n.m.* welcome, reception.
accueillant *adj.* friendly.
accueillir *v.* welcome ; accomodate.
▷ **accumuler** *v.* build up, accumulate.
accusateur *adj.* accusing ; incriminating.
⚠ **accusation** *n.f.* indictment [ɪn'daɪtmənt], accusation, charge ; prosecution.

accusé (l'—) *n.m.* the accused ; the defendant.
accuser *v.* accuse, charge ; blame.
acerbe *adj.* caustic, acid.
acéré *adj.* sharp ; *(fig.)* biting, cutting.
achalandé (bien —) *loc.* well-stocked.
acharné *adj.* fierce, bitter ; relentless.
acharnement *n.f.* fierceness ; relentlessness.
acharner (s'—) *v.* try desperately ; set oneself (against) ; have got one's knife (into).
achat *n.m.* purchase.
acheminer *v.* forward, dispatch ; convey.
acheminer (s'— vers) *v.* head for.
acheter *v.* buy, purchase ; *(fig.)* bribe.
acheteur *n.m.* buyer ; shopper.
⚠ **achèvement** *n.m.* completion.
⚠ **achever** *v.* complete, finish.
achever (s'—) *v.* end.
achoppement (pierre d'—) *n.f.* stumbling block.
▷ **acide** *adj. et n.m.* acid.
acier *n.m.* steel.
aciérie *n.f.* steelworks.
acolyte *n.m.* confederate ; associate ; acolyte.
acompte *n.m.* deposit, instalment ; advance.
à-côté *n.m.* side issue ; extra.
à-coup *n.m.* jolt.
à-coups (par—) *loc.* by fits and starts.
▷ **acoustique** *n.f.* acoustics.
acquéreur *n.m.* buyer, purchaser.
acquérir *v.* acquire, purchase ; gain.
acquiescement *n.m.* approval, assent.
acquiescer *v.* agree, approve, assent, acquiese [,ækwɪ'es].
▷ **acquisition** *n.f.* purchase, acquisition.
acquittement *n.m.* acquittal ; payment.
⚠ **acquitter** *v.* *(Jur.)* acquit ; pay, settle.
acquitter (s'— de) *v.* discharge ; fulfil.
âcre *adj.* acrid, pungent.
acrobatie *n.f.* acrobatics.
▷ **acte** *n.m.* act, action, deed ; *(Th.)* act.
▷ **acteur** *n.m.* actor.
▷ **actif** *adj.* active.
⚠ **actif** *n.m.* *(Fin.)* assets ; credit.
action *n.f.* action, act, deed ; *(Fin.)* share.
actionnaire *n.m.* shareholder.
actionner *v.* work, drive ; activate.
▷ **activer** *v.* speed up, stir up ; activate.
activer (s'—) *v.* bustle about ; be busy.
▷ **activité** *n.f.* activity.
actrice *n.f.* actress.
▷ **actualiser** *v.* actualize ; update.
actualité *n.f.* topicality ; current events.
actualités (les—) *n.f.pl.* the news.
⚠ **actuel** *adj.* present, current ; topical.
⚠ **actuellement** *adv.* at present, at the moment.
acuité *n.f.* acuteness, sharpness.
acupuncteur *n.m.* acupuncturist.
adaptateur *n.m.* adapter.
adapter *v.* adapt ; fit.
adapter (s'—) *v.* adapt oneself (to) ; fit.
additif *n.m.* additional clause.
⚠ **addition** *n.f.* addition ; bill.
additionner *v.* add (up).
▷ **adepte** *n.m.* follower, adept.
adéquat *adj.* appropriate, suitable.
⚠ **adhérence** *n.f.* adhesion, adherence ; grip.
adhérent *n.m.* member.
⚠ **adhérer** *v.* adhere (to), stick (to) ; join.
▷ **adhésif** *adj. et n.m.* adhesive.
⚠ **adhésion** *n.f.* adhesion ; joining ; membership.
adieu *n.m.* goodbye, farewell ; cheerio.
▷ **adjacent** *adj.* adjoining, adjacent.
▷ **adjectif** *adj. et n.m.* adjective.
adjoindre *v.* attach ; appoint.
adjoint *n.m.* assistant.
▷ **adjonction** *n.f.* addition, adjunction.
adjudication *n.f.* sale by auction.
adjuger *v.* award ; auction, knock off.
adjuger (s'—) *v.* take for oneself ; win.
adjurer *v.* implore, beg.
▷ **adjuvant** *n.m.* additive, adjuvant.
admettre *v.* let in, admit ; accept ; *(Ens.)* pass.
▷ **administrateur** *n.m.* administrator, director.
▷ **administratif** *adj.* administrative.
administrer *v.* manage, run ; administer.
▷ **admirable** *adj.* admirable, won-

derful.
admirateur *n.m.* admirer.
admiratif *adj.* admiring.
▷ **admirer** *v.* admire, marvel at.
⚠ **admissible** *adj.* admissible, acceptable; eligible (candidat).
admission *n.f.* admission; admittance.
adonner (s'— à) *v.* devote oneself to; give oneself over to (boisson, vice...).
▷ **adopter** *v.* adopt; pass (loi).
adoptif *adj.* adoptive; adopted (enfant).
adorable *adj.* lovely, delightful, adorable.
adorateur *n.m.* worshipper.
▷ **adorer** *v.* adore; *(Rel.)* worship, adore.
adosser (s'—) *v.* lean with one's back (against).
adoucir (s'—) *v.* get milder; mellow, soften.
⚠ **adresse** *n.f.* skill; address.
▷ **adresser** *v.* send, address.
adresser (s'— à) *v.* address; go and see; apply to.
adroit *adj.* skilful, dexterous; shrewd.
▷ **adulte** *adj.* adult, mature.
adultère *adj.* adulterous.
▷ **adultère** *n.m.* adultery.
advenir *v.* happen (to); become (of).
▷ **adverbe** *n.m.* adverb.
adversaire *n.m.* adversary; opponent; enemy.
▷ **adversité** *n.f.* adversity.
aération *n.f.* airing; ventilation.
aéré *adj.* airy; well-ventilated.
aérer *v.* air; lighten.
aérer (s'—) *v.* get some fresh air.
aérien *adj.* air; aerial; overhead (cable...).
aéro-club *n.m.* flying club.
▷ **aérodrome** *n.m.* aerodrome, airfield.
▷ **aérodynamique** *adj.* streamlined; aerodynamic [ˌerəʊdaɪ'næmɪk].
aérogare *n.f.* air terminal (en ville); airport.
aéroglisseur *n.m.* hovercraft ['hɒvə krɑːft].
aéronautique *adj.* aeronautical.
▷ **aéronautique** *n.f.* aeronautics.
aéronaval *adj.* air and sea.
aéroport *n.m.* airport.
aéroporté *adj.* airborne; air-lifted.
aérospatial *adj.* aerospace.
aérotrain *n.m.* hovertrain.
affabuler *v.* make up stories.
affadir *v.* make insipid (ou tasteless, dull).
affaiblir *v.* weaken.
affaiblir (s'—) *v.* weaken, grow weaker.
⚠ **affaire** *n.f.* matter, business; *(Jur.)* case; deal, transaction, bargain; affair (scandale).
affairé *adj.* (very) busy; bustling.
affairer (s'—) *v.* busy oneself, bustle about.
affaires *n.f.pl.* things, belongings.
affaisser (s'—) *v.* collapse, subside, sink, cave in; collapse, slump (personne).
affaler (s'—) *v.* slump, collapse.
affamé *adj.* starving, ravenous ['rævənəs].
affamer *v.* starve.
⚠ **affectation** *n.f.* allotment; appointment; affectedness; affectation, show.
▷ **affecté** *adj.* affected; feigned, assumed.
⚠ **affecter** *v.* affect, move; affect, feign; assume; allocate, allot; appoint, post.
▷ **affectif** *adj.* emotional, affective.
▷ **affection** *n.f.* affection; ailment.
affectionner *v.* be fond of, like.
affectueux *adj.* affectionate, fond.
affermir *v.* strengthen, consolidate.
affichage *n.m.* bill posting; *(Tech.)* display.
affiche *n.f.* poster, bill; notice.
afficher *v.* post up; *(fig.)* display, exhibit.
affilée (d'—) *loc.* at a stretch.
affilier (s'— à) *v.* become affiliated to, join.
affiner, *v.* refine.
▷ **affinité** *n.f.* affinity.
▷ **affirmatif** *adj.* affirmative, assertive.
▷ **affirmation** *n.f.* affirmation, assertion.
▷ **affirmer** *v.* maintain, assert, affirm.
affleurer *v.* show on the surface, outcrop.
affligé *adj.* grieved, distressed; afflicted (with).
affligeant *adj.* distressing.
⚠ **affluence** *n.f.* crowd.
affluence (heures d'—) *loc.* rush hours.
affluent *n.m.* tributary.
affluer *v.* rush, flow; flock; flood in.
affolant *adj.* alarming, disturbing.

affolé *adj.* panic-stricken.
affolement *n.m.* panic.
affoler *v.* throw into a panic.
affoler (s'—) *v.* panic.
affranchir *v.* stamp, frank; emancipate, free.
affranchissement *n.m.* stamping, franking; postage; emancipation, freeing.
affres *n.f.pl.* pangs, throes.
affréter *v.* charter; hire.
affreux *adj.* dreadful, awful; hideous.
affrontement *n.m.* confrontation.
affronter *v.* confront, face.
affubler *v.* rig out (in); attach (to).
affût (à l'— de) *loc.* in wait for, on the lookout for.
affûter *v.* sharpen, grind.
afin de *loc.* in order to.
afin que *loc.* in order that, (so) that.
a fortiori *adv.* all the more.
agaçant *adj.* irritating, annoying, aggravating.
agacement *n.m.* irritation, annoyance.
agacé *adj.* irritated, annoyed.
agacer *v.* irritate, aggravate; excite.
▷ **âge** *n.m.* age.
âgé *adj.* old, elderly.
agence *n.f.* agency, office; *(Comm.)* branch.
agence immobilière *n.f.* estate agent's (office).
agence de placement *n.f.* employment agency.
agence de voyage *n.f.* travel agency.
agencement *n.m.* organization; lay-out.
agencer *v.* arrange, organize; lay out.
⚠ **agenda** *n.m.* diary.
agenouiller (s'—) *v.* kneel down.
⚠ **agent** *n.m.* policeman, officer; official; agent.
agent de change *n.m.* stockbroker.
agent immobilier *n.m.* estate agent.
agglomération *n.f.* urban area.
aggloméré *n.m.* chipboard; conglomerate.
agglomérer *v.* pile up; compress.
agglutiner (s'—) *v.* congregate.
▷ **aggraver** *v.* make worse, aggravate; increase.
aggraver (s'—) *v.* get worse, increase.
▷ **agile** *adj.* nimble, agile ['ædʒaɪl].
▷ **agilité** *n.f.* nimbleness, agility.
agir *v.* act; behave; have an effect.
agissements *n.m.pl.* schemes, intrigues.
▷ **agitateur** *n.m.* agitator.
⚠ **agitation** *n.f.* agitation, bustle; excitement, restlessness; *(Polit.)* unrest.
agité *adj.* agitated; excited, restless; rough (mer); hectic (vie); troubled (période).
agiter *v.* shake; wave; trouble, perturb.
agiter (s'—) *v.* bustle about, fidget; stir.
agneau *n.m.* lamb.
⚠ **agonie** *n.f.* death agony; throes.
agoniser *v.* be dying.
agrafe *n.f.* hook, fastener; staple (de bureau).
agrafer *v.* fasten; staple.
agrafeuse *n.f.* stapler.
agraire *adj.* agrarian; land (mesure, surface).
agrandir *v.* extend, enlarge; *(Phot.)* enlarge, blow up; magnify.
agrandissement *n.m.* extension; enlargement.
▷ **agréable** *adj.* pleasant, agreeable, nice.
agréer *v.* accept, approve.
▷ **agréger** *v.* aggregate.
agrément *n.m.* approval; charm, pleasure.
agrémenter *v.* embellish, adorn.
agrès *n.m.pl.* apparatus [,æpə'reɪtəs].
agresser *v.* attack.
▷ **agresseur** *n.m.* aggressor; attacker, assailant.
▷ **agressif** *adj.* aggressive.
▷ **agression** *n.f.* attack, aggression; stress.
agressivité *n.f.* aggressiveness.
agricole *adj.* agricultural, farm.
agriculteur *n.m.* farmer.
▷ **agriculture** *n.f.* farming, agriculture.
agripper (s'—) *v.* cling (on) to, clutch.
agronome *n.m.* agronomist.
agrumes *n.m.pl.* citrus fruits.
aguerrir *v.* harden.
aguets (aux—) *loc.* on the look-out.
aguichant *adj.* enticing, alluring.
ahuri *adj.* stupefied, bewildered.
ahurissant *adj.* bewildering.
▷ **aide** *n.f.* help, assistance; aid.
aide *n.* assistant.
aide familiale *n.f.* mother's help, home help.
aide-mémoire *n.m.* memorandum.
aider *v.* help, assist.

aide sociale *n.f.* social security (on welfare).
aïeux *n.m.pl.* grandparents, forbears.
aigle *n.m.* eagle ; *(fig.)* genius.
aigre *adj.* sour ; *(fig.)* sharp, cutting.
aigreur *n.f.* sourness ; *(fig.)* sharpness.
aigreurs d'estomac *n.f.pl.* heartburn.
aigri *adj.* embittered, bitter.
aigrir *v.* embitter ; sour (caractère).
aigu *adj.* sharp ; shrill, high-pitched (voix) ; sharp, acute (douleur, intelligence...).
aiguillage *n.m.* points, shunting.
aiguille *n.f.* needle ; hand (de montre).
aiguiller *v.* direct ; *(Rail)* shunt.
aiguilleur *n.m.* pointsman.
aiguilleur du ciel *n.m.* (traffic) controller.
aiguillon *n.m.* goad ; sting (insecte) ; *(fig.)* spur.
aiguillonner *v.* goad on, spur.
aiguiser *v.* sharpen, grind ; *(fig.)* stimulate.
ail *n.m.* garlic.
aile *n.f.* wing ; sail (moulin).
aileron *n.m.* fin ; *(Tech.)* fin, blade ; *(Av.)* aileron ; *(Aut.)* aerofoil.
ailier *n.m.* winger.
ailleurs *adv.* elsewhere, somewhere else.
ailleurs (d'—) *adv.* besides, moreover.
aimable *adj.* kind, nice, amiable.
aimant *n.m.* magnet.
aimanté *adj.* magnetic.
aimanter *v.* magnetize.
aimer *v.* love ; like, be fond of.
aimer (s'—) *v.* be in love ; love each other.
aine *n.f.* groin [grɔɪn].
aîné *adj.* elder, older ; eldest, oldest.
ainsi *adv.* in this way, thus, like this.
ainsi (pour — dire) *loc.* so to speak, as it were.
air *n.m.* air ; look, air ; *(Mus.)* tune.
aire *n.f.* area ; eyrie (d'aigle).
aisance *n.f.* ease ; affluence.
aise (à l'—) *loc.* comfortable, at ease ; comfortably off (argent).
aisé *adj.* easy ; well-off, well-to-do.
aisément *adv.* easily ; readily.
aisselle *n.f.* armpit.
ajonc *n.m.* gorse.
▷ **ajournement** *n.m.* postponement ; adjournment.
⚠ **ajourner** *v.* postpone, adjourn ; *(Mil.)* deter.
ajouter *v.* add.
ajustage *n.m.* fitting.
ajusté *adj.* close-fitting.
▷ **ajustement** *n.m.* adjustment.
⚠ **ajuster** *v.* adjust ; alter (vêtement) ; aim (fusil) ; fit.
ajusteur *n.m.* metal worker.
alambic *n.m.* still.
alambiqué *adj.* involved.
alarmant *adj.* alarming, disquieting.
▷ **alarme** *n.f.* alarm, alert.
alarmer (s'—) *v.* become alarmed.
▷ **albatros** *n.m.* albatross.
▷ **album** *n.m.* album ; book.
▷ **alcali** *n.m.* alkali.
▷ **alcool** *n.m.* alcohol ; spirits, brandy.
alcoolémie (taux d'—) *n.m.* alcohol level.
▷ **alcoolique** *adj. et n.m.* alcoholic.
alcoolisé *adj.* alcoholic.
▷ **alcoolisme** *n.m.* alcoholism.
alcootest *n.m.* breath-test ; breathalyser.
▷ **alcôve** *n.f.* recess, alcove.
aléas *n.m.pl.* risks ; hazards.
aléatoire *adj.* uncertain, risky.
alentours *n.m.pl.* surroundings, neighbourhood.
▷ **alerte** *adj.* nimble, brisk, agile, alert.
▷ **alerte** *n.f.* alert, alarm ; warning.
▷ **alerter** *v.* alert ; warn.
alèse *n.f.* undersheet, drawsheet.
alezan *adj. et n.m.* chestnut.
▷ **algèbre** *n.f.* algebra ['ældʒɪbrə].
algébrique *adj.* algebraic [,ældʒɪ'breɪɪk].
algie *n.f.* ache [eɪk].
algue *n.f.* seaweed ; alga.
▷ **aliénation** *n.f.* alienation ; derangement.
aliéné *n.m.* insane person, lunatic.
▷ **aliéner** *v.* alienate.
▷ **alignement** *n.m.* alignment ; lining-up.
▷ **aligner** *v.* align ; line up ; string together.
aliment *n.m.* food.
alimentation *n.f.* feeding, supplying, food trade ; groceries ; diet (régime).
alimenter *v.* feed, supply ; keep going (conversation).
alinéa *n.m.* paragraph.
aliter (s'—) *v.* take to one's bed.
allaitement *n.m.* breast-feeding (maternel) ; bottle-feeding (au bi-

beron) ; suckling (surtout animal).
allaiter *v.* feed, nurse ; suckle (surtout animal).
allant *n.m.* energy, drive.
alléchant *adj.* enticing, tempting.
⚠ **allée** *n.f.* path ; drive, lane ; alley (jardin).
allégement *n.m.* lightening ; reduction (fiscal) ; alleviation (douleur).
⚠ **alléger** *v.* lighten ; reduce ; alleviate.
allègre *adj.* lively, jaunty ; cheerful.
allégresse *n.f.* elation, exhilaration.
▷ **alléguer** *v.* put forward, argue, allege.
aller *n.m.* outward journey ; single (ticket).
aller *v.* go ; fit ; suit ; match.
aller bien *loc.* be well, be fine ; suit, fit.
aller mal *loc.* be unwell, be ill.
aller (s'en —) *v.* go away, leave.
▷ **allergie** *n.f.* allergy.
▷ **allergique** *adj.* allergic.
alliage *n.m.* alloy ['ælɔɪ].
⚠ **alliance** *n.f.* alliance ; marriage, union ; wedding-ring.
allié *n.m.* ally ['ælaɪ].
allier *v.* ally ; alloy (métaux) ; combine.
allier (s'—) *v.* become allies ; combine.
▷ **allo !** *interj.* hullo ! hallo !
allocation *n.f.* allowance.
allocation de chômage *n.f.* unemployment benefit.
allocation de logement *n.f.* rent subsidy.
allocations familiales *n.f.pl.* family allowance.
allocution *n.f.* short speech.
allonger *v.* lengthen ; stretch out.
allonger (s'—) *v.* lie down, stretch out.
allouer *v.* allocate, allot.
allumage *n.m.* *(Aut.)* ignition.
allume-gaz *n.m.* gas lighter.
allumer *v.* put on, switch on ; light, kindle (un feu).
allumette *n.f.* match.
⚠ **allure** *n.f.* pace, speed ; walk ; bearing ; look.
▷ **allusion** *n.f.* hint, allusion.
▷ **alluvions** *n.f.pl.* alluviums, alluvia.
▷ **almanach** *n.m.* almanac.
aloi (de bon —) *loc.* sterling ; of genuine worth.
alors *adv.* then, at that time.
alors que *conj.* when, while, whereas.
alouette *n.f.* lark.
alourdir *v.* weigh down ; make heavy.
aloyau *n.m.* sirloin.
alphabétiser *v.* eliminate illiteracy.
alpin *adj.* alpine ['ælpaɪn].
alpinisme *n.m.* mountaineering, climbing.
alpiniste *n.m.* mountaineer, climber.
⚠ **altérer** *v.* falsify ; alter ; distort, impair ; make thirsty.
⚠ **altérer (s'—)** *v.* become spoilt, deteriorate.
alternance *n.f.* alternation ; rotation.
▷ **alternateur** *n.m.* alternator.
⚠ **alternatif** *adj.* alternate, alternative ; *(Elec.)* alternating.
⚠ **alternative** *n.f.* option ; alternative.
alternativement *adv.* alternately, in turn.
alterner *v.* alternate ; rotate.
Altesse *n.f.* Highness.
▷ **altimètre** *n.m.* altimeter.
▷ **altitude** *n.f.* altitude, height.
altruiste *adj.* altruistic.
▷ **altruiste** *n.* altruist.
alunir *v.* land on the moon.
alunissage *n.m.* (moon)landing.
alvéole *n.f.* alveolous ; cell.
alvéolé *adj.* honeycomb ['hʌnɪ kəʊmd].
amabilité *n.f.* kindness, amiability.
amadouer *v.* coax, wheedle ; cajole ; mollify.
amaigrissant *adj.* slimming (régime).
▷ **amalgame** *n.m.* mixture, blend, amalgam.
▷ **amalgamer** *v.* amalgamate, combine.
amande *n.f.* almond ['ɑ:mənd] ; kernel.
amant *n.m.* lover.
amarrer *v.* moor ; make fast.
amarres *n.f.pl.* moorings.
amas *n.m.* heap, pile.
amasser *v.* pile, store up ; amass.
amasser (s'—) *v.* pile up, accumulate, gather .
⚠ **amateur** *n.m.* amateur ; lover.
ambassade *n.f.* embassy.
▷ **ambassadeur** *n.m.* ambassador.
ambiance *n.f.* atmosphere ; surroundings ; mood.
▷ **ambiant** *adj.* surrounding ; ambient.

▷ **ambidextre** *adj.* ambidextrous.
▷ **ambigu** *adj.* ambiguous.
▷ **ambiguité** *n.f.* ambiguousness, ambiguity.
▷ **ambitieux** *adj.* ambitious.
▷ **ambre** *n.m.* amber ; ambergris.
ambulancier *n.m.* ambulance man.
ambulant *adj.* itinerant, travelling.
âme *n.f.* soul ; *(fig.)* (moving) spirit.
âme-sœur *n.f.* kindred spirit.
▷ **amélioration** *n.f.* amelioration, improvement, betterment.
▷ **améliorer** *v.* ameliorate, improve, better.
▷ **améliorer (s'—)** *v.* improve, get better, ameliorate.
aménagement *n.m.* fitting out, laying out ; development, planning.
aménager *v.* fit out ; develop ; fix up.
amende *n.f.* fine.
⚠ **amender** *v.* amend ; improve ; enrich (sol).
amender (s'—) *v.* mend (one's ways).
amener *v.* bring (about) ; bring along.
amenuiser (s'—) *v.* dwindle, lessen.
amer *adj.* bitter.
amerrir *v.* land (on the sea).
amertume *n.f.* bitterness.
ameublement *n.m.* furniture ; furnishing.
ameuter *v.* draw a crowd of ; rouse, stir up.
ami *n.m.* friend, boyfriend.
amiable (à l'—) *loc.* amicably ; *(Jur.)* out of court.
amiante *n.m.* asbestos.
amibe *n.f.* amoeba [ə'mi:bə].
amical *adj.* friendly.
amicale *n.f.* association.
amicalement *adv.* in a friendly way.
amidonner *v.* starch.
amie *n.f.* friend, girlfriend.
▷ **amiral** *n.f.* admiral.
amitié *n.f.* friendship.
ammoniaque *n.f.* ammonia [ə'məʊnɪə].
▷ **amnésie** *n.f.* amnesia [æm'ni:zɪə].
▷ **amnistie** *n.f.* amnesty ['æmnestɪ].
▷ **amnistier** v. amnesty.
amoindrir *v.* reduce, lessen, weaken.
amollir *v.* soften ['sɒfn] ; weaken.
amonceler (s'—) *v.* pile up, heap up ; accumulate.
amont (en —) *loc.* upstream ; uphill.
amorce *n.f.* bait ; primer ; *(fig.)* start.
amorcer *v.* bait ; prime ; begin.
amorphe *adj.* passive, lifeless.
amortir *v.* cushion ; deaden ; pay off (dette) ; amortize (frais) ; write off, depreciate (matériel).
amortisseur *n.m.* shock absorber.
amour *n.m.* love ; love affair ; lovemaking.
amouracher (s'— de) *v.* take a fancy to.
amoureusement *adv.* lovingly.
amoureux *adj.* in love (with) ; fond (of).
amoureux *n.m.* lover.
amour-propre *n.m.* self-esteem, pride.
amovible *adj.* removable ; detachable.
amphibie *adj.* amphibious.
amphi(théâtre) *n.m.* lecture hall ; *(Th.)* gallery.
ample *adj.* ample, full ; broad (geste).
ampleur *n.f.* extent ; scale ; fullness.
ampli(ficateur) *n.m.* amplifier.
▷ **amplifier** *v.* amplify ; expand, increase.
▷ **amplitude** *n.f.* amplitude ; range.
ampoule *n.f.* *(Elec.)* bulb ; blister (pied); phial (pharmacie).
amputer *v.* amputate ; *(fig.)* cut drastically.
amusant *adj.* funny, amusing.
amuse-gueule *n.m.* appetizer.
▷ **amusement** *n.m.* amusement; diversion.
▷ **amuser** *v.* amuse, entertain.
amuser (s'—) *v.* enjoy oneself, have fun.
amygdale *n.f.* tonsil.
an *n.m.* year.
anachronique *adj.* anachronistic.
▷ **analgésique** *adj.* analgesic.
▷ **analogie** *n.f.* analogy.
analogue *adj.* analogous (to) ; similar.
analphabète *adj. et n.m.* illiterate.
analphabétisme *n.m.* illiteracy.
analyse *n.f.* analysis [ə'nælɪsɪs] ; *(Méd.)* test.
analyser *v.* analyse ; test.
▷ **analyste** *n.m.* analyst ; psychoanalyst.
▷ **analytique** *adj.* analytic, analytical.
ananas *n.m.* pineapple.
▷ **anarchie** *n.f.* anarchy ['ænəkɪ].
▷ **anatomie** *n.f.* anatomy.
anatomique *adj.* anatomical.

ancêtre *n.m.* ancestor, forefather; *(fig.)* forerunner.
anchois *n.m.* anchovy ['æntʃəvɪ].
ancien *adj.* old, ancient, antique; former, old, previous.
ancienneté *n.f.* oldness, antiquity; service, seniority.
ancrage *n.m.* anchoring; anchorage.
ancre *n.f.* anchor.
ancrer *v.* anchor; *(fig.)* root, fix firmly.
âne *n.m.* donkey, ass; *(fig.)* ass, fool, dunce.
anéantir *v.* annihilate; wipe out, destroy.
anéantissement *n.m.* annihilation; destruction.
anecdotique *adj.* anecdotal.
▷ **anémie** *n.f.* anaemia; deficiency.
anémié *adj.* anaemic; enfeebled.
▷ **anémique** *adj.* anaemic.
▷ **anémomètre** *n.m.* anemometer, wind gauge.
ânerie *n.f.* stupidity; blunder; idiotic remark.
ânesse *n.f.* she-ass.
▷ **anesthésie** *n.f.* anesthesia [ˌænɪs'θɪːzɪə]; anesthetic.
⚠ **anesthésier** *v.* anesthetize [ən'iːs θɪtaɪz]; *(fig.)* benumb.
anesthésiste *n.m.* anesthetist.
anfractuosité *n.f.* crevice.
ange *n.m.* angel.
angine *n.f.* sore throat; tonsilitis.
▷ **angle** *n.m.* angle, corner; point of view.
angliciste *n.* student of English.
anglophone *adj.* English-speaking.
angoissant *adj.* harrowing, agonizing.
angoisse *n.f.* anguish; (utter) distress.
anguille *n.f.* eel.
anguleux *adj.* angular; bony.
anicroche *n.f.* hitch, snag.
▷ **animateur** *n.m.* *(Radio, T.V.)* compère; leader.
▷ **animation** *n.f.* animation; bustle.
animé *adj.* busy; lively; brisk.
animer *v.* liven up; drive, impel.
animer (s'—) *v.* come to life; liven up.
▷ **animosité** *n.f.* animosity.
anis *n.m.* *(Bot.)* anise; *(Cuis.)* aniseed.
ankyloser (s'—) *v.* get stiff.
▷ **annales** *n.f.pl.* annals.
anneau *n.m.* ring; link (de chaîne).
année *n.f.* year.
année-lumière *n.f.* light year.
▷ **annexe** *n.f.* annex; appendix.
⚠ **annexé** *adj.* related; appended.
annexion *n.f.* annexation.
▷ **annihiler** *v.* annihilate, wipe out; wreck.
▷ **anniversaire** *n.m.* birthday, anniversary.
annonce *n.f.* announcement; advertisement (publicité); declaration (cartes); sign.
▷ **annoncer** *v.* announce, declare; foretell, herald.
▷ **annoter** *v.* annotate.
annuaire *n.m.* yearbook, annual; *(Téléph.)* directory, phone book.
▷ **annuel** *adj.* annual, yearly.
▷ **annuellement** *adv.* annually, yearly.
▷ **annuité** *n.f.* annual instalment, annuity.
annulaire *n.m.* ring finger.
annulation *n.f.* cancellation; invalidation.
⚠ **annuler** *v.* cancel, call off; annul (mariage); invalidate; *(Jur.)* quash.
anodin *adj.* insignificant, trivial; harmless.
▷ **anomalie** *n.f.* anomaly; abnormality.
ânonner *v.* stumble through (une leçon...).
anonymat *n.m.* anonymity.
anonyme *adj.* anonymous; *(fig.)* impersonal.
▷ **anorak** *n.m.* parka, anorak.
▷ **anormal** *adj.* abnormal; unusual.
anse *n.f.* handle; *(Géog.)* cove.
⚠ **antagoniste** *adj.* antagonistic.
▷ **antagoniste** *n.* antagonist.
antan (d'—) *loc.* of yesterday, of long ago.
▷ **antarctique** *adj.* antartic.
▷ **antécédents** *n.m.pl.* past history, antecedents.
▷ **antédiluvien** *adj.* antediluvian; ancient.
⚠ **antenne** *n.f.* aerial; *(Zool.)* antenna, feeler; *(Méd.)* emergency unit; *(Mil.)* outpost.
▷ **antérieur** *adj.* previous, earlier, anterior; front.
antérieurement *adv.* earlier, previously.
antériorité *n.f.* precedence.
▷ **anthologie** *n.f.* anthology.
▷ **anthropologie** *n.f.* anthropology.
▷ **anthropométrie** *n.f.* anthropometry.

anthropophage *adj.* cannibalistic.
anthropophage *n.m.* cannibal, man-eater.
antiaérien *adj.* anti-aircraft ; air-raid.
antiatomique *adj.* anti-radiation.
antiatomique (abri —) *n.m.* fallout shelter.
▷ **antibiotique** *adj. et n.m.* antibiotic.
antibrouillard *n.m. (Aut.)* fog lamp.
antibuée *n.m. (Aut.)* dimister ; anti-mist spray.
anticipation *n.f.* anticipation.
anticipation (d'—) *loc.* science fiction (film...).
anticipé *adj.* early, in advance.
▷ **anticiper** *v.* anticipate, foresee ; pay in advance ; anticipate, look ahead.
anticonceptionnel *adj.* contraceptive.
anticonformiste *adj. et n.m.* non-conformist.
anticorps *n.m.* antibody.
antidater *v.* backdate, predate.
antidémocratique *adj.* undemocratic.
antidépresseur *n.m.* antidepressant.
antidérapant *adj.* non-skid.
antigel *n.m.* antifreeze.
▷ **antilope** *n.f.* antelope.
antimilitariste *adj. et n.m.* antimilitarist.
antimite *n.m.* moth repellent.
anti parasite *adj. (Radio)* anti-interference.
▷ **antipathie** *n.f.* antipathy, hostility.
antipathique *adj.* unpleasant, antipathetic.
antiquaire *n.m.* antique dealer.
⚠ **antique** *adj.* antique ; ancient.
⚠ **antiquité** *n.f.* antiquity ; antique.
antireflet *adj.* non-reflecting.
antirides *adj.* anti-wrinkle.
antirouille *adj.* anti-rust.
antisémite *adj.* anti-semitic.
▷ **antiseptique** *adj. et n.m.* antiseptic.
▷ **antithèse** *n.f.* antithesis [æn'tɪθɪsɪs].
▷ **antitoxine** *n.f.* antitoxin.
antivenimeux *adj.* anti-venom.
antivol *n.m.* anti-theft device.
antre *n.m.* den, lair.
▷ **anxieté** *n.f.* anxiety [æŋ'zaɪətɪ].
anxieux *adj.* anxious, worried, uneasy.
▷ **aorte** *n.f.* aorta.
août *n.m.* August.
aoûtien *n.m.* August holiday-maker.
apaisant *adj.* soothing, pacifying.
apaisements *n.m.pl.* reassurances.
⚠ **apaiser** *v.* calm, soothe ; appease, assuage (faim) ; calm down (quelqu'un).
apaiser (s'—) *v.* subside, cool down.
aparté *n.m. (Th.)* aside ; private conversation.
apathique *adj.* apathetic.
apatride *n.m.* stateless personn.
apercevoir *v.* see ; catch a glimpse of.
apercevoir (s'— de) *v.* notice ; realize.
aperçu *n.m.* (general) survey ; insight.
apesanteur *n.f.* weightlessness.
à-peu-près *n.m.* vague approximation.
apeuré *adj.* frightened, scared.
aphone *adj.* voiceless.
▷ **aphrodisiaque** *adj. et n.m.* aphrodisiac.
aphte *n.m.* mouth ulcer.
à-pic *n.m.* bluff, steephill.
apiculteur *n.m.* beekeeper, apiarist.
apitoyer *v.* move to pity.
apitoyer (s'—) *v.* feel pity (for).
aplanir *v.* level; smooth away, iron out.
aplati *adj.* flat.
aplatir *v.* flatten.
aplomb *n.m.* self-assurance, nerve ; cheek ; balance.
aplomb (d'—) *loc.* steady ; straight ; *(Tech.)* plumb.
apocryphe *adj.* spurious, apocryphal.
⚠ **apogée** *n.m.* apogee ; *(Math.)* peak ; *(fig.)* climax.
apolitique *adj.* apolitical, non-political.
▷ **apologie** *n.f.* apology ; praise.
▷ **apoplexie** *n.f.* apoplexy.
a posteriori *loc.* after the event.
▷ **apostolat** *n.m.* apostolate ; preaching.
⚠ **apostrophe** *n.m.* apostrophe ; rude remark.
apostropher *v.* shout at.
apothéose *n.f.* pinnacle ; grand finale.
apôtre *n.m.* apostle, disciple.
apparaître *v.* appear ; seem ; come to light.
apparat *n.m.* pomp.
appareil *n.m.* device, appliance ;

apparatus ; set.
appareil digestif *n.m.* digestive system.
appareil distributeur *n.m.* slot machine.
appareillage *n.m.* equipment ; *(Naut.)* casting off.
appareiller *v. (Naut.)* cast off ; match up.
appareil-photo *n.m.* camera.
appareils électriques *n.m.pl.* electrical appliances.
appareils ménagers *n.m.pl.* household appliances.
▷ **apparence** *n.f.* appearance, aspect.
apparence (en —) *loc.* apparently, seemingly.
▷ **apparent** *adj.* visible, obvious, apparent.
apparenté *adj.* related, connected.
apparentement *n.m.* political alliance.
⚠ **apparition** *n.f.* appearance ; apparition (fantôme) ; outbreak (maladie).
appartement *n.m.* flat, (surtout *amér.*) apartment.
appartenir à *v.* belong to ; be member of.
appât *n.m.* bait ; *(fig.)* lure.
appâter *v.* bait ; *(fig.)* lure, entice.
appauvrir *v.* impoverish.
appauvrir (s'—) *v.* grow poorer.
⚠ **appel** *n.m.* (phone) call ; *(Jur.)* appeal ; *(Ens.)* register, roll call ; *(Mil.)* call up.
appelé *n.m.* conscript.
appeler *v.* call ; send for (docteur) ; call for, demand.
▷ **appellation** *n.f.* designation, appellation.
▷ **appendice** *n.m.* appendix.
▷ **appendicite** *n.f.* appendicitis.
appesantir (s'— sur) *v.* dwell (at length on).
▷ **appétissant** *adj.* appetizing, mouth-watering.
▷ **appétit** *n.m.* appetite ['æpɪtaɪt] ; *(fig.)* thirst.
applaudir *v.* applaud, clap.
applaudissements *n.m.pl.* applause, clapping.
▷ **applicateur** *n.m.* applicator.
▷ **application** *n.f.* application ; industry.
applique *n.f.* wall lamp.
appliqué *adj.* industrious, assiduous ; applied (sciences).
appliquer *v.* apply ; enforce (règlement) ; *(Jur.)* implement.
appliquer (s'—) *v.* apply oneself.
⚠ **appoint** *n.m.* right change ; extra help.
appoint (d'—) *loc.* extra.
⚠ **appointements** *n.m.pl.* salary.
apport *n.m.* contribution, supply.
apporter *v.* bring ; supply, provide.
apposer *v.* affix, append.
▷ **appréciable** *adj.* appreciable, significant.
appréciation *n.f.* estimation, appreciation ; assessment, appraisal.
apprécier *v.* appreciate, estimate ; assess.
▷ **appréhender** *v.* dread; apprehend.
▷ **appréhension** *n.f.* apprehension, misgiving.
apprendre *v.* learn; hear off ; tell, teach.
apprenti *n.m.* apprentice.
apprentissage *n.m.* apprenticeship ; learning.
apprêter *v.* prepare, dress, finish.
apprêter (s'— à) *v.* get ready to.
apprivoisé *adj.* tame.
apprivoiser *v.* tame ; *(fig.)* win over.
approbateur *adj.* approving.
approbation *n.f.* approval.
▷ **approcher** *v.* approach, draw near, come near.
approcher (s'— de) *v.* approach, come near (to).
approfondi *adj.* thorough, detailed.
approfondir *v.* deepen ; go into (sujet).
approprié *adj.* appropriate ; adapted, proper.
approprier (s'—) *v.* take over.
approuver *v.* agree with; approve (of); ratify.
approvisionnement *n.m.* supplying ; supply, stock, store.
approvisionner *v.* supply ; *(Fin.)* pay funds into.
approvisionner (s'— en) *v.* stock up with.
⚠ **approximatif** *adj.* approximate ; rough.
▷ **approximation** *n.f.* approximation, routh estimate.
appui *n.m.* support.
appui-tête *n.m.* headrest.
appuyer *v.* support, prop ; lean, rest ; press.
appuyer (s'— sur) *v.* lean on (ou against).
âpre *adj.* acrid, pungent ; harsh, bitter.

après *prép.* after.
après *adv.* afterwards, next, later.
après (d'—) *loc.* according to.
après coup *loc.* after the event, afterwards.
après-demain *adv.* the day after tomorrow.
après-guerre *adj.* post-war.
après-midi *n.f. ou m.* afternoon.
après que *conj.* after.
après-skis *n.m.pl.* snow boots.
âpreté *n.f.* pungency; bitterness, fierceness.
⚠ **à-propos** *n.m.* aptness.
apte *adj.* capable (of); fit (for).
▷ **aptitude** *n.f.* aptitude, ability.
aquarelle *n.f.* water colour(s).
▷ **aquatique** *adj.* aquatic.
▷ **aqueduc** *n.m.* aqueduct ['ækwɪdʌkt].
▷ **aquilin** *adj.* aquiline ['ækwɪlaɪn].
arachide *n.f.* groundnut; peanut.
araignée *n.f.* spider.
araignée de mer *n.f.* spider crab.
arbalète *n.f.* crossbow ['krɒsbəʊ].
arbitrage *n.m.* arbitration; refereeing, umpiring.
arbitraire *adj. et n.m.* arbitrary.
⚠ **arbitre** *n.m.* referee, umpire; *(Jur.)* arbitrator; *(fig.)* arbiter, judge.
⚠ **arbitrer** *v.* referee, umpire; arbitrate.
arborer *v.* display; sport.
arboriculteur *n.m.* arboriculturist.
arbre *n.m.* tree; *(Tech.)* shaft.
arbuste *n.m.* shrub, bush.
arc *n.m.* bow [bəʊ]; *(Math.)* arc; *(Arch.)* arch.
arc de triomphe *n.m.* triumphal arch.
arcade *n.f.* archway; arch; arcade.
arc-bouter (s'— contre) *v.* lean against.
arceau *n.m.* arch (de voûte); hoop (croquet).
arc-en-ciel *n.m.* rainbow.
archaïque *adj.* archaic [ɑː'keɪɪk]; obsolete.
▷ **archange** *n.m.* archangel.
arche *n.f.* arch; ark (de Noë).
▷ **archéologie** *n.f.* archaeology.
archéologue *n.m.* archaelogist.
▷ **archer** *n.m.* archer, bowman.
archet *n.m.* bow.
archevêque *n.m.* archbishop.
archipel *n.m.* archipelago [,ɑːkɪ'peləgəʊ].
▷ **architecte** *n.m.* architect ['ɑːkɪtekt].
▷ **arctique** *adj.* arctic.
⚠ **ardent** *adj.* blazing, scorching; *(fig.)* passionate, eager, ardent.
▷ **ardeur** *n.f.* heat; ardour, eagerness.
ardoise *n.f.* slate; *(fam.)* debt.
ardu *adj.* arduous, difficult.
arènes *n.f.pl.* arena [ə'riːnə]; amphitheatre ['æmfɪθɪətə], bullring.
arête *n.f.* bone (poisson); edge; ridge.
argent *n.m.* silver (métal); money.
argenté *adj.* silver(y); silver-plated.
argenterie *n.f.* silverware; plate.
argile *n.f.* clay.
argileux *adj.* clayey.
argot *n.m.* slang.
argumenter *v.* argue.
▷ **aride** *adj.* arid, barren, dry.
▷ **aridité** *n.f.* aridity; barrenness, dryness.
▷ **aristocratie** *n.f.* aristocracy.
▷ **arithmétique** *n.f.* arithmetic.
armateur *n.m.* shipowner.
armature *n.f.* frame, framework.
▷ **arme** *n.f.* arm, weapon.
▷ **armée** *n.f.* army.
▷ **armement** *n.m.* armanent; arms.
armer *v.* arm; cock (fusil); *(Naut.)* fit out; *(fig.)* equip.
armoire *n.f.* cupboard; wardrobe.
armoiries *n.f.pl.* coat of arms.
armure *n.f.* (suit of) armour.
aromates *n.m.pl.* herbs.
aromatisé *adj.* flavoured.
⚠ **arôme** *n.m.* aroma; fragrance; *(Cuis.)* flavour.
arpenter *v.* survey (terrain); pace (up and down).
arquée (aux jambes —) *loc.* bow-legged.
arrache-pied (d'—) *loc.* all-out, non-stop.
arracher *v.* pull out; tear off, tear out; pull up (herbe...); draw, pull out (dent); snatch; *(fig.)* wring (un secret...).
arrangeant *adj.* accomodating, obliging.
▷ **arrangement** *n.m.* arrangement; agreement.
arranger *v.* arrange; fix; settle; suit.
arranger (s'—) *v.* make do; manage.
arrestation *n.f.* arrest.
arrêt *n.m.* stopping; stop (bus); *(Jur.)* judgment, decision; stoppage (du travail).
arrêté *n.m.* order, decree.
arrêter *v.* stop; turn off, switch off; arrest; give up; decide on (une

date).
arrêter (s'—) *v.* stop; break off; come to an end.
arrhes *n.f.pl.* deposit.
arrière *n.m.* back, rear; *(Sp.)* full-back; *(Naut.)* stern.
arrière (en —) *loc.* behind; backwards.
arriéré *adj.* backward, retarded.
arriéré *n.m.* arrears.
arrière-cour *n.f.* backyard.
arrière-garde *n.f.* rearguard.
arrière-goût *n.m.* aftertaste.
arrière-grand-mère *n.f.* great-grandmother.
arrière-grand-père *n.m.* great-grandfather.
arrière-pays *n.m.* hinterland.
arrière-pensée *n.f.* mental reservation.
arrière-petite-fille *n.f.* great-granddaughter.
arrière-petit-fils *n.m.* great-grandson.
arrière-plan *n.m.* background.
arrière-saison *n.f.* late autumn.
arrière-salle *n.f.* inner room.
arrière-train *n.m.* hindquarters.
arrimer *v.* stow; trim; secure.
arrivage *n.m.* arrival; consignment.
arrivant *n.m.* arrival, newcomer.
arrivée *n.f.* arrival; *(Sp.)* finish.
⚠ **arriver** *v.* arrive; get to; happen.
arriviste *n.m.* careerist, social climber, go-getter.
arrondi *adj.* round, rounded.
arrondissement *n.m.* district.
arroser *v.* water; sprinkle (gazon); wash down (repas); wet (succès); *(Cuis.)* baste.
arroseur *n.m.* sprinkler.
arrosoir *n.m.* watering-can.
▷ **art** *n.m.* art; craft; skill.
arts et métiers *n.m.pl.* applied arts and crafts.
arts ménagers *n.m.pl.* homecraft.
▷ **artère** *n.f.* artery; thoroughfare (avenue).
▷ **artériosclérose** *n.f.* arteriosclerosis.
▷ **arthrite** *n.f.* arthritis [ɑː'θraɪtɪs].
artichaut *n.m.* artichoke.
▷ **article** *n.m.* item, article.
articles ménagers *n.m.pl.* household goods.
⚠ **articulation** *n.f.* articulation; *(Anat.)* joint; knuckle (du doigt).
▷ **articuler** *v.* articulate; utter.
▷ **artifice** *n.m.* device, trick artifice.
▷ **artificiel** *adj.* artificial; man-made.
▷ **artillerie** *n.f.* artillery; ordnance.
artilleur *n.m.* gunner.
▷ **artisan** *n.m.* craftsman, artisan.
artisanat *n.m.* arts and crafts.
▷ **artiste** *n.m.* artist; entertainer; actor.
as *n.m.* ace.
ascendance *n.f.* ancestry.
ascendant *n.m.* ascendancy, influence.
ascenseur *n.m.* lift, *(amér.)* elevator.
⚠ **ascension** *n.f.* ascent, climb; *(fig.)* rise, ascension.
ascétisme *n.m.* asceticism [ə'setɪsɪzm].
asepsie *n.f.* asepsis [eɪ'sepsɪs].
aseptiser *v.* sterilize; desinfect.
asexué *adj.* asexual.
asile *n.m.* refuge; asylum; *(fig.)* sanctuary; home, shelter.
aspect *n.m.* appearance, look, aspect; *(fig.)* aspect, side.
asperge *n.f.* asparagus [ə'spærəgəs].
asperger *v.* sprinkle; splash.
▷ **asphyxie** *n.f.* suffocation, asphyxia.
▷ **asphyxier** *v.* suffocate, asphyxiate; *(fig.)* stifle.
aspirateur *n.m.* vacuum cleaner, hoover.
aspirer *v.* inhale, breathe (in), suck (up); *(fig.)* long (for), yearn (for), aspire (to).
▷ **aspirine** *n.f.* aspirin.
assagir (s'—) *v.* sober down.
▷ **assaillant** *n.m.* assailant.
assaillir *v.* assail, attack.
assainir *v.* clean up, purify.
assaisonnement *n.m.* dressing; seasoning.
assaisonner *v.* dress, season.
⚠ **assassin** *n.m.* murderer; *(Polit.)* assassin.
assassinat *n.m.* murder; assassination.
⚠ **assassiner** *v.* murder; assassinate.
assaut *n.m.* assault, attack; onslaught.
assécher *v.* drain; dry, pump.
assemblage *n.m.* assembling; *(Tech.)* joint.
⚠ **assemblée** *n.f.* meeting; gathering; assembly.
assembler *v.* assemble; gather; collect.
assembler (s'—) *v.* meet, gather; flock.
asséner *v.* deal; strike.
assentiment *n.m.* assent, consent,

approval.
asseoir (s'—) *v.* sit down.
assermenté *adj.* sworn ; on oath.
asservir *v.* enslave ; *(fig.)* subjugate, subdue.
asservissement *n.m.* subjection ; subservience.
assez *adv.* enough ; sufficiently ; rather, quite, fairly, pretty.
assidu *adj.* assiduous, untiring, regular.
assiéger *v.* besiege ; *(fig.)* mob.
assiette *n.f.* plate ; seat (équitation) ; *(Fin.)* basis.
assiettée *n.f.* plate(ful).
assigner *v.* assign ; allot ; *(Jur.)* summon.
assimiler *v.* assimilate, absorb ; compare (to).
assis *adj.* sitting, seated.
⚠ **assistance** *n.f.* audience ; assistance ; attendance.
⚠ **assister** *v.* attend ; witness ; assist.
association *n.f.* association, society ; *(Comm.)* partnership.
associé *n.m.* associate ; partner.
associer *v.* associate ; make a partner (in) ; give a share (of) ; include (au succès).
assoiffé *adj.* thirsty.
assombri *adj.* gloomy (visage) ; darkened.
assombrir (s'—) *v.* darken, become gloomy.
assommant *adj.* boring, tedious.
assommer *v.* knock out ; *(fam.)* bore stiff.
assorti *adj.* matched, matching ; assorted, mixed (bonbons).
assortir *v.* match ; accompany (with).
assoupi *adj.* dozing ; *(fig.)* dulled.
assoupir (s'—) *v.* doze off ; *(fig.)* wear away (douleur ...).
assourdir *v.* deafen ; muffle (son).
assouvir *v.* satisfy ; appease ; quench (soif).
assujettir *v.* subject, subjugate ; secure.
assumer *v.* assume ; take on.
⚠ **assurance** *n.f.* assurance ; self-confidence ; insurance (auto, vie...).
assurance tous risques *loc.* all-in policy.
assuré *n.m.* police-holder.
assurément *adv.* assuredly, undoubtedly.
assurer *v.* assure, maintain ; insure (contre risques) ; ensure (le succès).
assurer (s'—) *v.* insure oneself ; make sure of ; secure (l'aide de).
assureur *n.m.* insurance company ; insurer.
▷ **astérisque** *n.m.* asterisk.
▷ **asthme** *n.m.* asthma.
asticot *n.m.* maggot.
astiquer *v.* polish ; shine.
astre *n.m.* star.
astreignant *adj.* demanding, exacting.
astreindre *v.* force, compel.
astrologue *n.m.* astrologer [ə'strɒ lədʒə].
▷ **astronaute** *n.m.* astronaut.
▷ **astronautique** *n.f.* astronautics.
astronome *n.m.* astronomer.
▷ **astronomique** *adj.* astronomic(al).
astuce *n.f.* shrewdness, astuteness ; trick, wile ; pun ; *(fam.)* gimmick.
astucieux *adj.* shrewd, clever.
atelier *n.m.* workshop ; studio (peintre).
athée *adj.* atheistic.
athée *n.* atheist ['eɪθɪɪst].
athlétisme *n.m.* athletics [æθ 'letɪks].
▷ **atome** *n.m.* atom.
▷ **atomique (bombe —)** *n.f.* atom(ic) bomb.
▷ **atomiseur** *n.m.* spray, atomizer.
atomiste *n.m.* atomic scientist.
atone *adj.* lifeless.
atout *n.m.* trump (cartes) ; *(fig.)* asset.
âtre *n.m.* hearth.
atroce *adj.* atrocious, dreadful ; heinous ['henəs].
atrophier (s'—) *v.* atrophy ; waste away.
attabler (s'—) *v.* sit down to table ; *(fam.)* make a clean breast of it.
attachant *adj.* lovable, likable, engaging.
attache *n.f.* clip ; *(fig.)* tie.
▷ **attachement** *n.m.* affection, attachment.
▷ **attacher** *v.* tie (up) ; fasten, bind ; do up ; attach.
attaquant *n.m.* attacker ; striker (football).
⚠ **attaque** *n.f.* attack ; *(Méd.)* fit, stroke.
⚠ **attaquer** *v.* attack ; tackle, set about (tâche) ; *(Jur.)* bring an action against.
attardé *adj.* late ; backward ; mentally retarded.
attarder (s'—) *v.* be delayed, stay

on ; stay up late ; linger, dawdle.
atteindre *v.* reach ; hit ; *(fig.)* affect.
atteinte (hors d'—) *loc.* beyond reach, out of reach.
attelage *n.m.* team ; coupling ; harness.
atteler *v.* put to ; harness ; yoke ; *(Rail)* couple.
atteler (s'— à) *v.* settle (ou buckle) down to.
attelle *n.f.* splint.
attenant *adj.* adjoining.
attendre *v.* wait for ; be in store for ; expect.
attendre (s'— à) *v.* expect.
attendrir *v.* move to pity ; soften, touch ; tenderize (viande).
attendrir (s'—) *v.* be moved.
attendu que *loc.* considering that.
attentat *n.m.* assassination attempt.
attentat à la bombe *n.m.* bomb attack.
attente *n.f.* wait (ing) ; expectation.
attenter *v.* make an attempt (on).
▷ **attentif** *adj.* attentive ; careful.
▷ **attention** *n.f.* attention ; care.
attentionné *adj.* thoughtful, considerate.
attentisme *n.m.* wait-and-see policy.
atténuer *v.* lessen ; dim, reduce ; mitigate, alleviate ; extenuate.
atterré *adj.* in dismay, appalled.
atterrir *v.* land.
atterrissage *n.m.* landing.
▷ **attestation** *n.f.* certificate, attestation.
▷ **attester** *v.* certify, attest ; testify to, vouch for.
attifé *adj. (fam.)* got up, rigged out.
attirail *n.m.* gear, tackle ; *(fig.)* paraphernalia.
attirance *n.f.* attraction ; lure.
attirant *adj.* attractive ; alluring.
attirer *v.* attract ; lure, entice.
attiser *v.* poke up, stir up.
attitré *adj.* usual, regular ; appointed.
▷ **attitude** *n.f.* attitude ; bearing.
⚠ **attraction** *n.f.* attraction ; *(Th.)* number.
attrait *n.m.* attraction, appeal.
attrape-nigaud *n.m.* confidence trick.
attraper *v.* catch ; get ; pick up ; take in (rouler) ; *(fam.)* tell off.
attrayant *adj.* attractive, appealing.
attribuer *v.* award ; assign, grant.
attribution *n.f.* awarding ; allocation.
attrister *v.* sadden.
attroupement *n.m.* gathering, crowd.
attrouper (s'—) *v.* gather, flock together.
au *art.* at the, in the ; into the, etc. (*cf.* à).
aubaine *n.f.* godsend ; boon ; windfall.
aube *n.f.* dawn, daybreak.
aubépine *n.f.* hawthorn.
auberge *n.f.* inn.
auberge de jeunesse *n.f.* Youth Hostel.
aubergiste *n.m.* innkeeper.
aucun *adj.* no, not any ; any.
aucun *pr.* none, not any ; any (one).
aucunement *adv.* not in the least, in no way.
audace *n.f.* daring, boldness.
audacieux *adj.* daring, bold.
au-delà *n.m.* beyond.
au-delà de *loc.* beyond.
au-dessous *adv.* below, underneath.
au-dessous de *loc.* below, under.
au-dessus *adv.* above.
au-dessus de *loc.* above.
⚠ **audience** *n.f.* hearing, session ; audience.
audio-visuel *n.m.* audio-visual aids ; audio-visual techniques.
⚠ **auditeur** *n.m.* listener, hearer.
auditeur libre *n.m.* unregistered student.
auditif *adj.* auditory.
⚠ **audition** *n.f.* hearing ; *(Th.)* audition ; *(Jur.)* examination.
auditionner *v.* audition.
auditoire *n.m.* audience.
auditorium *n.m.* (public) studio, auditorium.
auge *n.f.* trough [trɒf].
augmentation *n.f.* increase ; rise.
augmenter *v.* increase ; raise, put up.
augure (de mauvais —) *loc.* ominous, of ill omen.
aujourd'hui *adv.* today.
aumône *n.f.* alms.
aumônier *n.m.* chaplain.
aune *n.m. (Bot.)* alder.
auparavant *adv.* beforehand.
auprès de *prép.* next to, close to.
auréole *n.f.* halo ; ring (tache).
auréoler *v.* glorify, exalt.
auriculaire *n.m.* little finger.
aurifère (terrain —) *n.m.* gold-field.
aurore *n.f.* dawn, daybreak.
▷ **ausculter** *v.* auscultate ; sound.
aussi *conj.* therefore.
aussi *adv.* also, too.

aussi ... que *comp.* as ... as.
aussitôt *adv.* immediately, at once, straightaway.
aussitôt que *conj.* as soon as.
▷ **austère** *adj.* austere, severe, stern.
austral *adj.* southern.
autant *adv.* so much ; so many.
autant que *comp.* as much ... as ; as many ... as.
autant que (pour —) *loc.* as long as.
▷ **autarcie** *n.f.* autarchy ['ɔːtɑːkɪ].
autel *n.m.* altar.
auteur *n.m.* author, writer ; composer.
▷ **authenticité** *n.f.* authenticity, genuineness.
authentifier *v.* authenticate.
▷ **authentique** *adj.* authentic, genuine.
auto *n.f.* car ; *(amér.)* automobile.
▷ **autobiographie** *n.f.* autobiography.
▷ **autobiographique** *adj.* autobiographic (al).
autobus *n.m.* bus.
autocar *n.m.* coach, *(amér.)* bus.
autocensure *n.f.* self-censorship.
autochtone *adj. et n.* native.
autocollant *adj.* self-adhesive.
autocollant *n.m.* sticker.
▷ **autocratie** *n.f.* autocracy.
autocritique *n.f.* self-criticism.
autocuiseur *n.m.* pressure cooker.
autodéfense *n.f.* self-defence.
autodestruction *n.f.* self-destruction.
autodétermination *n.f.* self-determination.
autodidacte *adj.* self-taught.
autodiscipline *n.f.* self-discipline.
auto-école *n.f.* driving school.
auto-financement *n.f.* self-financing.
autogéré *adj.* self-managed.
autogestion *n.f.* self-management.
▷ **autographe** *adj. et n.m.* autograph.
autoguidage *n.m.* self-steering.
autoguidé *adj.* self-guided.
automate *n.m.* automaton ; robot.
▷ **automatique** *adj.* automatic.
⚠ **automatique** *n.m.* *(Téléph.)* subscriber trunk dialling ; automatic (revolver).
automatisation *n.f.* automation.
automatiser *v.* automate.
automatisme *n.m.* automatism.
automne *n.m.* autumn, *(amér.)* fall.
automobile *adj.* motor.
automobile *n.f.* motorcar, *(amér.)* automobile ; *(Sp.)* motoring ; motor (ou car) industry.
automobiliste *n.m.* motorist.
autoneige *n.f.* snowcar.
auto-nettoyant *adj.* self-cleaning.
autonome *adj.* autonomous ; self-sufficient.
⚠ **autonomie** *n.f.* autonomy ; *(Av.)* range (de vol).
auto-pont *n.m.* flyover, *(amér.)* overpass.
auto-portrait *n.m.* self-portrait.
auto-propulsé *adj.* self-propelled.
▷ **autopsie** *n.f.* post-mortem, autopsy.
autopsier *v.* carry out an autopsy (on).
auto-radio *n.f.* car radio.
autorail *n.m.* railcar.
auto-régulation *n.f.* self-regulating system.
autorisation *n.f.* permission, authorization ; permit.
⚠ **autorisé** *adj.* authoritative (opinion...), official (source, milieux) ; authorized.
autoriser *v.* give permission for, authorize ; allow ; sanction.
autoritaire *adj.* domineering, authoritative.
autoritarisme *n.m.* authoritarianism.
▷ **autorité** *n.f.* authority.
autorité (faire —) *loc.* be authoritative.
autoroute *n.f.* motorway, *(amér.)* expressway, highway.
autoroute à péage *n.f.* toll motorway.
auto-satisfaction *n.f.* self-satisfaction.
auto-stop (faire de l'—) *loc.* hitch(-hike), hitch a lift.
auto-stoppeur *n.m.* hitch-hiker, hitcher.
autour *adv.* around.
autour de *prép.* around, about.
autre *adj.* other ; more ; other, different.
autre (l'—) *pr.* the other.
autre (un—) *pr.* another.
autre part (d'—) *loc.* on the other hand.
autrefois *adv.* in the old days, formerly.
autrement *adv.* differently ; otherwise.
autruche *n.f.* ostrich.
autrui *pr.* others.
auvent *n.m.* canopy ; awning.

auxiliaire *adj. et n.* auxiliary ; assistant.
avachi *adj.* limp, flabby.
avachir (s'—) *v.* go out of shape, become limp, sag.
aval *n.m.* endorsement, backing.
aval (en —) *loc.* downstream ; downhill.
▷ **avalanche** *n.f.* avalanche ; *(fig.)* flood.
avaler *v.* swallow ; inhale.
avance *n.f.* advance, progress ; lead.
avance (d'—) *adv.* in advance.
avance (en —) *adv.* early.
avances *n.f.pl.* overtures ; advances (amour).
avancé *adj.* advanced ; well on.
avancée *n.f.* overhang.
avancement *n.m.* promotion ; progress.
avancer *v.* move forward ; advance ; make progress ; gain ; overhang, jut out.
avancer (s'—) *v.* move forward ; commit oneself ; overhang, jut out.
avant *prép.* before.
avant *adv.* before.
avant *n.m.* front ; *(Sp.)* forward ; *(Naut.)* bow, head.
avant (en —) *loc.* forward ; first ; in front.
avant (en — de) *loc.* in front of.
avantage *n.m.* advantage ; benefit ; advantage, vantage (tennis).
avantager *v.* favour, flatter.
avantages sociaux *n.m.pl.* fringe benefits.
avantageusement *adv.* profitably ; flatteringly.
avantageux *adj.* attractive (prix) ; profitable, worthwile, advantageous.
avant-bras *n.m.* forearm.
avant-centre *n.m.* centre forward.
avant-coureur (signe —) *loc.* forerunner.
avant-dernier *adj. et n.m.* last but one.
⚠ **avant-garde** *n.f.* vanguard ; *(Art)* avant-garde.
avant-goût *n.m.* foretaste.
avant-guerre *n.m.* pre-war years.
avant-hier *adv.* the day before yesterday.
avant-poste *n.f.* outpost, outstation.
avant-première *n.f.* preview ['priːvjuː].
avant-projet *n.m.* pilot study.
avant-propos *n.m.* foreword.
avant-scène *n.f.* apron, proscenium ; box.
avant-toit *n.m.* eaves.
avant-veille *n.f.* two days before.
avare *adj.* miserly, avaricious, stingy.
avare *n.m.* miser.
▷ **avarice** *n.f.* miserliness, avarice.
avarié *adj.* rotting, damaged ; gone off.
avaries *n.f.pl.* damage.
avatars *n.m.pl.* misadventures.
avec *prép.* with ; to, towards.
avènement *n.m.* accession, succession ; advent.
avenir *n.m.* future ; prospects.
avenir (à l'—) *loc.* in future ; from now on.
avenir (d'—) *loc.* with a future ; with prospects.
⚠ **aventure** *n.f.* adventure ; venture ; affair (amour).
aventurer (s'—) *v.* venture.
▷ **aventureux** *adj.* adventurous, venturesome ; risky, rash.
aventurier *n.m.* adventurer.
▷ **avenue** *n.f.* avenue ; drive.
avéré *adj.* known, established.
avérer (s'—) *v.* prove (to be), turn out.
averse *n.f.* shower.
▷ **aversion** *n.f.* loathing, aversion.
averti *adj.* (well-)informed ; aware (of).
avertir *v.* warn, inform.
⚠ **avertissement** *n.m.* warning ; notice.
avertisseur *n.m.* horn, hooter.
avertisseur d'incendie *n.m.* fire alarm.
aveu *n.m.* confession ; admission, avowal.
aveugle *adj.* blind.
aveugle *n.m.* blind man.
aveugle-né *adj. et n.* (man) blind from birth.
aveugler *v.* blind, dazzle.
aveuglette (à l'—) *loc.* blindly, gropingly.
aviateur *n.m.* pilot, airman.
⚠ **aviation** *n.f.* aviation ; air force : *(Sp.)* flying.
aviculture *n.f.* poultry farming.
▷ **avide** *adj.* greedy, avid, grasping ; eager.
▷ **avidité** *n.f.* greed, avidity ; eagerness.
avilir *v.* debase, degrade.
avilir (s'—) *v.* debase oneself, de-

mean oneself.
avilissant *adj.* degrading, shameful.
avion *n.m.* aircraft, (aero)plane.
avion à réaction *n.m.* jet (plane).
avion-cargo *n.m.* (air) freighter.
avion-citerne *n.m.* air tanker.
aviron *n.m.* oar ; *(Sp.)* rowing.
avis *n.m.* opinion ; advice ; notice.
avisé *adj.* sensible, wise ; prudent.
avisé (bien —) *adj.* well-advised.
aviser *v.* inform, notice ; catch sight of.
aviser (s'— de) *v.* take it into one's head to.
aviser (s'— que) *v.* realize.
⚠ **avocat** *n.m.* barrister ; counsel ; *(fig.)* advocate, champion ; avocado (fruit).
avoine *n.m.* oats.
avoir *n.m.* assets ; property ; credit.
avoir *v.* have, possess ; get, obtain ; get the better of, *(fam.)* do.
avoisinant *adj.* neighbouring.
avoisiner *v.* be near (ou close to) ; verge on.
avortement *n.m.* abortion.
avorter *v.* abort, have an abortion ; *(fig.)* fail, miscarry.
avorteur *n.m.* abortionist.
avorton *n.m.* little runt ; freak.
avoué *n.m.* sollicitor.
avouer *v.* own, confess ; admit, acknowledge.
avril *n.m.* April ['eɪprəl].
axe *n.m.* axis ; axle ; *(fig.)* trunk road, main line.
axer *v.* centre (on).
axial (éclairage —) *n.m.* central overhead lighting.
▷ **axiome** *n.m.* axiom.
▷ **ayant droit** *n.m.* rightful claimant.
▷ **azalée** *n.f.* azalea [ə'zeɪlɪə].
azote *n.f.* nitrogen ['naɪtrədʒən].
azoté *adj.* nitrogenous [naɪ'trɒdʒɪnəs] ; nitrate ['naɪtreɪt] .
azoteux *adj.* nitrous ['naɪtrəs].
azur *n.m.* sky, skies ; sky blue, azure ['æʒə].
azyme *adj.* unleavened.

B

babiller *v.* prattle, chatter.
babiole *n.f.* trinket, nicknack ; trifle.
bâbord *n.m.* *(Naut.)* port (side).
bac *n.m.* ferry (-boat) ; tub ; tray (glace...).
bâche *n.f.* canvas sheet ; tarpaulin.
bachoter *v.* cram (pour un examen).
▷ **bacille** *n.m.* germ, bacillus.
bâcler *v.* botch (up).
bactérie *n.f.* bacterium.
bactérien *adj.* bacterial.
▷ **bactériologie** *n.f.* bacteriology.
bactériologique *adj.* bacteriological.
badaud *n.m.* (idle) onlooker ; stroller.
badigeonner *v.* whitewash, distemper ; *(Méd.)* paint.
badin *adj.* light-hearted, playful.
badinage *n.m.* banter.
badine *n.f.* switch.
badiner *v.* banter, trifle.
baffe *n.f.* *(fam.)* clout.
bafouer *v.* hold up to ridicule ; deride.
bafouiller *v.* stammer ; talk nonsense.
bâfrer *v.* *(fam.)* guzzle, wolf ; bolt down.
⚠ **bagages** *n.m.pl.* luggage, *(amér.)* baggage.
bagarre *n.f.* scuffle, brawl, fight.
bagarrer (se —) *v.* scuffle, fight.
bagarreur *adj.* aggresive, fighting.
bagarreur *n.m.* brawler.
bagatelle *n.f.* trifle ; trifling matter.
bagnard *n.m.* convict.
bagout *n.m.* glibness, gift of the gab.
bague *n.f.* ring.
baguenauder *v.* saunter ; mooch about.
baguette *n.f.* stick ; *(Mus.)* baton.
bahut *n.m.* chest, sideboard ; *(Ens. fam.)* school.
⚠ **baie** *n.f.* *(Géog.)* bay ; berry ; baywindow.
baignade *n.f.* bathe ; swim ; bathing place.
baigner (se —) *v.* have a swim (ou a bathe).
baigneur *n.m.* swimmer, bather.
baignoire *n.f.* bath, *(amér.)* bathtub.
⚠ **bail** *n.m.* lease.
bâillement *n.m.* yawn.
bâiller *v.* yawn ; gape.
bâillon *n.m.* gag.
bâillonner *v.* gag ; muzzle, stifle.
bain *n.m.* bath ; swim, bathe.
bain de foule *n.m.* walkabout.
bain de soleil *n.m.* sunbathing.
▷ **baïonnette** *n.f.* bayonet.
baisser *v.* lower ; *(Radio)* turn down ; *(Aut.)* dip (phares) ; fall,

drop.
baisser (se —) *v.* bend down.
bajoues *n.f.pl.* cheeks ; chaps.
bal *n.m.* dance ; ball ; dance hall.
balade *n.f.* stroll, ramble ; drive.
balader (se —) *v.* go for a stroll (ou a drive).
baladeuse *n.f.* inspection lamp.
balafre *n.f.* gash, slash ; scar (cicatrice).
balafré *adj.* scarred.
balai *n.m.* broom ; *(Tech.)* brush.
⚠ **balance** *n.f.* scales ; balance (de précision).
balance commerciale *n.f.* balance of trade.
balancé (bien —) *loc.* well-built, well set up.
balancer *v.* swing, sway ; fling ; *(fam.)* chuck.
balancer (se —) *v.* swing, rock, sway.
balancier *n.m.* pendulum ; balance wheel ; pole.
balançoire *n.f.* swing ; seesaw.
balayer *v.* sweep ; scan.
balayette *n.f.* small brush, small broom.
balayeur *n.m.* roadsweeper.
balayures *n.f.pl.* sweepings.
balbutier *v.* stammer ; babble.
balcon *n.m.* balcony ; *(Th.)* dress circle.
baleine *n.f.* whale ; rib (de corset).
balise *n.f.* beacon, buoy ; sign ; marker.
▷ **balistique** *n.f.* ballistics.
balivernes *n.f.pl.* twaddle, nonsense.
▷ **ballade** *n.f.* ballad.
▷ **ballast** *n.m.* ballast ; ballast tank.
⚠ **balle** *n.f.* ball ; bullet (de revolver) ; chaff (de céréales) ; bale (de coton...).
ballerine *n.f.* ballet dancer, ballerina ; ballet shoe.
⚠ **ballon** *n.m.* *(Sp.)* ball ; balloon.
ballon dirigeable *n.m.* airship.
ballon d'oxygène *n.m.* oxygen bottle.
ballonné *adj.* bloated, swollen.
ballonnement *n.m.* swelling ; flatulence.
⚠ **ballot** *n.m.* bundle, package ; *(fam.)* duffer, nitwit.
ballottage *n.m.* *(Polit.)* second ballot.
ballotter *v.* toss.
balluchon *n.m.* bundle (of clothes).
balnéaire (station —) *n.f.* seaside resort ; watering place.
balustrade *n.f.* railing, handrail.
bambin *n.m.* little child, tiny tot.
bamboche *n.f.* spree.
▷ **bambou** *n.m.* bamboo.
⚠ **ban** *n.m.* round of applause, three cheers.
banal *adj.* banal, commonplace ; trite.
banalisé *adj.* unmarked (voiture de police).
banalité *n.f.* truism, trite remark.
▷ **banane** *n.f.* banana.
▷ **banc** *n.m.* seat, bench ; shoal (de poissons).
banc des accusés *n.m.* *(Jur.)* dock.
banc d'essai *n.m.* testing bench (ou ground).
bancaire *adj.* banking.
bancal *adj.* bandy-legged ; wobbly.
bandage *n.m.* bandage, bandaging.
bande *n.f.* strip, band ; *(Méd.)* bandage ; tape (magnétique) ; bunch, crowd, band.
bandeau *n.m.* headband ; blindfold ; head bandage.
banderole *n.f.* streamer.
⚠ **bandit** *n.m.* bandit, gangster ; rascal.
banditisme *n.m.* crime, banditry.
bandoulière *n.f.* shoulder strap.
bang supersonique *n.m.* sonic boom.
banlieue *n.f.* suburb.
banlieusard *n.m.* commuter.
banni *n.m.* exile ['eksaɪl].
bannière *n.f.* banner.
bannir *v.* banish ; exclude, expel.
banque *n.f.* bank.
banque de données *n.f.* data bank.
banqueroute *n.f.* bankruptcy ['bæŋkrʌptsɪ].
▷ **banquet** *n.m.* dinner ; banquet.
banquette *n.f.* seat.
banquier *n.m.* banker.
banquise *n.f.* ice field, ice floe.
▷ **bans** *n.m.pl.* banns (de mariage).
baptême *n.m.* baptism, christening.
baptiser *v.* baptize, christen ['krɪsən].
baquet *n.m.* tub ; bucket.
⚠ **bar** *n.m.* bar ; *(Zool.)* bass, sea-perch.
baragouiner *v.* gibber, jabber.
baraque *n.f.* shanty, hut ; shed ; booth.
baraqué *adj.* hefty, well-built.
baratin *n.m.* *(fam.)* patter, chatter.
baratineur *n.m.* smooth talker.
baratte *n.f.* churn.

barbant *adj.* *(fam.)* boring.
barbare *adj.* barbaric ; barbarous.
barbarie *n.f.* barbarism ; barbarousness.
barbe *n.f.* beard ; *(fam.)* bore.
barbelé *n.m.* barbed wire.
barbiche *n.f.* goatee.
barbiturique *n.m.* barbiturate.
barboter *v.* paddle, dabble ; *(fam.)* pinch, filch.
barboteuse *n.f.* rompers.
barbouillage *n.m.* daub ; scrawl, scribble.
barbouiller *v.* daub ; smear ; scribble.
barbu *adj.* bearded.
barda *n.m.* gear ; kit.
barême *n.m.* scale, table, schedule.
baril *n.m.* barrel, cask ; keg.
bariolé *adj.* many-coloured ; gaudy.
▷ **baromètre** *n.m.* barometer.
⚠ **baroque** *adj.* weird, strange ; baroque.
barque *n.f.* small boat.
barrage *n.m.* dam ; weir [wɪə].
⚠ **barre** *n.f.* bar ; *(Naut.)* helm.
barreau *n.m.* bar ; rung (échelle) ; *(Jur.)* bar.
barrer *v.* bar ; block ; cross (out) ; *(Naut.)* steer.
barrette *n.f.* (hair-) slide.
barreur *n.m.* helmsman ; coxswain ['kɒksn].
barricader (se —) *v.* barricade oneself, lock oneself in.
barrière *n.f.* fence ; gate ; barrier.
barrières douanières *n.f.pl.* tariff wall (s).
barrique *n.f.* barrel, cask.
▷ **baryton** *n.m.* baritone.
bas *adj.* low ; mean ; base.
bas *adv.* low.
bas *n.m.* bottom, lower part ; stocking.
basané *adj.* tanned, sunburnt ; swarthy.
bas-côté *n.m.* aisle [aɪl] (église) ; verge (route).
basculer *v.* topple over, fall over ; tip up, tilt.
⚠ **base** *n.f.* base, basis ; foundation.
bas-fond *n.m.* *(Naut.)* shallow ; dregs ; underworld.
▷ **basilique** *n.f.* basilica.
▷ **bas-relief** *n.m.* bas relief, low relief.
basse *n.f.* *(Mus.)* bass [beɪs].
basse-cour *n.f.* farmyard ; poultry (yard).
bassesse *n.f.* baseness, meanness ; servility.
⚠ **bassin** *n.m.* pond, pool ; *(Géog.)* basin ; *(Anat.)* pelvis.
▷ **bassine** *n.f.* bowl ; pan ; basin.
bastingage *n.m.* *(Naut.)* rail.
bataclan *n.m.* *(fam.)* junk ; paraphernalia.
bataille *n.f.* battle, fight.
batailleur *adj.* pugnacious.
▷ **bataillon** *n.m.* battalion [bə'tæ lɪən].
▷ **bâtard** *n.m.* illegitimate child ; bastard.
bateau *n.m.* boat, ship.
batelier *n.m.* boatman ; ferryman.
bâti (bien —) *adj.* well-built.
batifoler *v.* frolic.
bâtiment *n.m.* building ; ship, vessel.
bâtir *v.* build.
bâtisse *n.f.* building ; ramshackle house.
⚠ **bâton** *n.m.* stick ; staff, cudgel.
battage *n.m.* beating ; threshing (du blé...) ; plugging (publicitaire).
battant *n.m.* flap, shutter ; clapper (cloche).
battement *n.m.* beat ; interval.
⚠ **batterie** *n.f.* battery ; drums ; *(Cuis.)* pots and pans.
batteur *n.m.* whisk ; *(Mus.)* drummer.
batteuse *n.f.* threshing machine, thresher.
battre *v.* beat ; thresh ; churn ; bang (porte, volet...).
baudet *n.m.* donkey, ass.
baume *n.m.* balm.
bavard *adj.* talkative ; garrulous.
bavardage *n.m.* chatter, gossip.
bavarder *v.* (have a) chat ; chatter, gossip.
bave *n.f.* slime ; dribble, slobber.
bavoir *n.m.* bib.
bavure *n.f.* smudge ; *(fig.)* flaw.
bayer aux corneilles *loc.* stand gaping.
⚠ **bazar** *n.m.* general store ; bazaar ; jumble.
bazarder *v.* sell off ; get rid of.
béant *adj.* gaping ; yawning.
⚠ **béat** *adj.* blissful ; smug.
▷ **béatitude** *n.f.* bliss, beatitude ; smugness.
beau *adj.* beautiful, fair, lovely ; fine, handsome.
beaucoup *adv.* a lot (of), much, many.
beau-frère *n.m.* brother-in-law ; stepbrother.

beau-père *n.m.* father-in-law; stepfather.
beauté *n.f.* beauty, loveliness; beauty.
beaux-arts *n.m.pl.* fine arts; Art School.
beaux-parents *n.m.pl.* in-laws.
▷ **bébé** *n.m.* baby.
bec *n.m.* bill, beak; *(fam.)* mouth.
bécane *n.f.* *(fam.)* bike [baɪk].
bécasse *n.f.* woodcock.
bec-de-lièvre *n.m.* harelip.
bêche *n.f.* spade.
bêcher *v.* dig.
becqueter *v.* peck (at); *(fam.)* eat.
bedaine *n.f.* *(fam.)* paunch.
bedeau *n.m.* verger.
bedonnant *adj.* potbellied, portly.
bée (bouche —) *loc.* gaping.
beffroi *n.m.* belfry.
bégayer *v.* stammer, stutter.
bègue *n.m.* stammerer, stutterer.
bégueule *adj.* prudish, prim.
béguin (avoir le —) *loc.* have a crush (on).
beignet *n.m.* fritter.
bêler *v.* bleat.
belette *n.f.* weasel.
bélier *n.m.* *(Zool.)* ram; *(Tech.)* (battering) ram.
belle-fille *n.f.* daughter-in-law; stepdaughter.
belle-mère *n.f.* mother-in-law; stepmother.
belle-sœur *n.f.* sister-in-law; stepsister.
belligérant *n.m.* belligerent.
belliqueux *adj.* aggressive, quarrelsome, bellicose.
bémol *n.m.* *(Mus.)* flat.
⚠ **bénédiction** *n.f.* blessing, benediction; *(fig.)* godsend.
⚠ **bénéfice** *n.m.* profit; gain; earnings.
⚠ **bénéficiaire** *n.m.* payee; beneficiary.
bénéficier de *v.* enjoy, benefit by.
bénéfique *adj.* beneficial.
bénévole *adj.* voluntary, unpaid.
bénévolement *adv.* voluntarily, for nothing.
▷ **bénin** *adj.* minor, mild, benign.
béni-oui-oui *n.m.* yes-man.
bénir *v.* bless.
bénit *adj.* consecrated, holy.
bénitier *n.m.* stoup, font.
benjamin *n.m.* youngest child.
benne *n.m.* skip; (cable) car.
béquille *n.f.* crutch; stand.
bercail *n.m.* fold.
berceau *n.m.* cradle, crib; *(fig.)* birthplace.
bercer *v.* rock; lull (de la voix).
berceuse *n.f.* lullaby.
berge *n.f.* bank.
berger *n.m.* shepherd.
bergère *n.f.* shepherdess; easy chair.
bergerie *n.f.* sheep pen.
berne (en —) *loc.* at half-mast.
berner *v.* fool, hoax.
besogne *n.f.* work, job.
besoin *n.m.* need; want.
▷ **bestial** *adj.* bestial, brutish.
bestiaux *n.m.pl.* cattle, livestock.
bestiole *n.f.* (tiny) beast.
bêta *adj.* silly, stupid.
bétail *n.m.* cattle, livestock.
bête *adj.* stupid, silly, foolish.
bête *n.f.* animal; bug; beast, creature.
bêtement *adv.* stupidly, foolishly.
bêtise *n.f.* stupidity, foolishness; nonsense, blunder.
béton *n.m.* concrete.
bétonnière *n.f.* cement mixer.
betterave *n.f.* beet; beetroot (rouge).
beuglante *n.f.* *(fam.)* yell, holler.
beugler *v.* (bel)low; bawl (out); blare.
beurre *n.m.* butter.
beurrer *v.* butter.
beurrier *n.m.* butter dish.
beuverie *n.f.* drinking bout [baʊt].
bévue *n.f.* blunder.
biais *n.m.* device, expedient; angle; bias; cross (couture).
biaiser *v.* prevaricate.
bibelot *n.m.* trinket, nicknack; curio.
biberon *n.m.* (feeding) bottle.
▷ **bible** *n.f.* Bible.
bibliobus *n.m.* mobile library.
bibliographe *n.m.* bibliographer.
▷ **bibliographie** *n.f.* bibliography.
bibliophile *n.m.* book lover.
bibliothécaire *n.m.* librarian.
bibliothèque *n.f.* library; bookcase.
biblique *adj.* biblical.
biche *n.f.* doe, hind.
bicoque *n.f.* *(fam.)* shack.
bicyclette *n.f.* bicycle.
⚠ **bidet** *n.m.* bidet; nag (cheval).
bidon *adj.* *(fam.)* phoney.
bidon *n.m.* can, tin, drum; *(fam.)* belly.
bidonville *n.m.* shantytown.
bidule *n.m.* thingamajig ['θɪŋ əmɪdʒɪg].
bielle *n.f.* (connecting) rod.

bien *adj.* good, fine.
bien *adv.* well.
bien *n.m.* good.
biens *n.m.pl.* property, possessions.
biens de consommation *n.m.pl.* consumer goods.
biens d'équipement *n.m.pl.* capital goods.
bien-aimé *adj. et n.m.* beloved.
bien-être *n.m.* well-being, comfort, welfare.
bienfaisance *n.f.* charity.
bienfaisant *adj.* beneficent, charitable ; beneficial.
bienfait *n.m.* kindness, good turn ; boon.
bienfaiteur *n.m.* benefactor.
bienfaitrice *n.f.* benefactress.
bienheureux *adj.* happy ; *(Rel.)* blessed.
bienséance *n.f.* propriety, decorum.
bienséant *adj.* proper, seemly.
bientôt *adv.* soon.
bienveillance *n.f.* benevolence, kindness.
bienveillant *adj.* benevolent, kindly.
bienvenu *adj. et n.m.* welcome.
bienvenue *n.f.* welcome.
⚠ **bière** *n.f.* beer ; ale, lager (blonde) ; brown ale, stout (brune) ; coffin (cercueil).
biffer *v.* cross out.
bifteck *n.m.* steak [steɪk].
bifurcation *n.f.* fork, junction.
bifurquer *v.* fork ; turn off.
bigame *adj.* bigamous ['bɪgəməs].
▷ **bigamie** *n.f.* bigamy.
bigarré *adj.* motley, variegated.
bigot *adj.* bigoted, churchy.
bigoudi *n.m.* curler, roller.
bigrement *adv.* *(fam.)* jolly ; awfully.
bijou *n.m.* jewel.
bijouterie *n.f.* jewellery ; jeweller's.
bijoutier *n.m.* jeweller.
bilan *n.m.* balance sheet.
bile *n.f.* bile, *(vx.)* gall ; *(fam.)* worry.
biler (se —) *v.* *(fam.)* worry oneself sick.
bileux *adj.* easily upset (ou worried).
biliaire (vésicule —) *n.f.* gall bladder.
bilingue *adj.* bilingual [baɪ'lɪŋwəl].
bilinguisme *n.m.* bilingualism.
▷ **billard** *n.m.* billiards.
bille *n.f.* ball ; marble.
⚠ **billet** *n.m.* ticket ; (bank) note.
billet de banque *n.m.* banknote, *(amér.)* bill.
billet de faveur *n.m.* complimentary ticket.
billet de quai *n.m.* platform ticket.
bimbeloterie *n.f.* nicknacks, fancy goods.
bimensuel *adj.* fortnightly.
bimoteur *n.m.* twin-engined aircraft.
binaire *adj.* binary ['baɪnərɪ].
biner *v.* hoe [həʊ].
binette *n.f.* hoe ; *(fam.)* face, mug.
binôme *n.m.* *(Math.)* binomial [baɪ'nəʊmɪəl].
biochimie *n.f.* biochemistry [,baɪə'kemɪstrɪ].
▷ **biodégradable** *adj.* biodegradable [,baɪədɪ'greɪdəbl].
biographe *n.m.* biographer [baɪ'ɒgrəfə].
▷ **biographie** *n.f.* biography [baɪ'ɒgrəfɪ].
▷ **biologie** *n.f.* biology [baɪ'ɒlədʒɪ].
biologique *adj.* biological.
▷ **biologiste** *n.m.* biologist.
▷ **biophysique** *n.f.* biophysics.
▷ **biopsie** *n.f.* biopsy ['baɪɒpsɪ].
bioxyde *n.m.* dioxyde [daɪ'ɒksaɪd].
▷ **bipartite** *adj.* bipartite [baɪ'pɑːtaɪt], two-party.
▷ **bipède** *adj. et n.m.* biped ['baɪped].
▷ **biplan** *n.m.* biplane ['baɪpleɪn].
biréacteur *n.m.* twin-engined jet.
bis *adj.* (greyish) brown ; rye (pain).
bis (numéro 15—) *loc.* number 15 A.
bis *adv. et n.m.* *(Th.)* encore.
bisannuel *adj.* biennial [baɪ'enɪəl].
bisbille (en —) *loc.* at loggerheads (with).
biscornu *adj.* crooked ; cranky.
biscotte *n.f.* rusk.
▷ **biscuit** *n.m.* biscuit ; sponge cake ; *(amér.)* cookie.
bise *n.f.* North wind ; *(fam.)* kiss.
▷ **bison** *n.m.* bison ['baɪsən] ; buffalo.
bisquer *v.* *(fam.)* be riled ; sulk.
bisquer (faire —) *loc.* rile.
bisser *v.* encore.
bissextile (année —) *n.f.* leap year.
bistouri *n.m.* lancet.
bistrot *n.m.* pub, café.
bitume *n.m.* bitumen ; asphalt.
bitumer *v.* asphalt, tarmac.
bitumeux *adj.* bituminous [bɪ'tjuːmɪnəs].
▷ **bizarre** *adj.* strange, odd, queer, bizarre.
bizarreries *n.f.pl.* oddities.
bizuth *n.m.* *(Ens. fam.)* fresher.

bizuter *v.* rag, bully.
blablabla *n.m.* *(fam.)* waffle.
blafard *adj.* wan.
blague *n.f.* joke ; trick ; pouch (à tabac).
blaguer *v.* joke ; kid.
blagueur *n.m.* joker ; wag.
blaireau *n.m.* badger ; shaving brush.
blairer *v.* *(fam.)* stand, bear.
▷ **blâme** *n.m.* blame ; reprimand.
▷ **blâmer** *v.* blame ; reprimand.
blanc *adj.* white ; blank ; pure.
blanc *n.m.* white ; blank ; whites (linge).
blanc-bec *n.m.* greenhorn.
blanchâtre *adj.* whitish.
blanche *n.f.* *(Mus.)* minim.
blanchir *v.* whiten ; launder (linge) ; clear (un accusé) ; *(Cuis.)* blanch ; go white.
blanchisserie *n.f.* laundry.
blanchisseuse *n.f.* laundress.
⚠ **blason** *n.m.* coat of arms, blazon ; heraldry.
⚠ **blasphème** *n.m.* blasphemy ['blæsfɪmɪ].
blasphémer *v.* blaspheme [blæs 'fi:m].
blé *n.m.* corn, *(amér.)* wheat.
bled *n.m.* *(fam.)* hole ; God-forsaken place.
blême *adj.* (deathly) pale, livid, wan.
blêmir *v.* turn pale ; blanch.
blessant *adj.* cutting, wounding.
blessé *adj.* injured ; wounded ; hurt.
blessé *n.m.* injured person, casualty.
blesser *v.* injure ; wound ; hurt, offend.
blessure *n.f.* injury, wound.
bleu *adj.* blue ; *(Cuis.)* (very) rare, underdone.
bleu *n.m.* blue ; *(Méd.)* bruise ; *(pl.)* overalls, dungarees ; *(fam.)* tyro, greenhorn.
bleuâtre *adj.* bluish.
bleuet *n.m.* cornflower.
bleuir *v.* turn blue.
blindage *n.m.* armour plating ; screening.
blindé *adj.* armoured ; screened ; *(fig.)* immune.
⚠ **bloc** *n.m.* block ; pad (de papier) ; group, unit.
blocage *n.m.* blocking ; jamming ; freezing ; hang-up, block (psychologie).
blocage des prix *n.m.* prize freeze.
blocage des salaires *n.m.* wage freeze.
▷ **blockhaus** *n.m.* blockhouse.
bloc-moteur *n.m.* engine block.
bloc-note *n.m.* (writing) pad.
blocus *n.m.* blockade.
▷ **blond** *adj.* fair, blond.
bloquer *v.* block ; jam ; freeze ; group.
bloquer (se —) *v.* jam ; lock ; get stuck.
blottir (se —) *v.* huddle up, snuggle up.
⚠ **blouse** *n.f.* overall ; blouse (chemisier).
blouson *n.m.* lumber jacket ; windcheater.
blouson noir *n.m.* teddy boy.
bluffer *v.* bluff.
bobard *n.m.* *(fam.)* yarn, tall story.
bobinage *n.m.* winding, coil (s).
bobine *n.f.* reel, spool ; *(Elec.)* coil ; *(fam.)* mug.
bobo *n.m.* sore, pain.
bocage *n.m.* grove, copse ; wooded district.
bocal *n.m.* jar.
bock *n.m.* glass of beer.
bœuf *n.m.* ox, bullock ; beef (viande).
bohême *adj.* happy-go-lucky, bohemian.
⚠ **bohémien** *n.m.* gipsy.
boire *v.* drink ; *(fig.)* absorb, soak up.
bois *n.m.* wood ; antler (de cerf) ; *(Mus.)* woodwind.
boisé *adj.* wooded, woody.
boiser *v.* timber (mine) ; afforest, plant with trees ; panel, wainscot (mur).
boiserie *n.f.* woodwork ; panelling, wainscot.
boisson *n.f.* drink, beverage.
boîte *n.f.* box ; tin, can.
boîte aux lettres *n.f.* letter box ; pillar box, *(amér.)* mailbox.
boîte de nuit *n.f.* nightclub.
boîte de vitesses *n.f.* gearbox.
boîtier *v.* limp.
boiteux *adj.* lame ; *(fig.)* wobbly, shaky.
boîtier *n.m.* case.
boitiller *v.* hobble.
bol *n.m.* bowl [bəʊl].
bolide *n.m.* racing car.
bombance (faire —) *loc.* revel.
bombardement *n.m.* bombing ['bɒmɪŋ], shelling (obus).
bombarder *v.* *(Av.)* bomb, shell (obus) ; *(fig.)* bombard (de questions...).

bombardier *n.m.* bomber ['bɒmə].
⚠ **bombe** *n.f.* bomb ; spray (atomiseur) ; *(fam.)* binge, spree.
bombé *adj.* rounded, bulging.
bomber *v.* bulge ; camber (route) ; throw out (le torse).
bon(ne) *adj.* good, kind, nice.
bon *n.m.* order, voucher ; *(Fin.)* bond, bill.
bonbon *n.m.* sweet, drop ; *(amér.)* candy.
bonbonne *n.f.* carboy, demijohn.
bonbonnière *n.f.* sweet box.
⚠ **bond** *n.m.* leap, bound, jump.
bon de commande *n.m.* order form.
bondé *adj.* packed, crammed, chock-full.
bondir *v.* leap, bound, jump.
bonheur *n.m.* happiness ; luck.
bonhomie *n.f.* good-naturedness.
bonhomme *n.m.* (good) fellow.
bonhomme de neige *n.m.* snowman.
boni *n.m.* profit, bonus.
bonification *n.f.* improvement ; bonus.
bonifier (se —) *v.* improve.
boniment *n.m.* patter ; humbug, claptrap.
bonjour *interj.* good morning ; good afternoon ; hello.
bon marché *adj.* cheap.
bonne *n.f.* maid.
bonnement (tout —) *loc.* quite simply.
▷ **bonnet** *n.m.* bonnet, cap.
bonneterie *n.f.* hosiery ['heʊzɪərɪ].
bon-papa *n.m.* grandpa, grandad.
bonsoir *interj.* good evening, good night.
bonté *n.f.* kindness, goodness.
borborygme *n.m.* rumble.
bord *n.m.* edge, side ; bank ; rim ; verge.
bord (à —) *loc. (Naut.)* on board.
bordeaux *n.m.* claret.
bordée d'injures *n.f.* volley of abuse.
⚠ **border** *v.* border, line ; trim ; tuck up (lit).
bordereau *n.m.* slip, note, statement.
bordure *n.f.* border, edge.
borgne *adj.* one-eyed ; shady (hôtel).
borne *n.f.* boundary stone ; milestone.
borné *adj.* narrow-minded.
borner *v.* limit ; restrict.
borner (se —) *v.* confine (ou limit) oneself (to).
bosquet *n.m.* copse, grove.
bosse *n.f.* bump, hump.
bosseler *v.* dent ; emboss.
bosser *v. (fam.)* slog (away).
bossu *n.m.* hunchback.
bot (pied —) *n.m.* clubfoot.
botanique *adj.* botanical.
botanique *n.f.* botany.
▷ **botaniste** *n.m.* botanist.
botte *n.f.* wellington (boot) ; bundle (foin) ; thrust (escrime).
bottier *n.m.* bootmaker.
bottin *n.m.* directory, phone book.
bottine *n.f.* boot.
bouc *n.m.* (he-)goat ; goatee (barbe).
boucan *n.m.* row, din, racket.
bouc émissaire *n.m.* scapegoat ; butt.
bouche *n.f.* mouth.
bouche d'égout *n.f.* manhole.
bouche d'incendie *n.f.* fire hydrant.
bouché *adj.* overcast (ciel) ; *(fam.)* thick, stupid ; *(Mus.)* muted.
bouchée *n.f.* mouthful.
boucher *n.m.* butcher.
boucher *v.* stop (up), fill (up), block up.
boucherie *n.f.* butcher's (shop) ; *(fig.)* slaughter.
bouche-trou *n.m.* stopgap, makeshift.
bouchon *n.m.* cork ; stopper ; float (pêche) ; holdup ; traffic jam.
bouchonner *v.* rub down.
boucle *n.f.* loop ; buckle ; curl (cheveux).
boucle d'oreille *n.f.* earring.
bouclé *adj.* curly.
boucler *v.* buckle, fasten (up) ; finish off ; balance (budget) ; lock up (quelqu'un) ; curl (chevelure).
bouclette *n.f.* small curl.
bouclier *n.m.* shield.
▷ **bouddhiste** *adj. et n.* Buddhist.
bouder *v.* sulk.
bouderie *n.f.* sulkiness, sulks.
boudeur *adj.* sullen, sulky.
boudin *n.m.* black pudding.
boue *n.f.* mud ; mire ; sludge ; slush.
bouée *n.f.* buoy ; rubber ring (natation).
bouée de sauvetage *n.f.* life buoy.
boueux *adj.* muddy.
boueux *n.m.* dustman, refuse collector.
bouffe *n.f. (fam.)* grub, nosh.
bouffée *n.f.* puff, whiff ; fit (orgueil).
bouffer *v. (fam.)* bolt.

bouffi *adj.* bloated, swollen.
▷ **bouffon** *n.m.* buffoon ; jester.
bouge *n.m.* den ; low dive.
bougeoir *n.m.* candlestick.
bougeotte (avoir la —) *loc.* have the fidgets.
bouger *v.* move, stir ; budge.
bougie *n.f.* candle ; *(Aut.)* spark(ing) plug.
bougon *adj.* grumpy.
bougonner *v.* grumble.
bougre *n.m.* chap, fellow.
bouillant *adj.* boiling ; hot-headed.
bouille *n.f. (fam.)* mug, face.
bouillie *n.f.* pap (pour bébé) ; mush.
bouillir *v.* boil.
bouilloire *n.f.* kettle.
bouillon *n.m.* broth ; stock ; bubble.
bouillonnement *n.m.* bubbling, seething.
bouillonner *v.* bubble (up), seethe.
bouillotte *n.f.* hot-water bottle.
boulanger *n.m.* baker.
boulangerie *n.f.* baker's (shop).
boule *n.f.* ball ; bowl.
boule de neige *n.f.* snowball.
bouleau *n.m.* birch.
▷ **bouledogue** *n.m.* bulldog.
boulet *n.m.* cannonball ; ovoid (charbon).
boulette *n.f.* ball ; pellet ; *(fam.)* blunder.
bouleversant *adj.* staggering.
bouleversé *adj.* overwhelmed.
bouleversement *n.m.* upheaval.
bouleverser *v.* upset, distress, overwhelm ; disrupt.
boulier *n.m.* abacus ['æbəkəs].
boulon *n.m.* bolt.
boulonner *v.* bolt ; *(fam.)* slog (away).
boulot *adj.* plump, dumpy.
boulot *n.m. (fam.)* grind ; job.
⚠ **bouquet** *n.m.* bunch ; bouquet ; *(Zool.)* prawn.
bouquin *n.m. (fam.)* book.
bouquiner *v.* read.
bouquiniste *n.m.* secondhand bookseller.
bourbeux *adj.* muddy, miry.
bourbier *n.m.* (quag)mire ; *(fig.)* mess, scrape.
bourde *n.f.* blunder ; howler.
bourdon *n.m.* bumblebee.
bourdonnement *n.m.* hum(ming), buzz(ing), drone.
bourdonner *v.* hum, buzz, drone.
bourg *n.m.* market town.
▷ **bourgeois** *adj.* middle-class, bourgeois.
bourgeon *n.m.* bud.
bourgeonner *v.* bud.
bourgogne *n.m.* Burgundy.
bourlinguer *v.* knock about.
bourrade *n.f.* thump, poke ; prod.
bourrage de crâne *n.m.* brainwashing ; *(Ens.)* cramming.
bourrasque *n.f.* squall.
bourratif *adj.* filling, stodgy.
bourré *adj.* crammed (with), stuffed (with).
bourreau *n.m.* executioner.
bourreau de travail *n.m.* workaholic.
bourrelet *n.m.* pad, roll ; fold (de graisse).
bourrer *v.* fill (pipe) ; stuff, cram.
bourriche *n.f.* hamper.
bourrique *n.f.* ass.
bourru *adj.* surly, gruff.
bourse *n.f.* purse ; *(Ens.)* grant, scholarship.
Bourse (la —) *n.f.* The Stock Exchange.
boursier *n.m.* speculator ; *(Ens.)* grant-holder.
boursouflé *adj.* puffy, swollen, bloated.
boursoufler (se —) *v.* swell ; blister (peinture).
bousculade *n.f.* rush, crush, jostle.
bousculer *v.* jostle, bump into, knock about.
bouse *n.f.* dung.
bousiller *v.* botch, bungle ; smash up.
boussole *n.f.* compass.
boustifaille *n.f. (fam.)* grub, nosh.
⚠ **bout** *n.m.* bit, scrap ; tip ; end.
boutade *n.f.* sally.
boute-en-train *n.m.* life and soul of the party ; live wire.
bouteille *n.f.* bottle ; cylinder (gaz).
boutique *n.f.* shop ; stall.
boutiquier *n.m.* shopkeeper.
⚠ **bouton** *n.m.* button ; *(Bot.)* bud ; knob (de porte) ; *(Méd.)* spot, pimple.
bouton de manchette *n.m.* cuff link.
bouton d'or *n.m.* buttercup.
bouton-pression *n.m.* press stud, snap fastener.
boutonner *v.* button (up) ; fasten.
boutonneux *adj.* pimply.
boutonnière *n.f.* buttonhole ; rosette.
bouture *n.f.* cutting.
bouvreuil *n.m.* bullfinch.
bovidés *n.m.pl.* bovines ['bəʊvaɪnz].

▷ **bovin** *adj.* bovine ['bəʊvaɪn].
⚠ **box** *n.m.* lock-up ; cubicle ; loosebox.
box des accusés *n.m.* dock.
boxe *n.f.* boxing.
boxer *v.* box.
boxeur *n.m.* boxer.
boyau *n.m.* gut ; passage ; tubeless tyre.
boycottage *n.m.* boycott (ing).
▷ **boycotter** *v.* boycott.
⚠ **bracelet** *n.m.* bracelet, bangle ; strap.
bracelet-montre *n.m.* wristwatch.
barconner *v.* poach.
braconnier *n.m.* poacher.
brader *v.* sell off, sell cheaply.
braderie *n.f.* (clearance) sale.
braguette *n.f.* fly, flies.
braillard *n.m.* bawler, shouter.
brailler *v.* bawl (out), yell (out).
braire *v.* bray.
braise *n.f.* ember.
brancard *n.m.* shaft ; stretcher.
brancardier *n.m.* stretcher-bearer.
branchages *n.m.pl.* branches, boughs.
⚠ **branche** *n.f.* branch, bough ; side-piece (lunettes) ; *(fig.)* branch.
brancher *v.* plug in, connect up.
branchies *n.f.pl.* gills [gɪlz].
brandir *v.* brandish, flourish ; wave.
branlant *adj.* shaky, loose ; rickety, ramshackle.
branle (donner le — à) *loc.* set in motion.
branle-bas *n.m.* commotion, bustle.
branler *v.* shake ; be shaky, be loose.
braquer *v.* turn ; aim at ; *(fam.)* antagonize.
braquet *n.m.* gear ratio.
bras *n.m.* arm.
brasero *n.m.* brazier ['breɪzjə].
⚠ **brasier** *n.m.* blaze.
brassage *n.m.* mixing ; brewing (bière).
brassard *n.m.* armband, armlet.
brasse *n.f.* (breast) stroke.
brassée *n.f.* armful.
brasser *v.* mix, stir up ; handle a lot of.
brasserie *n.f.* brewery.
brasseur *n.m.* brewer.
brasseur d'affaires *n.m.* big businessman.
⚠ **brassière** *n.f.* vest ; *(Naut.)* life jacket.
bravache *adj.* blustering, swaggering.
▷ **bravade** *n.f.* bravado.
⚠ **brave** *adj.* brave, courageous ; kind, nice.
bravement *adv.* bravely, boldly.
braver *v.* brave, defy, challenge.
bravo *n.m.* cheer.
bravoure *n.f.* bravery, gallantry.
⚠ **break** *n.m.* estate car, *(amér.)* station wagon.
brebis *n.f.* ewe ; *(Rel.)* sheep.
brebis galleuse *n.f.* black sheep.
brèche *n.f.* breach, gap, opening.
bredouille *adj.* empty-handed.
bredouiller *v.* stammer ; mumble.
bref *adj.* brief, short.
bretelle *n.f.* strap ; sling ; *(Aut.)* slip road.
bretelles *n.f.pl.* braces.
breuvage *n.m.* beverage, drink.
brevet *n.m.* diploma, certificate ; patent.
breveté *adj.* qualified ; patented.
breveter *v.* patent.
▷ **bréviaire** *n.m.* breviary ['bri:vjərɪ].
⚠ **bribes** *n.f.pl.* bits, scraps ; snatches.
bribes (par —) *loc.* piecemeal.
▷ **bric-à-brac** *n.m.* odds and ends, bric-à-brac.
bricolage *n.m.* do-it-yourself, D.I.Y. ; *(fam.)* pottering about.
bricole *n.f.* trifle ; small job ; breast-harness (de cheval).
bricoler *v.* do odd jobs ; do D.I.Y. jobs ; *(fam.)* potter about.
bricoleur *n.m.* handyman ; D.I.Y. man.
⚠ **bride** *n.f.* bridle ; string.
bridé *adj.* slit (yeux).
brièvement *adv.* briefly.
brièveté *n.f.* brevity.
⚠ **brigade** *n.f.* squad (police) ; *(Mil.)* brigade ; team.
brigade anti-gang *n.f.* anti-terrorist squad.
briguer *v.* aspire to ; solicit ; court.
brillamment *adv.* brilliantly.
⚠ **brillant** *adj.* bright, shiny ; brilliant.
⚠ **brillant** *n.m.* brilliant (diamant) ; brilliance.
briller *v.* shine.
brimade *n.f.* vexation ; *(Ens.)* ragging, bullying.
brimer *v.* harass, persecute ; *(Ens.)* rag, bully.
brin *n.m.* bit ; strand ; blade (d'herbe) ; sprig ; wisp.
brindille *n.f.* twig.

bringue *n.f. (fam.)* spree.
⚠ **brio** *n.m.* brillancy ; *(Mus.)* brio.
⚠ **brioche** *n.f.* brioche, bun ; *(fam.)* paunch, potbelly.
▷ **brique** *n.f.* brick.
briquer *v.* polish up.
briquet *n.m.* (cigarette) lighter.
briqueterie *n.f.* brickworks.
▷ **brise** *n.f.* breeze.
brisé de fatigue *loc.* worn out, exhausted.
brise-glace *n.m.* icebreaker.
brise-lames *n.m.* breakwater.
briser *v.* break ; shatter, smash.
briseur de grève *n.m.* strike breaker.
broc *n.m.* pitcher.
brocanteur *n.m.* second-hand dealer.
broche *n.f.* brooch ; *(Cuis.)* spit ; *(Méd.)* pin.
broché (livre —) *n.m.* paperback.
brochet *n.m.* pike.
⚠ **brochette** *n.f.* skewer, small spit ; *(Cuis.)* brochette, kebab ; *(fig.)* band, bevy.
▷ **brochure** *n.f.* booklet, pamphlet, brochure.
broder *v.* embroider.
broderie *n.f.* embroidery.
broncher (sans —) *loc.* without turning a hair.
▷ **bronchite** *n.f.* bronchitis [brɒŋ 'kaɪtɪs].
▷ **broncho-pneumonie** *n.f.* broncopneumonia.
bronzage *n.m.* (sun)tan.
bronzé *adj.* (sun)tanned, sunburnt.
bronzer *v.* tan, get a tan.
bronzer (se —) *v.* sunbathe.
brosse *n.f.* brush.
brosser *v.* brush ; scrub ; paint.
brouette *n.f.* wheelbarrow.
brouhaha *n.m.* hubbub.
brouillage *n.m.* jamming, interference.
brouillard *n.m.* fog ; smog.
brouillasser *v.* drizzle.
brouille *n.f.* quarrel ; estrangement.
brouillé *adj.* muddy (teint) ; blurred ; scrambled (œufs).
brouiller *v.* mix up ; blur ; *(Cuis.)* scramble ; *(Radio)* jam ; set at odds.
brouiller (se —) *v.* fall out ; cloud over (temps) ; become confused.
brouillon *adj.* muddle-headed ; untidy.
brouillon *n.m.* draft, rough copy.
broussailles *n.f.pl.* undergrowth.
broussailleux *adj.* bushy.
brousse *n.f.* bush.
brouter *v.* graze, browse ; *(Aut.)* judder.
broutille *n.f.* trifle.
broyer *v.* grind, crush.
broyer du noir *loc.* be (down) in the dumps.
broyeur *n.m.* grinder, crusher.
bru *n.f.* daughter-in-law.
brugnon *n.m.* nectarine.
bruine *n.f.* drizzle.
bruiner *v.* drizzle.
bruire *v.* rustle ; hum, murmur.
bruit *n.m.* noise, sound ; rumour.
bruitage *n.m.* sound effects.
bruiteur *n.m.* sound effects engineer.
brûlant *adj.* burning, glowing, scorching.
brûle-pourpoint (à —) *loc.* point-blank.
brûler *v.* burn, scorch ; scald ; use ; go through (un feu rouge).
brûler (se —) *v.* burn oneself, scald oneself.
brûleur *n.m.* burner.
brûlure *n.f.* burn ; burning sensation.
brume *n.f.* mist, haze.
brumeux *adj.* misty, hazy.
brun *adj.* brown ; dark (cheveux) ; tanned.
brunir *v.* get a tan.
⚠ **brusque** *adj.* abrupt, sudden ; brusque, blunt.
brusquer *v.* rush ; chivvy ; precipitate.
brut *adj.* raw, crude, rough ; *(Comm.)* gross.
⚠ **brut** *n.m.* brut (champagne) ; crude (oil).
▷ **brutal** *adj.* brutal, savage, rough.
brutaliser *v.* ill-treat, bully.
⚠ **brutalité** *n.f.* brutality, savagery ; brutal act.
▷ **brute** *n.f.* brute, beast, bully.
bruyant *adj.* noisy, loud, boisterous.
bruyère *n.f.* heather ['heðə].
buanderie *n.f.* laundry, washhouse.
bûche *n.f.* log ; *(fam.)* spill (chute).
bûcher *n.m.* pile ; stake ; pyre.
bûcher *v.* *(fam.)* swot (up), slog away.
bûcheron *n.m.* woodcutter, *(amér.)* lumber-man.
bûcheur *n.m.* *(fam.)* slogger.
budgétaire *adj.* budgetary.
buée *n.f.* mist ; steam.
⚠ **buffet** *n.m.* sideboard ; buffet

['bʊfeɪ].
buffle *n.m.* buffalo.
buis *n.m.* box (wood).
buisson *n.m.* bush.
▷ **bulbe** *n.m.* *(Bot.)* bulb.
bulle *n.f.* bubble ; *(Rel.)* bull ; balloon (de bandes dessinées).
⚠ **bulletin** *n.m.* bulletin ; form ; report.
bulletin de vote *n.m.* ballot paper.
bulletin d'information *n.m.* news bulletin.
buraliste *n.m.* tobacconist.
⚠ **bureau** *n.m.* desk ; study ; office, bureau.
bureau de change *n.m.* exchange bureau.
bureau de placement *n.m.* employment agency.
bureau de poste *n.m.* post office.
bureau d'étude *n.m.* design office ; research department.
bureau de tabac *n.m.* tobacconist's.
▷ **bureaucratie** *n.f.* bureaucracy.
burette *n.f.* oilcan ; cruet.
buriné *adj.* craggy, seamed ; weather-beaten (visage).
⚠ **burlesque** *adj.* ludicrous ; *(Th.)* burlesque.
busqué *adj.* hook (ed).
⚠ **buste** *n.m.* chest (homme) ; bust (femme).
but *n.m.* goal, aim, purpose ; *(Sp.)* goal.
buté *adj.* stubborn, obstinate.
buter *v.* stumble, bump ; antagonize.
buteur *n.m.* *(Sp.)* striker.
butin *n.m.* booty, plunder, loot, spoils.
butiner *v.* gather nectar ; *(fig.)* lift (plagier).
butoir *n.m.* buffer ; stop (per) ; *(fig.)* check.
butor *n.m.* lout, boor.
butte *n.f.* hillock, mound.
buvable *adj.* drinkable.
buvard *n.m.* blotting paper ; blotter.
buvette *n.f.* refreshment stall.
buveur *n.m.* drinker ; drunkard.

C

ça *adj. et pr. (fam.)* this, that ; it.
ça et là *loc.* here and there.
caban *n.m.* reefer.
cabane *n.f.* cabin ; hut.
cabaret *n.m.* nightclub.
cabas *n.m.* shopping bag.
⚠ **cabine** *n.f.* cabin ; cubicle ; hut ; cab (de camion).
cabine de pilotage *n.f.* cockpit.
cabine téléphonique *n.f.* call box, phone box.
⚠ **cabinet** *n.m.* office ; practice ; *(Polit.)* cabinet.
cabinet de consultation *n.m.* surgery.
cabinets *n.m.pl.* toilet.
▷ **câble** *n.m.* cable.
▷ **câbler** *v.* cable.
cabosser *v.* dent.
cabotage *n.m.* coasting, coastal navigation.
caboter *v.* coast.
cabrer (se —) *v.* rear up (cheval) ; *(Av.)* nose up ; *(fig.)* rebel.
cabriole *n.f.* caper, somersault.
cacahuète *n.f.* peanut.
cacao *n.m.* cocoa ['kəʊkəʊ].
cache *n.m.* mask ; card.
cache *n.f.* hiding-place.
cache-cache *n.m.* hide-and-seek.
cache-nez *n.m.* muffler, comforter.
cache-pot *n.m.* flowerpot cover.
cache-sexe *n.m.* G-string ['dʒi: ,strɪŋ].
cacher *v.* hide, conceal.
cacher (se —) *v.* hide, be concealed.
cachet *n.m.* tablet ; postmark ; seal ; fee ; character, style.
cacheter *v.* seal.
cachette *n.f.* hiding place.
cachot *n.m.* dungeon ; solitary confinement.
cachotteries (faire des —) *loc.* be secretive.
▷ **cactus** *n.m.* cactus ['kæktəs].
cadavérique *adj.* cadaverous, deathly pale.
cadavre *n.m.* corpse, (dead) body.
cadeau *n.m.* present, gift.
cadenas *n.m.* padlock.
⚠ **cadence** *n.f.* rhythm, rate, pace ; *(Mus.)* cadence.
cadencé *adj.* rhythmic(al).
cadet *adj.* younger, youngest.
cadrage *n.m.* *(Ciné.)* centring.
cadran *n.m.* dial, face.
cadran solaire *n.m.* sundial.
cadre *n.m.* frame ; surroundings (de vie) ; *(Comm. Ind.)* executive.
cadrer *v.* tally, agree ; *(Ciné.)* centre.
caduc *adj.* obsolete ; *(Bot.)* deciduous.
cafard *n.m.* cockroach ; *(fig.)* sneak, telltale.
cafard (avoir le —) *loc.* be down in the dumps.
cafarder *v.* sneak (on), tell tales.

café *n.m.* coffee ; pub.
café-crème *n.m.* white coffee.
café express *n.m.* expresso coffee.
café au lait *n.m.* white coffee.
café noir *n.m.* black coffee.
café soluble *n.m.* instant coffee.
cafouiller *v.* get into a mess, get into a muddle.
▷ **cage** *n.f.* cage.
cage d'ascenseur *n.f.* lift shaft.
cage d'escalier *n.f.* (stair) well.
cageot *n.m.* crate.
cagneux *adj.* knock-kneed ['nɒk 'ni:d].
cagnotte *n.f.* kitty, nest egg.
cagoule *n.f.* hood, cowl.
cahier *n.m.* exercise book ; notebook.
cahin-caha (aller —) *loc.* jog along ; *(fig.)* be so-so.
cahot *n.m.* jolt, bump.
cahoter *v.* jog (along), bump (along).
cahute *n.f.* shack.
caïd *n.m.* *(fig.)* big chief, boss.
caille *n.f.* quail.
caillé *n.m.* curds.
cailler *v.* curdle ; clot (sang).
caillot *n.m.* clot.
caillou *n.m.* (little) stone, pebble.
caisse *n.f.* box ; cashbox, till ; cash desk, teller's desk ; *(Tech.)* case, casing.
caisse d'épargne *n.f.* savings bank.
caisse enregistreuse *n.f.* cash register.
caissier *n.m.* cashier.
⚠ **caisson** *n.m.* box, case ; *(Tech., Mil.)* caisson.
cajoler *v.* coax, wheedle ; pet.
▷ **calamité** *n.f.* disaster ; calamity.
calanque *n.f.* creek.
calcaire *n.m.* limestone.
calciné *adj.* charred.
calcul *n.m.* calculation, sum ; *(Ens.)* arithmetic ; *(Méd.)* stone.
▷ **calculatrice** *n.f.* calculator.
calculer *v.* calculate, compute ; reckon.
cale *n.f.* *(Naut.)* hold ; chock.
calé *adj.* clever, bright ; tough (difficile).
calembour *n.m.* pun (on words).
calendrier *n.m.* calendar.
cale-pied *n.m.* toe clip.
calepin *n.m.* notebook.
caler *v.* wedge, chock (up), steady ; stall (moteur).
calfater *v.* caulk [kɔ:k].
calfeutrer *v.* make draught proof ['drɑ:ftpru:f].
⚠ **calibre** *n.m.* gradc ; calibre, bore.
calibrer *v.* grade, gauge [geɪdʒ].
calice *n.m.* *(Rel.)* chalice ['tʃælɪs] ; *(Bot.)* calyx ['kælɪks].
califourchon (à —) *loc.* astride.
câlin *adj.* cuddly, tender.
câliner *v.* cuddle, fondle.
calleux *adj.* horny, callous.
calmant *n.m.* tranquillizer ; painkiller.
▷ **calme** *adj.* calm, quiet, still.
▷ **calme** *n.m.* calm(ness), quiet (ness).
calme plat *n.m.* *(Naut.)* dead calm.
▷ **calmer** *v.* calm (down) ; soothe, ease.
calmer (se —) *v.* calm down, cool down.
▷ **calomnie** *n.f.* slander, calumny.
▷ **calomnier** *v.* slander, libel, calumniate.
calomnieux *adj.* slanderous, libellous.
▷ **calorie** *n.f.* calorie.
calorifuger *v.* insulate.
calotin *adj.* sanctimonious, churchy.
calotter *v.* cuff, box the ears.
calque *n.m.* tracing ; traced design.
calquer *v.* trace ; copy closely.
calvaire *n.m.* calvary ; *(fig.)* martyrdom.
calvitie *n.f.* baldness.
camarade *n.m.* friend, fellow, comrade.
camaraderie *n.f.* fellowship.
cambouis *n.m.* dirty oil.
cambrer (se —) *v.* arch one's back ; *(Tech.)* warp.
cambriolage *n.m.* burglary, housebreaking.
cambrioler *v.* burgle, break into.
cambrioleur *n.m.* burglar, housebreaker.
cambrure *n.f.* curve ; arch ; *(Tech.)* camber.
came *n.f.* *(argot)* snow, junk, stuff.
▷ **camée** *n.m.* cameo ['kæmɪəʊ].
▷ **caméléon** *n.m.* chameleon [kə 'mi:lɪən].
camelot *n.m.* hawker.
camelote *n.f.* *(fam.)* trash, junk.
camion *n.m.* lorry, *(amér.)* truck.
camion citerne *n.m.* tanker.
camion de déménagement *n.m.* removal van.
camionnage *n.m.* haulage ['hɔ: lɪdʒ].
camionnette *n.f.* van.

camionneur *n.m.* lorry driver ; haulage contractor.
camisole de force *n.f.* straitjacket.
▷ **camouflage** *n.m.* camouflage, hiding.
camoufler *v.* camouflage ; *(fig.)* disguise.
camp *n.m.* camp ; side.
camp d'extermination *n.m.* death camp.
camp de vacances *n.m.* holiday camp.
campagnard *n.m.* countryman.
campagne *n.f.* country(side) ; campaign.
campagne (faire —) *loc.* campaign (for).
campement *n.m.* camp, encampment.
camper *v.* camp.
▷ **campeur** *n.m.* camper.
▷ **camphre** *n.m.* camphor.
camping (faire du —) *loc.* go camping.
canaille *n.f.* scoundrel.
⚠ **canal** *n.m.* canal, channel ; duct.
canalisation *n.f.* pipe.
canaliser *v.* channel.
⚠ **canapé** *n.m.* sofa, settee ; *(Cuis.)* canapé.
canard *n.m.* duck ; *(fam.)* rag (journal) ; false report, hoax.
canarder *v.* snipe.
▷ **canari** *n.m.* canary [kə'nerɪ].
cancans *n.m.pl.* gossip.
▷ **cancer** *n.m.* cancer.
▷ **cancéreux** *adj.* cancerous.
cancérigène *adj.* carcinogenic [ˌkɑːsɪnə'dʒənɪk].
cancérologue *n.m.* cancerologist.
cancre *n.m.* dunce.
cancrelat *n.m.* cockroach.
candélabre *n.m.* candelabrum.
candeur *n.f.* ingenuousness.
⚠ **candidat** *n.m.* candidate ; applicant.
⚠ **candidature** *n.f.* candidature ; application.
⚠ **candide** *adj.* ingenuous, artless, guileless.
caneton *n.m.* duckling.
canevas *n.m.* canvas ; framework, groundwork.
caniche *n.m.* poodle.
canicule *n.f.* dog days.
canif *n.m.* pocket knife.
canin *adj.* canine ['keɪnaɪn].
canine *n.f.* canine tooth.
caniveau *n.m.* gutter.
canne *n.f.* stick, cane ; rod (pêche).
cannelle *n.f.* cinnamon.
▷ **cannibale** *n.m.* cannibal.
▷ **canoë** *n.m.* canoe [kə'nuː].
canon *n.m.* gun ; barrel (de fusil).
▷ **cañon** *n.m.* canyon.
canonnier *n.m.* gunner.
canonnière *n.f.* gunboat.
canot *n.m.* ding(h)y, boat.
canot pneumatique *n.m.* rubber dinghy.
canot de sauvetage *n.m.* lifeboat.
canotage *n.m.* boating, canoeing [kə'nuːɪŋ].
canoter *v.* go boating, rowing, canoeing.
cantatrice *n.f.* (opera) singer.
⚠ **cantine** *n.f.* canteen ; tin trunk.
cantique *n.m.* hymn ; canticle.
cantonner *v.* *(Mil.)* quarter, billet, station.
cantonner (se —) *v.* confine oneself.
cantonnier *n.m.* roadman, roadmender.
canular *n.m.* hoax.
caoutchouc *n.m.* rubber.
caoutchouc mousse *n.m.* foam rubber.
caoutchoucs *n.m. pl.* galoshes, overshoes.
caoutchouteux *adj.* rubbery.
⚠ **cap** *n.m.* cape, headland ; course.
▷ **capable** *adj.* able, capable, competent.
▷ **capacité** *n.f.* ability, capacity.
▷ **cape** *n.f.* cape, cloak.
capillaire *adj.* capillary, hair.
capitaine *n.m.* captain ; *(Naut.)* skipper.
⚠ **capital** *adj.* major ; fundamental, essential ; *(Jur.)* capital.
⚠ **capital** *n.m.* capital ; *(fig.)* asset.
capitale *n.f.* capital letter ; capital.
▷ **capitalisme** *n.m.* capitalism.
▷ **capitaliste** *n.m.* capitalist.
⚠ **capiteux** *adj.* heady.
capitonnage *n.m.* padding.
capitonner *v.* pad.
▷ **capitulation** *n.f.* capitulation, surrender.
capituler *v.* capitulate, surrender ; give in, yield.
caporal *n.m.* corporal.
capot *n.m.* bonnet, *(amér.)* hood.
capote *n.f.* *(Aut.)* hood ; *(Mil.)* great-coat.
capoter *v.* overturn ; *(Naut.)* capsize.
câpre *n.m.* caper.
▷ **caprice** *n.m.* whim, fancy, caprice.

▷ **capricieux** *adj.* whimsical, capricious.
⚠ **capsule** *n.f.* capsule ; cap (de bouteille) ; cap, primer (amorce).
capter *v.* harness ; pick up, tap ; win, capture.
captif *n.m.* captive, prisoner.
▷ **captiver** *v.* captivate, enthral(l).
▷ **captivité** *n.f.* captivity.
⚠ **capture** *n.f.* capture ; catch.
capturer *v.* capture, catch.
capuche *n.f.* hood.
capuchon *n.m.* hood, cowl ; top, cap.
caquet (rabattre le —) *loc.* take (somebody) down a peg or two.
caquetage *n.m.* cackle, cackling.
caqueter *v.* cackle ; gossip.
⚠ **car** *n.m.* coach ; van (de police...).
car *conj.* for, because.
carabine *n.f.* rifle ['raɪfəl].
caracoler *v.* prance.
▷ **caractère** *n.m.* character, nature.
⚠ **caractères** *n.m.pl.* type, print.
⚠ **caractériser** *v.* characterize, be characteristic of.
⚠ **caractéristique** *adj.* characteristic.
⚠ **carafe** *n.f.* carafe, decanter.
carambolage *n.m.* pile up.
⚠ **caramel** *n.m.* caramel ; toffee.
carapace *n.f.* shell.
▷ **caravane** *n.f.* caravan, *(amér.)* trailer.
⚠ **carbone** *n.m.* carbon ; carbon copy.
▷ **carbonique** *adj.* carbonic.
carbonique (neige —) *n.f.* dry ice.
carbonisé *adj.* charred.
carburant *n.m.* fuel [fjʊəl].
▷ **carburateur** *n.m.* carburettor.
▷ **carburation** *n.f.* carburation.
⚠ **carcasse** *n.f.* carcass ; shell, frame.
carcéral *adj.* prison.
cardiaque *adj.* cardiac ; heart (attaque).
▷ **cardinal** *adj. et n.m.* cardinal.
▷ **cardiologie** *n.f.* cardiology.
cardiologue *n.m.* cardiologist.
carême *n.m.* fast ; Lent.
carence *n.f.* deficiency ; incompetence.
▷ **caresse** *n.f.* caress ; stroke.
⚠ **caresser** *v.* caress, fondle ; stroke ; *(fig.)* entertain, toy with (espoir...).
cargaison *n.f.* cargo, freight ; load.
⚠ **cargo** *n.m.* cargoboat, freighter, tramp.
caricature *n.f.* caricature ; *(Polit.)* cartoon.
▷ **caricaturer** *v.* caricature.
▷ **caricaturiste** *n.m.* caricaturist ; cartoonist.
carie *n.f.* tooth decay.
carié *adj.* bad, decayed (dent).
⚠ **carillon** *n.m.* bells, carillon, chime(s) ; chiming clock.
carillonner *v.* ring, chime.
carlingue *n.f.* cabin.
▷ **carnage** *n.m.* carnage, slaughter.
carnassier *adj.* carnivorous, flesh-eating.
carnaval *n.m.* carnival.
carne *n.f.* tough meat.
carnet *n.m.* notebook ; book (de timbres, de chèques...).
carnet de commandes *n.m.* order book.
carnivore *adj.* carnivorous.
▷ **carotte** *n.f.* carrot.
▷ **carpe** *n.f.* carp.
⚠ **carpette** *n.f.* rug.
carquois *n.m.* quiver ['kwɪvə].
carré *adj.* square ; straightforward, downright.
carré *n.m.* square ; plot, patch (de jardin) ; *(Naut.)* wardroom.
carreau *n.m.* tile ; pane (de fenêtre) ; check (de tissu) ; diamond (cartes).
carreau (à —) *loc.* check(ed).
carrefour *n.m.* crossroads.
carrelage *n.m.* tiling, tiles.
carreler *v.* tile.
carrelet *n.m.* plaice (poisson) ; square net (pêche).
carreleur *n.m.* tiler.
carrément *adv.* straight out, bluntly.
carrer (se —) *v.* settle comfortably.
⚠ **carrière** *n.f.* career ; quarry.
carrosse *n.m.* coach.
carrosserie *n.f.* coachwork ; coach-building.
carrossier *n.m.* coachbuilder ; car designer.
carrure *n.f.* build.
cartable *n.m.* satchel, bag.
⚠ **carte** *n.f.* map ; *(Naut.)* chart ; card (à jouer) ; menu.
▷ **cartographie** *n.f.* cartography, map-making, mapping.
cartomancienne *n.f.* fortune-teller.
⚠ **carton** *n.m.* cardboard ; box ; sketch.
cartonné *adj.* hardback.
cartouche *n.f.* cartridge ; carton (cigarettes).
cartouchière *n.f.* cartridge belt.
cas *n.m.* case ; occurrence.
casanier *adj.* stay-at-home.
casaque (tourner —) *loc.* turn one's

coat.
cascade *n.f.* waterfall, cascade.
cascadeur *n.m.* stunt man.
⚠ **case** *n.f.* hut, cabin; compartment; square (de mots croisés); pigeonhole (pour courrier).
caser *v.* stow, put up; find a job for.
caser (se —) *v.* find a job; settle down, get married.
caserne *n.f.* barracks; station.
casier *n.m.* rack; compartment; pigeonhole; filing cabinet.
casier à bouteilles *n.m.* bottle rack.
casier judiciaire *n.m.* police record.
casque *n.m.* helmet; dryer (coiffeur); (head-) phones, headset.
casques bleus *n.m.pl.* U.N. peace-keeping forces.
casquer *v.* *(fam.)* fork out, cough up.
casquette *n.f.* cap.
cassant *adj.* brittle; short, curt, abrupt (ton).
casse *n.f.* breakages, damage.
casse *n.m.* *(fam.)* break-in.
casse (envoyer à la —) *loc.* scrap.
casse-croûte *n.m.* snack, bite.
casse-noisettes *n.m.* nutcrackers.
casse-noix *n.m.* nutcrackers.
casse-pieds *n.m.* *(fam.)* bore, pain (in the neck).
cassé *adj.* broken; cracked (voix).
casser *v.* break, crack; demote; *(Jur.)* quash.
casser (se —) *v.* break.
casserole *n.f.* saucepan.
casse-tête *n.m.* teaser, headache.
⚠ **cassette** *n.f.* casket; cassette (de bande).
cassis *n.m.* blackcurrant; bump (route).
cassure *n.f.* break, crack.
▷ **castagnettes** *n.f.pl.* castanets.
▷ **caste** *n.f.* caste [kɑːst].
⚠ **castor** *n.m.* beaver ['biːvə].
castrer *v.* castrate, geld; doctor.
▷ **cataclysme** *n.m.* cataclysm.
▷ **catacombes** *n.f.pl.* catacombs ['kætəkuːmz].
▷ **catalogue** *n.m.* catalogue.
cataloguer *v.* catalogue, list.
catalyse *n.f.* catalysis [kə'tælɪsɪs].
catalyseur *n.m.* catalyst.
cataphote *n.f.* reflector.
cataplasme *n.m.* poultice.
▷ **catastrophe** *n.f.* disaster, catastrophe.
▷ **catastrophique** *adj.* disastrous, catastrophic.
⚠ **catéchiser** *v.* catechize ['kætɪkaɪz]; *(fig.)* lecture.
▷ **catéchisme** *n.m.* catechism ['kætɪkɪzm].
▷ **catégorie** *n.f.* category; grade, class.
catégoriel *adj.* differential.
catégorique *adj.* categorical, dogmatic.
▷ **cathédrale** *n.f.* cathedral [kə'θiːdrəl].
▷ **catholicisme** *n.m.* Catholicism [kə'θɒlɪsɪzm].
▷ **catholique** *adj. et n.m.* Catholic.
catimini (en —) *loc.* on the sly, on the quiet; stealthily.
cauchemar *n.m.* nightmare ['naɪtmeə].
⚠ **cause** *n.f.* cause; *(Jur.)* case, lawsuit.
⚠ **causer** *v.* cause; talk, chat.
causerie *n.f.* talk.
causette *n.f.* chat.
causeur *adj.* talkative, chatty.
⚠ **caution** *n.f.* *(Jur.)* bail; guarantee, security; backing, support.
caution (sous —) *loc.* on bail.
cautionnement *n.m.* guarantee, security.
cautionner *v.* guarantee; support.
⚠ **cavalcade** *n.f.* cavalcade; pageant.
cavaler (se —) *v.* *(fam.)* clear off.
▷ **cavalerie** *n.f.* cavalry.
▷ **cavalier** *adj.* offhand, flippant, cavalier.
⚠ **cavalier** *n.m.* rider, horseman; partner (danse); knight (échecs).
cave *adj.* sunken (yeux); hollow (joues).
⚠ **cave** *n.f.* cellar; nightclub.
caveau *n.m.* vault; small cellar.
▷ **caverne** *n.f.* cave, cavern.
▷ **caverneux** *adj.* cavernous; hollow (voix).
▷ **caviar** *n.m.* caviar(e) ['kævɪɑː].
▷ **cavité** *n.f.* cavity.
ce *adj.* this, that.
ceci *pr.* this.
cécité *n.f.* blindness.
céder *v.* give up, give in; yield, give way; dispose of, sell.
cèdre *n.m.* cedar ['siːdə].
ceinture *n.f.* belt, sash; waist.
ceinturer *v.* grapple with; tackle; surround.
ceinturon *n.m.* belt.
cela *pr.* that.
célèbre *adj.* famous ['feɪməs].
célébrer *v.* celebrate, keep; extol (les mérites...).

▷ **célébrité** *n.f.* fame, celebrity.
▷ **céleri** *n.m.* celery.
célérité *n.f.* speed, swiftness.
céleste *adj.* celestial, heavenly.
célibat *n.m.* celibacy.
célibataire *adj.* single, unmarried.
célibataire *n.m.* bachelor.
célibataire *n.f.* unmarried (ou single) woman.
celles *pr.* those.
▷ **cellulaire** *adj.* cell, cellular.
cellule *n.f.* cell ; cartridge (électrophone).
cellulite *n.f.* cellulitis [seljʊ'laɪtɪs].
▷ **cellulose** *n.f.* cellulose.
celui *pr.* the one.
celui-ci *pr.* this one.
celui-là *pr.* that one.
cendre *n.f.* ash.
cendrée *n.f.* cinder track.
cendrier *n.m.* ashtray.
censé (être —) *loc.* be supposed.
⚠ **censeur** *n.m.* censor, critic ; fault-finder ; *(Ens.)* assistant head.
⚠ **censure** *n.f.* censorship ; censure.
⚠ **censurer** *v.* censor ; censure.
centaine *n.f.* hundred.
▷ **central** *adj.* central.
⚠ **central** *n.m.* exchange (téléphonique).
centrale électrique *n.f.* power station (*ou* plant).
centrale nucléaire *n.f.* nuclear power station.
▷ **centraliser** *v.* centralize.
▷ **centre** *n.m.* centre, *(amér.)* center.
centrer *v.* centre, *(amér.)* center.
centrifuge *adj.* centrifugal [ˌsen trɪ'fjʊːgəl].
centripète *adj.* centripetal [sen 'trɪpɪtl].
centuple *n.m.* a hundred times.
centuple (au —) *loc.* a hundredfold.
centupler *v.* increase a hundredfold.
cep *n.m.* stock.
cependant *conj.* however, yet, nevertheless.
▷ **céramique** *n.f.* ceramic ; ceramics.
cerceau *n.m.* hoop.
cercle *n.m.* circle ; hoop, band.
cercueil *n.m.* coffin, *(amér.)* casket.
▷ **céréales** *n.f.pl.* cereals.
cérébral *adj.* cerebral, mental.
▷ **cérémonie** *n.f.* ceremony.
▷ **cérémonieux** *adj.* formal, ceremonious.
cerf *n.m.* stag.
cerf-volant *n.m.* kite.
cerise *n.f.* cherry.
cerisier *n.m.* cherry (tree).
cerne *n.m.* ring, shadow.
cerner *v.* surround ; *(fig.)* define.
▷ **certain** *adj.* certain, sure.
certainement *adv.* certainly, of course ; most probably, most likely ; undoubtedly.
certes *adv.* of course, indeed.
certificat *n.m.* certificate ; diploma.
▷ **certifier** *v.* certify, guarantee.
▷ **certitude** *n.f.* certainty ; *(fam.)* certitude.
cerveau *n.m.* brain.
cervelle *n.f.* brain ; *(Cuis.)* brains.
ces *adj.* these, those.
▷ **césarienne** *n.f.* caesarian (section).
▷ **cessation** *n.f.* cessation ; suspension.
cesse (sans —) *adv.* continually, continuously.
cesser *v.* stop, cease.
cessez-le-feu *n.m.* ceasefire.
cessible *adj.* transferable.
▷ **cession** *n.f.* transfer, cession.
c'est-à-dire *conj.* that is (to say).
cet *voir* **ce.**
ceux *pr.* those (ones).
chacal *n.m.* jackal ['dʒækɔːl].
chacun *pr* each ; everyone, everybody.
▷ **chagrin** *n.m.* grief, sorrow, chagrin.
chagriner *v.* grieve, distress, chagrin ; upset.
chahut *n.m.* rag ; uproar.
chahuter *v.* rag, bait.
chahuteur *n.m.* rowdy ['raʊdɪ].
⚠ **chaîne** *n.f.* chain ; *(T.V.)* channel ; stereo (hifi).
chaînon *n.m.* link.
⚠ **chair** *n.f.* flesh.
⚠ **chaire** *n.f.* *(Rel.)* pulpit ; *(Ens.)* chair.
⚠ **chaise** *n.f.* chair.
chaise longue *n.f.* deckchair.
chaland *n.m.* barge.
châle *n.m.* shawl [ʃɔːl].
chaleur *n.f.* heat, warmth ; *(fig.)* fervour.
chaleureux *adj.* warm, cordial.
⚠ **challenge** *n.m.* contest, tournament.
chaloupe *n.f.* launch ; lifeboat (de sauvetage).
chalumeau *n.m.* blowlamp.
chalutier *n.m.* trawler.
chamailler (se —) *v.* squabble, bicker, wrangle.

chambardement *n.m.* upheaval.
chambarder *v.* turn upside down, upset.
chambouler *v.* turn everything topsyturvy.
⚠ **chambre** *n.f.* room; *(Polit.)* house; *(Comm. et Tech.)* chamber; *(Jur.)* court.
chambre à air *n.f.* tube.
chambre d'amis *n.f.* spare room.
chambre noire *n.f.* *(Phot.)* dark room.
chambrer *v.* bring to room temperature.
chameau *n.m.* camel.
chamois *adj.* fawn, buff.
champ *n.m.* field.
▷ **champagne** *n.m.* champagne [ʃæm 'peɪn].
champêtre *adj.* country, rural.
champignon *n.m.* mushroom; *(Méd.)* fungus; *(Aut.)* accelerator.
champignon atomique *n.m.* mushroom (cloud).
champignon vénéneux *n.m.* toadstool.
championnat *n.m.* championship.
⚠ **chance** *n.f.* luck; stroke of luck; good fortune.
chancelant *adj.* unsteady, staggering.
chanceler *v.* stagger, totter.
chanceux *adj.* lucky, fortunate.
chancre *n.m.* canker.
chandail *n.m.* jumper, sweater.
chandelier *n.m.* candlestick; candelabra.
chandelle *n.f.* candle.
change *n.m.* exchange.
changeant *adj.* fickle, moody.
changement *n.m.* change; alteration.
changer *v.* change; alter.
changer (se —) *v.* change.
chanoine *n.m.* canon.
chanson *n.f.* song.
⚠ **chant** *n.m.* song; singing; canto.
chantage *n.m.* blackmail.
chanter *v.* sing.
chanteur *n.m.* singer.
chanteur de charme *n.m.* crooner.
chantier *n.m.* (building) site; roadworks; yard (naval...).
chantonner *v.* hum.
chanvre *n.m.* hemp.
▷ **chaos** *n.m.* chaos ['keɪɒs].
chapardage *n.m.* petty theft, pinching, pilfering.
chaparder *v.* pinch, pilfer.
chapeau *n.m.* hat; *(Tech.)* cap.
chapelet *n.m.* beads.
▷ **chapelle** *n.f.* chapel.
chapelle ardente *n.f.* chapel of rest.
chapelure *n.f.* breadcrumbs.
chaperonner *v.* chaperon ['ʃæpə rəʊn].
chapiteau *n.m.* *(Arch.)* capital; big top (cirque).
chapitre *n.m.* chapter; subject, matter.
chapitrer *v.* lecture.
▷ **chaptaliser** *v.* chaptalize.
chaque *adj.* each, every.
⚠ **char** *n.m.* cart, waggon; *(Mil.)* tank; float (carnaval).
charabia *n.m.* gibberish, *(fam.)* gobbledygook.
⚠ **charade** *n.f.* riddle.
charbon *n.m.* coal; *(Tech.)* carbon.
charbon de bois *n.m.* charcoal.
charbonnier *n.m.* coalman.
charcuter *v.* hack; butcher.
charcuterie *n.f.* pork butcher's; cooked pork meats.
charcutier *n.m.* pork butcher.
chardon *n.m.* thistle ['θɪsəl].
chardonneret *n.m.* goldfinch.
⚠ **charge** *n.f.* load, burden; *(Tech.)* charge; responsibility.
chargé *adj.* loaded; coated (langue).
chargement *n.m.* loading; load.
⚠ **charger** *v.* load; charge (batterie); *(Mil.)* charge; entrust; charge.
charger (se —) *v.* see to, undertake.
charges *n.f.pl.* service charge; expenses.
charges sociales *n.f.pl.* social security contributions.
chariot *n.m.* waggon; trolley; carriage (de machine à écrire).
▷ **charitable** *adj.* charitable, kind, benevolent.
▷ **charité** *n.f.* charity, kindness, benevolence.
charité (par —) *loc.* out of charity.
charivari *n.m.* din, racket; hullabaloo.
▷ **charlatan** *n.m.* quack, charlatan.
charmant *adj.* charming, sweet.
⚠ **charme** *n.m.* charm; spell; *(Bot.)* hornbean.
charmé *adj.* delighted.
charmer *v.* charm, enchant, delight.
⚠ **charnel** *adj.* carnal.
charnier *n.m.* mass grave.
charnière *n.f.* hinge; *(Tech.)* joint; *(fig.)* turning point.
charnu *adj.* fleshy, plump.
charogne *n.f.* carrion; *(fig.)* scoundrel, bastard.

charpente *n.f.* frame (work) ; build.
charpenté (bien —) *loc.* well-built.
charpentier *n.m.* carpenter.
charretier *n.m.* carter.
charrette *n.f.* cart.
charrier *v.* cart, carry ; *(fam.)* be kidding.
charrue *n.f.* plough.
⚠ **charte** *n.f.* charter.
⚠ **charter** *n.m.* charter flight.
chasse *n.f.* hunting ; shooting ; chase, pursuit.
chasse à l'homme *n.f.* manhunt.
chasse aux sorcières *n.f.* witchhunt.
chasse d'eau *n.f.* flush.
chasse-neige *n.m.* snowplough.
chasse sous-marine *n.f.* underwater fishing.
châsse *n.f.* shrine [ʃraɪn].
chasser *v.* hunt, shoot ; chase away ; dispel.
chasseur *n.m.* hunter, huntsman ; *(Av.)* fighter ; messenger, page, *(amér.)* bellboy.
châssis *n.m.* frame ; *(Aut.)* chassis ; cold frame.
▷ **chasteté** *n.f.* chastity.
⚠ **chat** *n.m.* cat.
châtaigne *n.f.* chestnut.
châtaignier *n.m.* chestnut (tree).
châtain *adj.* (chestnut) brown.
château *n.m.* castle ; mansion, country seat.
château d'eau *n.m.* water tower.
château de sable *n.m.* sandcastle.
château fort *n.m.* stronghold.
châtier *v.* punish, castigate, chastise ; polish (style).
châtiment *n.m.* punishment.
chaton *n.m.* kitten ; *(Bot.)* catkin ; bezel (de pierre précieuse).
chatouiller *v.* tickle, rouse ; titillate.
chatouilleux *adj.* ticklish ; touchy.
chatoyer• *v.* shimmer, glisten.
châtrer *v.* castrate, geld ; doctor.
chatterton *n.m.* insulating tape.
chaud *adj.* warm ; hot ; *(fig.)* hearty, keen, enthusiastic.
chaudement *adv.* warmly, heartily.
chaudière *n.f.* boiler.
chaudron *n.m.* cauldron.
chauffage *n.m.* heating.
chauffage central *n.m.* central heating.
chauffante (couverture —) *n.f.* electric blanket.
chauffard *n.m.* reckless driver ; road hog.
chauffe-bain *n.m.* water-heater ; geyser ['gi:zə].
chauffer *v.* heat, warm ; heat up, warm up ; overheat.
chauffer (se —) *v.* warm oneself.
⚠ **chauffeur** *n.m.* driver ; chauffeur.
chaume *n.m.* thatch (toit) ; stubble (champ).
chaumière *n.f.* (thatched) cottage.
chaussée *n.f.* road (way) ; causeway.
chausse-pied *n.m.* shoehorn.
chausser (se —) *v.* put on shoes.
chaussette *n.f.* sock.
chausseur *n.m.* shoemaker.
chausson *n.m.* slipper ; bootee (bébé) ; *(Cuis.)* turnover.
chaussure *n.f.* shoe ; shoe industry.
chauve *adj.* bald [bɔ:ld].
chauve-souris *n.f.* bat.
chauvin *adj.* chauvinist (ic) ; jingoist.
▷ **chauviniste** *n.m.* chauvinist (ic), jingoist (ic).
chaux *n.f.* lime [laɪm].
chavirer *v.* capsize, overturn.
⚠ **chef** *n.m.* head, leader ; *(Cuis.)* chef.
chef de gare *n.m.* station master.
chef-d'œuvre *n.m.* masterpiece.
chef d'orchestre *n.m.* conductor.
chef de service *n.m.* department head.
chemin *n.m.* path, lane ; *(fig.)* way.
chemin de fer *n.m.* rail (way), *(amér.)* railroad.
⚠ **cheminée** *n.f.* fireplace ; chimney ; funnel (de bateau...) ; *(Tech.)* shaft.
cheminement *n.m.* progress, course.
cheminer *v.* walk along.
cheminot *n.m.* railwayman.
⚠ **chemise** *n.f.* shirt ; folder (de dossier).
chemise de nuit *n.f.* nightdress.
chemisette *n.f.* short-sleeved shirt.
chemisier *n.m.* blouse ; shirtmaker.
chenal *n.m.* channel.
chenapan *n.m.* scoundrel, rascal, rogue.
chêne *n.m.* oak ; oak (tree).
chenet *n.m.* firedog, andiron ['ændaɪən].
chenil *n.m.* kennels.
chenille *n.f.* caterpillar.
▷ **chèque** *n.m.* cheque, *(amér.)* check.
chéquier *n.m.* cheque book.
cher *adj.* dear ; dear, expensive.
chercher *v.* look for, seek.
chercheur *n.m.* researcher, research worker.
chercheur d'or *n.m.* gold digger.

chère (bonne —) *n.f.* good food.
chèrement *adv.* dearly.
chéri *adj.* beloved, dear.
chéri *n.m.* darling.
chérir *v.* cherish, love dearly.
cherté *n.f.* high cost.
chétif *adj.* puny, sickly.
cheval *n.m.* horse.
cheval (à —) *loc.* on horseback.
cheval-vapeur *n.m.* horsepower.
chevaleresque *adj.* chivalrous.
chevalerie *n.f.* chivalry, knighthood.
chevalet *n.m.* easel.
chevalier *n.m.* knight [naɪt].
chevalière *n.f.* signet ring.
chevalier servant *n.m.* escort.
chevaucher *v.* ride ; be astride, straddle ; overlap, span.
chevaucher (se —) *v.* overlap.
chevelu *adj.* long-haired.
chevelure *n.f.* hair.
chevet (lampe de —) *n.f.* bedside lamp.
cheveux *n.m.pl.* hair.
cheville *n.f.* *(Anat.)* ankle ; peg, pin ; plug.
chèvre *n.f.* goat ; saw-horse, trestle.
chevreau *n.m.* kid.
chèvrefeuille *n.m.* honeysuckle.
chevreuil *n.m.* roe (deer) ; *(Cuis.)* venison ['venɪsən].
chevrier *n.m.* goatherd.
⚠ **chevron** *n.m.* rafter ; chevron (motif).
chevrons (à —) *loc.* herringbone.
chevrotant *adj.* quavering, tremulous.
chez *prép.* at, to, among.
chialer *v.* *(fam.)* blubber, snivel.
⚠ **chic** *adj.* smart, chic ; *(fam.)* posh ; decent, nice.
⚠ **chic** *n.m.* style, stylishness, chic.
chicane *n.f.* obstacle, zigzag ; squabble.
chicaner *v.* quibble, squabble ; haggle.
chicaneur *n.m.* quibbler ; haggler.
chicanier *adj.* quibbling ; haggling.
chiche *adj.* mean, stingy, niggardly.
chiche ! *excl.* bet you !
chichement *adv.* meanly, stingily, scantily.
chicot *n.m.* stump.
chien *n.m.* dog ; hammer (de fusil).
chienchien *n.m.* lapdog, doggie.
chien-loup *n.m.* wolfhound.
chiffon *n.m.* rag.
chiffonner *v.* crumple, crease ; *(fig.)* worry.
⚠ **chiffonnier** *n.m.* ragman ; chiffonier (meuble).
chiffre *n.m.* figure, numeral ; digit ; total, sum ; code, cipher.
chiffre d'affaires *n.m.* turnover.
chiffrer *v.* put a figure to, assess ; code, cipher ; number.
chiffrer (se —) *v.* amount.
chignon *n.m.* bun, chignon.
▷ **chimère** *n.f.* fancy ; chimera [kaɪ'mɪərə].
chimérique *adj.* fanciful, chimerical [kaɪ'merɪkəl].
chimie *n.f.* chemistry ['kemɪstrɪ].
▷ **chimiothérapie** *n.f.* chemotherapy [ˌkeməʊ'θerəpɪ].
chimique *adj.* chemical ['kemɪkəl].
chimiques (produits —) *n.m.pl.* chemicals ['kemɪkəlz].
chimiste *n.m.* chemist ['kemɪst].
chiot *n.m.* pup (py).
chipie *n.f.* vixen ['vɪksən], catty woman.
chipoter *v.* haggle ; quibble.
chique *n.f.* quid, chew.
chiqué *n.m.* sham, pretence, eyewash, make-believe.
chiquenaude *n.f.* fillip, flick, flip.
chiquer *v.* chew (tobacco).
chirurgical *adj.* surgical.
chirurgie *n.f.* surgery.
chirurgie dentaire *n.f.* dental surgery.
chirurgie esthétique *n.f.* cosmetic (ou plastic) surgery.
chirurgien *n.m.* surgeon.
chirurgien-dentiste *n.m.* dental surgeon.
chiures de mouche *n.f.* fly specks.
chlore *n.m.* chlorine ['klɔːriːn].
chlorhydrique *adj.* hydrochloric.
▷ **chloroforme** *n.m.* chloroform.
▷ **chlorophylle** *n.f.* chlorophyll.
⚠ **choc** *n.m.* shock, impact ; crash ; clash.
▷ **chocolat** *n.m.* chocolate.
chœur *n.m.* choir ; *(Th.)* chorus ; *(Arch.)* choir, chancel.
chœur (en —) *loc.* in chorus.
choir *v.* fall.
choisi *adj.* chosen, selected.
choisir *v.* choose, select.
choix *n.m.* choice, selection.
choix (au —) *loc.* as you wish.
chômage *n.m.* unemployment.
chômage partiel *n.m.* short-time working.
chômage technique *n.m.* lay-off.
chômé (jour —) *loc.* public holiday.
chômeur *n.m.* unemployed person,

redundant worker.
chope *n.f.* tankard, mug.
choquer *v.* shock, offend ; shake, upset.
chorégraphe *n.m.* choreographer.
▷ **chorégraphie** *n.f.* choreography.
choriste *n.m.* *(Rel.)* choir member, chorister ; chorus member.
chose *n.f.* thing.
chou *n.m.* cabbage ; *(fig.)* darling.
chou à la crème *n.m.* cream puff.
chouchou *n.m.* (teacher's) pet.
chouchouter *v.* pet, fondle ; coddle.
choucroute *n.f.* sauerkraut.
chouette *adj.* *(fam.)* fine, great ; smashing.
chouette *n.f.* owl [aʊl].
chou-fleur *n.m.* cauliflower.
choyer *v.* cherish ; coddle, pamper.
chrétien *adj. et n.m.* Christian.
chrétienté *n.f.* Christendom.
christianisme *n.m.* Christianity.
chrome *n.m.* chromium.
chromé *adj.* chromium-plated.
▷ **chronique** *adj.* chronic.
⚠ **chronique** *n.f.* column, news ; *(Hist.)* chronicle ; *(T.V.)* review.
▷ **chronologie** *n.f.* chronology.
chronologique *adj.* chronological.
chronomètre *n.m.* stopwatch.
chronométrer *v.* time.
chronométreur *n.m.* timekeeper.
chrysalide *n.f.* chrysalis ['krɪsəlɪs].
▷ **chrysanthème** *n.m.* chrysanthemum.
chuchoter *v.* whisper, murmur.
chut ! *interj.* Sh !
⚠ **chute** *n.f.* fall ; scrap ; collapse.
chute d'eau *n.f.* waterfall.
chuter *v.* fall ; *(Th.)* flop.
ci-après *adv.* below, hereafter.
cible *n.f.* target ['tɑːgɪt].
cicatrice *n.f.* scar.
cicatriser *v.* heal [hiːl].
cicatriser (se —) *v.* heal (up).
ci-contre *adv.* opposite.
ci-dessus *adv.* above.
▷ **cidre** *n.m.* cider ['saɪdə].
ciel *n.m.* sky ; *(Rel.)* heaven.
cierge *n.m.* candle.
cigale *n.f.* cicada sɪ'kɑːdə].
▷ **cigare** *n.f.* cigar.
▷ **cigarette** *n.f.* cigarette [ˌsɪgə'ret].
ci-gît *loc.* here lies.
cigogne *n.f.* stork.
ciguë *n.f.* hemlock.
ci-inclus *adv.* enclosed.
ci-joint *adv.* enclosed.
cil *n.m.* (eye)lash ['aɪːlæʃ].
cime *n.f.* top ; peak, summit.
▷ **ciment** *n.m.* cement [sɪ'ment].
ciment armé *n.m.* reinforced concrete.
cimenter *v.* cement.
cimetière *n.m.* cemetery ; churchyard.
ciné *n.m.* *(fam.)* flicks ; pictures, movies.
cinéaste *n.m.* film-maker.
ciné-club *n.m.* film club.
▷ **cinéma** *n.m.* cinema, *(amér.)* movies ; picture house, *(amér.)* movie theater.
cinémathèque *n.f.* film archives ['ɑːkaɪvz].
cinétique *n.f.* kinetics.
cinglant *adj.* biting, cutting, bitter ; lashing (pluie) ; slashing (critique).
cinglé *adj.* *(fam.)* barmy, cracked.
cingler *v.* lash, sting ; *(Naut.)* scud ; make (for).
cintre *n.m.* coathanger ; *(Arch.)* arch.
cintré *adj.* arched ; fitted, fitting.
cirage *n.m.* polish.
▷ **circonférence** *n.f.* circumference.
circonscription *n.f.* district, area.
circonscription électorale *n.f.* constituency.
circonscrire *v.* define, delimit ; locate.
circonspect *adj.* cautious, wary ['weərɪ].
▷ **circonstance** *n.f.* circumstance ; occasion.
circonstances atténuantes *n.f.pl.* *(Jur.)* extenuating (ou mitigating) circumstances.
circonstancié *adj.* detailed.
circonvenir *v.* circumvent.
⚠ **circuit** *n.m.* tour, trip ; *(Tech.)* circuit.
circuit de distribution *n.m.* *(Comm.)* distribution network.
▷ **circulaire** *adj. et n.f.* circular.
⚠ **circulation** *n.f.* circulation ; *(Aut.)* traffic.
⚠ **circuler** *v.* drive ; walk along ; run ; flow, circulate.
circuler (faire —) *v.* move on ; read (nouvelles).
cire *n.f.* wax, polish.
ciré *n.m.* oilskin (s).
cirer *v.* wax, polish.
cireur *n.m.* bootblack ; polisher.
cireuse *n.f.* floor polisher.
⚠ **cirque** *n.m.* circus ; *(Géol.)* cirque.
cisailles *n.f.pl.* shears [ʃɪəz] ; wire cutters.
cisailler *v.* clip.

ciseau *n.m.* chisel.
ciseaux *n.m.pl.* scissors ['sɪzəz].
ciseler *v.* chisel, carve.
▷ **citadelle** *n.f.* citadel.
citadin *n.m.* townsman, citizen, city dweller.
⚠ **citation** *n.f.* quotation; *(Jur.)* summons, citation; *(Mil.)* mention.
cité *n.f.* town, city.
cité dortoir *n.f.* dormitory town.
cité ouvrière *n.f.* housing estate.
cité universitaire *n.f.* halls of residence.
citer *v.* quote; name; *(Jur.)* summons, cite.
citerne *n.f.* tank.
citoyen *n.m.* citizen.
citoyenneté *n.f.* citizenship.
citron *n.m.* lemon.
citron pressé *n.m.* lemon juice.
citron vert *n.m.* lime [laɪm].
citronnade *n.f.* lemon squash, lemonade.
citronnier *n.m.* lemon tree.
citrouille *n.f.* pumpkin.
civière *n.f.* stretcher.
⚠ **civil** *adj.* civil; civilian.
⚠ **civil** *n.m.* civilian.
civil (en —) *loc.* in plain clothes.
▷ **civilisation** *n.f.* civilization.
▷ **civiliser** *v.* civilize ['sɪvlaɪz].
▷ **civique** *adj.* civic.
civisme *n.m.* public spirit.
claie *n.f.* grid; riddle.
clair *adj.* light, bright; clear; thin; obvious.
clair de lune *n.m.* moonlight.
clairière *n.f.* clearing, glade.
clairon *n.m.* bugle ['bju:gəl].
claironner *v.* trumpet; shout from the rooftops.
clairsemé *adj.* sparse [spɑ:s]; scattered; thin.
clairvoyant *adj.* clear-sighted.
clamer *v.* proclaim.
▷ **clameur** *n.f.* clamour.
▷ **clandestin** *adj.* clandestine; underground.
clandestinité (dans la —) *loc.* in secret, underground.
clapet *n.m.* valve.
clapier *n.m.* hutch.
clapoter *v.* lap.
clapotis *n.m.* lap(ping).
claquage *n.m.* strained muscle.
claque *n.f.* slap.
claqué *adj.* *(fam.)* all-in, dead beat, dogtired.
claquement *n.m.* clapping; slam, bang; crack, smack.
claquer *v.* clap; slam, bang; crack; ring out; slap, snap; strain (un muscle).
▷ **clarifier** *v.* clarify.
clarifier (se —) *v.* become clearer.
clarté *n.f.* light(ness), brightness; clarity (de pensée).
classe *n.f.* class (cours); form; classroom.
classe touriste *n.f.* economy class.
classement *n.m.* classification; grading; place.
classer *v.* class, classify; sort out; file; grade; *(Jur.)* close.
classeur *n.m.* file, folder; filing cabinet.
▷ **classifier** *v.* classify.
▷ **classique** *adj.* classic(al); standard.
claustration *n.f.* confinement.
▷ **claustrophobie** *n.f.* claustrophobia.
clavecin *n.m.* harpsichord.
clavicule *n.f.* collarbone, clavicle.
clavier *n.m.* keyboard.
⚠ **clé** *n.f.* key; *(Mus.)* clef; *(Tech.)* spanner.
clé anglaise *n.f.* (monkey) wrench.
clé de contact *n.f.* ignition key.
clément *adj.* lenient; mild (temps).
clerc *n.m.* clerk [klɑ:k].
▷ **clergé** *n.m.* clergy.
⚠ **cliché** *n.m.* cliché; *(Phot.)* negative; *(Tech.)* plate.
⚠ **client** *n.m.* customer; guest, patron; *(Méd.)* patient; *(Jur.)* client.
clientèle *n.f.* customers; *(Méd.)* practice.
cligner *v.* blink (des yeux); wink (de l'œil).
clignotant *n.m.* *(Aut.)* indicator.
clignoter *v.* flash; flicker; blink.
▷ **climat** *n.m.* climate ['klaɪmɪt].
climatique *adj.* climatic [klaɪ'mætɪk].
climatisation *n.f.* air-conditioning.
climatisé *adj.* air-conditioned.
climatiseur *n.m.* air-conditioner.
clin d'œil *n.m.* wink.
clin d'œil (en un —) *loc.* in a flash, in the twinkling of an eye.
clinique *adj.* clinical.
clinique *n.f.* nursing home, clinic.
cliqueter *v.* clank; clink; chink; jingle.
cliquetis *n.m.* clanking; chink; chinking; jingling.
cloaque *n.m.* cesspool.
clochard *n.m.* tramp, *(amér.)* hobo.

cloche *n.m.* bell ; *(fam.)* clot, lout.
cloche-pied (à —) *loc.* hopping (along).
clocher *n.m.* steeple ; church tower.
clocher *v.* *(fam.)* go wrong, be amiss.
clochette *n.f.* (small) bell.
cloison *n.f.* partition ; *(Naut.)* bulkhead.
cloisonner *v.* partition (off).
cloîtrer (se —) *v.* shut oneself up.
clopin-clopant *loc.* hobbling along.
clopiner *v.* hobble ; limp ; stump along.
cloque *n.f.* blister.
clore *v.* close, end, conclude.
clôture *n.f.* fence ; enclosure.
clôturer *v.* enclose ; conclude, close.
clou *n.m.* nail ; *(Méd.)* boil ; highlight, high spot (du spectacle).
clouer *v.* nail (down), nail (up).
clous (à —) *loc.* studded (pneu) ; hobnailed (souliers).
clouté (passage —) *n.m.* zebra crossing.
coaguler (se —) *v.* coagulate ; curdle.
coaliser (se —) *v.* join forces, unite.
coasser *v.* croak.
co-associé *n.m.* copartner.
cobaye *n.m.* guinea pig.
cocagne (pays de —) *n.m.* land of plenty.
cocaïnomane *n.m.* cocaine addict.
cocasse *adj.* comical, funny, laughable.
coccinelle *n.f.* ladybird.
cocher *n.m.* coachman.
cocher *v.* tick off, mark off, check ; notch.
cochère (porte —) *n.f.* carriage entrance.
cochon *n.m.* pig, hog ; *(Cuis.)* pork ; *(fam.)* beast.
cochonner *v.* bungle, botch.
cochonnet *n.m.* jack.
⚠ **cocktail** *n.m.* cocktail ; coktail party.
cocon *n.m.* cocoon ; shell.
cocorico *interj.* cock-a-doodle-do.
cocotier *n.m.* coconut palm.
cocotte *n.f.* casserole ; hen ; folded paper hen ; tart (femme).
cocotte-minute *n.f.* pressure cooker.
⚠ **code** *n.m.* code ; *(Aut.)* dipped light.
code de la route *n.m.* highway code.
coder *v.* code.
codétenu *n.m.* fellow prisoner.
▷ **codifier** *v.* codify.
codirecteur *n.m.* codirector.
coéquipier *n.m.* team mate.
coercition *n.f.* coercion.
cœur *n.m.* heart ; core ; heart (cartes).
▷ **coexister** *v.* coexist.
coffre *n.m.* chest ; *(Aut.)* boot, *(amér.)* trunk.
coffrer *n.m.* *(fam.)* jug, put inside.
coffret *n.m.* casket.
cogestion *n.f.* co-management.
▷ **cogiter** *v.* cogitate.
cogner *v.* knock ; beat up ; thump.
cohabiter *v.* live together.
▷ **cohérence** *n.f.* coherence, consistency.
▷ **cohérent** *adj.* coherent, consistent.
cohéritier *n.m.* coheir [ˌkəʊˌeə].
cohue *n.f.* crowd ; press, throng ; mob.
coi (rester —) *loc.* remain silent ; be speechless.
▷ **coiffe** *n.f.* headdress, coif [kɔɪf].
coiffer *v.* cover ; do somebody's hair.
coiffer (se —) *v.* do one's hair ; put on a hat.
coiffeur *n.m.* hairdresser.
coiffeuse *n.f.* hairdresser ; dressing table.
coiffure *n.f.* hairstyle, hairdo ; hairdressing ; hat, headgear.
⚠ **coin** *n.m.* corner ; area ; wedge.
coincer *v.* jam, wedge ; *(fam.)* nab.
coincer (se —) *v.* jam, get jammed.
▷ **coïncider** *v.* coincide.
coing *n.m.* quince.
col *n.m.* collar ; neck ; *(Géog.)* pass.
coléoptère *n.m.* beetle.
colère *n.f.* anger, rage, passion.
coléreux *adj.* quick-tempered, irascible, irritable.
colibri *n.m.* hummingbird.
colifichet *n.m.* trinket, nicknack.
colimaçon (en —) *loc.* spiral (escalier).
colin maillard *n.m.* blind man's buff.
▷ **colique** *n.f.* colic.
colis *n.m.* parcel.
⚠ **collaborateur** *n.m.* collaborator ; contributor (d'une revue).
collaborer *v.* collaborate ; contribute.
collant *adj.* sticky ; skintight.
collants *n.m.pl.* tights.
collation *n.f.* light meal, snack.
colle *n.f.* glue ; paste (à tapisserie).
collecte *n.f.* collection.

▷ **collecter** *v.* collect.
collectif *adj.* collective ; group.
▷ **collection** *n.f.* collection ; series.
collectionner *v.* collect.
collectionneur *n.m.* collector.
collectivité *n.f.* group ; community.
collectivités locales *n.f.pl.* local communities.
⚠ **collège** *n.m.* *(Ens.)* secondary school ; body.
▷ **collègue** *n.m.* colleague ['kɒli:g].
coller *v.* stick (on) ; stick up ; stick down ; hang (tapisserie) ; *(Ens.)* plough, keep in.
⚠ **collier** *n.m.* necklace ; collar (de chien).
colline *n.f.* hill.
▷ **collision** *n.f.* collision, crash ; clash.
collision (entrer en —) *loc.* collide (with).
colmater *v.* fill in, plug.
co-locataire *n.m.* co-tenant.
colombe *n.f.* dove [dʌv].
⚠ **colon** *n.m.* settler ; boarder (en colonie).
▷ **côlon** *n.m.* *(Anat.)* colon.
▷ **colonie** *n.f.* colony.
colonie de vacances *n.f.* holiday camp.
coloniser *v.* colonize, settle.
colonne *n.f.* column, file ; pillar.
colorant *n.m.* colouring, dye.
▷ **coloration** *n.f.* colour(ing), dyeing, coloration.
coloré *adj.* ruddy, florid.
colorer *v.* colour.
coloris *n.m.* colour, shade.
▷ **colossal** *adj.* huge, colossal.
colosse *n.m.* colossus ; giant.
▷ **coma** *n.m.* *(Méd.)* coma ['kəʊmə].
combat *n.m.* fight(ing) ; match.
combattant (ancien —) *n.m.* veteran.
combattre *v.* fight ; combat.
combien *adv.* how ; how much, how many.
combinaison *n.f.* device, scheme ; slip (de femme) ; boiler suit (de mécanicien) ; *(Av.)* flying suit ; wetsuit (de plongée).
⚠ **combine** *n.f.* trick, scheme ; *(fam.)* fiddle.
combiné *n.m.* receiver.
combiner *v.* combine ; work out, devise, contrive.
comble *adj.* packed.
combler *v.* fill in ; fill ; *(Fin.)* make good ; fulfil, gratify (désirs...) ; shower (de cadeaux...).
combustible *n.m.* fuel [fjʊəl].
⚠ **comédie** *n.f.* comedy ; play-acting ; fuss.
comédie musicale *n.f.* musical (comedy).
⚠ **comédien** *n.m.* actor.
comédienne *n.f.* actress.
comestible *adj.* edible.
▷ **comète** *n.f.* comet.
comique *adj.* comical, funny ; *(Th.)* comic.
comique *n.m.* comedian ; comic.
comité *n.m.* committee ; board.
comité d'entreprise *n.m.* work's council.
comité directeur *n.m.* management committee.
commandant *n.m.* commander ; *(Mil.)* major ; *(Av.)* squadron leader ; *(Naut. Av.)* captain.
commande *n.f.* order.
⚠ **commandement** *n.m.* command, order ; *(Rel.)* commandment.
commander *v.* command ; *(Comm.)* order ; control, curb.
commandes *n.f.pl.* controls.
commanditer *v.* finance.
comme *conj.* like ; as ; since.
▷ **commémorer** *v.* commemorate.
commencement *n.m.* beginning, start.
commencer *v.* begin, start.
comment *adv.* how (?) ; pardon ? what ! why !
commentaire *n.m.* comment, remark ; commentary.
▷ **commentateur** *n.m.* commentator.
commenter *v.* comment on ; *(Radio, T.V.)* cover.
commérages *n.m.pl.* gossip.
commerçant *n.m.* shopkeeper, trader.
⚠ **commerce** *n.m.* trade, commerce ; business.
commercer *v.* trade.
commercialisation *n.f.* marketing.
commercialiser *v.* market.
commère *n.f.* gossip.
commettre *v.* commit, perpetrate.
commis-voyageur *n.m.* (commercial) traveller, salesman.
commissaire *n.m.* superintendent (de police) ; *(Sp.)* steward.
commissaire-priseur *n.m.* auctioneer [,ɔ:kʃə'nɪə].
commissariat *n.m.* police station.
⚠ **commission** *n.f.* commission, committee, board ; message ; er-

rand.
commissionnaire *n.m.* delivery boy; messenger.
commissions (faire des —) *loc.* do some shopping (ou errands).
commode *adj.* convenient, handy; easy (à vivre).
commode *n.f.* chest of drawers.
⚠ **commodité** *n.f.* convenience, facility.
⚠ **commotion** *n.f.* shock; *(Méd.)* concussion (cérébrale).
commotionné *adj.* shocked, shaken.
commuer *v.* commute.
commun *adj.* common; joint; communal.
commun des mortels *loc.* common run of people.
communautaire *adj.* community (esprit...).
communauté *n.f.* community; identity.
communément *adv.* commonly.
communiant *n.m.* communicant.
⚠ **communicatif** *adj.* communicative; infectious (rire).
communication *n.f.* communication; call.
communier *v.* receive communion; be united.
▷ **communiqué** *n.m.* communiqué; press release.
▷ **communiquer** *v.* communicate; pass on, convey, impart.
▷ **communisme** *n.m.* communism.
▷ **communiste** *n.m.* communist.
▷ **commutateur** *n.m.* switch, commutator.
▷ **compact** *adj.* dense, solid, compact.
compagne *n.f.* companion; friend.
compagnie *n.f.* company; gathering.
compagnon *n.m.* companion; craftsman.
compagnon de jeux *n.m.* playmate.
▷ **comparable** *adj.* comparable.
▷ **comparaison** *n.f.* comparison.
comparaître *v.* *(Jur.)* appear.
▷ **comparatif** *adj. et n.m.* comparative.
comparé *adj.* comparative.
▷ **comparer** *v.* compare, liken.
▷ **compartiment** *n.m.* compartment.
compartimenter *v.* partition.
⚠ **compas** *n.m.* compasses; *(Naut.)* compass.
▷ **compassion** *n.f.* compassion, pity.
▷ **compatible** *adj.* compatible.
compatir *v.* sympathize, feel for.
compatissant *adj.* sympathetic, compassionate.
compatriote *n.m.* fellow countryman.
⚠ **compensation** *n.f.* compensation; *(Fin.)* clearing.
compenser *v.* make up for, compensate for.
compère *n.m.* accomplice.
▷ **compétence** *n.f.* competence.
▷ **compétent** *adj.* competent, capable; *(Jur.)* competent.
compétitif *adj.* competitive.
⚠ **compétition** *n.f.* competition; *(Sp.)* event.
▷ **compiler** *v.* compile.
complainte *n.f.* lament..
complaire (se — à) *v.* take great pleasure in, delight in.
complaisance *n.f.* kindness; indulgence; complacency, (self-) satisfaction.
complaisant *adj.* kind; indulgent; complacent.
⚠ **complément** *n.m.* complement; remainder.
▷ **complet** *adj.* complete; full.
⚠ **complet** *n.m.* suit.
compléter *v.* complete; complement, supplement; make up.
▷ **complexe** *adj.* complex, complicated.
⚠ **complexe** *n.m.* complex; *(Psy.)* complex, *(fam.)* hangup.
complexé *adj.* hung-up, mixed-up.
complexité *n.f.* complexity, intricacy.
⚠ **complication** *n.f.* complexity; complication.
complice *adj.* conniving, knowing.
complice *n.m.* accomplice.
▷ **complicité** *n.f.* complicity; collusion.
▷ **compliment** *n.m.* compliment.
compliments *n.m.pl.* congratulations.
▷ **complimenter** *v.* congratulate, compliment.
compliqué *adj.* complicated, intricate.
▷ **compliquer** *v.* complicate.
complot *n.m.* plot.
comploter *v.* plot.
comportement *n.m.* behaviour; performance, behaviour (d'une voiture...).
comporter *v.* consist of, include.
comporter (se —) *v.* behave; *(Tech.)*

perform, behave.
composant *adj.* component, constituent.
composante *n.f.* component.
composé *adj.* compound; studied (visage).
composé *n.m.* compound.
⚠ **composer** *v.* compose; make up; *(Tech.)* set; *(Ens.)* sit; come to terms, compromise.
⚠ **compositeur** *n.m.* *(Mus.)* composer; *(Tech.)* compositor.
⚠ **composition** *n.f.* composition; *(Ens.)* test; *(Tech.)* type-setting, composition.
composter *v.* (date) stamp; punch.
compote *n.f.* stewed fruit.
compotier *n.m.* fruit dish, fruit bowl.
▷ **compréhensible** *adj.* comprehensible, understandable, easily understood.
compréhensif *adj.* understanding.
▷ **compréhension** *n.f.* understanding, comprehension.
comprendre *v.* understand, realize; consist of, comprise.
▷ **compresse** *n.f.* compress.
⚠ **compression** *n.f.* compression; reduction.
comprimé *n.m.* tablet.
comprimer *v.* compress; cut down, reduce.
compris *adj.* included; inclusive.
compris (tout —) *loc.* all-in.
compromettant *adj.* compromising.
compromettre *v.* compromise; jeopardize ['dʒepədaɪz].
compromettre (se —) *v.* commit oneself.
compromis *adj.* compromised; jeopardized.
compromis *n.m.* compromise ['kɒmprəmaɪz].
compromission *n.f.* compromise; deal.
comptabilité *n.f.* accountancy, accounting; accounts, books.
comptable *n.m.* accountant.
comptant (payer —) *loc.* pay cash.
compte *n.m.* count(ing); number; account.
comptes *n.m.pl.* accounts, books; account, explanation.
compter *v.* count, reckon; charge for; have; reckon, expect.
compte rendu *n.m.* account, report; review [rɪ'vjuː].
compter (sur) *v.* rely on, depend on.
compteur *n.m.* meter ['miːtə].
compteur de vitesse *n.m.* speedometer.
comptine *n.f.* nursery rhyme.
comptoir *n.m.* counter, bar.
compulser *v.* consult.
concasser *v.* crush, grind, pound.
▷ **concéder** *v.* grant; concede [kən'siːd].
concentré *adj.* concentrated; abstracted.
concentré *n.m.* concentrate.
▷ **concentrer** *v.* concentrate, focus.
concentrer (se —) *v.* concentrate, centre.
▷ **concerner** *v.* concern.
⚠ **concert** *n.m.* concert; entente (des grandes puissances...).
concerter (se —) *v.* consult.
⚠ **concession** *n.f.* concession; claim (minière).
concessionnaire *n.m.* agent, dealer.
concevoir *v.* conceive, devise, plan.
concierge *n.f.* caretaker, *(amér.)* janitor ['dʒænɪtə].
conciliabules *n.m.pl.* discussions; (private) confabs.
conciliant *adj.* conciliatory, conciliating.
concilier *v.* reconcile ['rekənsaɪl].
▷ **concis** *adj.* concise [kən'saɪs].
concitoyen *n.m.* fellow citizen.
concluant *adj.* conclusive.
conclure *v.* conclude.
conclusion *n.f.* conclusion; *(Jur.)* finding(s); verdict.
concocter *v.* devise, elaborate.
concombre *n.m.* cucumber.
⚠ **concordance** *n.f.* concordance; *(Gram.)* concord.
▷ **concorde** *n.f.* concord.
concorder *v.* agree, coincide.
concourir *v.* compete; conspire.
⚠ **concours** *n.m.* competition; *(Ens.)* competitive exam; aid, help.
concret *adj.* concrete.
concrètement *adv.* in concrete terms.
concrétiser *v.* put in concrete form.
concrétiser (se —) *v.* materialize.
concurremment *adv.* jointly, concurrently.
⚠ **concurrence** *n.f.* competition.
concurrencer *v.* compete with.
concurrent *n.m.* competitor; *(Ens.)* candidate.
condamnation *n.f.* condemnation, conviction; sentence.
condamné *adj.* sentenced.
condamner *v.* sentence; condemn;

fill in ; give up (malade).
condensateur *n.m.* condenser.
condensé *adj.* condensed (lait).
condensé *n.m.* digest [daɪ'dʒest].
▷**condenser** *v.* condense.
condescendant *adj.* condescending.
▷**condescendre** *v.* condescend, deign.
condisciple *n.m.* school fellow; fellow student.
▷**condition** *n.f.* condition ; station.
▷**conditions** *n.f.pl.* terms; conditions.
▷**conditionnel** *n.m.* conditional.
conditionné (air —) *n.m.* air-conditioning.
conditionné (réflexe —) *n.m.* conditioned reflex.
conditionnement *n.m.* packaging, conditioning.
▷**conditionner** *v.* package, condition.
▷**condoléances** *n.f.pl.* condolences ; sympathy.
conducteur *adj.* conducting.
⚠**conducteur** *n.m.* driver; operator, *(Elec.)* conductor.
conduire *v.* drive ; lead ; steer.
conduire (se —) *v.* behave.
⚠**conduit** *n.m.* pipe, conduit; *(Anat.)* duct, canal.
⚠**conduite** *n.f.* driving; behaviour; management ; *(Tech.)* pipe.
⚠**confection** *n.m.* making; clothing industry.
confectionner *v.* make ; prepare.
⚠**conférence** *n.f.* lecture; conference.
conférence de presse *n.f.* press conference.
conférencier *n.m.* lecturer.
conférer *v.* confer, grant, bestow.
▷**confesser** *v.* confess ; own.
confesser (se —) *v.* go to confession.
▷**confesseur** *n.m.* confessor.
⚠**confession** *n.f.* confession ; *(Rel.)* denomination (culte).
confessionnel *adj.* denominational.
confiance *n.f.* confidence, trust.
confiant *adj.* confident, trustful.
▷**confident** *n.m.* confidant.
▷**confidente** *n.f.* confidante.
▷**confidentiel** *adj.* confidential, private.
confier *v.* entrust, confide.
confier (se —) *v.* confide (in).
confins *n.m.pl.* borders.
▷**confirmer** *v.* confirm.
confiserie *n.f.* confectioner's; sweet shop ; confectionery, sweets.
confisquer *v.* seize, confiscate.
confit *adj.* crystallized, candied.
confiture *n.f.* jam ; marmalade.
conflit *n.m.* conflict ; clash.
confondre *v.* confuse, mix up; baffle, confound.
confondre (se —) *v.* blend, merge.
confondu *adj.* speechless, dumbfounded.
conformément à *adv.* in accordance with.
conformer (se —) *v.* conform.
▷**conformité** *n.f.* conformity; similarity ; agreement.
▷**confort** *n.m.* comfort.
confort (tout—) *loc.* with all mod. cons.
confrère *n.m.* colleague, fellow member.
confronté à *loc.* confronted by (ou with), facing.
⚠**confronter** *v.* confront ; compare.
confus *adj.* confused ; embarrassed.
⚠**confusion** *n.f.* confusion ; embarrassment.
congé *n.m.* holiday; leave; notice (renvoi).
congé de maladie *n.m.* sick leave.
congés payés *n.m.pl.* holidays with pay.
congédier *v.* dismiss.
congélateur *n.m.* deep freeze, freezer.
congeler *v.* freeze.
congeler (se —) *v.* freeze.
congère *n.f.* snowdrift.
congestion cérébrale *n.f.* stroke.
▷**congrès** *n.m.* congress.
▷**conjecture** *n.f.* conjecture, speculation.
▷**conjecturer** *v.* conjecture.
conjoint *n.m* spouse.
conjointement *adv.* jointly.
conjonctif *adj.* connective.
conjoncture *n.f.* circumstances.
⚠**conjugaison** *n.f.* conjugation; union.
▷**conjugal** *adj.* conjugal, married.
⚠**conjuguer** *v.* conjugate; combine, unite.
conjuration *n.f.* conspiracy.
conjurer *v.* ward off, avert; entreat, beg.
connaissance *n.f.* knowledge; acquaintance; consciousness, senses.
connaissance (à ma —) *loc.* to my knowledge.
connaisseur *n.m.* connoisseur [,kɒnə'sɜː] ; expert.

connaître *v.* know, be aware of, be acquainted with; experience; enjoy.
▷ **connecter** *v.* connect.
connexe *adj.* (closely) related.
▷ **connexion** *n.f.* connection, link.
connu *adj.* well-known.
conquérant *n.m.* conqueror.
conquérir *v.* conquer, win.
▷ **conquête** *n.f.* conquest.
consacrer *v.* consecrate, devote; sanction, establish.
consacrer (se —) *v.* devote oneself.
⚠ **conscience** *n.f.* conscience; consciousness.
▷ **consciencieux** *adj.* conscientious.
conscient *adj.* conscious, aware.
conscrit *n.m.* conscript.
▷ **consécutif** *adj.* following, running, consecutive.
conseil *n.m.* (piece of) advice; council; consultant (expert).
conseiller *n.m.* adviser, counsellor.
conseiller municipal *n.m.* town councillor.
conseiller matrimonial *n.m.* marriage guidance counsellor.
conseilleur *n.m.* adviser.
consentement *n.m.* consent, agreement.
consentir *v.* consent, agree.
▷ **conséquence** *n.f.* consequence, outcome.
conservateur *adj.* conservative.
conservateur *n.m.* *(Polit.)* conservative; curator (musée) [kjuˈreɪtə].
conservation *n.f.* preserving; preservation; keeping.
conservatoire *n.m.* academy.
conserver *v.* keep, retain; preserve.
conserves *n.f.pl.* canned (ou tinned) food.
▷ **considérable** *adj.* considerable, extensive.
⚠ **considération** *n.f.* consideration; esteem.
considéré *adj.* respected.
▷ **considérer** *v.* consider; study.
consigne *n.f.* left luggage office; *(Comm.)* deposit; *(Ens.)* detention; orders; *(Mil.)* confinement to barracks.
consigne automatique *n.f.* left luggage locker.
consigné *adj.* returnable (bouteille...).
consigner *v.* record; *(Comm.)* put a deposit on; *(Ens.)* put in detention; *(Mil.)* confine to barracks.
⚠ **consistant** *adj.* thick, solid.
consister en *v.* consist (in).
▷ **consolation** *n.f.* consolation; comfort.
▷ **consoler** *v.* console; comfort.
consoler (se —) *v.* find consolation.
consolider *v.* strengthen; consolidate.
consommateur *n.m.* consumer; customer (dans un café).
⚠ **consommation** *n.f.* consumption; drink; *(Jur.)* consummation.
consommation (société de —) *n.f.* consumer society.
consommer *v.* eat; drink; consume; use.
consonne *n.f.* consonant.
▷ **conspirateur** *n.m.* conspirator, plotter.
conspiration *n.f.* conspiracy.
▷ **conspirer** *v.* conspire, plot.
conspuer *v.* *(Th.)* boo; hoot, shout down.
constamment *adv.* constantly.
constance *n.f.* constancy.
▷ **constant** *adj.* constant; steadfast (fidèle).
constat *n.m.* (certified) report.
constater *v.* note, notice; certify.
▷ **consternation** *n.f.* consternation; dismay.
consterné *adj.* dismayed.
constipé *adj.* constipated; *(fig.)* stiff, strained.
constituer *v.* form, set up; constitute.
⚠ **constitution** *n.f.* constitution; setting-up.
constructeur *n.m.* manufacturer, builder.
▷ **construction** *n.m.* construction, building.
construire *v.* build, construct.
▷ **consulat** *n.m.* consulate.
▷ **consultation** *n.f.* consultation, consulting.
consultation (heures de —) *loc.* *(Méd.)* surgery hours.
⚠ **consulter** *v.* consult; *(Méd.)* hold surgery.
consulter (se —) *v.* confer.
▷ **contact** *n.m.* contact, touch.
▷ **contacter** *v.* contact, get in touch with.
▷ **contagieux** *adj.* catching (maladie...); infectious (rire, maladie); contagious.
▷ **contaminer** *v.* contaminate.
conte de fées *n.m.* fairy tale.
▷ **contempler** *v.* contemplate, gaze at.

contemporain *adj. et n.m.* contemporary.
⚠ **contenance** *n.f.* content, capacity ; countenance, bearing.
contenir *v.* contain ; hold.
contenir (se —) *v.* control oneself.
⚠ **content** *adj.* pleased, glad.
contentement *n.m.* satisfaction.
contenter *v.* satisfy, please.
contenter (se —) *v.* content oneself (with).
contenu *n.m.* contents ; content.
conter *v.* recount, relate, tell.
contestable *adj.* questionable, doubtful.
contestataire *adj.* anti-establishment.
contestataire *n.m.* protester.
⚠ **contestation** *n.f.* contesting, questioning; *(Polit.)* protest, anti-establishment activity.
conteste (sans —) *loc.* indisputably, unquestionably.
contester *v.* contest, question ; *(Polit.)* protest.
conteur *n.m.* storyteller ; storywriter.
▷ **contexte** *n.m.* context.
contigu *adj.* adjacent, adjoining, contiguous.
⚠ **contingent** *n.m.* contingent ; *(Comm.)* quota.
contingenter *v.* fix quotas for.
continu *adj.* continuous, endless.
continu (courant —) *n.m.* direct current.
continuel *adj.* continuous ; constant.
continuer *v.* continue, go on, keep (on).
▷ **continuité** *n.f.* continuation ; continuity.
contondant *adj.* blunt.
▷ **contorsion** *n.f.* contortion.
▷ **contour** *n.m.* oultine, contour.
contourner *v.* bypass ; walk round.
▷ **contraceptif** *adj. et n.m.* contraceptive.
contracté *adj.* tense, contracted.
▷ **contracter** *v.* tense, contract ; take out (une assurance...) ; *(Méd.)* catch, contract.
contracter (se —) *v.* contract.
contractuel *n.m.* contract employee ; traffic warden.
▷ **contradiction** *n.f.* contradiction ; debate.
contradictoire *adj.* contradictory ; conflicting.
contraindre *v.* compel, force.
contraint *adj.* constrained, forced.
▷ **contrainte** *n.f.* constraint.
contrainte (sans —) *loc.* freely, unrestrainedly.
contraire *adj.* opposite, contrary.
contraire *n.m.* opposite, reverse.
contraire (au —) *loc.* on the contrary.
contrarié *adj.* annoyed, vexed.
contrarier *v.* annoy, vex ; thwart (des désirs...).
contrariété *n.f.* annoyance, vexation.
▷ **contraste** *n.m.* contrast.
▷ **contraster** *v.* contrast.
▷ **contrat** *n.m.* contract, agreement.
⚠ **contravention** *n.f.* contravention ; fine ; (parking) ticket.
contre *prép.* against, for.
contrebalancer *v.* counterbalance ; offset, make up for.
contrebande *n.f.* smuggling ; smuggled goods.
contrebande (passer en —) *loc.* smuggle.
contrebandier *n.m.* smuggler.
contrebas (en —) *loc.* below.
contrecarrer *v.* thwart, cross, oppose.
contrecœur (à —) *loc.* reluctantly, grudgingly.
contrecoup *n.m.* repercussion (s).
contre-courant (à — de) *loc.* counter to.
contredire *v.* contradict.
contredit (sans —) *loc.* unquestionably, indisputably.
contrée *n.f.* land ; region, country.
contre-expertise *n.f.* second assessment, counter-valuation.
contrefaçon *n.f.* forgery.
contrefaire *v.* counterfeit, forge ; mimic, disguise, feign, sham.
contreforts *n.m.pl.* foothills.
contre-indiqué *adj.* unadvisable, inadvisable.
contremaître *n.m.* foreman.
contre-manifestation *n.f.* counter-demonstration.
contremarque *n.f.* pass-out ticket (ou check).
contre-offensive *n.f.* counter-offensive.
contrepartie *n.f.* compensation.
contrepartie (en —) *loc.* in return.
contre-performance *n.f.* below-average performance.
contrepèterie *n.f.* spoonerism.
contre-plaqué *n.m.* plywood.
contrepoids *n.m.* counterweight.

contrepoint *n.m.* counterpoint.
contrepoison *n.m.* antidote, counterpoison.
contrer *v.* counter.
contresens *n.m.* misinterpretation; nonsense.
contresens (à —) *loc.* the wrong way.
contresigner *v.* countersign.
contretemps *n.m.* hitch, mishap, inconvenience.
contre-terrorisme *n.m.* counter-terrorism.
contre-torpilleur *n.m.* destroyer.
contrevenant *n.m.* offender.
contribuable *n.m.* taxpayer.
contribuer *v.* contribute; conduce, be instrumental (in).
contrôle *n.m.* check (ing); control; monitoring, supervision.
contrôle d'identité *n.m.* identity check.
contrôle des naissances *n.m.* birth control.
contrôler *v.* check; control; monitor, supervise.
contrôler (se —) *v.* control oneself.
contrôleur *n.m.* *(Rail)* inspector; conductor (autobus); *(Av.)* controller.
controverse *n.f.* controversy.
controversé *adj.* much debated.
contusion *n.f.* bruise.
convaincre *v.* convince, persuade.
▷ **convalescence** *n.f.* convalescence.
convalescence (maison de —) *n.f.* convalescent home.
convenable *adj.* decent; proper; adequate.
convenance (à votre —) *loc.* at your convenience, to your liking.
⚠ **convenances** *n.f.pl.* proprieties [prə'praɪətɪz].
⚠ **convenir** *v.* be suitable, suit; admit.
▷ **convention** *n.f.* convention; agreement.
convention collective *n.f.* collective agreement.
conventions *n.f.pl.* social conventions.
convenu *adj.* agreed.
▷ **conversation** *n.f.* conversation; chat, talk.
▷ **converser** *v.* converse.
⚠ **conversion** *n.f.* conversion; *(Ski)* kick turn.
converti *n.m.* convert.
⚠ **convertir** *v.* convert; win over; bring (a)round (to).
convertir (se —) *v.* be converted.
convier *v.* invite; urge.
convive *n.m.* guest.
▷ **convocation** *n.f.* summoning; convocation, convening; notification; *(Jur.)* summons.
⚠ **convoi** *n.m.* convoy; train.
convoi funèbre *n.m.* funeral procession.
convoiter *v.* covet; lust after.
convoitise *n.f.* covetousness; lust, covetous desire.
▷ **convoquer** *v.* summon, convoke, convene.
▷ **coopératif** *adj.* cooperative.
▷ **coopérer** *v.* cooperate.
▷ **coordonner** *v.* coordinate.
copain *n.m.* mate, pal.
copeau *n.m.* shaving.
⚠ **copie** *n.f.* copy (ing); *(Ens.)* paper, exercise.
⚠ **copier** *v.* copy; *(Ens.)* crib.
copieux *adj.* copious, hearty, square.
▷ **coproduction** *n.f.* coproduction, joint production.
copropriétaire *n.m.* coproprietor, joint owner.
copropriété *n.f.* co-ownership, joint ownership.
coq *n.m.* cock, rooster.
coque *n.f.* shell; *(Naut.)* hull.
coque (à la —) *loc.* boiled (œuf).
coquelicot *n.m.* poppy.
coqueluche *n.f.* whooping-cough; *(fig.)* darling.
coquet *adj.* flirtatious; pretty, handsome (somme); natty; trim (jardin...).
coquetier *n.m.* eggcup.
▷ **coquetterie** *n.f.* coquetry.
coquillage *n.m.* shell; shellfish.
coquille *n.f.* shell; *(Tech.)* misprint.
coquille de noix *n.f.* nutshell.
coquille Saint-Jacques *n.f.* scallop.
coquin *adj.* mischievous, roguish.
coquin *n.m.* rascal, scoundrel.
cor *n.m.* *(Mus.)* horn; corn (au pied).
corail *n.m.* coral.
corbeau *n.m.* crow; raven (gros).
corbeille *n.f.* basket; *(Fin.)* stockbrokers' central enclosure.
corbeille à pain *n.f.* breadbasket.
corbeille à papier *n.f.* waste paper basket.
corbillard *n.m.* hearse [hɜːs].
cordage *n.m.* rope.
cordages *n.m.pl.* *(Naut.)* rigging.
corde *n.f.* rope, string; *(Sp.)* ropes

(boxe) ; rails (courses).
cordée *n.f.* rope ; roped party.
▷**cordialité** *n.f.* warmth, cordiality, heartiness.
cordon *n.m.* cord, string.
cordon de police *n.m.* police cordon.
cordonnier *n.m.* shoe repairer, cobbler.
coriace *adj.* tough.
corne *n.f.* horn ; antler (de cerf).
corneille *n.f.* crow.
cornemuse *n.f.* bagpipes.
corner *v.* blare out ; make dog-eared (livre...).
cornet *n.m.* cone ; cornet, cone (de glace).
corniaud *n.m.* mongrel ; *(fam.)* clot, nitwit.
▷**corniche** *n.f.* cornice.
cornichon *n.m.* gherkin ['gɜːkɪn].
cornu *adj.* horned.
cornue *n.f.* retort rɪ'tɔːt].
▷**corolle** *n.f.* corolla.
▷**coronaire** *adj.* coronary.
corporation *n.f.* corporate body ; *(Hist.)* guild.
▷**corporel** *adj.* bodily ; corporal (châtiment).
⚠ **corps** *n.m.* body ; (dead) body.
corps diplomatique *n.m.* diplomatic corps [kɔː].
corps électoral *n.m.* electorate.
corps enseignant *n.m.* teaching profession.
▷**corpulent** *adj.* stout, corpulent, fat ; *(péj.)* portly.
correct *adj.* correct, accurate ; adequate.
correcteur *n.m.* *(Ens.)* examiner ; *(Tech.)* (proof) reader.
⚠ **correction** *n.f.* correction, marking ; correctness ; emendation, correction ; beating, thrashing ; *(Tech.)* (proof)reading.
correctionnelle *n.f.* criminal court.
⚠ **correspondance** *n.f.* correspondence ; connection.
▷**correspondant** *n.m.* correspondent.
correspondre *v.* correspond ; communicate.
corrida *n.f.* bullfight.
corridor *n.m.* corridor, passage.
corrigé *n.m.* *(Ens.)* correct version, fair copy.
corriger *v.* *(Ens.)* correct, mark ; emend ; correct, put right ; beat, thrash ; cure.
corriger (se —) *v.* mend one's ways.
▷**corroder** *v.* corrode.
corrompre *v.* bribe ; corrupt.
corrompre (se —) *v.* become corrupt ; become tainted.
corrompu *adj.* corrupt, tainted.
▷**corrosif** *adj.* corrosive, caustic.
corsage *n.m.* bodice (de robe) ; blouse [blaʊz].
▷**corsaire** *n.m.* pirate, corsair ; *(Naut.)* privateer [ˌpraɪvə'tɪə], corsair.
corsé *adj.* full-bodied ; vigorous ; spicy ; broad (histoire).
cortège *n.m.* procession ; pageant (historique).
corvée *n.f.* chore, drudgery ; *(Mil.)* fatigue (duty).
▷**cosmonaute** *n.m.* cosmonaut.
cosmopolite *adj.* cosmopolitan.
cossard *adj.* lazy.
cossard *n.m.* lazy boy, lazybones.
cosse *n.f.* pod, hull.
cosse (avoir la —) *loc.* *(fam.)* feel lazy.
cossu *adj.* well-to-do.
costaud *adj.* strong, sturdy.
⚠ **costume** *n.m.* suit ; *(Th.)* costume.
costumé *adj.* dressed up.
costumer (se —) *v.* dress up.
cote *n.f.* quotation ; quoted value ; rating ; *(Géog.)* spot height ; mark ; betting (courses).
côte *n.f.* coast (line) ; slope, hill ; *(Anat.)* rib ; ribbing (d'un tissu).
côté *n.m.* side ; direction, way.
coteau *n.m.* hillside, slope.
côtelé (velours —) *n.m.* corduroy.
côtelette *n.f.* chop ; cutlet.
coter *v.* quote [kwəʊt].
côtier *adj.* coastal.
cotisation *n.f.* subscription, fee, dues ; contributions (pension).
cotiser *v.* subscribe ; pay contributions.
cotiser (se —) *v.* club together.
▷**coton** *n.m.* cotton.
coton hydrophile *n.m.* cotton wool.
cotonnade *n.f.* cotton fabric.
côtoyer *v.* border on ; skirt ; mix with, rub shoulders with.
cou *n.m.* neck.
⚠ **couche** *n.f.* layer, stratum ; coat (peinture) ; nappy, napkin, *(amér.)* diaper (de bébé).
⚠ **couches** *n.f.pl.* confinement.
couché *adj.* lying.
coucher *v.* put to bed ; sleep.
coucher (se —) *v.* go to bed ; lie down ; set (soleil).
couchette *n.f.* berth, bunk.

coucheur (mauvais —) *loc.* awkward customer.
coucou *n.m.* cuckoo ; cuckoo clock.
coude *n.m.* elbow ; bend (de la route...).
cou-de-pied *n.m.* instep.
couder *v.* bend.
coudre *v.* sew, sew on, sew up.
couenne *n.f.* rind [raɪnd].
couette *n.f.* featherbed.
couiner *v.* squeak.
coulant *adj.* slip (nœud) ; runny (fromage) ; easy-going (personne).
coulée *n.f.* flow.
couler *v.* flow, run ; *(Naut.)* sink.
couleur *n.f.* colour ; suit (cartes).
couleuvre *n.f.* grass snake.
coulisses *n.f.pl.* *(Th.)* wings.
coulisses (dans les —) *loc.* behind the scenes.
coulisser *v.* slide, run.
couloir *n.m.* corridor, passage ; *(Sp.)* lane.
couloir de navigation *n.m.* shipping lane.
coup *n.m.* knock ; blow, shock ; shot (de feu) ; stroke, chime ; move (échecs).
coup de coude *n.m.* nudge.
coupable *adj.* guilty.
coupable *n.m.* culprit ; *(Jur.)* guilty party.
coupe *n.f.* dish ; cup ; cut (cheveux) ; (cross-) section ; cut (ting) (cartes).
coupe-circuit *n.m.* cutout ; fuse.
coupe-papier *n.m.* paper knife.
couper *v.* cut ; cut out ; take away ; reduce, take down ; blend, dilute ; take a short cut ; cut, trump (cartes).
couper (se —) *v.* cut oneself ; give oneself away, contradict oneself.
couperet *n.m.* chopper ; blade.
couperosé *adj.* blotchy.
couple *n.m.* couple, pair.
coupler *v.* couple.
couplet *n.m.* verse.
coupole *n.f.* dome ; cupola.
⚠ **coupon** *n.m.* coupon ; remnant (de tissu).
coupure *n.f.* cut ; break ; cutting (de journal) ; note (argent).
coupure de courant *n.f.* power cut.
cour *n.f.* yard ; backyard ; *(Ens.)* playground ; *(Jur.)* court.
▷ **cour martiale** *n.f.* court-martial.
▷ **courage** *n.m.* courage, bravery, spirit.
▷ **courageux** *adj.* courageous, brave ; gallant.
couramment *adv.* fluently ; commonly.
courant *adj.* common ; standard ; current ; everyday.
courant *n.m.* current ; movement, trend ; course.
courant d'air *n.m.* draught [drɑːft].
courant électrique *n.m.* current, power.
courbatu *adj.* aching, sore, stiff all over.
courbature *n.f.* ache.
courbe *adj.* curved.
courbe *n.f.* curve.
courber *v.* bend ; bow [baʊ].
courber (se —) *v.* bend (down) ; curve.
courbettes (faire des —) *loc.* bow and scrape.
coureur *n.m.* runner ; cyclist ; driver ; *(fam.)* womanizer.
courge *n.f.* pumpkin.
courgette *n.f.* marrow.
courir *v.* run ; rush ; spread ; face (danger) ; run (risque) ; *(Sp.)* compete in.
couronne *n.f.* crown ; wreath (de fleurs) ; crown (dentaire).
couronnement *n.m.* crowning ; coronation ; crowning achievement, consummation, climax.
couronner *v.* crown [kraʊn].
courrier *n.m.* mail, post ; letters ; column, page (d'un journal).
courroie *n.f.* strap ; *(Tech.)* belt.
courroucé *adj.* wrathful, incensed.
courroux *n.m.* wrath.
cours *n.m.* lesson, class ; course ; flow ; currency ; rate, price.
cours d'eau *n.m.* watercourse, stream.
⚠ **course** *n.f.* running ; *(Sp.)* race ; course ; walk, outing, trip ; errand.
court *adj.* short, brief.
court-circuit *n.m.* short (-circuit).
⚠ **courtier** *n.m.* broker.
courtiser *v.* court ; woo.
courtois *adj.* courteous.
courtoisie *n.f.* courteousness, courtesy.
couru *adj.* popular.
⚠ **cousin** *n.m.* cousin ; gnat, midge.
coussin *n.m.* cushion ['kʊʃn].
coussinet *n.m.* small cushion ; *(Tech.)* bearing.
coût *n.m.* cost.
coûtant (à prix —) *loc.* at cost price.
couteau *n.m.* knife [naɪf].
coutellerie *n.f.* cutlery ; cutlery shop.

coûter *v.* cost.
coûteux *adj.* expensive, costly.
coutume *n.f.* custom.
couture *n.f.* sewing, needlework; dressmaking; seam.
couturier *n.m.* fashion designer.
couturière *n.f.* dressmaker.
couvée *n.f.* brood, clutch.
couvent *n.m.* convent; monastery.
couver *v.* brood; hatch; smoulder (feu); *(fig.)* brew.
couvercle *n.m.* lid; top, cap.
couvert *adj.* overcast (ciel).
couvert *n.m.* place; place setting.
couverts *n.m.pl.* place settings; cutlery.
couverture *n.f.* blanket; cover; *(Tech.)* roofing.
couveuse *n.f.* brooder; *(Méd.)* incubator.
couvre-feu *n.m.* curfew.
couvre-lit *n.m.* bedspread, coverlet.
couvreur *n.m.* roofer.
couvrir *v.* cover; drown (un son).
couvrir (se —) *v.* cloud over; wrap up; put on one's hat ; cover (assurances).
▷ **crabe** *n.m.* crab.
crachat *n.m.* spit, spittle.
cracher *v.* spit; spit out; belch out.
crachoir *n.m.* spittoon; bowl (dentiste).
crachoter *v.* sputter; crackle.
craie *n.f.* chalk.
craindre *v.* fear, be afraid of.
crainte (de — que) *loc.* for fear, lest.
craintif *adj.* fearful, apprehensive.
cramé *adj.* *(fam.)* burnt up.
cramoisi *adj.* crimson ['krımzn].
▷ **crampe** *n.f.* cramp.
⚠ **crampon** *n.m.* stud; crampon; clamp.
cramponner (se —) *v.* hang on, cling.
cran *n.m.* notch; rung, peg; guts (courage).
crâne *n.m.* skull.
crânement *adv.* gallantly.
crâneur *n.m.* swank, swaggerer, braggart.
crânien *adj.* cranial ['kreınıəl].
cranté *adj.* notched.
crapaud *n.m.* toad.
crapule *n.f.* villain, scoundrel.
craquelé *adj.* cracked.
craquement *n.m.* crack, snap; creak(ing).
craquer *v.* creak; snap; come apart, split; break down.
crasse *adj.* crass (ignorance).
crasse *n.f.* grime, filth; *(fig.)* dirty trick.
crasseux *adj.* grimy, filthy.
▷ **cratère** *n.m.* crater ['kreıtə].
cravache *n.f.* (riding) crop.
⚠ **cravate** *n.f.* tie.
⚠ **crayon** *n.m.* pencil; stick, pencil.
crayon à bille *n.m.* ballpoint (pen), biro ['baıərəʊ].
crayon feutre *n.m.* felt-tip pen, felt tip.
crayonner *v.* pencil, jot down; scribble.
créance *n.f.* claim, debt [det].
créancier *n.m.* creditor.
créateur *adj.* creative.
▷ **créateur** *n.m.* creator.
création *n.f.* creation; first production.
▷ **créativité** *n.f.* creativeness, creativity.
▷ **créature** *n.f.* creature.
crécelle *n.f.* rattle.
⚠ **crèche** *n.f.* crib; day nursery, creche [kreıʃ].
⚠ **crédit** *n.m.* credit; funds.
créditer *v.* credit.
créditeur *n.m.* creditor.
crédule *adj.* credulous; gullible.
▷ **crédulité** *n.f.* credulity; gullibility.
créer *v.* create; *(Th.)* produce.
crémaillère (pendre la —) *loc.* have a housewarming (party).
crématoire (four —) *n.m.* crematorium.
▷ **crème** *n.f.* cream; *(Cuis.)* cream (dessert); custard (anglaise).
crémerie *n.f.* dairy.
crémeux *adj.* creamy.
crémier *n.m.* dairyman.
créneau *n.m.* crenel; slot, gap.
créneaux *n.m.pl.* battlements.
⚠ **crêpe** *n.f.* pancake.
▷ **crêpe** *n.m.* crêpe [kreıp].
crêper *v.* backcomb ['bækkəʊm].
crêperie *n.f.* pancake shop.
crépi *adj. et n.m.* roughcast.
crépir *v.* roughcast.
crépiter *v.* sputter, crackle; patter, rattle.
crépu *adj.* frizzy, fuzzy.
crépuscule *n.m.* dusk, twilight.
cresson *n.m.* watercress.
crête *n.f.* crest, ridge; comb (coq).
crétin *n.m.* idiot, moron ['mɔːrɒn].
creuser *v.* dig; bore; hollow out; *(fig.)* go into.
creuset *n.m.* crucible; *(fig.)* melting pot.

creux *adj. et n.m.* hollow.
crevaison *n.f.* puncture.
crevant *adj. (fam.)* killing, exhausting; funny.
⚠ **crevasse** *n.f.* crack, crevice; crevasse (de glacier).
crevassé *adj.* chapped; fissured ['fɪʃəd].
crevé *adj. (fam.)* worn out, dead beat, fagged out.
crever *v.* burst; have a puncture; *(fam.)* die.
crevette *n.f.* shrimp, prawn (grosse).
cri *n.m.* cry, shout, call.
criaillement *n.m.* squalling, squawking.
criant *adj.* glaring, gross.
criard *adj.* loud, shrill; garish, gaudy.
crible *n.m.* riddle; *(Tech.)* screen.
criblé de *loc.* riddled with.
cribler *v.* sift; riddle; screen.
cric *n.m.* jack.
criée (vente à la —) *loc.* sale by auction.
crier *v.* shout, cry out; scream; squeal, screech (freins...).
⚠ **crime** *n.m.* murder (meurtre); offence, crime.
▷ **criminalité** *n.f.* criminality, crime.
▷ **criminel** *adj.* criminal.
⚠ **criminel** *n.m.* murderer.
▷ **criminologiste** *n.m.* criminologist.
crin *n.m.* hair.
crin (à tout —) *loc.* diehard, out and out.
crinière *n.f.* mane.
crique *n.f.* creek, inlet.
criquet *n.m.* grasshopper; locust.
crise *n.f.* crisis, crunch; *(Méd.)* attack, fit.
crispant *adj.* irritating, annoying, aggravating.
crispation *n.f.* twitch, wince.
crispé *adj.* strained, tense, on edge.
crisper (se —) *v.* get tense.
crissement *n.m.* screech, squeak; grating; crunching.
crisser *v.* screech, squeak; grate; crunch.
▷ **cristal** *n.m.* crystal.
▷ **cristalliser** *v.* crystallize.
critère *n.m.* criterion [kraɪ'tɪərɪən].
critérium *n.m.* rally.
⚠ **critique** *adj.* critical; crucial.
▷ **critique** *n.f.* criticism, critique; review.
critique *n.m.* critic.
critiquer *v.* criticize, find fault with, disparage; examine critically, assess.
croasser *v.* caw [kɔ:].
croc *n.m.* fang; hook (de boucher).
croc-en-jambe (faire un —) *loc.* trip (up).
croche *n.f. (Mus.)* quaver.
croche (double —) *n.f. (Mus.)* semiquaver.
⚠ **crochet** *n.m.* hook; *(Tech.)* picklock; detour; sudden turn; crochet (ouvrage au); *(Boxe)* hook.
crochets (entre —) *loc.* in square brackets.
crocheter *v.* pick.
crochu *adj.* hooked; claw-like.
croire *v.* believe, think.
▷ **croisade** *n.f.* crusade [kru:'seɪd].
croisé *adj.* double-breasted.
croisé *n.m. (Hist.)* crusader.
croisement *n.m.* crossroads; *(Biol.)* crossing, crossbreed.
croiser *v.* pass; cross; fold, cross (les bras...); *(Naut.)* cruise.
croiseur *n.m.* cruiser ['kru:zə].
croisière *n.f.* cruise [kru:z].
croissance *n.f.* growth, growing.
croissant *adj.* growing, rising.
⚠ **croissant** *n.m. (Cuis.)* croissant; crescent.
croître *v.* grow, increase; wax (lune).
croix *n.f.* cross; *(fig.)* burden.
croquant *adj.* crisp, crunchy.
croquemitaine *n.m.* bogey (man) ['bəʊgɪ].
croque-mort *n.m.* pallbearer.
croquer *v.* crunch; sketch (un personnage).
croquis *n.m.* sketch.
crosse *n.f.* butt (d'arme); grip (de revolver); *(Rel.)* crook; *(Sp.)* hockey stick.
crotte *n.f.* droppings; chocolate.
crotté *adj.* muddy, dirty.
crottin *n.m.* dung; manure.
croulant *adj.* ramshackle, tumbledown.
croulant *n.m. (fam.)* old fog(e)y ['fəʊgɪ].
crouler *v.* collapse; tumble down; be crumbling.
⚠ **croupe** *n.f.* croup; rump.
croupir *v.* stagnate; grow foul.
croustillant *adj.* crisp, crunchy; spicy (histoire).
croûte *n.f.* crust; rind (fromage); case (pâté); *(Méd.)* scab; daub (peinture).

⚠ **croûton** *n.m.* crust ; *(Cuis.)* crouton.
croyable *adj.* credible, believable.
croyance *n.f.* belief ; faith.
croyant *n.m.* believer.
cru *adj.* raw ; harsh ; crude.
cru *n.m.* vineyard ; wine.
cruauté *n.f.* cruelty.
cruche *n.f.* pitcher, jug ; *(fig.)* ass, nitwit.
crudités *n.f.pl.* *(Cuis.)* salads ; *(fig.)* coarse remarks.
crue (en —) *loc.* in spate [speɪt].
▷ **cruel** *adj.* cruel ; fierce.
crûment *adv.* bluntly.
crustacés *n.m.pl.* shellfish.
▷ **crypte** *n.f.* crypt.
⚠ **cube** *n.m.* cube ; brick, building block.
cuber *v.* cube, gauge [geɪdʒ].
▷ **cubique** *adj.* cubic.
cueillette *n.f.* gathering, picking ; crop.
cueillir *v.* gather, pick ; *(fig.)* catch.
cuillère *n.f.* spoon.
cuillerée *n.f.* spoonful.
cuir *n.m.* leather ; hide.
cuir chevelu *n.m.* scalp.
cuirasse *n.f.* breastplate.
cuirassé *n.m.* battleship.
cuire *v.* cook ; bake ; fire (poterie) ; *(fig.)* smart, sting.
cuisant *adj.* burning, bitter.
cuisine *n.f.* kitchen ; cookery, cooking ; food.
cuisiner *v.* cook ; grill.
cuisinier *n.m.* cook.
cuisinière *n.f.* cook ; cooker (poêle).
cuisse *n.f.* thigh ; *(Cuis.)* leg.
cuisson *n.f.* cooking ; baking ; firing (poterie).
cuistre *n.m.* prig.
cuit (bien —) *loc.* well done.
cuit (trop —) *loc.* overdone.
cuivre *n.m.* copper ; brass (jaune).
cuivres *n.m.pl.* *(Mus.)* brass.
cul *n.m.* *(vulg.)* arse, ass ; bum.
culbute *n.f.* somersault ; fall, tumble.
culbuter *v.* tumble, fall (head over heels).
cul-de-jatte *n.m.* legless cripple.
▷ **cul-de-sac** *n.m.* cul-de-sac ['lʌldə,sæk], blind alley ; *(fig.)* dead end.
culminant (point —) *n.m.* highest point ; climax, zenith.
culminer *v.* culminate ; reach its highest point, tower.
culot *n.m.* cap (ampoule) ; *(fam.)* cheek, nerve.
culotte *n.f.* pants ; panties.
culotte de cheval *n.f.* riding breeches.
culotté *adj.* *(fam.)* cheeky ; seasoned (pipe).
▷ **culpabilité** *n.f.* guilt, culpability.
▷ **culte** *n.m.* *(Rel.)* religion ; worship, cult.
cultivateur *n.m.* farmer, cultivator.
cultivé *adj.* cultured ; cultivated.
cultiver *v.* cultivate, till ; grow.
cultiver (se —) *v.* improve (ou broaden) one's mind.
⚠ **culture** *n.f.* culture, farming ; cultivation.
culture physique *n.f.* physical training.
▷ **culturel** *adj.* cultural.
culturisme *n.m.* body-building.
cumuler *v.* hold concurrently ; *(Jur.)* accumulate.
⚠ **cupide** *adj.* greedy, grasping.
▷ **cupidité** *n.f.* greed, graspingness, cupidity.
⚠ **cure** *n.f.* *(Méd.)* (course of) treatment, cure ; *(Rel.)* presbytery, vicarage.
cure-dents *n.m.* toothpick.
⚠ **curé** *n.m.* (parish) priest.
⚠ **curer** *v.* clean (out) ; clear ; pick (dents).
▷ **curieux** *adj.* curious, inquisitive ; curious, strange ; inquiring.
⚠ **curieux** *n.m.pl.* onlookers, bystanders.
⚠ **curiosité** *n.f.* curiosity, inquisitiveness ; unusual sight ; curio (antiquité).
cutané *adj.* *(Méd.)* skin (affection).
cuve *n.f.* vat ; tank (à mazout...).
cuvette *n.f.* basin, bowl ; pan (W.C.).
▷ **cybernétique** *n.f.* cybernetics [,saɪbə'netɪks].
cyclable (piste —) *loc.* cycle track.
▷ **cyclique** *adj.* cyclic ['saɪklɪk].
cyclisme *n.m.* cycling ['saɪklɪŋ].
cycliste (course —) *n.f.* cycle race.
▷ **cyclisme** *n.m.* cyclist ['saɪklɪst].
cyclomoteur *n.m.* moped ['məʊped].
cyclomotoriste *n.m.* moped rider.
▷ **cyclone** *n.m.* hurricane, cyclone ['saɪkləʊn].
cygne *n.m.* swan [swɒn].
cylindre *n.m.* cylinder ; roller.
cylindrique *adj.* cylindrical.
cynique *adj.* cynical.
▷ **cynique** *n.m.* cynic.

cynisme *n.m.* cynicism.
▷ **cyprès** *n.m.* cypress ['saɪprɪs].
cystite *n.f.* cystitis [sɪ'staɪtɪs].
cytise *n.m.* laburnum [lə'bɜːnəm].

D

dactylo *n.f.* typist.
dactylographie *n.f.* typing, typewriting.
dactylographier *v.* type (out).
dada *n.m.* hobby(-horse); pet subject.
dadais *n.m.* booby, lump.
▷ **daigner** *v.* deign.
daim *n.m.* deer, buck; buckskin, suede.
dallage *n.m.* paving; flagging; pavement.
dalle *n.f.* paving stone, flag.
daller *v.* pave, flag.
daltonien *adj.* colour-blind.
⚠ **dame** *n.f.* lady; queen (cartes).
⚠ **dames** *n.f.pl.* draughts [drɑːfts].
damier *n.m.* draughtboard; check (pattern).
damné *adj.* damned; confounded.
▷ **damner** *v.* damn.
⚠ **dancing** *n.m.* dancehall.
dandiner (se —) *v.* waddle along.
danger *n.m.* danger, peril; emergency.
dans *prép.* in; into; to; out of; from.
danse *n.f.* dancing; dance.
danser *v.* dance.
danseur *n.m.* dancer; partner; ballet dancer.
dard *n.m.* sting
darder *v.* shoot, dart.
dare-dare *adv.* double quick; in less than no time.
▷ **date** *n.f.* date.
dater *v.* date; date back; go back (to).
▷ **datte** *n.f.* date.
dattier *n.m.* date palm.
dauphin *n.m.* *(Zool.)* dolphin; heir apparent.
davantage *adv.* more; longer.
de *prép.* of; from; with; out of; by.
de *art.* some, any.
dé *n.m.* die; dice; thimble (à coudre).
déambuler *v.* stroll about, saunter.
débâcle *n.f.* rout; collapse; break-up.
déballage *n.m.* unpacking; display.
déballer *v.* unpack.
débandade *n.f.* rout; stampede.
débarbouiller *v.* wash.
débarcadère *n.m.* landing stage.
débardeur *n.m.* docker, stevedore.
débarquement *n.m.* unloading; landing; disembarkation.
débarquer *v.* unload; land, disembark.
débarras *n.m.* lumber-room.
débarrasser *v.* clear; relieve.
débarrasser (se —) *v.* (get) rid (of).
débat *n.m.* discussion, debate.
débats *n.m.pl.* proceedings, debates.
débattre *v.* discuss, debate.
débattre (se —) *v.* struggle.
débauche *n.f.* debauchery; profusion.
débauché *adj.* debauched.
▷ **débauché** *n.m.* debauchee [ˌdebɔː'tʃiː].
⚠ **débaucher** *v.* dismiss, lay off; debauch.
débile *adj.* weak, feeble.
débile mental *n.m.* mentally defective person.
⚠ **débit** *n.m.* flow; delivery; turnover (d'un magasin); *(Fin.)* debit.
débit de tabac *n.m.* tobacconist's.
⚠ **débiter** *v.* *(Fin.)* debit, charge; cut up (viande); yield, produce; retail, sell.
débiteur *n.m.* debtor ['detə].
déblaiement *n.m.* clearing.
déblayer *v.* clear away, remove.
débloquer *v.* free; release; *(fam.)* drivel.
déboires *n.m.pl.* setbacks, disappointments.
déboisement *n.m.* deforestation; clearing.
déboiser *v.* deforest; clear of trees.
déboîter *v.* *(Aut.)* pull out.
déboîter (se —) *v.* dislocate.
débonnaire *adj.* easy-going, good-natured.
débordant *adj.* overflowing, exuberant.
débordement *n.m.* overflowing; *(fig.)* outburst.
déborder *v.* overflow; boil over (lait); *(Mil.)* outflank.
débouché *n.m.* *(Comm.)* outlet; opening (profession).
déboucher *v.* uncork; open; unblock; emerge (from).
débouler *v.* bolt; tumble down.
déboulonner *v.* unbolt; *(fig.)* de-

bunk.
débourser *v.* pay out, lay out.
debout *adj. et adv.* standing.
déboutonner *v.* undo, unbutton.
débraillé *adj.* slovenly, untidy.
débrancher *v.* disconnect, unplug, cut off.
débrayage *n.m.* *(Aut.)* clutch ; declutching ; stoppage (grève).
débrayer *v.* declutch ; stop work.
débridé *adj.* unbridled, unrestrained.
débris *n.m.* fragment, piece ; *(pl.)* debris, rubbish.
débrouillard *adj.* smart, resourceful.
débrouiller *v.* disentangle, untangle ; sort out, unravel.
débrouiller (se —) *v.* manage ; fend for oneself.
débroussailler *v.* clear (of brushwood).
début *n.m.* beginning, start.
débuts *n.m.pl.* debut ['deɪbjʊ:], first appearance.
⚠ **débutant** *n.m.* beginner, novice.
débuter *v.* begin, start ; start out.
deçà (en —) *loc.* this side.
décacheter *v.* unseal, open.
⚠ **décade** *n.f.* ten days.
▷ **décadence** *n.f.* decline, decadence.
▷ **décadent** *adj.* declining, decadent.
décaféiné *adj.* decaffeinated, caffeinefree.
décalage *n.m.* discrepancy ; gap.
décalage horaire *n.m.* time difference ; time-lag.
décalcomanie *n.f.* transfer.
décaler *v.* bring forward ; put back ; shift forward ; shift back.
décalquer *v.* transfer ; trace.
décamper *v.* clear out, clear off.
décanter *v.* settle.
décaper *v.* scour ; sand.
décapiter *v.* behead ; decapitate.
décapotable *n.f.* convertible.
décapsuler *v.* take the cap off.
décapsuleur *n.m.* bottle-opener.
décédé *adj.* deceased.
décéder *v.* die.
déceler *v.* detect, discover ; indicate.
▷ **décembre** *n.m.* December.
décemment *adj.* decently.
décence *n.f.* decency.
décennie *n.f.* decade ['dekeɪd].
décent *adj.* modest ; decent ; reasonable.
▷ **décentraliser** *v.* decentralize.
⚠ **déception** *n.f.* disappointment.
décerner *v.* award.
décès *n.m.* death, decease.
décevant *adj.* disappointing.
décevoir *v.* disappoint.
déchaîner *v.* unleash ; *(fig.)* arouse.
déchaîner (se —) *v.* break out (tempête) ; burst out, fly into a rage.
déchanter *v.* become disillusioned.
décharge *n.f.* rubbish dump ; *(Elec.)* discharge ; volley of shots.
déchargement *n.m.* unloading.
décharger *v.* unload ; discharge ; ease, unburden.
décharné *adj.* bony, gaunt.
déchaussé *adj.* barefoot ; loose (dent).
déchausser (se —) *v.* take off one's shoes ; get loose (dent).
dèche (dans la —) *loc.* broke, hard-up.
déchéance *n.f.* degeneration ; decay, decline.
déchets *n.m.pl.* scraps, waste, refuse ['refju:s], rubbish.
déchiffrer *v.* decipher ; decode (message).
déchiqueter *v.* tear to pieces.
déchirant *adj.* harrowing, heart-rending.
déchirement *n.m.* wrench, heartbreak ; split.
déchirer *v.* tear, tear up ; split.
déchirer (se —) *v.* tear, rip, burst.
déchirure *n.f.* tear, rip.
déchoir *v.* fell off ; lower oneself.
déchu *adj.* fallen ; deposed (roi).
décidé *adj.* determined, resolute ; settled.
décidément *adv.* really.
décider *v.* decide ; persuade.
décider (se —) *v.* make up one's mind.
▷ **décimer** *v.* decimate.
▷ **décisif** *adj.* decisive, deciding.
▷ **décision** *n.f.* decision ; decisiveness, decision.
déclamer *v.* declaim.
⚠ **déclaration** *n.f.* declaration ; registration ; statement.
déclaration d'impôts *n.f.* statement of income.
déclarer *v.* declare, announce ; register.
déclarer (se —) *v.* break out (feu) ; declare.
déclasser *v.* lower in status ; relegate.
déclenchement *n.m.* release ; setting off.
déclencher *v.* release, set off, trigger

off.
déclic *n.m.* click ; trigger mechanism.
▷ **déclin** *n.m.* decline [dɪ'klaɪn].
⚠ **décliner** *v.* decline ; refuse ; state.
déclivité *n.f.* slope, incline.
décocher *v.* shoot, fire.
▷ **décoder** *v.* decode [diː'kəʊd], decipher [dɪ'saɪfə].
décollage *n.m.* unsticking ; *(Av.)* take off.
décoller *v.* unstick ; *(Av.)* take off.
décoller (se —) *v.* come unstuck.
décolleté *adj.* low-necked.
décolleté *n.m.* low neck.
▷ **décolorant** *n.m.* decolorant, bleaching agent.
décoloration *n.f.* bleaching ; lightening.
décolorer *v.* bleach ; lighten.
décolorer (se —) *v.* fade.
décombres *n.m.pl.* rubble, debris.
décommander *v.* cancel, put off.
décomposé *adj.* haggard ; drawn.
décomposer *v.* break up ; decompose ; distort ; *(Math.)* factorize.
décomposer (se —) *v.* decay, rot.
décomposition *n.f.* break-up, decay.
décompte *n.m.* deduction ; breakdown, detailed account.
déconcertant *adj.* disconcerting.
déconcerter *v.* put out, disconcert.
déconfit *adj.* crestfallen.
décongestionner *v.* decongest ; relieve congestion.
déconnecter *v.* disconnect.
déconseiller *v.* advise against.
déconsidérer *v.* discredit.
décontenancer *v.* put out, disconcert.
décontracté *adj.* relaxed, cool.
décontracter (se —) *v.* relax.
déconvenue *n.f.* disappointment.
▷ **décor** *n.m.* decor, scenery.
décors *n.m.pl.* *(Th.)* scenery ; decor ; set.
décorateur *n.m.* decorator ; *(Ciné.)* set designer.
▷ **décoratif** *adj.* decorative.
▷ **décorer** *v.* decorate.
décortiquer *v.* shell, hull ; dissect.
découcher *v.* stay out all night.
découdre (se —) *v.* come off ; come apart.
découler *v.* follow, ensue [ɪn'sjuː].
découpage *n.m.* cutting up ; carving ; cutout.
découpé *adj.* jagged, indented.
découper *v.* carve ; cut up ; cut out.
découper (se —) *v.* stand out (against).
décourageant *adj.* discouraging, disheartening.
découragement *n.m.* discouragement, despondency.
découragé *adj.* discouraged, despondent.
décourager (se —) *v.* lose heart.
décousu *adj.* unstitched ; disconnected.
découverte *n.f.* discovery.
découvrir *v.* discover, find out ; uncover ; reveal.
découvrir (se —) *v.* take off some clothes (ou one's hat) ; uncover oneself ; clear (up) (pour le ciel).
décrasser *v.* clean, scour [skaʊə].
▷ **décrépit** *adj.* decrepit, dilapidated.
décret *n.m.* decree [dɪ'kriː].
décréter *v.* decree ; order ; declare.
décrire *v.* describe ; follow (une courbe...).
décrocher *v.* take down ; *(Téléph.)* pick up, lift ; get, land (contrat...).
décroître *v.* decrease, decline.
décrue *n.f.* drop in level.
décrypter *v.* decipher [dɪ'saɪfə].
déçu *adj.* disappointed.
décupler *v.* increase tenfold.
dédaigner *v.* scorn, disdain, despise.
dédain *n.m.* scorn, disdain, contempt.
dédale *n.m.* maze [meɪʒ].
dedans *adv.* inside, indoors.
dedans *n.m.* inside.
dédicace *n.f.* dedication, inscription.
dédicacer *v.* sign, autograph ; inscribe.
dédier *v.* dedicate.
dédire (se —) *v.* retract ; go back on one's word.
dédit *n.m.* forfeit, penalty.
dédommagement *n.m.* compensation.
dédommager *v.* compensate, repay.
dédouaner *v.* clear (through customs).
dédoubler *v.* split (into two).
▷ **déduction** *n.f.* deduction ; inference.
déduire *v.* deduct ; deduce ; infer.
déesse *n.f.* goddess.
défaillance *n.f.* *(Méd.)* faint ; weakness ; fault, failure.
défaillir *v.* faint ; feel faint ; fail.
défaire *v.* undo ; take down, dismantle.

défaire (se —) *v.* come undone; get rid (of).
défait *adj.* haggard, drawn.
défaite *n.f.* defeat.
▷ **défaitiste** *n.m.* defeatist.
défalquer *v.* deduct.
défaut *n.m.* fault, failing, defect; flaw, defect.
défavorable *adj.* unfavourable.
défavoriser *v.* put at a disadvantage.
⚠ **défection** *n.f.* defection; desertion; failure to appear.
défectueux *adj.* faulty, defective.
défendeur *n.m.* *(Jur.)* defendant.
défendre *v.* defend; forbid.
⚠ **défense** *n.f.* defence; tusk (éléphant).
défense de fumer *loc.* no smoking.
défenseur *n.m.* defender.
▷ **déférent** *adj.* deferential, deferent.
déférer *v.* defer; *(Jur.)* refer; hand over.
déferlement *n.m.* breaking; surge.
défi *n.m.* challenge; defiance.
⚠ **défiance** *n.f.* mistrust, distrust.
déficience *n.f.* deficiency.
déficit *n.m.* deficit; *(Méd.)* defect.
déficitaire *adj.* in deficit; poor.
défier *v.* challenge; defy.
défier (se — de) *v.* distrust, mistrust.
défigurer *v.* disfigure; deface, spoil.
⚠ **défilé** *n.m.* parade; procession; *(Géog.)* gorge, pass, defile ['dɪfaɪl].
⚠ **défiler** *v.* march past; parade; march.
⚠ **défiler (se —)** *v.* slip away, sneak off.
défini *adj.* definite.
définir *v.* define.
▷ **définitif** *adj.* definitive, final.
⚠ **définition** *n.f.* definition; clue (mots croisés); *(T.V.)* resolution.
définitive (en —) *adv.* finally, after all.
définitivement *adv.* definitively; definitely.
déflagration *n.f.* explosion.
▷ **déflationniste** *adj.* deflationist, deflationary.
▷ **déflecteur** *n.m.* deflector.
défoncer *v.* smash in; stave in; rip up.
défoncer (se —) *v.* *(argot)* get high.
déformant *adj.* distorting.
▷ **déformation** *n.f.* deformation, distortion.
déformer *v.* put out of shape, deform, distort.
déformer (se —) *v.* lose its shape.
défouler (se —) *v.* *(fam.)* let off steam.
défraîchir (se —) *v.* fade, become worn.
défricher *v.* clear.
défunt *adj.* late.
défunt *n.m.* deceased [dɪ'si:st].
dégagé *adj.* clear (ciel...); casual (air).
dégagement *n.m.* emission; freeing; clearing; *(Sp.)* clearance.
dégager *v.* give off; free; clear; *(Mil.)* relieve; bring out.
dégainer *v.* draw.
dégarnir *v.* empty, clear.
dégarnir (se —) *v.* empty; be cleared; go bald.
dégâts *n.m.pl.* damage.
dégel *n.m.* thaw [θɔ:].
dégeler *v.* thaw (out); unfreeze.
dégénérer *adj.* degenerate.
dégénérer *v.* degenerate, deteriorate.
dégingandé *adj.* lanky, ungainly.
dégivrage *n.m.* defrosting, deicing.
dégivrer *v.* defrost, deice [,di:'aɪs].
dégivreur *n.m.* defroster, deicer.
déglutir *v.* swallow.
dégonflé *adj.* flat; *(fam.)* chicken.
dégonfler *v.* deflate.
dégonfler (se —) *v.* go down; *(fam.)* chicken out.
dégouliner *v.* trickle, drip.
dégourdi *adj.* *(fam.)* smart, cute, bright.
dégoût *n.m.* disgust, distaste.
dégoûtant *adj.* disgusting.
dégoûté *adj.* disgusted, sick.
dégoûter *v.* disgust; put off.
dégoutter *v.* drip.
⚠ **dégrader** *v.* degrade; deface, damage.
dégrader (se —) *v.* deteriorate.
dégrafer *v.* undo, unfasten.
⚠ **degré** *n.m.* degree; step.
degrés (par —) *loc.* gradually.
▷ **dégressif** *adj.* degressive.
dégrèvement *n.m.* tax relief, reduction.
dégrever *v.* grant tax relief to.
dégringoler *v.* tumble down; rush down.
déguenillé *adj.* ragged, tattered.
déguerpir *v.* clear off, scarper.
déguisement *n.m.* disguise [dɪs'gaɪʒ].
déguiser *v.* disguise, conceal.
déguiser (se —) *v.* dress up; disguise oneself.
dégustateur *n.m.* wine taster.

dégustation *n.f.* tasting ; sampling.
déguster *v.* taste ; sample ; enjoy.
dehors *adv.* outside, outdoors.
dehors *n.m.pl.* appearances.
dehors (en —) *loc.* outside.
dehors (en — de) *loc.* apart from.
déjà *adv.* already, before.
déjeuner *n.m.* lunch ; breakfast.
déjeuner *v.* (have) lunch ; have breakfast.
déjouer *v.* thwart, elude [ɪ'lu:d].
delà (au-—) *adv. et n.m.* beyond.
délabré *adj.* dilapidated ; broken-down ; impaired.
délabrement *n.m.* decay.
délabrer (se —) *v.* fall into decay ; break down.
délacer *v.* undo, unlace.
⚠ **délai** *n.m.* waiting period ; extension ; time limit.
délai (sans —) *loc.* without delay, immediately.
délaisser *v.* desert, abandon.
délassement *n.m.* rest, relaxation ; diversion.
délasser (se —) *v.* relax.
délateur *n.m.* informer.
délation *n.f.* informing, denunciation.
délavé *adj.* faded, washed out.
délayage *n.m.* thinning, mixing ; *(fig.)* padding.
délayer *v.* thin, mix ; pad.
delco *n.m. (Aut.)* distributor.
délecter (se —) *v.* delight, enjoy oneself thoroughly.
délégué *n.m.* delegate, representative.
déléguer *v.* delegate.
délestage *n.m.* *(Elec.)* power cut ; *(Naut.)* unballasting.
délester *v.* *(Elec.)* cut off power ; *(Naut.)* unballast.
délétère *adj.* deleterious, noxious.
▷ **délibéré** *adj.* deliberate, on purpose, intentional.
délibérément *adv.* deliberately ; intentionally.
▷ **délibérer** *v.* deliberate.
⚠ **délicat** *adj.* delicate ; tactful, thoughtful ; particular, fussy (à satisfaire).
⚠ **délicatesse** *n.f.* delicacy.
délice *n.m.* delight.
▷ **délicieux** *adj.* delicious, delightful.
délier *v.* untie ; free.
▷ **délimitation** *n.f.* demarcation, delimitation.
délimiter *v.* delimit ; determine, define.
délinquence *n.f.* criminality, delinquency.
▷ **délinquant** *n.m.* delinquent, offender.
délire *n.m.* delirium ; frenzy.
délirer *v.* be delirious ; rave.
délit *n.m.* offence, crime.
délivrance *n.f.* freeing, release ; relief.
délivrer *v.* free, release ; issue.
déloger *v.* turn out ; dislodge.
déloyal *adj.* disloyal, unfair.
déloyauté *n.f.* disloyalty, unfairness.
▷ **déluge** *n.m.* flood, downpour, deluge.
déluré *adj.* smart, resourceful ; forward.
▷ **démagogie** *n.f.* demagogy.
▷ **démagogique** *adj.* demagogic.
▷ **démagogue** *n.m.* demagogue.
demain *n.m.* tomorrow.
⚠ **demande** *n.f.* request ; demand ; application ; claim.
demande en mariage *n.f.* proposal.
demandé *adj.* in demand.
demander *v.* ask for ; ask ; require, demand ; claim.
demander (se —) *v.* wonder.
demandeur d'emploi *n.m.* job seeker ; applicant.
démangeaison *n.f.* itching.
démanger *v.* itch.
démanteler *v.* demolish ; break up.
démaquillant *n.m.* make-up remover.
démaquiller (se —) *v.* remove one's make-up.
démarche *n.f.* gait, walk ; step ; processes, approach.
démarcheur *n.m.* door-to-door salesman.
démarrage *n.m.* starting ; start.
démarrer *v.* start ; move off ; *(Sp.)* pull away ; get moving.
démarreur *n.m. (Aut.)* starter.
démasquer *v.* unmask.
démâter *v.* dismast.
démêler *v.* disentangle, untangle.
démêlés *n.m.pl.* problems ; differences.
démembrer *v.* dismember ; break up.
déménagement *n.m.* move ; removal.
déménager *v.* move ; remove ; clear off.
déménageur *n.m.* removal man, furniture remover.

démence *n.f.* madness, insanity.
démener (se —) *v.* exert oneself.
dément *adj.* mad, insane.
démenti *n.m.* denial ; refutation.
démentiel *adj.* insane ; utterly mad.
démentir *v.* refute ; belie.
démentir (se —) *v.* fail.
démesure *n.f.* immoderacy.
démesuré *adj.* disproportionate, inordinate.
démesurément *adv.* inordinately.
démettre (se —) *v.* dislocate (l'épaule) ; resign (fonctions).
demeurant (au —) *loc.* for all that.
demeure *n.f.* residence.
demeuré *n.m.* half-wit.
demeurer *v.* live ; stay ; remain.
demi *adj. et adv.* half.
demi *n.m.* half ; half-pint ; *(Sp.)* half-back.
demi-cercle *n.m.* semicircle.
demi-douzaine *n.f.* half a dozen.
demie (à la —) *loc.* on the half-hour.
demi-heure *n.f.* half-hour.
demi-journée *n.f.* half-day.
demi-longueur *n.f.* half-length.
déminage *n.m.* mine disposal, mine-sweeping.
déminer *v.* clear of mines.
démineur *n.m.* bomb disposal expert.
demi-pension *n.f.* half-board.
demi-pensionnaire *n.m.* half-boarder.
demi-place *n.f.* half-fare.
démis *adj.* dislocated.
démission *n.f.* resignation.
démissionnaire *adj.* resigning ; outgoing.
démissionner *v.* resign ; give up.
demi-tarif *n.m.* half-price ; half-fare.
demi-tour *n.m.* about-turn ; U-turn.
▷ **démobilisation** *n.f.* demobilization.
⚠ **démocrate** *adj.* democratic.
▷ **démocrate** *n.m.* democrat.
▷ **démocratie** *n.f.* democracy.
▷ **démocratique** *adj.* democratic.
▷ **démocratiser** *v.* democratize.
démodé *adj.* old-fashioned, outmoded.
démoder (se —) *v.* go out of fashion.
▷ **démographie** *n.f.* demography.
▷ **démographique** *adj.* demographic.
demoiselle *n.f.* young lady ; single lady.
demoiselle d'honneur *n.f.* bridesmaid.
démolir *v.* demolish, pull down.
démolisseur *n.m.* demolition worker.
démon *n.m.* demon, fiend ; devil.
démoniaque *adj.* fiendish, demonic.
▷ **démonstrateur** *n.m.* demonstrator.
▷ **démonstratif** *adj.* demonstrative.
▷ **démonstration** *n.f.* demonstration ; *(Mil.)* display.
démontage *n.m.* taking down to pieces ; dismantling.
démonté *adj.* stormy, raging ; put out, taken aback, nonplussed.
démonter *v.* take down, dismantle ; disconcert.
démonter (se —) *v.* lose countenance.
démontrer *v.* demonstrate, prove, show.
démoralisant *adj.* demoralizing.
▷ **démoraliser** *v.* demoralize.
démordre (ne pas — de) *loc.* stick to.
démouler *v.* turn out.
démultiplication *n.f.* reduction (ratio).
démuni *adj.* impoverished, destitute.
démuni de *loc.* lacking in, without.
démunir *v.* deprive.
démunir (se — de) *loc.* part with, give up.
démystifier *v.* enlighten, disabuse.
dénatalité *n.f.* fall in the birth rate.
dénaturé *adj.* denatured ; unnatural.
dénaturer *v.* alter ; distort ; denature.
dénégations *n.f.pl.* denials [dɪ'naɪəlʒ].
dénicher *v.* unearth ; track, hunt down.
dénier *v.* deny.
dénigrement *n.m.* disparagement ; running down, denigration.
▷ **dénigrer** *v.* disparage, denigrate ; run down.
dénivellation *n.f.* dip ; difference (ou change) in level ; ramp.
dénombrement *n.m.* counting.
dénombrer *v.* count ; enumerate.
▷ **dénominateur** *n.m.* denominator.
⚠ **dénomination** *n.f.* designation, appellation.
dénoncer *v.* denounce ; inform against.
dénoncer (se —) *v.* give oneself up.
dénonciateur *n.m.* informer ; denouncer.
▷ **dénonciation** *n.f.* denunciation.
▷ **dénoter** *v.* denote, indicate.

dénouement *n.m.* outcome, conclusion ; ending ; *(Th.)* dénouement.
dénouer *v.* untie, undo ; clear up.
dénoyauter *v.* stone.
denrées *n.f.pl.* food (stuffs).
▷ **dense** *adj.* dense ; thick.
▷ **densité** *n.f.* denseness, density.
⚠ **dent** *n.f.* tooth ; prong (de fourche) ; *(Tech.)* cog.
dentaire *adj.* dental.
dentée (roue —) *n.f.* cogwheel.
dentelé *adj.* jagged ; indented.
dentelle *n.f.* lace [leɪs].
dentier *n.m.* denture.
dentifrice *n.m.* toothpaste.
▷ **dentiste** *n.m.* dentist.
dentition *n.f.* teeth ; dentition.
dénudé *adj.* bare ; bald (crâne).
dénuder *v.* bare ; strip.
dénuder (se —) *v.* strip (off).
dénué *adj.* devoid (of).
dénuement *n.m.* destitution.
dénutrition *n.f.* undernutrition.
▷ **déodorant** *adj. et n.m.* deodorant.
▷ **déodoriser** *v.* deodorize.
dépannage *n.m.* repairing ; service ; *(amér.)* fixing.
dépanner *v.* repair ; *(amér.)* fix.
dépanneur *n.m.* breakdown mechanic ; *(T.V.)* repairman.
dépanneuse *n.f.* breakdown lorry.
dépareillé *adj.* odd, incomplete.
départ *n.m.* leaving, departure ; start.
départager *v.* divide between.
départir (se — de) *loc.* depart from, abandon.
dépassé *adj.* outmoded, outdated ; out of one's depth (par les événements).
dépassement *n.m.* *(Aut.)* overtaking.
dépasser *v.* *(Aut.)* overtake ; pass, go past ; exceed ; surpass ; jut out (en saillie).
dépaysé *adj.* at a loss.
dépecer *v.* joint, cut up ; dismember.
dépêche *n.f.* dispatch ; wire (télégraphique).
dépêcher (se —) *v.* hurry.
dépeigner (se —) *v.* ruffle.
dépeindre *v.* depict.
dépenaillé *adj.* ragged, tattered.
▷ **dépendance** *n.f.* dependence ; dependency.
⚠ **dépendances** *n.f.pl.* outbuildings.
dépendre de *v.* depend on ; be dependent on.
dépens (aux — de) *loc.* at the expense of.
dépense *n.f.* spending ; expense, expenditure ; consumption.
dépenser *v.* spend ; use ; use up, expend.
dépenser (se —) *v.* exert oneself.
dépensier *adj.* extravagant.
dépensier *n.m.* spendthrift ; bursar.
déperdition *n.f.* loss.
dépérir *v.* waste away, wither.
dépêtrer (se —) *v.* extricate oneself.
dépeupler (se —) *v.* become depopulated.
déphasé *adj.* *(Elec.)* out of phase ; *(fig.)* out of touch.
dépilatoire *adj.* depilatory.
dépistage *n.m.* detection ; screening.
dépister *v.* track down, detect.
dépit *n.m.* vexation, frustration.
dépit (en — de) *loc.* despite, in spite of.
dépité *adj.* vexed, frustrated.
déplacé *adj.* out of place, uncalled-for.
déplacement *n.m.* moving, shifting ; transfer ; trip, travelling.
déplacer *v.* move, shift ; transfer.
déplacer (se —) *v.* move ; be displaced ; travel.
déplaire *v.* displease ; be disagreeable.
déplaisir *n.m.* displeasure, annoyance.
dépliant *n.m.* leaflet.
déplier *v.* unfold.
déploiement *n.m.* display.
▷ **déplorable** *adj.* deplorable ; disgraceful.
déplorer *v.* deplore ; mourn (la perte de).
déployer *v.* open out, spread ; display ; deploy.
dépoli *adj.* frosted (verre).
déporté *n.m.* deportee ; concentration camp prisoner.
déporter *v.* deport ; carry off course.
dépose *n.f.* taking out, removal ; taking down.
déposer *v.* lay down, set down ; drop, set down ; deposit ; *(Tech.)* take out ; *(Jur.)* file, register.
déposer (se —) *v.* settle.
dépositaire *n.m.* depository ; agent.
▷ **déposition** *n.f.* deposition.
déposséder *v.* dispossess, deprive.
⚠ **dépôt** *n.m.* *(Géol. Fin.)* deposit ; warehouse, store ; depot ; cells.
dépoter *v.* transplant.
dépotoir *n.m.* dumping ground, rubbish dump.

dépouille *n.f.* skin, hide.
dépouille mortelle *n.f.* mortal remains.
dépouillé *adj.* bare ; bald ; stripped (of), lacking.
dépouiller *v.* skin ; deprive of ; go through (un dossier).
dépourvu de *loc.* lacking in, without.
dépravation *n.f.* depravity.
dépravé *adj.* depraved, vicious.
déprécier (se —) *v.* depreciate.
déprédations *n.f.pl.* damage.
▷ **dépression** *n.f.* depression ; *(Fin.)* slump ; *(Méd.)* (nervous) breakdown.
déprimant *adj.* depressing.
déprimé *adj.* depressed, low.
depuis *prép.* since ; for ; from.
depuis *adv.* (ever) since.
depuis quand *loc.* how long.
député *n.m.* deputy, *(G.B.)* M.P., *(U.S.)* representative.
déraciner *v.* uproot ; *(fig.)* eradicate.
déraillement *n.m.* derailment.
dérailler *v.* leave the rails, be derailed, jump the metals ; *(fig.)* talk nonsense.
dérailler (faire —) *v.* derail.
dérailleur *n.m.* derailleur gears.
déraisonnable *adj.* unreasonable.
déraisonner *v.* talk nonsense ; rave.
⚠ **dérangement** *n.m.* trouble ; *(Méd.)* disorder ; *(Tech.)* breakdown.
dérangement (en —) *loc.* out of order.
déranger *v.* disturb, trouble ; bother ; upset ; disarrange.
déranger (se —) *v.* put oneself out ; come out.
dérapage *n.m.* skid(ding).
déraper *v.* skid ; slip.
déréglé *adj.* out of order ; dissolute (vie).
dérégler *v.* put out of order ; upset.
dérégler (se —) *v.* go wrong, break down ; be upset.
dérider *v.* brighten up.
dérisoire *adj.* derisory [dɪ'raɪsərɪ], pathetic.
⚠ **dérivatif** *n.m.* distraction.
⚠ **dérivation** *n.f.* diversion, derivation ; *(Elec.)* shunt.
dérive *n.f.* drift.
⚠ **dériver** *v.* drift ; derive.
dériveur *n.m.* sailing dinghy ['dɪŋgɪ].
dermatologue *n.m.* dermatologist.
dernier *adj.* last ; latest ; top ; back.
dernièrement *adv.* lately, recently.
dernier-né *n.m.* last-born.
dérobé *adj.* secret, hidden.
dérobée (à la —) *loc.* secretly, surreptitiously, stealthily ['stelθɪlɪ].
dérober *v.* steal.
dérober (se —) *v.* give way ; slip away, shy away ; evade, shirk.
dérogation *n.f.* dispensation.
déroulement *n.m.* progress, development.
dérouler *v.* unwind, unroll.
dérouler (se —) *v.* unwind, unroll ; happen, take place, go on.
déroutant *adj.* disconcerting, baffling.
déroute *n.f.* rout [raʊt].
déroute (mettre en —) *loc.* rout.
dérouter *v.* *(Naut.)* divert, reroute ; *(fig.)* disconcert, baffle.
derrière *prép. et adv.* behind.
derrière *n.m.* back, behind, bottom ; rear.
derrière (de —) *loc.* back, hind.
derrière (par —) *loc.* from behind ; behind somebody's back.
dès que *loc.* as soon as.
désabusé *adj.* disillusioned.
désaccord *n.m.* disagreement ; clash.
désaccordé *adj.* out of tune.
désaffecté *adj.* disused.
désaffection *n.f.* estrangement.
▷ **désagréable** *adj.* unpleasant, disagreeable.
désagrégation *n.f.* disintegration.
désagréger (se —) *v.* disintegrate, break up.
⚠ **désagrément** *n.m.* annoyance, trouble.
désaltérer (se —) *v.* quench one's thirst.
désamorcer *v.* remove the primer ; defuse.
désapprobateur *adj.* disapproving.
désapprobation *n.f.* disapproval.
désapprouver *v.* disapprove of.
désarçonner *v.* unseat, throw ; *(fig.)* nonplus, take aback, put out.
désarmant *adj.* disarming.
désarmé *adj.* unarmed ; helpless.
désarmement *n.m.* disarmament.
⚠ **désarmer** *v.* disarm ; relent, yield.
désarroi *n.m.* helplessness ; disarray.
désarticulé *adj.* dislocated.
désarticuler (se —) *v.* contort oneself.
▷ **désastre** *n.m.* disaster.
▷ **désastreux** *adj.* disastrous.

▷ **désavantage** *n.m.* disadvantage, drawback.
désavantager *v.* put at a disadvantage.
▷ **désavantageux** *adj.* disadvantageous, unfavourable.
désaveu *n.m.* disowning, repudiation.
désavouer *v.* disown, repudiate, disavow.
désavouer (se —) *v.* retract.
désaxé *adj.* unbalanced.
desceller *v.* (pull) free; unseal.
descendance *n.f.* descendants, issue; descent.
▷ **descendant** *n.m.* descendant.
descendre *v.* go down; take down, lower; shoot down; get out, alight; come down; put up (dans un hôtel).
descendre de cheval *loc.* dismount, get off one's horse.
descente *n.f.* going down, descent; slope; raid (de police).
descente de lit *n.f.* bedside rug.
▷ **description** *n.f.* description.
désembuer *v.* demist [,diː'mɪst].
désemparé *adj.* bewildered; *(Tech.)* crippled.
désemparer (sans —) *loc.* without stopping.
désemplir (se —) *v.* empty.
désenchantement *n.m.* disillusion.
désensibiliser *v.* desensitize [diː'sensɪtaɪʒ].
déséquilibre *n.m.* imbalance; *(Méd.)* unbalance.
déséquilibre (en —) *loc.* unsteady.
déséquilibré *n.m.* unbalanced person.
déséquilibrer *v.* throw off balance.
désert *adj.* deserted.
▷ **désert** *n.m.* desert; wilderness.
déserter *v.* desert; defect.
déserteur *n.m.* deserter; *(Polit.)* defector.
désertique *adj.* barren, desert.
désescalade *n.f.* de-escalation.
désespérant *adj.* hopeless; heartbreaking.
désespéré *adj.* desperate, hopeless, in despair.
désespérément *adv.* desperately, hopelessly.
désespérer *v.* drive to despair.
désespérer (se —) *v.* despair.
désespoir *n.m.* despair.
déshabillé *n.m.* negligée ['neglɪʒeɪ].
déshabiller (se —) *v.* undress, *(fam.)* strip (off).
désherbage *n.m.* weeding.
désherbant *n.m.* weedkiller.
désherber *v.* weed.
déshériter *v.* disinherit.
déshérités *n.m.pl.* underprivileged; have-nots.
déshonneur *n.m.* dishonour, disgrace.
déshonorant *adj.* dishonourable, degrading, disgraceful.
déshonorer *v.* dishonour, bring disgrace on.
déshydraté *adj.* dehydrated.
déshydrater (se —) *v.* dehydrate [diː'haɪdreit].
▷ **desiderata** *n.m.pl.* requirements, desiderata.
▷ **désignation** *n.f.* naming, appointment; name, designation.
▷ **désigner** *v.* point out, refer to; name, appoint, designate.
▷ **désillusion** *n.f.* disillusion.
▷ **désinfectant** *n.m.* disinfectant.
▷ **désinfecter** *v.* desinfect.
▷ **désintégrer** *v.* disintegrate, break up.
désintégrer (se —) *v.* disintegrate.
désintéressé *adj.* disinterested, unselfish.
désintéressement *n.m.* unselfishness; buying out (d'un associé); paying off (créancier).
désintéresser (se —) *v.* lose interest in.
désintoxication *n.m.* treatment for alcoholism, drug addiction.
désinvolte *adj.* offhand, casual.
désinvolture *n.f.* offhandedness, casualness.
désir *n.m.* wish, desire.
▷ **désirable** *adj.* desirable, to be desired.
désirer *v.* want, wish for; desire.
désireux *adj.* anxious (to).
désistement *n.m.* withdrawal [wɪð'drɔːəl].
désister (se —) *v.* withdraw, stand down.
désobéir *v.* disobey.
désobéissance *n.f.* disobedience.
désobéissant *adj.* disobedient.
désobligeant *adj.* disagreeable, unpleasant.
désodorisant *n.m.* deodorant [diː'əʊdərent].
désœuvré *adj.* idle.
désœuvrement *n.m.* idleness.
désolant *adj.* distressing, disappointing.
⚠ **désolation** *n.f.* distress, grief;

desolation.
⚠ **désolé** *adj.* desolate ; sorry.
désoler (se —) *v.* be upset.
désolidariser (se —) *v.* dissociate oneself.
désopilant *adj.* hilarious, sidesplitting.
désordonné *adj.* untidy, disorderly.
désordre *n.m.* disorder, untidiness.
désordres *n.m.pl.* disturbance(s), disorder.
▷ **désorganisation** *n.f.* disorganization.
▷ **désorganiser** *v.* disorganize.
désorienté *adj.* disorientated ; confused.
désorienter *v.* disorientate ; confuse.
désormais *adv.* henceforth, from now on.
désosser *v.* bone.
▷ **despote** *n.m.* despot, tyrant ['taɪərənt].
desquamer (se —) *v.* flake off, peel.
dessaisir (se — de) *v.* part with, give up.
dessalage *n.m.* desalination (eau de mer) ; soaking (du poisson).
dessaler *v.* desalinize (eau de mer) ; soak.
desséché *adj.* dried-up.
dessécher (se —) *v.* dry out (ou up) ; wither.
dessein *n.m.* design, plan.
dessein (à —) *loc.* on purpose, intentionally, deliberately.
desserrer *v.* loosen, release, slacken.
▷ **dessert** *n.m.* dessert [dɪ'zɜːt], sweet.
desservir *v.* clear the table ; harm ; serve (pour un autobus).
dessin *n.m.* drawing ; pattern, line.
dessin animé *n.m.* cartoon.
dessinateur *n.m.* drawer ; cartoonist ; draughtsman ['drɑːftsmən], designer.
dessiner *v.* draw ; design [dɪ'zaɪn].
dessous *adv.* underneath, beneath.
dessous *n.m.pl.* underwear.
dessous (au-— de) *loc.* below ; beneath.
dessous (par-—) *loc.* underneath ; below.
dessus *adv.* on top ; on it.
dessus *n.m.* top ; back (main).
dessus (au-— de) *loc.* above.
dessus de lit *n.m.* bedspread.
destin *n.m.* fate, destiny.
destinataire *n.m.* addressee ; consignee.
destination *n.f.* destination ; purpose.
destination (à — de) *loc.* bound for.
destiné à *loc.* destined for, intended for.
destinée *n.m.* fate, destiny.
destiner *v.* destine, mark out ; intend.
destituer *v.* depose.
destructeur *adj.* destructive.
destructeur *n.m.* destroyer.
▷ **destruction** *n.f.* destruction, extermination.
désuet *adj.* outdated, outmoded ; obsolete.
désuétude (tomber en —) *loc.* become obsolete, fall into disuse.
désuni *adj.* divided ; uncoordinated.
détachant *n.m.* stain remover.
détaché *adj.* loose ; detached, unconcerned.
▷ **détachement** *n.m.* detachment.
⚠ **détacher** *v.* untie ; detach, remove ; second ; *(Mil.)* detach, detail.
détacher (se —) *v.* come off ; come undone ; *(Sp.)* pull away ; stand out ; grow away.
⚠ **détail** *n.m.* detail ; *(Comm.)* retail.
détaillant *n.m.* retailer.
détaillé *adj.* detailed.
détailler *v.* sell retail ; (explain in) detail ; look over, examine.
détaler *v.* bolt.
détartrant *n.m.* descaling agent.
détartrer *v.* (de)scale.
détaxe *n.f.* tax reduction.
détaxer *v.* reduce (ou remove) the tax on.
▷ **détecter** *v.* detect.
▷ **détecteur** *n.m.* detector.
▷ **détection** *n.f.* detection.
▷ **détective** *n.m.* detective.
déteindre *v.* lose its colour ; fade ; run.
déteindre sur *v.* rub off on.
dételer *v.* unharness ; *(fig.)* knock off.
détendre (se —) *v.* slacken ; relax.
détendu *adj.* slack ; relaxed.
détenir *v.* detain, hold.
détente *n.f.* relaxation ; *(Polit.)* détente ; trigger (d'arme) ; *(Sp.)* spring.
détenteur *n.m.* holder ; possessor.
⚠ **détention** *n.f.* holding, possession ; detention.
détenu *n.m.* prisoner.
▷ **détergent** *n.m.* detergent.
▷ **détérioration** *n.f.* deterioration,

damaging.
▷ **détériorer** *v.* damage, deteriorate.
▷ **détermination** *n.f.* determination, resolution; determining, determination.
⚠ **déterminé** *adj.* determined, resolute; definite.
déterminer *v.* determine; decide.
déterminer (se —) *v.* make up one's mind (to).
déterrer *v.* dig up.
détersif *n.m.* detergent.
▷ **détestable** *adj.* hateful, detestable, odious.
▷ **détester** *v.* hate, detest.
détonant *adj.* explosive.
▷ **détonateur** *n.m.* detonator.
▷ **détonation** *n.f.* detonation, bang, report.
▷ **détoner** *v.* detonate, explode.
détonner *n.m.* clash.
▷ **détour** *n.m.* detour, bend, curve.
détour (sans —) *loc.* without beating about the bush.
détourné *adj.* roundabout.
détournement *n.m.* diversion, rerouting.
détournement d'avion *n.m.* hijacking.
détournement de fonds *n.m.* embezzlement.
détourner *v* divert, reroute; hijack; turn away (yeux); embezzle; ward off (coup).
détourner (se —) *v.* turn away.
▷ **détracteur** *n.m.* disparager, detractor.
détraqué *adj.* out of order; deranged.
détraquer *v.* put out of order; upset.
détraquer (se —) *v.* go wrong.
détrempé *adj.* sodden, soaked.
détresse *n.f.* distress.
détriment (au — de) *loc.* to the detriment of.
détritus *n.m.pl.* rubbish, refuse, garbage.
détroit *n.m.* strait.
détromper *v.* disabuse.
détrôner *v.* dethrone, depose; *(fig.)* oust [aʊst].
détruire *v.* destroy; ruin, blast.
dette *n.f.* debt [det].
deuil *n.m.* mourning; bereavement; mourning clothes.
deux (les —) *n.m.* both.
dévaler *v.* hurtle down; hurry down.
dévaliser *v.* rob; burgle.
dévalorisation *n.f.* depreciation.
dévaloriser (se —) *v.* depreciate.
▷ **dévaluation** *n.f.* depreciation; devaluation.
dévaluer *v.* devalue [dɪ'vælju:].
devancer *v.* get ahead of; arrive before; anticipate.
devancier *n.m.* precursor.
devant *prép.* in front of.
devant *adv.* in front; ahead.
devant *n.m.* front.
devanture *n.f.* front; window; display.
dévasté *adj.* devastated, ruined.
▷ **dévaster** *v.* devastate, destroy.
déveine *n.f.* bad luck.
▷ **développement** *n.m.* development; growth.
▷ **développer** *v.* develop.
développer (se —) *v.* develop.
devenir *v.* become; get, grow, turn.
dévergondage *n.m.* loose living.
dévergondé *adj.* shameless, wild.
dévergonder (se —) *v.* get into bad ways.
déverrouiller *v.* unbolt, unlock.
déverser *v.* pour, tip.
déverser (se —) *v.* pour; flow.
dévêtir (se —) *v.* undress.
déviation *n.f.* diversion; *(Méd.)* curvature.
▷ **déviationnisme** *n.f.* deviationism.
▷ **déviationniste** *n.m.* deviationist.
dévider *v.* unwind [ʌn'waind].
dévidoir *n.m.* reel.
dévier *v.* divert; deflect; veer.
devin *n.m.* soothsayer.
deviner *v.* guess; solve; foretell; make out.
devinette *n.f.* riddle.
devis *n.m.* estimate, quotation.
dévisager *v.* stare at.
⚠ **devise** *n.f.* motto; watchword.
devises *n.f.pl.* currency.
dévisser *v.* unscrew; undo; *(fam.)* fall off.
dévitaliser *v.* devitalize [,di:vaɪtlaɪz].
dévoiler *v.* unveil; *(fig.)* disclose.
devoir *v.* owe; must, have to, be to.
devoir *n.m.* duty; *(Ens.)* homework, exercise.
dévorant *adj.* raging, wasting.
dévorer *v.* devour; consume.
dévot *adj.* devout, pious ['paɪəs].
▷ **dévotion** *n.f.* devoutness; devotion.
dévoué *adj.* devoted; faithful.
dévouement *n.m.* devotion.
dévouer (se —) *v.* devote oneself; sacrifice oneself.
dévoyé *n.m.* delinquent.

dévoyer (se —) *v.* go astray.
▷ **dextérité** *n.f.* skill, dexterity.
diabète *n.m.* diabetes [ˌdaɪə'biːtiːz].
diabétique *adj. et n.m.* diabetic.
diable *n.m.* devil.
▷ **diabolique** *adj.* diabolic; fiendish.
diacre *n.m.* deacon.
▷ **diadème** *n.m.* diadem ['daɪədem].
diagnostic *n.m.* diagnosis [ˌdaɪg'nəʊsɪs].
diagnostiquer *v.* diagnose ['daɪəgnəʊz].
▷ **diagramme** *n.m.* diagram, chart, graph.
▷ **dialecte** *n.m.* dialect ['daɪəlekt].
dialoguer *v.* converse.
dialoguiste *n.m.* *(Ciné.)* dialogue writer.
▷ **dialyse** *n.f.* dialysis [daɪ'æləsɪz].
diamant *n.m.* diamond ['daɪəmənd].
diamétralement *adv.* diametrically.
▷ **diamètre** *n.m.* diameter [daɪ'æmɪtə].
diapason *n.m.* tuning fork.
diapason (au — de) *loc.* in tune with.
▷ **diaphragme** *n.m.* diaphragm ['daɪəfræm].
diapo(sitive) *n.f.* slide, transparency.
▷ **diarrhée** *n.f.* diarrhoea [ˌdaɪə'rɪə].
dictateur *n.m.* dictator [dɪk'teɪtə].
dictature *n.f.* dictatorship.
dictée *n.f.* dictation.
▷ **dicter** *v.* dictate.
▷ **dictionnaire** *n.m.* dictionary.
dicton *n.m.* saying.
dièse *n.m.* *(Mus.)* sharp.
▷ **diète** *n.f.* diet ['daɪət].
diététicien *n.m.* dietician.
▷ **diététique** *n.f.* dietetics.
dieu *n.m.* God.
diffamation *n.f.* slander, libel ['laɪbəl].
diffamatoire *adj.* slanderous.
diffamer *v.* slander, libel ['laɪbəl].
différé (en —) *loc.* (pre-) recorded.
différemment *adv.* differently.
▷ **différencier** *v.* differentiate.
différencier (se —) *v.* differ (from).
différend *n.m.* difference, disagreement.
▷ **différent** *adj.* different, various.
⚠ **différer** *v.* postpone, defer, put off, delay; differ, disagree.
difficile *adj.* difficult; hard to please.
difficilement *adv.* with difficulty.
▷ **difficulté** *n.f.* difficulty; problem.
difforme *adj.* deformed, misshapen.
▷ **difformité** *n.f.* deformity.
▷ **diffus** *adj.* diffuse, vague.
⚠ **diffuser** *v.* diffuse; circulate; *(Comm.)* distribute; *(Rad., T.V.)* broadcast.
diffuseur *n.m.* diffuser; distributor.
⚠ **diffusion** *n.f.* diffusion; circulation; distribution; broadcast(ing).
digérer *v.* digest; *(fig.)* stomach.
digeste *adj.* digestible.
▷ **digestif** *adj.* digestive [daɪ'dʒestɪv].
⚠ **digestif** *n.m.* liqueur [lɪ'kjʊə].
digne de *loc.* worthy of.
dignement *adv.* adequately; with dignity.
▷ **dignité** *n.f.* dignity, self-respect.
digue *n.f.* dike, dyke [daɪk].
dilapider *v.* squander, waste.
dilater *v.* dilate [daɪ'leit]; distend; cause to expand.
dilater (se —) *v.* expand.
▷ **dilatoire** *adj.* dilatory ['dɪlətrɪ].
▷ **dilemme** *n.m.* dilemma.
▷ **dilettante** *n.m.* amateur, dilettante, dabbler.
▷ **diligence** *n.f.* stagecoach; haste, diligence.
▷ **diligent** *adj.* prompt, diligent.
diluer *v.* dilute [daɪ'luːt].
diluvien *adj.* torrential.
dimanche *n.m.* Sunday.
▷ **dimension** *n.f.* size; dimension.
diminuer *v.* reduce, decrease, cut down; lessen, diminish; undermine; belittle.
diminution *n.f.* decreasing, diminishing.
dinde *n.f.* turkey.
⚠ **dîner** *n.m.* dinner ['dɪnə].
dîner *v.* dine, have dinner.
dînette *n.f.* doll's tea party.
dîneur *n.m.* diner ['daɪnə].
dingue *adj.* *(fam.)* crazy, nuts, barmy, *(amér.)* balmy.
diphtérie *n.f.* diphtheria [dɪf'θɪərɪə].
▷ **diplomate** *n.m.* diplomat.
▷ **diplomatie** *n.f.* diplomacy.
▷ **diplomatique** *adj.* diplomatic.
▷ **diplôme** *n.m.* diploma, certificate.
diplômé *adj.* qualified.
dire (au — de) *loc.* according to.
dire *v.* say, tell.
▷ **direct** *adj.* direct.
direct (en —) *loc.* live [laɪv].
directement *adv.* directly.
⚠ **directeur** *n.m.* director, manager;

(Ens.) headmaster, headmistress.
⚠ **direction** *n.f.* management, supervision; steering, direction.
▷ **directive** *n.f.* directive; instruction.
dirigeable *n.m.* dirigible; airship.
dirigeant *adj.* ruling, managerial.
dirigeant *n.m.* leader; manager.
diriger *v.* manage, run; steer; *(Mus.)* conduct; supervise; point, aim (arme).
diriger (se —) *v.* find one's way.
diriger (se — vers) *v.* make for.
dirigisme *n.m.* state intervention.
▷ **discernement** *n.m.* discernment, judgement, judgment.
▷ **discerner** *v.* discern, make out.
▷ **disciplinaire** *adj.* disciplinary.
⚠ **discipline** *n.f.* discipline; *(Ens.)* subject (matière).
▷ **discipliné** *adj.* disciplined.
▷ **discipliner** *v.* discipline, control.
discontinu *adj.* discontinuous, intermittent.
discontinuer (sans —) *loc.* without stopping.
▷ **discontinuité** *n.f.* discontinuity.
▷ **discordance** *n.f.* clash, conflict, discordance.
▷ **discordant** *adj.* discordant, conflicting; harsh.
▷ **discorde** *n.f.* discord, dissension.
discothèque *n.f.* record collection; disco.
discourir *v.* discourse; hold forth.
discours *n.m.* speech.
▷ **discrédit** *n.m.* discredit, disrepute.
▷ **discréditer** *v.* discredit.
⚠ **discret** *adj.* discreet, unobtrusive; *(Math.)* discrete, discontinuous.
discrètement *adv.* discreetly, unobtrusively.
▷ **discrétion** *n.f.* discretion.
discrimination (sans —) *loc.* indiscriminately.
disculper *v.* exonerate.
disculper (se —) *v.* clear oneself.
⚠ **discussion** *n.f.* discussion; debate; argument, quarrel.
discutable *adj.* debatable, doubtful.
discutailler *v.* argue; wrangle ['ræŋgl].
discuté *adj.* controversial.
discuter *v.* question; discuss; talk; argue.
disette *n.f.* food shortage.
▷ **disgrâce** *n.f.* disgrace, disfavour.
disgracieux *adj.* ungainly; awkward.
disjoindre (se —) *v.* come apart.
disjoncteur *n.m.* *(Elec.)* circuit breaker, cutout.
disloquer *v.* dislocate; dismantle; disperse.
disparaître *v.* disappear, vanish; die out.
▷ **disparate** *adj.* ill-assorted, disparate.
▷ **disparité** *n.f.* disparity.
disparition *n.f.* disappearance; death.
disparu *n.m.* missing person; departed.
dispensaire *n.m.* community clinic, dispensary.
⚠ **dispense** *n.f.* exemption; *(Rel.)* dispensation.
dispenser *v.* exempt; lavish, bestow.
dispenser (se —) *v.* spare oneself, dispense with.
disperser *v.* scatter; dissipate.
disponibilité *n.f.* availability.
disponible *adj.* available.
dispos (frais et —) *loc.* fresh; fit as a fiddle; hale and hearty.
disposé *adj.* arranged; laid-out; willing (to).
disposé (bien —) *loc.* in a good mood; well disposed.
disposer *v.* arrange; lay out.
disposer de *v.* have at one's disposal; use freely.
disposer (se — à) *v.* be about to.
dispositif *n.m.* device; system.
⚠ **disposition** *n.f.* arrangement, layout; disposal, mood, disposition.
⚠ **dispositions** *n.f.pl.* steps, arrangement; provisions; bent, aptitude.
▷ **disproportionné** *adj.* disproportionate.
▷ **dispute** *n.f.* argument, quarrel, dispute.
disputer (se —) *v.* (have a) quarrel.
disquaire *n.m.* record dealer.
▷ **disqualifier** *v.* disqualify.
⚠ **disque** *n.m.* record; disc; *(Sp.)* discus.
dissemblable *adj.* dissimilar.
disséminer *v.* scatter.
disséquer *v.* dissect.
▷ **dissertation** *n.f.* essay, dissertation.
dissident *n.m.* dissident; *(Polit.)* defector; *(Rel.)* dissenter, non-conformist.
dissimulateur *n.m.* dissembler.
dissimulation *n.f.* dissimulation, dissembling; concealment.

dissimuler *v.* conceal.
dissipation *n.f.* misbehaviour, dissipation; squandering (d'une fortune).
dissiper *v.* dissipate; squander; dispel.
dissiper (se —) *v.* clear, disperse; disappear; dissipate.
▷ **dissocier** *v.* dissociate.
dissolu *adj.* dissolute ['dɪsəlʊ:t].
dissolution *n.f.* dissolving; dissolution.
dissolvant *n.m.* solvent; nail varnish remover.
▷ **dissonant** *adj.* discordant, dissonant.
dissoudre *v.* dissolve.
dissoudre (se —) *v.* dissolve [dɪ'zɒlv].
▷ **dissuader** *v.* dissuade, deter.
dissuasion (arme de —) *loc.* deterrent.
distance *n.f.* distance; gap.
distancer *v.* outrun, leave behind.
▷ **distant** *adj.* distant, faraway; distant, aloof.
distendre (se —) *v.* distend; slacken.
▷ **distillation** *n.f.* distillation, distilling.
▷ **distillé** *adj.* distilled.
distiller *v.* distil; *(fig.)* exude, secrete.
▷ **distillerie** *n.f.* distillery.
▷ **distinct** *adj.* distinct, separate; clear.
distingué *adj.* distinguished, refined.
distinguer *v.* distinguish, make out.
distinguer (se —) *v.* distinguish oneself; stand out.
⚠ **distraction** *n.f.* absent-mindedness; diversion; distraction, entertainment.
distraire *v.* distract; entertain, divert; misappropriate.
distraire (se —) *v.* enjoy onseself, have fun.
distrait *adj.* absent-minded.
distraitement *adv.* absent-mindedly.
distribuer *v.* distribute, hand out; deal (out); deliver.
distributeur *n.m.* distributor; slot machine.
⚠ **distribution** *n.f.* distribution; delivery (courrier); *(Th.)* cast.
dithyrambique *adj.* laudatory, extravagant.
diurne *adj.* diurnal [daɪ'ɜ:nəl].
divagations *n.f.pl.* ramblings; ravings.
divaguer *v.* ramble; rave.
▷ **diverger** *v.* diverge, differ.
divers *adj.* diverse, varied, various, several.
diversement *adv.* in various ways.
▷ **diversifier** *v.* diversify, vary ['veərɪ].
▷ **diversité** *n.f.* diversity, variety.
divertir *v.* entertain, amuse.
divertir (se —) *v.* enjoy onseself.
divertissant *adj.* amusing, entertaining.
divertissement *n.m.* entertainment; *(Mus.)* divertimento.
▷ **dividendes** *n.m.pl.* dividends.
divin *adj.* divine [dɪ'vaɪn].
divinement *adv.* divinely.
diviser *v.* divide; split up, share out.
diviser (se —) *v.* divide, break up.
▷ **divorcer** *v.* divorce.
divorcé(e) *n.* divorcee [dɪ'vɔ:si:].
divulgation *n.f.* disclosure [dɪs'kləʊʒə].
divulguer *v.* disclose, divulge [daɪ'vʌldʒ].
dizaine *n.f.* ten.
do *n.m.* *(Mus.)* C; do [dəʊ].
▷ **docile** *adj.* docile ['dəʊsaɪl]; manageable.
▷ **docteur** *n.m.* doctor.
doctoresse *n.f.* lady doctor.
documentaire *n.m.* documentary.
documentaliste *n.* archivist, researcher.
documenté *adj.* well-informed.
documenter (se —) *v.* gather information.
dodeliner *v.* nod.
dodo (aller faire —) *loc.* go to byebyes.
dodu *adj.* plump, chubby.
▷ **dogmatique** *adj.* dogmatic.
▷ **dogme** *n.m.* dogma.
dogue *n.m.* mastiff.
doigt *n.m.* finger.
doigt de pied *n.m.* toe.
doigté *n.m.* tact; *(Mus.)* touch.
doléances *n.f.pl.* complaints, grievances.
▷ **domaine** *n.m.* estate, property, domain; *(fig.)* domain, field, scope, area.
domanial *adj.* national, state.
▷ **dôme** *n.m.* dome.
▷ **domestique** *adj.* domestic; household.
▷ **domestique** *n.* domestic, servant.
▷ **domestiquer** *v.* domesticate, tame.
domicile *n.m.* home, residence.

▷ **dominant** *adj.* dominant ; prevailing.
dominateur *adj.* domineering, dominating.
▷ **dominer** *v.* dominate ; control, master ; surpass, outclass ; tower above, dominate.
dominer (se —) *v.* control oneself.
▷ **dominical** *adj.* Sunday, dominical.
▷ **dominos** *n.p.pl.* dominoes.
dommage *n.m.* harm ; injury ; damage.
dommage (quel —!) *loc.* What a pity !
dommages corporels *n.m.pl.* physical injury.
dommages et intérêts *n.m.pl.* damages.
dompter *v.* tame ; master.
dompteur *n.m.* tamer, trainer.
don *n.m.* gift, talent ; gift ; donation.
donateur *n.m.* donor.
donc *conj.* therefore ; so ; thus, then.
▷ **donjon** *n.m.* keep, donjon.
donné *adj.* given ; fixed ; cheap.
donné (étant —) *loc.* given.
données *n.f.pl.* data ['deɪtə] ; facts.
donner *v.* give ; deal out (cartes) ; *(Th.)* perform.
donneur *n.m.* donor ; dealer (cartes).
donquichottisme *n.m.* quixotism, quixotry.
dont *pr.* whose, of which ; among whom, among which.
dopage *n.m.* doping.
doper (se —) *v.* dope oneself.
doré *adj.* golden ; gilt, gilded.
dorénavant *adv.* henceforth.
dorer *v.* gild.
dorloter *v.* pamper, coddle, pet.
dormir *v.* sleep ; be asleep.
dortoir *n.m.* dormitory.
dorure *n.f.* gilding.
doryphore *n.m.* Colorado beetle.
dos *n.m.* back ; spine (de livre).
dosage *n.m.* mixture ; proportioning.
dos-d'âne *n.m.* humpback, *(amér.)* hogsback.
doser *v.* measure out ; proportion.
dossard *n.m.* *(Sp.)* number.
dossier *n.m.* back (de chaise) ; file, folder.
⚠ **dot** *n.f.* dowry ['daʊərɪ].
doter *v.* equip, provide.
douane *n.f.* customs ; duty.
douanier *n.m.* customs officer.
doublage *n.m.* doubling ; *(Ciné.)* dubbing.
▷ **double** *adj.* double ; twofold.
⚠ **double** *n.m.* copy, duplicate ; double ; *(Sp.)* doubles.
double (le — de) *loc.* twice as much, twice as many.
doublé *adj.* lined ; *(Ciné.)* dubbed.
doublement *adv.* doubly ; for two reasons.
doublement *n.m.* doubling.
doubler *v.* double ; line ; pass, overtake ; *(Ciné.)* dub ; *(Th.)* stand in for ; *(Ens.)* repeat.
doublure *n.f.* lining ; *(Ciné.)* stand-in, stunt man ; *(Th.)* understudy.
douceâtre *adj.* sickly sweet.
doucement *adv.* gently, carefully.
doucereux *adj.* sugary ; *(fig.)* mealy-mouthed.
douceur *n.f.* sweetness ; mildness ; gentleness.
douceurs *n.f.pl.* sweets.
douche *n.f.* shower [ʃaʊə].
doucher (se —) *v.* have a shower.
doué *adj.* gifted, talented.
douille *n.f.* *(Elec.)* socket ; case (de balle).
douillet *adj.* cosy ; soft.
douleur *n.f.* pain ; grief, distress.
douloureux *adj.* painful ; distressing.
doute *n.m.* doubt [daʊt].
doute (sans —) *adv.* no doubt, doubtless.
douter *v.* doubt, question.
douter (se —) *v.* suspect.
douteux *adj.* doubtful ; questionable, dubious (-looking).
doux *adj.* sweet ; soft ; gentle ; mild.
douzaine *n.f.* dozen.
doyen *n.m.* *(Rel. Ens.)* dean ; oldest member.
▷ **draconien** *adj.* drastic, draconian.
dragage *n.m.* dredging.
dragée *n.f.* sugared almond ; *(Méd.)* sugar-coated pill.
drague *n.f.* dragnet ; dredge.
draguer *v.* dredge ; drag.
drainer *v.* drain.
▷ **dramatique** *adj.* dramatic, tragic.
⚠ **dramatique** *n.f.* *(T.V.)* drama.
▷ **dramatiser** *v.* dramatize.
dramaturge *n.m.* *(Th.)* dramatist, playwright.
▷ **drame** *n.m.* *(Th.)* drama ; *(fig.)* drama, tragedy.
drap *n.m.* sheet ; woollen cloth.

drapeau *n.m.* flag.
draper *v.* drape.
draperies *n.f.pl.* hangings.
dressage *n.m.* taming, breaking in.
dresser *v.* put up; draw up; train (animaux...).
dresser (se —) *v.* stand; tower.
dressoir *n.m.* dresser.
drogue *n.f.* drug.
drogué *n.m.* drug addict.
droguer (se —) *v.* take drugs.
droguerie *n.f.* hardware shop (ou store).
droit *adj.* straight; upright; straight forward; right; right-hand.
droit *n.m.* right; duty, tax; fee (d'inscription); law (science juridique).
droit de vote *n.m.* vote.
droits d'auteur *n.m.pl.* royalties.
droits de succession *n.m.pl.* death duties.
droitier *adj.* right-handed.
droiture *n.f.* uprightness, straightness.
drôle *adj.* funny, amusing; peculiar.
drôlement *adv.* terribly, dreadfully.
dromadaire *n.m.* dromedary ['drʌmədrɪ].
dru *adj.* heavy; thick.
du (voir **de**).
dû *adj.* owing, owed, due.
dû *n.m.* due.
▷ **dualité** *n.f.* duality.
dubitatif *adj.* doubtful, dubious.
duc *n.m.* duke.
duché *n.m.* dukedom.
▷ **duel** *n.m.* duel.
dûment *adv.* duly.
▷ **dune** *n.f.* dune.
duo *n.f.* *(Mus.)* duet; duo, pair.
▷ **dupe** *n.f.* dupe; gull, deceive.
duper *v.* dupe; gull, deceive.
duperie *n.f.* deception.
▷ **duplex** *n.m.* duplex, split-level apartment.
duplicata *n.m.* duplicate ['dju:plɪkɪt].
▷ **duplicateur** *n.m.* duplicator.
▷ **duplicité** *n.f.* duplicity.
dur *adj.* hard; tough; harsh; stiff.
dur d'oreille *loc.* hard of hearing.
durable *adj.* lasting.
durcir *v.* harden.
durcissement *n.m.* hardening.
durée *n.f.* duration; life.
durement *adv.* harshly, severely.
durer *v.* last.
dureté *n.f.* hardness; toughness; harshness; stiffness.
durite *n.f.* (radiator) hose.
duvet *n.m.* down; sleeping bag.
duveteux *adj.* downy ['daʊnɪ].
▷ **dynamique** *adj.* dynamic [daɪ'næmɪk].
▷ **dynamisme** *n.m.* dynamism ['daɪnəmɪzm].
▷ **dynamiter** *v.* dynamite ['daɪnəmaɪt].
▷ **dynastie** *n.f.* dynasty ['dɪnəstɪ].
▷ **dyslexie** *n.f.* dyslexia [dɪs'leksɪə], word-blindness.

E

eau *n.f.* water.
eau courante *n.f.* running water.
eau douce *n.f.* fresh water.
eau potable *n.f.* drinking water.
ébahi *adj.* dumbfounded.
ébats *n.m.pl.* frolics, gambols.
ébattre (s'—) *v.* frolic, frisk.
ébauche *n.f.* sketch; rough, oulline.
ébaucher *v.* sketch out, outline.
ébène *n.m.* ebony ['ebənɪ].
ébéniste *n.m.* cabinet-maker.
éblouir *v.* dazzle.
éblouissant *adj.* dazzling.
éboueur *n.m.* dustman.
ébouillanter *v.* scald.
éboulement *n.m.* rock fall.
ébouler (s'—) *v.* crumble; collapse; cave in.
ébouriffé *adj.* tousled, dishevelled; ruffled.
ébranler *v.* shake; move; weaken.
ébranler (s'—) *v.* sett off, move off.
ébréché *adj.* chipped.
ébriété *n.f.* intoxication.
ébrouer (s'—) *v.* snort (cheval); shake oneself.
ébruiter *v.* disclose, divulge [daɪ'vʌldʒ].
ébruiter (s'—) *v.* spread, leak out.
ébullition *n.m.* boil(ing).
écaille *n.f.* scale; shell; flake; tortoise shell.
écailler *n.m.* oyster-man.
écailler *v* scale; open (huîtres).
écailler (s'—) *v.* peel (off), flake (off).
écarlate *adj.* & *n.f.* scarlet.
écart *n.m.* gap; swerve; deviation.
écart de conduite *n.m.* misdemeanour.
écart (à l'—) *loc.* aside; out of the way.

écarté *adj.* remote ; out-of-the-way.
écarteler *v.* tear apart.
écartement *n.m.* spacing ; gap ; *(Rail)* gauge [geɪdʒ].
écarter *v.* set aside ; move away ; spread ; dismiss.
écarter (s'—) *v.* part ; withdraw ; move away.
ecclésiastique *adj.* ecclesiastical.
▷ **ecclésiastique** *n.m.* ecclesiastic.
écervelé *adj.* featherbrained, harebrained.
échafaud *n.m.* scaffold.
échafaudage *n.m.* scaffolding ; *(fig.)* structure.
échafauder *v.* build (up), construct.
échalier *n.m.* stile [staɪl].
échancré *adj.* indented.
échange *n.m.* exchange.
échange (en — de) *loc.* in return for.
échanger *v.* exchange.
échangeur *n.m.* *(Aut.)* interchange.
échantillon *n.m.* sample.
échantillonnage *n.m.* sampling.
échappatoire *n.f.* way out ; evasion.
échappée *n.f.* vista ; *(Sp.)* breakaway.
échappement *n.m.* *(Aut.)* exhaust.
échapper *v.* escape.
échapper (s'—) *v.* escape, run away ; slip out.
échapper (l' — belle) *loc.* have a close shave (ou a narrow escape).
écharde *n.f.* splinter.
écharpe *n.f.* scarf ; sash ; *(Méd.)* sling.
échasse *n.f.* stilt.
échauder *v.* scald ; *(fig.)* teach a lesson.
échauffement *n.m.* overheating.
échauffer *v.* overheat ; *(fig.)* excite.
échauffer (s'—) *v.* warm up ; get worked up.
échauffourée *n.f.* brawl, scuffle.
échéance *n.f.* deadline ; settlement date.
échéance (arriver à —) *loc.* fall due.
échéant (le cas —) *loc.* if necessary, if need be.
échec *n.m.* failure.
échecs *n.m.pl.* chess.
échelle *n.f.* ladder ; *(fig.)* scale.
échelon *n.m.* rung (d'échelle) ; grade.
échelonner *v.* space out ; stagger.
échevelé *adj.* tousled, dishevelled.
échine *n.f.* spine, backbone ; *(Cuis.)* loin.
échiner (s'—) *v.* fag, slave, drudge.
échiquier *n.m.* chessboard.
⚠ **écho** *n.m.* echo ; rumour.
échoir *v.* fall due ; expire ; fall (to).
échouer *v.* fail ; *(Naut.)* ground.
échouer (s'—) *v.* *(Naut.)* run aground.
éclabousser *v.* splash, spatter.
éclaboussure *n.f.* splash, spatter.
⚠ **éclair** *n.m.* flash of lightning ; flash ; *(Cuis.)* éclair.
éclairage *n.m.* lighting.
éclaircie *n.f.* bright interval.
éclaircir *v.* lighten ; clear up.
éclaircir (s'—) *v.* clear (up).
éclaircissement *n.m.* clearing up ; explanation, elucidation.
éclairé *adj.* light ; lit ; *(fig.)* enlightened.
éclairer *v.* light ; enlighten.
éclaireur *n.m.* scout [skaʊt].
éclat *n.m.* brightness, brilliance ; splendour ; splinter, chip (de bois) ; fuss, commotion.
éclatant *adj.* bright, brilliant.
éclatement *n.m.* explosion, bursting ; *(fig.)* breakup.
éclater *v.* burst, explode ; break out (ou up).
éclater de rire *loc.* burst out laughing.
▷ **éclectique** *adj.* eclectic.
éclectisme *n.m.* eclecticism.
▷ **éclipse** *n.f.* eclipse.
▷ **éclipser** *v.* eclipse ; outshine.
▷ **éclipser (s'—)** *v.* slip away, sneak.
éclopé *adj.* lame [leɪm].
éclore *v.* hatch (œufs) ; bloom, blow (fleurs).
éclosion *n.f.* hatching ; blossoming.
écluse *n.f.* lock.
écœurant *adj.* disgusting, sickening.
écœurement *n.m.* disgust ; *(fig.)* discouragement.
écœurer *v.* disgust, make sick ; discourage.
école *n.f.* school.
écolier *n.m.* schoolboy.
écolière *n.f.* schoolgirl.
▷ **écologie** *n.f.* ecology.
écologique *adj.* ecological.
▷ **écologiste** *n.m.* ecologist ; environmentalist.
économat *n.m.* staff's stores ; bursar's office.
économe *adj.* thrifty, economical.
⚠ **économie** *n.f.* economy, saving, thrift ; economics ; management, economy.
⚠ **économique** *adj.* economic, economical.
économiser *v.* save ; spare.

▷ **économiste** *n.m.* economist.
écoper *v.* *(Naut.)* bale out ; *(fam.)* catch it, cop it.
écorce *n.f.* bark ; peel (d'orange...).
écorcher *v.* skin ; graze, scrape ; chafe.
écorchure *n.f.* graze.
écosser *v.* shell, pod, husk.
écot (payer son —) *loc.* pay one's share ; *(fam.)* go Dutch.
écoulement *n.m.* flow ; drainage ; passage ; *(Comm.)* sale.
écouler *v.* sell ; dispose of, *(fam.)* get rid of.
écouler (s'—) *v.* flow out ; pass (by). *(Comm.)* sell.
écourter *v.* shorten, curtail ; cut short.
écoutes téléphoniques *n.f.pl.* (phone) tapping.
écouter *v.* listen (to).
écouter (s'—) *v.* *(fig.)* coddle oneself.
écouteur *n.m.* receiver ; earphone, headphone.
écoutille *n.f.* *(Naut.)* hatch.
écrabouiller *v.* *(fam.)* crush, squash.
écran *n.m.* screen ; *(Phot.)* filter.
écrasant *adj.* overwhelming, crushing.
écraser *v.* crush ; *(Aut.)* run over.
écraser (s'—) *v.* crash, break.
écrémer *v.* skim, cream.
écrevisse *n.f.* crayfish.
écrier (s'—) *v.* cry out, exclaim.
écrin *n.m.* case.
écrire *v.* write ; spell.
écrit *n.m.* document.
écrit (par—) *loc.* in writing.
écriteau *n.m.* notice, sign ; placard.
écriture *n.f.* writing ; *(Comm.)* entry ; hand.
Écritures (les —) *n.f.pl.* *(Rel.)* the Scriptures.
écrivain *n.m.* writer.
écrou *n.m.* nut.
écroulement *n.m.* fall, collapse.
écrouler (s'—) *v.* fall, collapse.
écru *adj.* unbleached, raw.
écueil *n.m.* reef, rock ; *(fig.)* stumbling block.
éculé *adj.* down-at-heel ; *(fig.)* corny, hackneyed (plaisanterie...).
écume *n.f.* foam ; froth ; scum.
écumer *v.* *(Cuis.)* skim ; scour ; foam.
écumoire *n.f.* skimmer.
écureuil *n.m.* squirrel.
écurie *n.f.* stable.
écusson *n.m.* badge.
écuyer *n.m.* rider.
édenté *adj.* toothless.
▷ **édifice** *n.m.* building, edifice.
⚠ **édifier** *v.* erect, build ; edify (quelqu'un).
⚠ **éditer** *v.* publish.
⚠ **éditeur** *n.m.* publisher.
⚠ **édition** *n.f.* publishing ; edition, editing ; record-making.
▷ **éditorial** *n.m.* leader, editorial.
éditorialiste *n.m.* leader writer.
édredon *n.m.* eiderdown ['aɪdədaʊn].
▷ **éducateur** *n.m.* educator, instructor.
▷ **éducatif** *adj.* educational, educative.
éducation *n.f.* education ; upbringing ; training ; manners.
éduquer *v.* educate ; bring up, rear ; train.
effacé *adj.* unobtrusive [ˌʌn əb'tru:sɪv].
effacer *v.* rub out, erase ; wipe off (ou out).
effacer (s'—) *v.* weart off, fade ; step aside.
effaré *adj.* alarmed, startled.
effarer *v.* alarm, startle ; dismay.
effaroucher *v.* scare away ; shock.
effaroucher (s'—) *v.* be startled ; blush.
effectif *adj.* effective, real ; *(Mil.)* strength.
effectif *n.m.* size (d'une classe,...) ; *(Mil.)* strength.
effectivement *adv.* effectively ; actually.
effectuer *v.* carry out, make ; execute.
▷ **efféminé** *adj.* effeminate.
▷ **effet** *n.m.* effect, result ; impression.
effet (en —) *loc.* indeed.
effets *n.m.pl.* clothes ; things.
efficace *adj.* efficient, effective ; *(Méd.)* efficacious.
efficacité *n.f.* efficiency, effectiveness ; *(Méd.)* efficacy.
▷ **effigie** *n.f.* effigy.
effilé *adj.* slender ; sharp ; tapering ; streamlined.
effiler *v.* sharpen ; thin out (cheveux).
effiloché *adj.* frayed.
effleurer *v.* brush ; *(fig.)* touch upon (un sujet,...) ; occur to [ə'kɜ:].
effluves *n.m.pl.* exhalations ; fragrance.
effondré *adj.* crushed ; *(fig.)* pros-

trate.
effondrement *n.m.* caving in; collapse.
effondrer (s'—) *v.* cave in; collapse; *(fig.)* break down.
efforcer (s'—) *v.* endeavour, strive.
▷ **effort** *n.m.* effort; exertion.
effraction *n.f.* breaking (in).
effrayant *adj.* frightening, frightful, dreadful, appalling.
effrayer *v.* frighten, scare.
effrayer (s'—) *v.* be frightened, be scared.
effréné *adj.* wild, frantic.
effritement *n.m.* crumbling; erosion.
effriter (s'—) *v.* crumble; be eroded.
effroi *n.m.* terror, fright, dread.
effronté *adj.* impudent, saucy, shameless, barefaced.
▷ **effronterie** *n.f.* insolence, impudence, effrontery.
effroyable *adj.* dreadful; appalling.
effusion de sang *n.f.* bloodshed.
égal *adj.* equal; level, even; steady.
égal *n.m.* equal ['iːkwəl].
égal (sans —) *loc.* matchless.
également *adv.* equally; too, also, as well, likewise.
égaler *v.* equal.
⚠ **égalité** *n.f.* equality; evenness; *(Math.)* identity.
égard (à l'— de) *loc.* with regard to, concerning.
égards *n.m.pl.* consideration, attentions.
égaré *adj.* stray, lost.
égarement *n.m.* aberration.
égarer *v.* lead astray; mislead, mislay.
égarer (s'—) *v.* get lost, lose one's way; *(fig.)* go astray.
égayer *v.* cheer up, amuse, enliven.
églantier *n.m.* wild rose, dog rose.
églantine *n.f.* wild rose, dog rose.
église *n.f.* church.
▷ **égocentrique** *adj.* self-centred; egocentric.
▷ **égoïsme** *n.m.* selfishness, egoism.
égoïste *adj.* selfish, egoistic.
▷ **égoïste** *n.m.* egoist.
égorger *v.* cut (ou slit) the throat of; slaughter.
égosiller (s'—) *v.* bawl, shout oneself hoarse.
égout *n.m.* sewer.
égoutter *v.* drain; strain, wring out.
égoutter (s'—) *v.* drip, drain.
égouttoir *n.m.* draining rack; draining board; strainer.
égratigner *v.* scratch.
égratignure *n.f.* scratch.
égrener *v.* shell, pod; pick off (grains de raisin).
éhonté *adj.* shameless, barefaced, brazen.
éjectable (siège —) *n.m.* ejector seat.
éjecter *v.* eject; *(fam.)* chuck out.
▷ **élaboration** *n.f.* elaboration; working out.
▷ **élaborer** *v.* elaborate; work out.
élaguer *v.* prune.
élan *n.m.* *(Sp.)* run-up; impetus, momentum; surge, rush; *(Zool.)* elk, moose.
élancé *adj.* slender.
élancement *n.m.* shooting (ou stabbing) pain.
élancer (s'—) *v.* hurl oneself; rush, dash.
élargir *v.* widen; *(Jur.)* release; let out.
élargir (s'—) *v.* widen; stretch; grow.
élargissement *n.m.* widening; stretching; *(Jur.)* release.
▷ **élasticité** *n.f.* elasticity; spring.
▷ **élastique** *adj.* elastic.
▷ **élastique** *n.m.* rubber band; elastic.
▷ **électeur** *n.m.* voter, elector.
▷ **élection** *n.f.* election.
élection partielle *n.f.* by-election.
▷ **électoral** *adj.* election, electoral.
▷ **électorat** *n.m.* electorate.
▷ **électricien** *n.m.* electrician.
▷ **électricité** *n.f.* electricity.
▷ **électrifier** *v.* electrify.
▷ **électrique** *adj.* electric(al).
électriser *v.* electrify; charge.
électroaimant *n.m.* (electro)magnet.
▷ **électrocardiogramme** *n.m.* electrocardiogram.
électrochoc *n.m.* electroshock.
électrocuter *v.* electrocute [ɪ'lektrəkjʊːt].
électrogène (groupe —) *n.m.* generating set.
électrolyse *n.f.* electrolysis [ɪ,lek'trɒlɪsɪs].
électroménager *adj.* domestic, household.
électronicien *n.m.* electronics engineer.
électronique *n.f.* electronics.
électrophone *n.m.* record player.
▷ **élégance** *n.f.* elegance; grace.
▷ **élégant** *adj.* elegant, smart; neat.

▷ **élément** *n.m.* element ; component.
élémentaire *adj.* elementary, basic ; *(Sc.)* elemental.
▷ **éléphant** *n.m.* elephant.
élevage *n.m.* breeding ; rearing.
élève *n.m.* pupil, *(amér.)* student.
élevé *adj.* high ; lofty, elevated.
élevé (bien —) *loc.* well-mannered, well-bred.
élever *v.* bring up, rear ; raise ; breed ; put up ; elevate.
élever (s'—) *v.* rise ; go up ; arise ; stand.
élever (s'— à) *v.* come to, amount to.
élever (s'— contre) *v.* protest against, rise up against, make a stand against.
éleveur *n.m.* cattle breeder.
élimé *adj.* worn, threadbare.
éliminatoire *n.f. (Sp.)* heat.
éliminer *v.* eliminate, rule out ; *(Sp.)* knock out.
élire *v.* elect.
elle *pr.* she ; her ; it.
elle-même *pr.réfl.* herself.
éloge *n.m.* praise.
élogieux *adj.* full of praise ; laudatory.
éloigné *adj.* distant, far-off ; remote.
éloignement *n.m.* removal, putting away ; distance ; estrangement.
éloigner *v.* move away, take away ; put off ; postpone, delay.
éloigner (s'—) *v.* go away, move away ; become estranged ; swerve.
▷ **élongation** *n.f.* elongation, strained muscle.
▷ **élucider** *v.* elucidate, clear up.
éluder *v.* evade, elude [ɪ'lu:d].
émail *n.m.* enamel [ɪ'næməl].
émaillé de *loc.* dotted with, sprinkled with.
émanation *n.f.* exhalation, emanation ; product.
▷ **émanciper** *v.* emancipate, liberate.
émanciper (s'—) *v.* become emancipated ; *(fam.)* get out of hand.
émarger *v.* sign ; annotate ; *(Tech.)* trim.
emballer *v.* pack (up), wrap (up) ; *(fig.)* carry away.
emballer (s'—) *v.* bolt (cheval) ; *(Aut.)* race ; *(fig.)* get carried away.
embarcadère *n.m.* landing stage ; loading dock.
⚠ **embarcation** *n.f.* boat ; craft.
embardée *n.f.* swerve.
▷ **embargo** *n.m.* embargo [ɪm'bɑ:gəʊ].
embarquement *n.m.* embarkation ; boarding ; loading.
⚠ **embarquer** *v.* embark ; board ; load ; ship (eau) ; *(fam.)* cart off, nick.
embarquer (s'—) *v.* board ; *(fig.)* embark (upon), launch (into).
embarras *n.m.* hindrance, obstacle ; embarrassment ; predicament.
embarrassé *adj.* embarrassed, ill at ease, uneasy.
embarrasser *v.* hinder, hamper ; clutter (up) ; cause embarrassment, trouble.
embarrasser (s'— de) *v.* burden oneself with.
embauche *n.f.* hiring ; vacancy.
embauche (bureau d'—) *loc.* labour office (ou exchange) ; employment agency.
embaucher *v.* hire, take on.
⚠ **embaumer** *v.* embalm ; be fragrant (odeur).
⚠ **embellir** *v.* embellish ; grow more beautiful.
embêtant *adj.* annoying, aggravating.
embêtements *n.m.pl.* trouble.
embêter *v.* bother.
emblée (d'—) *adv.* straightaway, rightaway.
▷ **emblème** *n.m.* emblem, symbol.
embobiner *v. (fig.)* get round, hoodwink.
emboîter *v.* fit together.
emboîter (s'—) *v.* fit (in, to).
embonpoint *n.m.* stoutness.
embouché (mal —) *adj.* foul-mouthed.
embouchure *n.f.* mouth ; *(Mus.)* mouthpiece.
embourber (s'—) *v.* get stuck in the mud ; get bogged down (in the mud).
embout *n.m.* tip ; nozzle ; end.
embouteillage *n.m. (Aut.)* traffic jam, hold-up ; congestion.
emboutir *v.* stamp ; crash into, *(fam.)* bash.
embranchement *n.m.* junction ; fork ; branch.
embraser (s'—) *v.* blaze up, flare up.
embrasser *v.* kiss ; embrace ; include ; take up (carrière).
embrasser (s'—) *v.* kiss.
embrayage *n.m. (Aut.)* clutch.

embrayer *v.* let in the clutch.
embrigader *v.* recruit ; enrol.
embrocher *v.* spit ; run through.
embrouillé *adj.* muddled, confused ; involved.
embrouiller *v.* tangle ; *(fig.)* muddle up, confuse.
embrouiller (s'—) *v.* get in a muddle ; become muddled (ou confused).
embryon *n.m.* embryo ['embrɪəʊ].
embûches *n.m.pl.* traps, snares.
embué *adj.* misted over ; dimmed.
embuscade *n.f.* ambush.
embusqué *n.m.* shirker ['ʃɜːkə].
embusquer (s'—) *v.* take up position ; *(Mil.)* shirk active service.
éméché *adj.* tipsy, merry, lit up.
émeraude *n.f.* emerald.
▷ **émerger** *v.* emerge ; come into view, stand out.
émerveillement *n.m.* wonder, marvel.
émerveiller *v.* fill with wonder, amaze.
émerveiller (s'—) *v.* marvel at.
émetteur *adj.* transmitting.
émetteur (poste —) *n.m.* transmitter.
émettre *v.* emit, give (out ou off) ; *(Radio)* transmit, broadcast ; draw, issue (timbres...) ; put forward (opinion...).
émeute *n.f.* riot ['raɪət].
émeutier *n.m.* rioter ['raɪətə].
émietter *v.* crumble ; disperse.
▷ **émigrant** *n.m.* emigrant.
▷ **émigration** *n.f.* emigration.
émigré *n.m.* expatriate ; *(Hist.)* émigré.
⚠ **émigrer** *v.* emigrate ; *(Zool.)* migrate.
éminemment *adv.* eminently.
▷ **éminent** *adj.* distinguished, eminent.
▷ **émirat** *n.m.* emirate [e'mɪreɪt].
▷ **émissaire** *n.m.* emissary ['emɪsərɪ].
⚠ **émission** *n.f.* emission ; transmission ; issue (timbres...) ; *(Radio, T.V.)* broadcast, programme.
emmagasiner *v.* store ; store up.
emmailloter *v.* swaddle ; swathe [sweɪð].
emmancher *v.* fix a handle on ; *(fig.)* fit.
emmanchure *n.f.* armhole.
emmêler *v.* tangle ; mix up, muddle up.
emmêler (s'—) *v.* get into a tangle, become mixed up.
emménager *v.* move in.
emmener *v.* take (away) ; lead.
emmitoufler (s'—) *v.* wrap oneself up.
émoi *n.m.* agitation ; commotion ; confusion.
émoluments *n.m.pl.* remuneration.
émonder *v.* prune, trim.
émotif *adj.* emotional.
▷ **émotion** *n.f.* emotion.
émoulu *adj.* blunt ; dulled.
émoussé *adj.* blunt ; dulled.
émoustillant *adj.* exhilarating ; titillating.
émouvant *adj.* moving ; stirring, touching.
émouvoir *v.* move ; stir, rouse ; worry, disturb.
émouvoir (s'—) *v.* be moved ; be affected ; be roused ; be worried, be disturbed.
empailler *v.* stuff ; bottom (chaise).
empaler *v.* impale.
empaqueter *v.* pack (up), wrap up.
emparer (s'— de) *v.* take hold of ; seize ; grab.
empâter (s'—) *v.* fatten out, thicken out.
empêché *adj.* held up, detained ; awkward, embarrassed.
empêchement *n.m.* obstacle, impediment ; hitch.
empêcher *v.* prevent.
▷ **empereur** *n.m.* emperor.
empesé *adj.* starched ; *(fig.)* stiff, starchy.
empester *v.* stink out ; stink of.
empêtrer (s'—) *v.* get tangled up ; get mixed up.
emphatique *adj.* bombastic, pompous.
empierrer *v.* metal ; *(Rail)* ballast.
empiéter sur *v.* encroach upon.
empiffrer (s'—) *v.* *(fam.)* stuff oneself.
empiler *v.* stack, pile (up).
⚠ **empire** *n.m.* empire ; influence.
empirer *v.* get worse ; deteriorate.
empirique *adj.* empirical.
emplacement *n.m.* site, location.
emplâtre *n.m.* plaster ; *(fig.)* twit, fool.
emplettes *n.f.pl.* shopping.
emplir *v.* fill.
emplir (s'— de) *v.* fill with.
emploi *n.m.* use ; job ; employment.
emploi du temps *n.m.* timetable ; schedule.
▷ **employé** *n.m.* employee [ɪm'plɔɪɪ].

employé de bureau *n.m.* clerk [klɑːk], *(amér.)* [klɜrk].
employer *v.* use, employ ; spend.
employer (s'— à) *v.* devote oneself to ; exert onseself to.
▷ **employeur** *n.m.* employer.
empocher *v.* pocket.
empoignade *n.f.* row [raʊ] ; *(fam.)* set-to.
empoigne (foire d'—) *loc.* rat race ; free-for-all.
empoigner *v.* grab, grip.
empoisonnement *n.m.* poisoning ; *(fig.)* bother.
empoisonner *v.* poison ; stink out (odeur) ; drive (somebody) mad.
emporté *adj.* quick-tempered, irascible.
emporte-pièce (à l'—) *loc.* cutting, incisive [ɪn'saɪsɪv].
emporter (s'—) *v.* lose one's temper.
empoté *adj.* awkward, clumsy.
empourprer (s'—) *v.* flush.
empreint de *loc.* tinged with.
empreinte *n.f.* print ; stamp.
empreinte digitale *n.f.* fingerprint.
empressé *adj.* attentive ; (over) zealous.
empressement *n.m.* eagerness, alacrity.
empresser (s'— de) *v.* hasten to ['heɪsən].
emprise *n.f.* ascendency ; hold ; influence.
emprisonner *v.* imprison, jail.
emprunt *n.m.* borrowing ; loan ; borrowing (d'un mot...).
emprunté *adj.* ill-at-ease, self-conscious.
emprunter *v.* borrow ; *(fig.)* take, assume.
emprunteur *n.m.* borrower.
ému *adj.* moved, touched.
⚠ **émulation** *n.f.* emulation ; competition.
en *prép.* in ; to ; by ; into.
encadrement *n.m.* framing ; frame (de porte...).
encadrer *v.* frame ; *(fig.)* surround.
encaisse *n.f.* cash (in hand) ; funds.
encaissé *adj.* *(Géog.)* with steep banks (ou sides).
encaisser *v.* collect ; cash ; *(fig.)* take.
encaisseur *n.m.* collector.
encart *n.m.* insert.
en-cas *n.m.* snack.
encastrer *v.* embed ; fit into, fix.
encastrer (s'—) *v.* fit into ; crash into (accident).
⚠ **encaustique** *n.f.* polish ; wax.
encaustiquer *v.* polish, wax.
enceinte *adj.* pregnant, expecting.
enceinte *n.f.* wall, enclosure.
enceinte acoustique *n.f.* (loud)speaker.
▷ **encens** *n.m.* incense.
⚠ **encenser** *v.* *(fig.)* shower praise on, extol.
▷ **encercler** *v.* surround, encircle.
enchaînement *n.m.* chain, series ; sequence.
enchaîner *v.* chain (up) ; link (up) ; carry on (conversation).
enchanté *adj.* delighted.
enchantement *n.m.* delight ; spell, magic.
enchanter *v.* delight.
enchanteur *adj.* enchanting ; entrancing.
enchanteur *n.m.* enchanter ; charmer.
enchâsser *v.* set.
enchère *n.f.* bid.
enchères (vente aux —) *n.f.* auction (sale).
enchérir *v.* make a higher bid ; outbid.
enchevêtrer *v.* tangle (up), entangle.
enclencher *v.* engage.
enclin à *loc.* prone to, disposed to.
enclore *v.* enclose.
enclos *n.m.* enclosure ; pen.
enclume *n.f.* anvil.
encoche *n.f.* notch.
encoignure *n.f.* corner.
encoller *v.* paste.
encolure *n.f.* neck ; collar size.
encombrant *adj.* bulky, cumbersome.
encombre (sans —) *loc.* without hindrance (ou difficulty).
encombrement *n.m.* congestion ; bulk.
encombrer *v.* congest, clutter ; block, glut.
encombrer (s'— de) *v.* burden oneself with.
encore *adv.* still ; again ; more ; even then.
encore (pas —) *adv.* not yet.
encourageant *adj.* encouraging.
encourager *v.* encourage ; cheer.
encourir *v.* incur.
encrasser *v.* foul (up) ; soot (up) ; choke, clog.
encre *n.f.* ink.
encre de chine *n.f.* Indian ink.
encroûter (s'—) *v.* get into a rut, get into a groove [gruːv].

▷ **encyclopédie** *n.f.* encyclopedia [ɪn,saɪklə'pi:dɪə].
endetté *adj.* in debt [det].
endetter (s'—) *v.* get into debt.
endiablé *adj.* wild, furious ; boisterous.
endiguer *v.* dike ; hold back.
endimancher (s'—) *v.* put on one's Sunday best.
⚠ **endive** *n.f.* chicory ['tʃɪkərɪ].
endoctrinement *n.m.* indoctrination.
▷ **endoctriner** *v.* indoctrinate.
endolori *adj.* painful, aching ['eɪkɪŋ].
endommager *v.* damage.
endormi *adj.* asleep ; sleepy.
endormir *v.* put to sleep ; anaesthetize. [ə'ni:sθɪtaɪz] ; *(fig.)* allay (soupçons...).
endormir (s'—) *v.* go to sleep, fall asleep ; *(fig.)* slack off.
endosser *v.* take (responsabilité) ; endorse (chèque) ; put on (maillot...).
endroit *n.m.* place ; spot ; right side.
endroit (à l'—) *loc.* right side out.
enduire *v.* coat.
enduit *n.m.* coating.
▷ **endurance** *n.f.* endurance ; stamina.
endurant *adj.* tough, hardy.
endurcir *v.* toughen, harden.
endurcir (s'—) *v.* become tougher ; become callous.
endurer *v.* endure, bear ; put up with.
⚠ **énergétique** *adj.* energy (ressources...) ; energy-giving (aliment...).
énergie *n.f.* energy ; spirit ; *(Tech.)* power, energy.
énergique *adj.* energetic ; spirited ; drastic, stringent (mesures...).
énergumène *n.m.* ranter.
énervant *adj.* irritating, aggravating.
énervement *n.m.* irritation, annoyance.
énerver *v.* get on (somebody's) nerve ; irritate, annoy.
énerver (s'—) *v.* get worked up ; chafe.
enfance *n.f.* childhood ; boyhood, girlhool ; infancy.
enfant *n.m.* child ; boy, girl.
enfant de chœur *n.m.* altar boy.
enfanter *v.* give birth to ; bear.
enfantillage *n.m.* childish behaviour ; baby trick.
enfantin *adj.* child(like) ; childish.
enfer *n.m.* hell.
enfermer *v.* shut (up ou in) ; lock up.
enfermer (s'—) *v.* shut oneself up.
enfilade *n.f.* row, line ; series.
enfiler *v.* thread, string ; slip on, slip into ; take.
enfin *adv.* at last ; lastly ; still ; in short.
enflammé *adj.* blazing, glowing ; *(Méd.)* sore ; *(fig.)* fiery, inflamed (discours).
enflammer (s'—) *v.* catch fire, flare up ; *(fig.)* become inflamed.
enflé *adj.* swollen ; bombastic (style).
enfler *v.* swell.
enflure *n.f.* swelling.
enfoncé *adj.* sunken ; deep.
enfoncer *v.* drive in ; break open ; *(fam.)* lick.
enfoncer (s'—) *v.* sink ; give way, subside.
enfouir *v.* hide (in the ground) ; bury ; tuck away.
enfourcher *v.* mount [maʊnt].
enfreindre *v.* infringe, transgress, break.
enfuir (s'—) *v.* run away, escape.
⚠ **engagé** *adj.* committed ; engagé (écrivain...).
engageant *adj.* prepossessing, engaging.
⚠ **engagement** *n.m.* agreement, promise ; taking on, engaging ; investing ; commitment ; *(Mil.)* engagement ; *(Sp.)* entry.
engager *v.* engage ; take on ; start ; invest ; commit ; involve ; *(Mil.)* engage ; *(Sp.)* enter.
engager (s'—) *v.* take a job, hire oneself ; *(Mil.)* enlist ; commit oneself ; start.
engager (s'— à) *v.* promise to, commit oneself to.
engeance *n.f.* crew ; mob.
engelures *n.f.pl.* chilblains.
engendrer *v.* father, beget ; *(fig.)* create, breed.
engin *n.m.* machine ; tool ; contraption ; device.
englober *v.* include, take in.
engloutir *v.* swallow up ; bolt.
engorger *v.* block, clog.
engouement *n.m.* infatuation ; passion.
engouffrer (s'—) *v.* rush.
engourdi *adj.* numb.
engourdir *v.* numb ; dull.
engourdir (s'—) *v.* go numb.
engrais *n.m.* fertilizer ; manure.

engraisser *v.* fatten (up) ; get fat.
engrenage *n.m.* gearing ; chain.
enguirlander *v.* *(fam.)* tell off.
enhardir (s'—) *v.* grow bold(er).
▷ **énigmatique** *adj.* enigmatic.
⚠ **énigme** *n.f.* riddle ; *(fig.)* enigma.
enivrant *adj.* intoxicating, heady.
enivrer (s'—) *v.* get drunk.
enjambée *n.f.* stride.
enjamber *v.* stride over ; *(fig.)* span.
enjeu *n.m.* stake.
enjoindre *v.* enjoin, order.
enjôler *v.* coax, wheedle ; entice [ɪn'taɪs].
enjoliver *v.* embellish, adorn.
enjoliveur *n.m.* *(Aut.)* hub cap.
enjoué *adj.* playful, sprightly.
enlacer *v.* embrace ; clasp, hug ; entwine.
enlèvement *n.m.* removal, clearing away ; collection (ordures) ; kidnapping, abduction.
enlever *v.* remove, clear away ; collect ; kidnap, abduct ; take off (un vêtement...) ; *(Méd.)* remove, take out ; *(Comm.)* win ; *(Mil.)* take.
enlever (s'—) *v.* come off ; *(Comm.)* be snapped up.
enliser (s'—) *v.* sink, get stuck, get bogged down.
enneigé *adj.* snowed-up, snowy.
enneigement *n.m.* snowing-up.
ennemi *adj.* enemy ; hostile ['hɒs taɪl].
▷ **ennemi** *n.m.* enemy ; foe.
ennui *n.m.* boredom ; trouble.
ennuyé *adj.* annoyed, worried.
ennuyer (s'—) *v.* get (ou be) bored.
ennuyeux *adj.* dull, boring, tedious ['tiːdɪəs] ; annoying.
énoncé *n.m.* terms, wording, statement.
énoncer *v.* say, express ; state (conditions).
enorgueillir (s'—) *v.* boast, pride oneself (on).
énorme *adj.* huge, enormous ; tremendous.
énormément *adv.* enormously, tremendously ; lots of.
enquérir (s'— de) *v.* inquire after.
enquête *n.f.* inquiry ; investigation ; survey.
enquêter *v.* hold an inquiry ; investigate ; conduct a survey.
enquiquineur *n.m.* *(fam.)* nuisance ['njʊːsəns], pest, real pain (in the neck).
enraciné *adj.* deep-rooted.
enragé *adj.* mad, rabid ['ræbɪd], fanatic, keen.
enrayer *v.* check, stop, stem.
enrayer (s'—) *v.* jam.
enregistrement *n.m.* registration ; check-in ; recording.
enregistrer *v.* register ; check in ; record, tape ; note ; retain.
enrhumer (s'—) *v.* catch (a) cold.
enrichir *v.* make rich ; enrich.
enrichir (s'—) *v.* get rich ; make money.
enrichissement *n.m.* enrichment.
enrober *v.* coat ; wrap (up).
enrôler *v.* enlist.
enroué *adj.* hoarse, husky.
enrouer (s'—) *v.* go hoarse.
enrouler *v.* wind up [waɪnd].
enrouler (s'—) *v.* wind ; coil up.
ensabler *v.* sand up ; silt up.
ensabler (s'—) *v.* silt up ; get stranded.
ensacher *v.* bag, pack.
ensanglanté *adj.* smeared with blood, blood-stained.
enseignant *adj.* teaching.
enseignant *n.m.* teacher.
enseigne *n.f.* sign [saɪn].
ensemble *adv.* together.
ensemble *n.m.* set ; whole ; suit ; housing development ; *(Math.)* set.
ensemencer *v.* sow [səʊ].
ensevelir *v.* bury ['berɪ].
ensevelissement *n.m.* burial ['berɪəl].
ensoleillé *adj.* sunny.
ensoleillement *n.m.* (period of) sunshine.
ensommeillé *adj.* sleepy, drowsy.
ensorceler *v.* bewitch ; cast a spell on.
ensorceleur *adj.* bewitching.
ensuite *adv.* then, next ; after(wards).
ensuivre (s'—) *v.* ensure, follow.
entacher *v.* sully, taint, blemish.
entaille *n.f.* notch, nick ; cut.
entamer *v.* start, broach ; open ; damage, harm ; shake.
entartrer *v.* fur up ; scale (dents).
entassement *n.m.* pile, heap.
entasser *v.* pile (up), heap (up), stack ; cram, pack.
entasser (s'—) *v.* pile up ; cram, crowd.
entendre *v.* hear ; mean.
entendre (s'—) *v.* get on ; agree.
entendre (s'— à) *v.* be good at, know how to.
entendu *adj.* agreed ; knowing (air).
entendu (bien —) *loc.* of course.
entente *n.f.* understanding ; agree-

ment.
entériner *v.* ratify; confirm; *(péj.)* rubber-stamp.
enterrement *n.m.* burial, funeral; burying.
enterrer *v.* bury ['berı].
entêtant *adj.* heady.
en-tête *n.m.* heading, headline.
entêté *adj.* stubborn; obdurate, perverse, headstrong; *(fam.)* pigheaded.
entêtement *n.m.* stubbornness; obstinacy; *(fam.)* pigheadedness.
entêter (s'— à) *v.* persist in.
▷ **enthousiasme** *n.m.* enthusiasm [ın'θjʊ:zıæzm].
enthousiaste *adj.* enthusiastic [ın,θjʊ:zı'æstık].
enticher (s'— de) *v.* take a fancy to; become infatuated with.
entier *adj.* whole; full, complete; unbending, unyielding.
entier (en —) *loc.* entirely, completely.
▷ **entité** *n.f.* entity.
entonner *v.* strike up; break into.
entonnoir *n.m.* funnel; *(Mil.)* shell-hole, crater ['kreıtə].
entorse *n.f.* sprain, strain; *(Jur.)* infringement.
entortiller *v.* twist, wind; *(fig.)* get round, inveigle.
entourage *n.m.* circle; family (circle).
entourer *v.* surround.
entracte *n.m.* interval, interlude.
entraide *n.f.* mutual aid.
entraider (s'—) *v.* help each other.
entrailles *n.f.pl.* entrails, guts; bowels ['baʊəlz].
entrain *n.m.* spirit; high spirits.
entraînant *adj.* stirring, lively, rousing.
entraînement *n.m.* training; coaching.
entraîner *v.* carry along, drag along; pull; drive; take (off), lead; train; bring about; entail (conséquences).
entraîner (s'—) *v.* train.
entraîneur *n.m.* *(Sp.)* coach; trainer (cheval).
entraîneuse *n.f.* hostess; *(Sp.)* coach, trainer.
entrave *n.f.* hobble, shackle; *(fig.)* hindrance.
entraver *v.* hold up; shackle; hinder.
entre *prép.* between; among.
entrebâillé *adj.* ajar, half-open.
entrechoquer (s'—) *v.* knock together; chatter (dents).
entrecôte *n.f.* *(Cuis.)* rib (of beef).
entrecoupé de *adj.* broken with.
entrecroiser (s'—) *v.* intertwine.
entrée *n.f.* entrance; admission; ticket; mouth; *(Cuis.)* first course.
entrée des artistes *n.f.* stage door.
entrée interdite *loc.* no admittance.
entrée libre *loc.* admission free.
entrefaites (sur ces —) *loc.* meanwhile; at this juncture, at that moment.
entrefilet *n.m.* paragraph; item ['aı təm].
entrejambe *n.m.* crotch.
entrelacer (s'—) *v.* intertwine.
entremêler *v.* intermingle.
entremets *n.m.* *(Cuis.)* sweet.
entremetteur *n.m.* go-between; *(péj.)* procurer.
entremetteuse *n.f.* go-between; *(péj.)* procuress.
entremettre (s'—) *v.* intervene; interfere.
entremise (par l'— de) *loc.* through.
entrepont *n.m.* *(Naut.)* between-decks, steerage.
entreposer *v.* store.
entrepôt *n.m.* warehouse.
entreprenant *adj.* enterprising; *(péj.)* forward.
entreprendre *v.* undertake; start; tackle (un sujet, quelqu'un).
entrepreneur *n.m.* (building) contractor.
entrepreneur de pompes funèbres *n.m.* undertaker.
⚠ **entreprise** *n.f.* undertaking, enterprise, venture; *(Ind.)* firm, concern.
entrer *v.* enter; go in, come in.
entre-temps *adv.* meanwhile, in the meantime.
entretenir *v.* maintain, support, keep; keep alive.
entretenir (s'—) *v.* converse, discuss.
entretenu *adj.* kept.
entretien *n.m.* discussion, interview; maintenance, upkeep, service.
entrevoir *v.* catch a glimpse of; make out; foresee.
entrevue *n.f.* interview.
entrouvert *adj.* half-open; gaping.
entrouvrir *v.* half-open.
▷ **énumérer** *v.* enumerate, list.
envahir *v.* invade; come over; encroach upon.

envahissant *adj.* interfering, intrusive ; encroaching.
envahissement *n.m.* invasion.
envahisseur *n.m.* invader [ɪn'veɪdə].
envaser (s'—) *v.* silt up.
⚠ **enveloppe** *n.f.* envelope ; *(Tech.)* casing, outer cover.
envelopper *v.* envelop ; wrap (up) ; shroud.
envenimer *v.* poison ; inflame ; fan ; *(fig.)* aggravate, make worse.
envenimer (s'—) *v.* fester ; grow acrimonious (discussion).
envergure *n.f.* *(Av.)* wingspan ; *(fig.)* scope, scale.
envers *prép.* towards, to.
envers *n.m.* wrong side, back.
envers (à l'—) *loc.* upside down ; inside out.
⚠ **envie** *n.f.* desire, wish ; envy ; birthmark.
envie (avoir— de) *loc.* feel like.
envier *v.* envy, be envious of ; wish for.
▷ **envieux** *adj.* envious.
environ *adv.* about ; or so ; or thereabouts.
environs *n.m.pl.* surroundings ; outskirts ; vicinity.
▷ **environnement** *n.m.* environment.
environner *v.* surround.
⚠ **envisager** *v.* consider, contemplate ; envisage.
⚠ **envoi** *n.m.* sending, dispatch ; parcel, consignment.
envol *n.m.* take off, flight.
envoler (s'—) *v.* fly away ; take off ; blow away (ou off).
envoûter *v.* bewitch, cast a spell on.
envoyé *n.m.* envoy ; correspondent (de presse).
envoyer *v.* send ; throw.
envoyer chercher *loc.* send for.
épais *adj.* thick ; deep ; dull (esprit).
épaisseur *n.f.* thickness ; depth.
épaissir (s'—) *v.* thicken ; *(fig.)* deepen.
épancher *v.* give vent to, pour out.
épancher (s'—) *v.* open one's heart ; unbosom (oneself).
épanoui *adj.* in full bloom ; *(fig.)* beaming.
épanouir (s'—) *v.* bloom ; light up, beam.
épargnant *n.m.* saver.
épargne *n.f.* saving(s).
épargner *v.* save ; spare.
éparpillement *n.m.* scattering.
éparpiller *v.* disperse ; scatter.
épatant *adj.* splendid, excellent.
épate (faire de l'—) *loc.* show off, swank.
épaté *adj.* flat (nez) ; struck all of a heap.
épater *v.* amaze, stagger.
épaule *n.f.* shoulder.
épauler *v.* back up, support ; raise (arme).
⚠ **épaulette** *n.f.* epaulette ; shoulder strap.
épave *n.f.* wreck [rek].
épée *n.f.* sword [sɔːd].
épeler *v.* spell.
éperdu *adj.* distracted, wild ; desperate.
éperdument *adv.* desperately, madly, to distraction.
éperon *n.m.* spur.
éperonner *v.* spur ; *(Naut.)* ram.
épervier *n.m.* (sparrow) hawk ; cast net (pêche).
éphémère *adj.* ephemeral, fleeting ; short-lived.
éphéméride *n.f.* block calendar.
épi *n.m.* ear (of corn).
épices *n.f.pl.* spices ['spaɪsɪz].
épicé *adj.* highly spiced, spicy.
épicéa *n.m.* spruce.
épicer *v.* spice ; *(fig.)* add spice to ; make spicy.
épicerie *n.f.* grocer's ; groceries.
épicerie fine *n.f.* delicatessen.
épicier *n.m.* grocer.
épidémie *n.f.* epidemic.
▷ **épidémique** *adj.* epidemic ; catching.
épiderme *n.m.* epidermis ; skin.
épier *v.* spy on, keep watch on ; look out for.
épieu *n.m.* spear [spɪə].
épilatoire *adj.* depilatory.
▷ **épilepsie** *n.f.* epilepsy.
épiler *v.* pluck hairs from.
▷ **épilogue** *n.m.* conclusion, épilogue ; *(Th.)* dénouement.
épiloguer *v.* comment ; find fault.
épinards *n.m.pl.* spinach ['spɪnɪdʒ].
épine *n.f.* thorn, prickle ; spine.
épine dorsale *n.f.* spine, backbone.
épineux *adj.* thorny, prickly ; *(fig.)* knotty, tricky.
épingle *n.f.* pin ; peg (à linge).
épingle à nourrice *n.f.* safety pin.
épingler *v.* pin ; *(fam.)* nick, nab.
▷ **épique** *adj.* epic.
▷ **épiscopat** *n.m.* bishopric, episcopacy.

⚠ **épisodique** *adj.* occasional ; minor.
épissure *n.f.* splice [splaıs].
▷ **épistolaire** *adj.* epistolary.
▷ **épitaphe** *n.f.* epitaph.
▷ **épithète** *n.f.* epithet.
épître *n.f.* epistle.
éploré *adj.* tearful, in tears.
éplucher *v.* peel, pare ; *(fig.)* examine, sift.
épluchures *n.f.pl.* peelings, parings.
éponge *n.f.* sponge.
éponger *v.* mop, sponge (up) ; *(Fin.)* absorb (un déficit).
épopée *n.f.* epic.
⚠ **époque** *n.f.* time ; age ; epoch ['i:pɒk].
époque (d'—) *adj.* period.
époumonner (s'—) *v.* shout oneself hoarse.
épouse *n.f.* wife ; *(Jur.)* spouse.
⚠ **épouser** *v.* marry ; *(fig.)* espouse [ı'spaʊz], take up (cause) ; fit.
épousseter *v.* dust.
époustouflant *adj.* staggering, stunning, mind-boggling, breathtaking.
épouvantable *adj.* appalling, dreadful, horrible.
épouvantail *n.m.* scarecrow ; bugbear.
épouvante *n.f.* terror, fright.
épouvante (film d'—) *loc.* horror film.
épouvanter *v.* terrify, appal [ə'pɔ:l].
époux *n.m.* husband ; *(Jur.)* spouse [spaʊs, spaʊz].
époux (les —) *n.m.pl.* the (married) couple.
éprendre (s'— de) *v.* fall in love with.
épreuve *n.f.* trial ; ordeal ; *(Ens.)* test ; *(Phot.)* print ; proof (d'imprimerie) ; *(Sp.)* event.
éprouvant *adj.* trying ; testing.
éprouver *v.* feel ; afflict, distress ; test.
éprouvette *n.f.* test tube.
épuisant *adj.* exhausting.
épuisé *adj.* exhausted ; sold out ; out of print (édition).
épuisement *n.m.* exhaustion.
épuiser *v.* exhaust, wear out.
épuiser (s'—) *v.* wear out, exhaust ; run out, give out ; wear oneself out.
épuisette *n.f.* landing net ; (shrimping) net.
épurateur *n.m.* purifier ['pjuərıfaıə].
épuration *n.f.* purification ; refinement ; purge, weeding out.
épurer *v.* purify ; refine ; purge.
équarrir *v.* squarre off ; quarter (animal).
▷ **équateur** *n.m.* equator [i'kweıtə].
équerre *n.f.* square ; *(Tech.)* brace.
équestre *adj.* equestrian.
équilibre *n.m.* balance ; equilibrium ; *(fig.)* harmony.
équilibrer *v.* balance.
équilibriste *n.m.* (tight) rope walker ; rope dancer.
équipage *n.m.* crew [krʊ:].
équipe *n.f.* team, squad ; *(péj.)* bunch.
équipée *n.f.* escapade ['eskəpeıd].
équipement *n.m.* equipment ; kit.
équiper *v.* equip ; fit out.
équipier *n.m.* team member.
équitable *adj.* fair.
équitablement *adv.* fairly, impartially.
équitation *n.f.* riding.
▷ **équité** *n.f.* equity ['ekwıtı].
équivaloir à *v.* be equivalent to ; amount to ; be as good as.
équivoque *adj.* equivocal, ambiguous ; *(péj.)* dubious ['dju:bıəs], questionable.
équivoque *n.f.* ambiguity ; doubt.
érable *n.m.* maple ['meıpl].
érafler *v.* scratch.
éraflure *n.f.* scratch.
éraillé *adj.* rasping, hoarse, harsh.
▷ **ère** *n.f.* era ['ıərə].
éreintant *adj.* exhausting, backbreaking.
éreintement *n.m.* *(fam.)* slating, savage attack, cutting-up.
éreinter *v.* exhaust, wear out ; *(fig.)* slate, cut up.
ergot *n.m.* spur ; *(Tech.)* pin, lug.
ériger *v.* erect ; set up.
⚠ **ermitage** *n.m.* hermitage ; retreat.
▷ **ermit** *n.m.* hermit.
éroder *v.* erode [ı'rəʊd] ; eat away, wear away.
▷ **érotique** *adj.* erotic [ı'rɒtık].
érotisme *n.m.* eroticism [ı'rɒtısızm].
errant *adj.* wandering ; stray.
errer *v.* wander ; roam, rove.
erreur *n.f.* mistake ; error ; slip.
erreur judiciaire *n.f.* miscarriage of justice.
erroné *adj.* erroneous, wrong.
▷ **érudit** *adj.* erudite ['erudaıt] ; learned ['lɜ:nıd].
⚠ **érudit** *n.m.* scholar.
▷ **érudition** *n.f.* erudition, scholarship.
esbrouffe (faire de l'—) *loc.* show

off, bluff ; swagger.
escabeau *n.m.* stol ; stepladder.
escadre *n.f.* squadron ; *(Av.)* wing.
escadrille *n.f.* flight.
escadron *n.m.* squadron.
escalade *n.f.* climbing ; *(Polit.)* escalation.
escalader *v.* climb, scale.
escale *n.f.* call ; port of call ; *(Av.)* stop.
escalier *n.m.* stairs.
escalier roulant *n.m.* escalator.
escalier de service *n.m.* backstairs.
escamotable *adj.* retractable, collapsible, foldaway.
escamoter *v.* conjure away ; evade, get round.
escapade (faire une —) *loc.* run away.
escargot *n.m.* snail.
escarmouche *n.f.* skirmish ['skɜːmɪʃ].
escarpé *adj.* steep.
▷ **escarpement** *n.m.* steep slope ; escarpment.
escient (à bon —) *loc.* advisedly, deliberately.
esclaffer (s'—) *v.* burst out laughing.
esclandre *n.m.* scene, scandal ; fracas ['frækɑː].
esclavage *n.m.* slavery ; bondage ; *(fig.)* drudgery.
esclavagisme *n.m.* pro-slavery ; slave system.
esclave *n.m.* slave [sleɪv].
escompte *n.m.* discount ['dɪskaʊnt].
escompter *v.* expect ; *(Fin. Comm.)* discount [dɪs'kaʊnt].
▷ **escorte** *n.f.* escort.
escorteur *n.m.* escort.
escouade *n.f.* squad [skwad].
escrime *n.f.* fencing.
escrimer (s'— à) *v.* try hard to.
escroc *n.m.* swindler ; con man.
escroquerie *n.f.* swindle.
espace *n.m.* space.
espacement *n.m.* spacing (out).
espace vital *n.m.* living space.
espacer *v.* space out.
espacer (s'—) *v.* become fewer and farther between.
espadrilles *n.f.pl.* rope-soled sandals, canvas shoes.
espagnolette *n.f.* catch.
espèce *n.f.* kind, sort, type ; species.
espérance *n.f.* hope, expectation.
espérance de vie *n.f.* life expectancy.
espérer *v.* hope for.
espiègle *adj.* mischievous ; sly.
espièglerie *n.f.* mischievousness ; slyness.
espion *n.m.* spy.
▷ **espionnage** *n.m.* spying, espionage.
espionner *v.* spy on.
espoir *n.m.* hope.
esprit *n.m.* mind ; wit ; spirit.
esquimau *n.m.* Eskimo ; choc-ice (glace).
esquisse *n.f.* sketch.
esquisser *v.* sketch.
esquive *n.f.* dodging ; side-stepping.
esquiver *v.* dodge ; shirk, evade.
esquiver (s'—) *v.* slip away.
⚠ **essai** *n.m.* testing, trying out ; attempt, try ; *(Sp.)* try ; *(Ens.)* essay.
essaim *n.m.* swarm.
essaimer *v.* swarm ; scatter ; spread.
essayage *n.m.* fitting, trying on.
essayer *v.* try ; try on ; test ; try out.
essayer (s'— à) *v.* try one's hand at ; endeavour.
⚠ **essence** *n.m.* petrol ; *(amér.)* gas ; essence ; species ; oil.
▷ **essentiel** *adj.* essential, basic.
essieu *n.m.* axle ['æksl].
essor *n.m.* flight ; rapid expansion, rise, stride.
essorage *n.m.* wringing ['rɪŋɪŋ].
essorer *v.* wring (out) ; spin-dry.
essoreuse *n.f.* wringer, mangle ; spin dryer.
essoufflement *n.m.* breathlessness.
essouffler (s'—) *v.* get out of breath.
essuie-glace *n.m.* windscreen wiper.
essuie-mains *n.m.* hand towel.
essuyer *v.* wipe ; dry up ; *(fig.)* suffer, endure.
essuyer (s'—) *v.* dry oneself.
est *n.m.* east [iːst].
estafilade *n.f.* gash ; slash.
estampe *n.f.* print, engraving.
estamper *v.* stamp ; *(fam.)* swindle, fleece.
estampille *n.f.* stamp.
▷ **esthète** *n.m.* aesthete ['iːsθiːt].
esthéticienne *n.f.* beautician [bjuː'tɪʃn].
⚠ **esthétique** *adj.* attractive ; aesthetic.
esthétique *n.f.* aesthetics.
⚠ **estimation** *n.f.* valuation ; assessment.
⚠ **estime** *n.f.* esteem, regard ; estimation.
⚠ **estimer** *v.* esteem, hold in high regard ; assess, estimate ; value .
estival *adj* summer.

estivant *n.m.* holiday maker.
estomac *n.m.* stomach.
estomaquer *v.* stagger, astound, flabbergast.
estomper (s'—) *v.* become blurred.
estrade *n.f.* platform, rostrum, dais.
estropié *adj.* crippled.
estropier *v.* cripple, maim; *(fig.)* twist, distort; murder (une langue).
▷ **estuaire** *n.m.* estuary.
et *conj.* and.
étable *n.f.* cowshed.
établi *n.m.* bench.
établir *v.* draw up, make out; set up; establish.
établir (s'—) *v.* settle; set up (as).
étage *n.m.* floor, story; stage (fusée); level, tier [tɪə].
étager *v.* lay out in tiers.
étagère *n.f.* shelf.
étain *n.m.* tin; pewter (d'orfèvrerie).
étal *n.m.* stall.
étalage *n.m.* window; *(fig.)* display.
étalagiste *n.m.* window dresser.
étalement *n.m.* spreading; staggering (des vacances...).
étaler *v.* spread (out); stagger (les vacances...); display.
étaler (s'—) *v.* spread out; *(fam.)* come a cropper.
étalon *n.m.* standard; stallion (cheval).
étalonner *v.* calibrate.
étamer *v.* tin(plate); silver (glace).
étanche *adj.* watertight; waterproof.
étancher *v.* quench (la soif).
étang *n.m.* pond.
étape *n.f.* stage; stopping-place; *(Sp.)* staging point, stage.
état *n.m.* state; condition, state; statement, inventory.
état-major *n.m.* staff; staff headquarters; *(Comm.)* management.
étau *n.m.* vice [vaɪs].
étayer *v.* prop; back up.
été *n.m.* summer.
éteignoir *n.m.* extinguisher; *(fam.)* wet blanket.
éteindre *v.* put out, extinguish; turn off; switch off.
éteindre (s'—) *v.* go out, go off; *(fig.)* pass away, die out.
éteint *adj.* dull, lacklustre ['læk,lʌstə] (personne); extinct (volcan, famille...).
étendre *v.* spread, spread out, extend; hang out; stretch out; dilute; *(fam.)* floor (un adversaire).
étendre (s'—) *v.* spread; stretch oneself out.
étendu *adj.* extensive; sprawling.
étendue *n.f.* extent, stretch, expanse; scope.
▷ **éternel** *adj.* eternal, everlasting.
▷ **éternellement** *adv.* eternally, for ever.
éterniser (s'—) *v.* last for ages; drag on.
▷ **éternité** *n.f.* eternity.
éternité (de toute —) *loc.* from time immemorial.
éternuer *v.* sneeze.
étêter *v.* pollard; cut the head of.
éthique *adj.* ethical.
éthique *n.f.* ethic; *(Sc.)* ethics ['eθɪks].
ethnie *n.f.* ethnic group.
ethnologue *n.m.* ethnologist.
éthylique *adj.* alcoholic.
éthylisme *n.m.* alcoholism.
étinceler *v.* sparkle, glitter.
étincelle *n.f.* spark.
étioler (s'—) *v.* wilt.
étiqueter *v.* label ['leɪbl].
étiquette *n.f.* label ['leɪbl].
étirer *v.* stretch; stretch out.
étirer (s'—) *v.* stretch (oneself).
étoffe *n.f.* material, fabric.
étoffer *v.* fill out.
étoile *n.f.* star.
étoile (à la belle —) *loc.* in the open, under the stars.
étoilé *adj.* starry.
étonnant *adj.* amazing, astonishing.
étonnement *n.m.* amazement, surprise.
étonner *v.* amaze, surprise.
étonner (s'— de) *v.* wonder at.
étouffant *adj.* stifling ['staɪflɪŋ], sultry.
étouffement *n.m.* suffocation, stifling.
étouffer *v.* stifle, smother; muffle; hush up; suffocate.
étourderie *n.f.* heedlessness, thoughtlessness, blunder.
étourdi *adj.* scatterbrained; thoughtless.
étourdir *v.* stun, daze; deafen; make dizzy.
étourdissant *adj.* stunning; deafening; staggering.
étourdissement *n.m.* dizzy spell.
étrange *adj.* stange, odd.
étranger *adj.* foreign; strange; unknown; alien.
étranger *n.m.* foreigner ['fɒrɪnə];

alien ['eɪlɪən].
étranger (à l'—) *loc.* abroad.
étranglement *n.m.* strangulation; neck; bottleneck.
étrangler *v.* strangle.
étrangler (s'—) *v.* choke; swallow the wrong way; narrow; make a bottleneck.
étrave *n.m. (Naut.)* stem.
être *n.m.* being; heart, soul.
être *v.* be.
étreindre *v.* embrace; clutch, grip.
étreinte *n.f.* embrace; clutch, grip.
étrennes *n.f.pl.* Christmas box.
étrier *n.m.* stirrup.
étriller *v.* curry (cheval); *(fam.)* trounce, thrash.
étriper *v.* gut.
étriqué *adj.* skimpy, tight; cramped.
étroit *adj.* narrow; tight; close; tight-fitting.
étroit (à l'—) *loc.* cramped for room.
étroitement *adv.* closely, strictly.
étude *n.f.* study; office (notaire); practice; *(Ens.)* study room.
étude (à l'—) *loc.* under consideration.
étudiant *n.m.* student.
étudié *adj.* studied; elaborate; well designed.
étudier *v.* study; examine.
étui *n.m.* case.
▷ **étymologie** *n.f.* etymology.
▷ **eunuque** *n.m.* eunuch ['ju:nək].
▷ **euphémisme** *n.m.* understatement; euphemism.
▷ **euphonie** *n.f.* euphony ['ju:fənɪ].
▷ **euphorie** *n.f.* euphoria [ju:'fɔ:rɪə].
▷ **euphorique** *adj.* euphoric [ju:'fɔ:rɪk].
▷ **euthanasie** *n.f.* euthanasia [,ju:θə'neɪzɪə].
eux *pr.* they; them.
évacuer *v.* evacuate, clear; discharge.
évadé *n.m.* escapee [,eskeɪ'pi:].
évader (s'—) *v.* escape [ɪ'skeɪp].
▷ **évaluation** *n.f.* assessment, (e)valuation.
▷ **évaluer** *v.* assess, evaluate, value.
évangile *n.m.* gospel.
évanouir (s'—) *v.* faint, lose consciousness; *(fig.)* vanish, disappear.
évanouissement *n.m.* fainting fit; loss of consciousness; vanishing.
évaporer (s'—) *v.* evaporate; *(fig.)* vanish.
évaser (s'—) *v.* open out; flare.
▷ **évasif** *adj.* evasive [ɪ'veɪsɪv].
⚠ **évasion** *n.f.* escape; escapism.
évêché *n.m.* bishopric; bishop's palace.
éveil *n.m.* awakening.
éveillé *adj.* awake; wide-awake, alert, sharp, bright.
éveiller (s'—) *v.* wake up.
événement *n.m.* event; occurrence.
éventail *n.m.* fan.
éventer *v.* fan; discover, lay open.
éventer (s'—) *v.* go stale.
éventrer *v.* disembowel, gut, draw; gore; rip open.
▷ **éventualité** *n.f.* eventuality, possibility.
⚠ **éventuel** *adj.* possible.
⚠ **éventuellement** *adv.* possibly, if necessary.
évêque *n.m.* bishop.
évertuer (s' — à) *v.* do one's utmost to; exert oneself to.
évidement *adv.* of course, obviously.
⚠ **évidence** *n.f.* obviousness; obvious fact.
▷ **évident** *adj.* obvious, evident.
évider *v.* scoop out, hollow out.
évier *n.m.* sink.
évincer *v.* oust [aʊst]; supplant; *(fam.)* turn out.
éviter *v.* avoid; dodge; evade; spare.
évocateur *adj.* evocative, suggestive.
évoluer *v.* evolve, develop; move about; *(Mil.)* manœuvre.
évoquer *v.* call up, evoke; mention.
exacerber *v.* exarcerbate, aggravate.
⚠ **exact** *adj.* accurate; correct; punctual.
exactement *adv.* exactly, accurately; precisely.
⚠ **exactitude** *n.f.* exactitude, accuracy; punctuality.
ex-aequo *adj.* equally placed; equal ['i:kwəl].
▷ **exagération** *n.f.* exaggeration.
exagéré *adj.* excessive, undue, exaggerated.
▷ **exagérer** *v.* exaggerate; go too far, overdo.
exaltant *adj.* elating, exhilarating.
exalté *adj.* excited; wild; elated.
exalté *n.m.* fanatic.
exalter *v.* excite, inflame; elate; exalt.
examen *n.m.* examination, scrutiny, consideration; *(Ens.)* exam.

examen (à l'—) *loc.* under consideration.
examinateur *n.m.* examiner.
▷ **examiner** *v.* examine.
exaspérant *adj.* exasperating, aggravating.
▷ **exaspérer** *v.* exasperate, exacerbate, incense.
exaucer *v.* grant ; fulfil, gratify.
excédent *n.m.* surplus.
excédentaire *adj.* surplus, excess.
⚠ **excéder** *v.* exceed, go beyond ; exasperate.
▷ **exceller** *v.* excel.
▷ **excentricité** *n.f.* eccentricity.
▷ **excentrique** *adj.* eccentric ; outlying (district).
excepté *prép.* except, apart from, save.
exception (à l'— de) *loc.* except (for), save.
▷ **exceptionnel** *adj.* exceptional, uncommon.
excès *n.m.* surplus ; excess, glut.
excès (à l'—) *loc.* to excess, inordinately.
excès de vitesse *n.m.* *(fam.)* speeding.
▷ **excessif** *adj.* excessive, undue.
excitant *adj.* exciting.
excitant *n.m.* stimulant.
excitation *n.f.* excitement.
excité *n.m.* hothead, fanatic.
exciter *v.* excite ; stimulate ; thrill.
exciter (s'—) *v.* get excited, get worked up.
exclamer (s'—) *v.* exclaim.
exclure *v.* *(Ens.)* expel; send down ; exclude, leave out ; rule out (possibilité...).
▷ **exclusif** *adj.* exclusive [ɪk'sklu:sɪv].
exclusion *n.f.* expulsion.
exclusivement *adv.* exclusively.
exclusivité *n.f.* *(Comm.)* exclusive rights, monopoly.
excommunier *v.* excommunicate.
excroissance *n.f.* excrescence ; outgrowth.
▷ **excursion** *n.f.* excursion, tour, trip.
excursionner *v.* go on a trip.
▷ **excursionniste** *n.m.* tripper, excursionist.
▷ **excusable** *n.m.* excusable, forgivable.
▷ **excuse** *n.f.* excuse.
⚠ **excuses** *n.f.pl.* apologies.
▷ **excuser** *v.* excuse ; forgive.
excuser (s'— de) *v.* apologize for.
▷ **exécrable** *adj.* atrocious, abominable, execrable.
exécutant *n.m.* performer.
⚠ **exécuter** *v.* execute (tuer) ; carry out ; *(Mus.)* perform, execute ; make up (ordonnance).
exécuter (s'—) *v.* comply.
⚠ **exécuteur** *n.m.* *(Jur.)* executor ; executioner (bourreau).
▷ **exécutif** *adj.* executive.
▷ **exécution** *n.f.* execution, carrying out.
▷ **exégèse** *n.f.* exegesis [,eksɪ'dʒi:sɪs].
▷ **exemplaire** *adj.* exemplary.
⚠ **exemplaire** *n.m.* copy ; specimen.
exemple *n.m.* example ; instance.
exemple (par —) *loc.* for example, for instance.
exempt de *loc.* exempt from, free of (ou from).
exempter *v.* exempt from.
exercé *adj.* trained, practised.
exercer *v.* exercise, practise ; exert ; train ; *(Méd.)* be in practice.
exercer (s'—) *v.* practise ; be exerted ; *(Mil.)* drill.
⚠ **exhaler** *v.* exhale ; breathe ; utter.
▷ **exhaustif** *adj.* exhaustive.
exhiber *v.* produce, present ; display, show off ; *(péj.)* flaunt.
exhiber (s'—) *v.* parade ; expose oneself.
▷ **exhorter** *v.* urge, exhort.
▷ **exhumer** *v.* exhume ; dig up.
exigeance *n.f.* demand ; requirement.
exigeant *n.f.* demand ; requirement.
exiger *v.* demand, exact ; require.
exigu *adj.* cramped, exiguous, tiny.
exil *n.m.* exile ['eksaɪl, 'egzaɪl].
exilé *n.m.* exile.
exiler *v.* exhile, banish.
exiler (s'—) *v.* go into exile.
▷ **existant** *adj.* existing, existent.
▷ **existence** *n.f.* existence, life.
▷ **exister** *v.* exist, be ; be found.
▷ **exode** *n.m.* exodus ['eksədəs].
⚠ **exonérer** *v.* exempt (from).
▷ **exorbitant** *adj.* exorbitant, prohibitive, extravagant.
exorbité *adj.* bulging.
▷ **exorciser** *v.* exorcize.
▷ **exorcisme** *n.m.* exorcism.
▷ **exotique** *adj.* exotic [ɪg'zɒtɪk].
exotisme *n.m.* exoticism [ɪg'zɒtɪsɪzəm].
▷ **expansif** *adj.* communicative, expansive.
⚠ **expansion** *n.f.* expansion ; effu-

siveness.
expatrié *n.m.* expatriate.
expatrier (s'—) *v.* leave one's country.
▷ **expectorer** *v.* expectorate.
▷ **expédient** *n.m.* expedient, make-shift.
expédients (vivre d'—) *loc.* live by one's wits.
expédier *v.* send, dispatch; *(fam.)* dispose of.
expéditeur *n.m.* sender.
expéditif *adj.* quick, expeditious.
⚠ **expédition** *n.f.* sending; dispatch; shipping, consignment; expedition, dispatch.
expéditionnaire (corps —) *n.m.* *(Mil.)* task force.
⚠ **expérience** *n.f.* experience; *(Sc.)* experiment.
⚠ **expérimenté** *adj.* experienced.
expérimenter *v.* test (out), try; experiment.
▷ **expert** *adj.* skilled, expert.
▷ **expert** *n.m.* expert.
expert-comptable *n.m.* chartered accountant.
⚠ **expertise** *n.f.* valuation; expert's report; assessment.
expertiser *v.* value; assess damage to.
▷ **expier** *v.* expiate; atone for.
⚠ **expiration** *n.f.* expiration, expiring; breathing out.
⚠ **expirer** *v.* expire; breathe out.
▷ **explétif** *adj.* expletive.
▷ **explicable** *adj.* explicable, explainable.
explicatif *adj.* explanatory.
explication *n.f.* explanation; argument, discussion; *(Ens.)* critical analysis, commentary.
▷ **explicite** *adj.* explicit.
expliciter *v.* make explicit; clarify.
expliquer *v.* explain; account for; analyse.
expliquer (s'—) *v.* explain oneself; *(fam.)* have it out.
▷ **exploit** *n.m.* exploit, feat.
exploitant *n.m.* farmer.
⚠ **exploitation** *n.f.* exploitation; running; concern.
⚠ **exploiter** *v.* exploit, work; operate, rune; *(péj.)* exploit, trade upon.
▷ **exploiteur** *n.m.* exploiter.
explorateur *n.m.* explorer.
▷ **explorer** *v.* explore; investigate.
exploser *v.* explode, blow up; *(fig.)* flare up.
▷ **explosif** *adj.* & *n.m.* explosive [ɪk'spləʊsɪv].
explosion *n.f.* explosion; *(fig.)* outburst.
exportateur *adj.* export, exporting.
exportateur *n.m.* exporter.
▷ **exportation** *n.f.* export, exportation.
▷ **exporter** *v.* export.
exposant *n.m.* exhibitor; *(Math.)* exponent.
exposé *n.m.* talk; statement, account.
⚠ **exposer** *v.* exhibit, show; display; explain; expose.
exposer (s'— à) *v.* expose oneself to, lay oneself open to.
⚠ **exposition** *n.f.* display; exhibition (de peinture); *(Phot.)* exposure.
⚠ **exprès** *adv.* on purpose; deliberately; specially.
▷ **exprès** *adj.* formal, express.
⚠ **express** *n.m.* *(Rail)* fast train; expresso (café).
expressément *adv.* expressly; specifically; purposely.
▷ **expressif** *adj.* expressive.
exprimer *v.* express; voice; press out, squeeze out.
exprimer (s'—) *v.* express oneself.
▷ **exproprier** *v.* expropriate.
expulser *v.* expel; evict (locataire); deport (étranger); *(Sp.)* send off.
⚠ **expulsion** *n.f.* expulsion; eviction; deportation; sending off.
▷ **expurger** *v.* expurgate; bowdlerize.
exquis *adj.* exquisite, delightful.
exsangue *adj.* bloodless.
extase *n.f.* ecstasy; rapture.
extasier (s'— sur) *v.* go into raptures over.
▷ **extensif** *adj.* extensive.
⚠ **extension** *n.f.* stretching; *(Méd.)* traction; extension, spreading.
exténuant *adj.* exhausting.
exténué *adj.* exhausted.
extérieur *adj.* outer, outside; external, exterior; surface; foreign (commerce).
extérieur *n.m.* outside, exterior.
extérieurement *adv.* on the outside; in appearance.
▷ **extérioriser** *v.* show, exteriorize.
exterminateur *adj.* exterminating.
▷ **exterminer** *v.* exterminate, wipe out.
externat *n.m.* *(Ens.)* day school.
externe *adj.* external, outer.
externe *n.m.* *(Ens.)* day pupil;

(*Méd.*) non-resident medical student.
extincteur *n.m.* extinguisher.
⚠**extinction** *n.f.* extinction; paying off (d'une dette).
extinction de voix *loc.* loss of voice.
▷**extirper** *v.* eradicate, extirpate; pull out.
extorquer *v.* extort.
⚠**extra** *adj.* first-rate, first-class.
extra *n.m.* extra (help).
extrader *v.* extradite ['ekstrədaɪt].
extraire *v.* extract; pull (out); quarry; make an extract from, copy out.
▷**extrait** *n.m.* extract; extract, excerpt.
▷**extraordinaire** *adj.* extraordinary-special.
▷**extrapoler** *v.* extrapolate.
▷**extravagance** *n.f.* eccentricity, folly, foolish behaviour, extravagance.
▷**extravagant** *adj.* extravagant, absurd, foolish.
extraverti *n.m.* extrovert.
extrême *adj.* extreme; far; utmost.
▷**extrême** *n.m.* extreme [ɪk'striːm].
▷**extrêmement** *adv.* extremely, exceedingly.
extrémité *n.f.* end; extremity; extreme measure; plight, predicament, straits.
exulter *v.* exult [ɪg'zʌlt].
exutoire *n.m.* outlet, release.

F

fa *n.m.* (*Mus.*) F; fa.
▷**fable** *n.f.* fable; story.
fabricant *n.m.* maker; manufacturer.
fabriquer *v.* make; manufacture.
▷**façade** *n.f.* front; (*fig.*) facade.
face *n.f.* face; side.
face (en — de) *loc.* opposite, in front of.
▷**facette** *n.f.* facet ['fæsɪt].
fâché *adj.* angry, cross; vexed.
fâcher (se —) *v.* get angry, lose one's temper.
fâcher (se — avec) *loc.* fall out with.
fâcheux *adj.* unfortunate, regrettable; distressing.
⚠ **facile** *adj.* easy; easy-going; (*péj.*) fast (fille).
facilité *n.f.* easiness; ability, facility.
facilités de paiement *loc.* easy terms.
▷**faciliter** *v.* facilitate, make easier.
façon *n.f.* way, fashion; cut.
façons *n.f.pl.* behaviour, manners; fuss.
façonner *v.* shape, fashion; (*fig.*) mould.
⚠ **facteur** *n.m.* postman; (*Math.*) factor; factor, element.
factice *adj.* artificial, false.
⚠ **faction** *n.f.* sentry, guard; faction.
facture *n.f.* bill; (*Comm.*) invoice; technique.
facturer *v.* invoice ['ɪnvɔɪs].
facultatif *adj.* optional.
facultatif (arrêt —) *n.m.* request stop.
▷**faculté** *n.f.* faculty, power, ability; (*Ens.*) faculty.
⚠ **fade** *adj.* insipid, tasteless; dull.
faible *adj.* weak; faint, feeble; low.
faiblesse *n.f.* weakness.
faiblir *v.* weaken; fail; drop, abate.
faïence *n.f.* earthenware; crockery (vaisselle).
faille *n.f.* flaw; (*Géol.*) fault.
faillite *n.f.* bankruptcy; (*fig.*) failure, collapse.
faim *n.m.* hunger.
faim (avoir —) *loc.* be hungry.
fainéant *n.m.* idler, loafer, lazybones.
faire *v.* make; do.
faisable *adj.* feasible ['fiːzɪbl], practicable.
faisan *n.m.* pheasant.
faisceau *n.m.* beam; bundle.
fait *n.m.* fact; event.
fait divers *n.m.* news item ['aɪtəm].
faîte *n.m.* top, summit; ridge; (*fig.*) height.
falaise *n.f.* cliff.
falloir *v.* must, have to; need.
▷**falsifier** *v.* falsify, doctor, adulterate.
famé (mal —) *adj.* disreputable.
⚠ **fameux** *adj.* famous, well-known; first-rate; splendid.
▷**familial** *adj.* family, familial.
familiariser (se — avec) *loc.* familiarize oneself with.
▷**familiarité** *n.f.* familiarity.
familier *adj.* familiar; well-known; colloquial (langue).
famille *n.f.* family.
▷**famine** *n.f.* famine, starvation.
fanal *n.m.* beacon ['biːkən]; lantern, light.

fanatique *adj.* fanatical.
▷ **fanatique** *n.m.* fanatic, fan; zealot.
fanatisme *n.m.* fanaticism.
faner *v.* fade (couleur); make hay.
faner (se —) *v.* fade; wither.
fange *n.f.* mire.
fanion *n.m.* flag, pennant.
⚠ **fantaisie** *n.f.* fancy; whim; *(Mus.)* fantasia.
fantaisiste *adj.* eccentric; fantastic.
fantasme *n.m.* fantasy.
fantasque *adj.* whimsical, odd, fantastic.
fantassin *n.m.* infantryman, foot soldier.
fantastique *adj.* fantastic; weird [wɪəd].
fantastique (le —) *n.m.* the uncanny.
fantôme *n.m.* ghost, phantom.
⚠ **farce** *n.f.* joke; *(Th.)* farce; *(Cuis.)* stuffing.
farcir *v.* stuff; *(fig.)* cram.
fard *n.m.* make-up.
fardeau *n.m.* burden.
farder (se —) *v.* make up.
farfelu *adj.* cranky, eccentric.
farfouiller *v.* *(fam.)* rummage about.
farine *n.f.* flour, meal.
farouche *adj.* fierce, wild; shy, timid.
⚠ **fart** *n.m.* wax (pour le ski).
fascicule *n.m.* volume; part, instalment.
fascinant *adj.* fascinating.
▷ **fasciner** *v.* fascinate.
▷ **fascisme** *n.m.* fascism.
⚠ **faste** *adj.* lucky (jour).
faste *n.m.* splendour, pomp.
⚠ **fastidieux** *adj.* tedious, boring, tiresome.
⚠ **fat** *adj.* conceited, self-satisfied.
⚠ **fatal** *adj.* fatal; deadly; inevitable.
fatalité *n.f.* fate; misfortune; fatality.
fatidique *adj.* fateful; fatal.
fatigant *adj.* tiring; tedious, tiresome.
fatigue *n.f.* tiredness, fatigue.
fatigué *adj.* tired; weary.
fatiguer *v.* tire, make tired; *(Tech.)* strain; annoy.
fatiguer (se —) *v.* get tired, tire oneself out.
fatras *n.m.* jumble; rubbish.
faubourg *n.m.* suburb.
fauché *adj.* *(fam.)* broke, hard up.
faucher *v.* cut, reap; *(fig.)* mow down; *(fam.)* pinch, swipe.
faucheuse *n.f.* mower, reaper.
faucille *n.f.* sickle.
faucon *n.m.* falcon, hawk.
faufiler (se —) *v.* thread one's way.
faune *n.f.* fauna; wildlife.
▷ **faune** *n.m.* faun.
faussaire *n.m.* forger ['fɔːdʒə].
fausser *v.* bend, buckle; distort, alter; warp.
fausseté *n.* falseness, falsity; duplicity, double dealing.
faute *n.f.* mistake, error; *(Sp.)* offence; fault.
fauteuil *n.m.* (arm)chair.
fauteuil roulant *n.m.* wheelchair.
fautif *adj.* at fault, guilty; incorrect.
fauve *adj.* fawn, tawny.
fauves *n.m.pl.* wild beasts.
faux *adj.* wrong, false; fake, forged; *(Mus.)* out of tune.
faux *n.f.* scythe [saɪð].
⚠ **faveur** *n.f.* favour; ribbon.
⚠ **favorable** *adj.* favourable; right; fair (vent).
favori *adj.* favourite.
favoris *n.m.pl.* whiskers; sideboards, *(amér.)* sideburns.
favoriser *v.* favour.
⚠ **fébrile** *adj.* feverish; *(Méd.)* febrile ['fiːbraɪl]; *(fig.)* hectic (vie).
fécond *adj.* fertile; fecund.
féconder *v.* fertilize; make pregnant.
fécondité *n.f.* fertility, fecundity.
fée *n.f.* fairy.
féérie *n.f.* enchantment; riot (de couleurs...).
féérique *adj.* magical; fairy.
feindre *v.* feign, make believe, pretend; dissemble.
feinte *n.f.* feint; pretence; *(Sp.)* dummy.
feinter *v.* feint; *(Sp.)* dummy.
fêlé *adj.* cracked.
félicitations *n.f.pl.* congratulations.
féliciter *v.* congratulate.
félin *adj.* feline ['fiːlaɪn], catlike.
femelle *adj.* & *n.f.* female ['fiːmeɪl].
⚠ **féminin** *adj.* feminine; female (sexe...).
femme *n.f.* woman; wife.
femme de ménage *n.f.* (domestic) help.
fenaison *n.f.* haymaking.
fendiller (se —) *v.* crack; craze (porcelaine...).
fendre *v.* split, crack.
fenêtre *n.f.* window.

fente *n.f.* crack ; slit ; slot.
féodalité *n.f.* feudality ; feudal system.
fer *n.m.* iron ['aɪən] ; shoe (à cheval).
fer à repasser *n.m.* iron ['aɪən].
fer blanc *n.m.* tin.
fer forgé *n.m.* wrought iron [,rɔːt'aɪən].
férié (jour —) *n.m.* public (ou bank) holiday.
ferme *n.f.* farm ; farmhouse.
fermé *adj.* closed, shut ; exclusive ; uncommunicative, impassive.
fermenter *v.* ferment [fə'ment].
fermer *v.* close, shut ; close down ; turn off.
fermer (se —) *v.* close, shut ; close up.
fermeté *n.f.* firmless.
fermeture *n.f.* closing, shutting ; closing down ; turning off ; catch, latch, fastening.
fermeture Éclair *n.f.* zip (fastener), *(amér.)* zipper.
fermier *n.m.* farmer.
fermoir *n.m.* clasp.
féroce *adj.* fierce, ferocious.
▷ **férocité** *n.f.* fierceness, ferociousness, ferocity.
ferraille *n.f.* scrap (iron).
ferrailleur *n.m.* scrap merchant.
ferrer *v.* shoe (cheval...) ; strike (pêche).
ferronnerie *n.f.* ironwork.
fertile *adj.* fertile ['fɜːtaɪl], fruitful.
fertile en incidents *loc.* eventful.
▷ **fertiliser** *v.* fertilize ['fɜːtɪlaɪz].
féru de *loc.* keen on.
fesse *n.f.* buttock ['bʌtək].
fessée *n.f.* spanking.
festin *n.m.* feast.
▷ **festivités** *n.f.pl.* festivities ; merrymaking.
festoyer *v.* feast [fiːst].
fête *n.f.* feast ; holiday ; fair, fête [feɪt] ; feast day.
fêter *v.* keep, celebrate.
▷ **fétiche** *n.m.* fetish.
feu *n.m.* fire ; light ; ring, burner.
feuillage *n.m.* foliage, leaves.
feuille *n.f.* leaf ; sheet (de papier, de métal...).
feuilleté *adj.* *(Cuis.)* flaky.
feuilleter *v.* leaf (ou glance) through.
feuilleton *n.m.* serial ['sɪərɪəl].
feuillu *adj.* leafy.
feutre *n.m.* felt ; felt hat ; felttip (pen).
feutré *adj.* muffled (pas...).
feux de route *n.m.pl.* *(Aut.)* headlights.
fève *n.f.* broad bean.
février *n.m.* February.
fiable *adj.* reliable [rɪ'laɪəbl].
fiacre *n.m.* cab.
fiançailles *n.f.pl.* engagement.
▷ **fiancé** *n.m.* fiancé [fɪ'ɒnseɪ].
▷ **fiancée** *n.f.* fiancée [fɪ'ɒnseɪ].
fiancer (se —) *v.* become engaged.
fibre de verre *n.f.* fibreglass ['fɒɪbəglɑːs], glass fibre ['faɪbə].
fibreux *adj.* fibrous ['faɪbrəs].
ficeler *v.* tie up.
ficelle *n.f.* string ; piece of string.
fiche *n.f.* card ; record ; *(Elec.)* plug.
ficher *v.* file ; put on file.
ficher (se — de) *v.* *(fam.)* make fun of ; not to care about.
fichier *n.m.* card index ; file.
fichu *adj.* *(fam.)* done for, bust ; wretched, rotten.
fichu *n.m.* scarf.
fictif *adj.* fictitious.
fiction *n.f.* fiction ; invention.
fidèle *adj.* faithful, loyal ; staunch.
fidèles (les —) *n.m.pl.* *(Rel.)* the faithful ; the congregation.
▷ **fidélité** *n.f.* faithfulness, fidelity.
fier *adj.* proud.
fier (se — à) *v.* trust.
fierté *n.f.* pride.
fièvre *n.f.* fever ['fiːvə] ; *(Méd.)* temperature.
fiévreux *adj.* feverish.
figer (se —) *v.* congeal ; freeze.
fignoler *v.* touch up ; *(péj.)* niggle.
▷ **figue** *n.f.* fig.
figurant *n.m.* *(Th.)* walk-on ; *(Ciné.)* extra.
figuration *n.f.* *(Th.)* walk-on parts ; *(Ciné.)* extras.
⚠ **figure** *n.f.* face ; countenance ; figure ; picture ; diagram ['daɪəgræm].
figuré *adj.* figurative (sens).
figurer *v.* appear.
figurer (se —) *v.* imagine.
fil *n.m.* thread, yarn ; strand ; wire (métallique) ; flex (électrique) ; linen (tissu) ; edge (rasoir).
filature *n.f.* (spinning) mill ; shadowing (police).
file *n.f.* line, file ; queue [kjuː].
filer *v.* spin ; pay out (un cordage) ; shadow (suspect...) ; run, ladder (bas...) ; *(fam.)* make off, run off.
⚠ **filet** *n.m.* net ; trickle (d'eau...) ; *(Cuis.)* fillet.
filet à provisions *n.m.* string bag.

filiale *n.f.* branch, subsidiary.
fille *n.f.* girl; daughter.
fille-mère *n.f.* unmarried mother.
fillette *n.f.* (little) girl.
filleul *n.m.* godchild, godson.
▷ **film** *n.m. (Phot.)* film; film, picture, *(amér.)* movie.
filmer *v.* film, shoot.
filon *n.m.* vein, seam, lode; *(fam.)* cushy job.
filou *n.m.* swindler, rogue.
fils *n.m.* son [sʌn].
filtre *n.m.* filter; filter tip (cigarette).
filtrer *v.* filter; seep; screen out (lumière).
fin *adj.* thin; fine; slim; sharp, subtle.
fin *n.f.* end, close; finish; aim; death.
final *adj.* final ['faɪnl].
finale *n.f. (Sp.)* finals ['faɪnlz].
finale *n.m. (Mus.)* finale [fɪ'nɑːlɪ].
finances *n.f.pl.* finances; finance.
financer *v.* finance; back.
financier *adj.* financial [fɪ'nænʃl].
⚠ **finesse** *n.f.* thinness; fineness; slimness; sharpness; subtlety.
fini *adj.* finished, over; finished (produit); *(Math.)* finite ['faɪnaɪt].
finir *v.* finish, end, complete.
finition *n.f.* finish(ing).
▷ **firme** *n.f.* firm [fɜːm].
fisc *n.m.* Inland Revenue.
fiscalité *n.f.* tax system; taxation.
▷ **fissure** *n.f.* crack, fissure.
fixation *n.m.* haircream; spray; *(Phot.)* fixer.
⚠ **fixation** *n.f.* fixing, fastening; fixation (psychologie); *(Sp.)* binding (ski).
fixe *adj.* fixed; regular, steady.
fixement *adv.* fixedly, steadily, intently.
fixer *v.* fix, fasten; fix, arrange; stare at; *(Phot.)* fix.
fixer (se —) *v.* settle (down).
flacon *n.m.* bottle, flask.
flair *n.m.* (sense of) smell, nose (chien...); *(fig.)* intuition.
flairer *v.* sniff; scent, smell.
flambant neuf *adj.* brand-new.
flambée *n.f.* blaze; singe (volaille...).
flamboyer *v.* blaze; flare.
flamme *n.f.* flame; *(fig.)* fire; passion.
flammes (en —) *loc.* on fire; in flames; ablaze.
flan *n.m. (Cuis.)* custard tart.
flanc *n.m.* side; flank; slope.
flancher *v.* fail; flinch; *(fam.)* knuckle under.
flâner *v.* stroll, saunter, idle about.
flapi *adj. (fam.)* dog-tired, dead beat, tired out.
flaque *n.f.* puddle; pool.
flasque *adj.* flabby, flaccid; limp.
⚠ **flatter** *v.* flatter; stroke, pat (de la main).
flatter (se — de) *loc.* pride oneself on, flatter oneself that.
▷ **flatterie** *n.f.* flattery.
flatteur *n.m.* flatterer.
fléau *n.m.* curse, scourge [skɜːdʒ], plague, bane; *(Agr.)* flail; beam (de balance).
flèche *n.f.* arrow; spire (d'église); jib, boom (de grue).
flécher *v.* arrow.
fléchir *v.* bend, sag; weaken, flag.
flegmatique *adj.* phlegmatic.
flegme *n.m.* composure, phlegm.
flemmard *n.m. (fam.)* lazybones, loafer, slacker.
flemme *n.f. (fam.)* laziness.
flétrir *v.* wither; wilt; *(fig.)* condemn (conduite...).
flétrir (se —) *v.* wither, fade, wilt.
fleur *n.f.* flower; blossom, bloom.
fleur de l'âge *loc.* prime of life.
fleuret *n.m.* foil.
fleuri *adj.* in flower; in bloom; *(fig.)* florid (style, teint...).
fleurir *v.* flower, blossom; decorate with flowers (table...); put flowers on (une tombe).
fleuriste *n.* florist.
fleuve *n.m.* river.
▷ **flexible** *adj.* flexible, pliable; *(fig.)* adaptable.
flic *n.m. (fam.)* cop.
▷ **flirter** *v.* flirt.
flocon *n.m.* flake; flock (de laine).
floraison *n.f.* flowering; blossoming.
floralies *n.f.pl.* flower show.
▷ **flore** *n.f.* flora; *(Méd.)* flora.
florissant *adj.* thriving, flourishing.
flot *n.m.* stream; flood; flood tide.
flottant *adj.* floating; loose.
flotte *n.f. (Naut.)* fleet; *(fam.)* water, rain.
flottement *n.m.* wavering, hesitation, irresolution.
flotter *v.* float, hang loose(ly); fly; *(Fin.)* float.
flotteur *n.m.* float.
▷ **flottille** *n.f.* flotilla.
flou *adj.* blurred, hazy; fuzzy,

vague.
▷ **fluctuer** *v.* fluctuate ['flʌktʃʊeɪt].
fluet *adj.* slight, slender ; thin.
▷ **fluide** *adj. & n.m.* fluid.
▷ **fluidifier** *v.* fluidify.
fluor *n.m.* fluorine ['flʊəraɪn].
⚠ **flûte** *n.f.* flute ; flute glass.
flûtiste *n.m.* flautist ['flɔːtɪst], *(amér.)* flutist.
⚠ **flux** *n.m.* incoming tide ; flow, flux ; flood.
focaliser *v.* focus ['fəʊkəs].
fœtus *n.m.* fœtus, fetus ['fiːtəs].
foi *n.f.* faith ; trust.
foie *n.m.* liver.
foin *n.m.* hay.
foire *n.f.* fair ; trade fair.
foirer *v.* *(Tech.)* slip ; *(fig.)* fall through, fail.
fois *n.f.* time.
fois (une —) *loc.* once.
fois (deux —) *loc.* twice.
fois (trois —) *loc.* three times *(vx.), thrice.*
foison (à —) *loc.* in plenty, galore [gə'lɔː].
foisonner *v.* abound (in), swarm (with).
folie *n.f.* madness, insanity ; folly.
follement *adv.* madly, wildly, rashly.
follet (feu —) *n.m.* will-o'-the-wisp.
fomenter *v.* foment, stir up.
foncé *adj.* dark.
foncer *v.* make darker ; go darker ; rush, *(fam.)* tear along.
foncier *adj.* basic, fundamental ; *(Comm.)* real estate ; land, landed.
foncièrement *adv.* basically, radically ; thoroughly.
fonction *n.f.* function ; post, office ; *(Math. Sc.)* function.
fonctionnaire *n.m.* government employee ; civil servant, official.
▷ **fonctionnel** *adj.* functional.
fonctionnement *n.m.* working, functioning.
fonctionner *v.* work, function ; operate, run.
fonctionner (faire —) *v.* operate, work, run.
fond *n.m.* bottom ; back, far end ; background ; heart (du problème) ; *(Sp.)* long distance.
fondateur *n.m.* founder.
fondé *adj.* well-founded, well-grounded ; (fully) justified.
fonder *v.* found.
fonder (se — sur) *v.* base oneself on.
fonderie *n.f.* melting works.
fondre *v.* melt ; dissolve ; blend ; *(Comm.)* merge.
fondre sur *v.* swoop down on ; pounce (up)on.
fonds *n.m.pl.* stock ; *(fin.)* funds ; *(Comm.)* business.
fondu *adj.* melted ; molten (métal).
fondu *n.m.* *(Ciné.)* dissolve [dɪ'zɒlv].
fontaine *n.f.* fountain ; spring.
fonts baptismaux *n.m.pl.* *(Rel.)* font.
▷ **football** *n.m.* football, soccer.
footballeur *n.m.* footballer ; soccer player.
⚠ **footing** *n.m.* jogging ['dʒɒgɪŋ].
for (en son — intérieur) *loc.* is one's heart of hearts.
⚠ **forage** *n.m.* drilling, boring.
forçat *n.m.* convict.
⚠ **force** *n.f.* strength, vigour ; power ; *(Tech.)* force.
forcé *adj.* forced.
forcément *adv.* inevitably, necessarily, of course.
forcené *adj.* frenzied, frantic.
forcené *n.m.* maniac ['meɪnɪæk], madman.
forcer *v.* force, compel ; strain (sa vue...) ; break open (porte). increase (l'allure...).
forer *v.* drill, bore.
foret *n.m.* drill.
forêt *n.f.* forest ['fɒrɪst].
foreuse *n.f.* drill.
forfait *n.m.* set price, all-in-price ; contract ; *(Sp.)* withdrawal [wɪð'drɔːəl].
forfaitaire *adj.* inclusive, contractual.
▷ **forge** *n.f.* forge, smithy ['smɪðɪ].
forger *v.* forge ; mould, make up.
forgeron *n.m.* blacksmith, smith.
formaliser (se —) *v.* take offence (at), take exception (to).
▷ **formalité** *n.f.* formality.
format *n.m.* size.
⚠ **formation** *n.f.* forming, training ; formation ; *(Mus.)* group.
forme *n.f.* form, shape.
⚠ **formel** *adj.* positive, definite ; formal.
⚠ **formellement** *adv.* positively ; formally.
former *v.* form, train.
former (se —) *v.* form.
⚠ **formidable** *adj.* tremendous, fantastic.
formulaire *n.m.* form.
⚠ **formule** *n.f.* formula ; form (à

remplir).
▷ **formuler** *v.* formulate, express, state.
fort *adj.* strong ; stout ; high ; heavy ; good (at).
fort *adv.* hard ; loud ; very much ; most ; extremely.
⚠ **fort** *n.m.* *(Mil.)* fort, stronghold ; *(fig.)* forte ['fɔːteɪ], strong point.
▷ **forteresse** *n.f.* fortress, stronghold.
fortifiant *n.m.* tonic.
▷ **fortifier** *v.* strengthen, fortify.
▷ **fortiori (a —)** *loc.* all the more so, a fortiori.
fortuit *adj.* fortuitous, chance (rencontre...).
⚠ **fortune** *n.f.* fortune ; luck.
fortune (de —) *loc.* makeshift, rough-and-ready ; *(Naut.)* jury (mât, gouvernail...).
fortuné *adj.* wealthy, well-off, well-to-do.
fosse *n.f.* pit ; grave.
fossé *n.m.* ditch ; *(fig.)* gap.
fossette *n.m.* dimple.
▷ **fossile** *n.m.* fossil.
fossoyeur *n.m.* grave-digger.
fou *adj.* mad ; wild ; *(fam.)* tremendous.
fou *n.m.* madman, lunatic ; jester ; bishop (échecs).
foudre *n.f.* lightning.
foudroyant *adj.* lightning, crushing, stunning.
foudroyer *v.* strike (down), blast.
fouet *n.m.* whip ; *(Cuis.)* whisk.
fouet (de plein —) *loc.* head-on.
fouetter *v.* whip, flog ; *(Cuis.)* whisk.
fougère *n.f.* fern ; bracken.
fougue *n.f.* ardour, passion, spirit.
fougueux *adj.* fiery ['faɪərɪ], ardent, spirited.
fouille *n.f.* search(ing), frisking ; excavation.
fouilles *n.f.pl.* excavations.
fouiller *v.* search ; frisk (police) ; dig.
fouillis *n.m.* muddle, jumble, mass.
foulard *n.m.* scarf.
foule *n.f.* crowd.
foulée *n.f.* stride.
fouler *v.* press, crush ; tread upon.
fouler (se —) *v.* sprain (la cheville) ; *(fam.)* take pains, overtax oneself.
foulure *n.f.* sprain.
four *n.m.* oven ; furnace ; kiln (poterie) ; *(Th.)* flop.
fourberie *n.f.* deceit(fulness), double-dealing, deception.
fourbu *adj.* exhausted, dog-tired.
fourche *n.f.* (pitch)fork ; fork (bicyclette, arbre...).
fourchette *n.f.* fork ; bracket (de salaires...).
fourchu *adj.* forked ; cloven (pied).
fourgon *n.m.* van ; *(Rail)* wagon.
fourgon mortuaire *n.m.* hearse [hɜːs].
fourgonnette *n.f.* (delivery) van.
fourmi *n.f.* ant [ænt].
fourmis (avoir des —) *loc.* have pins and needles.
foumilière *n.f.* anthill.
fourmiller *v.* swarm, teem.
fournaise *n.f.* furnace.
fourneau *n.m.* stove [stəʊv].
fournée *n.f.* batch.
fourni (bien —) *loc.* well-stocked ; thick.
fourniment *n.m.* gear ; clobber ['klɔbə].
fournir *v.* supply, provide ; turn out, produce.
fournisseur *n.m.* supplier ; tradesman ; *(Mil.)* contractor.
fournitures *n.f.pl.* supplies, stationary (de bureau...).
▷ **fourrage** *n.m.* fodder, forage.
fourrager *v.* rummage (through) ; forage (for).
fourré *adj.* filled ; (fur)-lined.
fourré *n.m.* thicket.
fourreau *n.m.* sheath ; cover, case.
fourrer *v.* stick, thrust, shove.
fourre-tout *n.m.* holdall ; *(fam.)* ragbag.
fourreur *n.m.* furrier ['fʌrɪə].
fourrière *n.f.* pound [paʊnd].
fourrure *n.f.* fur ; coat(pelage).
fourvoyer (se —) *v.* go astray, go (right) off the track.
foutu *adj.* *(fam.)* done for.
⚠ **foyer** *n.m.* hearth, fireplace ; family home ; club ; *(Th.)* foyer ; *(Phot.)* focus ; seat, centre.
⚠ **fracas** *n.m.* din ; crash ; roar.
fracassant *adj.* deafening ; staggering.
fracasser *v.* smash.
fractionner *v.* split up.
fracturer *v.* break open ; fracture, break.
fragile *adj.* fragile ['frædʒaɪl], brittle ; delicate, frail.
fragilité *n.f.* fragility, frailty.
fragment *n.m.* fragment, piece ; extract, excerpt (de livre) ; snatch (de chanson...)

fragmenter *v.* split up.
frai *n.m.* spawn(ing).
fraîcheur *n.m.* coolness ; bloom.
fraîchir *v.* get cooler ; *(Naut.)* freshen.
frais *adj.* cool ; fresh, chilly.
frais *n.m.pl.* expenses ; costs, charges ; *(Ens.)* fees.
frais généraux *n.m.pl.* *(Comm.)* overheads.
fraise *n.f.* strawberry ; drill (dentiste) ; *(Tech.)* counter sink, mill.
fraisier *n.m.* strawberry plant.
framboise *n.f.* raspberry.
framboisier *n.m.* raspberry bush.
franc *adj.* frank, candid, open ; straight forward, outspoken ; clean (cassure) ; downright (canaille...).
franchement *adv.* frankly, plainly, candidly.
franchir *v.* clear (obstacle) ; cross (rivière...) ; cover (distance).
⚠ **franchise** *n.f.* frankness, candour ; excess (assurances) ; exemption (de droits).
franc-maçon *n.m.* freemason.
franco de port *loc.* carriage paid ; postage paid.
francophone *adj.* French-speaking.
franc-parler *n.m.* outspokenness, candour.
franc-tireur *n.m.* *(Mil.)* irregular ; *(fig.)* freelancer.
frange *n.f.* fringe.
franquette (à la bonne —) *loc.* without (any) fuss, without ceremony.
frappant *adj.* striking.
frappé *adj.* iced, chilled.
frapper *v.* strike, hit ; stamp (médaille...) ; ice.
frapper (se —) *v.* get worked up, get flustered.
frasques *n.f.pl.* escapades, pranks.
▷ **fraternel** *adj.* brotherly, fraternal.
▷ **fraterniser** *v.* fraternize.
fraternité *n.f.* brotherhood ; fraternity.
fraude *n.f.* frau^d ; *(Ens.)* cheating.
fraude fiscale *n.f.* tax evasion.
frauder *v.* defraud ; cheat ; evade.
frauduleux *adj.* fraudulent.
frayer *v.* mix, associate, *(péj.)* hobnob ; spawn (poisson).
frayeur *n.f.* fright [fraɪt].
fredaines *n.f.pl.* pranks ; escapades.
fredonner *v.* hum.
frein *n.m.* brake ; *(fig.)* check, curb.
freiner *v.* brake ; *(fig.)* show down, check, curb.
frelaté *adj.* adulterated (vin...).
frêle *adj.* frail, fragile ['frædʒaɪl].
frelon *n.m.* hornet.
frémir *v.* shudder, shiver, quiver.
frêne *n.m.* ash.
frénésie *n.f.* frenzy.
frénétique *adj.* frenzied, frantic.
fréquemment *adv.* frequently.
fréquence *n.f.* frequency.
fréquentations *n.f.pl.* company.
fréquenter *v.* frequent ; keep company with ; go out with.
frère *n.m.* brother.
fresque *n.f.* fresco.
frêt *n.m.* freight.
frêter *v.* charter ['tʃɑːtə].
frétiller *v.* wriggle ['rɪgl].
fretin (menu —) *loc.* small fry [fraɪ].
friable *adj.* crumbly.
friand de *loc.* fond of ; avid for.
friandise *n.f.* sweet.
fric *n.m.* *(fam.)* cash, dough [dəʊ].
fric-frac *n.m.* break-in ; *(fam.)* heist [haɪst].
friche (en —) *loc.* fallow.
⚠ **friction** *n.f.* chafing, rub (-down) ; *(Tech. & fig.)* friction.
frictionner *v.* rub(down) ; massage ['mæsɑːʒ].
frigidaire *n.m.* refrigerator.
▷ **frigidité** *n.f.* frigidity.
frigo *n.m.* *(fam.)* fridge.
frigorifié *adj.* frozen stiff.
frigorifier *v.* refrigerate.
frileux *adj.* sensitive to cold.
frime *n.f.* eyewash, sham.
frimousse *n.f.* (nice) little face.
fringale (avoir la —) *loc.* *(fam.)* be ravenous ['rævənəs], be starving.
fringant *adj.* dashing ; frisky (animal).
fringué *adj.* *(fam.)* done up.
fripé *adj.* crumpled, rumpled.
fripon *adj.* mischievous.
fripon *n.m.* rascal, rogue.
fripouille *n.f.* rogue, scoundrel.
frire (faire —) *v.* fry.
▷ **frise** *n.f.* frieze.
frisé *adj.* cruly(-haired), crisp.
friser *v.* curl.
frisquet *adj.* chilly.
frisson *n.m.* shudder, shiver, quiver ; thrill.
frissonner *v.* shudder, shiver, quiver ; thrill.
frit *adj.* fried.
frites *n.f.pl.* chips ; *(amér.)* fries [fraɪz].
frivole *adj.* frivolous.

froid *adj.* cold.
froid *n.m.* cold, chill; *(fig.)* coolness.
froisser *v.* crumple, rumple; crease; *(fig.)* rumple, hurt, offend.
froisser (se —) *v.* take offence, take exception (to).
frôler *v.* brush against; come within a hair's breadth (la mort...).
fromage *n.m.* cheese; *(fam.)* cushy job.
fromager *n.m.* cheesemonger.
froncer les sourcils *loc.* frown.
fronde *n.f.* sling; insurrection.
⚠ **front** *n.m.* forehead ['fɒrɪd], brow [braʊ]; *(Mil., Polit.)* front.
▷ **frontière** *n.f.* frontier; border; *(fig.)* frontier, limits.
frottement *n.m.* rubbing (noise); scraping (noise).
frotter *v.* rub, scrape; scrub.
froufrou *n.m.* rustle, rustling.
froussard *adj.* chicken, yellow-bellied.
fructifier *v.* bear fruit; *(fig.)* yield a profit, fructify.
fructueux *adj.* profitable, fruitful.
fruit *n.m.* fruit; *(fig.)* fruits.
fruitier *n.m.* fruiterer; greengrocer.
fruits de mer *n.m.pl.* seafood(s).
frusques *n.f.pl.* *(fam.)* rags; clobber.
frustré *adj.* frustrated.
frustrer *v.* frustrate, deprive [dɪ'praɪv].
▷ **fugitif** *adj.* fleeting, runaway, fugitive.
▷ **fugitif** *n.m.* fugitive, run-away.
⚠ **fugue** *n.f.* running away; *(Mus.)* fugue.
fuir *v.* run away from; shun; leak (gaz...).
fuite *n.f.* flight, escape; leak, leakage.
fumé *adj.* tinted (verre); *(Cuis.)* smoked.
fumée *n.f.* smoke.
fumer *v.* smoke; steam; *(Agr.)* manure.
fumerie d'opium *n.m.* opium den.
fumet *n.m.* smell, aroma.
fumeur *n.m.* smoker.
fumeux *adj.* woolly, hazy.
fumier *n.m.* manure, dung.
fumiste *n.m.* sweep; *(fam.)* shirker, skiver; phoney, fake.
fumisterie *n.f.* fraud; con.
fumoir *n.m.* smoking room.
funambule *n.m.* tightrope walker .
funèbre *adj.* funeral; funereal (silence...) [fjʊ'nɪərɪəl].
funérailles *n.f.pl.* funeral.
▷ **funiculaire** *n.m.* funicular.
fur (au — et à mesure) *loc.* as (soon as).
furax *adj.* *(fam.)* hopping-mad.
furet *n.m.* ferret.
fureter *v.* nose about (ou around), rummage.
fureteur *adj.* prying, inquisitive.
fureur *n.f.* fury; passion.
▷ **furie** *n.f.* fury; shrew, termagant (personne).
▷ **furieux** *adj.* furious.
furoncle *n.m.* boil.
▷ **furtif** *adj.* furtive, stealthy.
fusain *n.m.* charcoal (dessin); spindletree.
fuseau horaire *n.m.* time zone.
fusée *n.f.* rocket.
fusée éclairante *n.f.* flare [fleə].
fuser *v.* burst out.
fusible *n.m.* *(Elec.)* fuse [fju:z].
fusil *n.m.* gun, rifle; shotgun; steel (à aiguiser).
fusillade *n.f.* gunfire; shooting (battle).
fusiller *v.* shoot.
fusil-mitrailleur *n.m.* machine gun.
⚠ **fusion** *n.f.* fusion, melting; *(Comm.)* merger.
fusionner *v.* *(Comm.)* merge.
fût *n.m.* barrel, cask; bole (d'arbre); stock (de canon); *(Arch.)* shaft.
futile *adj.* futile ['fju:taɪl], trifling; frivolous.
futur *adj.* & *n.m.* future ['fju:tʃə].
fuyant *adj.* receding (front...); shifty (regard...); receding, vanishing; elusive.
fuyard *n.m.* runaway.

G

gabarit *n.m.* size; *(Tech.)* gauge [geɪdʒ].
gâcher *v.* spoil, bungle; waste; *(Tech.)* mix, temper.
gâchette *n.f.* trigger; tumbler (serrure).
gâchis *n.m.* waste, mess; *(Tech.)* mortar.
⚠ **gaffe** *n.f.* *(fam.)* blunder, brick; *(Naut.)* boat hook; gaff.
gaffer *v.* blunder, drop a brick; hook.

△ **gage** *n.m.* forfeit ; token, gage ; security.
gages *n.m.pl.* wages ; guarantee.
gagnant *n.m.* winner.
gagne-pain *n.m.* living, job.
gagner *v.* earn ; win ; gain ; reach.
gai *adj.* cheerful ; bright (couleur).
△ **gain** *n.m.* earnings ; winnings ; profits, gain ; saving.
gaine *n.f.* girdle (de femme) ; sheath ; cover, case ; outer covering (d'un fil) ; shaft (de ventilation).
gainer *v.* cover, sheathe.
galant *adj.* gentlemanly ; gallant ['gælənt] ; amorous.
galbé *adj.* well-proportioned, shapely.
△ **galerie** *n.f.* gallery ; *(Tech.)* circle, gallery ; *(Aut.)* roof rack.
galet *n.m.* pebble ; *(Tech.)* wheel.
galets *n.m.pl.* shingle.
galetas *n.m.* garret.
galette *n.f.* cake, biscuit ; *(fam.)* dough [dəʊ].
galeux *adj.* mangy ['meɪndʒɪ] ; scabby.
galipette *n.f.* somersault.
galon *n.m.* *(Mil.)* stripe [straɪp] ; braid.
▷ **galop** *n.m.* gallop.
galoper *v.* gallop ; rush about.
galopin *n.m.* urchin ; young scamp.
gambader *v.* leap, caper ['keɪpə], gambol.
gamelle *n.f.* messtin ; billy (can).
gamin *adj.* mischievous.
gamin *n.m.* kid, urchin.
gamme *n.f.* *(Mus.)* scale ; range, gamut.
gant *n.m.* glove [glʌv].
gant de toilette *n.m.* flannel.
▷ **garage** *n.m.* garage ['gærɑːʒ ; 'gærɪdʒ].
garagiste *n.m.* garage owner ; garage mechanic.
garant (se porter — de) *loc.* be answerable for ; answer for (quelqu'un).
▷ **garantie** *n.f.* guarantee ; security ; safeguard.
garantir *v.* garantee ; protect, shelter.
garçon *n.m.* boy, lad ; assistant ; waiter *(café)*.
garçonnière *n.f.* bachelor flat.
△ **garde** *n.m.* guard [gɑːd] ; *(Mil.)* guardsman ; warden.
△ **garde** *n.f.* care ; custody (des enfants) ; guard ; watch ; hilt (d'épée).
garde du corps *n.m.* bodyguard.
garde-boue *n.m.* mudguard ['mʌdgɑːd].
garde-fou *n.m.* parapet ; railing, handrail.
garde-malade *n.m.* (sick) nurse.
garde-meuble *n.m.* furniture repository.
garder *v.* keep ; look after, mind ; guard.
garder (se —) *v.* keep (nourriture...).
garder (se — de) *loc.* be careful not to.
garderie *n.f.* day nursery, crèche [kreɪʃ].
garde-robe *n.f.* wardrobe ; clothes.
gardien *n.m.* guard ; warder ; warden ; keeper ; attendant ; caretaker ; guardian ; *(Sp.)* goalkeeper.
gare *n.f.* station.
gare maritime *n.f.* harbour station.
gare routière *n.f.* coach station.
garer *v.* park, garage ; *(Rail)* shunt.
garer (se —) *v.* park ; get out of the way.
gargariser (se —) *v.* gargle.
gargouille *n.f.* gargoyle.
gargouiller *v.* gurgle.
garnement *n.m.* young scamp ; tearaway.
garni *adj.* *(Cuis.)* with vegetables, chips...
garni *n.m.* furnished rooms ; lodgings.
garnir *v.* fill, cover ; decorate.
garnir de *v.* trim with ; fill with ; fit with ; *(Cuis.)* garnish with.
garnison *n.f.* garrison.
garniture *n.f.* trimming ; filling ; fittings ; *(Cuis.)* vegetables.
△ **garrot** *n.m.* *(Méd.)* tourniquet ['tʊənɪkeɪ] ; garotte [gə'rɒt] (de torture).
gars *n.m.* lad, *(amér.)* guy.
△ **gas oil** *n.m.* diesel oil ['diːzlɔɪl].
gaspillage *n.m.* waste, wasting ; squandering.
gaspiller *v.* waste ; squander.
▷ **gastronome** *n.m.* gourmet ['gʊəmeɪ], gastronome.
▷ **gastronomie** *n.f.* gastronomy.
gâteau *n.m.* cake.
gâter *v.* spoil, ruin, damage ; spoil ; pamper.
gâter (se —) *v.* go bad (dent) ; change for the worse ; take a turn for the worse.
gâteux *adj.* senile ['siːnaɪl].
gauche *adj.* left, left-hand ; awk-

ward, clumsy.
gauche *n.f. (Polit.)* left (wing).
gaucher *adj. & n.m.* left-handed (man).
gauchir *v.* warp.
gauchiste *adj.* leftist.
gaufre *n.f.* waffle ['wɒfl].
gaufrette *n.f.* wafer ['weɪfə].
gaule *n.f.* pole ; fishing-rod.
gaulois *adj. (Hist.)* Gallic ; broad, bawdy (esprit).
gaver *v.* force-feed ; *(fig.)* cram.
gaz *n.m.* gas ; wind.
gaze *n.f.* gauze [gɔːz].
gazer *v. (Mil.)* gas ; *(fam.)* be doing fine.
gazeux *adj.* gaseous ; fizzy (boisson).
gazoduc *n.m.* gaz pipeline, gaz main.
gazomètre *n.m.* gasometer.
gazon *n.m.* turf ; lawn.
gazouiller *v.* chirp, warble ; babble, prattle (bébé).
géant *adj.* gigantic [dʒaɪ'gæntɪk].
géant *n.m.* giant ['dʒaɪənt].
geindre *v.* groan, moan ; whine ; whimper.
gel *n.m.* frost ; *(fig.)* freezing (prix...).
▷ **gélatineux** *adj.* gelatinous.
gelé *adj.* frozen.
gelée *n.f.* frost ; *(Cuis.)* jelly.
geler *v.* freeze.
gélule *n.f.* capsule.
gelures *n.f.pl.* frostbite.
gémir *v.* groan, moan ; wail.
gênant *adj.* embarrassing, awkward.
gencive *n.f.* gum.
gendre *n.m.* son-in-law.
gêne *n.f.* discomfort ; embarrassment ; inconvenience ; trouble, bother ; financial difficulties.
gêné *adj.* embarrassed, uneasy ; hard up.
▷ **généalogie** *n.f.* genealogy.
gêner *v.* bother ; hinder, be in the way ; inconvenience, make (feel) ill at ease.
gêner (se —) *v.* put oneself out, go out of one's way (for).
généraliser *v.* generalize.
généraliser (se —) *v.* become widespread.
généraliste *n.m. (Méd.)* G.P., general practitioner.
▷ **générateur** *n.m.* generator.
▷ **généreux** *adj.* generous.
⚠ **générique** *n.m. (Ciné.)* credit titles, credits.
▷ **générosité** *n.f.* generosity.
genèse *n.f.* genesis ['dʒenɪsɪs].
genêt *n.m.* broom.
▷ **génétique** *n.f.* genetics [dʒɪ'netɪks].
gêneur *n.m.* intruder, nuisance ['njuːsəns].
génie *n.m.* genius ['dʒiːnɪəs].
genièvre *n.m.* juniper (plante) ; gin (boisson).
genou *n.m.* knee [niː].
genouillère *n.f.* kneepad.
genre *n.m.* kind, sort ; manner ; gender (des mots) ; genre (d'une œuvre...).
genre humain *n.m.* mankind.
gens *n.m.pl.* people ; folk.
gentil *adj.* kind ; good ; pleasant, nice.
gentillesse *n.f.* kindness.
géographe *n.m.* geographer.
▷ **géographie** *n.f.* geography.
géographique *adj.* geographical.
▷ **géologie** *n.f.* geology.
géologique *adj.* geological.
géologue *n.m.* geologist.
géomètre *n.m.* surveyor.
▷ **géométrie** *n.f.* geometry.
gérance *n.f.* management, direction.
gérant *n.m.* manager, director ; agent (d'immeuble...).
gerbe *n.f.* sheaf (de blé) ; spray (d'eau...) ; shower (d'étincelles).
gercé *adj.* chapped.
gerçure *n.f.* chap (de la peau) ; crack, flaw.
gérer *v.* manage.
gériatrie *n.f.* geriatrics [ˌdʒerɪ'ætrɪks].
germain (cousin —) *n.m.* first cousin.
▷ **germe** *n.m.* germ.
germer *v.* germinate ; sprout, shoot.
geste *n.m.* gesture, motion.
▷ **gesticuler** *v.* gesticulate.
gestion *n.f.* management ; conduct, control.
gestionnaire *n.m.* administrator, manager.
gibecière *n.f.* gamebag.
gibet *n.m.* gallows, gibbet.
gibier *n.m.* game.
giboulée *n.f.* (sudden) shower.
gicler *v.* spurt, spirt, squirt.
gicleur *n.m. (Aut.)* jet ; nozzle.
gifle *n.f.* slap.
gifler *v.* slap.
gigantesque *adj.* gigantic, giant.
gigot *n.m.* leg of mutton.

gigoter *v.* wriggle [rɪgl], fidget.
gilet *n.m.* waistcoat ['weɪstkəʊt; 'weskət].
gilet de sauvetage *n.m.* life jacket.
gingembre *n.m.* ginger ['dʒɪndʒə].
▷ **gingivite** *n.f.* gingivitis [,dʒɪndʒɪ'vaɪtɪs].
▷ **girafe** *n.f.* giraffe [dʒɪ'rɑːf].
giratoire (sens —) *n.m.* roundabout.
girofle (clou de —) *n.m.* clove [kləʊv].
giron *n.m.* lap.
girouette *n.f.* weathercock, (weather) vane.
gisement *n.m.* deposit [dɪ'pɒzɪt].
gitan *n.m.* gipsy.
gîte *n.m.* home; shelter; lodging.
gîte *n.f.* *(Naut.)* list.
gîter *v.* *(Naut.)* list, heel.
givre *n.m.* (hoar) frost, rime [raɪm].
givrer (se —) *v.* frost up, ice up.
glace *n.f.* ice; mirror; *(Aut.)* window; plate glass, sheet of glass; ice cream.
glacé *adj.* iced (boisson); icy.
glacer *v.* freeze; ice; chill; glaze (papier); *(Cuis.)* ice (gâteau); chill (quelqu'un).
glaciaire *adj.* glacial ['gleɪʃl]; ice (période).
⚠ **glacial** *adj.* icy; cutting, bitter.
glacier *n.m.* *(Géog.)* glacier ['glæsɪə]; ice cream maker.
glacière *n.f.* icebox.
glaçon *n.m.* ice cube; icicle ['aɪsɪkl].
glaïeul *n.m.* gladiolus [,glædɪ'əʊləs].
glaire *n.f.* *(Méd.)* phlegm.
glaise *n.f.* clay.
⚠ **gland** *n.m.* acorn ['eɪkɔːn]; tassel (de coussin...).
▷ **glande** *n.f.* gland.
glaner *v.* glean.
glapir *v.* yelp, yap.
glas *n.m.* knell, toll.
glissage *n.f.* slide; slip.
glissant *adj.* slippery.
glissement *n.m.* sliding; *(Polit.)* swing (à gauche...).
glissement de terrain *n.m.* landslide.
glisser *v.* glide, slide; slip; be slippery.
glisser (se —) *v.* slip, creep, steal.
glissière de sécurité *n.f.* crash barrier.
glissière (porte à —) *n.f.* sliding door.
▷ **global** *adj.* global, overall.
globule *n.m.* globule; *(Méd.)* corpuscle (de sang).
gloire *n.f.* glory; pride.
▷ **glorieux** *adj.* glorious.
▷ **glorifier** *v.* praise, glorify; extol.
glorifier (se —) *v.* boast, glory.
glossaire *n.m.* glossary.
glousser *v.* cluck; chuckle (rire).
glouton *adj.* greedy, gluttonous.
glu *n.f.* birdlime ['bɜːdlaɪm].
gluant *adj.* sticky, gummy, gluey.
glycine *n.f.* wisteria [wɪ'stɪərɪə].
gnangnan *adj.* *(fam.)* nagging, whining.
⚠ **goal** *n.m.* *(Sp.)* goalkeeper.
gobelet *n.m.* cup, beaker, tumbler.
gober *v.* swallow, gulp down.
godillot *n.m.* boot, hobnailed boot.
goéland *n.m.* (sea)gull.
goélette *n.f.* schooner ['skuːnə].
goémon *n.m.* wrack [ræk].
gogo (à —) *adj.* *(fam.)* galore [gə'lɔː].
goinfre *n.m.* glutter; pig.
goinfrer (se — de) *v.* guzzle, gorge.
goinfrerie *n.f.* gluttony, guzzling; piggishness.
golf *n.m.* *(Sp.)* golf; golf course, golf links.
golfe *n.m.* gulf, bay.
gomme *n.f.* rubber, *(amér.)* eraser [ɪ'reɪzə]; gum (substance).
gommer *v.* rub out, erase.
gond *n.m.* hinge.
▷ **gondole** *n.f.* gondola.
gondoler *v.* warp, buckle.
gondoler (se —) *v.* *(fam.)* double up (with laughter).
gonflage *n.m.* inflating, inflation; *(Aut.)* tyre pressure.
gonflé *adj.* swollen; puffy, bloated.
gonfler *v.* inflate, blow up, pump up; swell; *(Cuis.)* rise.
gonfleur *n.m.* *(Aut.)* (air) pump.
gorge *n.f.* throat; breast; *(Géog.)* gorge, pass; *(Tech.)* groove.
gorgée *n.f.* mouthful, gulp.
⚠ **gorille** *n.m.* gorilla; *(fam.)* bodyguard.
gosier *n.m.* throat.
gosse *n.m.* kid, brat.
▷ **gothique** *adj.* Gothic.
goudron *n.m.* tar.
goudronner *v.* tar, tarmac.
gouffre *n.m.* gulf, abyss, chasm.
goujat *n.m.* cad, boor.
goujon *n.m.* gudgeon.
goulet *n.m.* bottleneck, *(Géog.)* gully, narrow passage.
goulot *n.m.* neck.
goulu *adj.* greedy.
⚠ **gourde** *n.f.* gourd; flask; *(fam.)* clot, dope.

gourdin *n.m.* club, bludgeon ; cudgel.
gourmand *adj.* greedy.
gourmandise *n.f.* greed, greediness ; sweet.
gourmet *n.m.* gourmet ['gʊəmeɪ] ; epicure ['epɪkjʊə].
gourmette *n.f.* chain bracelet ; curb (chain) (cheval).
gousse d'ail *n.f.* clove of garlic.
goût *n.m.* taste ; flavour ; liking.
goûter *v.* taste ; enjoy, relish.
goûter à *v.* taste ; sample, try.
⚠ **goutte** *n.f.* drop ; *(Méd.)* gout ; *(fam.)* nip.
goutte-à-goutte *n.m.* *(Méd.)* drip.
gouttelette *n.f.* droplet.
goutter *v.* drip.
gouttière *n.f.* gutter ; rainpipe ; *(Méd.)* cast, cradle, splint.
gouvernail *n.m.* rudder ; helm ; tiller (barre).
gouvernante *n.f.* governess.
▷ **gouvernement** *n.m.* government.
⚠ **gouverner** *v.* govern ; rule, control, curb ; *(Naut.)* steer.
grabat *n.m.* pallet ['pælɪt].
grabataire *n.m.* bedridden person.
grabuge *n.m.* row [raʊ] ; ructions.
grâce *n.f.* grace, charm ; favour ; *(Jur.)* pardon.
grâcier *v.* pardon.
⚠ **gracieux** *adj.* graceful ; gratuitous.
⚠ **grade** *n.m.* rank ; degree.
gradé *n.m.* officier.
gradin *n.m.* tier, step.
gradins *n.m.pl.* terracing.
gradué *adj.* graduated ; graded (exercices).
graduel *adj.* gradual, progressive.
graduer *v.* graduate ; grade.
⚠ **grain** *n.m.* grain ; *(Naut.)* squall, gust of wind.
grain de beauté *n.m.* beauty spot.
grain de café *n.m.* coffee bean.
grain de poivre *n.m.* peppercorn.
grain de poussière *n.m.* speck of dust.
grain de raisin *n.m.* grape.
graine *n.f.* seed.
graissage *n.m.* lubrification, greasing.
graisse *n.f.* fat ; *(Tech.)* grease.
graisser *v.* lubricate, grease ; soil with grease.
graisseux *adj.* greasy ['gri:sɪ].
grammaire *n.f.* grammar.
⚠ **grand** *adj.* tall ; high ; big ; large ; long ; great ; loud.
⚠ **grandeur** *n.f.* size ; greatness ; grandeur ['grændʒə] ; nobility.
grandir *v.* grow ; increase.
grand-mère *n.f.* grandmother.
grand-père *n.m.* grandfather.
grand-rue *n.f.* high street.
▷ **grands parents** *n.m.pl.* grandparents.
grange *n.f.* barn.
▷ **granit** *n.m.* granite.
granulé *n.m.* *(Méd.)* granule ['grænjʊ:l], pellet.
graphique *n.m.* graph.
grappe *n.f.* cluster (de cerises...).
grappe de raisins *n.f.* bunch of grapes.
gras *adj.* fat, plump ; fatty ; greasy ; loose (toux) ; belly (rire) ; coarse (plaisanterie) ; bold (caractères).
gras *n.m.* *(Cuis.)* fat.
grasse (faire la — matinée) *loc.* have a lie-in.
grassement payé *loc.* handsomely paid.
grassouillet *adj.* plump, chubby, podgy.
⚠ **gratification** *n.f.* bonus.
⚠ **gratin** *n.m.* *(Cuis.)* gratin ; *(fig.)* upper crust, nobs, cream ; pick of the basket.
▷ **gratis** *adv.* free, gratis ['grætɪs ; 'greɪtɪs].
gratte *n.f.* *(fam.)* pickings.
gratte-ciel *n.m.* skyscraper.
grattement *n.m.* scratching (noise).
gratte-papier *n.m.* *(péj.)* penpusher.
gratter *v.* scrape, scratch.
gratter (se —) *v.* scratch.
gratuit *adj.* free ; gratuitous.
gratuitement *adv.* free (of charge), for nothing.
gravats *n.m.pl.* rubble.
⚠ **grave** *adj.* serious ; grave ; solemn ; low(-pitched), deep (voix).
graver *v.* engrave ; cut (disque).
gravier *n.m.* gravel ['grævl].
gravillons *n.m.pl.* (loose) chippings.
gravir *v.* climb up.
▷ **gravité** *n.f.* gravity, seriousness ; *(Sc.)* gravity .
graviter *v.* revolve [rɪ'vɒlv].
gravure *n.f.* engraving ; print, plate ; etching (à l'eau forte).
gré (à son —) *loc.* to his liking.
gré (contre son —) *loc.* against his will.
gréement *n.m.* *(Naut.)* rigging.
greffe *n.f.* graft(ing) ; *(Méd.)* transplant(ing), transplantation.
greffer *v.* graft ; *(Méd.)* transplant.

greffier *n.m. (Jur.)* clerk (of the Court).
greffon *n.m. (Méd.)* transplant.
grégaire *adj.* gregarious [grɪ'gerɪəs].
grêle *adj.* thin, slender; small (intestin).
grêle *n.f.* hail.
grêlé *adj.* pockmarked, pocked.
grêler *v.* hail.
grêlon *n.m.* hailstone.
grelot *n.m.* little bell.
grelotter *v.* shiver, tremble, shake.
⚠ **grenade** *n.f. (Mil.)* grenade; pomegranate (fruit).
grenat *adj.* dark red.
grenier *n.m.* attic; loft (de ferme).
grenouillage *n.m.* jiggery-pokery.
grenouille *n.f.* frog.
grès *n.m.* sandstone; stoneware (poterie).
grésiller *v.* crackle, sputter; sizzle; *(Radio)* crackle.
grève *n.f.* strike; shore, strand.
grève du zèle *n.f.* work-to-rule.
grève perlée *n.f.* go-slow, *(amér.)* slow-down.
grève sauvage *n.f.* wildcat (ou unofficial) strike.
grever *v.* burden; cripple (d'impôts).
gréviste *n.m.* striker.
gribouiller *v.* scribble, scrawl; doodle.
⚠ **grief** *n.m.* grievance.
grièvement *adv.* seriously.
griffe *n.f.* claw [klɔː]; *(fig.)* signature; (maker's) label (sur un vêtement).
griffer *v.* scratch.
griffonner *v.* scribble, scrawl.
grignoter *v.* nibble, gnaw; erode.
▷ **grill** *n.m.* grill, grid(iron).
grillage *n.f.* grill.
grillage *n.m.* wire netting, wire fencing.
⚠ **grille** *n.f.* gate; railings; grate; grid; scale (des salaires).
grille-pain *n.m.* toaster.
⚠ **griller** *v.* toast; grill; blow, burn out; *(fam.)* jump (un feu rouge).
grillon *n.m.* cricket.
grimace *n.f.* grimace [grɪ'meɪs].
grimaces (faire des —) *loc.* make faces.
grimer *v.* make up.
grimper *v.* climb; soar (up); rocket (prix).
grinçant *adj.* grating, jarring.
grincement *n.m.* grating, creaking.
grincer *v.* grate, creak.
grincer des dents *loc.* grind one's teeth, gnash one's teeth.
grincheux *adj.* grumpy, bad-tempered.
gringalet *n.m.* puny chap, shrimp.
grippe *n.f.* flu, influenza.
gripper *v. (Tech.)* jam.
grippe-sou *n.m.* skinflint, money-grubber.
gris *adj.* grey; tipsy (ivre).
grisaille *n.f.* greyness, dullness.
grisant *adj.* exhilarating, intoxicating.
grisbi *n.m. (argot)* dough, lolly.
grisonner *v.* be going grey, grow grey.
grisou *n.f.* firedamp.
grive *n.f.* thrush.
grivois *adj.* saucy; broad.
grogner *v.* growl, snarl; grumble.
grognon *adj.* grumpy, gruff, surly.
⚠ **groin** *n.m.* snout [snaʊt].
grommeler *v.* grumble, mutter.
grondement *n.m.* rumble; roar; booming; growl.
gronder *v.* rumble (tonnerre); growl; scold (un enfant...); be brewing (up) (révolte...).
⚠ **groom** *n.m.* page; bellboy, *(amér.)* bellhop.
gros *adj.* big, large; fat; thick, heavy; serious, extensive.
gros mot *n.m.* swearword.
groseille *n.f.* currant.
groseillier *n.m.* currant bush.
grossesse *n.f.* pregnancy.
grosseur *n.f.* size; fatness, stoutness; *(Méd.)* lump, swelling, growth.
grossier *adj.* coarse; rough, rude, gross, vulgar.
grossièreté *n.f.* coarseness; roughness; rudeness, grossness, vulgarity; coarse word.
grossir *v.* put on weight; grow; swell; increase; magnify (au microscope); exaggerate.
grossiste *n.m.* wholesaler ['həʊl,seɪlə].
grosso modo *adv.* roughly (speaking).
▷ **grotesque** *adj.* ludicrous, ridiculous, grotesque.
grotte *n.f.* cave; grotto.
grouiller *v.* swarm (with); teem (with).
grouiller (se —) *v. (fam.)* stir one's stumps.
groupe *n.m.* group; party; cluster.
groupement *n.m.* grouping, group.

grouper *v.* group ; bulk, pool.
grouper (se —) *v.* gather ; cluster, rally.
groupuscule *n.m.* small group ; *(fam.)* bunch.
grue *n.f.* *(Zool & Tech.)* crane ; derrick ; *(fam.)* tart.
grumeaux *n.m.pl.* lumps.
gué *n.m.* ford.
guenilles *n.f.pl.* rags.
guêpe *n.f.* wasp [wɒsp].
guêpier *n.m.* wasp's nest ; *(fig.)* hornet's nest, trap.
guère *adv.* hardly, scarcely ; not much.
⚠ **guérilla** *n.f.* guer(r)illa warfare.
⚠ **guérillero** *n.m.* guer(r)illa.
guérir *v.* cure ; heal ; recover, get better.
guérison *n.f.* curing ; healing ; recovery.
guérisseur *n.m.* healer ; *(péj.)* quack.
guérite *n.f.* sentry box.
guerre *n.f.* war ; warfare.
guerre d'usure *n.f.* war of attrition.
guerrier *n.m.* warrior.
guet (faire le —) *loc.* be on the look-out.
guet-apens *n.m.* ambush ; trap.
guêtre *n.f.* gaiter.
guetter *v.* watch (for) ; be lying in wait for.
guetteur *n.m.* lookout.
gueule *n.f.* *(fam.)* trap.
gueule de bois *n.f.* *(fam.)* hangover.
gueuler *v.* *(fam.)* bawl, shout.
gueuleton *n.m.* *(fam.)* blowout.
gui *n.m.* mistletoe ['mɪsəltəʊ].
guichet *n.m.* counter, window ; ticket office ; wicket, hatch.
guider *v.* guide [gaɪd].
guidon *n.m.* handlebars.
guigne (avoir la —) *loc.* be jinxed.
guignol *n.m.* Punch and Judy show ; puppet show ; clown [klaʊŋ], fool.
guillemets (entre —) *loc.* in quotation marks ; in inverted commas.
guillotiner *v.* guillotine ['gɪləti:n].
guimbarde *n.f.* rattletrap.
guindé *adj.* stiff, starchy ; stilted (style).
guingois (de —) *loc.* lop-sided, awry [ə'raɪ], askew [ə'skju:].
guirlande *n.f.* garland.
guise (en — de) *loc.* by way of, as.
▷ **guitare** *n.f.* guitar.
▷ **guttural** *adj.* guttural, throaty.
gymnase *n.m.* gym(nasium).
▷ **gymnaste** *n.m.* gymnast.
gymnastique *n.f.* gymnastics ; exercises.
▷ **gynécologie** *n.f.* gynaccology [,gaɪnɪ'kɒlədʒɪ].
gynécologue *n.m.* gynaecologist.

H

habile *adj.* clever, skilful ; cunning.
habileté *n.f.* skill, cleverness ; cunning.
habiliter *v.* qualify ; entitle.
habiller et (s'—) *v.* dress.
⚠ **habit** *n.m.* morning-coat.
⚠ **habits** *n.m.pl.* clothes.
habiter *v.* live (in).
habitude *n.f.* habit.
habitué *n.m.* regular (customer).
habituel *adj.* usual.
hâbleur *n.m.* boaster.
hache *n.f.* axe.
hacher *v.* chop ; mince.
hachis *n.m.* hash ; mince.
hachoir *n.m.* chopping-board, chopper, mincer.
⚠ **hagard** *adj.* haggard ['hægəd] ; distraught, wild.
haie *n.f.* hedge ; *(Sp.)* hurdle.
haillons *n.m.pl.* rags, tatters.
haine *n.f.* hatred, hate, spite.
haineux *adj.* spiteful, malevolent.
haïr *v.* hate, loathe, detest.
haïssable *adj.* hateful, loathsome.
hâlé *adj.* sunburnt, tanned, weatherbeaten.
hâle *n.m.* sunburn, suntan.
haleine *n.f.* breath.
haler *v.* tow.
haleter *v.* pant, puff, gasp for breath.
halle *n.f.* market-hall.
▷ **hallucination** *n.f.* hallucination.
▷ **halluciner** *v.* hallucinate.
▷ **halo** *n.m.* halo.
▷ **halte** *n.f.* stop, halt ; break, pause.
haltère *n.m.* dumbbell.
haltères *n.m.pl.* *(Sp.)* weight lifting.
▷ **hamac** *n.m.* hammock.
hameau *n.m.* hamlet.
hameçon *n.m.* hook.
▷ **hamster** *n.m.* hamster.
⚠ **hanche** *n.f.* hip ; haunch (d'animal).

△ **hangar** *n.m.* shed; outhouse; *(Av.)* hangar ['hæŋə].
hanneton *n.m.* maybug.
▷ **hanter** *v.* haunt.
hantise *n.f.* obsession.
happer *v.* snap up, snatch.
▷ **haranguer** *v.* harangue.
haras *n.m.* stud-farm.
harassant *adj.* exhausting.
harasser *v.* tire out.
harceler *v.* pester, nag; *(Mil.)* harass, harry.
hardes *n.f.pl.* old clothes, rags.
hardi *adj.* daring, bold.
hareng *n.m.* herring.
hargneux *adj.* peevish, surly.
haricot *n.m.* bean; French bean; haricot bean; runner bean.
▷ **harmonica** *n.m.* mouth organ, harmonica.
▷ **harmonie** *n.f.* harmony.
▷ **harmonieux** *adj.* musical, harmonious.
▷ **harmoniser (s'—)** *v.* be in keeping (with), match, harmonize.
▷ **harmonium** *n.m.* harmonium.
▷ **harpe** *n.f.* harp.
harpie *n.f.* shrew, vixen.
▷ **harpiste** *n.* harpist.
▷ **harpon** *n.m.* harpoon.
△ **hasard** *n.m.* chance, luck; risk, hazard.
hasarder *v.* venture, risk.
▷ **hasardeux** *adj.* risky, hazardous.
△ **hâte** *n.f.* hurry, haste.
hâtif *adj.* hasty, hurried; premature; *(Agr.)* early.
hausser *v.* raise, increase; shrug (épaules).
haut *adj.* high; lofty; upper; high-pitched (voix).
haut *adv.* high; loud (voix).
haut *n.m.* top, up, upper part.
hautain *adj.* proud, haughty.
hautbois *n.m.* oboe.
haut-de-forme *n.m.* top-hat.
hauteur *n.f.* height; hill.
haut-parleur *n.m.* (loud) speaker.
hâve *adj.* wan, pale, emaciated.
havre *n.m.* haven, harbour.
hebdomadaire *adj.* weekly.
hebdomadaire *n.m.* weekly (newspaper).
héberger *v.* put up, house, accomodate.
hébété *adj.* stupid, bewildered; dazed, stunned.
▷ **hécatombe** *n.f.* massacre, slaughter, hecatomb ['hekətu:m].
héler *v.* hail (navire, taxi), call (personne).
hélice *n.f.* propeller; *(Naut.)* screw.
▷ **hélicoptère** *n.m.* helicopter.
▷ **héliport** *n.m.* heliport.
▷ **hémisphère** *n.m.* hemisphere.
▷ **hémophylie** *n.f.* heamophilia [,hi:məʊ'fɪlɪə].
▷ **hémorragie** *n.f.* haemorrhage ['hemərɪdʒ].
▷ **hémorroïdes** *n.f.pl.* piles, haemorroids ['hemərɔɪdz].
▷ **hépatique** *adj.* hepatic [he'pætɪk].
▷ **hépatite** *n.f.* hepatitis [,hepə'taɪtis].
herbage *n.m.* grass-land.
△ **herbe** *n.f.* *(Bot.)* grass; *(Cuis.)* herb; weed (mauvaise herbe).
herbicide *n.m.* weed-killer.
▷ **herbivore** *adj.* herbivorous [hɜ:'bɪvərəs].
herboriste *n.m.* herbalist ['hɜ:bəlɪst].
héréditaire *adj.* hereditary [hɪ'redɪtrɪ].
▷ **hérédité** *n.f.* heredity [hɪ'redɪtɪ].
▷ **hérésie** *n.f.* heresy ['herəsɪ].
hérétique *adj.* heretical [hɪ'retɪkl].
▷ **hérétique** *n.* heretic ['herətɪk].
hérisser (se —) *v.* bristle (up).
hérisson *n.m.* hedgehog.
▷ **héritage** *n.m.* inheritance; legacy; heritage ['herɪtɪdʒ].
hériter *v.* inherit.
héritier *n.m.* heir [eə].
héritière *n.f.* heiress.
▷ **hermétique** *adj.* air-tight, water-tight; hermetic.
▷ **hernie** *n.f.* rupture, hernia.
▷ **héroïne** *n.f.* heroine; heroin (drogue).
▷ **héroïque** *adj.* heroic [hɪ'rəʊɪk].
héros *n.m.* hero ['hɪərəʊ].
herse *n.f.* harrow; portcullis.
▷ **hésiter** *v.* hesitate, waver; pause.
▷ **hétéroclite** *adj.* heteroclite, heterogeneous.
▷ **hétérodoxe** *adj.* heterodox.
▷ **hétérogène** *adj.* heterogeneous; incongruous.
hêtre *n.m.* beech.
heure *n.m.* hour; time.
heureux *adj.* happy; lucky; successful.
heurt *n.m.* bump, collision; *(fig.)* clash.
heurté *adj.* jerky; abrupt; halting.
heurter *v.* hit; *(fig.)* jar, clash, offend.
▷ **hiatus** *n.m.* hiatus [haɪ'eɪtəs].
▷ **hibernation** *n.f.* hibernation.

▷ **hiberner** *v.* hibernate ['haɪbəneɪt].
hibou *n.m.* owl [aʊl].
hic *n.m.* difficulty, trouble, snag.
▷ **hideux** *adj.* hideous, ghastly.
hier *adv.* yesterday.
▷ **hiérarchie** *n.* hierarchy ['haɪərɑːkɪ].
▷ **hilare** *adj.* hilarious [hɪ'leərɪəs].
▷ **hippie** *adj & n.* hippy.
hippique *adj.* horse, equestrian.
hippodrome *n.m.* racecourse.
▷ **hippopotame** *n.m.* hippopotamus.
hirondelle *n.f.* swallow.
hirsute *adj.* shaggy ; hairy.
hisser *v.* heave (up), lift, hoist, haul.
histoire *n.f.* history ; story, tale ; *(pl.)* fuss.
historier *v.* illustrate.
▷ **historique** *adj.* historical ; historic.
hiver *n.m.* winter.
hobereau *n.m.* squire.
hocher *v.* shake ; nod (tête).
hochet *n.m.* rattle.
▷ **holocauste** *n.m.* holocaust.
homard *n.m.* lobster.
▷ **homélie** *n.f.* sermon, homily.
▷ **homéopathe** *n.m.* homeopath ['həʊmɪəʊpæθ].
▷ **homéopathie** *n.f.* homeopathy [,həʊmɪ'ɒpəθɪ].
⚠ **homicide** *adj.* murderous, homicidal.
homicide *n.m.* manslaughter, homicide.
homme *n.m.* man.
homme-grenouille *n.m.* frogman.
▷ **homogène** *adj.* homogeneous [,hɒmə'dʒiːnɪəs].
homonyme *adj.* homonymous [hɒ'mɒnɪməs].
⚠ **homonyme** *n.m.* namesake ; homonym (linguistique).
⚠ **honnête** *adj.* honest ; respectable ; reasonable.
honnêteté *n.f.* honesty.
▷ **honneur** *n.m.* honour ; repute ; distinction.
▷ **honorable** *adj.* honourable, decent, worthy.
▷ **honoraire** *adj.* honorary.
honoraires *n.pl.* fees.
▷ **honorer** *v.* honour ; do credit (to).
⚠ **honorer (s'—)** *v.* pride oneself (on).
honte *n.f.* shame; disgrace ; self-consciousness.
honteux *adj.* ashamed ; shameful.
▷ **hôpital** *n.m.* hospital.
hoquet *n.m.* hiccup, hiccough.
horaire *adj.* hourly.
horaire *n.m.* time-table, schedule.
▷ **horizon** *n.m.* horizon [hə'raɪzn].
horloge *n.f.* clock.
hormis *prép.* except, but.
▷ **hormone** *n.f.* hormone.
▷ **horoscope** *n.m.* horoscope.
▷ **horreur** *n.f.* horror.
▷ **horrible** *adj.* horrible.
▷ **horrifiant** *adj.* horrific, horrifying.
▷ **horrifier** *v.* horrify.
horripiler *v.* exasperate.
hors *prép.* out of, outside of ; but, except.
hors-bord *n.m.* speedboat.
hors-jeu *n.m.* off-side.
hors-la-loi *n.m.* outlaw.
hortensia *n.m.* hydrangea [haɪ'dreɪndʒə].
horticulteur *n.m.* horticulturalist.
hospice *n.m.* old people's home ; *(vx.)* poorhouse.
hospitalier *adj.* hospitable.
▷ **hospitalité** *n.f.* hospitality.
hostie *n.f.* host [həʊst].
▷ **hostile** *adj.* hostile ['hɒstaɪl].
⚠ **hôte** *n.m.* host ; landlord ; guest (invité).
▷ **hôtel** *n.m.* hotel, inn.
⚠ **hôtesse** *n.f.* hostess ; landlady ; receptionist.
hôtesse de l'air *n.f.* air hostess.
hotte *n.f.* basket, pannier ; hood (de cheminée).
houblon *n.m.* hop.
houille *n.f.* coal.
houle *n.f.* swell.
houleux *adj.* rough ; stormy.
houppelande *n.f.* greatcoat ; cloak.
houppette *n.f.* powder puff.
houspiller *v.* tell off, scold.
housse *n.f.* (dust) cover ; hanging wardrobe.
houx *n.m.* holly.
hublot *n.m.* porthole.
huer *v.* boo ; hoot.
huile *n.f.* oil.
huiler *v.* lubricate, oil.
huileux *adj.* oily ; greasy.
huiler *n.m.* cruet-stand.
huis-clos (à —) *loc.* behind closed doors, in camera.
huissier *n.m.* usher ; baillif, sheriff's officer.
huître *n.f.* oyster.
⚠ **humain** *adj.* human ; humane (bon).
▷ **humaniser** *v.* humanize, civilize.

▷ **humaniste** *n.m.* humanist.
▷ **humanitaire** *adj.* humanitarian.
▷ **humanité** *n.f.* mankind; humanity.
▷ **humble** *adj.* humble; meek; lowly (origine).
humecter *v.* damp, moisten.
⚠ **humeur** *n.f.* mood, temper; (ill) humour.
▷ **humide** *adj.* damp, moist; humid.
▷ **humilier** *v.* humiliate.
humoristique *adj.* humorous.
▷ **humour** *n.m.* humour.
▷ **humus** *n.m.* humus ['hju:məs].
huppé *adj.* *(Zool.)* crested; well-off, posh.
hurler *v.* howl, yell.
▷ **hutte** *n.f.* cabin, hut.
▷ **hydrater** *v.* hydrate.
▷ **hydraulique** *adj.* hydraulic.
hydraulique *n.f.* hydraulics.
hydravion *n.m.* hydroplane, seaplane.
▷ **hydrogène** *n.m.* hydrogen.
hydropisie *n.f.* dropsy.
▷ **hyène** *n.f.* hyena [haɪ'i:nə].
▷ **hygiène** *n.f.* hygiene ['haɪdʒi:n].
⚠ **hymne** *n.m.* song; anthem (national); *(Rel.)* hymn [hɪm].
hypermétrope *adj.* long-sighted.
hypersensible *adj.* hypersensitive.
hypertension *n.f.* high blood pressure.
▷ **hypnose** *n.f.* hypnosis [hɪp'nəʊsɪs].
▷ **hypnotiser** *v.* hypnotize; *(fig.)* fascinate.
▷ **hypocrisie** *n.f.* hypocrisy.
⚠ **hypocrite** *adj.* hypocritical.
▷ **hypocrite** *n.* hypocrite.
hypotension *n.f.* low blood pressure.
hypothèque *n.f.* mortgage ['mɔ:gɪdʒ].
hypothéquer *v.* mortgage ['mɔ:gɪdʒ].
▷ **hypothèse** *n.f.* hypothesis [haɪ'pɒθɪsɪs].
hystérie *n.f.* hysteria [hɪs'tɪərɪə].
hystérique *adj.* hysterical [hɪs'terɪkl].

I

▷ **iceberg** *n.m.* iceberg ['aɪsbɜ:g].
ici *adv.* here; now.
⚠ **iconoclaste** *adj.* iconoclastic.
▷ **iconoclaste** *n.m.* iconoclast.
▷ **idéal** *adj. & n.m.* ideal [aɪ'dɪəl].
▷ **idéaliser** *v.* idealize.
▷ **idéalisme** *n.m.* idealism.
idéaliste *adj.* idealistic.
▷ **idéaliste** *n.m.* idealist.
▷ **idée** *n.f.* idea; thought; opinion; plan.
▷ **identification** *n.f.* identification.
▷ **identifier** *v.* identify.
identique *adj.* identical.
▷ **identité** *n.f.* identity.
▷ **idéologie** *n.f.* ideology.
idéologique *adj.* ideological.
▷ **idiomatique** *adj.* idiomatic.
▷ **idiome** *n.m.* idiom; dialect.
⚠ **idiot** *adj.* stupid, foolish, idiotic.
▷ **idiot** *n.m.* fool, idiot.
▷ **idiotie** *n.f.* nonsense, rubbish, idiocy.
idolâtrer *v.* idolize; dote (up)on.
▷ **idole** *n.f.* idol ['aɪdl].
▷ **idylle** *n.f.* romance, idyll.
⚠ **if** *n.m.* yew.
▷ **igloo** *n.m.* igloo.
ignare *adj.* illiterate, ignorant.
ignifugé *adj.* fireproof(ed).
▷ **ignoble** *adj.* vile, base, ignoble [ɪg'nəʊbl].
▷ **ignominie** *n.f.* ignominy ['ɪgnəmɪnɪ].
▷ **ignorance** *n.f.* ignorance.
▷ **ignorant** *adj.* ignorant.
⚠ **ignorer** *v.* not know, be unaware of; ignore, snub, cut.
il *pr.m. (pl.* **ils***)* he, it.
île *n.f.* island.
▷ **illégal** *adj.* illegal, unlawful.
illégitime *adj.* illegitimate.
illettré *adj.* illiterate.
▷ **illicite** *adj.* illicit.
illimité *adj.* boundless, unlimited; indefinite.
illisible *adj.* illegible (écriture); unreadable (livre).
▷ **illogique** *adj.* illogical.
▷ **illumination** *n.f.* illumination; inspiration.
▷ **illuminer** *v.* floodlight; light up; illuminate.
illuminer (s'—) *v.* brighten, light up, be lit up.
▷ **illusion** *n.f.* fallacy; delusion, illusion.
▷ **illusionniste** *n.m.* conjuror, illusionist.
▷ **illusoire** *adj.* illusory.
▷ **illustration** *n.f.* illustration.
illustre *adj.* famous, well-known,

illustrious.
illustré *n.m.* magazine, comic.
▷ **illustrer** *v.* illustrate.
illustrer (s'—) *v.* be famous; win fame.
îlot *n.m.* small island; block (de maisons).
ils *pr.m.pl.* they.
⚠ **image** *n.f.* picture; image; likeness.
▷ **imaginable** *adj.* imaginable.
▷ **imaginaire** *adj.* imaginary.
▷ **imagination** *n.f.* imagination; fancy.
▷ **imaginer (s'—)** *v.* imagine, think up; suppose.
⚠ **imbécile** *adj.* foolish, stupid, idiotic; *(Méd.)* imbecilic.
▷ **imbécile** *n.m.* fool, idiot, imbecile ['ɪmbəsi:l].
imberbe *adj.* beardless.
▷ **imbiber** *v.* moisten; steep; imbibe.
imbriquer (s'—) *v.* interlock, interlink.
imbu *adj.* full (of).
imbuvable *adj.* undrinkable; *(fig.)* unbearable.
imitateur *n.m.* impersonator; imitator.
▷ **imitation** *n.f.* imitation.
▷ **imiter** *v.* imitate.
▷ **immaculé** *adj.* immaculate, spotless.
immangeable *adj.* uneatable.
immanquablement *adv.* for sure, without fail.
immatriculation *n.f.* registration.
immatriculer *v.* register.
▷ **immédiat** *adj.* immediate.
▷ **immense** *adj.* huge, enormous, immense.
▷ **immensité** *n.f.* immensity.
immerger *v.* immerse, submerge.
immerger (s'—) *v.* dive, submerge (sous-marin).
immérité *adj.* undeserved, unfair.
immeuble *n.m.* block of flats.
▷ **immigration** *n.f.* immigration.
immigré *n.m.* immigrant.
▷ **imminent** *adj.* impending, imminent.
immiscer (s'—) *v.* interfere, meddle.
▷ **immobile** *adj.* motionless, still, immobile.
immobilier *adj.* estate, property.
immobilier *n.* (real) estate, property.
▷ **immobiliser** *v.* stop, bring to a standstill; *(Comm.)* tie up; immobilize.
immobiliser (s'—) v. stop, come to a standstill.
▷ **immobilité** *n.f.* immobility.
▷ **immodéré** *adj.* inordinate, immoderate.
▷ **immoler** *v.* immolate, sacrifice.
immonde *adj.* foul.
immondices *n.m.pl.* refuse.
▷ **immoral** *adj.* immoral.
▷ **immortaliser** *v.* immortalize.
▷ **immortel** *adj.* everlasting, immortal.
immuable *adj.* unchanging.
immunisé *adj.* immune (to).
▷ **immuniser** *v.* immunize.
▷ **immunité** *n.f.* immunity.
▷ **impact** *n.m.* impact, hit.
impair *adj.* odd.
impair *n.m.* blunder, mistake.
imparable *adj.* unanswerable.
impardonnable *adj.* unforgivable, unpardonable.
imparfait *adj.* imperfect.
▷ **impartial** *adj.* unbiased, impartial.
⚠ **impasse** *n.f.* dead-end; *(fig.)* deadlock, impasse.
impassible *adj.* cool, impassive.
▷ **impatience** *n.f.* impatience; restlessness, eagerness.
▷ **impatient** *adj.* impatient; anxious.
impatienter *v.* annoy, irritate.
impatienter (s'—) *v.* get annoyed, lose patience.
impayable *adj.* priceless.
impayé *adj.* unpaid.
▷ **impeccable** *adj.* faultless, immaculate, impeccable, flawless.
▷ **impénétrable** *adj.* inscrutable, impenetrable.
▷ **impénitent** *adj.* unrepentant, impenitent.
▷ **impératif** *adj.* peremptory, imperative.
⚠ **impératifs** *n.m.pl.* demands, requirements.
impératrice *n.f.* empress.
▷ **imperceptible** *adj.* imperceptible; faint.
▷ **imperfection** *n.f.* imperfection, fault, blemish, flaw.
impériale *n.f.* upper deck.
impériale (à —) *loc.* double-decker.
▷ **impérieux** *adj.* imperious; urgent.
▷ **impérissable** *adj.* imperishable; undying.
▷ **imperméable** *adj.* waterproof; airtight; impermeable.
⚠ **imperméable** *n.m.* raincoat.

▷ **impertinence** *n.f.* impertinence.
▷ **imperturbable** *adj.* imperturbable, cool.
impétrant *n.m.* applicant.
⚠ **impétueux** *adj.* raging, rushing (torrent) ; impetuous (personne).
impie *adj.* impious ['ɪmpɪəs].
▷ **impiété** *n.f.* impiousness, impiety [ɪm'paɪətɪ].
impitoyable *adj.* merciless, ruthless.
▷ **implacable** *adj.* implacable.
implanter (s'—) *v.* establish oneself, settle.
▷ **implicite** *adj.* implicit [ɪm'plɪsɪt].
⚠ **impliquer** *v.* imply, involve ; implicate.
▷ **implorer** *v.* implore, beg.
impoli *adj.* impolite, rude.
▷ **impondérable** *adj.* imponderable.
▷ **impondérables** *n.f.pl.* imponderables.
impopulaire *adj.* unpopular.
⚠ **importance** *n.f.* importance, significance ; extent, size.
⚠ **important** *adj.* important, significant ; large, great, big.
importateur *n.m.* importer.
▷ **importation** *n.f.* importation, import.
⚠ **importer** *v.* import ; matter.
importun *adj.* importunate ; inopportune, ill-timed.
importun *n.m.* intruder.
▷ **importuner** *v.* bother, intrude (up)on, importune.
▷ **imposant** *adj.* impressive, imposing.
imposable *adj.* taxable.
⚠ **imposer** *v.* tax ; impose.
⚠ **imposer (s'—)** *v.* be vital, be a must ; impose (upon).
▷ **impossible** *adj.* impossible.
impossible (faire l'—) *loc.* do one's best.
impôt *n.m.* tax.
impôts *n.m.pl.* tax(es) ; rates (locaux).
▷ **impotent** *adj.* disabled ; impotent.
⚠ **impraticable** *adj.* impassable ; unmanageable.
▷ **imprécation** *n.f.* curse, imprecation.
▷ **imprécis** *adj.* inaccurate ; vague, imprecise.
imprenable *adj.* impregnable.
▷ **imprégner** *v.* steep (in) ; impregnate (with).
imprégner (s'—) *v.* be steeped, impregnated.
▷ **impresario** *n.m.* impresario, manager.
⚠ **impression** *n.f.* impression ; printing.
▷ **impressionnable** *adj.* sensitive, impressionable.
impressionnant *adj.* impressive.
impressionner *v.* impress ; upset.
imprévisible *adj.* unforeseeable.
imprévoyant *adj.* improvident.
imprévu *adj.* unexpected.
imprimé *n.m.* printed matter.
imprimerie *n.f.* printing works ; printing.
▷ **improbable** *adj.* unlikely, improbable.
improductif *adj.* unproductive ; barren.
impropre *adj.* unsuitable, inappropriate.
▷ **improviser** *v.* improvise.
improviste (à l'—) *loc.* unexpectedly.
▷ **imprudence** *n.f.* imprudence, carelessness.
▷ **imprudent** *adj.* imprudent, foolish, careless.
impudique *adj.* immodest, shameless.
impuissance *n.f.* powerlessness, helplessness ; impotence.
▷ **impulsif** *adj.* impulsive.
▷ **impulsion** *n.f.* impulse ; impetus, impulsion.
▷ **impunité** *n.f.* impunity.
▷ **impur** *adj.* impure.
▷ **imputer** *v.* attribute, impute.
imputrescible *adj.* rot-proof.
inabordable *adj.* prohibitive.
inacceptable *adj.* unacceptable.
▷ **inaccessible** *adj.* inaccessible.
inaccoutumé *adj.* unusual.
inachevé *adj.* unfinished.
inaction *n.f.* idleness, inactivity.
inadapté *adj.* *(Méd. & Psy.)* maladjusted.
▷ **inadmissible** *adj.* inadmissible, intolerable.
inadvertance (par —) *loc.* by mistake.
inaltérable *adj.* fast (couleur) ; unchanging, even (humeur).
inamovible *adj.* permanent ; irremovable.
inanimé *adj.* lifeless, inanimate.
inanition *n.f.* starvation.
inaperçu *adj.* unnoticed.
▷ **inapplicable** *adj.* inapplicable.
▷ **inappréciable** *adj.* invaluable, inappreciable.
inapte *adj.* unfit ; unqualified.

inattaquable *adj.* irreproachable; irrefutable.
inattendu *adj.* unexpected.
▷ **inattention** *n.f.* inattention, heedlessness; carelessness.
▷ **inaugurer** *v.* open; unveil; inaugurate.
inavouable *adj.* shameful.
▷ **incalculable** *adj.* incalculable.
▷ **incapable** *adj.* incapable (of), unable (to).
incarcérer *v.* put in jail, imprison.
incartade *n.f.* prank.
incendie *n.m.* fire; arson (criminel).
incendier *v.* set fire to; burn down.
incertain *adj.* uncertain; unsettled (temps); doubtful.
▷ **incertitude** *n.f.* uncertainty; incertitude.
incessamment *adv.* straightaway.
▷ **incessant** *adj.* continual, unceasing, incessant.
▷ **inceste** *n.m.* incest.
▷ **incestueux** *adj.* incestuous.
incidemment *adv.* incidentally.
incinération *n.f.* cremation.
incinérer *v.* cremate.
▷ **incinérateur** *n.m.* incinerator.
inciser *v.* incise; *(Méd.)* lance.
▷ **incisif** *adj.* sharp, cutting, incisive.
▷ **inciter** *v.* incite, urge.
incitation *n.f.* incitement, incentive.
▷ **incliner** *v.* incline, nod; bend, bow; be inclined (to).
incliner (s'—) *v.* slope; bow (before); yield.
inclure *v.* include; enclose.
inclus *adj.* inclusive.
inclus (ci-—) *adv.* enclosed.
▷ **incohérence** *n.f.* inconsistency; incoherence.
incolore *adj.* colourless.
incomber *v.* be incumbent (on).
▷ **incombustible** *adj.* fireproof, incombustible.
incommode *adj.* awkward, inconvenient.
incommoder *v.* bother; inconvenience.
▷ **incomparable** *adj.* incomparable [ɪn'kɒmprəbl], matchless, unequalled.
▷ **incompatible** *adj.* incompatible [ˌɪnkəm'pætɪbl].
▷ **incompétent** *adj.* inexpert, incompetent.
▷ **incomplet** *adj.* incomplete.
▷ **incompréhensible** *adj.* incomprehensible.
incompréhensif *adj.* unsympathetic.
incompris *adj.* misunderstood.
inconcevable *adj.* unbelievable, unthinkable.
inconciliable *adj.* irreconcilable.
inconditionnel *adj.* unconditional, wholehearted; unquestioning.
inconduite *n.f.* loose behaviour.
inconfort *n.m.* discomfort.
inconfortable *adj.* uncomfortable.
incongru *adj.* ill-placed; incongruous; unseemly.
inconnu *adj.* unknown; strange.
inconnu *n.m.* stranger (personne); unknown (chose).
inconscience *n.f.* unconsciousness; thoughtlessness, rashness.
⚠ **inconscient** *adj.* unconscious; thoughtless, rash.
inconscient *n.m.* subconscious; unconscious.
inconséquent *adj.* inconsistent.
inconsidéré *adj.* unwise, thoughtless, rash.
⚠ **inconsistant** *adj.* weak, colourless.
▷ **inconstant** *adj.* fickle, inconstant.
▷ **incontestable** *adj.* unquestionable, incontestable.
incontesté *adj.* undisputed, uncontested.
⚠ **incontrôlable** *adj.* unverifiable; uncontrollable.
inconvenant *adj.* improper, indecorous.
⚠ **inconvénient** *n.m.* drawback, disadvantage, inconvenience.
incorporer *v.* insert; blend; *(Mil.)* call up.
▷ **incorrect** *adj.* wrong; improper, faulty; incorrect.
▷ **incorrigible** *adj.* incorrigible.
▷ **incorruptible** *adj.* incorruptible.
▷ **incrédule** *adj.* incredulous, sceptical.
increvable *adj.* puncture-proof; *(fam.)* indefatigable.
▷ **incriminer** *v.* accuse, incriminate.
incroyable *adj.* unbelievable, incredible.
▷ **incruster** *v.* inlay; incrust.
incruster (s'—) *v.* become embedded; settle down.
▷ **incubateur** *n.m.* incubator.
inculpé *n.m.* accused.
inculper *v.* charge (with).
inculte *adj.* barren, uncultivated; uncultured.
▷ **incurable** *adj.* hopeless, incurable.

incurie *n.f.* carelessness.
▷ **indécent** *adj.* indecent, unseemly.
indéchiffrable *adj.* incomprehensible; indecipherable (texte); inscrutable (personne).
indécis *adj.* hesitant, uncertain, undecided.
▷ **indécision** *n.f.* uncertainty, indecision.
indéfini *adj.* indefinite; undefined.
indéfinissable *adj.* nondescript; undefinable.
indéfrisable *n.f.* perm (= permanent wave).
indélicat *adj.* dishonest.
indémaillable *adj.* ladder-proof, run-resisting.
indemne *adj.* safe and sound, unharmed.
indemniser *v.* compensate.
▷ **indemnité** *n.f.* allowance; compensation, indemnity.
▷ **indéniable** *adj.* obvious, undeniable.
indépendant *adj.* independent; separate.
indescriptible *adj.* indescribable.
indésirable *adj.* undesirable.
▷ **indestructible** *adj.* indestructible; indelible.
▷ **indéterminé** *adj.* unspecified, indeterminate.
▷ **index** *n.m.* index.
index (à l'—) *loc.* on the blacklist.
⚠ **indicateur** *n.m.* informer; directory (des rues); timetable (chemin de fer, autocar).
⚠ **indicatif** *n.m.* dialling code; signature tune; *(Gram.)* indicative.
indicatif (à titre —) *loc.* for information.
▷ **indication** *n.f.* information; indication.
indice *n.m.* clue; sign; index.
▷ **indifférent** *adj.* unconcerned, indifferent.
indigène *adj.* native, indigenous, local.
indigène *n.* native.
indigent *adj.* poverty-stricken; poor.
indigeste *adj.* indigestible.
▷ **indignation** *n.f.* indignation.
indigne *adj.* unworthy (of).
indigné *adj.* shocked, indignant.
indigner (s'—) *v.* be shocked, be indignant.
indiqué *adj.* suitable.
▷ **indiquer** *v.* point out; point to; show; direct; tell; indicate.
▷ **indiscipline** *n.f.* indiscipline.
▷ **indiscret** *adj.* inquisitive, indiscreet.
indiscutable *adj.* unquestionable.
▷ **indispensable** *adj.* indispensable.
indisponible *adj.* unavailable.
▷ **indisposé** *adj.* unwell, indisposed.
indisposer *v.* upset; antagonize.
individu *n.m.* individual.
▷ **indolent** *adj.* indolent.
indolore *adj.* painless.
indomptable *adj.* indomitable.
▷ **indubitable** *adj.* indubitable.
▷ **indulgence** *n.f.* indulgence; leniency.
▷ **industrialiser** *v.* industrialize.
▷ **industrie** *n.f.* industry.
▷ **industriel** *adj.* industrial.
⚠ **industriel** *n.m.* industrialist; manufacturer.
inébranlable *adj.* steadfast, unwavering.
inédit *adj.* new, original, novel.
inefficace *adj.* inefficient.
inégal *adj.* uneven; unequal.
inégalable *adj.* matchless, incomparable [ɪn'kɒmprəbl].
inégalité *n.f.* inequality; unevenness, disparity.
▷ **inéluctable** *adj.* ineluctable.
inénarrable *adj.* hilarious.
ineptie *n.f.* nonsense.
inépuisable *adj.* inexhaustible.
▷ **inerte** *adj.* passive; lifeless; inert.
▷ **inertie** *n.f.* inertia, apathy, passivity.
inespéré *adj.* unhoped-for.
▷ **inesthétique** *adj.* unsightly, inaesthetic.
▷ **inestimable** *adj.* priceless, invaluable, inestimable.
▷ **inévitable** *adj.* unavoidable, inevitable.
▷ **inexact** *adj.* inaccurate, incorrect, wrong, inexact.
▷ **inexcusable** *adj.* inexcusable, unforgivable.
▷ **inexorable** *adj.* inexorable, unyielding.
▷ **inexplicable** *adj.* inexplicable.
inexpérimenté *adj.* inexperienced.
inexploité *adj.* unexploited.
inexprimable *adj.* inexpressible.
inexprimé *adj.* unspoken; unexpressed.
⚠ **inextensible** *adj.* non-stretch; *(fig.)* inextensible.
▷ **inextricable** *adj.* inextricable.
▷ **infaillible** *adj.* infallible; unerring.

infâme *adj.* vile, infamous ['ɪnfəməs].
▷ **infanterie** *n.f.* infantry.
▷ **infantile** *adj.* childish ; infantile.
infarctus *n.m.* coronary.
infatigable *adj.* tireless, indefatigable.
infatué *adj.* full (of himself).
infect *adj.* foul, lousy, revolting.
▷ **infecter** *v.* contaminate, infect.
infecter (s'—) *v.* get infected, turn septic.
▷ **infectieux** *adj.* infectious.
⚠ **inférieur** *adj.* lower ; inferior (qualité).
▷ **infernal** *adj.* infernal ; devilish.
▷ **infester** *v.* infest.
infidèle *adj.* unfaithful.
▷ **infiltrer (s'—)** *v.* seep, filter, infiltrate.
infime *adj.* tiny, minute.
▷ **infini** *adj.* infinite.
infini *n.m.* infinity.
▷ **infinité** *n.f.* infinity.
infirme *adj. & n.* disabled, crippled.
▷ **infirmerie** *n.f.* infirmary, sick bay.
infirmer *v.* invalidate.
infirmier, -ière *n.* nurse.
▷ **inflammable** *adj.* inflammable.
▷ **inflation** *n.f.* inflation.
infléchir *v.* bend, sway, reorientate.
infléchir (s'—) *v.* bend, sag, sway.
▷ **inflexible** *adj.* inflexible ; unyielding.
infliger *v.* inflict (on).
▷ **influence** *n.f.* influence.
▷ **influencer** *v.* influence.
influent *adj.* influential.
influx nerveux *n.m.* impulse ; drive.
informaticien *n.m.* computer scientist.
⚠ **information** *n.f.* information ; inquiry ; news.
informatique *n.f.* computer science ; data processing.
informatiser *v.* computerize.
informe *adj.* shapeless ; misshapen.
▷ **informer** *v.* inform, tell.
informer (s'—) *v.* find out, inquire.
▷ **infraction** *n.f.* offence, breach of the law, infraction.
infrarouge *adj. & n.* infrared.
infrastructure *n.f.* substructure.
infroissable *adj.* crease-resistant.
infructueux *adj.* fruitless, unsuccessful.
ingénieur *n.m.* engineer.
▷ **ingénieux** *adj.* clever, ingenious.
⚠ **ingéniosité** *n.f.* cleverness, ingenuity.
ingénu *adj.* naïve, artless, ingenuous.
⚠ **ingénuité** *n.f.* naïvety, ingenuousness.
ingérer (s'—) *v.* interfere (in), meddle (in).
ingrat *adj.* ungrateful ; barren.
▷ **ingratitude** *n.f.* ingratitude, ungratefulness.
▷ **ingrédient** *n.m.* ingredient.
⚠ **inhabitable** *adj.* uninhabitable.
⚠ **inhabité** *adj.* uninhabited, unoccupied.
inhabituel *adj.* unusual.
▷ **inhérent** *adj.* inherent (in).
▷ **inhibition** *n.f.* inhibition.
inhospitalier *adj.* inhospitable.
▷ **inhumain** *adj.* inhuman.
▷ **inhumation** *n.f.* burial, inhumation.
inhumer *v.* bury, inter.
inimaginable *adj.* incredible, unimaginable.
▷ **inimitable** *adj.* inimitable.
inimitié *n.f.* enmity.
ininflammable *adj.* non-(in)flammable.
inintelligible *adj.* unintelligible.
ininterrompu *adj.* continuous, non-stop, uninterrupted.
▷ **iniquité** *n.f.* iniquity.
▷ **initiateur** *n.m.* pioneer, originator, initiator.
▷ **initiative** *n.f.* initiative, enterprise.
▷ **initier** *v.* initiate (into), introduce (to).
▷ **injecter** *v.* inject.
⚠ **injure** *n.f.* insult, abuse.
⚠ **injurier** *v.* insult, abuse.
injuste *adj.* unfair, unjust.
▷ **injustice** *n.f.* injustice, unfairness.
inné *adj.* innate.
▷ **innocent** *adj. et n.* innocent.
innocenter *v.* clear.
innombrable *adj.* innumerable, countless.
▷ **innover** *v.* break new ground, innovate.
inoccupé *adj.* unoccupied.
▷ **inoculer** *v.* inoculate.
inodore *adj.* odourless, scentless.
▷ **inoffensif** *adj.* harmless, inoffensive.
inondation *n.f.* flood.
inonder *v.* flood ; *(fig.)* flood, swamp.
inopérant *adj.* ineffective.

inopiné *adj.* sudden, unexpected.
▷**inopportun** *adj.* untimely, inopportune.
inouï *adj.* unheard-of.
inoubliable *adj.* unforgettable.
inoxydable *adj.* stainless.
inquiet *adj.* worried, anxious, uneasy.
inquiétant *adj.* disturbing, upsetting.
inquiéter *v.* worry, disturb, upset.
inquiéter (s'—) *v.* worry, get upset.
inquiétude *n.f.* worry, anxiety.
insaisissable *adj.* elusive.
▷**insalubre** *adj.* unhealthy, insalubrious.
▷**insatiable** *adj.* insatiable.
insatisfait *adj.* unsatisfied, dissatisfied.
⚠**inscription** *n.f.* inscription ; enrolment ; registration.
inscrire *v.* write down, put down.
inscrire (s'—) *v.* register ; join ; enrol.
▷**insecte** *n.m.* insect.
▷**insecticide** *n.m.* insecticide.
▷**insécurité** *n.f.* insecurity.
▷**insémination** *n.f.* insemination.
insensé *adj.* crazy, mad ; extravagant.
insensibiliser *v.* anaesthetize.
⚠**insensible** *adj.* hard, insensitive ; numb.
▷**inséparable** *adj.* inseparable [ɪn'seprəbl].
insérer *v.* insert (in, into) ; fit (into).
insérer (s'—) *v.* fit (into).
insigne *n.f.* badge.
insigne *adj.* eminent, notable.
insignifiant *adj.* trivial, trifling, insignificant.
▷**insinuer** *v.* insinuate, hint.
insinuer (s'—) *v.* seep ; creep ; worm one's way.
▷**insister** *v.* insist ; stress, underline.
insolation *n.f.* sunstroke.
▷**insolence** *n.f.* insolence.
insolite *adj.* unusual.
▷**insoluble** *adj.* insoluble.
insolvable *adj.* insolvent.
▷**insomnie** *adj.* insomnia.
insondable *adj.* unfathomable.
insonoriser *v.* soundproof.
insouciant *adj.* carefree, happy-go-lucky.
insoumis *adj.* insubordinate ; undefeated.
insoutenable *adj.* unbearable ; indefensible.
insoupçonné *adj.* unsuspected.
▷**inspecter** *v.* inspect.
▷**inspiration** *n.f.* inspiration, brainwave.
⚠**inspirer** *v.* breathe in ; inspire.
instable *adj.* unsteady ; unsettled ; moody ; unstable.
▷**installation** *n.f.* installation ; setting up ; settling in ; *(pl.)* fittings.
▷**installer** *v.* set up ; put (up, in) ; fit up ; install.
installer (s'—) *v.* settle (in, down).
instamment *adv.* earnestly ; in earnest.
▷**instant** *n.m.* instant, moment.
instantané *adj.* instantaneous.
instantané *n.m.* snap(shot).
▷**instinct** *n.m.* instinct.
instituteur, -trice *n.* schoolmaster, schoolmistress.
▷**institution** *n.f.* institution.
⚠**instruction** *n.f.* education ; *(Jur.)* investigation ; instruction.
instruire *v.* teach ; train ; investigate.
instruit *adj.* educated.
▷**instrument** *n.m.* tool ; *(Mus.)* instrument.
insu (à mon —) *loc.* without my knowing.
▷**insubordination** *n.f.* insubordination.
▷**insuffisant** *adj.* inadequate, insufficient.
▷**insuline** *n.f.* insulin.
▷**insulte** *n.f.* insult, abuse.
▷**insulter** *v.* insult, abuse.
insupportable *adj.* unbearable.
insurger (s'—) *v.* rebel, rise up ; protest.
▷**insurrection** *n.f.* revolt, insurrection.
▷**intact** *adj.* intact.
intègre *adj.* upright, honest.
intégrer (s'—) *v.* integrate (into), fit (into).
▷**intelligence** *n.f.* intelligence ; complicity.
▷**intelligent** *adj.* bright, smart, intelligent.
▷**intempérance** *n.f.* intemperance, over indulgence.
intempéries *n.f.pl.* bad weather.
intempestif *adj.* untimely, ill-timed.
intenable *adj.* unbearable ; untenable.
intendant *n.m.* *(Ens.)* bursar ; *(Agr.)* steward ; *(Mil.)* quartermaster.
▷**intense** *adj.* intense.
intenter un procès *loc.* start proceedings.
▷**intention** *n.f.* intention.

▷ **intercepter** *v.* intercept.
interclasse *n.m.* break.
interdiction *n.f.* ban (on), forbidding, prohibition (of).
interdire *v.* forbid, prohibit, ban.
intéressant *adj.* interesting.
intéressement *n.m.* profit-sharing.
▷ **intéresser** *v.* interest ; concern.
intéresser (s'—) *v.* be interested (in).
▷ **intérieur** *adj.* inside ; domestic ; interior.
▷ **intérieur** *n.m.* inside, interior.
⚠ **intérieur (à l'—)** *loc.* inside, indoors.
▷ **intérim** *n.m.* interim, temporary replacement.
▷ **intérioriser** *v.* internalize, interiorize.
interloqué *adj.* taken aback, dumbfounded.
intermédiaire *adj.* middle, intermediate.
▷ **intermédiaire** *n.m.* go-between, intermediary.
interminable *adj.* never-ending.
internat *n.m.* boarding school.
interne *adj.* internal.
interne *n.* *(Ens.)* boarder ; *(Méd.)* houseman, *(amér.)* intern(e).
interpeller *v.* call, hail ; *(Polit.)* question.
interphone *n.m.* intercom.
interposer (s'—) *v.* intervene.
interprète *n.m.* interpreter ; spokesman.
interpréter *v.* interpret ; *(Mus. Th.)* play, perform.
interrogatoire *n.m.* questioning.
interrompre *v.* interrupt ; break.
interrupteur *n.m.* switch.
interurbain *n.m.* trunk call service.
intervenir *v.* intervene, interfere ; happen, take place.
intervertir *v.* reverse.
intime *adj.* private ; intimate ; personal.
▷ **intimider** *v.* intimidate.
intimité *n.f.* privacy ; intimacy.
▷ **intolérance** *n.f.* intolerance.
▷ **intoxication** *n.f.* poisoning, intoxication.
▷ **intoxiquer** *v.* poison ; brainwash ; intoxicate.
▷ **intransigeant** *adj.* uncompromising, intransigent.
introduire *v.* introduce, insert ; show in.
▷ **introspection** *n.f.* introspection.
▷ **intuition** *n.f.* intuition.
inusable *adj.* hard-wearing.
inutile *adj.* useless ; unnecessary.
⚠ **invalide** *adj.* disabled.
▷ **invasion** *n.f.* invasion.
invendus *n.m.pl.* unsold goods.
▷ **inventaire** *n.m.* inventory ; stocktaking.
▷ **inventer** *v.* invent.
▷ **inverse** *adj.* opposite, inverse.
▷ **inverti** *n.m.* homosexual, invert.
▷ **investir** *v.* invest.
▷ **invétéré** *adj.* ingrained, inveterate.
▷ **invisible** *adj.* invisible.
invité *n.* guest ; visitor.
▷ **inviter** *v.* invite.
▷ **involontaire** *adj.* unintentional, involuntary.
invraisemblable *adj.* unlikely.
▷ **invulnérable** *adj.* invulnerable.
iode *n.f.* iodine ['aɪədi:n].
▷ **irascible** *adj.* quick-tempered, irascible.
▷ **iris** *n.m.* iris.
▷ **ironie** *n.f.* irony.
▷ **irradier** *v.* irradiate.
irréalisable *adj.* unfeasible, unworkable.
irrécupérable *adj.* irretrievable ; beyond repair.
irréel *adj.* unreal.
irréfléchi *adj.* thoughtless.
▷ **irrégulier** *adj.* uneven ; irregular ; erratic.
▷ **irrémédiable** *adj.* irreparable, irremediable.
irremplaçable *adj.* irreplaceable.
▷ **irréprochable** *adj.* impeccable, faultless, irreproachable.
▷ **irrésistible** *adj.* irresistible.
irrespectueux *adj.* disrespectful.
irrespirable *adj.* stifling ; unbreathable.
▷ **irresponsable** *adj.* irresponsible.
irrétrécissable *adj.* unshrinkable.
▷ **irrévocable** *adj.* irrevocable.
▷ **irriguer** *v.* water ; irrigate.
▷ **irriter** *v.* annoy ; irritate.
⚠ **isolation** *n.f.* *(Élec. & Tech.)* insulation.
isolé *adj.* isolated, lonely ; *(Tech.)* insulated.
isolement *n.m.* isolation, loneliness.
isoler *v.* isolate, cut off ; *(Tech.)* insulate.
isoloir *n.m.* polling booth.
issu *adj.* descending (from).
⚠ **issue** *n.f.* exit, way out ; solution ; outcome.
▷ **itinéraire** *n.m.* route, itinerary.
▷ **itinérant** *adj.* travelling, itinerant.

▷ **ivoire** *n.m.* ivory.
ivre *adj.* drunk, intoxicated.
ivresse *n.f.* drunkenness, intoxication ; exhilaration.
ivrogne *n.m.* drunkard.

J

jabot *n.m.* crop (d'un oiseau) ; jabot, frill.
jacasser *v.* chatter.
jachère *n.f.* fallow.
jacinthe *n.f.* hyacinth.
▷ **jade** *n.m.* jade.
jadis *adv.* formerly, of old.
▷ **jaguar** *n.m.* jaguar ['dʒægjʊə].
jaillir *v.* gush, spurt.
jais *n.m.* jet.
jalon *n.m.* landmark.
jalonner *v.* mark out, stake out.
jalouser *v.* envy, be jealous of.
⚠ **jalousie** *n.f.* jealousy ; venetian blind.
▷ **jaloux** *adj.* jealous, envious.
jamais *adv.* never ; ever.
jambe *n.f.* leg.
jambière *n.f.* legging.
jambon *n.m.* ham.
jante *n.f.* rim.
japper *v.* yelp, yap.
⚠ **jaquette** *n.f.* morning-coat ; jacket (de livre).
jardin *n.m.* garden.
jardiner *v.* garden.
jardinier *n.m.* gardener.
jardinière *n.f.* window-box ; nursery school teacher.
▷ **jargon** *n.m.* jargon ; *(fam.)* lingo.
▷ **jarre** *n.f.* jar.
jarret *n.m.* *(Anat.)* ham ; *(Cuis.)* knuckle.
jaser *v.* gossip, chatter.
▷ **jasmin** *n.m.* jasmine ['dʒæzmɪn].
▷ **jaspe** *n.m.* jasper.
jaspé *adj.* marbled, mottled.
jauger *v.* gauge ; size up (une personne).
jaune *adj & n.* yellow.
jaune *n.m.* yolk (d'œuf) ; blackleg (non gréviste).
jaunisse *n.f.* jaundice.
javelot *n.m.* javelin.
je *pron.* I.
▷ **jet** *n.m.* throw, spurt, gush, jet ; spray.
▷ **jetée** *n.f.* pier, jetty.
jeter *v.* throw (away) ; empty (out).
jeter (se —) *v.* fall (upon) ; flow (into).
jeton *n.m.* token, counter, chip.
jeu *n.m.* game ; fun ; gambling.
jeûn (à —) *loc.* on an empty stomach ; sober.
jeune *adj.* young.
jeûne *n.m.* fast(ing).
jeunes *n.m.pl.* the young.
jeunesse *n.f.* youth.
joaillier *n.m.* jeweller.
jobard *n.m.* mug, sucker, fool.
joie *n.f.* joy, happiness, mirth, glee.
joindre *v.* enclose ; join ; get in touch with.
joindre (se —) *v.* join.
⚠ **joli** *adj.* pretty ; nice ; neat ; fine.
jonc *n.m.* (bul)rush.
joncher *v.* strew, scatter.
▷ **jonction** *n.f.* junction.
jongler *v.* juggle.
▷ **jonque** *n.f.* junk.
jonquille *n.f.* daffodil.
joue *n.f.* cheek.
jouer *v.* play ; gamble.
jouet *n.m.* toy, plaything.
joufflu *adj.* chubby.
joug *n.m.* yoke.
jouir *v.* enjoy ; possess.
jouissance *n.f.* enjoyment ; use.
jour *n.m.* day, daytime, daylight.
journal *n.m.* (news)paper ; diary ; logbook.
journalier *adj.* daily.
journalier *n.m.* *(Agr.)* day labourer.
▷ **journaliste** *n.m.* journalist ; reporter.
⚠ **journée** *n.f.* day.
▷ **jovial** *adj.* jolly, convivial, jovial.
joyau *n.m.* jewel.
joyeux *adj.* cheerful, joyful, merry.
jubiler *v.* rejoice, exult ; *(péj.)* gloat.
jucher (se —) *v.* perch, roost.
judiciaire *adj.* judicial, legal.
▷ **judicieux** *adj.* wise, judicious.
▷ **juge** *n.m.* judge, magistrate.
⚠ **jugement** *n.m.* *(Jur.)* verdict, sentence ; opinion ; judgment ; common sense ; discrimination.
⚠ **juger** *v.* judge, consider ; *(Jur.)* try.
jugulaire *n.m.* chin-strap.
juguler *v.* repress, curb ; put down.
jumeau *adj & n.m.* twin.
jumelage *n.m.* twinning.
jumelle *adj. & n.f.* twin ; semi-detached (maison).
jumelles *n.f.pl.* binoculars ; (opera) glasses.
jument *n.f.* mare.
▷ **jungle** *n.f.* jungle.

jupe *n.f.* skirt.
jupon *n.m.* petticoat.
juré *n.m.* juror, juryman.
jurer *v.* swear ; jar, clash.
juridique *adj.* legal.
▷ **jurisprudence** *n.f.* case law ; jurisprudence.
▷ **juriste** *n.m.* jurist, lawyer.
juron *n.m.* curse, oath, swearword.
⚠ **jury** *n.m.* jury ; *(Ens.)* examining board.
▷ **jus** *n.m.* juice ; gravy (de viande).
jusque *adv.* till, until ; down to ; up to ; as far as.
⚠ **juste** *adj.* fair, just ; righteous ; tight.
justesse *n.f.* accuracy ; soundness.
justesse (de —) *loc.* just, barely.
▷ **justice** *n.f.* justice, fairness.
▷ **justification** *n.f.* justification.
▷ **justifier** *v.* justify.
▷ **jute** *n.m.* jute ; hessian (toile).
juteux *adj.* juicy.
▷ **juvénile** *adj.* youthful ; juvenile.
▷ **juxtaposer** *v.* juxtapose.

K

▷ **kaléidoscope** *n.m.* kaleidoscope.
▷ **kangourou** *n.m.* kangaroo.
▷ **kaolin** *n.m.* kaolin, china-clay.
▷ **képi** *n.m.* cap, kepi.
kermesse *n.f.* fair, fête.
▷ **kimono** *n.m.* kimono.
⚠ **kiosque** *n.m.* stall, kiosk ; bandstand ; summerhouse.
klaxon *n.m.* horn, hooter.
▷ **kleptomane** *adj. & n.* kleptomaniac [ˌkleptəʊˈmeɪnjək].
▷ **kyste** *n.m.* cyst [sɪst]

L

la *n.m. (Mus.)* A.
la *art.* the.
la *pr.* her, it.
là *adv.* there ; then.
là-bas *adv.* over there.
⚠ **label** *n.m.* mark, brand, stamp.
labeur *n.m.* work, toil.
▷ **laboratoire** *n.m.* laboratory.
⚠ **laborieux** *adj.* hard-working, painstaking ; laborious.
⚠ **labour** *n.m.* ploughing.
⚠ **labourer** *v.* plough.
⚠ **laboureur** *n.m.* ploughman.
▷ **labyrinthe** *n.m.* maze, labyrinth.
▷ **lac** *n.m.* lake.
lacer *v.* lace.
▷ **lacérer** *v.* lacerate, tear (up), rip.
lacet *n.m.* lace ; bend, twist (route) ; snare.
lâche *adj.* loose, slack ; cowardly.
lâche *n.* coward.
lâcher *v.* loosen, slacken ; release ; blurt out ; let down.
lâcheté *n.f* cowardice, cowardliness.
lacis *n.m.* network, web.
▷ **laconique** *adj.* laconic.
lacté *adj.* milky.
lacune *n.f.* gap, blank.
ladre *adj.* mean, miserly.
lagune *n.f.* lagoon.
là-haut *adv.* up there, upstairs ; on top.
⚠ **laid** *adj.* ugly ; unsightly.
lainages *n.m.pl.* woollies.
laine *n.f.* wool.
laineux *adj.* woolly.
laïque *adj.* lay, secular.
laisse *n.f.* lead, leash.
laisser *v.* leave ; part with ; let.
laisser-aller *n.m.* slovenliness.
lait *n.m.* milk.
laitage *n.m.* milk-pudding ; (pl.) dairy produce.
laiterie *n.f.* dairy.
laitier *n.m.* milkman, dairyman.
laiton *n.m.* brass.
laitue *n.f.* lettuce.
lambeau *n.m.* shred, rag ; scrap.
lambin *adj.* slow.
lambin *n.m.* slowcoach, dawdler.
lambiner *v.* dawdle.
lambris *n.m.* wainscot, panelling.
⚠ **lame** *n.f.* blade.
▷ **lamentable** *adj.* awful, appalling, lamentable.
▷ **lamentation** *n.f.* lament(ation), wail(ing), moan(ing).
▷ **lamenter (se —)** *v.* moan, wail, lament.
▷ **laminer** *v.* laminate.
laminoir *n.m.* rolling-mill.
▷ **lampe** *n.f.* lamp, torch.
⚠ **lance** *n.f.* spear, lance ; hose.
lance-flammes *n.m.* flame-thrower.
lancement *n.m.* throwing ; *(Naut.)* launching.
lance-pierres *n.m.* catapult.
⚠ **lancer** *v.* throw ; launch ; hurl.
lancer (se —) *v.* get momentum ; embark (on) ; launch (into).
lancinant *adj.* shooting, throbbing.
⚠ **lande** *n.f.* moor, heath.

langage *n.m.* language; speech.
lange *n.m.* napkin, *(fam.)* nappy.
▷ **langoureux** *adj.* languid, languorous.
langouste *n.f.* crayfish.
langoustine *n.f.* prawn; *(Cuis.)* scampi.
langue *n.f.* tongue; language.
▷ **langueur** *n.f.* apathy; weariness, languor.
lanière *n.f.* thong, lash, strap.
▷ **lanoline** *n.f.* lanoline.
⚠ **lanterne** *n.f.* *(Aut.)* light; lamp; lantern.
lanterner *v.* dawdle, loiter.
▷ **laper** *v.* lap.
lapider *v.* stone (to death).
lapin *n.m.* rabbit.
lapsus *n.m.* slip (of the tongue, of the pen).
▷ **laque** *n.f.* lacquer.
larcin *n.m.* pilfering, petty theft.
⚠ **lard** *n.m.* fat; bacon.
▷ **larder** *v.* lard.
⚠ **large** *adj.* broad, wide; generous; lax.
▷ **largesse** *n.f.* generosity, largesse.
largeur *n.f.* width.
larme *n.f.* tear; drop (d'une boisson).
larmoyant *adj.* tearful; whimpering, snivelling.
las *adj.* tired, weary.
lasser *v.* tire, weary.
lasser (se —) *v.* tire, weary.
▷ **latent** *adj.* latent ['leɪtənt].
▷ **latitude** *n.f.* latitude; freedom, scope, latitude.
latte *n.f.* lath, board.
laurier *n.m.* laurel, bay-tree.
lavable *adj.* washable.
lavabo *n.m.* wash-basin.
lavande *n.f.* lavender.
▷ **lave** *n.f.* lava.
laver *v.* wash.
▷ **laxatif** *adj.* & *n.m.* laxative.
▷ **layette** *n.f.* baby's clothes, layette.
le *art.* the.
le *pr.* him, it.
lécher *v.* lick; lap against (vagues).
leçon *n.f.* lesson; reading.
lecteur *n.m.* reader; *(Ens.)* assistant; *(Tech.)* player (de cassettes).
⚠ **lecture** *n.f.* reading.
▷ **légal** *adj.* legitimate, legal.
▷ **légaliser** *v.* legalize.
⚠ **légende** *n.f.* legend; fairy tale; caption.
▷ **légendaire** *adj.* legendary.
léger *adj.* light; faint; slight.
légèreté *n.f.* lightness; fickleness.
légiférer *v.* legislate.
▷ **légitime** *adj.* lawful, legitimate.
legs *n.m.* legacy; bequest.
léguer *v.* bequeath; hand down.
légume *n.m.* vegetable.
lendemain *n.m.* morrow, next day, day after.
⚠ **lent** *adj.* slow.
⚠ **lentille** *n.f.* *(Bot.)* lentil; lens (optique).
▷ **léopard** *n.m.* leopard ['lepəd].
⚠ **lèpre** *n.f.* leprosy.
lépreux *n.m.* leper.
léser *v.* wrong, injure.
lésiner *v.* be stingy, mean; skimp.
lessive *n.f.* washing; washing-powder.
⚠ **lest** *n.m.* ballast.
leste *adj.* nimble, springy; offhand; spicy (plaisanterie).
lester *v.* ballast.
lettre *n.f.* letter; character (imprimerie).
lettré *adj.* well-read.
lettré *n.m.* scholar.
leurre *n.m.* trap, snare; illusion.
leurrer (se —) *v.* have illusions, delude oneself.
levain *n.m.* leaven.
⚠ **lever** *v.* raise, lift; collect (courrier); levy (armée, impôt).
lever (se —) *v.* rise, get up, stand up, sit up.
levier *n.m.* lever ['li:və].
lèvre *n.f.* lip.
lévrier *n.m.* greyhound.
levure *n.f.* yeast [ji:st].
lexique *n.m.* vocabulary; lexicon.
▷ **lézard** *n.m.* lizard.
⚠ **lézarde** *n.f.* crack, chink.
lézarder *v.* crack.
⚠ **liaison** *n.f.* relation; relationship; love affair; contact; link; liaison; connection.
▷ **liane** *n.f.* liana, creeper.
liant *adj.* sociable, affable.
liasse *n.f.* bundle; wad.
libeller *v.* draw up; specify; word.
libellule *n.f.* dragonfly.
▷ **libéral** *adj.* liberal, generous; permissive.
▷ **libéralisme** *n.m.* liberalism.
▷ **libéralité** *n.f.* generosity, liberality.
▷ **libérer** *v.* free, release, liberate.
▷ **liberté** *n.f.* freedom, liberty.
libertin *adj.* dissolute; licentious.
▷ **libertin** *n.m.* rake, libertine

['lɪbəti:n].
libraire *n.m.* bookseller.
⚠ **librairie** *n.f.* bookshop.
libre *adj.* free.
libre-échange *n.m.* free trade.
⚠ **licence** *n.f.* *(Ens.)* degree; licentiousness, licence.
⚠ **licencier** *v.* dismiss, make redundant; *(fam.)* sack, fire.
▷ **licencieux** *adj.* dissolute, licentious.
▷ **licite** *adj.* lawful, licit.
⚠ **lie** *n.f.* dregs; *(fig.)* scum, dregs.
liège *n.m.* cork.
⚠ **lien** *n.m.* bond, tie, link.
lier *v.* fasten, tie; bind; link.
lier (se —) *v.* make friends (with).
lierre *n.m.* ivy.
lieu *n.m.* place, spot; *(Comm.)* premises.
▷ **lieutenant** *n.m.* lieutenant [lef'te nənt], *(amér.)* [lu:'tenənt].
lièvre *n.m.* hare.
▷ **ligament** *n.m.* ligament.
▷ **ligature** *n.f.* ligature.
ligne *n.f.* line, row; figure.
lignée *n.f.* lineage; line; stock.
ligoter *v.* tie up, bind.
▷ **ligue** *n.f.* league.
liguer (se —) *v.* unite, conspire.
lilas *n.m.* lilac ['laɪlək].
limace *n.f.* slug.
⚠ **lime** *n.f.* file.
limer *v.* file.
limier *n.m.* *(Zool.)* bloodhound; *(fig.)* police-spy, sleuth [slu:θ].
limitatif *adj.* restrictive.
▷ **limitation** *n.f.* limitation.
⚠ **limite** *n.f.* limit; boundary (d'une ville, d'un comté).
limitrophe *adj.* neighbouring, bordering.
limon *n.m.* silt, alluvium.
▷ **limonade** *n.f.* lemonade.
limoneux *adj.* slimy, turbid.
▷ **limpide** *adj.* clear, limpid.
▷ **limpidité** *n.f.* limpidity, clearness, clarity.
lin *n.m.* flax; linseed; linen.
linceul *n.m.* shroud.
linge *n.m.* linen; cloth; rag.
▷ **lingerie** *n.f.* underclothes, lingerie.
lingot *n.m.* ingot.
▷ **linguiste** *n.m.* linguist.
linguistique *n.f.* linguistics.
▷ **linoléum** *n.m.* linoleum.
linon *n.m.* lawn.
▷ **lion** *n.m.* lion ['laɪən].
lippu *adj.* thick-lipped.
▷ **liquéfier** *v.* liquefy.
▷ **liqueur** *n.f.* liqueur [lɪ'kjʊə].
▷ **liquide** *adj.* liquid, fluid.
⚠ **liquide** *n.m.* liquid; ready cash, liquid assets.
▷ **liquider** *v.* sell off; settle; liquidate.
liquoreux *adj.* syrupy.
lire *v.* read.
liseré *n.m.* edging, border.
liseron *n.m.* convolvulus.
lisible *adj.* legible (écriture); readable (style).
lisière *n.f.* edge, outskirts; selvage (de tissu).
lisse *adj.* smooth, sleek.
⚠ **liste** *n.f.* list; roll (électorale).
lit *n.m.* bed.
▷ **litière** *n.f.* litter.
litige *n.m.* dispute; strife, contention.
▷ **littéraire** *adj.* literary.
▷ **littérature** *n.f.* literature.
littoral *adj.* coastal.
littoral *n.m.* coast.
▷ **livide** *adj.* ghastly, livid.
livraison *n.f.* delivery.
livre *n.m.* book.
livre *n.f.* pound.
livrer *v.* deliver; betray.
livrer (se —) *v.* surrender (to); confide (in); indulge (in).
livret *n.m.* libretto.
▷ **local** *adj.* local.
⚠ **local** *n.m.* place; premises.
▷ **localiser** *v.* localize.
▷ **localité** *n.f.* place, locality.
locataire *n.m.* tenant; lodger.
▷ **locomotion** *n.f.* locomotion.
▷ **locomotive** *n.f.* engine, locomotive.
▷ **locution** *n.f.* phrase, locution.
⚠ **loge** *n.f.* lodge; *(Tech.)* dressing-room; *(Th.)* box.
logement *n.m.* lodgings; accommodation; *(fam.)* digs.
▷ **loger** *v.* put up; accommodate; house; lodge.
⚠ **logique** *adj.* logical.
▷ **logique** *n.f.* logic.
loi *n.f.* law; rule.
loin *adv.* far.
loin (au —) *loc.* far off.
loin (de —) *loc.* from a distance; by far.
lointain *adj.* distant, remote, far.
lointain *n.m.* distance.
loir *n.m.* dormouse ['dɔ:maʊs].
loisir *n.m.* leisure, free time.
▷ **long** *adj.* long; tedious; lengthy.

longer *v.* run along, border.
▷ **longitude** *n.f.* longitude.
longtemps *adv.* long, a long time.
longue-vue *n.f.* telescope.
lopin *n.m.* plot of ground.
loquace *adj.* talkative, loquacious.
loque *n.f.* rag ; wreck (personne).
loquet *n.m.* latch.
lorgner *v.* eye ; peer at ; ogle.
lors *adv.* then.
lors de *loc.* at the time of.
lorsque *conj.* when.
▷ **losange** *n.m.* diamond, lozenge ['lɒzɪndʒ].
⚠ **lot** *n.m.* portion, share ; prize ; fate.
▷ **loterie** *n.f.* lottery, raffle.
▷ **lotion** *n.f.* lotion.
lotissement *n.m.* building estate.
▷ **loto** *n.m.* bingo ; lotto.
▷ **lotus** *n.m.* lotus.
louable *adj.* praiseworthy.
louange *n.m.* praise.
louche *adj.* dubious, suspicious, shady, fishy.
louche *n.f.* ladle [leɪdl].
loucher *v.* squint.
louer *v.* let, hire (out) ; praise.
loup *n.m.* *(Zool.)* wolf ; bass (poisson) ; mask.
loupe *n.f.* magnifying-glass.
loup-garou *n.m.* werewolf.
lourd *adj.* heavy, clumsy ; sultry (temps).
lourdaud *adj.* clumsy.
lourdaud *n.m.* lout.
loutre *n.f.* otter.
louvoyer *v.* *(Naut.)* tack ; *(fig.)* hedge.
▷ **loyal** *adj.* fair, honest, loyal.
loyer *n.m.* rent.
lubie *n.f.* whim.
lubrifier *v.* lubrificate.
lucarne *n.f.* skylight.
▷ **lucide** *adj.* lucid, clear ; clear-sighted.
▷ **lucidité** *n.f.* lucidity ; consciousness.
▷ **lucratif** *adj.* lucrative ; profit-making.
lueur *n.f.* glimmer, glow, gleam.
▷ **lugubre** *adj.* lugubrious, dismal, gloomy.
lui *pr.* him, her, it.
luire *v.* shine, glitter, gleam, glisten.
luisant *adj.* glistening, glossy.
luisant *n.m.* gloss, shine.
▷ **lumbago** *n.m.* lumbago [lʌm 'beɪgəʊ].
lumière *n.f.* light ; *(fig.)* enlightenment.
luminaire *n.m.* light, lamp.
▷ **lumineux** *adj.* bright ; luminous.
⚠ **lunatique** *adj.* moody ; whimsical, temperamental.
lune *n.f.* moon.
lunette *n.f.* telescope.
lunettes *n.f.pl.* spectacles, glasses.
▷ **lupin** *n.m.* lupine.
⚠ **lustre** *n.m.* shine, lustre ; chandelier [ˌʃændə'lɪə].
lustrer *v.* shine, put a gloss on, give a sheen to.
luth *n.m.* lute.
lutte *n.f.* *(Sp.)* wrestling ; fight, struggle.
lutter *v.* *(Sp.)* wrestle ; fight, struggle.
▷ **luxation** *n.f.* luxation.
luxe *n.m.* luxury.
⚠ **luxueux** *adj.* luxurious.
⚠ **luxure** *n.f.* lust.
▷ **luxuriance** *n.f.* luxuriance [lʌg'zjʊərɪəns].
lycée *n.m.* grammar school, *(amér.)* high school.
▷ **lymphatique** *adj.* lymphatic.
▷ **lyncher** *v.* lynch.
▷ **lyrique** *adj.* lyric, lyrical.

M

ma *adj. poss.* my.
▷ **macabre** *adj.* macabre, ghastly, gruesome.
▷ **macadam** *n.m.* macadam.
▷ **macadamiser** *v.* macadamize.
⚠ **macaron** *n.m.* *(Cuis.)* macaroon ; badge ; sticker.
▷ **macaroni** *n.m.* macaroni.
▷ **macérer** *v.* macerate, steep ; pickle.
mâchefer *n.m.* clinker.
mâcher *v.* chew ; munch.
machiavélique *adj.* machiavellian.
machin *n.m.* whatsit, thingummy (bob) ; what's-his-name, what's-her-name.
machinal *adj.* automatic, instinctive.
▷ **machination** *n.f.* plot, scheme, machination.
⚠ **machine** *n.f.* machine ; *(Rail)* engine ; typewriter (à écrire).
mâchoire *n.f.* jaw.
mâchonner *v.* munch, chew.
▷ **maçon** *n.m.* mason, bricklayer, builder.

▷ **maçonnerie** *n.f.* masonry; stonework.
maculer *v.* blot, stain.
madame *n.f.* madam; Mrs (X).
mademoiselle *n.f.* miss; Miss (X).
▷ **madonne** *n.f.* madonna.
madré *adj.* cunning, sly, wily.
⚠ **magasin** *n.m.* shop, store; warehouse; *(Tech.)* magazine (de fusil, d'appareil-photo).
▷ **magazine** *n.m.* magazine.
mages *n.m.pl.* (The) Magi ['meɪ dzaɪ], (The Three) Wise Men.
▷ **magicien** *n.m.* magician; wizard.
magie *n.f.* magic.
▷ **magique** *adj.* magic, magical.
magistral *adj.* masterly.
▷ **magistrat** *n.m.* magistrate, judge.
▷ **magistrature** *n.f.* bench, magistrature.
▷ **magnat** *n.m.* magnate ['mægneɪt].
▷ **magnétique** *adj.* magnetic [mæ g'netɪk].
▷ **magnétiser** *v.* magnetize; mesmerize.
magnétophone *n.m.* tape-recorder.
▷ **magnificence** *n.f.* magnificence, splendour.
magnifique *adj.* magnificent, gorgeous.
⚠ **magot** *n.m.* nest egg, savings; *(Zool.)* magot.
magouillage *n.m.* *(fam.)* graft, corruption.
maigre *adj.* thin, lean, skinny; scant(y).
maigre *n.m.* lean (viande).
maigrir *v.* grow thin, lose weight; slim, take off weight.
maille *n.f.* stitch; mesh.
▷ **maillet** *n.m.* mallet ['mælɪt].
maillon *n.m.* link.
maillot *n.m.* vest, singlet; *(Sp.)* jersey; swim-suit, swimming trunks (de bain).
⚠ **main** *n.f.* hand.
main-d'œuvre *n.f.* labour, manpower.
main-forte *n.f.* help, assistance.
maintenant *adv.* now, nowadays.
maintenir *v.* keep up, hold, support; *(fig.)* maintain, uphold.
maintien *n.m.* preservation, maintenance; bearing, department.
maire *n.m.* mayor.
mairie *n.f.* town hall, city hall.
mais *conj.* but.
mais (n'en pouvoir —) *loc.* be helpless; be worn out.
▷ **maïs** *n.m.* maize [meɪz], (Indian) corn.
maison *n.f.* house; home; *(Comm.)* firm.
maisonnée *n.f.* family, household; houseful.
maître *n.m.* master; *(Ens.)* teacher.
maîtresse *n.f.* mistress; *(Ens.)* teacher.
maîtrise *n.f.* mastery; (self-)control.
maîtriser *v.* master; control.
▷ **majesté** *n.f.* majesty; stateliness.
majestueux *adj.* majestic, stately.
majeur *adj.* major, main; of age; adult.
majorer *v.* raise, increase.
majoritaire *adj.* majority, in the majority.
⚠ **majorité** *n.f.* majority; coming of age.
majuscule *n.f.* capital letter.
mal *n.m.* evil; harm; pain; ache; trouble.
mal *adv.* wrong(ly); (bad)ly; with difficulty; uncomfortable; unwell.
malade *adj.* ill, sick; unhealthy.
malade *n.* patient, invalid.
maladie *n.f.* illness; disease; ill health.
maladif *adj.* sickly, ailing, puny.
maladresse *n.f.* clumsiness; blunder.
maladroit *adj.* awkward, clumsy.
▷ **malaise** *n.m.* faintness, dizziness; *(fig.)* uneasiness; unrest; malaise.
malaisé *adj.* hard, difficult; awkward.
malappris *adj.* ill-bred, boorish.
malavisé *adj.* unwise, ill-advised.
malaxer *v.* mix; knead; massage.
malchance *n.f.* bad luck; mishap.
malchanceux *adj.* unlucky, luckless.
maldonne *n.f.* misdeal; *(fig.)* misunderstanding.
⚠ **mâle** *adj.* male; manly, virile.
▷ **mâle** *n.m.* male.
▷ **malédiction** *n.f.* curse, malediction.
▷ **maléfique** *adj.* harmful, evil, maleficent [məlefɪsnt].
malentendu *n.m.* misunderstanding.
malfaçon *n.f.* fault, defect.
malfaisant *adj.* malevolent, wicked, evil.
malfaiteur *n.m.* evil-doer; *(Jur.)* offender; thief.
▷ **malformation** *n.f.* malformation.
malgré *prép.* in spite of, despite, notwithstanding.

malhabile *adj.* awkward, clumsy.
malheur *n.m.* unhappiness ; misfortune.
malheureusement *adv.* unfortunately.
malheureux *adj.* unfortunate, unlucky ; unhappy, miserable, wretched.
malhonnête *adj.* dishonest.
⚠ **malice** *n.f.* mischief ; trick ; spite, malice.
⚠ **malicieux** *adj.* mischievous, impish.
malin *adj.* shrewd ; cunning ; *(Méd.)* malignant.
malingre *adj.* sickly, puny.
malintentionné *adj.* malicious, spiteful.
malle *n.f.* trunk.
▷ **malléable** *adj.* malleable, flexible.
mallette *n.f.* suitcase.
malmener *v.* manhandle, handle roughly.
malodorant *adj.* smelly, evil-smelling, foul.
malotru *n.m.* boor, lout.
malpropre *adj.* dirty, slovenly.
malsain *adj.* unhealthy.
malséant *adj.* unbecoming, unseemly.
▷ **malt** *n.m.* malt [mɔːlt].
maltraiter *v.* ill-treat, manhandle.
malveillant *adj.* spiteful, malevolent, malicious.
malversation *n.f.* embezzlement.
maman *n.f.* mum, mummy.
mamelle *n.m.* teat, udder.
mamelon *n.m.* *(Géog.)* hillock, knoll ; *(Anat.)* nipple.
mammifère *n.m.* mammal.
▷ **mammouth** *n.m.* mammoth [ˈmæməθ].
manche *n.m.* handlle, shaft.
manche *n.f.* sleeve ; *(Sp.)* round ; *(Géog.)* Channel.
manchette *n.f.* cuff ; headline (des journaux).
manchon *n.f.* muff.
mandarine *n.f.* *(Bot.)* tangerine.
⚠ **mandat** *n.m.* money order ; *(Jur.)* warrant, summons ; *(Polit.)* mandate.
mandataire *n.m.* agent, proxy.
▷ **mandoline** *n.f.* mandolin.
mandrin *n.m.* *(Tech.)* chuck.
manège *n.m.* riding school ; merry-go-round ; *(fig. & péj.)* play, game, scheme.
manette *n.f.* (hand-)lever.
mangeable *adj.* eatable, edible.
▷ **mangeoire** *n.f.* manger, crib.
manger *v.* eat (up).
▷ **mangouste** *n.f.* *(Zool.)* mongoose.
maniable *adj.* easy to handle, manageable.
⚠ **maniaque** *adj.* finicky, fussy ; fanatical.
⚠ **maniaque** *n.* fusspot ; fanatic ; *(Méd.)* maniac.
manie *n.f.* quirk, queer habit ; *(péj.)* mania.
manier *v.* handle, manipulate.
▷ **manière** *n.f.* manner, way, fashion.
▷ **maniéré** *adj.* affected, mannered.
⚠ **manifestant** *n.m.* demonstrator.
⚠ **manifestation** *n.f.* manifestation ; *(Polit.)* demonstration.
▷ **manifeste** *adj.* obvious, manifest.
manifeste *n.m.* manifesto.
⚠ **manifester** *v.* manifest ; *(Polit.)* demonstrate.
manigancer *v.* *(fam.)* plot, be up to.
▷ **manipuler** *v.* handle, manipulate ; *(Polit.)* manipulate (électeurs), rig (élections).
manivelle *n.f.* crank.
⚠ **mannequin** *n.m.* model, mannequin ; dummy.
⚠ **manœuvre** *n.f.* operation ; *(Mil.)* manœuvre ; *(Rail)* shunting ; *(péj.)* manœuvre, scheme.
⚠ **manœuvre** *n.m.* (unskilled) labourer.
⚠ **manœuvrer** *v.* operate, work ; *(Mil. & péj.)* manœuvre.
▷ **manoir** *n.m.* manor, country house.
manque *n.m.* want, lack, shortage.
manquer *v.* miss ; lack, want ; fail, misfire ; be absent, be missing.
mansarde *n.f.* garret, attic.
manteau *n.m.* coat ; *(lit. & fig.)* mantle.
▷ **mantille** *n.f.* mantilla.
manucure *n.* manicurist.
▷ **manuel** *adj.* manual.
⚠ **manuel** *n.m.* *(Ens.)* textbook ; manual, handbook.
⚠ **manufacture** *n.f.* factory, mill ; manufacture.
▷ **manuscrit** *adj. & n.* manuscript.
manutention *n.f.* handling.
manutentionnaire *n.m.* warehouseman.
mappemonde *n.f.* map of the world.
maquereau *n.m.* *(Zool.)* mackerel ; ponce, pimp (personne).
maquette *n.f.* model ; *(Tech.)*

mock-up.
maquignon *n.m.* horse-dealer.
maquillage *n.m.* make-up.
maquiller *v.* make up; fake, cook (des résultats).
maquiller (se —) *v.* make up.
maquis *n.m.* scrub, bush; *(Polit.)* underground movement.
maraîcher *adj.* market garden, *(amér.)* truck.
maraîcher *n.m.* market gardener, *(amér.)* truck gardener.
marais *n.m.* marsh, bog, fen, swamp.
marasme *n.m.* stagnation, slump.
marâtre *n.f.* cruel stepmother.
marauder *v.* pilfer; cruise, prowl (taxi).
marbre *n.m.* marble.
marbré *adj.* marbled; *(péj.)* blotchy.
⚠ **marc** *n.m.* dregs, grounds (café); marc (alcool).
marcassin *n.m.* young wild boar.
marchand *n.m.* merchant, shopkeeper, dealer, tradesman, retailer, wholesaler.
marchander *v.* bargain, *(péj.)* haggle (over).
▷ **marchandise** *n.f.* goods, merchandise.
⚠ **marche** *n.f.* walk; step; *(Mil.)* march; working (d'une machine); movement, progress.
marché *n.m.* market.
marchepied *n.m.* step, running board.
⚠ **marcher** *v.* walk; *(Mil.)* march; step; work, run (machine); progress.
⚠ **mare** *n.f.* pond.
marécageux *n.m.* marshy, swampy.
maréchal *n.m.* *(Mil.)* field marshal.
maréchal-ferrant *n.m.* blacksmith.
marée *n.f.* tide; *(Comm.)* fresh fish.
marelle *n.f.* hopscotch.
mareyeur *n.m.* *(Comm.)* wholesale fish merchant.
▷ **margarine** *n.f.* margarine.
marge *n.f.* margin.
▷ **marginal** *adj.* marginal.
⚠ **marginal** *n.m.* dropout.
mari *n.m.* husband.
mariable *adj.* marriageable.
⚠ **mariage** *n.m.* wedding (cérémonie); marriage.
marié *n.m.* bridegroom.
mariée *n.f.* bride.
⚠ **marier** *v.* marry; blend, match (couleurs...).
marier (se —) *v.* marry; get married (to).
▷ **marijuana** *n.f.* marijuana, *(argot)* pot.
marin *n.m.* sailor, seaman, mariner.
⚠ **marine** *n.f.* navy; *(Art.)* seascape.
mariner *v.* *(Cuis.)* marinade; *(fig.)* hang about.
⚠ **marinier** *n.m.* bargee, *(amér.)* bargeman.
▷ **marionnette** *n.f.* marionette, puppet.
▷ **maritime** *adj.* maritime, coastal.
marmaille *n.f.* *(fam.)* brats, kids.
⚠ **marmelade** *n.f.* stewed fruit; marmalade (d'oranges).
marmite *n.f.* pot.
marmiton *n.m.* kitchen boy.
marmonner *v.* mutter, mumble.
⚠ **marmot** *n.m.* brat, kid.
marmotte *n.f.* *(Zool.)* marmot.
maroquinerie *n.f.* leather shop; leather goods.
marotte *n.f.* craze, fad; hobby.
⚠ **marque** *n.f.* mark, stamp; *(Comm.)* make, brand.
⚠ **marquer** *v.* mark; stamp, brand; *(Sp.)* score.
▷ **marqueterie** *n.f.* inlaid work, marquetry.
marraine *n.f.* godmother.
marrant *adj.* funny, killing; strange, odd.
marrer (se —) *v.* *(fam.)* have a good laugh, split one's sides.
marre (en avoir —) *loc.* *(fam.)* be fed up (with), be sick (of), be bored stiff (with).
⚠ **marron** *adj.* brown, maroon; unqualified; crooked.
⚠ **marron** *n.m.* chestnut.
marsouin *n.m.* *(Zool.)* porpoise [ˈpɔːpəs].
marteau *n.m.* hammer; knocker (de porte).
marteau-piqueur *n.m.* pneumatic drill.
marteler *v.* hammer, pound.
▷ **martial** *adj.* martial, soldierly, warlike.
⚠ **martinet** *n.m.* whip; *(Zool.)* swift.
martin-pêcheur *n.m.* kingfisher.
▷ **martyr** *n.m.* martyr.
⚠ **martyre** *n.m.* martyrdom.
⚠ **martyriser** *v.* martyrize, bully; *(Rel.)* martyr.
mascarade *n.f.* masquerade [ˌmæskəˈreɪd].
▷ **mascotte** *n.f.* mascot.

⚠ **masochiste** *adj.* masochistic.
▷ **masochiste** *n.* masochist.
▷ **masque** *n.m.* mask.
▷ **masquer** *v.* mask, hide, screen, conceal.
▷ **massacre** *n.m.* massacre ['mæsəkə].
⚠ **massacrer** *v.* slaughter, butcher, massacre ; *(fig.)* murder.
▷ **massage** *n.m.* massage.
⚠ **masse** *n.f.* mass ; *(Elec.)* earth ; *(Tech.)* sledgehammer ; *(Fin.)* funds, assets, stock.
massepain *n.m.* marzipan [ˌmɑːzɪ'pæn].
⚠ **masser** *v.* mass, collect, assemble ; massage ['mæsɑːʒ].
▷ **masser (se —)** *v.* mass, collect, assemble.
▷ **masseur** *n.m.* masseur.
⚠ **massif** *adj.* massive, heavy ; solid (bois).
⚠ **massif** *n.m.* *(Bot.)* clump, mass ; *(Géog.)* massif.
mastic *n.m.* putty.
⚠ **mastiquer** *v.* chew, masticate ; putty.
masure *n.f.* (tumbledown) hovel, shanty.
▷ **mat** *adj.* mat, dull.
mât *n.m.* mast, pole.
▷ **match** *n.m.* *(Sp.)* match.
matelas *n.m.* mattress.
matelasser *v.* pad, quilt.
matelot *n.m.* sailor, seaman.
mater *v.* subdue, bring to heel ; repress.
▷ **matérialiser** *v.* materialize.
matériaux *n.m.pl.* materials.
▷ **matériel** *adj.* material.
▷ **matériel** *n.m.* material, gear.
⚠ **maternel** *adj.* maternal, motherly ; mother (langue).
materner *v.* mother.
mathématique *adj.* mathematical.
▷ **mathématiques** *n.f.pl.* mathematics.
⚠ **matière** *n.f.* matter, substance ; *(Ens.)* subject.
matin *n.m.* morning.
matinal *adj.* morning ; early.
⚠ **matinée** *n.f.* morning ; *(Th. & Ciné.)* afternoon performance, matinée ['mætɪneɪ].
matois *adj.* crafty, sly, wily.
matraque *n.f.* cosh, club, truncheon.
matraquer *v.* cosh, club, beat up.
⚠ **matrice** *n.f.* *(Anat.)* womb ; *(Math. & Tech.)* matrix.
▷ **matrimonial** *adj.* matrimonial.
▷ **matrone** *n.f.* matron ['meɪtrən].
▷ **maturité** *n.f.* maturity [mə'tʃʊərɪtɪ].
maudire *v.* curse, swear at.
maudit *adj.* damned, blasted, bloody.
maugréer *v.* grumble (at), grouse (at).
▷ **mausolée** *n.m.* mausoleum [ˌmɔːsə'lɪəm].
maussade *adj.* sullen, glum ; dull.
mauvais *adj.* bad ; shoddy, nasty ; wrong.
maxillaire *n.m.* jawbone.
▷ **mayonnaise** *n.f.* mayonnaise [meɪə'neɪz].
mazout *n.m.* (fuel) oil.
me *pr.* me, myself.
▷ **méandre** *n.m.* meander, winding.
▷ **mécanicien** *n.m.* mechanic [mɪ'kænɪk] ; *(Rail)* engine driver.
⚠ **mécanique** *adj.* mechanical.
⚠ **mécanique** *n.f.* mechanics.
▷ **mécaniser** *v.* mechanize ['mekənaɪz].
mécène *n.m.* *(Art.)* patron.
méchant *adj.* naughty, nasty ; spiteful.
mèche *n.f.* lock (de cheveux) ; *(Tech.)* drill.
mèche (de —) *loc.* *(fam.)* hand in glove (with).
méconnaissable *adj.* unrecognizable.
méconnaissance *n.f.* ignorance ; lack of appreciation ; underestimation.
méconnaître *v.* be unaware of ; underestimate.
mécontenter *v.* displease.
médaille *n.f.* medal.
médaillé *n.* medallist, medal-holder.
médaillon *n.m.* medallion ; locket.
⚠ **médecin** *n.m.* doctor, physician.
▷ **médecine** *n.f.* medicine.
▷ **médiation** *n.f.* mediation, arbitration.
▷ **médical** *adj.* medical.
▷ **média** *n.m.* media ['mɪːdɪə].
médicament *n.m.* medicine, drug.
médiéval *adj.* medieval [ˌmedɪ'iːvl].
▷ **médiocre** *adj.* second-rate, mediocre.
médire *v.* slander, run down, speak ill.
médisance *n.f.* gossip, scandalmongering.
▷ **méditatif** *adj.* thoughtful, meditative.

▷ **méditer** *v.* think over, plan, meditate.
▷ **médium** *n.m.* medium ['mi:dɪəm].
méduse *n.f. (Zool.)* jellyfish.
méduser *v.* petrify, dumbfound.
méfait *n.m.* misdeed; damage, ill effect.
méfiance *n.f.* suspicion, distrust, mistrust.
méfiant *adj.* suspicious, distrustful.
méfier (se —) *v.* distrust, mistrust; watch, mind, be careful, be on one's guard.
mégarde (par —) *loc.* inadvertently.
mégère *n.f.* shrew.
mégot *n.m.* cigarette end, cigar stub.
meilleur *adj. & n.m.* better, best.
▷ **mélancolie** *n.f.* melancholy, gloom.
mélange *n.m.* mixture, blend(ing).
mélanger *v.* mix, blend; mix up.
mêlée *n.f. (Sp.)* scrum; *(fig.)* free-for-all.
mêler *v.* mix, mingle, blend; involve.
mêler (se —) *v.* meddle (in, with).
mélèze *n.m. (Bot.)* larch.
▷ **mélodie** *n.f.* melody, tune.
▷ **mélodrame** *n.m.* melodrame.
▷ **melon** *n.m.* melon.
▷ **membrane** *n.f.* membrane.
⚠ **membre** *n.m.* member; *(Anat.)* limb; organ.
même *adj.* same; very.
même *adv.* even.
▷ **mémoire** *n.f.* memory.
⚠ **mémoire** *n.m. (Comm.)* memorandum; memoir.
▷ **mémorable** *adj.* unforgettable, memorable.
▷ **mémorial** *n.m.* memorial, monument.
▷ **menace** *n.f.* threat, menace.
▷ **menacer** *v.* threaten, menace.
ménage *n.m.* married couple, household; housework; charring.
ménagement *n.m.* care, tact; consideration.
ménager *v.* treat with tact; use economically; arrange.
▷ **ménagerie** *n.f.* menagerie [mɪ'nædʒrɪ].
mendiant *n.m.* beggar.
mendier *v.* beg.
menées *n.f.pl.* manœuvres, scheming, intrigues.
mener *v.* take, lead; drive; steer; conduct.
meneur *n.m.* leader, *(péj.)* ringleader; agitator.
▷ **méningite** *n.f.* meningitis ['menɪn'dʒaɪtɪs].
menottes *n.f.pl.* handcuffs.
mensonge *n.m.* lie, falsehood.
mensonger *adj.* false, untrue; illusory.
mensualité *n.f.* monthly instalment.
mensuel *adj.* monthly.
mensurations *n.f.pl.* measurements.
▷ **mental** *adj.* mental.
▷ **mentalité** *n.f.* mentality; state of mind.
menteur *adj.* false, delusive.
menteur *n.m.* liar.
menthe *n.f.* mint.
⚠ **mention** *n.f.* mention; comment; *(Ens.)* distinction.
▷ **mentionner** *v.* mention, allude to.
mentir *v.* lie.
menton *n.m.* chin.
⚠ **menu** *adj.* tiny; slight (corps); small (monnaie); minute [maɪ'nju:t] (détail).
▷ **menu** *n.m.* menu.
menuiserie *n.f.* carpentry, joinery.
menuisier *n.m.* carpenter, joiner.
méprendre (se —) *v.* be mistaken (about).
mépris *n.m.* scorn, contempt.
méprisable *adj.* contemptible, despicable.
méprisant *adj.* scornful, contemptuous.
méprise *n.f.* mistake, misunderstanding.
mépriser *v.* despise, look down on, scorn.
mer *n.f.* sea.
mercenaire *adj. & n.m.* mercenary.
mercerie *n.f.* haberdashery, *(amér.)* notions store.
⚠ **merci** *interj.* thank you, thanks; no thank you.
▷ **merci** *n.f.* mercy.
mercure *n.m. (Géol.)* mercury.
merde *interj. (vulg.)* shit! hell! fuck!.
merde *n.f. (vulg.)* shit.
merdeux *adj. (vulg.)* shitty.
merdeux *n.m. (vulg.)* twirp, squirt.
mère *n.f.* mother.
méridional *adj.* southern.
méridional *n.m.* Southerner.
merisier *n.m.* wild cherry (tree).
▷ **mérite** *n.m.* merit, worth.
▷ **mériter** *v.* deserve, be worthy of, merit.
▷ **méritoire** *adj.* deserving, merito-

rious.
merlan *n.m. (Zool.)* whiting.
▷ **merle** *n.m.* blackbird.
▷ **merveille** *n.f.* wonder, marvel.
▷ **merveilleux** *adj.* wonderful, marvellous.
mes *adj. poss.* my.
mésange *n.f.* tit(mouse).
▷ **mésaventure** *n.f.* mishap, misadventure.
mésentente *n.f.* misunderstanding, dissension, disagreement.
mesquin *n.m.* mean, stingy; petty, paltry.
message *n.m.* message ['mesɪdʒ].
⚠ **messe** *n.f. (Rel.)* mass.
messie *n.m. (Rel.)* Messiah [mɪ'saɪə].
▷ **mesure** *n.f.* measure; moderation; extent.
mesuré *adj.* moderate, measured.
mesurer *v.* measure; *(fig.)* weigh up, size up.
⚠ **mesures** *n.f.pl.* measures; measurements.
métairie *n.f.* small farm.
▷ **métal** *n.m.* metal.
▷ **métamorphose** *n.f.* transformation, metamorphosis.
métaphysique *adj.* metaphysical.
métaphysique *n.f.* metaphysics.
▷ **métastase** *n.f. (Méd.)* metastasis.
métayer *n.m.* (tenant) farmer, *(amér.)* sharecropper.
météo *n.f.* weather forecast.
▷ **météorite** *n.f.* meteorite.
▷ **méthode** *n.f.* method.
méthodique *adj.* methodical.
▷ **méticuleux** *adj.* particular, meticulous.
métier *n.m.* trade, craft; job, profession; skill; loom (à tisser).
métis *adj. & n.* half-caste.
métreur *n.m.* quantity-surveyor.
métro *n.m.* tube, underground, *(amér.)* subway.
⚠ **métropole** *n.f.* metropolis; home country.
metteur en scène *n.m. (Ciné.)* director; *(Th.)* producer.
mettre *v.* put, put on; suppose.
mettre (se — à) *v.* begin, start.
meuble *adj.* friable ['fraɪəbl].
meuble *n.m.* (piece of) furniture.
meublé *n.m.* furnished room (ou flat).
meubler *v.* furnish.
meubler (se —) *v.* furnish one's home.
meule *n.f.* millstone; grindstone; *(Agr.)* rick, stack.
meunier *n.m.* miller.
meurtre *n.m.* murder.
meurtrier *adj.* murderous.
meurtrier *n.m.* murderer.
meurtrir *v.* bruise; *(fig.)* wound, hurt.
meute *n.f.* pack.
mévente *n.f.* slump, stagnation.
miauler *v.* mew, miaow.
micro *n.m.* (aussi **microphone**) mike (aussi **microphone**).
▷ **microbe** *n.m.* microbe, germ.
▷ **microfilm** *n.m.* microfilm.
microsillon *n.m.* long-playing record.
midi *n.m.* midday; south.
midinette *n.f.* shopgirl.
miel *n.m.* honey.
mielleux *adj.* honeyed, smooth, unctuous.
mien(ne) *pr. poss.* mine, my own.
miette *n.f.* crumb.
mieux *adv. & pr.* (the) better, (the) best.
mièvre *adj.* mawkish, precious, pretty-pretty.
mignon *adj.* sweet, nice, *(amér.)* cute.
▷ **migraine** *n.f.* migraine, headache.
▷ **migrant** *adj. & n.m.* migrant ['maɪgrənt].
migrateur *adj.* migratory.
▷ **migration** *n.f.* migration.
mijoter *v.* stew, simmer; *(fig.)* hatch, be up to (un complot).
milice *n.f.* militia.
⚠ **milieu** *n.m.* middle, centre; background, milieu, environment; *(péj.)* underworld.
militaire *adj.* military.
militaire *n.m.* service man.
▷ **militant** *n.m.* militant.
▷ **militer** *v.* militate, be a militant.
millénaire *adj.* thousand-year-old; ancient.
millénaire *n.m.* millenium.
millésime *n.m.* date, year; vintage (d'un vin).
milliardaire *n.* multimillionaire, *(amér.)* billionaire.
⚠ **mime** *n.m.* mimic; *(Th.)* mime.
⚠ **mimer** *v.* mimic; *(Th.)* mime.
▷ **mimétisme** *n.m.* mimetism.
▷ **mimosa** *n.m.* mimosa.
minable *adj.* wretched, seedy, shabby.
minauder *v.* simper, mince.
⚠ **mince** *adj.* thin; slim, slender; *(fig.)* slight.
⚠ **mine** *n.f.* face, look; *(Ind.)* mine;

lead (de crayon).
⚠ **miner** *v. (Ind.)* mine ; (aussi *fig.*) undermine, sap.
minerai *n.m.* ore.
mineur *adj.* minor ; *(Jur.)* under age.
mineur *n.m.* *(Ind.)* miner ; *(Jur.)* minor.
minime *adj.* minor, trivial, trifling.
minime *n.* *(Sp.)* junior.
ministère *n.m (Polit. & Rel.)* ministry.
ministre *n.m.* *(Polit. & Rel.)* minister.
minoritaire *adj.* minority, in the minority.
minoterie *n.f.* flour mill.
minotier *n.m.* miller, mill-owner.
minuit *n.m.* midnight.
⚠ **minus** *n.m.* moron, dimwit, nitwit.
minuscule *adj.* minute, tiny.
minuscule *n.f.* small letter.
▷ **minute** *n.f.* minute ['mɪnɪt].
minuter *v.* time.
minuterie *n.f.* time switch.
⚠ **minutie** *n.f.* meticulousness, precision.
minutieux *adj.* meticulous.
mioche *n.m.* brat, kid.
▷ **miracle** *n.m.* miracle.
▷ **mirage** *n.m.* mirage.
mirer (se —) *v.* be mirrored.
miroir *n.m.* mirror.
miroiter *v.* sparkle, shimmer.
▷ **misanthrope** *n.m.* misanthropist, misanthrope.
mise *n.f.* stake (jeu) ; clothing, dress.
mise à feu *n.f.* blast-off.
mise à pied *n.f.* *(Ind.)* lay-off.
mise en œuvre *n.f.* application, implementation.
mise en plis *n.f.* hair-set.
mise en scène *n.f.* *(Ciné.)* direction ; *(Th.)* production.
mise en valeur *n.f.* development, improvement.
miser *v.* stake, bet (jeu) ; *(fig.)* count, bank.
⚠ **misérable** *adj.* miserable, wretched ; mean ; poverty-stricken, destitute.
⚠ **misère** *n.f.* poverty, destitution.
miséricorde *n.f.* mercy, forgiveness.
miséricordieux *adj.* merciful, forgiving.
misogyne *adj.* misogynous.
misogyne *n.m.* misogynist.
⚠ **miss** *n.f.* beauty queen ; governess.
▷ **missel** *n.m.* *(Rel.)* missal.
▷ **missile** *n.m.* missile ['mɪsaɪl ; 'mɪsəl].
▷ **mission** *n.f.* mission.
▷ **missionnaire** *adj & n.* missionary.
▷ **mitaine** *n.f.* mitten.
⚠ **mite** *n.f.* (clothes) moth.
mité *adj.* moth-eaten.
mi-temps *n.m.* *(Sp.)* half ; half time.
mi-temps (à —) *loc.* half time, part time.
miteux *adj.* dingy, shabby, seedy.
mitigé *adj.* mixed (sentiments), lukewarm.
mitonner *v.* cook gently, simmer.
mitoyen *adj.* common (mur) ; semi-detached (maison).
mitrailler *v.* machine-gun ; *(fig.)* bombard.
mitraillette *n.f.* submachine gun.
mitron *n.m.* baker's boy.
mixage *n.m.* *(Ciné.)* mixing.
mixité *n.f.* coeducational system.
⚠ **mixte** *adj.* mixed ; *(Ens.)* coed(ucational).
▷ **mobile** *adj.* moving, movable, mobile.
mobilier *n.m.* furniture.
▷ **mobiliser** *v.* mobilize.
mobylette *n.f.* moped.
moche *adj.* ugly ; nasty ; lousy, rotten.
⚠ **mode** *n.f.* fashion.
mode *n.m.* method ; way.
mode d'emploi *n.m.* directions for use.
mode de vie *n.m.* way of life.
modelage *n.m.* modelling.
⚠ **modèle** *n.m.* model, pattern ; design.
▷ **modeler** *v.* mould, fashion, shape, model.
modéré *adj.* moderate.
▷ **modérer** *v.* moderate, curb, restrain.
▷ **moderne** *adj.* modern, up-to-date.
▷ **modeste** *adj.* modest, unassuming, simple.
▷ **modifier** *v.* modify, alter, change.
modique *adj.* low (prix) ; modest (somme).
modiste *n.f.* milliner.
modulation *n.f.* modulation.
moelle *n.f.* *(Cuis.)* marrow ; *(Anat.)* spinal chord ; *(fig.)* core, pith.
moelleux *adj.* soft, mellow.
mœurs *n.f.pl.* morals ; ways, habits, manners, customs.

moi *pr.* me, myself.
moignon *n.m.* stump.
moi-même *pr.* myself.
moindre *adj.* less, lesser; lower; least; lowest; slightest.
moine *n.m.* monk; friar.
moineau *n.m.* sparrow.
moins *adv.* less, not so much.
moins *pr.* less, fewer, not so much, not so many.
moins *prép.* *(Math.)* minus; below (temperature).
moins (à — que) *loc.* unless.
moiré *adj.* watered (soie); *(fig.)* shimmering.
mois *n.m.* month.
moisir *v.* rot; go mouldy.
moisissure *n.f.* mould.
moisson *n.f.* harvest, crop.
moissonner *v.* harvest; mow, reap.
moissonneuse-batteuse *n.f.* combine-harvester.
moite *adj.* sticky, clammy; damp, moist.
moitié *n.f.* half; *(fam.)* better half.
▷ **molaire** *n.f.* molar [ˈməʊlə].
▷ **molécule** *n.f.* molecule [ˈmɒlɪkjuːl].
mollesse *n.f.* softness; limpness; flabbiness.
mollet adj. soft-boiled (œuf).
mollet *n.m.* *(Anat.)* calf.
mollir *v.* soften; give way.
môme *n.* kid; *(péj.)* brat; bird (fille).
▷ **moment** *n.m.* moment, instant, minute.
momentané *adj.* momentary.
momie *n.f.* mummy.
mon *adj. poss.* my, my own.
monacal *adj.* monastic.
▷ **monarchie** *n.f.* monarchy [ˈmɒnəkɪ].
▷ **monastère** *n.m.* monastery.
monceau *n.m.* heap, pile; mass.
⚠ **mondain** *adj.* fashionable; urbane; mundane.
monde *n.m.* world, universe; society; people, crowd.
mondial *adj.* world (langue...).
monnaie *n.f.* change; coinage; currency.
▷ **monocle** *n.m.* monocle, eyeglass.
▷ **monogame** *adj.* monogamous [məˈnɒgəməs].
▷ **monologue** *n.m.* monologue, soliloquy.
monologuer *v.* soliloquize.
▷ **monopole** *n.m.* monopoly [məˈnɒpəlɪ].
monoplace *n.m.* single-seater.
monotone *adj.* monotonous [məˈnɒtnəs].
monsieur *n.m.* gentleman; Mr (X); sir.
▷ **monstre** *n.m.* monster, freak.
monstre *adj.* enormous, huge, monstrous, mammoth.
▷ **monstruosité** *n.f.* monstrosity.
mont *n.m.* hill, mountain; Mount (X).
montage *n.m.* *(Phot.)* mounting; *(Ciné.)* editing.
montagne *n.f.* mountain.
montant *n.m.* *(Fin.)* amount, sum; *(Tech.)* upright.
mont-de-piété *n.m.* pawnshop.
monte-charge *n.m.* goods lift.
montée *n.f.* climb, rise; increase (in).
monter *v.* rise, go up; take up; mount (cheval); mount, set (bijou); pitch (tente); put on (spectacle); assemble (machine).
monteur *n.m.* *(Tech.)* fitter; *(Ciné.)* editor.
montrer *v.* point out, show; display.
montrer (se —) *v.* appear, show oneself.
monture *n.f.* mount (cheval); frame (lunettes); setting (bijou).
▷ **monument** *n.m.* monument; memorial.
▷ **moquer (se —)** *v.* make fun (of), laugh (at), mock.
⚠ **moquette** *n.f.* fitted carpet, wall-to-wall carpet; moquette (tissu).
moqueur *adj.* mocking.
▷ **moral** *adj.* moral.
⚠ **moral** *n.m.* morale.
⚠ **morale** *n.f.* morals; ethics; moral (de l'histoire).
⚠ **moralité** *n.f.* morals; moral (de l'histoire); *(Th.)* morality (play).
▷ **morbide** *adj.* morbid.
morceau *n.m.* piece, bit; *(Lit.)* extract.
morceler *v.* divide up, parcel out.
mordant *adj.* biting, scathing, sarcastic.
mordant *n.m.* punch, bite.
mordicus *adv.* *(fam.)* stubbornly, obstinately.
mordiller *v.* nibble (at), bite (at).
mordoré *adj.* bronze.
mordre *v.* bite; *(fig.)* overlap.
mordu *adj.* mad, crazy (about), keen (on).
morfondre (se —) *v.* fret, mope.

⚠ **morgue** *n.f.* mortuary, *(amér.)* morgue ; haughtiness.
▷ **moribond** *adj.* moribund, dying.
morigéner *v.* reprimand, lecture.
morne *adj.* gloomy, dismal, dreary.
▷ **morose** *adj.* sullen, morose.
▷ **morphine** *n.f.* morphine ['mɔːfiːn].
mors *n.m.* bit.
morsure *n.f.* bite.
mort *adj.* dead.
mort(e) *n.* dead man (ou woman).
mort *n.f.* death ; fatal casualty.
⚠ **mortel** *adj.* mortal ; fatal (accident).
▷ **mortel** *n.m.* mortal.
morte-saison *n.f.* off season, slack period.
mortier *n.m.* mortar.
▷ **mortifier** *v.* mortify, humiliate.
mort-né *adj.* stillborn.
morue *n.f.* *(Zool.)* cod.
morveux *adj.* *(fam.)* snotty(-nosed).
▷ **mosaïque** *n.f.* mosaic ; *(fig.)* patchwork.
mosquée *n.f.* mosque [mɒsk].
mot *n.m.* word ; remark ; line, note (par écrit) ; saying (dicton).
motard *n.m.* motorcycle policeman, motorcyclist.
▷ **motel** *n.m.* motel.
moteur *n.m.* motor, engine.
⚠ **motif** *n.m.* cause, motive ; *(Art.)* design, pattern, motif.
▷ **motion** *n.f.* motion.
▷ **motiver** *v.* justify, motivate.
⚠ **moto** *n.f.* motorbike, motorcycle.
▷ **motorisé** *adj.* motorized.
motte *n.f.* clod, lump of earth.
motus *interj.* *(fam.)* Keep it under your hat !
mou *adj.* soft, limp ; flabby (chair) ; slack (corde).
mou *n.m.* slack (corde) ; *(Cuis.)* lights, lungs.
mouchard *n.m.* *(Ens.)* sneak ; *(Police)* grass, stoolpigeon.
moucharder *v.* *(Ens.)* sneak (on) ; *(Police)* grass (on).
mouche *n.f.* fly ; *(Escrime)* button.
moucher *v.* blow (nez) ; *(fig.)* snub.
moucher (se —) *v.* blow one's nose.
moucheron *n.m.* gnat, midge.
moucheté *adj.* speckled, flecked ; *(Escrime)* buttoned.
mouchoir *n.m.* handkerchief.
moudre *v.* grind, mill.
moue *n.f.* pout.
mouette *n.f.* (sea) gull.
moufle *n.f.* mit, mitten.
mouillage *n.m.* *(Naut.)* anchorage, moorings.
mouiller *v.* wet, moisten ; *(Naut.)* drop anchor.
mouiller (se —) *v.* get wet ; *(fig.)* get involved, get one's feet wet ; commit oneself.
moulage *n.m.* casting, moulding ; cast.
moule *n.m.* mould ; *(Cuis.)* tin.
moule *n.f.* *(Zool.)* mussel.
mouler *v.* cast, mould ; shape.
mouler (se —) *v.* model oneself (on).
moulin *n.m.* mill.
moulinet *n.m.* *(Tech.)* winch ; *(Pêche)* reel ; *(Escrime)* flourish.
moulu *adj.* ground (café) ; *(fig.)* dead-tired, dead-beat, all-in.
moulure *n.f.* moulding.
mourir *v.* die, expire ; *(fig.)* die out, fade (away).
mousse *n.f.* froth, foam ; lather (savon) ; *(Bot.)* moss.
mousse *n.m.* ship's boy, cabin-boy.
mousseline *n.f.* muslin.
mousser *v.* foam, froth ; lather (savon).
mousson *n.f.* monsoon.
moussu *adj.* mossy.
⚠ **moustache** *n.f.* moustache ; whiskers (chat).
moustiquaire *n.f.* mosquito net.
moustique *n.m.* *(Zool.)* mosquito.
moutarde *n.f.* mustard.
⚠ **mouton** *n.m.* *(Zool.)* sheep ; *(Cuis.)* mutton ; *(fig.)* fluff (par terre) ; *(pl.)* white horses (en mer) ; spy (en prison).
⚠ **mouvant** *adj.* shifting, changing, moving ; quick (sables).
▷ **mouvement** *n.m.* movement, gesture.
▷ **mouvoir (se —)** *v.* move, stir.
moyen *adj.* medium, middling, average.
moyen *n.m.* manner, way, means ; measure.
moyennant *prép.* with, for, in return for.
moyenne *n.f.* average ; *(Ens.)* pass(mark).
moyeu *n.m.* *(Tech.)* hub.
muer *v.* break (voix) ; slough (serpent) ; moult (plumes, poils) ; shed its hair ; shed its skin ; cast its antlers (cerf).
muet *adj.* dumb, silent ; speechless.
mufle *n.m.* *(Zool.)* muffle, muzzle ; *(fig. & péj.)* lout, boor.
mugir *v.* *(Zool.)* bellow, low ; *(fig.)*

roar, howl.
muguet *n.m.* *(Bot.)* lily of the valley.
mulâtre *n.m.* mulatto.
⚠ **mule** *n.f.* slipper ; (Zool.) mule.
⚠ **mulet** *n.m.* *(Zool.)* mule ; mullet (poisson).
mulot *n.m.* field mouse.
▷ **multinational** *adj.* multinational.
▷ **multiple** *adj.* many, numerous, multiple.
▷ **multiplier** *v.* multiply.
▷ **multitude** *n.f.* multitude.
▷ **municipalité** *n.f.* town council ; municipality.
munir *v.* equip, provide, supply (with).
munitions *n.f.pl.* ammunition.
muqueuse *n.f.* *(Méd.)* mucous membrane.
mur *n.m.* wall ; *(fig.)* barrier (du son...).
mûr *adj.* ripe ; mature ; middle-aged.
muraille *n.f.* wall ; *(fig.)* barrier.
mûre *n.f.* blackberry ; mulberry.
murer *v.* wall in, brick up.
mûrir *v.* ripen ; *(fig.)* mature.
▷ **murmurer** *v.* murmur, whisper ; gurgle.
musarder *v.* dawdle, saunter, moon about.
▷ **musc** *n.m.* musk.
muscade *n.f.* nutmeg.
▷ **muscle** *n.m.* muscle ['mʌsl].
musculation *n.f.* muscle-developing.
musculeux *adj.* muscular.
museau *n.m.* muzzle ; snout.
musée *n.m.* *(Art.)* gallery ; museum [mjuː'zɪəm].
museler *v.* (aussi *fig.*) muzzle.
muselière *n.f.* muzzle.
▷ **musical** *adj.* musical.
⚠ **musicien** *adj.* musical.
▷ **musicien** *n.m.* musician.
▷ **musique** *n.f.* music.
⚠ **mutation** *n.f.* transfer ; *(Biol.)* mutation.
muter *v.* transfer, move, shift.
mutilé *n.* disabled person, cripple.
▷ **mutiler** *v.* cripple, maim, mutilate.
mutin *adj.* impish, mischievous.
mutin *n.m.* mutineer.
mutiner (se —) *v.* mutiny, revolt, rebel.
⚠ **mutisme** *n.m.* silence ; *(Méd.)* muteness, dumbness ; *(Psy.)* mutism.
▷ **mutuel** *adj.* mutual.
mutuelle *n.f.* mutual benefit society, friendly society.
myope *adj.* near-sighted, *(Méd.)* myopic ; (aussi *fig.*) short-sighted.
▷ **myopie** *n.f.* near-sightedness, myopia [maɪ'əʊpjə].
myosotis *n.m.* forget-me-not.
myrtille *n.f.* bilberry, whortleberry.
▷ **mystère** *n.m.* mystery.
▷ **mystique** *adj.* mystic(al).
▷ **mystique** *n.* mystic (personne et croyance).
mystification *n.f.* hoax, practical joke.
▷ **mystifier** *v.* mystify, hoax, fool.
▷ **mythe** *n.m.* myth.
mythomane *n.* mythomaniac.

N

▷ **nacelle** *n.f.* *(Tech.)* nacelle.
nacre *n.f.* mother-of-pearl.
nacré *adj.* pearly.
nage *n.f.* swimming ; stroke.
nageoire *n.f.* fin ; flipper.
nager *v.* swim.
naguère *adv.* lately, recently ; formerly.
▷ **naïf** *adj.* naïve, innocent, artless.
nain *n.m.* dwarf.
naissance *n.f.* birth ; descent.
naître *v.* be born ; *(fig.)* arise, rise.
nana *n.f.* *(argot)* bird, skirt, chick.
nanti *adj.* affluent, well-to-do, well-off.
nantir *v.* supply (with), provide (with).
▷ **napalm** *n.m.* napalm.
▷ **naphthaline** *n.f.* mothballs, naphtalene.
nappe *n.f.* tablecloth ; sheet (d'eau) ; blanket (de brouillard) ; slick (de mazout).
narcisse *n.m.* *(Bot.)* narcissus.
▷ **narcissisme** *n.m.* narcissism.
▷ **narcotique** *adj.* & *n.m.* narcotic.
narguer *v.* taunt, scoff at, deride.
narine *n.f.* nostril.
narquois *adj.* derisive, sardonic, mocking.
▷ **nasal** *adj.* nasal ['neɪzl].
naseau *n.m.* nostril.
nasiller *v.* speak through the nose.
▷ **natal** *adj.* natal, native.
natalité *n.f.* birthrate.
natation *n.f.* swimming.
▷ **natif** *adj.* native ; natural.
▷ **nation** *n.f.* nation.

▷ **nationalisation** *n.f.* nationalization.
▷ **nationalité** *n.f.* nationality.
▷ **nativité** *n.f.* nativity.
natte *n.f.* mat, matting ; plait (cheveux).
▷ **nature** *n.f.* nature.
nature morte *n.f. (Art)* still life.
▷ **naturel** *adj.* natural.
naturel *n.m.* naturalness ; nature.
▷ **naturellement** *adv.* naturally, of course.
naufrage *n.m.* shipwreck.
naufrage (faire —) *loc.* be (ship)-wrecked.
nauséabond *adj.* nauseating, loathsome.
▷ **nausée** *n.f. (Méd.)* nausea ; *(fig.)* loathing.
nautique *adj.* nautical ; water.
nautisme *n.m.* water sports.
⚠ **naval** *adj.* naval ; shipbuilding.
navet *n.m. (Agr.)* turnip ; *(Ciné.)* thirdrate film.
navette *n.f. (Tech.)* shuttle.
navette (faire la —) *loc.* commute.
⚠ **navigabilité** *n.f.* navigability (d'un fleuve) ; seaworthiness (d'un navire) ; airworthiness (d'un avion).
▷ **navigateur** *n.m.* navigator.
▷ **naviguer** *v.* navigate ; sail ; fly.
navire *n.m.* ship, vessel.
navrant *adj.* distressing, heartrending.
navré *adj.* sorry ; distressed, upset.
ne *adv.* not.
né *adj.* born.
néanmoins *adj.* nevertheless, (and) yet.
néant *n.m.* nothingness ; void ; nil.
nébuleuse *n.f. (Astron.)* nebula.
▷ **nécessaire** *adj.* necessary, essential.
⚠ **nécessaire** *n.m.* dressing case ; toiletbag.
▷ **nécessité** *n.f.* necessity ; requirement.
▷ **nécessiteux** *adj.* necessitous, needy.
nécrologie *n.f.* obituary.
▷ **nécromancie** *n.f.* necromancy.
▷ **nectar** *n.m.* nectar ['nektə].
⚠ **nef** *n.f. (Arch.)* nave ; *(Naut.)* ship, vessel.
néfaste *adj.* harmful ; disastrous.
nèfle *n.f. (Bot.)* medlar.
▷ **négatif** *adj. et n.m.* negative.
▷ **négation** *n.f.* negation.
négligé *adj.* neglected ; careless ; slovenly.
▷ **négligé** *n.m.* negligee.
▷ **négligeable** *adj.* negligible, insignificant.
▷ **négligent** *adj.* negligent, careless.
négliger *v.* neglect.
négoce *n.m.* trade, business.
▷ **négociable** *adj.* negotiable.
négociant *n.m.* merchant.
▷ **négocier** *v.* negotiate.
⚠ **nègre** *n.m. & adj.* negro ; *(fig.)* ghost (writer).
négrier *n.m.* slave trader ; *(fig.)* slave driver.
neige *n.f.* snow.
neigeux *adj.* snow-covered ; snowy.
nénuphar *n.m. (Bot.)* water-lily.
▷ **néolithique** *adj.* neolithic.
▷ **néon** *n.m.* neon ['nɪːɒn].
▷ **néophyte** *n.* neophyte ['nɪəfaɪt].
▷ **népotisme** *n.m.* nepotism ['ne pətɪzm].
⚠ **nerf** *n.m (Anat.)* nerve ; *(fig.)* vigour.
⚠ **nerveux** *adj.* excitable ; tense ; vigorous, nervous.
nervosité *n.f.* nervousness ; irritability.
⚠ **nervure** *n.f. (Bot.)* nervure ; *(Tech.)* rib.
⚠ **net** *adj.* clean, neat ; distinct ; clear ; frank, candid ; *(Comm.)* net.
net *adv.* outright, clean ; frankly, flatly, candidly, bluntly.
netteté *n.f.* cleanness, neatness ; clarity.
nettoyer *v.* clean (up) ; *(fig.)* clean out.
neuf *adj.* new, fresh, novel.
▷ **neurasthénie** *n.f. (Méd.)* neurasthenia ; depression.
▷ **neutralité** *n.f. (Polit. & fig.)* neutrality.
neutre *adj. (Gram.)* neuter ; *(Polit. & fig.)* neutral.
neveu *n.m.* nephew ['nevjuː].
névralgie *n.f. (Méd.)* neuralgia ; headache.
névrose *n.f. (Méd.)* neurosis [njʊ'rəʊsɪs].
névrosé *adj.* neurotic [njʊ'rɒtɪk].
nez *n.m.* nose.
ni *conj.* neither ... nor ; either ... or.
niais *adj.* silly, foolish.
niais *n.m.* simpleton.
⚠ **niche** *n.f.* niche, recess ; kennel (de chien) ; trick, practical joke, prank.
nichée *n.f.* nestful (d'oisillons) ; brood (d'animaux, d'enfants).

nicher *v.* nest (oiseaux); *(fig.)* nestle; *(péj.)* hide out.
▷ **nickel** *n.m.* nickel.
nickeler *v.* nickel-plate.
▷ **nicotine** *n.f.* nicotine.
nid *n.m.* nest; *(fig.)* den.
▷ **nièce** *n.f.* niece [niːs].
nier *v.* deny.
nigaud *adj.* silly, simple.
nigaud *n.m.* simpleton.
⚠ **nihiliste** *adj.* nihilistic.
▷ **nihiliste** *n.* nihilist.
nippes *n.f.pl.* gear, togs.
nipper *v.* rig out, tog out, deck out.
niveau *n.m.* level; standard.
niveler *v.* level (out), level down.
▷ **noble** *adj.* noble.
noble *n.m.* noble (man).
noblesse *n.f.* nobility.
noce *n.f.* wedding; wild time, revel.
noceur *n.m.* gay dog, reveller.
nocif *adj.* harmful, injurious, noxious.
noctambule *n.* sleep-walker; *(fig.)* night-bird.
▷ **nocturne** *adj.* nocturnal, night.
Noël *n.m.* Christmas.
nœud *n.m.* knot; bow (de ruban...); hitch, snag; crux; *(fig.)* bond; *(Naut.)* knot.
noir *adj.* black; dark; dismal; *(péj.)* dead-drunk.
noirâtre *adj.* blackish.
noiraud *adj.* dark, swarthy.
noirceur *n.f.* blackness; *(fig.)* foulness.
noircir *v.* blacken; dirty, soil; *(fig.)* smear.
noise (chercher —) *loc.* pick a quarrel (with).
noisette *n.f.* hazel (nut).
noix *n.f.* walnut; *(Cuis.)* knob (de beurre).
nom *n.m.* name; *(Gram.)* noun.
▷ **nomade** *adj.* nomad(ic).
▷ **nomade** *n.* nomad.
▷ **nombre** *n.m.* number.
nombreux *adj.* many, various, numerous.
nombril *n.m.* *(Anat.)* navel.
▷ **nomemclature** *n.f.* nomemclature [nəʊ'menklətʃə].
▷ **nominal** *adj.* nominal.
⚠ **nomination** *n.f.* nomination; appointment.
nommément *adv.* by name; particularly.
nommer *v.* call, name; appoint; nominate.
non *adv.* no; not.
▷ **non-agression** *n.f.* non-aggression.
▷ **nonchalance** *n.f.* nonchalance ['nɒnʃələns].
▷ **nonchalant** *adj.* nonchalant ['nɒnʃələnt].
nonobstant *prép. & adv.* notwithstanding.
▷ **non-sens** *n.m.* (piece of) nonsense.
nord *adj.* north(ern), northerly.
nord *n.m.* North.
▷ **nordique** *adj & n.* Nordic, Scandinavian.
▷ **normal** *adj.* normal.
⚠ **normaliser** *v.* *(Polit.)* normalize; *(Comm.)* standardize.
▷ **norme** *n.f.* norm, average, standard.
nos *adj. poss. pl.* our, our own.
▷ **nostalgie** *n.f.* home-sickness; nostalgia.
▷ **nostalgique** *adj.* homesick; nostalgic.
▷ **notable** *adj.* noteworthy, notable.
▷ **notaire** *n.m.* solicitor, notary.
notarié *adj.* drawn up by a solicitor.
⚠ **note** *n.f.* note; *(Ens.)* mark; bill (d'hôtel); *(Mus.)* note.
noter *v.* note (down); *(Ens.)* mark.
⚠ **notice** *n.f.* note, notice; review (critique).
▷ **notifier** *v.* notify, inform, give notice.
▷ **notion** *n.f.* notion; inkling.
⚠ **notoire** *adj.* well-known; *(péj.)* notorious.
⚠ **notoriété** *n.f.* fame; *(péj.)* notoriety [ˌnəʊtə'raɪətɪ].
notre *adj. poss.* our, our own.
nôtres (les —) *n.m.pl.* our family, our folks.
nouer *v.* tie, knot; establish (des relations).
noueux *adj.* knotty, gnarled.
▷ **nougat** *n.m.* *(Cuis.)* nougat ['nʊːgɑː].
nouilles *n.f.pl.* noodles.
nounou *n.f.* nanny.
nounours *n.m.* teddy (bear).
⚠ **nourri** *adj.* fed, nourished; heavy (fusillade); prolonged (applaudissements).
nourrice *n.f.* nurse; wet-nurse.
nourrir *v.* nourish, feed; *(fig.)* harbour (ressentiment).
nourrir (se —) *v.* eat, feed (on), live (on).
▷ **nourrissant** *adj.* nourishing, nutritious.

nourrisson *n.m.* infant, nursling.
nourriture *n.f.* food, nourishment, nutrition.
nous *pr. pers.* we; us; ourselves; each other, one another.
nous-mêmes *pr. réfl.* ourselves.
nouveau *adj.* new, fresh; novel.
nouveau-né *n.m.* new-born baby.
nouveauté *n.f.* newness; novelty.
nouveautés *n.f.pl.* fancy goods.
⚠ **nouvelle** *n.f.* (piece of) news; *(lit.)* short story.
nouvellement *adv.* newly; recently, lately.
novateur *adj.* innovative.
novateur *n.m.* innovator.
⚠ **novice** *adj.* inexperienced, *(fam.)* green.
▷ **novice** *n. (Rel. & fig.)* novice; *(fam.)* greenhorn.
▷ **noviciat** *n.m. (Rel.)* novitiate [nəʊːˈvɪʃɪeɪt].
noyade *n.f.* drowning.
noyau *n.m.* stone (de fruit); *(Tech.)* nucleus; *(Elec. & Géol.)* core; *(fig.)* nucleus, core.
noyauter *v. (Pol.)* infiltrate, pack.
noyer *v.* drown; *(fig.)* swamp, snow under.
noyer (se —) *v.* drown, be drowned.
noyer *n.m.* walnut (tree).
nu *adj.* naked, nude (corps entier); bare (parties du corps); *(fig.)* bare, naked.
nu *n.m. (Art)* nude.
nuage *n.m.* cloud.
nuageux *adj.* cloudy, overcast.
▷ **nuance** *n.f.* nuance, shade; tinge; subtlety.
nuancé *adj.* qualified, reserved.
nuancer *v.* shade; qualify (jugement).
▷ **nubile** *adj.* marriageable, nubile.
▷ **nucléaire** *adj.* nuclear.
▷ **nudiste** *adj. & n.* nudist.
▷ **nudité** *n.f.* nudity, nakedness, bareness.
nuée *n.f.* cloud; *(fig.)* host, swarm.
nues (porter aux —) *loc.* praise to the skies.
nues (tomber des —) *loc.* be flabbergasted.
nuire *v.* harm, hurt; *(fig.)* jeopardize.
▷ **nuisance** *n.f.* nuisance, pollution.
nuisible *adj.* harmful, noxious; prejudicial.
nuit *n.f.* night; darkness; dark.
nul *adj.* no, not any; hopeless, useless (incompétent).
nul *pr.* no one.
nullement *adv.* by no means, not at all.
⚠ **nullité** *n.f.* nonentity; *(Jur.)* nullity.
numéraire *adj. (Fin.)* legal.
numéraire *n.m.* cash.
numérique *adj.* numerical.
numéro *n.m.* number.
numéroter *v.* number.
▷ **nuptial** *adj.* bridal, nuptial.
nuque *n.f.* nape (of the neck).
⚠ **nurse** *n.f.* nanny, (children's) nurse.
⚠ **nutritif** *adj.* nourishing, nutritious; *(Méd.)* nutritional; nutritive.
▷ **nutrition** *n.f.* nutrition.
▷ **nylon** *n.m.* nylon [ˈnaɪlɒn].
▷ **nymphe** *n.f. (Myth. & Zool.)* nymph.
nymphéa *n.m.* white water lily.
nymphomane *adj. & n.f.* nymphomaniac.

O

▷ **oasis** *n.f.* oasis [əʊˈeɪsɪs].
⚠ **obédience** *n.f.* allegiance; *(Rel.)* belief.
▷ **obéir** *v.* obey; comply (with).
obéissance *n.f.* obedience.
obéissant *adj.* obedient.
▷ **obélisque** *n.m.* obelisk.
▷ **obèse** *adj.* obese [əʊˈbiːs].
▷ **obésité** *n.f.* obesity [əʊˈbiːsɪtɪ].
▷ **objecter** *v.* object.
objecteur de conscience *n.m.* conscientious objector.
▷ **objectif** *adj.* objective, unbiased.
▷ **objectif** *n.m.* objective; lens; target.
▷ **objection** *n.f.* objection.
⚠ **objet** *n.f.* object, item, thing; subject (matter); purpose, objective, object.
⚠ **obligation** *n.f.* compulsion, obligation; *(Fin.)* debenture, bond.
▷ **obligatoire** *adj.* compulsory, obligatory.
obligeance *n.f.* kindness, obligingness.
▷ **obligeant** *adj.* kind, helpful, obliging.
▷ **obliger** *v.* oblige; compel, force, oblige.
⚠ **oblique** *adj.* oblique, slanting; *(fig.)* indirect.

obliquer *v.* swerve, turn ; slant.
⚠ **oblitérer** *v.* obliterate ; cancel (timbre).
▷ **obscène** *adj.* obscene, indecent, lewd.
⚠ **obscur** *adj.* dark ; gloomy ; *(fig.)* obscure, mysterious ; *(fig.)* mean, humble (naissance).
obscurcir *v.* darken, dim ; *(fig.)* obscure.
obscurcir (s'—) *v.* darken, grow dim ; *(fig.)* become obscure.
⚠ **obscurité** *n.f.* darkness ; *(fig. & lit.)* obscurity.
obséder *v.* obsess, haunt.
obsédé *n.m.* obsessed person, maniac.
▷ **obsèques** *n.f.pl.* funeral ; *(lit.)* obsequies.
▷ **obséquieux** *adj.* obsequious [əb'si:kwɪəs].
obséquiosité *n.f.* obsequiousness.
observateur *adj.* observant [əb'zɜ:vnt]
observateur *n.m.* observer [əb'zɜ:və].
▷ **observation** *n.f.* observation ; remark.
▷ **observatoire** *n.m.* observatory [əb'zɜ:vətrɪ].
▷ **observer** *v.* observe, watch ; notice ; remark.
observer (s'—) *v.* be on one's guard.
▷ **obsession** *n.f.* obsession, mania.
▷ **obstacle** *n.m.* obstacle, hitch, snag ; hurdle (course de chevaux).
obstination *n.f.* obstinacy ['ɒbstɪnəsɪ].
▷ **obstiné** *adj.* obstinate, stubborn.
obstiner (s'—) *v.* be obstinate, be stubborn ; insist (on), persit (in).
▷ **obstruction** *n.f.* obstruction, blockage.
obstruer *v.* obstruct, stop, block.
obtempérer *v.* obey, comply (with).
▷ **obtenir** *v.* get, procure, attain, obtain.
obtention *n.f.* getting, attaining, obtaining.
obturateur *n.m.* *(Phot.)* shutter.
obturer *v.* seal ; stop, plug ; fill, stop (dent).
▷ **obtus** *adj.* dull(-witted), obtuse [əb'tju:s].
obus *n.m.* shell.
▷ **obvier** *v.* avoid, obviate.
⚠ **occasion** *n.f.* chance, opportunity ; occasion, bargain ; cause.
occasion (d'—) *loc.* second-hand, used.
▷ **occasionnel** *adj.* occasional.
▷ **occasionner** *v.* cause, bring about, occasion.
occident *n.m.* West.
occidental *adj.* west, western.
occlusion *n.f.* *(Méd.)* obstruction.
▷ **occulte** *adj.* occult, hidden, supernatural.
▷ **occupant** *n.m.* occupant, occupier.
▷ **occupation** *n.f.* occupation ; job.
⚠ **occupé** *adj.* busy ; occupied ; *(Téléph.)* engaged.
▷ **occuper** *v.* occupy, keep busy ; occupy, fill ; take up (attention).
▷ **occuper (s'—)** *v.* be busy, occupy oneself.
occuper (s'— de) *v.* look after, attend to.
▷ **occurrence** *n.f.* occurrence [ə'kʌrəns].
occurrence (en l'—) *loc.* under the circumstances.
▷ **océan** *n.m.* ocean ['əʊʃn].
▷ **ocre** *adj. & n.f.* ochre ['əʊkə].
▷ **octane** *n.m.* octane ['ɒkteɪn].
▷ **octave** *n.f.* octave ['ɒktɪv].
octroyer *v.* grant.
oculaire (témoin —) *n.m.* eyewitness.
▷ **oculiste** *n.m.* oculist, eye specialist.
▷ **odeur** *n.f.* smell, scent, fragrance, odour.
▷ **odieux** *adj.* infamous, obnoxious, odious.
odorant *adj.* fragrant, sweet-smelling.
odorat *n.m.* smell.
œil *n.m.* eye ; look ; *(Agr.)* bud.
œil (clin d'—) *n.m.* wink.
œil (coup d'—) *n.m.* glance, look.
œillères *n.f.pl.* blinkers.
œillet *n.m.* *(Bot.)* carnation ; eyelet.
œuf *n.m.* egg ; roe (poisson).
œuvre *n.f.* work ; task ; charity.
offensant *adj.* insulting, offensive.
▷ **offense** *n.f.* insult, offence.
offenser *v.* insult, offence.
offenser (s'—) *v.* take offence, be offended.
⚠ **office** *n.m.* office ; *(Rel.)* service ; *(Cuis.)* pantry.
office (d'—) *adv.* automatically.
▷ **officiel** *adj.* official ; formal.
officier *n.m.* officer.
officier *v.* officiate.
⚠ **officieux** *adj.* unofficial, semi-official, informal.
offrande *n.f.* offering ; *(Rel.)* offer-

tory.
⚠ **offre** *n.f.* offer ; bid ; tender ; supply.
offre publique d'achat *n.f.* takeover bid.
⚠ **offrir** *v.* offer ; bid ; tender ; give (cadeau) ; stand (boisson, repas...).
offusquer *v.* insult, offend.
offusquer (s'—) *v.* take offence, feel insulted, take umbrage (at).
ogive *n.f.* *(Arch.)* arch, rib ; *(Mil.)* nose, warhead.
oie *n.f.* goose ; *(fig.)* silly goose, silly.
oignon *n.m.* onion ; bulb (tulipe...) ; *(Anat.)* bunion.
oindre *v.* anoint.
oiseau *n.m.* bird.
oiseux *adj.* trivial, pointless, idle.
oisif *adj.* idle.
oisillon *n.m.* fledgling.
oisiveté *n.f.* idleness.
oléoduc *n.m.* (oil) pipeline.
▷ **oligarchie** *n.f.* oligarchy ['ɒlɪgɑːkɪ].
olivâtre *adj.* sallow (teint).
▷ **olive** *adj.* olive(-green).
▷ **olive** *n.f.* olive ['ɒlɪv].
▷ **olivier** *n.m.* olive(-tree).
▷ **olympique** *adj.* Olympic.
ombrage *n.m.* shade.
ombrage (prendre —) *loc.* take offence (at), take umbrage (at).
ombragé *adj.* shady, shaded.
ombrageux *adj.* touchy ; skittish (cheval).
ombre *n.f.* shade ; shadow ; dark(ness).
⚠ **ombrelle** *n.f.* sunshade, parasol.
▷ **omelette** *n.f.* omelet(te).
▷ **omettre** *v.* omit, miss out, overlook.
▷ **omission** *n.f.* omission, oversight.
⚠ **omnibus** *n.m.* slow train, stopping train.
⚠ **omnipotent** *adj.* omnipotent [ɒm'nɪpətnt].
⚠ **omnivore** *adj.* omnivorous [ɒm'nɪvərəs].
▷ **omnivore** *n.m.* omnivore ['ɒm nɪvɔː].
omoplate *n.f.* shoulder blade, scapula.
on *pr.* one, you, we, they, someone, anyone.
▷ **oncle** *n.m.* uncle.
⚠ **onction** *n.f.* unction ; unctuousness.
⚠ **onctueux** *adj.* *(Cuis.)* smooth, creamy ; oily, unctuous (personne).
onde *n.f.* wave ; billow (mer).
ondée *n.f.* shower (of rain).
on-dit *n.m.* hearsay, rumour.
ondoyer *v.* undulate, ripple, wave.
⚠ **ondulation** *n.f.* undulation ; wave (coiffure).
⚠ **ondulé** *adj.* waved (cheveux) ; corrugated (tôle).
⚠ **onduler** *v.* wave (cheveux) ; undulate.
▷ **onéreux** *adj.* expensive, costly, onerous.
ongle *n.m.* nail ; claw (animal).
onglée *n.f.* fingers tingling (with cold).
onguent *n.m.* ointment, salve.
▷ **onomatopée** *n.f.* onomatopoeia [ˌɒnə'mætəpiːə].
▷ **onyx** *n.m.* onyx.
▷ **opacité** *n.f.* opacity, opaqueness.
▷ **opale** *n.f.* opal [əʊpl].
▷ **opaque** *adj.* opaque [əʊ'peɪk].
▷ **opéra** *n.m.* opera ['ɒprə].
▷ **opérateur** *n.m.* operator.
▷ **opération** *n.f.* operation.
⚠ **opérer** *v.* *(Méd.)* operate (on) ; bring about ; proceed ; perform ; work, act.
▷ **opérette** *n.f.* operetta, light opera.
ophtalmologue *n.* ophtalmologist.
▷ **opiner** *v.* opine, be of the opinion.
⚠ **opiner de la tête** *loc.* nod assent.
opiniâtreté *n.f.* stubborness, obstinacy.
▷ **opinion** *n.f.* opinion, point of view.
▷ **opium** *n.m.* opium.
▷ **opportun** *adj.* opportune, appropriate.
⚠ **opportunité** *n.f.* opportuneness, timeliness.
▷ **opposé** *adj.* & *n.m.* opposite, contrary, reverse.
▷ **opposer** *v.* oppose, object to ; contrast.
opposer (s'—) *v.* be opposed ; contrast.
▷ **oppresser** *v.* oppress ; suffocate, stifle.
opprimer *v.* oppress, crush, repress.
▷ **opprobre** *n.m.* disgrace, *(lit.)* opprobrium.
▷ **opter** *v.* opt (for), choose.
▷ **opticien** *n.m.* optician.
⚠ **optimiste** *adj.* optimistic.
▷ **optimiste** *n.* optimist.
▷ **option** *n.f.* option, choice.
▷ **optique** *adj.* optic, optical.

⚠ **optique** *n.f. (Tech.)* optics ; perspective.
▷ **opulence** *n.f.* opulence ; wealth.
or *n.m.* gold.
or *conj.* now ; yet.
▷ **oracle** *n.m.* oracle ['ɒrəkl].
orage *n.m.* storm.
orageux *adj.* (aussi *fig.*) stormy.
oraison *n.f.* orison, prayer ; oration.
▷ **oralement** *adv.* orally, by word of mouth.
▷ **orange** *adj.* & *n.f.* orange ['ɒrɪŋdʒ].
▷ **orangeade** *n.f.* orangeade, orange squash.
▷ **orateur** *n.m.* speaker ; orator (talentueux).
oratoire *adj.* oratorical.
▷ **oratoire** *n.m.* oratory, small chapel.
⚠ **orbite** *n.f. (Anat.)* (eye-)socket ; *(Astron.)* orbit.
▷ **orchestre** *n.m.* orchestra.
▷ **orchestrer** *v.* orchestrate, score.
▷ **orchidée** *n.f.* orchid ['ɔːkɪd].
▷ **ordinaire** *adj.* ordinary, usual, common.
ordinaire *n.m.* the ordinary (fare).
ordinaire (à l'—) *loc.* ordinarily, usually.
ordonnance *n.f. (Méd.)* prescription ; regulation, rule ; *(Mil.)* batman, orderly.
ordonné *adj.* tidy, orderly ; *(Rel.)* ordained.
ordonner *v. (Méd.)* prescribe ; order ; arrange, organize ; *(Rel.)* ordain.
▷ **ordre** *n.m.* order.
ordure *n.f.* dirt, filth ; garbage, refuse ; *(fig.)* filth ; swine, bastard (personne).
ordurier *adj.* filthy, foul, lewd.
oreille *n.f.* ear ; hearing.
oreiller *n.m.* pillow.
oreillons *n.m.pl. (Méd.)* mumps.
orfèvre *n.m.* goldsmith, silversmith.
▷ **organe** *n.m.* organ ; mouthpiece ; agent.
organisateur *adj.* organizing, managing.
organisateur *n.m.* organizer.
▷ **organiser** *v.* organize, arrange.
organiser (s'—) *v.* get organized ; arrange.
orge *n.f.* barley.
orgelet *n.m. (Méd.)* sty.
⚠ **orgie** *n.f.* orgy ; (fig.) profusion, riot.
orgue *n.m. (Mus.)* organ.
orgueil *n.m.* pride, arrogance.
orgueilleux *adj.* proud, arrogant.
⚠ **oriental** *adj.* oriental ; east ; eastern.
▷ **orientation** *n.f.* orientation ; direction.
▷ **orienter** *v.* orientate ; direct ; turn.
orienter (s'—) *v.* find one's bearings ; move, turn (towards).
▷ **orifice** *n.m.* orifice, aperture, opening.
originaire *adj.* native ; innate, original.
▷ **original** *adj.* original ; peculiar, odd.
⚠ **original** *n.m.* original (objet) ; eccentric (personne).
▷ **origine** *n.f.* origin, source.
originel *adj.* original (péché) ; primeval.
oripeaux *n.m.pl.* rags ; tawdry finery.
orme *n.m.* elm.
orné *adj.* ornate.
▷ **ornement** *n.m.* ornament ; *(Art)* embellishment.
orner *v.* decorate, adorn, embellish.
ornière *n.f.* (aussi *fig.*) rut.
orphelin *adj. & n.m.* orphan ['ɔːfn].
orphelinat *n.m.* orphanage ['ɔːfnɪdʒ].
orteil *n.m. (Anat.)* toe.
▷ **orthodoxie** *n.f.* orthodoxy ['ɔːθədɒksɪ].
orthographe *n.f.* spelling, orthography.
orthographier *v.* spell.
orthopédie *n.f.* orthopedics [ˌɔːθə'piːdɪks].
ortie *n.f. (Bot.)* nettle.
orvet *n.m. (Zool.)* slow worm.
os *n.m.* bone.
osciller *v.* oscillate ; rock ; swing ; sway ; vary, fluctuate.
osé *adj.* daring, bold, audacious.
oseille *n.f. (Bot.)* sorrel ; *(argot)* dough [dəʊ].
oser *v.* dare, venture ; take risks.
▷ **osier** *n.m.* osier, wicker.
ossature *n.f.* bone structure ; *(fig.)* framework.
osselet *n.m.* (aussi jeu) knucklebone(s) ; *(Méd.)* ossicle (oreille).
ossements *n.m.pl.* bones.
osseux *adj.* bony.
▷ **ossification** *n.f. (Méd.)* ossification.
▷ **ossuaire** *n.m.* ossuary, charnel house.
⚠ **ostensible** *adj.* open, conspi-

cuous.
ostensoir *n.m. (Rel.)* monstrance.
ostentatoire *adj.* ostentatious.
▷ **ostraciser** *v.* ostracize.
ostréiculture *n.f.* oyster-farming.
otage *n.m.* hostage.
ôter *v.* take off ; remove ; take away.
ou *conj.* or, either, or else.
où *adv.* where ; in which ; when.
ouate *n.f.* cotton wool ; wadding.
ouaté *adj.* quilted (vêtement) ; muffled (bruit).
oubli *n.m.* oversight ; slip ; forgetting ; oblivion, forgetfulness.
oublier *v.* forget ; leave behind ; miss out.
▷ **ouest** *adj.* west, western, westerly.
▷ **ouest** *n.m.* west.
oui *adv. & n.m.* yes, aye.
ouï-dire (par —) *loc.* by hearsay.
ouïe *n.f.* hearing.
ouïes *n.f.pl.* gills (de poisson) ; soundholes (de violon...).
ouragan *n.m* hurricane.
ourdir *v.* hatch (complot).
ourlet *n.m.* hem.
ours *n.m. (Zool.)* bear.
oursin *n.m. (Zool.)* sea-urchin.
ourson *n.m (Zool.)* bear cub.
outil *n.m.* tool, implement.
outillage *n.m.* (set of) tools, implements.
outillé *adj.* equipped, fitted out.
▷ **outrage** *n.m.* outrage ['aʊtreɪdʒ], insult.
outrageant *adj.* outrageous, insulting.
outrager *v.* outrage, insult, offend.
▷ **outrageux** *adj.* outrageous, excessive.
outrance *n.f.* excess, excessiveness.
outre *n.f.* leather bottle.
outre *adv.* beyond, further.
outre *prép.* besides, as well as.
outre (en —) *adv.* besides, in addition.
outre (passer —) *loc.* take no notice (of).
outré *adj.* excessive, exaggerated ; outraged.
outrecuidance *n.f.* presumption.
outre-Manche *adv.* across the Channel.
outre-mer *adv.* overseas.
outrepasser *v.* exceed, overstep.
outrer *v.* overdo ; outrage, incense.
ouvert *adj.* open.
⚠ **ouverture** *n.f.* opening ; *(Mus.)* overture.
ouvrable (jour —) *n.m.* working day.
ouvrage *n.m.* (piece of) work ; workmanship ; *(Tech.)* structure ; *(Mil.)* fortification.
ouvragé *adj.* wrought (métal) ; embroidered (broderie) ; carved (bois).
ouvre-boîte *n.m.* tin-opener, can-opener.
ouvre-bouteille *n.m* bottle-opener.
ouvreuse *n.f.* usherette.
ouvrier *adj.* working-class, labour.
ouvrier *n.m.* worker, workman, hand, labourer.
ouvrir *v.* open, open up ; switch on.
ouvrir (s'—) *v.* open, open up.
▷ **ovaire** *n.m. (Anat.)* ovary ['əʊvrɪ].
▷ **ovale** *adj. & n.m.* oval.
▷ **ovation** *n.f.* ovation [əʊ'veɪʃn].
ovationner *v.* give an ovation, cheer.
▷ **oxyde** *n.m.* oxide ['ɒksaɪd].
oxyder (s'—) *v.* oxidize ['ɒksɪdaɪz].
▷ **oxygène** *n.m.* oxygen ['ɒksɪdʒn].
oxygénée (eau —) *n.f.* peroxide.
⚠ **oxygéner** *v.* *(Tech.)* oxygenate ; bleach, peroxide (cheveux).
▷ **ozone** *n.m.* ozone ['əʊzəʊn].

P

pacage *n.m.* pasture (land).
▷ **pacifier** *v.* pacify ['pæsɪfaɪ].
▷ **pacifique** *adj.* peaceful, pacific [pə'sɪfɪk].
▷ **pacifiste** *adj. & n.* pacifist ['pæsɪfɪst].
pacotille *n.f.* junk, rubbish.
▷ **pacte** *n.m.* pact, agreement, treaty.
pactiser *v.* come to terms ; be in league.
pagaie *n.f.* paddle.
pagaïe, pagaille *n.f.* mess, muddle.
▷ **paganisme** *n.m.* paganism.
pagayer *v.* paddle.
▷ **page** *n.m.* page (boy) ['peɪdʒbɔɪ].
▷ **page** *n.f.* page [peɪdʒ].
▷ **pagode** *n.f.* pagoda [pə'gəʊdə].
▷ **paie** *n.f.* pay, wages.
▷ **paiement, payement** *n.m.* payment.
païen *adj. & n.m.* pagan ['peɪgən].
paillard *adj.* bawdy, lewd, lecherous.
paillasse *n.f.* straw mattress ; draining board.
paille *n.f.* straw.
paille de fer *n.f.* steel wool.

pailleté *adj.* spangled, sequined.
paillette *n.f.* spangle, sequin; speck; flake (savon).
pain *n.m.* bread; loaf.
pain complet *n.m.* wholemeal bread.
pain grillé *n.m.* toast.
pain (petit —) *n.m.* roll.
pair *adj.* even (nombre).
⚠ **pair** *n.m.* peer; *(Fin.)* par.
pair (de —) *loc.* together.
paire *n.f.* pair, couple; brace (gibier).
paisible *adj.* peaceful.
paître *v.* graze.
paix *n.f.* peace; quiet, stillness.
palais *n.m.* palace; *(Jur.)* Law Courts; *(Anat.)* palate.
palan *n.m.* hoist, block and tackle.
pale *n.f.* blade (hélice); paddle (roue).
▷ **pâle** *adj.* pale, pallid, wan.
⚠ **palette** *n.f.* *(Art)* palette; *(Cuis.)* shoulder.
pâleur *n.f.* paleness, pallor, wanness.
palier *n.m.* landing; stage; level.
pâlir *v.* make pale; grow pale, pale; fade.
▷ **palissade** *n.f.* fence; stockade, palisade.
▷ **pallier** *v.* compensate for, mitigate, palliate.
palmarès *n.m.* prize-list, honours list.
⚠ **palme** *n.f.* palm, palm leaf; *(Sp.)* flipper.
palmier *n.m.* palm, palm tree.
palombe *n.f.* ringdove, woodpigeon.
palourde *n.f.* clam.
▷ **palpable** *adj.* palpable.
palper *v.* finger, feel; *(fam.)* pocket.
palpitant *adj.* exciting, thrilling.
▷ **palpitations** *n.f.pl.* *(Méd.)* palpitations.
palpiter *v.* throb, beat; quiver, flutter.
pâmer (se —) *v.* swoon.
pamplemousse *n.m.* grapefruit.
⚠ **pan** *n.m.* flap; stretch, patch.
▷ **panacée** *n.f.* panacea [ˌpænəˈsɪə].
⚠ **panache** *n.f.* plume; dash, swagger, panache.
panaché *n.m.* shandy (boisson).
panacher *v.* mix, blend.
pancarte *n.f.* bill; *(Aut.)* roadsign.
▷ **pancréas** *n.m.* *(Anat.)* pancreas [ˈpæŋkrɪəs].
panier *n.m.* basket, hamper.
▷ **paniquer** *v.* panic, get panic-stricken.
panne *n.f.* breakdown.
panne (être en —) *loc.* have broken down.
panneau *n.m.* panel; *(Aut.)* roadsign.
▷ **panoplie** *n.f.* panoply [ˈpænəplɪ].
▷ **panorama** *n.m.* panorama [ˌpænəˈrɑːmə].
panse *n.f.* paunch, belly.
pansement *n.m.* dressing.
panser *v.* dress (blessure); groom (cheval).
pantalon *n.m.* (pair of) trousers.
▷ **panthère** *n.f.* panther [ˈpænθə].
pantin *n.m.* puppet.
pantois *adj.* flabbergasted.
pantoufle *n.f.* slipper.
paon *n.m.* *(Zool. & fig.)* peacock.
papa *n.m.* dad, daddy, papa [pəˈpɑː].
papauté *n.f.* papacy.
⚠ **pape** *n.m.* pope.
paperasse(rie) *n.f.* paperwork; red tape.
papeterie *n.f.* paper mill; stationer's (shop).
papetier *n.m.* stationer.
▷ **papier** *n.m.* paper.
papillon *n.m.* butterfly.
papillonner *v.* flutter (about), flit.
papilloter *v.* blink; flicker, twinkle.
pâque *n.f.* Passover (Pâque juive).
paquebot *n.m.* steamer, liner.
pâquerette *n.f.* daisy.
Pâques *n.m.* Easter.
⚠ **paquet** *n.m.* parcel; bundle; packet.
par *prép.* by, through; about; from; for.
⚠ **parabole** *n.f.* *(Rel.)* parable; *(Math.)* parabola.
▷ **parachuter** *v.* parachute, drop by parachute.
⚠ **parade** *n.f.* parade, display; parry (escrime).
⚠ **paradis** *n.m.* paradise; *(Th.)* the gods.
paradoxal *adj.* paradoxical.
parages (dans les —) *loc.* hereabouts.
▷ **paragraphe** *n.m.* paragraph [ˈpærəgrɑːf].
paraître *v.* appear; seem; show off.
▷ **parallèle** *adj. & n.* parallel.
▷ **paralyser** *v.* paralyse [ˈpærəlaɪz].
paralysie *n.f.* paralysis [pəˈrælɪsɪs].
▷ **parapet** *n.m.* parapet [ˈpærəpɪt].
parapluie *n.m.* umbrella.

▷ **parasite** *n.m.* parasite ; *(fig.)* sponger, parasite ['pærəsaɪt].
⚠ **parasites** *n.m.pl.* *(Radio)* atmospherics.
▷ **parasol** *n.m.* beach umbrella, sunshade, parasol.
paratonnerre *n.m.* lightning conductor.
paravent *n.m.* (folding) screen.
⚠ **parc** *n.m.* park ; pen, enclosure ; playpen (à bébé).
⚠ **parc (— à huitres)** *n.m.* oyster bed.
⚠ **parcelle** *n.f.* particle ; plot (terre).
parce que *conj.* because.
parchemin *n.m.* parchment ['pɑːtʃmənt[.
▷ **parcimonie** *n.f.* parsimony ['pɑːsɪmənɪ].
▷ **parcimonieux** *adj.* parsimonious, stingy.
parc(o)mètre *n.m.* parking meter.
parcourir *v.* travel all over ; run through (texte) ; *(fig.)* glance through (document).
parcours *n.m.* course, route ; trip.
par-dessous *prép.* & *adv.* under(neath).
par-dessus *prép.* & *adv.* over.
pardessus *n.m.* overcoat.
▷ **pardon** *n.m.* forgiveness, pardon.
pare-boue *n.m.* mudguard ['mʌd gɑːd].
pare-brise *n.m.* windscreen.
pare-chocs *n.m.* bumper, *(amér.)* fender.
pareil *adj.* like, alike ; identical.
pareil *n.m.* equal, match, fellow.
⚠ **parent** *n.m.* relative.
▷ **parents** *n.m.pl.* parents, father and mother.
parenté *n.f.* relationship, kinship.
▷ **parenthèse** *n.f.* bracket ; digression, parenthesis.
parenthèses (entre —) *loc.* in brackets ; *(fig.)* incidentally, by the way.
⚠ **parer** *v.* adorn ; trim (viande) ; ward off ; parry (coup).
pare-soleil *n.m.* *(Aut.)* sun-visor.
paresse *n.f.* laziness, idleness, sloth.
paresseux *adj.* lazy, idle, slothful.
paresseux *n.m.* lazybones ; *(Zool.)* sloth.
parfaire *v.* complete, perfect [pə'fekt].
▷ **parfait** *adj.* perfect ['pɜːfɪkt] ; flawless.
parfois *adv.* occasionally, sometimes.
▷ **parfum** *n.m.* scent, fragrance, perfume.
▷ **parfumer** *v.* scent, perfume.
parfumer (se —) *v.* use perfume, wear scent.
pari mutuel *n.m.* *(fam.)* the tote.
▷ **paria** *n.m.* pariah [pə'raɪə].
parier *v.* bet, stake, wager.
parieur *n.m.* punter, backer.
⚠ **parité** *n.f.* equality, parity ; *(Fin.)* par.
parjure *adj.* perjured ['pɜːdʒəd].
parjure *n.m.* perjury ['pɜːdʒərɪ].
parjure *n.* perjurer ['pɜːdʒərə].
⚠ **parking** *n.m.* car park, *(amér.)* parking lot.
▷ **parlement** *n.m.* Parliament.
▷ **parlementaire** *adj.* parliamentary.
parlementaire *n.* member of Parliament.
parlementer *v.* parley.
parler *v.* talk, speak, tell.
parmi *prép.* among(st), amid(st).
▷ **parodie** *n.f.* parody.
paroi *n.f.* partition, wall ; face (rocher).
paroisse *n.f.* parish.
paroissial *adj.* parochial, parish.
paroissien *n.m.* parishioner [pə'rɪʃnə].
⚠ **parole** *n.f.* word ; remark ; speech.
▷ **paroxysme** *n.m.* paroxysm ['pærəksɪzm].
parpaing *n.m.* breeze-block.
⚠ **parquer** *v.* pen (bétail) ; park (voiture).
⚠ **parquet** *n.m.* *(Jur.)* public prosecutor's department ; (parquet) floor.
parrain *n.m.* godfather ; *(fig.)* sponsor.
▷ **parricide** *n.* parricide ['pærɪsaɪd].
parsemer *v.* sprinkle, strew.
▷ **part** *n.f.* share, portion, part.
part (à —) *loc.* apart (from).
part (d'une —..., d'autre —) *loc.* on the one hand... on the other (hand).
partage *n.m.* share, sharing.
partager *v.* divide, share (out).
partance (en — pour) *loc.* *(Naut.)* bound for.
▷ **partenaire** *n.* partner.
parterre *n.m.* flower-bed ; *(Th.)* pit.
⚠ **parti** *n.m.* *(Polit.)* party ; match (mariage) ; decision ; profit, advantage.
parti pris *n.m.* prejudice.
▷ **partial** *adj.* biased, partial.

▷ **partialité** *n.f.* bias, partiality.
▷ **participant** *n.m.* participant.
participer *v.* participate (in), join (in); partake (of).
⚠ **particulier** *adj.* particular; peculiar; private (voiture...); personal (compte).
particulier *n.m.* (private) individual.
▷ **particulièrement** *adv.* especially, particularly.
⚠ **partie** *n.f.* part; party; game, match.
⚠ **partiellement** *adv.* partially, partly.
partir *v.* leave, set out, set off, go away, depart; start, go off; begin.
partir (à — de) *loc.* from, starting from.
▷ **partisan** *adj.* & *n.* partisan [ˌpɑːtɪ'zæn].
⚠ **partition** *n.f.* partition; (Mus.) score.
partouse *n.f.* *(fam.)* orgy ['ɔːdʒɪ].
partout *adv.* everywhere.
parure *n.f.* finery; jewelry; lingerie; set of table (ou bed) linen.
parution *n.f.* appearance, publication.
parvenir *v.* reach, achieve; manage.
▷ **parvenu** *n.m.* upstart, parvenu.
pas *n.m.* step, pace; footprint; pace, tread; pass; strait.
pas *adv.* not; no.
pas à pas *loc.* step by step.
pas de porte *n.m.* key money.
pas de vis *n.m.* thread.
pas (faux —) *n.m.* *(fig.)* blunder, faux pas.
▷ **passable** *adj.* tolerable, middling, passable.
passade *n.f.* passing fancy, whim.
⚠ **passage** *n.m.* passage; alley; crossing.
passage à niveau *n.m.* level crossing.
passage clouté *n.m.* zebra crossing.
passager *adj.* passing, short-lived.
▷ **passager** *n.m.* passenger.
passant *adj.* busy (rue...).
passant *n.m.* passer-by.
passation des pouvoirs *loc.* *(Polit.)* handing over (ou transfer) of power.
⚠ **passe** *n.m.* *(Sp.)* pass; situation, state.
passé *adj.* & *n.m.* past.
passe-partout *n.m.* skeleton key, master key.
▷ **passeport** *n.m.* passport ['pɑːs pɔːt].
⚠ **passer** *v.* pass, go past; cross; transport; smuggle (en fraude); *(Cuis.)* strain; *(Th. & Ciné.)* be on; slip on (vêtement); put on (disque); sit (examen).
passer (se —) *v.* happen.
passer (se — de) *v.* do without.
passereau *n.m.* sparrow.
passerelle *n.f.* footbridge; *(Naut.)* bridge; gangway.
passeur *n.m.* ferryman; smuggler.
passible *adj.* *(Jur.)* liable (to).
▷ **passif** *adj.* passive.
⚠ **passif** *n.m.* *(Fin.)* liabilities.
▷ **passion** *n.f.* passion ['pæʃn].
passionnant *adj.* thrilling; fascinating.
⚠ **passionné** *adj.* passionate; mad (on), crazy (about), keen (on), fond (of).
passionné *n.m.* fanatic, *(fam.)* fan.
passionner *v.* fascinate; impassion.
passionner (se —) *v.* be fascinated (by), be mad (on), be crazy (about), be keen (on).
passoire *n.f.* strainer; *(fig.)* sieve [sɪv].
▷ **pastel** *adj.* & *n.m.* pastel ['pæstl].
pastèque *n.f.* watermelon.
pasteur *n.m.* minister, clergyman.
▷ **pastille** *n.f.* pastille, lozenge, drop.
⚠ **patate** *n.f.* *(Bot.)* sweet potato; *(fam.)* spud; *(fam.)* chump, fathead (personne).
patauger *v.* flounder, splash (about).
pâte *n.f.* *(Cuis.)* dough, pastry, paste.
pâté *n.m.* *(Cuis.)* pie; block (de maisons).
pâtée *n.f.* mash, mess, swill.
patelin *n.m.* *(fam.)* village.
▷ **patent** *adj.* patent, obvious, manifest.
⚠ **patente** *n.f.* licence.
patère *n.f.* coat-peg; hat-peg.
paternaliste *adj.* paternalistic.
▷ **paternel** *adj.* paternal, fatherly.
▷ **paternité** *n.f.* paternity, fatherhood.
pâteux *adj.* pasty; thick (voix).
▷ **pathétique** *adj.* pathetic [pə'θetɪk].
▷ **pathologie** *n.f.* pathology [pə'θɒlədʒɪ].
patibulaire *adj.* sinister.
▷ **patience** *n.f.* patience ['peɪʃns].
patienter *v.* be patient; wait.
patin *n.m.* skate; runner; shoe (de frein).

patinage *n.m.* *(Sp.)* skating ; *(Aut.)* skidding.
patiner *v.* *(Sp.)* skate ; *(Aut.)* slip, skid.
pâtir *v.* suffer.
pâtisserie *n.f.* pastry ; cake shop.
pâtissier *n.m.* pastrycook.
patois *n.m.* dialect ['daɪəlekt].
patraque *adj.* *(fam.)* worn-out ; broken-down.
▷ **patriarche** *n.m.* patriarch ['peɪtrɪɑːk].
patrie *n.f.* native land, home country.
▷ **patrimoine** *adj.* inheritance, patrimony ; *(fig.)* heritage, patrimony ['pætrɪmənɪ].
⚠ **patriote** *adj.* patriotic [ˌpætrɪ'ɒtɪk].
▷ **patriote** *n.m.* patriot ['pætrɪət].
⚠ **patron** *n.m.* owner, proprietor ; employer, *(fam.)* boss ; *(Art, Rel.)* patron ; *(Tech.)* pattern, model.
patronat *n.m.* management, employers.
▷ **patronner** *v.* sponsor, support, patronize.
▷ **patrouille** *n.f.* patrol [pə'trəʊl].
patte *n.f.* foot (oiseau) ; leg (animal) ; paw (chat...) ; pl. *(fig.)* clutches, claws.
pâturage *n.m.* pasture ; grazing.
paume *n.f.* palm.
paumé *adj.* *(fam.)* lost, bewildered.
paumé *n.m.* *(fam.)* drop-out.
paupière *n.f.* eyelid.
▷ **pause** *n.f.* pause, break, stop, rest.
pauvre *adj.* poor ; meagre ; scant(y).
▷ **pauvreté** *n.f.* poverty.
pavaner (se —) *v.* strut (about).
pavé *n.m.* paving stone, cobble (stone).
▷ **paver** *v.* pave [peɪv].
⚠ **pavillon** *n.m.* house, bungalow ; *(Naut.)* flag ; lodge (chasse...) ; tent, pavilion.
pavoiser *v.* put out flags ; *(fig.)* exult.
pavot *n.m.* poppy.
▷ **payer** *v.* pay (for) ; reward ; *(fig.)* atone for.
pays *n.m.* country, land ; region, area ; village.
paysage *n.m.* landscape, scenery.
paysagiste *n.* landscape painter ; landscape gardener.
paysan *adj.* & *n.m.* peasant ['peznt].
paysannerie *n.f.* peasantry ['pezntrɪ].
péage *n.m.* toll.
peau *n.f.* skin ; hide (cuir) ; peel, rind (fruits).
peau de chamois *n.f.* chamois leather.
peau de vache *n.f.* *(fig.)* bastard, bitch.
pêche *n.f.* peach (fruit) ; fishing, angling ; catch.
péché *n.m.* sin, transgression.
pécher *v.* *(Rel.)* sin, err, transgress.
pêcher *v.* angle, fish ; *(fig.)* dig up.
pécheur *n.m.* *(Rel.)* sinner.
pêcheur *n.m.* fisherman, angler.
pécule *n.m.* savings, nest egg.
▷ **pécuniaire** *adj.* pecuniary [ˌpɪ'kjuːnɪərɪ].
▷ **pédale** *n.f.* pedal ['pedl].
⚠ **pédant** *adj.* pedantic [pɪ'dæntɪk].
▷ **pédant** *n.m.* pedant ['pednt].
pédantisme *n.m.* pedantry.
pédéraste *n.m.* homosexual, *(fam.)* gay, queer.
▷ **pédestre** *adj.* pedestrian [ˌpɪ'destrɪən].
pédicure *n.* chiropodist.
peigne *n.m.* comb [keʊm].
peigner (se —) *v.* comb one's hair.
peignoir *n.m.* dressing-gown, *(amér.)* bathrobe.
peignoir de bain *n.m.* bathrobe.
peindre *v.* paint ; *(fig.)* portray, depict.
⚠ **peine** *n.f.* pain, grief ; *(Jur.)* penalty, sentence ; trouble, difficulty ; effort, pains.
peine (à —) *adv.* hardly, scarcely, barely.
⚠ **peiner** *v.* pain, grieve ; toil, labour, struggle.
▷ **peintre** *n.* painter.
peinture *n.f.* painting ; paint (matière).
▷ **péjoratif** *adj.* pejorative, derogatory.
pelage *n.m.* fur, hair, coat.
▷ **pêle-mêle** *adv.* pell-mell, higgledy-piggledy.
▷ **peler** *v.* peel, skin.
pèlerin *n.m.* pilgrim.
pèlerinage *n.m.* pilgrimage.
▷ **pélican** *n.m.* pelican ['pelɪkən].
pelle *n.f.* shovel, spade.
pellicule *n.f.* film.
pellicules *n.f.pl.* dandruff, scurf.
pelote *n.f.* ball (laine) ; pin-cushion.
pelote basque *n.f.* *(Sp.)* pelota.
peloton *n.m.* ball (laine) ; group ; *(Mil.)* platoon, squad ; *(Sp.)* pack, bunch.

peloton d'exécution *n.m.* firing squad.
peloton de tête *n.m.* *(Sp. & fig.)* the leaders.
pelotonner (se —) *v.* curl up, snuggle up.
pelouse *n.f.* lawn, green.
peluche *n.f.* plush ; fluff.
pelure *n.f.* peel, skin ; paring (légumes).
▷ **pénal** *adj.* penal ['pi:nl].
pénalisation *n.f.* *(Sp.)* penalty ['penltɪ].
▷ **pénaliser** *v.* penalize ['pi:nlaɪz].
penaud *adj.* crestfallen, sheepish, contrite.
penchant *n.m.* bent, tendency, inclination.
pencher *v.* tilt, tip (up) ; lean (over).
pencher (se —) *v.* lean (over), bend (over).
pendaison *n.f.* hanging.
pendant *adj.* hanging, dangling ; *(Jur.)* pending.
⚠ **pendant** *n.m.* counterpart ; match ; pendant.
pendant *prép.* during ; for.
pendant que *conj.* while, *(lit.)* whilst.
pendre *v.* hang (up), suspend ; *(Jur.)* hang.
pendu *adj.* hanging ; hung ; *(Jur.)* hanged.
pendule *n.f.* clock.
▷ **pendule** *n.m.* pendulum ['pendjʊləm].
▷ **pénétration** *n.f.* penetration ; shrewdness.
⚠ **pénétrer** *v.* penetrate, pierce ; enter ; fathom, see through ; move, affect.
pénible *adj.* laborious, painful ; tedious.
▷ **pénicilline** *n.f.* penicillin [penɪ'sɪlɪn].
▷ **péninsule** *n.f.* peninsula [ˌpɪ'nɪnsjʊlə].
pénitencier *n.m.* penitentiary.
▷ **pénitentiaire** *adj.* penitentiary, prison.
pénombre *n.f.* semi-darkness, half-light.
pense-bête *n.m.* reminder ; *(Ens.)* crib.
⚠ **pensée** *n.f.* thought, thinking ; idea ; mind ; *(Bot.)* pansy ['pænzɪ].
penser *v.* think, reflect ; believe, expect.
penseur *n.m.* thinker.
▷ **pensif** *adj.* thoughtful, pensive.
⚠ **pension** *n.f.* boarding school ; board and lodging ; allowance ; pension ['penʃn].
pension de famille *n.f.* boarding house.
pensionnaire *n.* *(Ens.)* boarder ; lodger.
pente *n.f.* slope ; pitch (toit) ; *(fig.)* bent .
pente (en —) *loc.* sloping, on a slope.
▷ **Pentecôte** *n.f.* Whitsun, Pentecost.
▷ **pénurie** *n.f.* shortage, scarcity, penury ['penjʊrɪ].
pépier *v.* cheep, tweet, chirp, chirrup.
pépin *n.m.* *(Bot.)* pip, stone ; *(fig.)* hitch, snag.
pépinière *n.f.* nursery.
pépiniériste *n.m.* nurseryman.
pépite *n.f.* nugget.
perçant *adj.* piercing, shrill ; *(fig.)* sharp, acute.
percée *n.f.* opening, breach ; *(fig.)* breakthrough.
perce-neige *n.f.* snowdrop.
percepteur *n.m.* tax collector.
⚠ **perceptible** *adj.* perceptible ; payable (impôt).
▷ **perceptif** *adj.* perceptive [pə'septɪv].
⚠ **perception** *n.f.* perception ; collection (impôt).
⚠ **percer** *v.* pierce, bore, drill ; see through ; show, transpire ; cut (dent).
perceuse *n.f.* *(Tech.)* drill.
⚠ **percevoir** *v.* perceive ; collect (impôt).
⚠ **perche** *n.f.* perch ; *(Sp.)* pole ; *(Zool.)* perch.
▷ **percher** *v.* perch ; roost (volaille).
perchoir *n.m.* roost ; (aussi *fig.*) perch.
perclus *adj.* paralysed, crippled (with).
▷ **percussion** *n.f.* percussion.
percutant *adj.* percussive ; *(fig.)* forceful.
percuter *v.* strike ; collide with.
perdant *adj.* losing.
perdant *n.m.* loser.
▷ **perdition** *n.f.* perdition ; vice, immorality.
⚠ **perdition (en —)** *loc.* *(Naut.)* in distress.
perdre *v.* lose ; ruin ; waste (temps).
perdre (se —) *v.* get lost ; die out (tradition).
perdreau *n.m.* young partridge.

perdrix *n.f.* partridge.
père *n.m.* father; senior; *(Zool.)* sire.
▷ **péremptoire** *adj.* peremptory [pə'remptrɪ].
▷ **perfection** *n.f.* perfection.
perfectionner *v.* perfect [pə'fekt].
perfide *adj.* treacherous, false, perfidious.
▷ **perfidie** *n.f.* treachery, perfidy.
perforer *v.* pierce; punch (ordinateur).
▷ **perfusion** *n.f.* *(Méd.)* perfusion, drip.
péricliter *v.* collapse, go downhill.
▷ **péril** *n.m.* danger, hazard, risk, peril.
▷ **périlleux** *adj.* dangerous, hazardous, perilous.
périmé *adj.* expired, no longer valid.
▷ **période** *n.f.* period, time, era, spell.
▷ **périodique** *adj.* periodic(al).
⚠ **périodique** *n.m.* periodical.
péripétie *n.f.* episode; *(pl.)* vicissitudes.
▷ **périphérie** *n.f.* outskirts; periphery.
périphérique (boulevard —) *n.m.* ring road, *(amér.)* circular route.
périr *v.* perish, die; *(Naut.)* be wrecked.
▷ **péritonite** *n.f.* peritonitis [ˌperɪtə'naɪtɪs].
⚠ **perle** *n.f.* pearl; bead; *(fig.)* gem, treasure.
⚠ **permanent** *adj.* permanent; *(Ciné.)* continuous.
permanente *n.f.* permanent wave, *(fam.)* perm.
▷ **permettre** *v.* allow, permit, let; enable.
⚠ **permettre (se —)** *v.* indulge in, afford.
permis *n.m.* permit, licence.
⚠ **permission** *n.f.* permission; leave (congé).
▷ **permuter** *v.* exchange, switch, permute.
▷ **pernicieux** *adj.* harmful, pernicious.
péroraison *n.f.* peroration.
pérorer *v.* speechify, hold forth.
▷ **perpendiculaire** *adj.* & *n.f.* perpendicular.
▷ **perpétrer** *v.* commit, perpetrate.
▷ **perpétuer** *v.* perpetuate.
perpétuité (à —) *loc.* *(Jur.)* for life.
perplexe *adj.* puzzled, confused, perplexed.
▷ **perplexité** *n.f.* perplexity, confusion.
perquisition *n.f.* search.
perquisitionner *v.* search, make a search.
perroquet *n.m.* parrot.
perruche *n.f.* budgerigar, *(fam.)* budgie.
perruque *n.f.* wig.
▷ **persécuter** *v.* persecute ['pɜːsɪkjuːt].
▷ **persévérer** *v.* persevere [ˌpɜːsɪ'vɪə].
persienne *n.f.* venetian shutter.
persiflage *n.m.* mockery, banter, chaff(ing).
persifler *v.* mock, banter, chaff.
persil *n.m.* parsley.
▷ **persistance** *n.f.* persistence.
▷ **persister** *v.* persist.
⚠ **personnage** *n.m.* individual, person; personage (important); *(Lit.)* character.
▷ **personnalité** *n.f.* personality, character.
▷ **personne** *n;f.* person, individual; self.
⚠ **personne** *pr.* anyone; no one, nobody.
⚠ **personnel** *adj.* personal; self-centred.
▷ **personnel** *n.m.* staff, personnel.
▷ **personnifier** *v.* embody, personify.
⚠ **perspective** *n.f.* prospect; *(Art)* perspective.
perspicace *adj.* shrewd, perspicacious.
▷ **perspicacité** *n.f.* insight, perspicacity.
▷ **persuader** *v.* persuade, convince.
▷ **persuasif** *adj.* persuasive, convincing.
▷ **persuasion** *n.f.* persuasion, conviction.
perte *n.f.* loss; waste (temps); ruin.
pertinent *adj.* pertinent, relevant.
▷ **perturber** *v.* perturb, disturb.
pervenche *n.f.* *(Bot.)* periwinkle.
▷ **pervers** *adj.* depraved, perverted, perverse.
▷ **perversion** *n.f.* perversion, depravation.
pesage *n.m.* weighing; weigh-in; enclosure.
pesant *adj.* heavy; ponderous (ton); slow, sluggish (esprit).
pesanteur *n.f.* weight; ponderousness; *(Sc.)* gravity.
peser *v.* weigh; weigh up, evaluate;

hang heavy; weigh down; carry weight.
⚠ **pessimiste** *adj.* pessimistic [ˌpesɪ'mɪstɪk].
▷ **pessimiste** *n.m.* pessimist ['pesɪmɪst].
⚠ **peste** *n.f.* *(Méd.)* plague; *(fig.)* bore, nuisance, plague, pest.
pester *v.* curse.
▷ **pestilence** *n.f.* pestilence ['pes tɪləns].
▷ **pétale** *n.m.* petal ['petl].
pétarade *n.f.* *(Aut.)* backfire.
pétard *n.m.* cracker; *(fig.)* din, racket.
pétiller *v.* sparkle; crackle (feu).
⚠ **petit** *adj.* little, small; minor; *(fig.)* mean, small-minded, low, petty (comportement).
petit *n.m.* young one; pup, kitten.
petit à petit *adv.* little by little, gradually.
petit-enfant *n.m.* grandchild.
petite-fille *n.f.* granddaughter.
petit-fils *n.m.* grandson.
▷ **pétition** *n.f.* petition [pɪ'tɪʃn].
petit-lait *n.m.* whey.
▷ **pétrifier** *v.* paralyze, petrify ['petrɪfaɪ].
pétrin *n.m.* kneading-trough; *(fig.)* mess, scrape.
pétrir *v.* knead; *(fig.)* mould, form, shape.
⚠ **pétrole** *n.m.* oil, petroleum; paraffin.
pétrolier *n.m.* (oil-)tanker; oilman.
⚠ **pétulant** *adj.* lively, exuberant, vivacious.
▷ **pétunia** *n.m.* petunia [pɪ'tju:nɪə].
peu *adv.* little, not much; few, not many; not very, slightly.
peu *n.m.* little, bit.
peuplade *n.f.* tribe, clan, people.
⚠ **peuple** *n.m.* nation, people; lower classes.
peuplé *adj.* (heavily) populated.
peupler *v.* populate, people; stock; fill.
peuplier *n.m.* poplar (tree).
peur *n.f.* fear, dread, scare, fright.
peur (avoir —) *loc.* be frightened (ou scared).
peur (de — que) *loc.* for fear (that), in case.
peur (faire — à) *loc.* frighten, scare.
⚠ **peureux** *adj.* timid, timorous.
peut-être *adv.* maybe, perhaps, possibly.
phare *n.m.* lighthouse; beacon; *(Aut.)* headlight, headlamp.
▷ **pharmaceutique** *adj.* pharmaceutic(al).
⚠ **pharmacie** *n.f.* chemist's (shop); medicine chest (meuble); pharmacology, pharmacy.
pharmacien *n.m.* chemist, pharmacist.
▷ **phase** *n.f.* phase [feɪz].
⚠ **phénix** *n.m.* *(Myth.)* phoenix; *(fig.)* paragon.
▷ **phénomène** *n.m.* phenomenon [fɪ'nɒmɪnən].
philanthrope *n.m.* philanthropist [fɪ'lænθrəpɪst].
▷ **philatélie** *n.f.* stamp collecting, philately.
philosophe *n.m.* philosopher.
philosopher *v.* philosophize.
▷ **philosophie** *n.f.* philosophy.
▷ **phobie** *n.f.* dread, phobia.
▷ **phonétique** *adj.* phonetic [fə 'netiɪk].
⚠ **phonétique** *n.f.* phonetics.
phoque *n.m.* *(Zool.)* seal.
▷ **phosphate** *n.m.* phosphate ['fɒsfeit].
phosphore *n.m.* phosphorus ['fɒsfrəs].
▷ **phosphorescent** *adj.* phosphorescent.
▷ **photo** *n.f.* photo, snap, (snap) shot.
▷ **photocopie** *n.f.* photostat, photocopy.
▷ **photogénique** *adj.* photogenic.
⚠ **photographe** *n.* photographer [fə'tɒgrəfə].
⚠ **photographie** *n.f.* photograph; photography [fə'tɒgrəfɪ].
▷ **photographier** *v.* photograph, *(fam.)* snap.
▷ **photographique** *adj.* photographic [ˌfəʊtə'græfɪk].
⚠ **photographique (appareil —)** *n.m.* camera.
⚠ **phrase** *n.f.* *(Gram.)* sentence; *(Mus.)* phrase.
⚠ **physicien** *n.m.* physicist ['fɪzɪsɪst].
▷ **physiothérapie** *n.f.* physiotherapy.
physique *adj.* physical.
⚠ **physique** *n.f.* physics.
▷ **physique** *n.m.* physique, looks.
piaffer *v.* stamp (the ground); *(fig.)* fidget.
piailler *v.* cheep, squawk, screech.
▷ **pianiste** *n.* pianist.
▷ **piano** *n.m* piano.
piano à queue *n.m.* grand piano.
piauler *v.* cheep; *(fig.)* whine,

whimper.
pic *n.m.* peak (montagne) ; pick (outil) ; *(Zool.)* woodpecker.
pic (à —) *loc.* vertically, sheer ; at the right time.
picorer *v.* peck (at).
picoter *v.* tingle ; smart ; make tingle, smart.
pie *adj.* piebald ['paɪbɔːld].
pie *n.f. (Zool.)* magpie.
⚠ **pièce** *n.f.* piece ; *(Tech.)* part, component ; room ; patch ; coin (monnaie) ; *(Th.)* play.
pied *n.m.* foot ; hoof (animal) ; *(Phot.)* tripod ; leg (table) ; stem (verre) ; *(fig.)* footing.
pied (perdre —) *loc.* (aussi *fig.*) get out of one's depth.
▷ **piédestal** *n.m.* pedestal ['pedɪstl].
piège *n.m.* snare, trap.
piéger *v.* trap, set a (booby) trap for.
pierraille *n.f.* rubble ; scree (éboulis).
pierre *n.f.* stone.
pierre d'achoppement *n.f.* stumbling block.
pierre de taille *n.f.* freestone.
pierre de touche *n.f.* touchstone.
pierreries *n.f.pl.* precious stones, gems.
pierreux *adj.* stony.
piétaille *n.f. (Mil., péj. & fig.)* rank and file.
▷ **piété** *n.f.* piety ['paɪətɪ].
piétiner *v.* stamp, tread, trample.
piéton *adj. & n.m.* pedestrian.
piètre *adj.* mediocre, paltry, pitiful, poor.
pieu *n.m.* post, stake.
pieuvre *n.f.* octopus.
▷ **pieux** *adj.* devout, reverent, pious ['paɪəs].
⚠ **pigeon** *n.m.* pigeon ; *(fig.)* mug, soft mark.
piger *v. (fam.)* twig, dig.
pignon *n.m (Arch.)* gable (end) ; *(Tech.)* cogwheel, gearwheel ; *(Bot.)* kernel (pin).
⚠ **pile** *n.f.* pile, heap ; *(Elec.)* battery ; tail (pièce) ; *(Tech.)* pier, pile ; *(fam.)* bashing.
▷ **pile atomique** *n.f.* atomic pile.
piler *v.* pound ; *(fig.)* thrash, lick.
pilier *n.m. (Arch.)* column, pillar ; *(Sp. & fig.)* prop.
▷ **pillage** *n.m.* plunder, pillage.
piller *v.* plunder, pillage ; *(fig.)* fleece.
pilon *n.m.* pestle ; drumstick (poulet).
pilonner *v.* pound, crush.
▷ **pilori** *n.m.* pillory.
▷ **pilote** *n.m.* pilot ['paɪlət].
▷ **piloter** *v.* pilot, drive ; *(fig.)* guide.
pilotis *n.m.* pile.
pilule *n.f.* pill.
pimbêche *adj. (péj.)* uppish, stuck-up.
▷ **piment** *n.m.* pepper, pimento [pɪ'mentəʊ].
pimenté *adj. (Cuis.)* hot, (aussi *fig.*) spicy.
pimpant *adj.* smart, spruce.
⚠ **pin** *n.m.* pine, pinetree ; pine (wood).
▷ **pinacle** *n.m.* pinnacle ['pɪnəkl].
pince *n.f. (Tech.)* pliers, pincers ; *(Méd.)* forceps ; tongs ; clip ; crowbar ; *(Zool.)* claw, pincer.
pincé *adj.* prim, starchy, stiff.
pinceau *n.m.* (paint) brush.
▷ **pincée** *n.f.* pinch.
⚠ **pincer** *v.* pinch, nip ; grip ; *(Mus.)* pluck ; bite (froid) ; *(fig.)* catch, *(fam.)* cop, nick.
pincettes *n.f.pl.* tongs ; tweezers.
pinède *n.f.* pinewood.
▷ **pingouin** *n.m.* penguin, auk.
pingre *adj.* stingy, close-fisted.
pinson *n.m.* chaffinch.
pintade *n.f.* guinea-fowl.
pioche *n.f.* pick (axe) ; mattock.
piocher *v.* dig ; *(Ens.)* swot, cram, slog.
piolet *n.m.* ice axe.
pion *n.m.* pawn (échecs & *fig.*) ; piece (dames).
▷ **pionnier** *n.m.* pioneer [ˌpaɪə'nɪə].
▷ **pipe** *n.f.* pipe [pɑɪp].
piquant *adj.* prickly ; *(Cuis.)* hot, spicy ; *(fig.)* pungent, biting ; spicy, racy (style).
piquant *n.m.* prickle ; thorn (plante) ; quill (hérisson) ; pungency, raciness (style).
pique *n.f. (Mil.)* pike ; cutting remark.
pique-assiette *n.m.* sponger, scrounger.
▷ **pique-nique** *n.m.* picnic ['pɪknɪk].
⚠ **piquer** *v.* prick ; sting, bite (insecte...) ; jab ; *(Méd.)* inject ; stitch, sew ; *(fig.)* nettle, vex ; *(fam.)* pinch, nick ; nab.
piquer (se — de) *v.* pride onseself on.
⚠ **piquet** *n.m.* stake, peg ; *(Mil.)* picket.
piqûre *n.f.* prick ; sting, bite ; stitch (ing) ; *(Méd.)* injection, *(fam.)* jab,

shot.
▷ **pirate** *n.m.* pirate ['paɪrət].
piraterie *n.f.* piracy ['paɪrəsɪ].
pire *adj. & n.m.* worse, (the) worst.
▷ **pirouette** *n.f.* pirouette.
pis *adv. & n.m.* worse, (the) worst.
piscine *n.f.* swimming pool.
pissenlit *n.m.* dandelion ['dændɪlaɪən].
▷ **pisser** *v. (vulg.)* piss.
piste *n.f.* track ; airstrip (avion).
pistolet *n.m.* pistol ; *(Tech.)* spray gun.
⚠ **piston** *n.m. (Tech.)* piston ; *(fig. & fam.)* string-pulling.
▷ **pitance** *n.f.* pittance ['pɪtns].
▷ **piteux** *adj.* pitiful, piteous.
▷ **pitié** *n.f.* pity, compassion, mercy.
piton *n.m. (Sp.)* peg, piton ; *(Géol.)* peak.
pitoyable *adj.* pitiful, piteous.
▷ **pittoresque** *adj. & n.m.* (the) picturesque.
pivert, picvert *n.m.* woodpecker.
pivoine *n.f. (Bot.)* peony ['pɪ:ənɪ].
▷ **pivot** *n.m.* swivel, (aussi *fig.*) pivot ['pɪvət].
▷ **pivoter** *v.* swivel, (aussi *fig.*) pivot ['pɪvət].
placard *n.m* cupboard.
▷ **placarder** *v.* stick up, placard ['plækɑ:d].
⚠ **place** *n.f.* place ; room ; seat ; square ; post, situation, job ; *(Comm.)* market.
place (à la —) *loc.* in place (of), instead.
place (faire —) *loc.* make way (for).
place (sur —) *loc.* on the spot.
placement *n.m. (Fin.)* investment ; employment.
⚠ **placer** *v.* place, put, set, stand ; place, employ ; *(Fin.)* invest ; *(Comm.)* sell, place.
⚠ **placer (se —)** *v.* place oneself ; take place ; find a job ; *(Sp.)* be placed.
▷ **placide** *adj.* calm, placid.
plafond *n.m.* ceiling.
plafonner *v. (fig.)* reach one's ceiling, one's maximum ; *(Aut.)* reach top speed.
plage *n.f.* beach ; seaside resort ; zone ; band (de disque).
⚠ **plaider** *v.* (aussi *Jur.*) plead ; go to court.
plaidoirie *n.f.* speech for the defence.
plaidoyer *n.m.* plea, defence ; *(Jur.)* speech for the defence.
plaie *n.f.* wound ; sore ; *(fig.)* nuisance, pest, scourge, plague.
plaignant *n.m. (Jur.)* plaintiff.
plaindre *v.* pity, feel sorry for.
plaindre (se —) *v.* complain, grumble.
▷ **plaine** *n.f.* plain.
plain-pied (de —) *loc.* on the same level, on a level (with).
plainte *n.f.* complaint ; moan, wail.
⚠ **plaintif** *adj.* mournful, doleful, plaintive.
plaire *v.* please ; be pleasant ; suit.
plaire (se — à) *v.* like, enjoy ; delight in.
plaisanter *v.* joke, make fun (of), tease.
plaisanterie *n.f.* joke, mockery ; trifle.
▷ **plaisir** *n.m.* pleasure ; entertainment.
plaisir (faire —) *loc.* please ; be nice (to).
⚠ **plan** *n.m.* plan, project ; *(fig.)* plane.
planche *n.f.* plank, board ; *(Phot.)* plate.
plancher *n.m.* floor.
plancher *v. (Ens. fam.)* spout.
⚠ **planer** *v.* soar ; glide ; hover.
▷ **planète** *n.f.* planet ['plænɪt].
⚠ **planeur** *n.m.* glider.
planification *n.f. (Comm.)* planning.
planifier *v.* plan.
plante *n.f. (Bot.)* plant.
plante des pieds *n.f. (Anat.)* sole.
⚠ **planter** *v.* plant ; hammer in (clou) ; put up (tente...) ; *(fam. & fig.)* dump, drop.
plantureux *adj.* fertile ; copious (repas) ; buxom (femme).
⚠ **plaque** *n.f.* plate, sheet, slab ; badge, plaque [plæk].
plaque d'identité *n.f.* identity disc.
plaquer *v. (Tech.)* plate (métal) ; veneer (bois) ; *(Sp.)* tackle ; *(fam.)* jilt, chuck (up).
▷ **plastique** *adj. & n.m.* plastic.
plastronner *v.* swagger, strut.
plat *adj.* flat, level ; smooth ; *(fig.)* flat, dull.
plat *n.m. (Géog.)* flat ; *(Cuis.)* dish, course.
platane *n.m. (Bot.)* plane (tree).
⚠ **plateau** *n.m.* tray ; *(Géog.)* plateau.
plate-bande *n.f.* flower bed.
▷ **plate-forme** *n.f.* platform.

platine *n.m.* platinum.
platine *n.f. (Tech.)* plate ; turntable.
platitude *n.f.* platitude ['plætɪtju:d].
plâtre *n.m.* plaster.
plâtrer *v.* plaster.
▷ **plausible** *adj.* plausible ['plɔ:zɪbl].
▷ **plébéien** *adj.* & *n.m.* plebeian [plɪ'bɪ:ən].
▷ **plébiscite** *n.m.* plebiscite ['plebɪsɪt].
plein *adj.* full ; whole, complete ; solid.
plein (en — air) *loc.* in the open air.
plein (faire le —) *loc. (Aut.)* fill up.
plénier *adj.* plenary ['pli:nərɪ].
▷ **plénitude** *n.f.* fullness, plenitude.
pleurer *v.* cry, weep ; mourn (for), lament.
▷ **pleurésie** *n.f.* *(Méd.)* pleurisy ['plurɪsɪ].
pleurnicher *v.* snivel, whimper, whine.
pleuvoir *v.* rain.
pleuvoir à verse *loc.* pour, teem (down).
pli *n.m.* fold ; pleat ; bend ; envelope.
pli (faux —) *n.m.* crease, wrinkle.
plier *v.* fold ; bend.
plier (se —) *v.* fold (up) ; bend ; *(fig.)* submit (to).
⚠ **plinthe** *n.m.* skirting (board) ; *(Arch.)* plinth.
plisser *v.* pleat (jupe) ; crease (front) ; screw up (yeux) ; pucker (lèvres).
⚠ **plomb** *n.m.* lead (matière) ; shot (fusil) ; *(Elec.)* fuse ; sinker (pêche) ; *(Tech.)* plumb (line).
plomb (à —) *loc.* vertically, straight down.
plombage *n.m.* filling (dent).
⚠ **plomber** *v.* seal ; fill (dent) ; plumb (mur).
plomberie *n.f.* plumbing ; plumber's shop.
plombier *n.m.* plumber ['plʌmə].
plongée *n.f.* dive, diving.
plongeoir *n.m.* diving-board.
plongeon *n.m.* dive.
plonger *v.* dive ; (aussi *fig.*) plunge.
ployer *v.* bend, sag.
pluie *n.f.* rain ; *(fig.)* shower.
▷ **plumage** *n.m.* feathers, plumage ['plu:mɪdʒ].
⚠ **plume** *n.f.* feather ; pen ; nib.
plumeau *n.m.* feather duster.
plumer *v.* pluck (volaille) ; *(fig.)* fleece.
plumet *n.m.* plume.
plupart (la —) *n.f.* most ; the majority.
plus *adv.* more ; (the) most ; moreover.
plus (ne —) *adv.* no more ; no longer.
▷ **plus** *conj.* plus [plʌs], and.
▷ **plus** *n.m. (Math.)* plus.
plusieurs *adj.* & *pr.* several.
▷ **plutonium** *n.m.* plutonium.
plutôt *adv.* rather, sooner ; rather, quite.
pluvieux *adj.* rainy, wet.
pneu *n.m. (Aut.)* tyre, *(amér.)* tire.
▷ **pneumatique** *adj.* pneumatic [njʊ:'mætɪk].
▷ **pneumonie** *n.f.* pneumonia [njʊ:'məʊnɪə].
poche *n.f.* pocket ; bag ; pouch.
poche (livre de —) *n.m.* paperback.
⚠ **pocher** *v.* *(Cuis.)* poach ; bag (pantalon).
poêle *n.f.* frying pan.
poêle *n.m.* stove.
▷ **poème** *n.m.* poem.
poésie *n.f.* poetry.
▷ **poète** *n.m.* poet.
▷ **poétique** *adj.* poetic(al).
poids *n.m.* weight ; importance, weight.
▷ **poignant** *adj.* harrowing, poignant ['pɔɪnənt].
poignard *n.m.* dagger.
poignarder *v.* stab, knife.
poigne *n.f.* grip ; *(fig.)* authority.
poignée *n.f.* handful ; handle ; handshake.
poignet *n.m.* wrist.
poil *n.m.* hair.
poilu *adj.* hairy, shaggy.
poing *n.m.* fist.
⚠ **point** *n.m.* point, spot, place ; dot ; stitch.
point (à —) *loc.* medium (viande) ; in the nick of time.
point (au —) *loc.* *(Phot.)* in focus ; perfected.
point (faire le —) *loc.* *(fig.)* sum up the problem.
point (au — mort) *loc.* *(Aut.)* (in) neutral ; *(fig.)* at a standstill.
⚠ **pointe** *n.f.* point ; tip ; *(Sp.)* spike ; nail, tack ; *(Cuis.)* dash ; *(fig.)* forefront.
⚠ **pointer** *v.* point, aim ; sharpen ; *(Ind.)* clock in.
⚠ **pointer (se —)** *v.* *(fam.)* show up, turn up.
pointillé *n.m.* dotted line.
pointilleux *adj.* pernickety, cavil-

ling.

⚠ **pointu** *adj.* sharp, pointed; peevish (air).

pointure *n.f.* size.

⚠ **poire** *n.f.* *(Bot.)* pear; *(fig.)* mug; sucker.

poireau *n.m.* *(Bot.)* leek.

poireauter *v.* kick one's heels.

pois *n.m.* *(Bot.)* pea; polka dot (sur une robe...).

▷ **poison** *n.m.* poison ['pɔɪzn].

poisse *n.f.* hard luck, rotten luck.

poisseux *adj.* sticky.

poisson *n.m.* fish.

poisson d'avril *n.m.* April fool.

poissonnerie *n.f.* fish-shop.

poissonnier *n.m.* fishmonger.

poissonnière *n.f.* fishwife; fish-kettle.

poitrine *n.f.* chest; breast.

poivre *n.m.* pepper.

▷ **polaire** *adj.* polar ['pəʊlə].

▷ **polariser** *v.* polarize ['pəʊləraɪz].

▷ **pôle** *n.m.* *(Géog.)* pole.

▷ **polémique** *adj.* controversial, polemic(al).

▷ **polémique** *n.f.* controversy, polemic.

poli *adj.* polished; smooth; glossy; polite.

⚠ **police** *n.f.* police; policy (d'assurance).

▷ **policier** *adj.* police, detective.

policier *n.m.* policeman, *(fam.)* cop.

policier (roman —) *n.m.* detective story.

polir *v.* polish.

polissage *n.m.* polishing.

polisson *adj.* naughty; saucy, loose.

polisson *n.m.* rascal, scamp.

politesse *n.f.* politeness, courtesy.

▷ **politicien** *n.m.* politician [,pɒlɪ'tɪʃn].

⚠ **politique** *adj.* *(Polit.)* political; *(fig.)* politic, prudent.

⚠ **politique** *n.f.* *(Polit.)* politics; *(fig.)* policy.

▷ **polluer** *v.* pollute [pə'lu:t].

▷ **pollution** *n.f.* pollution [pə'lu:ʃn].

poltron *adj.* cowardly, craven.

poltron *n.m.* coward.

poltronnerie *n.f.* cowardice.

polycopier *v.* duplicate.

⚠ **pommade** *n.f.* *(Méd.)* ointment; pomade, cream.

pomme *n.f.* *(Bot.)* apple; knob; heart (chou...).

pomme à couteau *n.f.* eating apple.

pomme à cuire *n.f.* cooking apple.

pomme de pin *n.f.* pine cone.

pomme de terre *n.f* potato.

pomme frite *n.f.* chip, French fry.

pommeau *n.m.* pommel (selle, épée...); knob.

pommelé *adj.* mottled, dappled.

pommette *n.f.* *(Anat.)* cheekbone.

pommier *n.m.* apple tree.

⚠ **pompe** *n.f.* *(Tech.)* pump; ceremony, pomp.

pompe (à toute —) *loc.* at top speed.

▷ **pomper** *v.* pump.

⚠ **pompeux** *adj.* stately; *(péj.)* pompous.

pompier *n.m.* fireman.

pompiste *n.m.* pump-attendant.

pomponner *v.* dress up, *(fam.)* doll up.

⚠ **ponce (pierre —)** *n.f.* pumice (stone).

poncer *v.* rub down, sand down.

▷ **ponctuel** *adj.* punctual ['pʌŋktʃʊəl].

pondéré *adj.* poised, level-headed.

pondre *v.* lay (eggs).

pont *n.m.* bridge; *(Naut.)* deck.

pont aérien *n.m.* airlift.

pont (faire le —) *loc.* have a long week-end.

ponte *n.f.* laying of eggs.

ponte *n.m.* *(fam.)* V.I.P.; big shot.

▷ **pontife** *n.m.* pontiff ['pɒntɪf].

pontifier *v.* pontificate, lay down the law.

▷ **popeline** *n.f.* poplin ['pɒplɪn].

▷ **populace** *n.f.* rabble, mob, populace.

⚠ **populaire** *adj.* popular; common; working-class.

▷ **popularité** *n.f.* popularity.

▷ **population** *n.f.* population.

⚠ **porc** *n.m.* *(Cuis.)* pork; *(Zool.)* pig; *(fig.)* swine.

▷ **porcelaine** *n.f.* porcelain, china (ware).

▷ **porche** *n.f.* porch.

▷ **pore** *n.m.* pore.

▷ **poreux** *adj.* porous.

porno *n.m.* pornography, *(fam.)* porn.

▷ **pornographique** *adj.* pornographic.

⚠ **port** *n.m.* port; harbour; *(fig.)* haven.

⚠ **port** *n.m.* wearing; carrying; carriage.

▷ **portail** *n.m.* main gate, *(lit.)* portal.

portatif *adj.* portable.

porte *n.f.* door (way); gate (way).

porte-avions *n.m.* aircraft carrier.

porte-bagages *n.m.* (luggage) rack.
porte-bonheur *n.m.* lucky charm.
porte-clefs *n.m.* key ring.
portée *n.f.* brood; litter; range; reach; scope; impact, importance; *(Mus.)* stave.
⚠ **porte manteau** *n.m.* coat hanger.
porte-monnaie *n.m.* purse.
porte-parole *n.m.* spokesman; *(péj.)* mouthpiece.
porter *v.* carry; bring, take; wear; *(fig.)* bear; feel (sentiments); induce.
porter (se —) *v.* be (well, ill...).
porte-serviette *n.m.* towel rail.
⚠ **porteur** *n.m.* *(Rail)* porter; bearer (chèque); *(Méd.)* carrier; *(Fin.)* shareholder.
porte-voix *n.m.* megaphone.
portier *n.m.* porter, doorman.
portière *n.f.* *(Aut.)* door.
▷ **portion** *n.f.* portion, part, share.
porto *n.m.* port (wine).
▷ **portrait** *n.m.* portrait ['pɔːtrɪt].
⚠ **pose** *n.f.* pose, posture; installation, fitting; *(Phot.)* (time) exposure.
posé *adj.* steady, level-headed, poised.
⚠ **poser** *v.* put, place; lay; set; stand; ask (question); establish (principe); *(Art)* pose, sit; *(fig. & péj.)* pose, put on airs.
⚠ **poser (se —)** *v.* perch (oiseau); land (avion); *(péj.)* pose, claim; arise (question).
▷ **poseur** *n.m.* show-off, prig, poseur.
▷ **positif** *adj.* positive; constructive.
▷ **position** *n.f.* position; situation.
possédé *n.m.* madman.
posséder *v.* have, own, possess; know, have (connaissances); *(fam.)* take in, deceive.
posséder (se faire —) *loc.* be had, be taken in.
▷ **possessif** *adj* possessive.
▷ **possession** *n.f.* possession.
▷ **possibilité** *n.f.* • possibility; chance.
▷ **possible** *adj.* possible.
possible (faire son —) *loc.* do one's best.
▷ **postal** *adj.* postal ['pəʊstl].
⚠ **poste** *n.m.* post; station (police); *(Radio, T.V.)* set; post; appointment, job; *(Fin.)* item.
▷ **poste** *n.f.* post, mail; post(office).
▷ **poster** *v.* post; *(Mil.)* station, post.
▷ **postérieur** *adj. & n.m.* posterior.
postérieurement *adv.* later, subsequently.
▷ **postérité** *n.f.* posterity.
posthume *adj.* posthumous ['pɒstjʊməs].
postuler *v.* apply for, sollicit.
⚠ **posture** *n.f.* posture; position.
⚠ **pot** *n.m.* jar; jug; pot; *(fam.)* jar (bière); *(fam.)* (good) luck.
potable *adj.* drinkable; *(fig.)* decent.
potable (eau —) *n.f.* drinking water.
potache *n.m.* *(fam.)* schoolkid.
potage *n.m.* soup.
potager *n.m.* kitchen garden.
▷ **potasse** *n.f.* potash.
potasser *v.* *(fam.)* swot (up), cram (for).
▷ **potassium** *n.m.* potassium.
pot-de-vin *n.m.* backhander, bribe.
pote *n.m* *(fam.)* mate, *(amér.)* buddy.
poteau *n.m.* post, stake.
potelé *adj.* chubby, plump.
potence *n.f.* gallows.
▷ **potentiel** *adj. & n.m.* potential.
▷ **poterie** *n.f.* (piece of) pottery, earthenware.
▷ **potier** *n.m.* potter.
potin *n.m.* *(fam.)* racket, din; fuss.
potins *n.m.pl.* gossip, scandal-mongering.
potiron *n.m.* pumpkin.
pou *n.m.* louse.
poubelle *n.f.* dustbin, *(amér.)* garbage can.
pouce *n.m.* *(Anat.)* thumb; big toe; inch (mesure).
pouce (manger sur le —) *loc.* have a quick snack.
poudre *n.f.* powder.
poudrer *v.* powder.
poudreuse *n.f.* powder snow; dressing table.
▷ **poudreux** *adj.* powdery, dusty.
▷ **pouf** *n.m.* pouf, pouffe.
pouffer de rire *loc.* chuckle, snigger.
pouilleux *adj.* lousy; *(fig.)* seedy, squalid.
poulailler *n.m.* hen-house; *(Th.)* the gods.
poulain *n.m.* foal, poulain; *(fig.)* protégé.
poule *n.f.* *(Zool.)* hen; *(Cuis.)* fowl.
poule mouillée *n.f.* *(fig.)* coward, *(fam.)* softy.
poulet *n.m.* *(Zool.)* chicken; *(fam.)* cop (police).

pouliche *n.f.* filly.
▷ **poulie** *n.f.* pulley, block.
poulpe *n.f.* octopus.
pouls *n.m.* pulse.
poumon *n.m.* lung.
▷ **poupe** *n.f.* stern, poop.
poupée *n.f.* doll, dolly.
pouponnière *n.f.* day nursery, crèche.
pour *prép.* for ; as for, as regards ; in favour of ; in order (to), so as (to).
pour que *conj.* so that, in order that.
pour (le — et le contre) *loc.* the pros and cons, arguments for and against.
pourboire *n.m.* tip.
▷ **pourcentage** *n.m.* percentage [pə'sentɪdʒ].
⚠ **pourchasser** *v.* hunt down ; *(fig.)* hound.
pourlécher (se —) *v.* lick one's lips.
pourparlers *n.m.pl.* talks, negotiations.
pourpre *adj.* crimson, scarlet, purple.
pourpre *n.f.* purple.
pourquoi *adv. & conj.* why.
pourri *adj.* (aussi *fig.*) rotten ; *(fig.)* lousy.
pourri *v.* rot, go rotten, go bad ; *(fig.)* corrupt.
pourriture *n.f.* rot ; *(fig.)* rottenness, corruption.
⚠ **poursuite** *n.f.* pursuit ; *(Jur.)* legal action.
poursuivre *v.* pursue ; chase ; seek ; *(Jur.)* prosecute, sue ; pursue ; carry on, continue.
poursuivre (se —) *v.* continue, go on.
pourtant *adv.* however, still, (and) yet.
pourtour *n.m.* perimeter ; circumference.
pourvoir *v.* provide (with), supply (with) ; provide (for), cater (for).
pourvu que *conj.* provided (that), so long as.
pousse *n.f.* *(Bot.)* shoot ; growth, sprouting.
poussé *adj.* advanced (études, technique...).
poussée *n.f.* shove ; shoving ; push(ing) ; *(Tech.)* thrust ; *(fig.)* pressure.
pousser *v.* push, shove, thrust ; urge on, egg on, drive on ; utter (un cri) ; grow, shoot.
poussette *n.f.* pushchair.
poussière *n.f.* dust.
poussif *adj.* wheezy, short-winded.
poussin *n.m.* chick ; *(fam.)* pet.
poutre *n.f.* beam ; girder (en métal).
pouvoir *n.m.* power ; command, government.
pouvoir *v.* can, be able to ; may.
prairie *n.f.* meadow ; *(U.S.)* prairie.
praline *n.f.* sugared almond ['ɑːmənd].
⚠ **praticable** *adj.* feasible, practicable ; passable (route).
praticien *n.m.* practitioner.
pratique *adj.* practical ; convenient.
pratique *n.f.* practice ; experience ; habit.
pratiquer *v.* practise ; carry out ; make.
pratiquer (se —) *v.* be current, prevail.
pré *n.m.* meadow.
préalable *adj.* previous ; preliminary.
▷ **préambule** *n.m.* preamble ; *(fig.)* prelude.
préavis *n.m.* notice.
précaire *adj.* precarious, uncertain ; shaky.
▷ **précaution** *n.f.* precaution ; caution, care.
précédent *adj.* previous, former, preceding.
▷ **précédent** *n.m.* precedent ['presɪdənt].
précédent (sans —) *loc.* unprecedented.
▷ **précéder** *v.* precede ; get ahead of.
▷ **prêcher** *v.* preach.
▷ **précieux** *adj.* precious, valuable ; affected (style).
▷ **précipice** *n.m.* chasm, drop, precipice ; abyss.
précipiter *v.* hurl ; hurry, hasten, speed up.
précipiter (se —) *v.* rush, hurry, hasten.
précis *adj.* accurate, precise, exact.
préciser *v.* make clear, be more specific.
préciser (se —) *v.* become clear ; take shape.
⚠ **précisions** *n.f.pl.* further details.
précoce *adj.* early ; precocious ; premature ['premətʃə].
préconçu *adj.* preconceived.
préconiser *v.* advocate, recommend.
précurseur *n.m.* forerunner.
▷ **prédécesseur** *n.m.* predecessor.
▷ **prédilection** *n.f.* partiality (for), predilection.
prédilection (de —) *loc.* favourite,

preferred.
prédire *v.* predict, foretell; forecast (temps).
▷ **prédisposé** *adj.* prone, predisposed (to).
▷ **prédominer** *v.* prevail, predominate.
▷ **préfabriqué** *n.m.* prefab(ricated house).
▷ **préface** *n.f.* foreword, preface.
préféré *adj.* & *n.m.* favourite.
▷ **préférer** *v.* prefer, like better than.
⚠ **préjudice** *n.m.* loss; harm, wrong, injury.
préjudiciable *adj.* detrimental, prejudicial.
préjugé *n.m.* prejudice, bias ['baɪəs].
prélasser (se —) *v.* lounge, sprawl; bask (au soleil...).
prélever *v.* take a sample of; remove (from); deduct (from); withdraw (from).
préliminaires *n.m.pl.* preliminary talks; preliminaries.
▷ **prématuré** *adj.* early; premature; untimely.
▷ **préméditer** *v.* plan, premeditate.
premier *adj.* first; top, leading, best; former (de deux); basic, prime, primary.
prémunir (se —) *v.* protect oneself (from), guard oneself (against ou from).
prenant *adj.* fascinating; (over-) absorbing.
prendre *v.* take; get, fetch; put on (ton, voix); work (plaisanterie); set (ciment...).
preneur *n.m.* buyer, purchaser; taker.
prénom *n.m.* first (ou Christian) name.
préoccuper *v.* worry; preoccupy, engross.
préoccuper (se —) *v.* show concern (about).
préparatifs *n.m.pl.* preparations.
préparation *n.f.* preparation; homework.
▷ **préparatoire** *adj.* preliminary, preparatory.
▷ **préparer** *v.* get ready; prepare; plan.
préparer (se —) *v.* get ready; brew (orage...).
prépondérant *adj.* major, dominating.
préposé *n.m.* employee; attendant; postman.
préretraite *n.f.* early retirement.
près *adv.* near, close, by.
près (à peu —) *loc.* almost, about, nearly.
près de *prép.* near, close to, close by.
présage *n.m.* omen, foreboding.
présager *v.* foresee, predict; be a sign of.
presbyte *adj.* long-sighted.
⚠ **prescription** *n.f.* order, instruction; prescription.
prescrire *v.* prescribe, stipulate.
préséance *n.f.* precedence.
▷ **présélection** *n.f.* short-listing, preselection.
▷ **présence** *n.f.* presence; attendance.
présent *adj.* present; here!
▷ **présent** *n.m.* present, present time; gift, present.
présentateur *n.m.* *(Radio)* introducer.
présentation *n.f.* introduction; appearance.
présentement *adj.* now, at present.
présenter *v.* present; submit; introduce.
présenter (se —) *v.* report, come; introduce oneself; stand (élection); arise (occasion).
présentoir *n.m.* display shelf.
⚠ **préservatif** *n.m.* sheath, condom ['kɒndəm].
préserver *v.* protect (from), save (from).
présidence *n.f.* presidency; chairmanship.
▷ **président** *n.m.* president; chairman.
présider *v.* preside over; be chairman of.
▷ **présomptueux** *adj.* self-assured, presumptuous, brash.
presque *adv.* almost, nearly.
presqu'île *n.f.* peninsula.
pressant *adj.* urgent, pressing; insistent.
▷ **presse** *n.m.* press; crowd; hurry; urgency.
pressé *adj.* in a hurry; hurried; urgent.
presse-citron *n.m.* lemon squeezer.
pressentir *v.* sense, have a foreboding (ou presentiment) of; sound out, approach.
presse-papiers *n.m.* paperweight.
presse-purée *n.m.* potato masher.
presser *v.* squeeze; push, press; tread down; speed up, hasten; urge, entreat, press; be urgent.

presser (se —) *v.* hurry up; crowd, squeeze up.
⚠ **pressing** *n.m.* dry cleaner's (magasin).
pression *n.f.* pressure.
pressoir *n.m.* wine press; cider press.
pressurer *v.* press (fruit); *(fig.)* squeeze.
prestance *n.f.* imposing bearing, presence.
prestation *n.f.* benefit; service; performance.
prestidigitateur *n.m.* conjurer ['kʌndʒərə].
▷ **prestige** *n.m.* glamour, prestige [prə'sti:ʒ].
▷ **présumer** *v.* assume, presume, *(amér.)* figure.
prêt *adj.* ready.
prêt *n.m.* loan, lending.
prêt-à-porter *n.m.* ready-to-wear clothes, off-the-peg clothes.
prétendant *n.m.* applicant (for); suitor.
prétendre *v.* claim; mean; lay claim (to).
prétendu *adj.* so-called, would-be, alleged [ə'ledʒd].
▷ **prétentieux** *adj.* conceited, pretentious; showy.
⚠ **prétention** *n.f.* claim, pretention; pretentiousness.
prêter *v.* lend; stretch; give rise to.
▷ **prétexte** *n.m.* pretext, excuse, pretence.
prêtre *n.m.* priest.
preuve *n.f.* proof; evidence, testimony.
prévaloir *v.* prevail over.
prévaloir (se —) *v.* pride oneself on; take advantage of.
prévenant *adj.* thoughtful, kind, attentive.
prévenir *v.* warn; avoid; anticipate; bias ['baɪəs], prejudice.
▷ **prévention** *n.f.* prevention; road safety.
prévenu *n.m.* defendant, accused.
prévoir *v.* foresee, forecast; plan, schedule ['ʃedʒu:l; 'skedʒʊl].
prévoyance *n.f.* foresight, forethought.
prier *v.* pray; beg, entreat, require, ask.
prière *n.f.* prayer; request, entreaty [ɪntri:tɪ].
▷ **primaire** *adj.* primary; simple-minded.
⚠ **prime** *n.f.* bonus; premium; free gift.
⚠ **primer** *v.* prevail over; award a prize to.
primesautier *adj.* impulsive.
primeurs *n.f.pl.* early fruit and vegetables.
primevère *n.f.* primrose.
▷ **primordial** *adj.* essential, primordial.
▷ **principal** *adj.* main, chief, principal.
principe *n.m.* principle.
printemps *n.m.* spring.
▷ **priorité** *n.f.* priority; right of way.
prise *n.f.* hold, grip, purchase; catch; *(Elec.)* plug.
priser *v.* take (drogue); value; take snuff.
▷ **prison** *n.f.* jail, prison ['prɪzn].
prisonnier *n.m.* prisoner.
▷ **privation** *n.f.* privation; want, need.
privé *adj.* private, unofficial.
priver *v.* deprive (of).
priver (se —) *v.* do (ou go) without.
▷ **privilège** *n.m.* privilege, prerogative.
privilégier *v.* favour, give greater place.
prix *n.m.* price, cost; prize, reward.
probable *adj.* likely, probable ['prɒbəbl].
probant *adj.* convincing, conclusive.
▷ **problème** *n.m.* problem.
procédé *n.m.* process; behaviour, conduct.
procéder *v.* proceed; behave.
▷ **procédure** *n.m.* procedure [prə'si:dʒə].
⚠ **procès** *n.m.* *(Jur.)* trial, lawsuit; proceedings.
processus *n.m.* process; *(Méd.)* progress.
procès-verbal *n.m.* minutes ['mɪnɪts]; report; *(Aut.)* (parking) ticket.
prochain *adj.* near, nearest, next; impending.
prochainement *adv.* shortly, soon.
proche *adj.* near(by), neighbouring, close.
proclamer *v.* proclaim, declare; disclose.
procuration *n.f.* proxy; power of attorney.
procurer (se —) *v.* get, obtain, come by.
procureur *n.m.* public prosecutor.

prodige *n.m.* marvel, wonder; (child) prodigy.
prodigue *adj.* wasteful, extravagant, lavish, prodigal.
prodiguer *v.* lavish.
produire *v.* produce, turn out.
produire (se —) *v.* happen, occur; *(Th.)* perform.
produit *n.m.* product; proceeds (d'une vente...); *(pl.) (Agr.)* produce.
▷ **proéminent** *adj.* prominent.
profane *n.m.* layman, uninitiated person.
profaner *v.* desecrate.
⚠ **professeur** *n.m.* teacher; lecturer, professor (d'université).
▷ **profession** *n.f.* job, profession, trade.
▷ **profil** *n.m.* profile; (out)line.
profiler (se —) *v.* stand out.
profiter *v.* take advantage of; profit (by), benefit (from).
profond *adj.* deep; profound; sound (sommeil).
profondeur *n.f.* depth; deepness (voix...); *(fig.)* profundity (de l'esprit...).
profusion (à —) *loc.* in plenty, galore.
progéniture *n.f.* offspring.
programmateur *n.m.* programme planner.
⚠ **programme** *n.m.* program(me); *(Ens.)* syllabus.
programmer *v.* show, put on; *(Inf.)* program.
programmeur *n.m.* computer programmer.
▷ **progrès** *n.m.* progress; progression; advance.
▷ **progresser** *v.* make progress, progress.
progressiste *adj.* progressive.
prohiber *v.* ban, forbid, prohibit.
proie *n.f.* prey; quarry ['kwɒrɪ].
⚠ **projecteur** *n.m (Ciné.)* projector; *(Th.)* spotlight.
projectile *n.m.* missile; projectile, bullet.
⚠ **projet** *n.m.* plan, project, scheme; draft.
projeter *v.* plan, contemplate; throw; *(Ciné.)* show.
prolétaire *n.m.* proletarian.
▷ **proliférer** *v.* proliferate.
▷ **prolixe** *adj.* verbose, wordy, prolix.
▷ **prolonger** *v.* lengthen, extend, continue, prolong.
promenade *n.f.* walk, stroll; ride, drive.
promener (se —) *v.* go for a walk.
promesse *n.f.* promise.
promesse de vente *n.f.* commitment to sell.
prometteur *adj.* promising.
promettre *v.* promise; be promising.
promettre (se — de) *v.* resolve to, mean to.
▷ **promontoire** *n.m.* headland, promontory.
⚠ **promoteur** *n.m.* property developer; promoter.
⚠ **promotion** *n.f.* promotion; special offer.
promouvoir *v.* promote, advance.
prompt *adj.* quick, swift, ready, sharp; hasty ['heɪstɪ].
prôner *v.* extol, laud; advocate.
⚠ **prononcer** *v.* pronounce; utter (parole); deliver (discours).
▷ **prononciation** *n.f.* pronunciation.
pronostic *n.m.* forecast; *(Méd.)* prognosis.
▷ **propagande** *n.f.* propaganda [ˌprɒpə'gændə].
propager, se propager *v.* spread.
propension *n.f.* propensity, tendency.
▷ **prophétie** *n.f.* prophecy ['prɒfɪsɪ].
prophétiser *v.* prophesy ['prɒfɪsaɪ], foretell.
propice *adj.* favourable, suitable, right.
proportionner *v.* proportion, adjust (to).
propos *n.m.* talk, words; remark; purpose, aim.
propos (à —) *loc.* by the way.
propos (à — de) *loc.* regarding, about.
▷ **proposer** *v.* suggest, propose; offer.
⚠ **proposition** *n.f.* suggestion, proposal; offer.
propre *adj.* clean, neat; own; very; proper, literal; right, suitable, good.
propre-à-rien *n.m.* good-for-nothing.
propriétaire *n.m.* owner; proprietor, landlord.
propriétaire *n.f.* owner, proprietress, landlady.
⚠ **propriété** *n.f.* ownership; estate, property.
propulser *v.* propel.
proroger *v.* defer, put back; ad-

journ.
▷ **prosaïque** *adj.* prosaic ; commonplace, banal ; mundane.
proscrire *v.* ban(nish), prohibit ; outlaw.
▷ **prospecter** *v.* prospect ; *(Polit. & Comm.)* canvass.
▷ **prospectus** *n.m.* leaflet, brochure ['brəʊʃə], prospectus.
prospère *adj.* thriving, flourishing, prosperous.
▷ **prospérer** *v.* thrive, flourish, prosper.
prosterner (se —) *v.* bow low, prostate oneself.
prostituée *n.f.* prostitute, streetwalker ; *(amér.)* hooker.
▷ **prostré** *adj.* prostrate.
protecteur *adj.* protective ; patronizing.
▷ **protégé(e)** *n.m.f.* favourite, pet ; protégé(e).
protéger *v.* protect.
▷ **protester** *v.* protest (against, about).
prothèse *n.f.* artificial limb ; dentures (dentaire).
protocolaire *adj.* formal.
▷ **protocole** *n.m.* protocol ; etiquette.
protubérant *adj.* bulging, protruding.
proue *n.f.* stem, prow [praʊ], bow(s) [baʊz].
▷ **prouesse** *n.f.* feat ; prowess, valour.
▷ **prouver** *v.* prove.
provenance *n.f.* origin, source [sɔːs].
provenir *v.* stem, proceed, result (from).
proviseur *n.m.* headmaster, head.
⚠ **provision** *n.f.* store, supply ; funds ; retainer, retaining fee ; *(pl.)* food, provisions.
provisoire *adj.* provisional, temporary.
provisoirement *adv.* for the time being.
provocant *adj.* provocative, tantalizing.
provocateur *n.m.* agitator ['ædʒɪteɪtə].
▷ **provoquer** *v.* provoke ; incite ; bring about.
proxénète *n.m.* *(Jur.)* procurer ; *(fam.)* pimp.
proximité (à —) *loc.* close by, in the vicinity.
⚠ **prude** *adj.* prudish.
▷ **prude** *n.f.* prude.
prudence *n.f.* care(fulness), caution.
⚠ **prune** *n.f.* plum.
pruneau *n.m.* prune [pruːn].
prunelle *n.f.* *(Bot.)* sloe ; *(Anat.)* pupil ; *(poét.)* apple (of the eye).
psaume *n.m.* psalm [sɑːm].
▷ **pseudonyme** *n.m.* pseudonym ['sjuːdənɪm] ; nom de plume, pen name.
▷ **psychanalyse** *n.f.* psychoanalysis.
psychiatre *n.m.* psychiatrist [saɪ'kaɪətrɪst].
psychologue *n.m.* psychologist.
psychose *n.f.* psychosis.
puanteur *n.f.* stench, stink.
⚠ **public** *adj.* public ; state (école...).
⚠ **public** *n.m.* public ; audience ; spectators.
publication *n.f.* publishing ; publication.
publiciste *n.m.* adman ['ædmæn].
⚠ **publicité** *n.f.* advertising, publicity ; advertisement, advert, ad.
publier *v.* publish, bring out ; make public.
puce *n.f.* flea.
puces *n.f.pl.* flea market.
puceron *n.m.* greenfly.
pudeur *n.f.* modesty, decency ; propriety.
pudibond *adj.* prudish.
pudique *adj.* modest ; discreet.
puer *v.* stink (of), smell (of), reek (of).
puéricultrice *n.f.* paediatric nurse.
puériculture *n.f.* paediatrics [ˌpiːdɪ'ætrɪks], paediatric nursing, infant care.
▷ **puéril** *adj.* childish, puerile [ːpjʊəraɪl].
pugilat *n.m.* (fist) fight.
puis *adv.* (and) then, afterwards, next.
puisard *n.m.* cesspool, sink.
puiser *v.* draw (from) ; take, draw (from).
puisque *conj.* since, as, seeing that.
puissance *n.f.* power, strength.
puits *n.m.* well ; shaft, pit (de mine).
▷ **pull(over)** *n.m.* sweater, jumper, pullover.
pulluler *v.* swarm (with), teem (with).
▷ **pulsation** *n.f.* beat(ing), throb(bing), pulsation.
pulsion *n.f.* drive, urge.
▷ **pulvériser** *v.* spray (liquide) ; pulverize (poudre) ; *(fig.)* shatter.
punaise *n.f.* drawing pin ; *(Zool.)*

bug.
▷ **punir** *v.* punish.
punition *n.f.* punishment.
⚠ **pupille** *n.m.* ward.
▷ **pupille** *n.f. (Anat.)* pupil.
pupitre *n.m.* desk ; music stand.
⚠ **pur** *adj.* pure ; neat ; mere, sheer, utter ; plain (vérité...).
purée *n.f.* mashed potatoes ; *(fig.)* mess.
pureté *n.f.* purity, pureness.
purgatif *adj.* purgative.
purgatif *n.m.* purge, purgative.
⚠ **purger** *v. (Méd.)* purge ; *(Tech.)* drain ; *(Jur.)* serve (une peine).
pur-sang *adj. & n.m.* thoroughbred.
▷ **pus** *n.m.* pus [pʌs].
putain *n.f. (vulg.)* whore, (French) tart.
▷ **putréfier** *v.* rot, go rotten, putrefy.
⚠ **puzzle** *n.m.* jigsaw puzzle.
▷ **pyjama** *n.m.* pair of pyjamas, pyjamas, *(amér.)* pajamas.
pyrogravure *n.f.* pokerwork.
pyromane *n.* arsonist, pyromaniac.

Q

quadriller *v.* cover, control.
quadrimoteur *n.m.* four-engined plane.
quadripartite *adj.* four-party ; four-power.
quadriréacteur *n.m.* four-engined jet.
▷ **quadruplés** *n.m.pl.* quadruplets, quads.
▷ **quadrupler** *v.* quadruple, increase four-fold.
quai *n.m.* platform (de gare) ; *(Naut.)* quay ; embankment (rivière).
qualifié *adj.* skilled, qualified.
⚠ **qualifier** *v.* describe (as), label ; qualify.
▷ **qualifier (se —)** *v.* qualify.
qualité *n.f.* quality ; position ; authority (to).
quand *adv.* when.
quand bien même *loc.* even though.
quand même *loc.* all the same.
quant à *prép.* as to, as for, regarding.
▷ **quantité** *n.f.* quantity, amount.
quarantaine *n.f. (Méd.)* quarantine ; about forty.
⚠ **quart** *n.m.* quarter ; *(Naut.)* watch ; beaker, tin cup.
quarteron *n.m.* handful ; quadroon.
quartier *n.m.* district, area ; quarter, piece.
quartier général *n.m.* headquarters.
quasi(ment) *adv.* almost, near(ly).
quatuor *n.m.* quartet(te).
que *pr.* whom, that ; which ; what ? what ! on which.
que *conj.* that ; than ; as, if, whether ; when ; without ; yet ; in order that ; let ; before ; so ; only, but.
que *adv.* how.
quel(le) *adj.* what, which, what sort of.
quelconque adj. any (whatever) ; poor, common.
quelque *adj.* some, any ; what (so) ever ; *(pl.)* a few, some.
quelque *adv.* how (so) ever ; some, about.
quelque chose *pr.* something ; anything.
quelquefois *adv.* sometimes, at times.
quelque part *adv.* somewhere ; anywhere.
quelques-uns *pr.* some, a few.
quelqu'un *pr.* somebody, someone ; anybody, anyone.
quémander *v.* beg (for).
qu'en-dira-t-on *n.m.* gossip, tittle-tattle.
querelle *n.f.* quarrel ; row, brawl.
quereller (se —) *v.* quarrel (with), wrangle.
▷ **question** *n.f.* question, query ; matter, issue.
questionner *v.* question, put questions (to).
quête *n.f.* collection ; search, quest.
⚠ **queue** *n.f.* tail ; queue [kju:] ; bottom ; handle ; stalk (de fruit...).
queue-de-pie *n.f.* tailcoat, tails.
qui *pr.* who, whom, that, which ; whoever, whomever, whatever ; what ; some.
quiconque *pr.* whoever ; whomsoever, whichever.
quignon *n.m.* hunk (of bread).
quille *n.f.* skittle ; *(Mil.)* demob.
quincaillerie *n.f.* hardware, ironmongery.
quinconce (en —) *loc.* in staggered rows.
▷ **quinquennal** *adj.* five-year, quinquennial.
quinte *n.f.* coughing fit (de toux) ; fifth.
▷ **quintuplés** *n.m.pl.* quintuplets,

quins.
quinzaine *n.f.* fortnight ; about fifteen.
quiproquo *n.m.* misunderstanding, mistake.
quittance *n.f.* receipt discharge ; bill.
quitte *adj.* quits (with).
quitte (à —) *loc.* even at the price of.
quitter *v.* leave ; part (with) ; take off (vêtement).
qui-vive (être sur le —) *loc.* be on the alert (*ou* on the lookout).
quoi *pr.* what, which.
quoique *conj.* althrough, though.
quolibert *n.m.* gibe [dʒaɪb], jeer.
quote-part *n.f.* share, quota ['kwəʊtə].
quotidien *adj.* daily ; everyday ; humdrum.
quotidien *n.m.* daily (paper).
▷ **quotient** *n.m.* quotient ['kwəʊʃnt].

R

rabâcher *v.* harp on, keep repeating.
rabais *n.m.* discount, reduction.
rabaisser *v.* knock down, reduce ; belittle.
rabat *n.m.* flap, leaf (table) ; flap (poche).
rabat-joie *n.m.* killjoy, spoilsport.
rabattre *v.* pull (ou shut) down ; take off, deduct, reduce ; drive (gibier).
rabattre (se —) *v.* fall back (on).
rabbin *n.m.* rabbi ['ræbaɪ].
rabiot *n.m. (fam.)* extra (food...).
rabique *adj.* rabid ['ræbɪd].
râblé *adj.* stocky, broad-backed.
rabot *n.m.* plane.
raboteux *adj.* rough, uneven ; rugged, bumpy.
rabougri *adj.* stunted, scraggy, shrivelled.
rabrouer *v.* snub, rebuff, snap at.
racaille *n.f.* rabble, riffraff.
raccommoder *v.* mend, repair ; darn (chaussette).
raccommoder (se —) *v.* make it up.
raccompagner *v.* see (ou take) back (ou out).
raccorder *v.* link up, join, connect.
raccourci *n.m.* short cut ; summary.
raccourcir *v.* shorten ; curtail.
raccroc *n.m.* chance, lucky stroke.
raccrocher *v.* hang back up ; *(Comm.)* tout for ; *(Téléph.)* hang up, ring off.
raccrocher (se —) *v.* cling (to), hang on (to).
⚠ **race** *n.f.* race ; breed, stock (ancêtres).
racheter *v.* buy back ; *(Rel.)* redeem.
racheter (se —) *v.* make up for, make amends.
rachitisme *n.m.* rickets.
racine *n.f.* root.
racisme *n.m.* racialism, racism ['reɪsɪzm].
⚠ **racket** *n.m.* racketeering ; racket.
raclée *n.f.* thrashing ; *(Sp.)* licking.
racler *v.* scrape.
racoler *v.* solicit, accost (prostituée) ; *(Comm.)* tout for.
racontars *n.m.pl.* stories, gossip ; lies.
raconter *v.* tell, narrate, relate.
racornir *v.* harden ; shrivel up.
rade *n.f.* natural harbour ; roadstead.
rade (en —) *loc.* *(fig.)* stranded, marooned.
radeau *n.m.* raft.
▷ **radiateur** *n.m.* radiator ; heater.
radier *v.* strike off, cross off.
radieux *adj.* glorious (sourire...) ; beaming, radiant.
radin *adj.* stingy, tightfisted.
⚠ **radio** *n.f.* radio, wireless ; X-ray.
radiologue *n.m.* radiologist.
▷ **radis** *n.m.* radish.
radoter *v.* dote, ramble on, drivel.
radoteur *n.m.* dotard, driveller.
radoucir (se —) *v.* calm down, relent, soften.
rafale *n.f.* gust, blast, squall ; *(fig.)* burst, hail.
raffermir (se —) *v.* harden, strengthen.
raffiner *v.* refine ; polish.
raffoler *v.* be wild about, dote on.
raffut *n.m.* row [raʊ], din.
rafistoler *v.* botch up.
rafle *n.f.* roundup, raid.
rafraîchir *v.* cool down, freshen up ; refresh ; brighten up, smarten up, do up.
⚠ **rafraîchissement** *n.m.* cooling.
▷ **rafraîchissements** *n.m.pl.* refreshments.
ragaillardir *v.* buck up, perk up, enliven [ɪn'laɪvən].
⚠ **rage** *n.m.* *(Méd.)* rabies ['reɪbi:z] ; *(fig.)* rage, fury.
rageant *adj.* infuriating.
rager *v.* fume, be in a passion.

rageur *adj.* hot-tempered.
ragot *n.m. (péj.)* gossip, tittle-tattle.
ragoût *n.m.* stew.
▷ **rai(s)** *n.m.* ray (of light).
⚠ **raid** *n.m. (Sp.)* trek ; raid [reɪd].
raide *adj.* tight, taut ; steep (pente) ; stiff.
raidillon *n.m.* steep rise.
raidir *v.* stiffen, tighten ; toughen.
raidir (se —) *v.* stiffen, harden ; tense up ; brace oneself, steel oneself.
raie *n.f.* stripe ; scratch (rayure) ; parting (cheveux) ; *(Zool.)* skate, ray.
raifort *n.m.* horseradish.
rail *n.m.* rails, railway, *(amér.)* railroad.
railler *v.* jeer at, mock at, scoff at.
rainure *n.f.* groove, furrow.
⚠ **raisin(s)** *n.m.* grapes.
▷ **raisins secs** *n.m.pl.* raisins, currants (de Corinthe).
raison *n.f.* reason ; sense ; ground, proof.
raison (avoir —) *loc.* be right.
▷ **raisonnable** *adj.* sensible, reasonable ; fair (prix...).
raisonner *v.* reason ; argue.
rajuster *v.* straighten, tidy ; adjust (prix).
ralenti *n.m.* slow motion, replay.
ralenti (tourner au —) *loc. (Aut.)* tick over, idle.
ralentir *v.* slow down.
râler *v.* groan, moan ; *(fam.)* grouse.
rallier *v.* rally ; win over, bring round.
rallonge *n.f.* leaf (de table) ; extension cord ; extra.
rallonger *v.* lenghthen.
rallumer *v.* light up again ; rekindle ; *(fig.)* revive.
▷ **rallye** *n.m. (car)* rally.
ramassé *adj.* squat, stocky, thickset.
ramasser *v.* pick up, gather, collect.
ramassis *n.m. (péj.)* pack, bunch (personnes) ; jumble (objets).
rambarde *n.f.* guardrail.
rame *n.f.* oar ; train (de métro) ; ream (papier).
ramener *v.* bring (ou take) back ; draw, pull.
ramener (se — à) *v.* boil (ou come) down to.
ramer *v.* row, scull.
ramifier (se —) *v.* divide (ou branch out) (into).
ramollir *v.* soften, go soft ; weaken (moral).
ramoner *v.* sweep.
ramoneur *n.m.* (chimney) sweep.
⚠ **rampe** *n.f.* slope, ramp ; banister (d'escalier) ; handrail ; *(Th.)* footlights.
ramper *v.* crawl, creep ; *(fig.)* grovel, crouch.
rance *adj.* rancid ; rank, rancid (odeur).
rancœur *n.f.* resentment, bitterness.
⚠ **rançon** *n.f.* ransom ; *(fig.)* price.
rancune *n.f.* grudge ; rancour ['ræŋkə].
rancunier *adj.* vindictive.
randonnée *n.f.* ramble, hike (à pied) ; ride (à bicyclette) ; *(Aut.)* drive.
rang *n.m.* row ; order ; rank, station.
rangé *adj.* orderly, tidy ; steady, settled.
rangée *n.f.* row, line.
ranger *v.* tidy up ; put away ; arrange.
ranimer *v.* bring round (ou to) ; *(fig.)* revive, rouse, enliven, rekindle.
rapace *adj.* grasping, money-grabbing.
rapace *n.* bird of prey.
▷ **rapatrier** *v.* repatriate ; bring back home.
râpe *n.f.* (cheese) grater ; rasp (à bois).
râpé *adj.* threadbare ; grated ; rasped.
rapetisser *v.* shorten ; shrink ; *(fig.)* belittle.
▷ **raphia** *n.m.* raffia ['ræfɪə].
rapide *adj.* fast, quick, swift, speedy, rapid.
⚠ **rapide** *n.m.* express train.
▷ **rapidité** *n.f.* speed, quickness, rapidity.
rapiécer *v.* patch (up), mend.
rapine *n.f.* plunder(ing).
rappel *n.m.* recall(ing) ; back pay ; *(Méd.)* vaccination booster ; reminder ; *(Th.)* curtain call.
rappeler *v.* call back, recall ; *(Téléph.)* ring (ou phone, call) back ; remind (somebody of something).
rappeler (se —) *v.* remember, recollect.
rapport *n.m.* report, account ; connection, relationship ; yield, return, profit.
rapporter *v.* bring back ; report ; yield.
rapporter (se —) *v.* relate (to) ; refer

(to).
rapprochement *n.m.* drawing closer ; reconciliation ; comparison.
rapprocher *v.* bring (ou draw) closer ; reconcile ; compare.
rapprocher (se —) *v.* draw nearer (to).
⚠ **rapt** *n.m.* adbuction, kidnapping.
raquette *n.f.* racket ; bat (ping-pong) ; snowshoe.
rare *adj.* rare ; uncommon ; scarce [skeəs] ; sparse [spɑːs].
rarement *adv.* seldom, rarely.
rareté *n.f.* scarcity, rarity.
ras *adj.* close-cropped (cheveux) ; short.
rasade *n.f.* brimful glass (of wine).
raser *v.* shave ; graze (frôler) ; raze (une ville) ; *(fam.)* bore.
raseur *n.m.* bore, drag.
rasoir *n.m.* (safety) razor ; (electric) shaver.
rassasier *v.* satisfy, fill ; satiate ; surfeit.
rassemblement *n.m.* gathering, assembly.
rassembler *v.* rally, gather together ; collect, assemble ; summon up, muster, reassemble.
rasséréner (se—) *v.* clear up ; brighten up.
rassis *adj.* stale ; composed, sober.
rassurer *v.* reassure, comfort.
▷ **rat** *n.m.* rat ; fieldmouse (des champs);
rat de bibliothèque *n.m.* bookworm.
ratatiner *v.* dry up, shrivel ; wrinkle.
⚠ **rate** *n.f.* *(Anat.)* spleen ; *(Zool.)* she-rat.
raté *n.m.* failure ; *(Aut.)* misfire.
râteau *n.m.* rake.
râtelier *n.m.* rack ; set of false teeth.
rater *v.* fail (examen) ; go wrong, fail.
▷ **ratifier** *v.* ratify.
▷ **ration** *n.f.* ration ; *(fig.)* share.
▷ **rationnel** *adj.* rational ['ræʃnəl].
rationner *v.* ration.
ratisser *v.* rake ; comb [kəʊm] (police) ; *(fig.)* fleece.
raton *n.m.* young rat ; racoon (laveur).
rattacher *v.* tie up again ; join (to), unite (with) ; link (with), connect (to).
rattrapage (de —) *loc.* *(Ens.)* remedial.
rattraper *v.* recapture ; *(Aut.)* overtake ; catch up with.
rattraper (se —) *v.* make up for it.
rature *n.f.* deletion, crossing out.
raturer *v.* delete, cross out.
rauque *adj.* hoarse, rough, raucous ['rɔːkəs].
▷ **ravage(s)** *n.m.(pl.)* havoc, devastation, ravages.
ravager *v.* lay waste, devastate, ruin, ravage ; *(fig.)* harrow.
ravaler *v.* clean, restore ; disparage.
ravi *adj.* delighted (with) ; carried away.
ravigoter *v.* buck up, pick up, pep up.
▷ **ravin** *n.m.* gully, ravine [rə'viːn].
ravir *v.* delight ; carry off, steal.
raviser (se —) *v.* change one's mind.
ravisseur *n.m.* kidnapper, abductor.
ravitailler *v.* supply (ou provide) (with).
raviver *v.* rekindle, revive ; brighten up.
rayer *v.* scratch ; stripe ; cross out.
⚠ **rayon** *n.m.* beam, ray ; spoke (roue) ; shelf ; department (magasin).
rayonner *v.* beam ; radiate.
rayure *n.f.* stripe ; groove (fusil).
raz-de-marée *n.m.* tidal wave ; *(Polit.)* landslide.
razzia *n.f.* raid, plunder.
ré *n.m.* *(Mus.)* D, ré.
réacteur *n.m.* jet engine.
▷ **réaction** *n.f.* reaction.
▷ **réactionnaire** *adj.* & *n.* reactionary.
réadapter (se —) *v.* readjust (to).
réagir *v.* react, respond.
réalisable *adj.* workable, feasible.
réalisateur *n.m.* film director.
⚠ **réaliser** *v.* carry out ; realize ; *(Ciné.)* produce.
réaliser (se —) *v.* come true (rêve) ; fulfil oneself.
réaliste *adj.* realistic.
▷ **réalité** *n.f.* reality.
réapparaître *v.* reappear.
rébarbatif *adj.* fordibbing, unprepossessing.
rebattre les oreilles *loc.* keep harping (on).
rebattu *adj.* hackneyed, trite.
rebelle *adj.* rebellious, unyielding ; unruly, unamenable (to).
▷ **rebelle** *n.* rebel.
▷ **rebeller (se —)** *v.* rebel.
▷ **rebellion** *n.f.* rebellion [rɪ'beljən].
rebiffer (se —) *v.* hit back ; bristle up.
rebondi *adj.* plump, chubby, pot-

bellied, fat.
rebondir *v.* bounce, rebound; be revived.
rebondissement *n.m.* sudden revival.
rebord *n.m.* edge, brink; (window) sill; rim.
rebours (à —) *loc.* backwards, the wrong way.
rebours (compte à —) *n.m.* countdown.
rebouteur, rebouteux *n.m.* bonesetter.
rebrousse-poil (à —) *loc.* the wrong way.
rebrousser chemin *loc.* turn back.
rebuffade *n.f.* rebuff.
▷ **rébus** *n.m.* rebus ['ri:bəs]; *(fig.)* riddle, puzzle.
rebut *n.m.* scrap, scum; dead letters (poste).
rebuter *v.* put off; repel, repulse, disgust.
récalcitrant *adj.* refractory; unmanageable.
recaler *v.* wedge up again, refix; *(Ens.)* fail.
▷ **récapituler** *v.* sum up, recapitulate.
recéler *v.* receive (objets volés); *(fig.)* conceal.
receleur *n.m.* receiver.
recenser *v.* take the census of; make an inventory of, record, list.
▷ **récent** *adj.* recent ['ri:snt]; new.
récépissé *n.m.* receipt.
récepteur *n.m.* radio set, receiver.
réception *n.f.* receiving, receipt; welcome, reception; party, function; reception desk (hôtel).
réceptionner *v.* take delivery of; catch.
recette *n.f.* *(Cuis.)* recipe; *(fig.)* formula; *(Comm.)* takings.
receveur *n.m.* tax collector; postmaster; conductor (bus); *(Méd.)* recipient.
recevoir *v.* receive, get; greet, welcome; entertain; take, hold, accommodate; *(Ens.)* pass.
rechange (de —) *loc.* spare (roue...); alternative.
rechaper *v.* retread, remould, *(amér.)* recap.
réchapper à (ou de) *v.* come through.
recharge *n.f.* refill (stylo).
recharger *v.* reload; recharge; refill.
réchaud *n.m.* (portable) stove.
réchauffé *n.m* *(péj.)* stale stuff, rehash.
réchauffer *v.* reheat, warm again; *(fig.)* stir up.
rêche *adj.* rough, harsh.
recherche *n.f.* search (for); inquiry, investigation; research; refinement; affectation.
recherché *adj.* in great demand; affected.
rechercher *v.* look (ou search) for; seek.
rechigner *v.* look sulky; balk (at).
rechute *n.f* *(Méd.)* relapse; lapse (vice).
récidive *n.f.* second offence; recurrence.
récif *n.f.* reef.
⚠ **récipient** *n.m.* container.
▷ **réciproque** *adj.* reciprocal, mutual.
réciproquement *adv.* vice versa, reciprocally.
récit *n.m.* account; narrative; story.
▷ **réciter** *v.* recite [rɪ'saɪt].
⚠ **réclamation** *n.f.* complaint.
réclame *n.f.* advertising; advert(isement), ad.
⚠ **réclamer** *v.* demand, claim; require, demand; complain, object to, protest.
reclasser *v.* place (chômeur); regrade.
reclus *adj.* cloistered, secluded, shut up.
réclusion *n.f* *(Jur.)* solitary confinement.
recoin *n.m.* nook, corner; hidden recess.
récolte *n.f.* harvest(ing), crop; *(fig.)* collection.
recommandable *adj.* commendable [kə'mendəbl].
⚠ **recommander** *v.* recommend; advise; register (lettre...).
recommencer *v.* resume, start again (ou afresh).
récompense *n.f.* reward; award, prize.
récompenser *v.* reward.
▷ **réconcilier** *v.* reconcile ['rekənsaɪl].
réconcilier (se —) *v.* be reconciled.
reconduire *v.* see home, take back; renew.
réconforter *v.* comfort; fortify (aliment).
⚠ **reconnaissance** *n.f.* gratefulness; recognition; acknowledgement; *(Mil.)* reconnaissance [rɪ'kɒnɪsəns].

reconnaissant *adj.* grateful, thankful.
⚠ **reconnaître** *v.* recognize; acknowledge, admit; *(Mil.)* reconnoitre [ˌrekəˈnɔɪtə].
reconstituant *n.m.* pick-me-up, tonic.
reconstituer *v.* reconstruct (crime); restore; piece together (faits); regenerate.
reconstruire *v.* rebuild.
▷**record** *n.m.* record [ˈrekɔːd].
recoupement *n.m.* cross-checking.
recouper (se —) *v.* tie up, overlap.
recourbé *adj.* curved; bent.
recourir à *v.* appeal (ou resort) to.
recours (en dernier —) *loc.* as a last resource, in the last resort.
recouvrer *v.* recover, regain; *(Fin.)* collect.
recouvrir *v.* cover; recover; hide, mask.
récréatif *adj.* entertaining; recreational.
récréation *n.f.* entertainment, recreation; *(Ens.)* break.
récrier (se —) *v.* exclaim, cry out; protest.
récriminer *v.* remonstrate, complain.
recroqueviller (se —) *v.* shrivel, curl up.
recrudescense *n.f.* upsurge; new wave.
recrue *n.f. (Mil. & fig.)* recruit.
recruter *v.* recruit, enrol.
rectificatif *n.m.* correction [kəˈrekʃn].
rectifier *v.* correct; put right.
rectiligne *adj.* rectilinear, straight.
▷**rectitude** *n.f.* uprightness, rectitude.
▷**recto** *n.m.* front, recto; right-hand page.
reçu *n.m.* receipt.
recueil *n.m.* collection, selection.
recueillir *v.* collect; take in; win (voix).
recueillir (se —) *v.* collect one's thoughts.
recul *n.m.* retreat; recession; kick (fusil).
recul (avec le —) *loc.* in retrospect.
reculé *adj.* remote, distant; out-of-the way; secluded.
reculer *v.* move back; shrink back; *(Aut.)* reverse, back (up).
reculons (à —) *loc.* backwards.
récupérer *v.* get back, recover; salvage, reprocess; make up; win over; recover.
récurer *v.* scour [skaʊə].
récuser *v.* challenge, object to; reject.
rédacteur *n.m.* (sub) editor; compiler; writer.
rédaction *n.f. (Ens.)* essay, composition; editorial staff; editorial office.
reddition *n.f.* surrender.
redevable *adj.* indebted (to).
redevance *n.f.* tax; *(Téléph.)* rental charge; *(Radio)* licence fee.
rédhibitoire *adj.* damning, irretrievable.
rédiger *v.* write; draw up (un contrat).
redire (trouver à —) *loc.* find fault (with).
redite *n.f.* repetition.
redondance *n.f.* redundancy.
redoubler *v.* increase; *(Ens.)* repeat a year.
redoutable *adj.* fearsome, formidable.
redouter *v.* dread, fear.
redoux *n.m.* milder weather.
redressement (maison de —) *n.* borstal.
redresser *v.* set (up) right; straighten out; put (ou set) right, redress (économie...).
redresser (se —) *v.* sit up; right itself.
▷**réduction** *n.f.* reduction, cut; *(Comm.)* discount.
réduire *v.* reduce, cut; subdue; compel; *(Méd.)* set.
réduire (se — à) *v.* boil down to.
réduit *n.m.* recess, tiny room, cubbyhole.
⚠ **rééducation** *n.f.* rehabilitation (malade); reeducation (membre).
réel *adj.* real, actual; genuine, true.
réel *n.m.* reality.
réélire *v.* reelect [ˌriːɪˈlekt].
r(é)embobiner *v.* rewind.
réévaluer *v.* revalue.
réexpédier *v.* send back, return; forward, send on (faire suivre).
refaire *v.* do again; do up, renew.
refait (être —) *loc. (fam.)* be taken in, be had.
réfection *n.f.* repair(ing), repairs.
réfectoire *n.m.* (dining) hall, refectory.
▷**référence** *n.f.* reference, footnote; reference.
référer (se — à) *v.* refer to.
refermer (se —) *v.* close up; heal up

(plaie).
réfléchi *adj.* well-considered, deliberate (acte) ; thoughtful, reflective (caractère) ; *(Gram.)* reflexive.
réfléchir *v.* think, reflect, ponder ; reflect (miroir...).
reflet *n.m.* reflection ; glint, sheen, gleam.
refléter (se —) *v.* be reflected.
réflexion *n.f.* reflection ; thought ; remark.
refluer *v.* flow back ; surge back (foule).
reflux *n.m.* ebb ; backward surge (foule);
réformer *v.* reform ; *(Mil.)* declare unfit, discharge.
réformer (se —) *v.* mend one's ways.
refoulé *adj.* frustrated, inhibited, repressed.
refouler *v.* drive back ; repress ; expel.
▷ **réfractaire** *adj.* resisting, refractory ; fireproof.
réfracter (se —) *v.* be refracted.
réfréner *v.* curb, check, repress.
réfrigérant *adj.* refrigerating, freezing ; *(fig.)* frosty.
▷ **réfrigérateur** *n.m.* refrigerator, fridge.
▷ **réfrigérer** *v.* refrigerate ; *(fig.)* chill.
refroidir *v.* cool ; *(argot)* do in, bump off.
refroidir (se —) *v.* get colder ; cool off.
refroidissement *n.m.* cooling ; *(Méd.)* chill.
refuge *n.m.* refuge ; shelter ; *(Aut.)* traffic island.
▷ **réfugié** *n.m.* refugee [,refjʊ'dʒiː].
réfugier (se —) *v.* take refuge.
refus *n.m.* refusal [rɪ'fjuːzl].
refuser *v.* refuse [rɪfjuːz], deny ; *(Ens.)* fail.
▷ **réfuter** *v.* refute [rɪ'fjuːt], disprove.
regagner *v.* win back ; get back to ; regain.
regain *n.m.* aftermath ; renewal, revival.
⚠ **régal** *n.m.* treat, delight.
régaler *v.* treat, entertain, do (somebody) proud.
régaler (se —) *v.* enjoy one's meal ; enjoy oneself.
⚠ **regard** *n.m.* look, glance ; *(Tech.)* peephole, manhole (d'égout).
regardant *adj.* stingy, tightfisted ; fussy.
regarder *v.* look at ; watch ; concern.
▷ **régate** *n.f.* regatta [rɪ'gætə], boat-race.
▷ **régénérer** *v.* regenerate ; revive, restore.
régenter *v.* rule (ou lord) over.
régie *n.f.* state control ; state-owned company ; *(Ciné., T.V.)* studio management.
regimber *v.* grumble, jib, balk, resist.
⚠ **régime** *n.m.* *(Polit.)* régime ; system ; diet (alimentaire) ; speed ; rate.
▷ **régiment** *n.m.* regiment ; *(fam.)* army, load(s).
▷ **région** *n.f.* area, district, region.
régir *v.* govern, rule ; administer.
régisseur *n.m.* *(Th.)* stage manager ; *(Ciné., T.V.)* assistant · director ; steward (d'une propriété).
registre *n.m.* register ; ledger ; range.
règle *n.f.* rule ; *(Ens.)* ruler ; *(pl.)* period(s) (femme).
réglé *adj.* steady ; ruled ; paid ; pubescent.
règlement *n.m.* regulation(s) ; settling.
réglementation *n.f.* regulation(s) ; control.
réglementer *v.* regulate, control.
régler *v.* settle ; settle, pay ; adjust, set, regulate ; plan, organize ; rule.
réglisse *n.f.* liquorice ['lɪkərɪs].
règne *n.m.* reign, rule ; kingdom (animal...).
régner *v.* reign, rule (over) ; *(fig.)* prevail (over).
regorger *v.* overflow ; be swarming (with) ; be teeming with.
▷ **régresser** *v.* regress ; recede, decrease.
▷ **regret** *n.m.* regret.
regret (à —) *loc.* reluctantly.
regretter *v.* be sorry, regret ; deplore ; miss.
regrouper *v.* put together ; include.
⚠ **régulariser** *v.* regulate ; put in order ; sort out, straighten out ; legalize, regularize.
régulier *adj.* regular ; steady ; even ; lawful, in order, legitimate ; straight, on a level.
▷ **réhabiliter** *v.* rehabilitate ; clear.
rehausser *v.* heighten ; enhance, set off.
rein *n.m.* kidney ; *(pl.)* small of the back, loins.
reine *n.f.* queen.
reine-claude *n.f.* greengage.

réinsérer (se —) *v.* rehabilitate oneself.
réintégrer *v.* go back, return; reinstate.
▷ **réitérer** *v.* repeat, reiterate [riːɪtəreɪt].
rejaillir *v.* splash up; *(fig.)* fall (ou bound) on.
rejet *n.m.* rejection; *(Bot.)* shoot.
rejeter *v.* throw back; throw up; drive back; reject; lay, transfer (blame...).
rejeton *n.m.* offspring; *(Bot.)* shoot, sprout.
rejoindre *v.* get back to; rejoin, return to; meet, join; catch up (with).
rejoindre (se —) *v.* meet, join; concur; agree.
réjoui *adj.* jolly, merry, cheerful.
réjouir *v.* delight, thrill; gladden.
réjouir (se —) *v.* be delighted.
réjouissances *n.f.pl.* festivities.
réjouissant *adj.* amusing, cheerful.
relâche (faire —) *loc.* *(Th.)* close, be closed.
relâche (sans —) *loc.* without respite.
relâché *adj.* loose, lax, slack; loose (mœurs); limp (style).
relâcher *v.* loosen; slacken; release; drop.
relais *n.m.* *(Sp.)* relay; stage; *(Radio, T.V.)* relay.
relais routier *n.m.* transport café.
relancer *v.* throw back; boost; *(fig.)* pester.
relater *v.* relate; recount, state, record.
▷ **relatif** *adj.* relative, comparative.
⚠ **relatif à** *loc.* connected with, relating to.
⚠ **relation** *n.f.* relation(ship), connection; account, report; acquaintance.
relaxer (se —) *v.* relax.
relayer (se —) *v.* take (it in) turns.
reléguer *v.* relegate, consign.
relent(s) *n.m.pl.* stench, bad smell; tang.
relève *n.f.* relief.
relevé *adj.* turned up; *(Cuis.)* hot; lofty.
relevé *n.* (bank) statement; list; bill (gaz).
relever *v.* pick up; turn up; raise, increase; *(Cuis.)* season; relieve (garde); take down; enhance; read (compteur); react, reply (to); pick out.
relever de *v.* recover from (maladie); come under.
▷ **relief** *n.m.* relief.
⚠ **reliefs** *n.m.pl.* remains, left overs.
relier *v.* link up, join, connect; bind.
religieuse *n.f.* nun; cream bun (gâteau).
▷ **religieux** *adj.* religious; sacred ['seɪkrɪd].
religieux *n.m.* monk.
reliquat *n.m.* remainder; *(Fin.)* balance.
▷ **relique** *n.f.* relic ['relɪk].
reliure *n.f.* binding.
reloger *v.* rehouse [ˌriː'haʊz].
reluire *v.* gleam, glisten, shine.
reluisant (peu —) *adj.* unsavoury; despicable.
remâcher *v.* chew over, brood over; *(fig.)* ruminate.
remailler *v.* darn (bas); mend (filet).
remanier *v.* recast, reshape; reshuffle (gouvernement).
▷ **remarquable** *adj.* outstanding, remarkable; striking.
⚠ **remarque** *n.f.* remark, comment; note.
⚠ **remarquer** *v.* notice; remark, observe.
remarquer (faire —) *v.* remark, point out.
rembarrer *v.* rebuff, snub.
remblai *n.m.* embankment, bank.
remblayer *v.* fill in; bank up.
rembourser *v.* pad, stuff.
rembourser *v.* pay back, refund, reimburse.
rembrunir (se —) *v.* darken, cloud over.
remède *n.m.* medicine; *(fig.)* remedy, cure.
remédier à *v.* remedy, put right.
remémorer (se —) *v.* recall, recollect.
remerciements *n.m.pl.* thanks.
remercier *v.* thank; dismiss (un employé).
remettre (s'en — à) *v.* leave it (up) to.
remise *n.f.* delivery; *(Comm.)* discount; shed.
remiser *v.* put away; house; put by (argent).
remodeler *v.* remodel; replan; reorganize.
remontant *n.m.* pick-me-up, tonic.
remontée *n.f.* ascent, climbing; rising (eaux).
remonte-pente *n.m.* skilift.
remonter *v.* go back up; roll up

(manches) ; wind up (montre) ; raise ; *(fam.)* buck up.
remonter à *v.* date back to.
remontoir *n.m.* winder.
remontrance *n.f.* scolding, admonition, reproof, reprimand.
remords *n.m.* remorse.
remorque *n.f.* trailer.
remorquer *v.* tow ; pull, haul ; *(Naut.)* tug.
remorquer *n.m.* tug(boat).
remouleur *n.m.* knife grinder.
remous *n.m.* eddy, backwash ; *(fig.)* upheaval.
rempailler *v.* reseat (with straw).
remparts *n.m.pl.* (city) walls ; battlements.
remplaçant *n.m.* substitute ; *(Ens.)* supply teacher.
remplacer *v.* replace ; stand in for, act as.
rempli *adj.* full, filled.
remplir *v.* fill ; fill in ; fulfil (devoir).
remplissage *n.m.* filling (up) ; *(péj.)* padding.
remplumer (se —) *v.* fill out again ; *(Comm.)* pick up again.
remporter *v.* take away ; win, carry off.
remuant *adj.* restless, always on the go.
remue-ménage *n.m.* stir, bustle, commotion.
remuer *v.* move, shift ; *(Cuis.)* stir.
remuer (se —) *v.* move ; *(fam.)* get a move on, get going.
rémunérateur *adj.* lucrative, remunerative.
▷ **rémunérer** *v.* pay, remunerate.
renâcler *v.* snort ; *(fig.)* grumble, balk.
renaissance *n.f.* rebirth ; renaissance.
renaître *v.* be born again, revive.
renard *n.m.* fox ; *(fig.)* sly fox.
renchérir *v.* add something ; get dearer.
rencontre *n.f.* meeting ; encounter.
rencontrer *v.* meet ; encounter, run into.
rencontrer (se —) *v.* meet ; collide ; *(fig.)* agree.
rendement *n.m.* output ; yield ; *(Fin.)* return.
rendez-vous *n.m.* appointment ; date ; place of meeting.
rendre *v.* give back ; render (un service...) ; vomit.
rendre (se —) *v.* give up (ou in), surrender ; go (to).
▷ **renégat** *n.m.* renegade ['renɪgeɪd].
rênes *n.f.pl.* reins.
renfermé *adj.* *(fig.)* withdrawn, secretive.
renfermé (sentir le —) *loc.* smell stuffy (ou close).
renfermer *v.* contain ; lock up ; include.
renflé *adj.* bulging, swollen, bulbous.
renflement *n.m.* bulge, swelling.
renfler *v.* make a bulge ; bulge out.
renflouer *v.* refloat ; *(fig.)* set back in funds.
renfoncement *n.m.* recess, hollow, cavity.
renforcer *v.* reinforce ; strengthen ; confirm (une opinion).
renfort *n.m.* backup.
renfrogner (se —) *v.* scowl [skaʊl], look glum.
rengaine *n.f.* popular tune ; catchphrase.
rengorger (se —) *v.* puff oneself up.
renier *v.* disown, repudiate ; renounce (foi).
renifler *v.* sniff ; snort (cheval).
renne *n.m.* reindeer.
renom(mée) *n.* fame, renown, reputation.
renommé *adj.* famous, well-known, renowned.
▷ **renoncement** *n.m.* abnegation, renunciation, renouncement.
renoncer à *v.* give up ; renounce ; relinquish.
renoncule *n.f.* buttercup.
renouer *v.* tie (up) again ; take up (with somebody) again.
renouveler *v.* renew, revive ; replace ; repeat.
△ **rénover** *v.* renovate, do up ; restore ; *(fig.)* reform.
renseignement(s) *n.m.pl.* (piece of) information ; (piece of) intelligence ; inquiry (-ies).
renseigner *v.* give information to ; inform.
renseigner (se —) *v.* make inquiries.
rentable *adj.* profitable ; paying, viable ['vaɪəbl].
rente *n.f.* annuity, pension ; *(Fin.)* stock, bond.
rente viagère *n.f.* life annuity.
rentier *n.m.* man of independent means.
rentrée *n.f.* start of the school year ; reopening (Parlement).
rentrer *v.* go back in ; take in ; put away.

renverse (à la —) *loc.* backwards; on one's back.
renverser *v.* knock down; spill (liquide); turn upside down; tilt; overthrow; reverse; *(fig.)* stagger.
renvoi *n.m.* dismissal; return; postponement (à plus tard); footnote, cross-reference; *(Méd.)* belch.
renvoyer *v.* dismiss; send back, return; postpone, put off (à plus tard); refer (to); *(Ens.)* send down, expel.
▷ **réorganiser** *v.* reorganize.
réouverture *n.f.* reopening.
repaire *n.m.* den, lair; *(fig.)* haunt, den.
repaître (se —) *v.* wallow (ou revel) (in).
répandre *v.* spread, scatter; spill (liquide).
répandu *adj.* widespread; commonly held (opinion).
réparateur *adj.* refreshing (sommeil...).
réparateur *n.m.* repairer.
réparation (en —) *loc.* under repair.
réparer *v.* mend repair; make up for; put right.
répartie *n.f.* retort, repartee [ˌrepɑː'tiː].
répartir *v.* set (ou start) off again.
répartir *v.* share (ou portion) out, divide up, distribute.
repas *n.m.* meal.
repasser *v.* go back; iron; go over (leçons); call again.
repêchage *n.m.* *(Ens.)* second chance.
repêcher *v.* fish out (ou up); recover, retrieve; *(Ens.)* give (a candidate) a second chance.
repentir *n.m.* repentance; regret.
repentir (se —) *v.* repent (of).
▷ **répercussions** *n.f.pl.* repercussions.
répercuter (se —) *v.* reverberate, echo; (be) reflect(ed); have repercussions, affect.
repère *n.m.* mark, line; *(fig.)* landmark.
repérer *v.* spot; *(Mil.)* locate, pinpoint.
repérer (se —) *v.* take one's bearings.
⚠ **répertoire** *n.m.* list, index; *(Th.)* repertoire.
repertorier *v.* itemize ['aɪtəmaɪz], list.
⚠ **répéter** *v.* repeat; *(Th.)* rehearse.
⚠ **répétition** *n.f.* repetition; *(Th.)* rehearsal.
repiquer *v.* plant out; *(fam.)* rerecord, tape.
répit *n.m.* respite; rest, breathing space.
replâtrer *v.* replaster; *(fig.)* patch up.
replet *adj.* chubby, fat, podgy.
repli *n.m.* fold; *(Mil. & fig.)* withdrawal.
replier *v.* fold up (again).
replier (se —) *v.* curl (ou coil) up; *(Mil.)* withdraw.
⚠ **réplique** *n.f.* reply, retort, rejoinder; *(Art.)* replica; *(Th.)* line.
répliquer *v.* reply, retort, answer back; retaliate (à une attaque...).
répondeur automatique *n.m.* *(Téléph.)* answering device.
répondre *v.* answer (back), reply; respond.
répondre de *v.* answer for, vouch for.
réponse *n.f.* answer, reply; response.
⚠ **report** *n.m.* postponement; transfer.
reportage *n.m.* report, commentary, story.
reporter *v.* carry back; postpone, put off; *(Comm.)* carry forward.
reporter (se —) *v.* refer (to); think back (to).
repos *n.m.* rest; peace.
reposer *v.* put back; rest; set(tle) (liquide).
reposer (se —) *v.* rest, lie down, take a rest.
reposer (se — sur) *v.* rely on.
repoussant *adj.* loathsome, repulsive.
repousser *v.* push back, drive off; repel; turn down; put off (ou back), postpone; *(Bot.)* grow again.
repoussoir *n.m.* *(Art., Th. & fig.)* foil.
▷ **répréhensible** *adj.* reprehensible.
reprendre *v.* take (ou get) back; recapture; take more ; regain, recover (espoir); resume; go over again; tell off, reprimand.
reprendre (se —) *v.* correct oneself; pull oneself together, recover.
représailles *n.f.pl.* reprisals.
représentant *n.m.* representative; commercial traveller, salesman.
▷ **représentatif** *adj.* representative.
⚠ **représentation** *n.f.* representation; commercial travelling; *(Th.)*

performance.
représenter *v.* represent ; show ; *(Th.)* perform.
représenter (se —) *v.* visualize, imagine ; *(Polit.)* stand again, *(amér.)* run again.
▷ **répressif** *adj.* repressive.
▷ **répression** *n.f.* repression.
▷ **réprimande** *n.f.* scolding, rebuke, reprimand.
▷ **réprimander** *v.* scold, rebuke, reprimand.
réprimer *v.* quell ; curb ; repress, suppress ; check.
repris de justice *n.m.* ex-prisoner, ex-convict.
reprise *n.f.* resumption ; darn (couture) ; *(Comm.)* trade-in ; *(Aut.)* acceleration ; *(Th.)* rerun ; repeat ; *(Boxe)* round.
repriser *v.* darn.
réprobateur *adj.* reproving, reproachful.
▷ **réprobation** *n.f.* reprobation.
▷ **reproche** *n.m.* reproach [rɪ'prəʊtʃ].
reprocher *v.* reproach (with) ; say against.
▷ **reproduction** *n.f.* reproduction ; copy.
reproduire *v.* reproduce ; copy ; repeat.
reproduire (se —) *v.* reproduce, multiply ; recur.
réprouvé *n.m.* reprobate, outcast.
réprouver *v.* reprove, condemn.
▷ **reptile** *n.m.* reptile ['reptaɪl].
repu *adj.* sated, satiated, full up, satisfied.
▷ **républicain** *adj. & n.* republican.
république *n.f.* republic [rɪ'pʌblɪk].
⚠ **répudier** *v.* repudiate ; renounce, recant (foi...).
répugnance *n.f.* loathing, reluctance.
répugnant *adj.* loathsome ; repulsive.
répugner *v.* repel, disgust, be repugnant to.
répugner à *v.* be loath to.
▷ **répulsion** *n.f.* repulsion, repugnance.
▷ **réputation** *n.f.* reputation, repute.
réputé *adj.* well-known ; said to be.
requérir *v.* require ; call upon ; demand.
requête *n.f.* request ; *(Jur.)* petition.
requin *n.m.* shark.
requinquer *v.* *(fam.)* buck up, pep up.
▷ **réquisition** *n.f.* requisition.
▷ **réquisitionner** *v.* requisition.
réquisitoire *n.* speech for the prosecution.
rescapé *n.m.* survivor.
rescousse (à la —) *loc.* to the rescue.
réseau *n.m.* network ; system.
⚠ **réserve** *n.f.* reserve ; reservation (d'Indiens) ; caution ; storeroom ; preserve (de chasse).
réserve (sans —) *loc.* without reservation.
réserve (sous — de) *loc.* subject to.
réservé *adj.* booked (place...), *(amér.)* reserved ; private (chasse...) ; reserved (caractère).
⚠ **réserver** *v.* keep, save ; book (des places...), *(amér.)* reserve ; *(fig.)* have in store.
réserver (se —) *v.* wait ; reserve for oneself.
▷ **réserviste** *n.m.* reservist [rɪ'zɜːvɪst].
⚠ **réservoir** *n.m.* tank ; reservoir.
▷ **résidant** *adj.* resident ['rezɪdənt].
▷ **résidence** *n.f.* residence ; block of residential flats.
résidence secondaire *n.f.* second home.
▷ **résident** *n.m.* resident ['rezɪdənt].
▷ **résidentiel** *adj.* residential [ˌrezɪ'denʃl].
⚠ **résider** *v.* reside, dwell ; *(fig.)* lie (in).
⚠ **résidu** *n.m.* residue, waste.
résidus *n.m.pl.* *(Ind.)* waste ; refuse (urbains).
▷ **résignation** *n.f.* resignation [ˌrezɪg'neɪʃn].
résigner (se —) *v.* resign oneself.
résilier *v.* terminate, cancel.
résille *n.f.* (hair) net.
▷ **résine** *n.f.* resin ['rezɪn].
⚠ **résistance** *n.f.* resistance ; stamina ; *(Élec.)* element.
résistant *adj.* tough, strong ; hard-wearing (tissu).
résister à *v.* resist ; stand up to, oppose.
résolu *adj.* resolute, determined ; set (on doing).
▷ **résolution** *n.f.* determination, resolution.
résonner *v.* resound ; be resonant (salle).
résorber *v.* bring down, reduce.
résoudre *v.* solve, settle ; resolve (to do).
résoudre (se —) *v.* bring oneself (to

do).
▷ **respect** *n.m.* respect.
▷ **respectable** *adj.* respectable.
▷ **respecter** *v.* respect, have respect for.
▷ **respectif** *adj.* respective.
respirer *v.* breathe; *(fig.)* have a break; *(fig.)* exude, radiate (la santé).
resplendir v. beam; *(fig.)* be radiant (with).
▷ **responsable** *adj.* responsible (for); *(Jur.)* liable (for).
⚠ **responsable** *n.* person in charge; official.
resquiller *v.* gatecrash.
ressac *n.m.* surf (vague); backwash.
ressaisir (se —) *v.* pull oneself together.
ressasser *v.* harp on; *(fam.)* hark back (to).
ressemblant *adj.* lifelike.
ressembler à *v.* be like, resemble.
ressembler (se —) *v.* be (ou look) alike.
ressemeler *v.* sole, resole.
▷ **ressentiment** *n.m.* resentment.
⚠ **ressentir** *v.* feel, experience.
resserre *n.f.* shed (de jardin); storeroom.
resserrer *v.* tighten; squeeze (crédit).
resserrer (se —) *v.* tighten; narrow (route...).
⚠ **ressort** *n.m.* spring; *(fig.)* spirit; scope, province.
ressort (en dernier —) *loc.* in the last resort [rɪ'zɔːt].
ressortir *v.* go out again; stand out; emerge (from).
ressortissant *n.m.* national ['næʃənl].
ressource *n.f.* resource; shift; means.
▷ **ressusciter** *v.* resuscitate; *(fig.)* revive.
restant *adj.* remaining, left.
restant *n.m.* remainder, rest; remnant, trace.
▷ **restaurant** *n.m.* restaurant; canteen (universitaire, d'entreprise...).
⚠ **restauration** *n.f.* catering (hôtellerie); restoring, restoration.
restaurer *v.* restore.
restoroute *n.m.* motorway restaurant.
reste *n.m.* remainder, rest; remnant, trace.
reste (du —) *loc.* besides, moreover.
rester *v.* stay, remain; be left.
restes *n.m.pl.* *(Cuis.)* leftovers; remains; remnants, relics.
restituer *v.* restore, return; refund (argent).
restreindre *v.* restrict, limit; curtail.
▷ **restrictif** *adj.* restrictive.
▷ **restriction** *n.f.* restriction; qualification.
résultat *n.m.* result; *(fig.)* outcome.
▷ **résulter** *v.* result (from).
▷ **résumé** *n.m.* summary; summing up, résumé.
résumer *v.* summarize, sum up.
résumer (se — à) *v.* amount to, boil down to.
▷ **résurrection** *n.f.* resurrection; *(fig.)* revival [rɪ'vaɪvl].
rétablir *v.* restore; re-establish.
rétablir (se —) *v.* recover (santé); return (calme).
rétablissement *n.m.* recovery; *(Sp.)* pull up.
rétamer *v.* recoat, retin.
rétameur *n.m.* tinker.
retaper *v.* *(fam.)* do up, fix up, buck up.
retaper (se —) *v.* *(fam.)* pick up again.
retard *n.m.* lateness; delay.
retard (en —) *loc.* late; backward.
retardataire *n.m.* latecomer.
▷ **retardé** *adj.* backward, slow, retarded (mental); delayed.
retardement (bombe à —) *n.f.* time bomb.
retarder *v.* delay; set back; be slow (montre).
retenir *v.* hold back; keep, detain, hold up; retain; book (des places...); remember; stop; *(Fin.)* deduct.
retenir (se —) *v.* refrain (from doing).
retentir *v.* ring out; resound (with).
retentissant *adj.* resounding; tremendous.
retentissement *n.m.* repercussion; stir.
retenu *adj.* reserved, restrained; wary ['weərɪ].
retenue *n.f.* deduction; restraint; *(Ens.)* detention.
▷ **réticence** *n.f.* reluctance, hesitation, reticence.
rétif *adj.* restive; stubborn ['stʌbən].
▷ **rétine** *n.f.* retina ['retɪnə].
retiré *adj.* secluded, remote; retired (retraité).
retirer *v.* withdraw; take off (ou away), remove; pick up, collect,

derive (ou gain) (from).
retirer (se —) *v.* retire ; withdraw.
retombées *n.f.pl.* (radioactive) fall-out.
retomber *v.* fall again ; land ; hang down.
rétorquer *v.* retort [rɪ'tɔːt].
retors *adj.* willy, sly, cunning.
rétorsion (mesures de —) *n.f.* reprisals.
retoucher *v.* alter ; *(Phot.)* touch up.
retour *n.m.* return.
retourner *v.* return ; turn over ; turn upside down ; turn inside out ; *(fig.)* shake, give (somebody) a turn.
retourner (se —) *v.* turn over ; turn round.
retracer *v.* relate, recount ; draw again.
▷ **rétracter** *v.* draw in, withdraw, retract.
rétracter (se —) *v.* back out, shrink ; *(Polit. & Rel.)* recant, retract.
retrait *n.m.* withdrawal ; collection (de bagages) ; disqualification, suspension (du permis).
retrait (en —) *loc.* set back (maison...).
retraite *n.f.* retirement ; pension ; retreat.
retraite aux flambeaux *n.f.* torch-light tattoo [tə'tuː].
retraité *n.m.* (old age) pensioner.
retranchement *n.m.* entrenchment ; corner.
retrancher *v.* cut off ; remove ; deduct (from).
retrancher (se —) *v.* entrench oneself ; *(fig.)* take refuge (in), hide (behind).
retransmettre *v.* broadcast.
retransmission *n.f.* *(T.V., Radio)* broadcast ; *(T.V.)* showing.
rétrécir (et **se —**) *v.* shrink ; narrow ; dwindle.
rétribuer *v.* pay somebody (for).
rétroactif *adj.* retrospective ; back-dated.
rétrograde *adj.* reactionary ; backward.
rétrograder *v.* *(Aut.)* change down ; regress.
▷ **rétrospectif** *adj.* retrospective.
⚠ **rétrospective** *n.f.* retrospective exhibition.
rétrospectivement *adv.* in retrospect.
retrousser *v.* roll up, turn up, tuck up.
retrouvailles *n.f.pl.* reunion.
retrouver *v.* find again ; regain ; meet again.
retrouver (se —) *v.* find oneself (back) ; meet again ; end (ou wind) up ; find one's way.
rétroviseur *n.m.* driving (ou wing) mirror.
⚠ **réunion** *n.f.* meeting ; rally ; show ; junction.
réunir *v.* gather ; call up ; combine ; join.
réunir (se —) *v.* meet ; unite, combine ; join.
réussi *adj.* successful ; well-executed, good.
réussir *v.* succeed ; *(Ens.)* pass ; thrive ; carry out (une expérience).
réussir à *v.* manage to, succeed in.
réussite *n.f.* success ; patience (cartes).
revaloir *v.* repay, pay back ; *(fig.)* pay back (ou out), serve out for (en mal).
revaloriser *v.* revalue ; raise ; promote.
revanche *n.f.* revenge ; *(Sp.)* revenge match.
revanche (en —) *loc.* on the other hand.
rêvasser *v.* daydream, muse.
rêve *n.m.* dream ; *(fig.)* daydream, illusion, dreams.
revêche *adj.* rough ; harsh ; *(fig.)* surly, sour-tempered.
réveil *n.m.* alarm-clock ; waking up, wakening.
réveiller *v.* wake up ; *(fig.)* awaken, revive.
réveiller (se —) *v.* wake up ; *(fig.)* be roused.
réveillon *n.m.* Christmas Eve (ou New Year's Eve) dinner.
révélateur *adj.* revealing (signe...).
▷ **révélation** *n.f.* revelation ; disclosure.
révéler *v.* reveal ; disclose ; show ; discover.
révéler (se —) *v.* reveal oneself ; prove to be.
revenant *n.m.* ghost.
revendeur *n.m.* retailer ; second-hand dealer.
revendicatif *adj.* of protest, of action (journée, lutte...).
revendication *n.f.* claim, demand.
revendiquer *v.* claim, demand.
revendre *v.* resell, sell again.
revenir *v.* come back ; recur ; cost.
revente *n.f.* resale.

▷ **revenu** *n.m.* income; (public) revenue; *(Fin.)* yield.
rêver *v.* dream (of); *(fig.)* muse, have daydreams.
▷ **réverbération** *n.f.* reverberation; reflection.
réverbère *n.m.* street lamp, street light.
▷ **réverbérer** *v.* reverberate; reflect.
⚠ **révérence** *n.f.* bow, curtsey; reverence.
▷ **révérer** *v.* revere.
▷ **rêverie** *n.f.* daydream(ing), reverie.
⚠ **revers** *n.m.* back, wrong side, reverse; lapel (de veste); *(Tennis)* backhand; setback (échec).
▷ **réversible** *adj.* reversible.
revêtement *n.m.* coating; flooring; surface.
revêtir *v.* put on; *(fig.)* take on; *(fig.)* endow (with).
revient (prix de —) *n.m.* cost price.
revigorer *v.* invigorate; brace; buck up.
revirement *n.m.* reversal; change of mind.
réviser *v.* revise; *(Aut.)* service, overhaul.
revivifier *v.* regenerate, revive.
⚠ **révocation** *n.f.* dismissal; revocation.
revoir *v.* see again; revise, go over again.
révoltant *adj.* shocking, revolting.
▷ **révolte** *n.f.* rebellion, revolt.
révolté *adj.* rebellious; outraged, incensed, revolted.
révolté *n.m.* rebel.
▷ **révolter** *v.* shock, outrage, appal, disgust, revolt.
révolter (se —) *v.* rebel, revolt.
révolu *adj.* past, completed, accomplished.
▷ **révolution** *n.f.* revolution.
▷ **révolutionnaire** *adj. & n.* revolutionary.
▷ **révolutionner** *v.* stir up; revolutionize.
▷ **revolver** *n.m.* gun, revolver.
⚠ **révoquer** *v.* dismiss; cancel, revoke.
⚠ **revue** *n.f.* review; magazine; variety show, revue.
rez-de-chaussée *n.m.* ground floor, *(amér.)* first floor.
▷ **rhubarbe** *n.f.* rhubarb.
▷ **rhum** *n.m.* rum.
▷ **rhumatisme** *n.m.* rheumatism.
rhume *n.m.* cold; head cold (de cerveau).
rhume des foins *n.m.* hay fever.
riant *adj.* smiling, cheerful, pleasant.
ribambelle *n.f. (fam.)* swarm, flock.
ricaner *v.* snigger, sneer.
riche *adj.* rich, wealthy; costly.
richesse *n.f.* wealth, riches; richness.
ricin (huile de —) *n.f.* castor oil.
▷ **ricochet** *n.m.* rebound, bounce, ricochet.
rictus *n.m.* grin.
⚠ **ride** *n.f.* wrinkle; ripple (sur l'eau).
rideau *n.m.* curtain; shutter (métallique); screen (fumée...).
rider *v.* wrinkle, shrivel; ruffle, ripple.
ridicule *adj.* ridiculous, ludicrous.
▷ **ridicule** *n.m.* absurdity; ridicule.
ridiculiser *v.* ridicule, make fun of.
ridiculiser (se —) *v.* make a fool of oneself.
rien *pr. quant.* nothing, not... anything, nought; anything.
rien *n.m.* trifle, mere nothing; hint (of).
rieur *adj.* cheerful, merry; laughing (yeux).
▷ **rigide** *adj.* stiff, rigid; strict, severe.
rigole *n.f.* channel, gutter, drain; rivulet.
rigoureux *adj.* strict, rigorous; stern, strict; harsh, severe (climat...).
rigueur *n.f.* strictness, rigour; sternness, strictness; harshness; severity; precision (pensée).
▷ **rime** *n.f.* rhyme.
▷ **rimer** *v.* rhyme.
rince-doigts *n.m.* finger-bowl.
▷ **rincer** *v.* rince.
ripaille *n.f.* feasting, junketing.
riper *v.* slip.
▷ **riposte** *n.f.* retort, riposte.
▷ **riposter** *v.* retort, answer back, riposte; retaliate (se venger).
rire *n.m.* laugh; laughter (éclat).
rire *v.* laugh.
ris *n.m. (Naut.)* reef.
ris de veau *n.m.* sweetbread.
risée *n.f.* laughing stock.
risible *adj.* laughable; ridiculous, silly.
risque *n.m.* risk; hazard; chance.
risqué *adj.* hazardous, dangerous, risky.
risquer *v.* risk; venture, hazard,

chance.
risque-tout *n.m.* daredevil.
rissoler *v.* brown.
ristourne *n.f.* rebate, discount ; refund.
▷ **rite** *n.m.* rite ; *(fig.)* ritual.
ritournelle *n.f.* *(péj.)* same old tune.
▷ **rituel** *adj. et n.m.* ritual.
rivage *n.m.* shore, waterside.
▷ **rival** *adj. & n.* rival ['raɪvl].
rivaliser *v.* rival (ou vie) with ; compare (with).
rivalité *n.f.* rivalry ['raɪvlrɪ].
rive *n.f.* shore (lac) ; bank (rivière).
river *v.* clinch, rivet.
riverain *adj.* bordering (on).
riverain *n.m.* resident.
▷ **rivet** *n.m.* rivet.
riveter *v.* rivet (together).
rivière *n.f.* river.
rixe *n.f.* brawl, souffle.
riz *n.m.* rice.
riz au lait *n.m.* rice pudding.
rizière *n.f.* paddy field, rice field.
⚠ **robe** *n.f.* dress ; frock ; gown ; robe (de juge...) ; coat (cheval).
robinet *n.m.* tap, *(amér.)* faucet.
▷ **robot** *n.m.* robot ['rəʊbɒt].
▷ **robuste** *adj.* sturdy, robust, strong, hardy.
▷ **roc** *n.m.* rock.
rocade *n.f.* by-road, bypass.
rocaille *n.f.* loose stones ; rocky ground ; rockery, rock garden.
rocailleux *adj.* rocky, stony ; grating (voix) ; harsh (style).
rocambolesque *adj.* incredible, fantastic.
roche *n.f.* rock ; boulder ; stony mass.
rocher *n.m.* rock, crag ; boulder.
▷ **rococo** *adj.* rococo ; *(fig.)* antiquated, outdated.
rodage *n.m.* running in ; *(fig.)* breaking in.
roder *v.* run in ; *(fig.)* break in.
rôder *v.* roam, wander ; loiter ; prowl.
rogne (en —) *loc.* in a temper.
rogner *v.* trim, clip ; cut down.
rognons *n.m.pl.* *(Cuis.)* kidneys.
rognures *n.f.pl.* clippings.
roi *n.m.* king.
roitelet *n.m.* *(Zool.)* wren.
⚠ **rôle** *n.m.* role, part ; *(Th.)* part.
⚠ **roman** *n.m.* novel ; *(Arch.)* Romanesque.
⚠ **romance** *n.f.* lovesong ; ballad, romance.
romancier *n.m.* novelist.
⚠ **romanesque** *adj.* fantastic ; romantic.
roman-feuilleton *n.m.* serialized novel.
romanichel *n.m.* gipsy.
▷ **romantique** *adj.* romantic.
⚠ **romantique** *n.m.* romanticist.
⚠ **romantisme** *n.m.* romanticism.
romarin *n.m.* rosemary ['rəʊzmrɪ].
rompre *v.* break ; break off (fiançailles...).
rompre (se —) *v.* break ; snap ; burst ; *(Méd.)* rupture.
rompu *adj.* exhausted ; inured (to).
▷ **romste(a)k** *n.m.* rumpsteak ['rʌm psteɪk].
ronces *n.f.pl.* brambles, thorns.
ronchonner *v.* grumble, grouse, grouch.
rond *adj.* round ; plump (visage) ; *(fam.)* tight (soûl).
rond *n.m.* ring, circle ; *(pl.)* *(fam.)* cash.
rond-de-cuir *n.m.* *(péj.)* penpusher.
ronde *n.f.* rounds, beat, patrol ; round (dance).
rondelet *adj.* plump(ish), chubby, podgy.
rondelle *n.f.* slice ; *(Tech.)* disc, washer.
rondement *adv.* briskly.
rondin *n.m.* log.
rond-point *n.m.* roundabout.
ronéoter *v.* duplicate, roneo ['rəʊ nɪəʊ].
ronflant *adj.* *(péj.)* high-sounding.
ronfler *v.* snore ; roar, whirr (moteur).
ronger *v.* gnaw, nibble ; *(fig.)* sap, eat away at.
rongeur *n.m.* rodent ['rəʊdənt].
ronronner *v.* purr.
roquet *n.m.* pug-dog ; cur, mongrel.
roquette *n.f.* *(Mil.)* rocket.
rosace *n.f.* rose window ; ceiling rose.
rosbif *n.m.* roast beef, joint of beef.
⚠ **rose** *adj.* pink ; rosy (avenir).
▷ **rose** *n.f.* rose.
⚠ **rosé** *adj.* pinkish ; rosé (vin).
roseau *n.m.* reed.
rosée *n.f.* dew.
roseraie *n.f.* rose garden.
rosier *n.m.* rosebush, rose tree.
rosser *v.* thrash, beat up.
rossignol *n.m.* *(Zool.)* nightingale ; *(fig.)* old stock.
▷ **rotation** *n.f.* rotation ; turnover.
rotative *n.f.* rotary press.
roter *v.* belch, burp.

rôti *n.m.* roasting meat; joint, roast.
rotin *n.m.* rattan (fibre); cane.
rôtir *v.* roast.
rôtisserie *n.f.* steakhouse (restaurant).
rôtissoire *n.f.* (roasting) spit.
rotule *n.f.* kneecap.
rouage *n.m.* cogwheel; part; *(pl.)* structures.
roublard *adj. (fam.)* wily, crafty.
roucouler *v.* coo; *(fig.)* bill and coo.
roue *n.f.* wheel.
roué *adj.* crafty, cunning, wily.
rouet *n.m.* spinning wheel.
rouge *adj. et n.m.* red.
rouge-gorge *n.m.* robin, redbreast.
rougeole *n.f.* measles.
rougeoyer *v.* glow (ou turn) red.
rouget *n.m.* mullet ['mʌlɪt].
rougeur *n.f.* redness; red blotch.
rougir *v.* redden; blush, flush; *(fig.)* be ashamed (of).
rouille *n.f.* rust.
rouillé *adj.* rusty; *(fig.)* out of practice.
rouiller *v.* must, get (ou go) rusty.
rouleau *n.m.* roll (papier, tissu...); coil (ficelle); *(Tech.)* roller.
rouleau compresseur *n.m.* steamroller.
roulement rotation; turnover; rumble.
roulement à billes *n.m.* ball-bearing(s).
rouler *v.* roll (up); run, go; *(fam.)* cheat.
⚠ **roulette** *n.f.* castor; roulette (jeu).
roulis *n.m.* roll, rolling.
roulotte *n.f.* caravan; *(amér.)* trailer.
rouquin *adj.* red (cheveux); red-haired.
rouspéter *v.* grumble, grouse, grouch, moan.
rousseur (tache de —) *n.f.* freckle.
roussir *v.* turn brown; singe, scorch (linge); *(Cuis.)* brown.
⚠ **route** *n.f.* road; way.
routier *n.m.* (long distance) lorry driver, *(amér.)* truck driver; transport café.
▷ **routine** *n.f.* routine.
routinier *adj.* routine.
roux *adj. & n.* red, ginger (cheveux); russet (feuilles...).
royal *adj.* royal; kingly, regal; lofty.
▷ **royaliste** *adj. & n.* royalist.
royaume *n.m.* kingdom; *(fig.)* realm, world.
royauté *n.f.* monarchy (régime); kingship.
ruban *n.m.* ribbon; tape; strip, band.
rubéole *n.f.* German measles.
rubis *n.m.* ruby; jewel (montre).
rubrique *n.f.* heading (titre); column.
ruche *n.f.* (bee) hive.
rude *adj.* rough; harsh; tough.
▷ **rudiments** *n.m.pl.* basic notions, rudiments.
rudoyer *v.* bully, treat roughly.
rue *n.f.* street.
ruée *n.f.* rush.
ruelle *n.f.* alley, lane.
ruer *v.* kick (out), lash out.
ruer (se —) *v.* pounce (on); dash (towards).
▷ **rugby** *n.m.* rugby (football), rugger.
rugir *v.* roar; howl (vent); bellow.
rugueux *adj.* rough; coarse; rugged (sol).
▷ **ruine** *n.f.* ruin; decay, destruction.
ruiner *v.* ruin; wreck; shatter, dash.
ruisseau *n.m.* brook, stream; gutter (rue).
ruisseler *v.* stream; be wet with.
▷ **rumeur** *n.f.* hubbub; rumbling(s); rumour.
▷ **ruminer** *v.* ruminate; *(fig.)* ponder (ou brood) over.
⚠ **rupture** *n.f.* breaking; breach; *(Polit. & Méd.)* rupture; break-up, split (fiançailles).
▷ **rural** *adj.* rural, country (people, etc.).
⚠ **ruse** *n.f.* cunning, guile; trick, ruse [ruːz].
rusé *adj.* crafty, sly, cunning, artful, wily.
rustine *n.f.* rubber repair patch.
▷ **rustique** *adj.* rustic, rural; homely, simple.
rustre *adj.* boorish, rude.
rustre *n.m.* boor, lout.
rutabaga *n.m.* swede, swedish turnip.
▷ **rutilant** *adj.* glowing, gleaming, rutilant.
▷ **rythme** *n.m.* rhythm; rate; pace (of life).
▷ **rythmique** *adj.* rhythmical, rhythmic.
rythmique *n.f.* rhythmics.

S

sa *adj.* his, her, its, one's.
▷ **sabbat** *n.m.* sabbath.
⚠ **sable** *n.m.* sand.
sabler *v.* sand ; crack (champagne).
sablière *n.f.* sandpit.
sabord *n.m.* porthole.
saborder *v.* scuttle.
sabot *n.m.* clog ; hoof (d'animal).
▷ **sabotage** *n.m.* sabotage.
saboter *v.* sabotage.
▷ **saboteur** *n.m.* bungler ['bʌnglə], saboteur.
▷ **sabre** *n.m.* sabre ['seɪbə].
sabrer *v.* sabre ['seɪbə] ; botch (bâcler).
⚠ **sac** *n.m.* bag ; sack (pour blé, charbon...).
saccade *n.f.* jerk, jolt.
saccadé *adj.* jerky ; staccato.
saccager *v.* sack ; plunder.
sacerdoce *n.m.* priesthood ; vocation.
sachet *n.m.* small bag.
sacoche *n.f.* money bag ; toolbag ; saddlebag.
sacre *n.m.* coronation, crowning ; anointing.
⚠ **sacré** *adj.* holy ; sacred ; *(fam.)* damned ; cursed.
▷ **sacrement** *n.m.* sacrament.
sacrer *v.* crown ; anoint.
▷ **sacrifice** *n.m.* sacrifice ['sækrɪfaɪs].
sacrifier *v.* sacrifice.
⚠ **sacrilège** *adj.* sacrilegious [sækrɪ'lɪdʒəs].
▷ **sacrilège** *n.* sacrilege ['sækrɪlɪdʒ].
sacripant *n.m.* scoundrel, rascal, rogue.
sacristain *n.m.* sexton, verger ['vɜːdʒə].
sacristie *n.f.* vestry.
▷ **sacrosaint** *adj.* sacrosanct ['sækrəʊsæŋkt].
sadique *adj.* sadistic.
sadique *n.* sadist ['seɪdɪst].
▷ **sadisme** *n.m.* sadism.
▷ **safran** *n.m.* saffran ['sæfrən].
sagace *adj.* shrewd, sagacious.
⚠ **sage** *adj.* good (enfant) ; wise ; advisable.
sage-femme *n.f.* midwife.
sagesse *n.f.* good behaviour (enfant) ; wisdom ; common sense.
saignant *adj.* bleeding ; *(Cuis.)* rare, underdone.
saigner *v.* bleed.
saillant *adj.* jutting out, protruding ; remarkable (fait).
saillie *n.f.* ledge ; overhang.
saillir *v.* jut out ; protrude ; cover (animal).
sain *adj.* healthy ; sound ; sane (d'esprit) ; wholesome (nourriture).
saindoux *n.m.* lard [lɑːd].
⚠ **saint** *adj.* holy, sacred ; saintly.
▷ **saint** *n.* saint [seɪnt].
saisir *v.* seize, catch ; grasp ; understand.
saisissant *adj.* striking.
saison *n.f.* season.
saisonnier *adj.* seasonal.
▷ **salade** *n.f.* salad.
saladier *n.m.* salad-bowl.
salaire *n.m.* wages, pay, salary.
salaison *n.f.* salting ; curing ['kjʊərɪŋ].
salaud *n.m.* *(vulg.)* bastard, swine.
⚠ **sale** *adj.* dirty, soiled ; nasty, filthy.
salé *adj.* salt, salted, salty ; *(fig.)* coarse, salty (histoire...).
saler *v.* salt.
saleté *n.f.* dirt, filth.
salière *n.f.* saltcellar.
salir *v.* dirty, soil, stain ; *(fig.)* smear.
salissant *adj.* easily soiled.
▷ **salive** *n.f.* saliva [sə'laɪvə].
▷ **saliver** *v.* salivate ['sælɪveɪt].
salle *n.f.* room ; hall ; *(Th.)* house.
salle à manger *n.f.* dining room.
salle d'attente *n.f.* waiting room.
salle de bains *n.f.* bathroom.
salle d'hôpital *n.f.* ward.
⚠ **salon** *n.m.* lounge, drawing room ; show (exposition).
salopette *n.f.* dungarees, overalls.
▷ **salsifis** *n.m.* salsify ['sælsɪfaɪ].
saltimbanque *n.m.* mountebank.
salubre *adj.* salubrious, healthy, wholesome.
▷ **salubrité** *n.f.* salubrity [sə'luːbrɪtɪ].
⚠ **saluer** *v.* greet ; bow (to) ; wave (to) (de la main) ; *(Mil.)* salute.
⚠ **salut** *n.m.* greeting ; bow ; *(Mil.)* salute ; *(Rel.)* salvation.
▷ **salutaire** *adj.* salutary, beneficial.
▷ **salutation** *n.f.* salutation ; *(pl.)* greetings.
▷ **salve** *n.f.* salvo ['sælvəʊ].
samedi *n.m.* Saturday.
▷ **sanatorium** *n.m.* sanatorium.

▷**sanction** *n.f.* sanction; penalty; approval.
⚠**sanctionner** *v.* sanction; punish; approve.
▷**sanctuaire** *n.m.* sanctuary, shrine.
▷**sandale** *n.f.* sandal ['sændl].
sandow *n.m.* elastic strap.
sang *n.m.* blood.
▷**sang-froid** *n.m.* calm, composure, sang-froid.
sangle *n.f.* strap, belt; (saddle) girth.
sanglier *n.m.* (wild) boar.
sanglot *n.m.* sob.
sangloter *v.* sob.
sangsue *n.f.* leech.
sanguinaire *adj.* bloodthirsty; bloody.
▷**sanitaire** *adj.* sanitary.
sans *prép.* without; but for; were it not for.
sans façon *loc.* informally.
sans-gêne *adj.* inconsiderate.
sans-gêne *n.m.* offhandedness.
sans-logis, sans-abri *n.pl.* the homeless.
sansonnet *n.m.* starling.
sans-souci *adj.* carefree, happy-go-lucky.
santé *n.f.* health.
saoûl *adj.* drunk.
sapeur-pompier *n.m.* fireman.
saper *v.* sap, undermine.
▷**saphir** *adj.* & *n.* sapphire ['sæfaɪə].
sapin *n.m.* fir (tree).
sarbacane *n.f.* blowpipe; peashooter.
▷**sarcasme** *n.m.* sarcasm ['sɑːkæzm].
▷**sarcastique** *adj.* sarcastic [sɑː'kæstɪk].
sarcler *v.* weed, pull up weeds; hoe.
▷**sarcophage** *n.m.* sarcophagus [sɑː'kɒfəgəs].
▷**sardine** *n.f.* sardine [sɑː'diːn].
▷**sardonique** *adj.* sardonic [sɑː'dɒnɪk].
sarment *n.m.* vine shoot.
sarrasin *n.m.* buckwheat.
sarrau *n.m.* smock; child's blouse.
sas *n.m.* lock (d'écluse); *(Naut., Espace)* airlock.
satané *adj.* confounded, blasted, devilish.
▷**satanique** *adj.* fiendish, wicked, satanic.
▷**satellite** *adj.* & *n.* satellite ['sætəlaɪt].
▷**satiété** *n.f.* surfeit, satiety [sə'taɪətɪ].
▷**satire** *n.f.* satire ['sætaɪə]; lampoon.
▷**satirique** *adj.* satirical, satiric.
▷**satiriser** *v.* satirize; lampoon.
▷**satisfaction** *n.f.* satisfaction.
satisfaire *v.* satisfy; content; answer, meet.
satisfaisant *adj.* satisfactory; satisfying.
▷**saturer** *v.* saturate; surfeit, swamp (with).
▷**satyre** *n.m.* satyr; sex maniac.
⚠ **sauce** *n.f.* sauce; gravy (viande); dressing.
saucisse *n.f.* sausage ['sɒsɪdʒ].
saucisson *n.m.* sausage.
sauf *adj.* safe, unhurt; intact.
sauf *prép.* except (for), but, save; unless.
sauf-conduit *n.m.* safe-conduct.
sauge *n.f. (Bot.)* sage [seɪdʒ].
saugrenu *adj.* preposterous, absurd.
saule *n.m.* willow (tree).
saule pleureur *n.m.* weeping willow.
saumâtre *adj.* briny; *(fig.)* nasty, unpleasant.
saumon *n.m.* salmon ['sæmən].
saumure *n.f.* brine.
▷**sauna** *n.m.* sauna ['sɔːnə].
saupoudrer *v.* sprinkle (with).
saut *n.m.* jump, leap, bound, vault, hop.
saute-mouton *n.m.* leapfrog.
sauter *v.* jump, leap; leave out (mot...).
sauter (faire —) *loc.* blow up.
sauterelle *n.f.* grasshopper.
sautiller *v.* hop, skip, jump about.
⚠ **sauvage** *adj.* wild; savage; shy, unsociable; unofficial (grève).
⚠ **sauvage** *n.m.* savage; *(fig.)* unsociable person.
sauvegarde *n.f.* safeguard.
sauvegarder *v.* safeguard, protect.
sauver *v.* save, rescue; salvage; *(Rel.)* redeem, save.
sauver (se —) *v.* run away; be off.
sauvetage *n.m.* rescue (personnes); salvage (choses).
sauvetage (bateau de —) *n.m.* lifeboat.
sauveteur *n.m.* rescuer.
sauvette (à la —) *loc.* hastily, hurriedly.
sauveur *n.m.* deliverer; saviour.
savamment *adv.* learnedly; knowingly.
▷**savane** *n.f.* savannah [sə'vænə].

savant *adj.* learned ; clever ; performing (chien).
savant *n.m.* scientist ; scholar.
▷ **saveur** *n.f.* flavour, taste, savour.
savoir *n.m.* knowledge, learning, scholarship.
savoir *v.* know (how to) ; can, be able (to).
▷ **savoir-faire** *n.m.* know-how ; savoir-faire.
savoir-vivre *n.m.* good breeding ; etiquette.
savon *n.m.* (bar of) soap ; *(fam.)* scolding.
savonner *v.* soap ; *(fam.)* scold.
savonnette *n.f.* bar (ou cake) of soap.
▷ **savourer** *v.* savour, relish ; *(fig.)* enjoy.
savoureux *adj.* tasty ; *(fig.)* spicy, racy.
▷ **saxophone** *n.m.* saxophone, *(fam.)* sax.
scabreux *adj.* risky, ticklish ; improper.
▷ **scalper** *v.* scalp.
▷ **scandale** *n.m.* scandal ; scene, fuss ; shame.
▷ **scandaliser** *v.* scandalize, shock (deeply).
scander *v.* chant (slogan) ; scan (des vers).
scaphandre *n.m.* diving suit ; space suit.
scaphandrier *n.m.* diver.
▷ **scarabée** *n.m.* beetle, scarab.
scarlatine *n.f.* scarlet fever.
sceau *n.m.* seal ; *(fig.)* stamp, mark.
scélérat *n.m.* scoundrel, rascal, rogue.
sceller *v.* seal ; ratify ; embed.
scellés *n.m.pl.* *(Jur.)* seals.
⚠ **scénario** *n.m.* scenario ; script ; *(fig.)* pattern.
⚠ **scène** *n.f.* stage ; scene ; scenery ; row, scene.
▷ **scepticisme** *n.m.* scepticism ['skep tɪsɪzm].
schéma *n.m.* diagram ; outline, sketch.
⚠ **schématique** *adj.* schematic [skiː 'mætɪk] ; *(fig.)* (over)simplified.
▷ **schématiser** *v.* (over)simplify ; schematize.
▷ **schisme** *n.m.* schism ['sɪzm] ; split, rift.
▷ **schizophrène** *adj.* & *n.* schizophrenic.
▷ **sciatique** *n.f.* sciatica [saɪ'ætɪkə].
scie *n.f.* saw ; *(fam.)* catch-tune (rengaine).
sciemment *adv.* knowingly, wittingly.
science *n.f.* science ; knowledge ; skill, art.
▷ **scientifique** *adj.* scientific [ˌsaɪən 'tɪfɪk].
⚠ **scientifique** *n.m.* scientist ['saɪə ntɪst].
scier *v.* saw ; *(fam.)* stagger, bowl over.
scinder *v.* split up, divide (up).
scintiller *v.* sparkle, scintillate ; twinkle.
scission *n.f.* split, secession.
sciure *n.f.* sawdust.
▷ **sclérose** *n.f.* sclerosis [sklɪ'rəʊsɪz].
scolaire *adj.* school (année...).
scolarisation, scolarité *n.f.* schooling.
▷ **score** *n.m.* score [skɔː].
▷ **scorpion** *n.m.* scorpion.
⚠ **scotch** *n.m.* Scotch (whisky) ; sellotape.
▷ **scout** *n.m.* (boy) scout.
⚠ **script** *n.m.* printing ; *(Ciné.)* script.
⚠ **script-girl** *n.f.* continuity girl.
scrupule *n.m.* scruple, qualm, doubt.
▷ **scrupuleux** *adj.* scrupulous ['skruː pjʊləs].
scruter *v.* search, scrutinize, scan.
scrutin *n.m.* ballot ; poll.
sculpter *v.* sculpt, sculpture ; carve.
▷ **sculpteur** *n.m.* sculptor, wood carver.
▷ **sculpture** *n.f.* sculpture, carving.
se *pr.* oneself, himself, herself, itself, themselves ; one another, each other.
séance *n.f.* session, sitting ; *(Th., Ciné.)* performance.
séant *adj.* fitting, becoming, seemly.
séant *n.m.* seat, posterior.
seau *n.m.* pail, bucket.
sec *adj.* dry ; withered ; lean ; curt (réponse) ; hard, cold (attitude).
▷ **sécateur** *n.m.* (pruning) shears, secateurs.
▷ **sécession** *n.* secession.
sèche-cheveux *n.m.* hairdrier.
sécher *v.* dry ; *(fam.)* skip, cut (un cours).
sécheresse *n.f.* dryness ; drought ; *(fig.)* coldness.
séchoir *n.m.* clothes-horse ; drier.
▷ **second** *adj.* second ['sekənd].
▷ **secondaire** *adj.* secondary ; access-

ory.
seconde *n.f.* second.
seconder *v.* assist; back up; promote.
secouer *v.* shake; jolt; *(fig.)* shake up, shock.
secourir *v.* help, assist, aid.
secourisme *n.m.* first aid.
secouriste *n.m.* first-aid man.
secours *n.m.* help, assistance, aid.
secousse *n.f.* shake; jolt, bump; *(fig.)* blow, shock.
secret *adj.* secret, private; reserved.
secret *n.m.* secret; secrecy.
⚠ **secrétaire** *n.m;* secretary; writing desk.
secrétariat *n.m.* office; secretarial work; secretarial staff.
⚠ **sécréter** *v.* secrete; *(fig.)* exude.
sectaire *adj.* sectarian.
⚠ **secteur** *n.m.* sector; district; *(Élec.)* mains.
⚠ **section** *n.f.* section; stage (d'autobus); *(Mil.)* platoon.
⚠ **séculaire** *adj.* ancient, time-honoured.
sécuriser *v.* make someone feel secure.
▷ **sécurité** *n.m.* safety, security.
▷ **sédatif** *adj. & n.* sedative ['sedətɪv].
▷ **sédentaire** *adj.* sedentary; settled.
▷ **séditieux** *adj.* seditious; insurgent.
▷ **sédition** *n.f.* sedition, insurrection; revolt.
séduire *v.* seduce; charm; beguile.
séduisant *adj.* attractive, alluring, seductive.
▷ **segment** *n.m.* segment ['segmənt].
▷ **ségrégation** *n.f.* segregation [ˌsegrɪ'geɪʃn].
seiche *n.f.* cuttlefish.
seigle *n.m.* rye [raɪ].
seigneur *n.m.* lord; squire; nobleman.
sein *n.m.* breast; bosom; *(fig.)* heart, midst, womb.
séisme *n.m.* earthquake.
séjour *n.m.* stay; *(fam.)* living room.
séjourner *v.* stay, sojourn ['sɒdʒɜːn].
sel *n.m.* salt; *(fig.)* spice, wit.
▷ **sélectif** *adj.* selective [sɪ'lektɪv].
▷ **sélection** *n.f.* selection, choice.
selle *n.f.* saddle; *(pl.) (Méd.)* stools.
seller *v.* saddle.
selon *prép.* according to.
semaine *n.f.* week.
▷ **sémaphore** *n.m.* semaphore; signal post.
semblable *adj.* similar; alike; like; such.
semblable *n.m.* fellow creature.
semblant *n.m.* semblance, appearance, look.
semblant (faire —) *loc.* pretend.
sembler *v.* seem, appear.
semelle *n.f.* sole; insole (intérieure).
semence *n.f.* seed; semen; *(Tech.)* tack.
semer *v.* sow; scatter, strew; lose, shake off.
⚠ **semestre** *n.m.* *(Comm.)* half-year; *(Ens.)* semester.
▷ **semi-circulaire** *adj.* semi-circular.
sémillant *adj.* brisk, lively, vivacious.
semi-mensuel *adj.* fortnightly.
⚠ **séminaire** *n.m.* seminar; *(Rel.)* seminary.
semis *n.m.* sowing; seedbed; seedling.
⚠ **sémite** *adj.* Semitic [sɪ'mɪtɪk].
▷ **Sémite** *n.* Semite.
semonce *n.f.* reprimand, scolding, lecture.
semoule *n.f.* semolina.
sempiternel *adj.* eternal, everlasting.
▷ **sénat** *n.m.* senate ['senɪt]; senate house.
▷ **sénateur** *n.m.* senator ['senətə].
▷ **sénile** *adj.* senile ['siːnaɪl].
⚠ **sens** *n.m.* sense; meaning; direction.
sens dessus dessous *loc.* upside down.
sens interdit *n.* no entry (sign).
sens unique *n.* one-way street.
▷ **sensation** *n.f.* sensation, feeling.
▷ **sensationnel** *adj.* sensational; terrific.
sensé *adj.* sensible, judicious.
sensibiliser *v.* make aware (of).
▷ **sensibilité** *n.f.* sensibility, sensitiveness, sensitivity.
⚠ **sensible** *adj.* sensitive; tender; noticeable.
sensiblement *adv.* approximately; noticeably.
sensiblerie *n.f.* mawkishness.
▷ **sensuel** *adj.* sensual ['senʃʊəl].
⚠ **sentence** *n.f.* sentence; maxim.
▷ **sentencieux** *adj.* sententious.
senteur *n.f.* smell; scent, perfume.
senti *adj.* heartfelt, sincere.
sentier *n.m.* path, footpath; *(fig.)* path.
⚠ **sentiment** *n.m.* feeling; sensa-

tion ; sentiment ; affection, love ; sense ; opinion.
▷ **sentimental** *adj.* sentimental.
▷ **sentinelle** *n.f.* sentry, sentinel.
sentir *v.* smell ; smell like ; feel ; guess ; perceive ; *(fig.)* smack (ou savour) of.
sentir (se —) *v.* feel ; be conscious.
⚠ **séparation** *n.f.* parting ; separation ; division.
▷ **séparatiste** *adj. & n.* separatist.
séparé *adj.* separate ; separated (époux).
séparer *v.* separate, part ; divide ; distinguish, differentiate.
séparer (se —) *v.* part (with) ; part (from).
septembre *n.m.* September.
▷ **septique** *adj.* septic.
▷ **septuagénaire** *adj. & n.* septuagenarian.
▷ **sépulcre** *n.m;* sepulchre ['sepəlkə].
sépulture *n.f.* burial ; burial place, tomb.
séquelles *n.f.pl.* after-effects.
▷ **séquence** *n.f.* sequence ['si:kwəns].
séquestre (placer sous —) *loc.* sequester.
sequestrer *v.* *(Jur.)* impound, sequestrate ; confine illegally.
▷ **séquoia** *n.m.* sequoia [sɪ'kwɔɪə], redwood.
▷ **serein** *adj.* serene, clear ; calm ; *(fig.)* dispassionate.
▷ **sérénade** *n.f.* serenade.
▷ **sérénité** *n.f.* serenity [sɪ'renɪtɪ].
▷ **sergent** *n.m.* sergeant ['sɑ:dʒənt].
sergent de ville *n.m.* police constable.
⚠ **série** *n.f.* series ; set ; succession ; *(Sp.)* heat.
sérier *v.* sort out, classify, arrange.
⚠ **sérieux** *adj.* serious, grave ; earnest ; reliable, dependable ; real, true.
serin *n.m.* canary [kə'neərɪ].
▷ **seringue** *n.f.* syringe ['sɪrɪndʒ].
serment *n.m.* oath ; vow, pledge, promise.
▷ **sermon** *n.m.* sermon ; *(fig.)* lecture, sermon.
sermonner *v.* lecture, give a talking-to.
serpe *n.f.* billhook.
▷ **serpent** *n.m.* snake, serpent.
serpent à sonnettes *n.m.* rattlesnake.
serpenter *v.* wind [waɪnd] ; meander.
serpentin *n.m.* (paper) streamer.
serpette *n.f.* pruning knife.
serpillière *n.f.* floorcloth.
serre *n.f.* greenhouse, hothouse ; *(Zool.)* claw, talon.
serré *adj.* tight ; packed ; dense ; close ; closely-woven (tissu).
serre-livres *n.m.* book ends.
serrement *n.m.* pressing, squeezing.
serrement de cœur *n.m.* pang.
serrer *v.* squeeze, press ; fasten, tighten ; hold tight, clasp, grip ; clench.
serrer (se —) *v.* huddle up (against) ; squeeze up.
serre-tête *n.m.* headband.
serrure *n.f.* lock.
serrurier *n.m.* locksmith.
sertir *v.* set.
▷ **sérum** *n.m.* serum.
▷ **servante** *n.f.* servant, maidservant.
serveur *n.m.* waiter ; barman.
serveuse *n.f.* waitress ; barmaid.
serviable *adj.* helpful, obliging.
⚠ **service** *n.m.* service ; duty ; department, section ; favour ; set (à thé...).
⚠ **serviette** *n.f.* towel (de toilette) ; serviette, napkin (de table) ; briefcase.
servir *v.* serve ; wait on ; help (à table) ; be useful.
servir (se —) *v.* use ; help oneself (to).
serviteur *n.m.* servant.
servitude *n.f.* constraint.
ses *adj.* his, her, its, one's.
▷ **session** *n.f.* sitting, session.
seuil *n.m.* doorstep ; *(fig.)* threshold.
seul *adj.* alone ; lonely ; single ; only.
seulement *adv.* only ; but ; merely.
sève *n.f.* sap ; *(fig.)* pith, vigour.
▷ **sévère** *adj.* severe ; stern, strict.
sévices *n.f.pl.* ill-treatment, cruelty.
sévir *v.* deal severely (with) ; rage.
sevrer *v.* wean ; *(fig.)* deprive of.
▷ **sexe** *n.m.* sex.
▷ **sexuel** *adj.* sexual.
seyant *adj.* becoming.
⚠ **shampooing** *n.m.* shampoo [ʃæm'pu:].
⚠ **short** *n.m.* (pair of) shorts.
si *conj.* if ; whether ; supposing.
si *adv.* so, so much ; however much ; yes, but yes.
si *n.m.* *(Mus.)* B ; si (en chantant).
sidérurgie *n.f.* (iron and) steel industry.
siècle *n.m.* century ; age, period.

⚠ **siège** *n.m.* seat ; *(Mil.)* siege ; head office ; *(Rel.)* see.
siéger *v.* sit (Parlement...) ; be located.
sien(ne) *pr.* his, hers, its, one's.
▷ **sieste** *n.f.* nap, snooze, siesta [sɪ'estə].
siffler *v.* whistle ; hiss ; whizz ; wheeze ; *(Th.)* hiss, boo.
sifflet *n.m.* whistle ; *(pl.) (Th.)* boos.
sigle *n.m.* acronym ['ækrənɪm].
▷ **signal** *n.m.* signal ['sɪgnl].
signalement *n.m.* particulars, description.
signaler *v.* point out ; report ; announce.
signaler (se —) *v.* distinguish oneself (by).
signaliser *v.* signpost.
▷ **signature** *n.f.* signature ; signing.
⚠ **signe** *n.m.* sign, gesture ; nod ; *(fig.)* omen.
▷ **signer** *v.* sign [saɪn].
significatif *adj.* significant.
signification *n.f.* meaning, significance.
⚠ **signifier** *v.* mean, signify ; notify.
▷ **silence** *n.m.* silence ; pause.
silencieux *adj.* silent, quiet ; still.
silex *n.m.* flint.
▷ **silhouette** *n.f.* silhouette, outline ; figure (corps).
sillage *n.m.* wake.
sillon *n.m.* furrow ; groove (disque) ; *(fig.)* track.
sillonner *v.* furrow ; criss-cross.
simagrées *n.f.pl.* fuss ; show.
▷ **similaire** *adj.* similar, like.
simple *adj.* simple ; plain ; ordinary ; single ; mere.
▷ **simplifier** *v.* simplify.
simpliste *adj.* simplistic.
simuler *v.* feign, sham, simulate, pretend.
simultané *adj.* simultaneous.
sincère *adj.* sincere ; heartfelt.
▷ **sinécure** *n.f.* sinecure.
⚠ **singe** *n.m.* monkey, ape.
⚠ **singer** *v.* ape, mimic, impersonate.
singerie *n.f.* grimace ; antic ; mimicry.
singulariser (se —) *v.* make oneself conspicuous.
singularité *n.f.* peculiarity, oddity.
⚠ **singulier** *adj.* singular ; peculiar ; odd.
▷ **sinistre** *adj.* sinister ; dismal ; evil.
⚠ **sinistre** *n.m.* disaster, calamity ; accident.
sinistré *adj.* stricken.
sinistré *n.m.* victim.
sinon *conj.* otherwise, else.
▷ **sinueux** *adj.* winding, sinuous, meandering.
▷ **sinusite** *n.f.* sinusitis.
▷ **siphon** *n.m.* siphon.
▷ **sirène** *n.f.* *(Myth.)* siren, mermaid ; hooter, *(fog)* horn, siren.
sirop *n.m.* syrup ['sɪrəp].
siroter *v.* sip ; *(fam.)* tipple.
⚠ **site** *n.m.* site ; setting ; beauty spot.
sitôt que *conj.* as soon as.
⚠ **situation** *n.f.* situation ; position ; post, job.
▷ **situer** *v.* site, locate ; situate ; place.
▷ **Skaï** *n.m.* leatherette, skai.
sketch *n.m.* sketch (music-hall).
▷ **ski** *n.m.* ski, skiing.
⚠ **skier** *v.* ski.
⚠ **slip** *n.m.* briefs, pants ; trunks (de bain).
⚠ **slogan** *n.m.* slogan ['sləʊgən].
⚠ **smoking** *n.m.* dinner jacket ; *(amér.)* tuxedo.
⚠ **snob** *adj.* snobbish, swanky, posh.
▷ **snob** *n.* snob.
⚠ **snober** *v.* snub, cut (somebody) cold.
snobisme *n.m.* shobbishness, snobbery.
⚠ **sobre** *adj.* temperate ; frugal ; sober, quiet.
sobriquet *n.m.* nickname.
▷ **sociable** *adj.* sociable ['səʊʃəbl].
▷ **social** *adj.* social ['səʊʃl].
▷ **socialisme** *n.m.* socialism ['səʊʃəlɪzm].
sociétaire *n.m.* member.
▷ **société** *n.f.* society ; *(Comm.)* company.
société d'abondance *n.f.* affluent society.
société de consommation *n.f.* consumer society.
société de gaspillage *n.f.* throwaway society.
▷ **sociologie** *n.f.* sociology.
sociologue *n.m.* sociologist.
▷ **socle** *n.m.* plinth, pedestal, socle.
sœur *n.f.* sister ; *(Rel.)* nun, sister.
sofa *n.m.* sofa, settee [se'ti:].
soi, soi-même *pr.* oneself.
soi-disant *adj.* so-called, would-be.
soie *n.f.* silk ; bristle (animal).
soif *n.f.* thirst ; *(fig.)* craving (for).
soigné *adj.* neat ; careful.

soigner *v.* take care of, look after.
soigneux *adj.* tidy ; careful.
soin *n.m.* care ; attention.
soir *n.m.* evening ; night.
⚠ **soirée** *n.f.* evening ; (evening) party, soirée.
soit *adv.* all right, granted.
soit *conj.* either... or ; whether.
sol *n.m.* ground ; soil ; floor ; *(Mus.)* G, sol.
solaire *adj.* solar ['səʊlə].
soldat *n.m.* soldier.
soldat (simple —) *n.m.* private.
solde *n.m. (Comm.)* balance.
solde *n.f. (Mil.)* pay.
solder *v.* sell off at sale price ; balance.
solder (se — par) *v.* end in ; *(amér.)* wind up with.
soldes *n.m.pl. (Comm.)* (clearance) sale.
▷ **sole** *n.f.* sole.
soleil *n.m.* sun ; sunshine ; sunlight.
solennel *adj.* solemn ; ceremonial (séance).
solfège *n.m.* solfeggio, sol-fa.
▷ **solidarité** *n.f.* solidarity ; interdependence.
⚠ **solide** *adj.* solid ; sturdy ; staunch ; sound (santé).
▷ **solide** *n.m.* solid.
▷ **solidifier (se —)** *v.* solidify.
soliste *n.m.* soloist ['səʊləʊɪst].
▷ **solitaire** *adj.* solitary ; alone ; lonely.
⚠ **solitaire** *n.m.* loner (personne) ; solitaire (diamant et jeu).
▷ **solitude** *n.f.* solitude ; loneliness.
solive *n.f.* joist.
sollicitations *n.f.pl.* enticements ; promptings ; appeals, entreaties.
solliciter *v.* seek ; appeal to ; entice.
▷ **sollicitude** *n.f.* concern, solicitude.
▷ **solution** *n.f.* solution, answer ; way out ; solution (chimique).
⚠ **solvable** *adj.* solvent ['səlvənt].
⚠ **sombre** *adj.* dark ; dismal, gloomy ; murky ; *(fig.)* sombre.
sombrer *v.* go down, sink ; *(fig.)* sink.
▷ **sommaire** *adj.* basic ; scanty ; summary.
sommaire *n.m.* summary, abstract.
sommairement *adv.* summarily.
sommation *n.f.* warning ; *(Jur.)* summons.
somme *n.f.* sum, amount ; nap, snooze.
somme (en —) *loc.* in short, all in all.
sommeil *n.m.* sleep.
sommeiller *v.* doze ; *(fig.)* lie dormant.
sommelier *n.m.* wine waiter ; butler.
sommer *v.* order ; *(Jur.)* summon.
sommet *n.m.* top, summit ; crown (crâne).
sommier *n.m.* spring mattress.
sommité *n.f.* leading light ; authority.
somnambule *n.m.* sleep walker, somnambulist.
somnifère *n.m.* sleeping pill.
▷ **somnolent** *adj.* drowzy, sleepy, somnolent.
somnoler *v.* doze ; *(fig.)* lie dormant.
somptueux *adj.* sumptuous ; handsome.
son *adj.* his, her, its, one's.
son *n.m.* sound ; bran.
▷ **sonate** *n.f.* sonata.
sondage *n.m.* drilling ; boring (forage) ; survey, poll (d'opinion).
sonde *n.* drill ; *(Méd. & fig.)* probe.
sonder *v.* sound, drill ; probe.
songer *v.* (day) dream ; think, contemplate.
songeur *adj.* thoughtful, dreamy.
▷ **sonique** *adj.* sonic.
sonner *v.* sound ; ring ; *(fam.)* stun.
sonnerie *n.f.* ring(ing) ; bell ; buzzer.
sonnette *n.f.* bell, handbell, doorbell.
sonore *adj.* resounding, resonant.
sonorisation, sono *n.f.* public address system, P.A. (system).
▷ **sonorité** *n.f.* tone ; sonority.
▷ **sophistiqué** *adj.* sophisticated.
▷ **soporifique** *adj.* soporific.
⚠ **soporifique** *n.m.* sleeping pill.
sorbet *n.m.* water ice, sorbet ['sɔːbeɪ].
sorcellerie *n.f.* witchcraft ; *(fig.)* magic.
sorcier *n.m.* sorcerer ; *(fig.)* wizard.
sorcière *n.f.* witch, sorceress.
▷ **sordide** *adj.* sordid, squalid ; mean.
sornettes *n.f.pl.* balderdash.
⚠ **sort** *n.m.* fate ; lot ; fortune ; chance ; spell, charm.
sortable *adj.* presentable.
sortant *adj.* outgoing (député...), drawn (numéro).
▷ **sorte** *n.f.* sort, kind, species, way ; manner.
sorte (de — que) *loc.* so that.
sortie *n.f.* exit, way out ; outing ;

outburst (colère).
sortie de bain *n.f.* bathdrobe.
sortilège *n.m.* spell, charm.
sortir *v.* go (ou come) out, leave; result; take (bring ou pull) out.
sosie *n.m.* double.
sot *adj.* silly, foolish, stupid.
sottise *n.f.* foolishness.
sou *n.m.* *(fig.)* penny; *(fig.)* scrap, ounce.
soubresaut *n.m.* start; jolt.
souche *n.f.* stump; counterfoil; stock; root.
souci *n.m.* care, worry; *(Bot.)* marigold.
soucier (se —) *v.* care (about).
soucieux *adj.* worried; concerned.
soucoupe *n.f.* saucer.
soudain *adj.* sudden, unexpected.
soudain(ement) *adv.* all of a sudden, suddenly.
soude *n.f.* soda ['səʊdə].
souder *v.* weld; solder; *(fig.)* merge.
soudoyer *v.* bribe.
souffle *n.m.* breath, breathing; puff.
souffler *v.* blow; pant; blow out; *(Th.)* prompt.
soufflet *n.m.* bellows; slap (gifle).
souffleur *n.m.* *(Th.)* prompter.
souffleur de verre *n.m.* glassblower.
souffrance *n.f.* suffering, pain.
souffrance (en —) *loc.* awaiting delivery, pending.
souffrant *adj.* unwell; suffering.
souffre-douleur *n.m.* butt, laughing-stock.
souffreteux *adj.* sickly, poorly.
souffrir *v.* suffer; bear, endure; stand, bear.
soufre *n.m.* sulphur ['sʌlfə].
souhait *n.m.* wish, desire; greeting.
souhait (à —) *loc.* to perfection, perfectly.
souhaitable *adj.* desirable [dɪ'zaɪərəbl].
souhaiter *v.* wish for, desire.
souiller *v.* soil, dirty; *(fig.)* stain, sully, tarnish, defile.
souillon *n.f.* slut, slattern, sloven.
souillure *n.f.* stain, spot; *(fig.)* blemish.
soûl *adj.* drunk.
soûl (tout son —) *loc.* to one's heart's content.
soulagement *n.m.* relief [rɪ'li:f].
soulager *v.* soothe, comfort; relieve.
soûler (se —) *v.* get drunk (on).
soulèvement *n.m.* uprising.
soulever *v.* raise, lift; *(fig.)* stir up, rouse.
soulever (se —) *v.* lift oneself up; rise up.
soulier *n.m.* shoe.
souligner *v.* underline; *(fig.)* stress, emphasize.
soumettre *v.* subdue, subject; submit.
soumettre (se —) *v.* yield, submit.
soumis *adj.* submissive [səb'mɪsɪv].
soumission *n.f.* submission; submissiveness.
soupape *n.f.* valve [vælv].
soupçon *n.m.* suspicion; hint, touch.
soupçonner *v.* suspect.
soupçonneux *adj.* suspicious [sə'spɪʃəs].
▷ **soupe** *n.f.* soup [su:p].
soupe au lait *adj.* *(fam.)* quick-tempered.
souper *n.* supper.
souper *v.* have supper.
soupeser *v.* weigh in one's hand; *(fig.)* weigh up.
soupière *n.f.* soup tureen [tə'ri:n].
soupir *n.m.* sigh; *(Mus.)* crotchet rest.
soupirail *n.m.* basement window.
soupirer *v.* sigh.
souple *adj.* supple; lithe; flexible; docile, tractable.
⚠ **source** *n.f.* spring; *(fig.)* source, origin.
sourcil *n.m.* eyebrow, brow.
sourciller *v.* knit one's brows, frown, wince.
sourd *adj.* deaf; muffled, dull (son).
sourdine (en —) *loc.* on the sly.
sourd-muet *adj.* deaf-and-dumb.
sourd-muet *n.m.* deaf-mute.
sourdre *v.* spring, gush; *(fig.)* well up, rise.
souricière *n.f.* mousetrap; *(fig.)* trap.
sourire *n.m.* smile.
souris *n.m.* mouse (*pl.* mice); *(fam.)* bird.
sournois *adj.* underhand; shifty.
sous *prép.* under, beneath, below; on, upon; with; in; by.
sous-alimenté *adj.* underfed.
sous-bois *n.m.* undergrowth.
souscrire *v.* subscribe; sign, consent.
sous-développé *adj.* underdeveloped.
sous-directeur *n.m.* assistant manager.
sous-emploi *n.m.* underemploy-

ment.
sous-entendre *v.* imply, infer, hit.
sous-estimer *v.* underestimate, underrate.
sous-jacent *adj.* underlying.
sous-lieutenant *n.m.* sublieutenant.
sous-louer *v.* sublet.
sous-main *n.m.* writing pad.
sous-marin *adj. & n.* submarine.
sous-officier *n.m.* non-commissioned officer.
sous-produit *n.m.* by-product.
soussigné *adj.* undersigned.
sous-sol *n.m.* basement.
sous-tendre *v. (fig.)* underlie.
sous-titre *n.m.* subtitle.
soustraction *n.f.* subtraction; removal.
soustraire *v.* subtract; remove; conceal.
sous-traitant *n.m.* subcontractor.
sous-verre *n.m.* passe-partout picture.
sous-vêtements *n.m.pl.* underwear.
soutane *n.f.* cassock.
soute *n.f. (Naut.)* hold; (coal) bunker; (oil) tank.
souteneur *n.m.* procurer [prə 'kjʊərə].
soutenir *v.* support; back up; stand up to, withstand; maintain, uphold.
soutenu *adj.* sustained, unflagging; lofty (style).
souterrain *adj. & n.* underground.
soutien *n.m.* support, prop.
soutien de famille *n.m.* breadwinner.
soutien-gorge *n.m.* bra, brassière.
soutirer *v.* draw off.
⚠ **souvenir** *n.m.* remembrance, memory, recollection; keepsake, memento; souvenir (objet).
souvenir (se —) *v.* remember; recollect.
souvent *adv.* often ['ɒfn], frequently.
souverain *n.m.* sovereign ['sɒvrɪn].
▷ **spacieux** *adj.* roomy, spacious ['speɪʃəs].
sparadrap *n.m.* sticking plaster.
▷ **spasme** *n.m.* spasm ['spæzm].
▷ **spasmodique** *adj.* spasmodic.
▷ **spatule** *n.f.* spatula.
⚠ **speaker** *n.m.* announcer; (news) reader.
▷ **spécial** *adj.* special, particular; peculiar (bizarre).
▷ **spécialiser (se —)** *v.* specialize (in).
▷ **spécialité** *n.f.* speciality; field.
▷ **spécieux** *adj.* specious ['spi:ʃəs].
▷ **spécifier** *v.* specify.
▷ **spécifique** *adj.* specific.
▷ **spécimen** *n.m.* specimen; specimen copy.
▷ **spectacle** *n.m.* sight, spectacle; show.
▷ **spectaculaire** *adj.* spectacular.
spectateur *n.m.* spectator; onlooker.
⚠ **spectre** *n.m.* spectre, ghost; *(Sc.)* spectrum.
▷ **spéculer** *v.* speculate; bank (on).
▷ **spéléologie** *n.f.* potholing, speleology.
▷ **sperme** *n.m.* sperm, semen ['si:men].
▷ **sphère** *n.f.* sphere; *(fig.)* realm(s) (de l'esprit), circle.
▷ **sphérique** *adj.* spherical.
▷ **sphinx** *n.m.* sphinx.
spirale *n.m.* spiral.
▷ **spiritisme** *n.m.* spiritualism, spiritism.
⚠ **spirituel** *adj.* witty; *(Rel.)* spiritual.
spiritueux *n.m.pl.* spirits.
▷ **splendeur** *n.f.* splendour; glory.
▷ **splendide** *adj.* splendid, magnificent.
spolier *v.* despoil, plunder, pillage.
spongieux *adj.* spongy ['spʌndzɪ].
spontané *adj.* spontaneous.
▷ **spontanéité** *n.f.* spontaneity.
▷ **sporadique** *adj.* sporadic.
sport *adj.* casual (vêtement); fair, sporting.
▷ **sport** *n.* sport; *(pl.)* games.
sportif *adj.* fond of sports; athletic; fair; sports (club).
sportif, sportive *n.* sportsman, sportswoman.
sportivité *n.f.* sportsmanship.
⚠ **spot** *n.m.* spotlight; commercial (publicité).
▷ **spoutnik** *n.m.* sputnik.
⚠ **sprinter** *v.* sprint.
⚠ **square** *n.m.* public garden(s).
squelette *n.m.* skeleton.
squelettique *adj.* scrawny; skimpy.
▷ **stabiliser (se —)** *v.* stabilize.
▷ **stabilité** *n.f.* stability [stə'bɪlətɪ].
▷ **stable** *adj.* stable ['steɪbl], steady.
stade *n.m.* stadium; stage.
⚠ **stage** *n.m.* training period (ou course).
stagiaire *adj. et n.* trainee.
▷ **stagnant** *adj.* stagnant, at a standstill.

stagner *v.* stagnate.
▷ **stalactite** *n.f.* stalactite ['stæləktaɪt].
▷ **stalagmite** *n.f.* stalagmite ['stæləgmaɪt].
▷ **stalle** *n.f.* stall, box ; *(Rel.)* stall.
standard *n.m.* standard ; *(Téléph.)* switchboard.
▷ **standardiser** *v.* standardize.
standardiste *n.* (switchboard) operator.
⚠ **starter** *n.m.* *(Aut.)* choke ; *(Sp.)* starter.
⚠ **station** *n.f.* (bus) stop ; resort ; petrol) station, *(amér.)* gas station ; (taxi) rank ; *(Rel.)* station .
▷ **stationnaire** *adj.* stationary ['steɪʃnrɪ].
stationnement *n.m.* parking.
stationner *v.* *(Aut.)* park ; stop, stand.
▷ **statique** *adj.* static.
▷ **statisticien** *n.m.* statistician.
▷ **statistique** *n.f.* *(Sc.)* statistics ; statistic.
▷ **statue** *n.f.* statue.
statuer *v.* decree, ordain ; rule (on).
▷ **statu quo** *n.m.* status quo [ˌsteɪtəs'kwəʊ].
▷ **stature** *n.f.* stature ['stætʃə] ; height.
statut *n.m.* status ; *(Jur.)* statute.
▷ **steak** *n.m.* steak [steɪk].
▷ **stèle** *n.f.* stele ['stiːlɪ].
▷ **stencil** *n.m.* stencil ['stensl].
sténodactylo *n.f.* shorthand typist.
sténographie *n.f.* shorthand.
stentor (de —) *loc.* stentorian.
▷ **steppe** *n.f.* steppe [step].
▷ **stéréoscope** *n.m.* stereoscope.
▷ **stéréotypé** *adj.* stereotyped.
▷ **stérile** *adj.* sterile, barren ; fruitless, vain.
stérilet *n.m.* *(Méd.)* coil, loop.
▷ **stériliser** *v.* sterilize.
▷ **sternum** *n.m.* breastbone, sternum.
▷ **stéthoscope** *n.m.* stethoscope.
⚠ **stigmate** *n.m.* mark, scar ; *(pl.)* *(Rel.)* stigmata.
▷ **stigmatiser** *v.* denounce, stigmatize.
stimulant *adj.* stimulating.
▷ **stimulant** *n.m.* stimulant ; spur, incentive.
▷ **stipuler** *v.* stipulate, specify.
⚠ **stocker** *v.* stock ; stock-pile.
▷ **stoïque** *adj.* stoic ['stəʊɪk], stoical.
▷ **stomatologue** *n.m.* stomatologist.
⚠ **stop** *n.m.* stop ; stop sign ; brake light ; hitchhiking, hitching.
⚠ **stopper** *v.* stop, halt ; mend invisibly.
⚠ **store** *n.m.* blind ; awning, shade.
strabisme *n.m.* squint.
strapontin *n.m.* folding seat.
▷ **strass** *n.m.* strass, paste, paste jewels.
▷ **stratagème** *n.m.* stratagem.
strate *n.f.* stratum.
▷ **stratégie** *n.f.* strategy.
stratégique *adj.* strategic.
▷ **strict** *adj.* strict, precise ; plain (tenue...).
▷ **strident** *adj.* shrill, jarring, strident.
strie *n.f.* streak ; ridge.
strier *v.* streak ; ridge, groove.
strophe *n.m.* stanza, verse.
▷ **structure** *n.f.* structure.
structurer *v.* structure.
stuc *n.m.* stucco ['stʌkəʊ].
▷ **studieux** *adj.* devoted to study, studious.
⚠ **studio** *n.m.* *(Ciné., T.V., Art.)* studio ; bed-sitter, one-roomed flat(let).
stupéfiant *adj.* astounding, stunning.
stupéfiant *n.m.* drug, narcotic.
▷ **stupeur** *n.f.* amazement ; stupor.
▷ **stupide** *adj.* silly, foolish, stupid.
▷ **style** *n.m.* style.
stylo *n.m.* (fountain, ball-point ou felt-tip) pen.
stylomine *n.m.* propelling pencil.
▷ **suave** *adj.* suave, smooth, bland ; sweet.
subalterne *adj.* & *n.* subordinate, inferior.
subconscient *adj.* & *n.* subconscious.
subdiviser *v.* subdivide (into).
subir *v.* undergo, suffer ; be under (choc, influence...).
subit *adj.* sudden.
▷ **subjectif** *adj.* subjective.
⚠ **subjuguer** *v.* *(fig.)* enthrall, captivate ; *(Polit.)* subdue, subjugate.
▷ **sublime** *adj.* sublime, lofty ; splendid.
▷ **sublimer** *v.* sublimate.
▷ **submerger** *v.* submerge ; overwhelm, overcome.
submersible *adj.* & *n.* submarine.
subordonné *adj.* & *n.* subordinate.
▷ **suborner** *v.* bribe, suborn ; seduce.
subreptice *adj.* surrepticious.
subside *n.m.* grant ; allowance ; aid.

▷ **subsidiaire** *adj.* subsidiary.
▷ **subsister** *v.* remain, subsist ; live on, survive.
▷ **substance** *n.f.* substance ; gist.
▷ **substantiel** *adj.* substantial.
substituer *v.* substitute (for).
⚠ **substitut** *n.m.* deputy public prosecutor, deputy ; substitute (succédané).
▷ **subterfuge** *n.m.* subterfuge, evasion.
subtile *adj.* subtle ['sʌtl].
subtiliser *v.* spirit away, steal.
subtilité *n.f.* subtlety.
▷ **suburbain** *adj.* suburban.
subvenir *v.* provide (for), supply.
subvention *n.f.* subsidy, grant, aid.
subventionner *v.* subsidize, grant funds to.
▷ **subversif** *adj.* subversive.
▷ **subversion** *n.f.* subversion.
suc *n.m.* sap ; juice ; *(fig.)* pith, essence.
succédané *n.m.* substitute (for).
succéder *v.* succeed ; follow (after).
▷ **succès** *n.m.* success ; hit.
▷ **successeur** *n.m.* successor [sək 'sesə].
▷ **successif** *adj.* successive.
▷ **succession** *n.f.* succession ; inheritance.
▷ **succinct** *adj.* concise, succinct.
▷ **succomber** *v.* succumb, die ; yield.
succursale *n.f.* branch.
sucer *v.* suck.
sucette *n.f.* lollipop ; dummy (tétine).
sucre *n.m.* sugar.
sucré *adj.* sugared ; sweet ; sugary.
sucrer *v.* sugar, sweeten, put sugar in.
sucreries *n.f.pl.* sweets, confectionery.
sucrier *n.m.* sugar basin (ou bowl).
sud *n.m.* south.
suer *v.* sweat, perspire ; *(fig.)* sweat.
sueur *n.f.* sweat [swet], perspiration.
suffire *v.* suffice, be sufficient.
⚠ **suffisant** *adj.* sufficient ; complacent.
suffoquer *v.* choke, suffocate ; *(fig.)* stagger.
▷ **suffrage** *n.m.* *(Polit.)* suffrage ; vote ; *(fig.)* approval.
suggérer *v.* suggest [sə'dʒest].
▷ **suggestif** *adj.* suggestive.
▷ **suggestion** *n.f.* suggestion.
suicidaire *adj.* suicidal.
▷ **suicide** *n.m.* suicide ['sjʊɪsaɪd].
suicider (se —) *v.* commit suicide.
suie *n.f.* soot [sʊt].
suif *n.m.* tallow.
suinter *v.* ooze, seep, sweat ; leak.
⚠ **suite** *n.f.* continuation ; result ; series ; coherence ; suite ; retinue.
suite (de —) *loc.* in succession.
suite (et ainsi de —) *loc.* and so on.
suite (tout de —) *loc.* immediately.
suivant *adj.* next, following.
suivant *prép.* according to, depending on.
suivant que *loc.* according to whether.
suivi *adj.* steady, regular, consistent ; popular ; in regular production.
suivi *n.m.* follow-up.
suivre *v.* follow ; attend (un cours).
suivre (faire —) *loc.* « please forward ».
sujet *adj.* liable, prone, subject, apt.
sujet *n.m.* subject ; topic ; cause.
sujétion *n.f.* sway, subjection ; constraint.
sulfater *v.* spray with sulphate.
▷ **sultan** *n.m.* sultan ['sʌltən].
summum *n.m.* climax, acme ; *(fig.)* height.
▷ **superbe** *adj.* superb ; haughty ; logy.
supercarburant *n.m.* high-octane petrol.
supercherie *n.f.* fraud, swindle.
superficie *n.f.* surface, area.
▷ **superficiel** *adj.* superficial.
▷ **superflu** *adj.* superfluous.
superflu *n.m.* superfluity, surplus.
▷ **supérieur** *adj.* superior (to) ; upper, higher.
▷ **supérieur** *n.m.* superior.
▷ **supériorité** *n.f.* superiority.
supermarché *n.m.* supermarket.
▷ **superposer** *v.* superpose ; stack ; superimpose.
superposés (lits —) *n.m.pl.* bunk beds.
superproduction *n.f.* *(Ciné.)* spectacular (entertainment).
superpuissance *n.f.* superpower.
▷ **supersonique** *adj.* supersonic.
▷ **superstitieux** *adj.* superstitious.
▷ **superstition** *n.f.* superstition.
▷ **superviser** *v.* supervise.
▷ **supplanter** *v.* supplant, supersede, oust.
suppléance *n.f.* supply post.
suppléer *v.* supply ; fill in ; stand in for ; make up (for), compensate

(for).
▷ **supplément** *n.m.* extra charge; supplement.
supplémentaire *adj.* extra, additional.
▷ **supplication** *n.f.* entreaty, plea, supplication.
supplice *n.f.* torture; *(fig.)* agony.
⚠ **supplier** *v.* entreat, beseech, beg, implore.
▷ **support** *n.m.* prop, support; aid.
▷ **supporter** *n.m.* fan, supporter.
⚠ **supporter** *v.* support; *(fig.)* bear, put up with, stand.
supposé *adj.* alleged, assumed.
▷ **supposer** *v.* suppose; imply, assume.
supposer (à — que) *loc.* supposing.
▷ **supposition** *n.f.* supposition.
▷ **suppositoire** *n.m.* suppository.
▷ **suppression** *n.f.* suppression; removal, withdrawal; cancellation; deletion.
supprimer *v.* suppress, abolish; remove, withdraw, do away with; cancel; delete.
▷ **suppurer** *v.* suppurate.
supputation *n.f.* reckoning, calculation.
supputer *v.* reckon, calculate.
▷ **suprématie** *n.f.* supremacy.
▷ **suprême** *adj.* supreme, highest.
sur *prép.* on, upon; over; in; towards; about; concerning; out of.
sur *adj.* sour ['saʊə]; tart.
sûr *adj.* sure; safe, secure; steady; trustworthy.
surabonder *v.* overflow (with); be overabundant.
surajouter *v.* add.
suralimenté *adj.* overfed.
suranné *adj.* outmoded, outdated, antiquated.
⚠ **surcharge** *n.f.* excess (poids); alteration (chèque...); surcharge (lettre).
⚠ **surcharger** *v.* overload; overburden; surcharge (timbre).
surchoix *adj.* top quality; prime (viande).
surclasser *v.* outclass.
surcouper *v.* overtrump (cartes).
surcroît *n.m.* surplus, increase.
surélever *v.* raise, heighten.
surenchérir *v.* overbid, outbid.
surestimer *v.* overestimate; overrate.
sûreté *n.f.* afety, security; reliability; Criminal Investigation Department.
surexcité *adj.* overexcited.
surexposition *n.f.* overexposure.
⚠ **surf** *n.m.* surfing.
surface *n.f.* surface ['sɜːfɪs].
surfaire *v.* overrate, overestimate.
surgelé *adj.* deep-frozen.
surgir *v.* rise into view; loom up; *(fig.)* arise.
surhomme *n.m.* superman.
surhumain *adj.* superhuman.
surimposer *v.* overtax.
surimpression *n.f.* *(Phot.)* double exposure.
sur-le-champ *adj.* at once.
surlendemain *n.m.* the day after.
surmener (se —) *v.* overwork (oneself).
surmonter *v.* top; surmount; overcome.
surmultiplié *adj.* *(Aut.)* overdrive.
surnager *v.* float; *(fig.)* survive.
surnaturel *adj.* supernatural.
⚠ **surnom** *n.m.* nickname.
⚠ **surnommer** *v.* nickname.
suroît *n.m.* *(Naut.)* south-wester; sou'wester (chapeau).
surpasser *v.* surpass, outdo, excel.
surpeuplé *adj.* overpopulated.
surpeuplement *n.m.* overpopulation.
sur-place (faire du —) *loc.* mark time; *(Aut.)* crawl.
surplis *n.m.* surplice ['sɜːplɪs].
surplomb (en —) *loc.* overhanging.
surplomber *v.* overhang; tower over.
▷ **surplus** *n.m.* surplus ['sɜːpləs].
surprenant *adj.* surprising, amazing.
surprendre *v.* surprise, catch; amaze; overhear (conversation...).
▷ **surprise** *n.f.* surprise; amazement.
⚠ **surprise-party** *n.f.* party.
surproduction *n.f.* overproduction.
sursaut *n.m.* start, jump.
sursauter *v.* start (up), jump (up...).
surseoir *v.* defer, postpone, suspend.
sursis *n.m.* *(Mil.)* deferment; delay; *(Jur. & fig.)* reprieve.
sursitaire *n.m.* *(Mil.)* deferred conscript.
surtaxe *n.f.* surcharge, additional charge.
surtaxer *v.* overtax; surcharge.
surtout *adv.* above all, chiefly, mainly.
⚠ **surveillance** *n.f.* supervision;

watch ; invigilation (examen).
surveiller *v.* watch (over) ; supervise ; invigilate (examen).
survenir *v.* arise ; appear (unexpectedly).
survêtement *n.m.* tracksuit.
survie *n.f.* survival ; afterlife (l'au-delà).
survivance *n.f.* relic, survival.
survivant *n.m.* survivor.
survivre *v.* survive ; outlive, outlast.
survoler *v.* fly over ; *(fig.)* skip (ou skim) through.
survolté *adj.* *(fig.)* wrought up ; *(Élec.)* boosted.
sus (en —) *loc.* in addition, over and above.
⚠ **susceptible** *adj.* touchy ; likely (to).
susciter *v.* arouse, give rise to, cause.
susdit *adj.* aforesaid.
susmentionné *adj.* above-mentioned.
suspect *adj.* suspect(ed) ; suspicious ; doubtful.
▷ **suspect** *n.m.* suspect.
▷ **suspecter** *v.* suspect ; question ; doubt.
⚠ **suspendre** *v.* hang up ; break off ; defer ; suspend.
▷ **suspens (en —)** *loc.* unsettled, in abeyance ; in suspense.
⚠ **suspension** *n.f.* suspension ; deferment ; adjournment (d'audience).
▷ **suspicion** *n.f.* suspicion [sə'spɪʃn].
sussurer *v.* whisper ; murmur ; rustle.
▷ **suture** *n.f.* *(Méd.)* suture ['su:tʃə] ; joint.
suture (point de —) *n.m.* *(Méd.)* stitch.
▷ **svelte** *adj.* slender, slim, svelte.
▷ **sycomore** *n.m.* sycamore.
▷ **syllabe** *n.f.* syllabe.
▷ **symbole** *n.m.* symbol, sign, emblem.
▷ **symbolique** *adj.* symbolic(al) ; *(fig.)* nominal.
▷ **symboliser** *v.* symbolize.
▷ **symétrie** *n.f.* symmetry.
▷ **symétrique** *adj.* symmetrical.
⚠ **sympathie** *n.f.* liking ; fellow feeling, affinity ; sympathy (condoléances).
⚠ **sympathique** *adj.* nice, likeable ; pleasant.
⚠ **sympathiser** *v.* get on well ; take (to).
▷ **symphonie** *n.f.* symphony.
▷ **symptôme** *n.m.* symptom.
▷ **synagogue** *n.f.* synagogue.
▷ **synchroniser** *v.* synchronize.
syncope *n.f.* blackout ; *(Mus.)* syncopation.
▷ **syncopé** *adj.* *(Mus.)* syncopated.
▷ **syndic** *n.m.* *(Jur.)* syndic, trustee ; managing agent (immeuble).
⚠ **syndicalisme** *n.m.* trade unionism.
syndicaliste *n.m.* trade unionist.
⚠ **syndicat** *n.m.* (trade) union.
syndicat d'initiative *n.m.* tourist office.
syndiquer (se —) *v.* join (ou form) a union.
⚠ **synonyme** *adj.* synonymous (with).
▷ **synonyme** *n.* synonym.
▷ **synthèse** *n.f.* synthesis (*pl.* syntheses).
▷ **synthétique** *adj.* synthetic.
▷ **synthétiseur** *n.m.* *(Mus.)* synthesizer.
▷ **systématique** *adj.* systematic(al) ; dogmatic.
▷ **systématiser** *v.* systematize.
système *n.m.* system ; scheme, plan ; device.

T

ta *adj.* your.
tabac *n.m.* tobacco ; snuff (à priser).
tabagie *n.f.* fug ; smoke den.
tabagisme *n.m.* tobacco addiction.
tabasser *v.* give a belting, do over.
tabatière *n.f.* snuffbox ; skylight (lucarne).
table *n.f.* table ; board.
table d'écoute *n.f.* wire-tapping set.
table des matières *n.f.* table of contents.
table roulante *n.f.* trolley.
tableau *n.m.* board ; painting.
tableau de bord *n.* dashboard.
tabler *v.* count (ou reckon) (on).
tablette *n.f.* shelf ; tablet ; bar (chocolat).
tablier *n.m.* apron, pinafore ; overall, smock.
tabou *n.m.* tabou [tə'bʊ:].
tabouret *n.m.* stool.
tac (du — au) *loc.* tit for tat.
tâche *n.f.* task.
tache *n.f.* stain ; spot ; patch.

tache de rousseur *n.f.* freckle.
tacher *v.* stain ; *(fig.)* sully, stain.
tâcher *v.* try.
tâcheron *n.m.* jobber (ouvrier).
tacheter *v.* fleck, speckle ; mottle.
▷ **tacite** *adj.* tacit, implicit.
▷ **taciturne** *adj.* taciturn ['tæsɪtɜːn].
tacot *n.m.* *(fam.)* banger, crate ; crock.
▷ **tact** *n.m.* tact ; feeling, touch.
▷ **tactique** *adj.* tactical.
▷ **tactique** *n.f.* tactics ; move.
taie *n.f.* pillowcase.
taillader *v.* slash, gash.
taille *n.f.* height ; size ; waist ; cut(ting).
taillé *adj.* cut, carved ; well-built.
taille-crayon *n.m.* pencil sharpener.
tailler *v.* cut ; carve ; hew ; prune ; sharpen.
tailleur *n.m.* suit ; tailor ; cutter ; hewer.
tailleur (en —) *loc.* cross-legged.
taillis *n.m.* copse, coppice ; brushwood.
taire *v.* hush up ; conceal ; stifle (chagrin).
taire (se —) *v.* be quiet ; stop talking.
▷ **talc** *n.m.* talc, talcum powder.
▷ **talent** *n.m.* talent.
talentueux *adj.* talented.
▷ **talion** *n.* talion, retaliation.
taloche *n.f.* cuff (on the head), thump.
talon *n.m.* heel ; counterfoil, stub (chèque).
talonner *v.* be close on (somebody's) heels ; spur.
talus *n.m.* embankment ; slope, ramp.
tambouille *n.f.* *(fam.)* grub.
tambour *n.m.* drum ; drummer ; town crier.
tambouriner *v.* drum ; beat (pluie).
tamis *n.m.* sieve [sɪv], riddle, sifter.
tamisé *adj.* subdued, soft, softened.
tamiser *v.* sieve [sɪv], sift ; riddle ; filter.
tampon *n.m.* stopper ; stamp ; buffer ; wad, pad.
tamponnement *n.m.* collision, crash ; stopping.
tamponner *v.* run into ; stamp ; mop up, dab.
tamponneuses (autos —) *n.f.pl.* dodgems.
tam-tam *n.m.* fuss, hullabaloo ; tomtom.
tancer *v.* *(lit.)* rebuke, lecture.
tanche *n.f.* tench.
▷ **tandem** *n.m.* tandem ; *(fig.)* pair, duo.
tandis que *conj.* while, whilst ; whereas.
▷ **tangent** *adj.* tangent ; close, near (serré).
▷ **tangible** *adj.* tangible.
tanguer *v.* pitch.
tanière *n.f.* den, lair.
▷ **tank** *n.m.* tank.
tanné *adj.* weather-beaten, tanned, tawny.
tanner *v.* tan ; weather ; *(fam.)* pester.
▷ **tannerie** *n.f.* tannery.
tant *adv.* so much, such ; so many ; as much, as many ; to such a degree, so ; so far ; as long (as).
tant bien que mal *loc.* somehow or other.
tant mieux *loc.* so much the better.
tant pis *loc.* never mind ; so much the worse.
tante *n.f.* aunt ; *(argot)* poof (homosexuel).
tantinet (un —) *loc.* a tiny bit.
tantôt *adv.* this afternoon ; presently, shortly ; now... now (tantôt... tantôt).
taon *n.m.* horsefly, gadfly.
tapage *n.m.* uproar ; fuss ; show.
tapageur *adj.* flashy ; showy ; rowdy.
⚠ **tape** *n.f.* tap, slap, rap, thump.
tape-à-l'œil *adj.* loud, showy, flashy.
taper *v.* hit, slap, beat ; smack, tap ; type (à la machine) ; *(fam.)* touch (somebody for) (argent).
tapette *n.f.* mousetrap ; *(argot)* queer, poof.
▷ **tapioca** *n.m.* tapioca [,tæpɪ'əʊkə].
tapir (se —) *v.* crouch, squat, cower, lurk.
tapis *n.m.* carpet ; rug ; mat ; cloth (table).
tapis-brosse *n.m.* doormat.
tapis de sol *n.m.* ground sheet.
tapis roulant *n.m.* moving walkway.
tapisser *v.* (wall) paper ; cover ; deck, adorn.
tapisserie *n.f.* wallpaper ; tapestry, hangings.
tapissier *n.m.* upholsterer, decorator.
tapoter *v.* tap, pat ; plonk, thump (piano).
taquin *n.m.* tease, teaser.
taquiner *v.* tease.
tarabiscoté *adj.* ornate, florid.

tarabuster *v.* pester, bother.
tard *adv.* late.
tarder *v.* be long ; tarry.
tardif *adj.* late, belated, tardy.
tardivement *adv.* late ; belatedly, tardily.
⚠ **tare** *n.f.* defect, flaw, blemish ; tare [teə] (poids).
taré *adj.* defective ; corrupt ; damaged.
targette *n.f.* bolt.
targuer (se —) *v.* boast (about), brag (about), pride oneself (on), preen oneself (on).
⚠ **tarif** *n.m.* tariff, price list ; rate, rates.
tarifer *v.* tariff, price, rate, fix the price for.
tarir et **(se —)** *v.* dry up, run dry.
▷ **tarot(s)** *n.m.pl.* tarot card(s).
⚠ **tarte** *n.f.* tart ; *(fam.)* clout.
tartine *n.f.* slice of bread and butter.
tartre *n.m.* tartar (dents).
tas *n.m.* heap, pile ; *(fig.)* lot, set (gens).
tasse *n.f.* cup.
tasser *v.* heap (ou pile) up, pack, squeeze.
tasser (se —) *v.* sink ; shrink (vieillard).
tâter *v.* feel ; try (out), taste ; test, sound.
tâter (se —) *v.* *(fig.)* hesitate.
tatillon *adj.* finicky, fussy.
tâtonner *v.* grope.
tâtons (à —) *loc.* gropingly.
tatouer *v.* tattoo [tə'tu:].
taudis *n.m.* hovel, slum.
taupe *n.f.* mole ; moleskin ; *(fam.)* hag, crone.
taupinière *n.f.* molehill.
taureau *n.m.* bull.
tauromachie *n.f.* bullfighting.
taux *n.m.* rate ; price ; degree, level.
tavelé *adj.* speckled ; marked ; marbled.
▷ **taverne** *n.f.* tavern, inn ; beer parlor.
▷ **taxation** *n.f.* taxation, fixing of prices.
⚠ **taxe** *n.f.* tax ; duty ; rate ; postage (postale).
taxer *v.* tax ; rate ; fix the price of ; accuse (of), call.
▷ **taxi** *n.m.* taxi, taxicab, cab.
taxiphone *n.m.* pay phone.
te *pr.* you, yourself.
té *n.m.* T-square.
▷ **technicien** *n.m.* technician ; expert.
⚠ **technique** *adj.* technical.
▷ **technique** *n.f.* technique.
▷ **technocrate** *n.m.* technocrat.
▷ **technocratie** *n.f.* technocracy.
technologique *adj.* technological.
technologue *n.m.* technologist.
teck, tek *n.m.* teak [ti:k].
teigne *n.f.* moth ; *(Méd.)* ringworm.
teindre *v.* dye ; stain.
teint *n.m.* complexion ; hue.
teinte *n.f.* tint, shade, hue ; touch, smack.
teinter *v.* tint ; stain ; *(fig.)* tinge (with).
teinture *n.f.* dye ; dyeing ; hue ; smattering.
teinturerie *n.f.* (dry) cleaner's ; dyeing.
teinturier *n.m.* dry cleaner ; laundryman.
tel(le) *adj.* such ; like, similar.
tel (M. Un —) *(loc.)* Mr. So-and-So.
télé *n.m.* *(fam.)* telly.
télécommande *n.f.* remote control.
télécommander *v.* operate by remote control ; mastermind (complot...).
▷ **télécommunication** *n.f.* telecommunication.
téléférique *n.m.* cable car ; cableway.
▷ **télégramme** *n.m.* wire, cable, telegram.
▷ **télégraphe** *n.m.* telegraph.
▷ **télégraphie** *n.f.* telegraphy.
télégraphier *v.* telegraph ; wire, cable.
▷ **télégraphique** *adj.* telegraphic.
▷ **télégraphiste** *n.m.* telegrapher, telegraphist ; telegraph boy.
téléguider *v.* radio-control ; *(fig.)* control, mastermind.
téléimprimeur *n.m.* teleprinter.
télémètre *n.m.* rangefinder.
téléobjectif *n.m.* telephoto lens.
▷ **télépathie** *n.f.* telepathy.
téléphérique *n.m.* cable car ; cableway.
▷ **téléphone** *n.m.* telephone, phone.
téléphone (coup de —) *n.m.* telephone call.
téléphoner *v.* (tele)phone, ring up, call.
▷ **télescope** *n.m.* telescope.
télescoper (se —) *v.* telescope together.
▷ **télescopique** *adj.* telescopic.
télescripteur *n.m.* teleprinter.
télésiège *n.m.* chairlift.
téléski *n.m.* ski-lift, ski-tow.
téléspectateur *n.m.* televiewer.

▷ **téléviser** *v.* televise.
téléviseur *n.m.* television set.
▷ **télévision** *n.f.* television.
▷ **télex** *n.m.* telex.
tellement *adv.* so; so much; so many.
▷ **tellurique** *adj.* earth (tremor), telluric.
téméraire *adj.* rash, reckless; foolhardy.
témoignage *n.m.* evidence; account; token.
témoigner *v.* give evidence; testify, bear witness to; show.
témoin *n.* witness; evidence; *(Sp.)* baton.
tempe *n.f.* temple.
▷ **tempérament** *n.m.* temperament, disposition.
tempérament (à —) *loc.* by instalments.
▷ **tempérance** *n.f.* temperance.
▷ **température** *n.f.* temperature.
▷ **tempéré** *adj.* temperate; sober, restrained.
tempérer *v.* temper; moderate, allay, assuage.
▷ **tempête** *n.f.* storm, tempest; *(fig.)* storm.
tempêter *v.* storm, fume, rage.
▷ **tempétueux** *adj.* tempestuous; boisterous.
⚠ **temple** *n.m.* temple; Protestant church.
▷ **temporaire** *adj.* temporary.
▷ **temporel** *adj.* temporal, worldly; temporal.
▷ **temporiser** *v.* play for time; temporize.
temps *n.m.* time; weather; times; *(Mus.)* beat.
⚠ **tenable** *adj.* bearable; tenable (défendable).
tenace *adj.* tenacious; deep-rooted; persistent, lingering; retentive (mémoire).
▷ **ténacité** *n.f.* tenacity, doggedness.
tenailler *v.* torment, torture, rack, gnaw.
tenailles *n.f.pl.* pincers, pliers.
tenancier *n.m.* manager; (shop) keeper.
⚠ **tenant** *n.m.* supporter; (title) holder.
tenante (séance —) *loc.* there and then.
tenants et aboutissants *n.m.pl.* the ins and outs.
▷ **tendance** *n.f.* tendency; trend; leaning, bent.
▷ **tendancieux** *adj.* tendentious; insinuating.
tendeur *n.m.* elastic strap; runner (tente).
▷ **tendon** *n.m.* sinew, tendon.
tendre *adj.* soft; tender; loving; early, new.
tendre *v.* stretch; hold out; hang; tend, lead.
tendu *adj.* taut, tight; tense (atmosphère...).
ténèbres *n.f.pl.* darkness; gloom.
ténébreux *adj.* dark, gloomy; obscure.
teneur *n.f.* content; terms; grade.
ténia *n.m.* tapeworm.
tenir *v.* hold; keep (promesse); run (hôtel); last (durer); take up (place).
tenir (— à) *v.* prize, value; be anxious to.
tenir (— de) *v.* take after; stem from.
tenir (se —) *v.* take place, be held; stand.
▷ **tennis** *n.m.* tennis.
⚠ **tension** *n.f.* tension; *(Méd.)* blood pressure.
tentaculaire *adj.* sprawling (ville).
tentacule *n.f.* tentacle ['tentəkl].
tentant *adj.* tempting, enticing, attractive.
▷ **tentation** *n.f.* temptation.
⚠ **tentative** *n.f.* attempt, endeavour.
⚠ **tente** *n.f.* tent; marquee (cirque, fête).
tenter *v.* try, attempt; tempt.
tenture *n.f.* hanging(s), tapestry.
tenu *adj.* bound, obliged to.
ténu *adj.* tenuous, thin, slender; subtle.
tenue *n.f.* dress, gear; behaviour; upkeep.
▷ **ter** *adv.* *(Mus.)* three times, ter.
térébenthine *n.f.* turpentine.
Tergal *n.m.* Terylene ['terəli:n].
tergiverser *v.* waver, shilly-shally.
⚠ **terme** *n.m.* term (mot...); end, limit; quarter'(s rent).
terme (avant —) *loc.* prematurely.
terminaison *n.f.* ending.
▷ **terminal** *adj.* final, terminal.
▷ **terminal** *n.m.* *(Inf.)* terminal.
terminale *n.f.* *(Ens.)* Upper Sixth.
terminer *v.* end; close; finish; conclude.
terminer (se —) *v.* end, come to an end.
terminus *n.m.* terminus ['tɜ:mɪnəs].
terne *adj.* dull, drab, colourless;

lifeless.
ternir *v.* tarnish, dull ; sully.
terrain *n.m.* ground ; (plot of) land ; *(Sp.)* field, pitch.
terrain vague *n.m.* waste ground.
▷ **terrasse** *n.f.* terrace ; flat roof, balcony.
terrassement *n.m.* excavation ; earthworks.
terrasser *v.* excavate ; floor ; lay low.
terrassier *n.m.* navvy ; earthwork contractor.
terre *n.f.* earth ; soil ; land.
terre cuite *n.f.* terracotta.
terre-à-terre *adj.* matter-of-fact, mundane.
terreau *n.m.* compost.
terre-neuve *n.m.* Newfoundland dog.
terre-plein *n.m.* platform.
terrer (se —) *v.* crouch down ; hide away.
terrestre *adj.* terrestrial ; earthly, wordly.
▷ **terreur** *n.f.* terror, fear, dread ; awe.
terreux *adj.* earthy ; sallow, sickly (teint).
terrible *adj.* dreadful ; terrific, tremendous.
⚠ **terrier** *n.m.* burrow, hole ; terrier (chien).
▷ **terrifier** *v.* terrify.
▷ **terrine** *n.f.* terrine, earthen pan ; *(Cuis.)* pâté.
▷ **territoire** *n.m.* territory, district.
▷ **territorial** *adj.* territorial.
terroir n.m. soil ; native soil.
▷ **terroriser** *v.* terrorize.
▷ **terroriste** *n.m.* terrorist.
▷ **tertiaire** *adj.* tertiary.
tertre *n.m.* knoll, hillock, mound.
tes *adj.* your.
tesson *n.m.* piece of broken glass.
▷ **test** *n.m.* test, trial.
▷ **testament** *n.m.* will ; (Old, New) Testament.
tester *v.* test.
▷ **testicule** *n.m.* testicle.
▷ **tétanos** *n.m.* tetanus ['tetənəs].
têtard *n.m.* tadpole.
tête *n.f.* head ; face ; front ; top ; *(Sp.)* header ; end (of the line).
tête-à-queue *n.m.* spin.
▷ **tête-à-tête** *n.m.* tête-à-tête.
tête-bêche *adv.* head to tail.
tête nucléaire *n.f.* nuclear warhead.
tétée *n.f.* feed ; feeding ; sucking.
téter *v.* suck.
tétine *n.f.* teat ; dummy (sucette) ; udder (de vache).
téton *n.m.* teat ; *(fam.)* breast.
têtu *adj.* stubborn, obstinate.
▷ **texte** *n.m.* text ; subject.
▷ **textile** *n.m.* textile.
⚠ **textuel** *adj.* word for word, literal.
▷ **texture** *n.f.* texture.
thé *n.m.* tea ; tea party.
théâtral *adj.* theatrical ; *(fig.)* histrionic.
▷ **théâtre** *n.m.* theatre ; drama.
théière *n.f.* teapot.
⚠ **thème** *n.m.* theme, topic ; *(Ens.)* prose.
▷ **théologie** *n.f.* theology, divinity.
▷ **théologien** *n.m.* theologian.
▷ **théorie** *n.f.* theory.
théorique *adj.* theoretical.
▷ **thérapie** *n.f.* therapy.
▷ **thermal** *adj.* water (cure), thermal.
thermomètre *n.m.* thermometer ; *(fig.)* gauge.
thermos *n.m.* thermos flask.
▷ **thermostat** *n.m.* thermostat ['θɜːməʊstæt].
thèse *n.f.* thesis (*pl.* theses).
thon *n.m.* tunny fish, tuna.
thoracique *adj.* respiratory (capacity).
▷ **thorax** *n.m.* thorax ['θɔːræks], chest.
▷ **thrombose** *n.f.* thrombosis [θrɒm'bəʊsɪs].
▷ **thym** *n.m.* thyme [tɑɪm].
▷ **tiare** *n.f.* tiara [tɪ'ɑːrə].
▷ **tibia** *n.m.* tibia ['tɪbɪə], shin (bone).
▷ **tic** *n.m.* nervous twitch, tic.
▷ **ticket** *n.m.* ticket.
tic-tac *n.m.* tick-tock, ticking.
tiède *adj.* tepid, lukewarm, warm ; *(fig.)* halfhearted.
tiédir *v.* grow warm.
tien(ne) *pr.* yours.
tiens (les —) *n.pl.* your folks.
tiens *(interj.)* really ; here you are ; look ; well.
⚠ **tiercé** *n.f.* *(Mus.)* third ; (cartes) tierce [tɪəs].
tiers *n.m.* third ; third party.
tige *n.f.* stem, stalk.
tignasse *n.f.* schock of hair.
tigre *n.m.* tiger ['taɪgə].
tigré *adj.* spotted ; streaked.
tilleul *n.m.* lime (tree) ; lime tea.
timbale *n.f.* tumbler ; kettle drum(s).
timbre *n.m.* stamp ; bell ; *(Mus.)* tone.

timbré *adj.* stamped ; sonorous ; *(fam.)* cracked.
timbrer *v.* stamp ; stick a stamp ; postmark.
▷ **timide** *adj.* bashful, shy ; timid (timoré).
timon *n.m.* pole ; shaft ; beam.
timonier *n.m.* helmsman.
▷ **timoré** *adj.* timorous, timid.
tintamarre *n.m.* uproar, din.
tinter *v.* jingle, tinkle.
tintouin *n.m.* bother, trouble ; din.
▷ **tique** *n.f. (Zool.)* tick.
tiquer *v.* wince.
tir *n.* shooting ; firing.
▷ **tirade** *n.f.* tirade [taɪ'reɪd ; tɪ'reɪd].
tirage *n.m.* printing ; circulation (journal) ; drawing (au sort) ; draught (cheminée) ; *(fam.)* friction.
tiraillement *n.m.* tugging ; friction.
tirailler *v.* tug at ; pester, plague ; gnaw at.
tirant d'eau *n.m.* draught.
tire (vol à la —) *loc.* purse snatching.
tiré *adj.* drawn, worn out, haggard (traits).
tire-au-flanc *n.m.* shirker.
tire-bouchon *n.m.* corkscrew.
tire d'aile (à —) *loc.* at full speed, swiftly.
tire-fesses *n.m.* skilift.
tire-larigot (à —) *loc.* to one's heart's content.
tirelire *n.m.* moneybox.
tirer *v.* pull, draw ; stretch ; take out (ou from) ; reap ; infer ; fire, shoot ; print.
tirer (se —) *v. (fam.)* push off ; manage.
tirer (s'en —) *v.* pull through.
tirer sur *v.* verge (ou border) on.
tiret *n.m.* hyphen ; dash.
tireur *n.m.* marksman.
tiroir *n.m.* drawer [drɔː].
tiroir-caisse *n.m.* till.
tisane *n.f.* infusion, decoction, tea (of herbs).
tison *n.m.* brand.
tisonner *v.* poke.
tisonnier *n.m.* poker.
tisser *v.* weave.
tissu *n.m.* material ; tissue.
tissu-éponge *n.m.* towelling, terry-cloth.
titanesque *adj.* titanic [taɪ'tænɪk].
▷ **titiller** *v.* titillate.
titre *n.m.* title ; headline ; heading ; qualification ; claim, right ; *(Comm.)* security.
titre (à juste —) *loc.* rightly, deservedly.
titrer *v.* give a title.
tituber *v.* stagger, reel.
titulaire *adj.* qualified ; *(amér.)* with tenure.
titulaire *n.m.* holder (bearer).
titulariser *v.* qualify ; *(amér.)* give tenure to.
toast *n.m.* (slice of) toast ; toast.
⚠ **toboggan** *n.m.* toboggan ; flyover (route).
toc *n.m.* tap (bruit) ; junk, trash, fake, sham.
▷ **tocsin** *n.m.* tocsin, alarm bell.
toge *n.f.* toga ; *(Jur., Ens.)* gown.
tohu-bohu *n.m.* jumble, hubbub ; confusion.
toi *pr.* you.
toile *n.f.* cloth ; canvas ; painting.
toile cirée *n.f.* oilcloth.
toile d'araignée *n.f.* cobweb, web.
toile de fond *n.f.* background.
toile de jute *n.f.* hessian ['hesɪən].
toilette *n.f.* wash ; dress ; clothes, outfit.
toilettes *n.f.pl.* toilets, *(amér.)* rest-room.
toi-même *pr.* yourself.
toise *n.f.* height gauge ; *(fig.)* standard.
toiser *v.* estimate ; eye up and down.
toison *n.f.* fleece.
toit *n.m.* roof ; *(fig.)* home, house.
toiture *n.f.* roof, roofing.
tôle *n.f.* sheet iron ; steel plate.
tôle ondulée *n.f.* corrugated iron.
▷ **tolérable** *adj.* tolerable, bearable ; middling.
▷ **tolérance** *n.f.* tolerance ; toleration.
▷ **tolérant** *adj.* tolerant.
▷ **tolérer** *v.* tolerate ; allow ; bear.
tollé *n.m.* protest, outcry.
▷ **tomate** *n.f.* tomato.
tombant *adj.* sloping ; drooping ; hanging.
tombe *n.f.* tomb [tuːm], grave.
tombeau *n.m.* tomb ; *(fig.)* sepulchre, death.
tombée de la nuit *n.f.* nightfall.
tomber *v.* fall (down) ; sink ; droop ; abate.
tomber (laisser —) *v.* drop.
tomber sur *v.* come across.
tombereau *n.m.* tipcart ; cartload (contenu).
tombeur *n.m.* *(fam.)* seducer, lady-killer.
▷ **tombola** *n.f.* tombola ; rafle.

tome *n.m.* volume.
ton *adj.* your.
ton *n.m.* tone ; key ; shade ; style.
▷ **tonalité** *n.f.* tonality ; tone ; key ; *(Téléph.)* dialling tone.
tondeuse *n.f.* (law) mower ; clippers (coiffeur).
tondre *v.* mow ; clip ; shear ; crop (cheveux).
tondu *adj.* shorn.
tonifiant *adj.* bracing ; tonic ; stimulating.
tonifier *v.* tone up (pean) ; stimulate.
▷ **tonique** *adj.* tonic ; bracing ; stressed, tonic.
▷ **tonique** *n.m.* tonic ; tonic lotion.
▷ **tonique** *n.f.* *(Mus.)* tonic, keynote.
tonitruant *adj.* thundering, booming (voix).
▷ **tonnage** *n.m.* tonnage.
tonne *n.f.* ton.
tonneau *n.m.* barrel, cask ; somersault ; ton.
tonnelle *n.f.* arbour, bower.
tonner *v.* thunder ; *(fig)* rage, thunder.
tonnerre *n.m.* thunder.
tonnerre (du —) *loc.* *(fam.)* terrific, fantastic.
▷ **tonsure** *n.f.* *(Rel.)* tonsure ; bald patch.
▷ **tonus** *n.m.* tone ; tonus ; kick, energy.
⚠ **top** *n.m.* pip.
▷ **topaze** *n.f.* topaz ['təʊpæz].
toper *v.* make a deal, strike the bargain.
topinambour *n.m.* Jerusalem artichoke.
topographe *n.m.* topographer.
▷ **topographie** *n.f.* topography ; layout.
toquade *n.f.* infatuation ; craze, fad, whim.
toque *n.f.* fur hat.
toqué *adj.* *(fam.)* nuts, cracked ; mad (on).
▷ **torche** *n.f.* torch.
torcher *v.* wipe ; do a bad job on.
torchis *n.m.* cob, daub, loam.
torchon *n.m.* (dish) cloth.
tordant *adj.* *(fam.)* killing.
tord-boyaux *n.m.* rotgut.
tordre *v.* wring, twist.
tordre (se —) *v.* bend ; twist ; writhe (douleur) ; be doubled up (rire).
▷ **toréador** *n.m.* bullfighter, toreador.
▷ **tornade** *n.f.* tornado [tɔ:'neɪdəʊ].
▷ **torpeur** *n.f.* torpor.
torpille *n.f.* torpedo [tɔ:'pi:dəʊ].
torpiller *v.* torpedo ; *(fig.)* torpedo.
torpilleur *n.m.* torpedo boat.
torréfier *v.* roast.
▷ **torrent** *n.m.* torrent ; *(fig.)* flood, flow, stream .
torrentiel *adj.* torrential [tə'renʃl].
▷ **torride** *adj.* torrid, scorching.
tors(e) *adj.* twisted, wreathed.
torse *n.m.* torso, trunk.
torsade *n.f.* twist ; coil, twist (cheveux).
▷ **torsion** *n.f.* twisting ; torsion.
tort *n.m.* wrong, harm ; offence ; fault.
tort (à —) *loc.* wrongly.
tort (avoir —) *loc.* be wrong.
torticolis *n.m.* stiff neck.
tortiller *v.* twist ; wriggle.
tortiller (se —) *v.* writhe, squirm, wriggle.
▷ **tortue** *n.f.* tortoise ['tɔ:təs] ; turtle (de mer).
tortueux *adj.* winding ; *(fig.)* crafty, sly.
▷ **torture** *n.f.* torture ; *(fig.)* torment, torture.
torturer *v.* torture ; *(fig.)* torment, rack.
tôt *adv.* soon, quickly ; early.
▷ **total** *adj.* total, whole, entire, complete.
▷ **total** *n.m.* total, sum total, whole.
totaliser *v.* total.
totalitaire *adj.* totalitarian.
▷ **totalité** *n.f.* totality, total amount.
touchant *adj.* moving, touching.
touchant *prép.* concerning, with regard to.
▷ **touche** *n.f.* touch ; key (piano) ; bite (pêche).
touche-à-tout *n.m.* dabbler ; meddler.
⚠ **toucher** *v.* touch ; feel ; hit ; offend ; receive, cash, get ; affect ; concern ; contact ; adjoin.
touffe *n.f.* tuft, clump.
touffu *adj.* thick ; bushy ; *(fig.)* complex, involved.
toujours *adv.* always, ever ; still ; anyway.
toupet *n.m.* tuft of hair, toupee ; *(fam.)* cheek.
toupie *n.f.* (spinning) to.
tour *n.m.* turn ; trip ; trick ; lap ; ballot.
tour *n.f.* tower ; tower block.

tourbe *n.f.* peat.
tourbillon *n.m.* whirlwind; eddy; *(fig.)* bustle.
tourbillonner *v.* whirl; swirl, eddy.
tourelle *n.f.* turret.
▷ **tourisme** *n.m.* tourism, sightseeing.
▷ **touriste** *n.m.* tourist, sightseer.
touristique *adj.* tourist (saison); scenic (route).
▷ **tourment** *n.m.* torment, torture, agony.
tourmente *n.f.* storm, tempest; *(fig.)* turmoil.
tourmenter *v.* torment; rack; harass; worry.
tourmenter (se —) *v.* worry, fret.
tournage *n.m.* *(Ciné.)* shooting.
tournant *n.m.* bend, turn; *(fig.)* turning point.
tournebroche *n.m.* roasting spit (ou jack).
tourne-disques *n.m.* record player.
tournée *n.f.* round, tour; thrashing, hiding.
tournemain (en un —) *loc.* in a trice.
tourner *v.* turn; round; *(Ciné.)* shoot; phrase; curdle (lait).
tourner (se —) *v.* turn round; turn.
tournesol *n.m.* sunflower.
tourneur *n.m.* lathe operator, turner.
tournevis *n.m.* screwdriver.
tourniquet *n.m.* turnstile; revolving stand; revolving door; sprinkler (arrosage).
tournoi *n.m.* tournament.
tournoyer *v.* whirl (ou swirl) round.
tournure *n.f.* turn, direction, course; shape; cast (of mind); (turn of) phrase.
tourterelle *n.f.* turtledove.
Toussaint *n.f.* All Saint's Day.
tousser *v.* cough [kɔf].
tout *adj.* all; every; each; any; whole.
tout *pr.* all, everything.
⚠ **tout** *n.m.* whole, the whole, the whole lot.
tout *adv.* quite, wholly entirely, thoroughly.
toutefois *adv.* however, yet, still, nevertheless.
toux *n.f.* cough [kɔf].
toxicomane *n.m.* drug addict.
▷ **toxique** *adj.* poisonous, toxic.
⚠ **trac** *n.m.* nerves; state fright; *(fam.)* funk .
tracas *n.m.* worry, trouble, bother.
tracasser *v.* bother, worry; pester, harass.
tracasser (se —) *v.* worry, fret.
▷ **trace** *n.f.* trace; track; (foot) print; mark.
tracé *n.m.* outline; sketch; layout; direction.
tracer *v.* draw, trace; lay out; open up.
trachée artère *n.f.* windpipe.
▷ **tract** *n.m.* leaflet, pamphlet, tract.
tractations *n.f.pl.* dealings.
▷ **tracteur** *n.m.* tractor.
traction-avant *n.f.* (car with) front wheel drive.
▷ **traditionnel** *adj.* traditional.
traducteur *n.m.* translator.
traduction *n.f.* translation.
traduire *v.* translate; express; indicate.
▷ **trafic** *n.m.* traffic; trade; *(péj.)* dealings.
trafiquer *v.* traffic, trade.
▷ **tragédie** *n.f.* tragedy.
▷ **tragique** *adj.* tragic, tragical.
trahir *v.* betray; give away.
trahison *n.f.* betrayal; treachery; treason.
▷ **train** *n.m.* train; rate; pace; set (ensemble); style.
train d'atterrissage *n.m.* *(Av.)* undercarriage.
traînard *n.m.* straggler.
traîneau *n.m.* sledge, sleigh.
traînée *n.f.* trail, track, streak; *(péj.)* slut.
traîner (se —) *v.* crawl along; drag on.
train-train *n.m.* *(fam.)* humdrum (ou daily) routine.
traire *v.* milk.
trait *n.m.* stroke; line; feature; dart.
trait d'union *n.m.* hyphen; *(fig.)* link.
traite *n.f.* stretch; *(Comm.)* draft; slave trade (des noirs).
⚠ **traité** *n.m.* treaty; treatise (livre).
⚠ **traitement** *n.m.* treatment; pay; processing.
traiter *v.* treat; deal (with); process; call.
traiteur *n.m.* caterer.
⚠ **traître** *adj.* treacherous; deceptive, vicious.
traître *n.* traitor; *(Th.)* villain [ˈvɪlən].
traîtrise *n.f.* treachery.
▷ **trajectoire** *n.f.* trajectory.
trajet *n.m.* route; distance; jour-

ney.
trame *n.f.* weft ; *(fig.)* framework, *(Th.)* plot ; progress.
tramer *v.* weave ; *(fig.)* plot, hatch, contrive.
tramway *n.m.* tramcar, tram, *(amér.)* streetcar.
tranchant *adj.* sharp ; *(fig.)* peremptory, assertive.
tranchant *n.m.* edge.
tranche *n.f.* slice ; edge ; section.
tranché *adj.* clear, distinct ; clearcut.
tranchée *n.f.* trench ; *(pl. Méd.)* colic.
trancher *v.* cut off ; *(fig.)* conclude, settle.
▷ **tranquille** *adj.* quiet, tranquil.
tranquillisant *n.m.* tranquillizer.
tranquilliser *v.* reassure, calm (down).
tranquillité *n.f.* quietness, quiet, peace.
▷ **transaction** *n.f.* transaction, arrangement.
transat *n.m.* deckchair.
transcrire *v.* copy out ; *(Mus.)* transcribe.
transe *n.f.* trance ; *(pl.)* agony, agonies, throes.
transférer *v.* transfer ; *(Comm.)* convey.
transfert *n.m.* transfer.
▷ **transfigurer** *v.* transfigure ; transform.
▷ **transformer** *v.* transform, change, alter.
transfuge *n.m.* deserter ; fugitive ; turncoat.
▷ **transfusion** *n.f.* (blood) transfusion.
▷ **transgresser** *v.* transgress, contravene.
transi *adj.* shivering cold ; transfixed.
transiger *v.* compromise.
▷ **transistor** *n.m.* transistor (radio).
▷ **transit** *n.m.* transit ['trænsıt].
transiter *v.* pass in transit.
▷ **transition** *n.f.* transition.
transitoire *n.m.* interim, provisional.
translucide *adj.* translucent.
transmetteur *n.m.* transmitter.
transmettre *v.* hand down ; forward ; transmit.
▷ **transmission** *n.f.* handing over, transmission.
transparaître *v.* show through.
transparence *n.f.* transparency.
▷ **transparent** *adj.* transparent ; *(fig.)* evident.
transpercer *v.* pierce (ou run) through.
transpirer *v.* perspire ; sweat ; *(fig.)*leak out.
transplantation *n.f.* transplant(ation).
transplanter *v.* transplant ; uproot.
▷ **transport** *n.m.* transport(ation) ; fit, transports (joie...) ; seizure, stroke (cerveau).
transporter *v.* carry ; transport ; *(fig.)* carry away.
transporteur *n.m.* haulage contractor.
▷ **transposer** *v.* transpose.
transvaser *v.* decant [dı'kænt].
transversal *adj.* cross, transverse.
⚠ **trapèze** *n.m.* *(Math.)* trapezium ; *(Sp.)* trapeze.
trapéziste *n.m.* trapeze artist.
▷ **trappe** *n.f.* trap door ; hatch ; trap (piège).
▷ **trappeur** *n.m.* fur trader, trapper.
trapu *adj.* squat, thickset, stocky, dumpy.
traquenard *n.m.* trap.
traquer *v.* track (ou hunt) down ; pursue.
▷ **traumatiser** *v.* traumatize.
▷ **traumatisme** *n.m.* traumatism.
⚠ **travail** *n.m.* work ; job ; labour.
travaillé *adj.* wrought ; *(fig.)* worked up ; *(Art.)* elaborate.
travailler *v.* work ; warp ; shape ; *(fig.)* torment.
travailleur *n.m.* worker, workman ; labourer (de force).
travailliste *adj.* Labour (Party).
travers *n.m.* shortcoming, flaw, failing.
travers (à —) *loc.* through ; across.
travers (de —) *loc.* crooked ; awry, askance.
traverse *n.f.* *(Rail.)* sleeper.
traverser *v.* cross ; go through.
traversin *n.m.* bolster ['bəʊlstə].
travesti *n.m.* *(Psy.)* transvestite ; fancy dress.
travestir *v.* disguise, misrepresent, parody.
travestir (se —) *v.* dress up (as a woman).
trébucher *v.* stumble (over), slip, trip.
trèfle *n.m.* clover ; clubs (cartes).
treillage *n.m.* lattice (ou treillis) work.
treille *n.f.* climbing vine ; vine arbour.

treillis *n.m.* wire netting ; canvas ; battle dress.
tremble *n.m. (Bot.)* aspen.
tremblement de terre *n.m.* earthquake.
⚠ **trembler** *v.* shake, tremble ; shiver ; quiver ; quaver (voix).
trémousser (se —) *v.* wriggle.
trempe *n.f.* temper (acier) ; *(fig.)* stamp.
tremper *v.* temper (acier) ; *(fam.)* soak (mouiller) ; dip (plonger) ; *(fig.)* steel ; *(fam.)* be involved in.
tremplin *n.m.* springboard.
trépaner *v.* trepan.
⚠ **trépasser** *v.* pass away.
trépidant *adj.* vibrating ; *(fig.)* hectic.
trépidation *n.f.* vibration ; *(fig.)* bustle, whirl.
trépider *v.* vibrate, reverberate.
trépied *n.m.* tripod ; trivet (cheminée).
trépigner *v.* stamp, stamp one's feet.
très *adv.* very ; most ; very much, much.
trésor *n.m.* treasure ; treasury ; *(fig.)* mine ; darling (affectueux).
trésorier *n.m.* treasurer.
tressaillir *v.* start, give a start.
▷ **tresse** *n.f.* plait [plæt], braid, tress.
tresser *v.* plait [plæt] ; twist, weave.
tréteau *n.m.* trestle ; *(pl., Th.)* the boards.
treuil *n.m.* windlass.
trêve *n.f.* truce ; *(fig.)* respite, rest.
tri *n.m.* sorting ; sorting out ; selection.
triage *n.m.* sorting ; selection ; *(Rail)* shunting.
▷ **triangle** *n.m.* triangle ['traɪæŋgl].
▷ **triangulaire** *adj.* triangular.
tribord *n.m.* starboard.
tribu *n.f.* tribe [traɪb].
▷ **tribulations** *n.f.pl.* trials, tribulations.
⚠ **tribunal** *n.m.* court ; tribunal (spécial).
▷ **tribune** *n.f.* gallery ; *(Sp.)* (grand) stand ; *(Polit.)* platform, tribune.
tribune libre *n.f.* opinion column.
▷ **tribut** *n.m.* tribute.
tributaire *adj.* dependent (on).
tricher *v.* cheat ; swindle (en affaires).
tricolore *adj.* three-coloured.
tricot *n.m.* knitting ; vest ; jumper, sweater.
tricoter *v.* knit.
trictrac *n.m.* backgammon.
▷ **tricycle** *n.m.* tricycle.
▷ **trille** *n.m. (Mus.)* quaver, trill.
trimbaler *v.* *(fam.)* drag (ou lug ou trail) about.
trimer *v.* drudge, slave away, toil.
trimestre *n.m.* quarter ; *(Ens.)* term.
tringle *n.f.* rod.
trinquer *v.* clink glasses.
▷ **triomphal** *adj.* triumphant ; triumphal.
▷ **triomphe** *n.m.* triumph.
⚠ **triompher** *v.* triumph ; exult ; excel.
triompher de *v.* overcome.
triparti *adj.* three-party ; tripartite.
▷ **tripes** *n.f.pl.* tripe ; *(fam.)* guts.
▷ **triple** *adj.* treble, triple, threefold.
tripler *v.* triple, treble.
triplés *n.pl.* triplets.
tripot *n.m.* glambing den ; *(péj.)* joint, dive.
tripoter *v.* fiddle with ; speculate ; rummage.
trique *n.f.* cudgel, stick, bludgeon.
triste *adj.* sad ; sorry (lamentable).
triturer *v.* grind up ; rack (cervelle).
⚠ **trivial** *adj.* vulgar, low, coarse ; mundane.
troc *n.m.* swop ; barter ; truck.
troène *n.m.* privet.
▷ **troglodyte** *n.m.* cave dweller, troglodyte.
trogne *n.f.* mug, (bloated) face.
trognon *n.m.* core (fruit) ; stump ; stalk (légume).
⚠ **trolley** *n.m.* trolleybus.
trombe *n.f.* downpour.
⚠ **trombone** *n.m.* trombone (player) ; paper clip.
trompe *n.f.* horn ; trunk (éléphant) ; trumpet.
trompe-l'œil *n.m. (fig.)* eyewash.
tromper *v.* deceive ; be unfaithful to ; elude ; mislead ; fall short of (décevoir).
tromper (se —) *v.* make a mistake, be mistaken.
trompette *n.f.* trumpet.
trompettiste *n.m.* trumpet player.
trompeur *adj.* misleading ; deceitful.
⚠ **tronc** *n.m.* trunk ; torso, trunk ; box (église).
tronçon *n.m.* stretch ; section ; stump.
tronçonner *v.* saw.
tronçonneuse *n.f.* chain saw.
trône *n.m.* throne.
trôner *v.* sit on the throne ; *(fig.)* lord

it (over).
tronquer *v.* truncate ; *(fig.)* cut out, curtail.
trop *adv.* too, too much, too many, over.
▷ **trophée** *n.m.* trophy ['trəʊfɪ].
▷ **tropical** *adj.* tropical.
trop-plein *n.m.* overflow ; excess ; surplus.
troquer *v.* barter, swop, swap.
▷ **trot** *n.m.* trot.
trotter *v.* trot ; run about, scamper, scurry.
trottiner *v.* jog along ; toddle (enfant).
trottinette *n.f.* scooter.
trottoir *n.m.* pavement ; *(amér.)* sidewalk.
trottoir roulant *n.m.* moving walkway.
trou *n.m.* hole ; gap ; mouth, orifice.
trou de mémoire *n.m.* blank.
trouble *adj.* cloudy, turbid ; blurred ; *(fig.)* shady.
trouble *n.m.* turmoil ; confusion ; distress ; *(pl. Polit.)* unrest ; *(pl. Méd.)* disorders.
trouble-fête *n.m.* killjoy, spoilsport.
troubler *v.* make cloudy ; blur ; confuse ; disturb, perturb ; disrupt (l'ordre).
trouée *n.f.* opening, gap ; *(Mil.)* breach ; pass.
trouer *v.* make a hole in, bore ; pierce.
trouille *n.f.* *(fam.)* funk, the jitters.
⚠ **troupe** *n.f.* troup ; *(Th.)* company ; gang, set, crew.
troupeau *n.m.* flock ; herd ; *(péj.)* hoard, herd.
trousse *n.f.* case ; bag ; kit (outils).
⚠ **trousseau** *n.m.* bunch (clés) ; kit ; trousseau.
trouvaille *n.f.* find.
trouver *v.* find ; come across ; think, find.
trouver (se —) *v.* be ; feel (se sentir) ; happen (arriver).
truand *n.m.* crook, villain ; tramp, beggar.
trublion *n.m.* agitator, troublemaker.
truc *n.m.* thing ; device ; trick.
⚠ **truculent** *adj.* vivid, racy.
truelle *n.f.* trowel.
truffe *n.f.* truffle.
truffé de *adj.* bristling with.
truie *n.f.* sow [saʊ].
truite *n.f.* trout.
truquer *v.* fix ; rig ; fake ; *(Ciné.)* use trick effects.
▷ **trust** *n.m.* corporation, trust.
tu *pr.* you.
▷ **tuba** *n.m.* *(Mus.)* tuba.
⚠ **tube** *n.m.* tube ; pipe ; *(fam.)* hit ; *(Méd.)* canal, duct.
▷ **tuberculose** *n.f.* tuberculosis.
tuer *v.* kill ; *(fig.)* exhaust, wear out, kill.
tuerie *n.f.* slaughter.
tue-tête (à —) *loc.* at the top of one's voice.
tuile *n.f.* tile ; *(fig.)* blow, catastrophe.
▷ **tulipe** *n.f.* tulip.
tuméfié *adj.* swollen.
▷ **tumeur** *n.f.* growth, tumour.
▷ **tumulte** *n.m.* uproar, tumult, hubbub, bustle.
▷ **tumultueux** *adj.* tumultuous, noisy, agitated.
▷ **tunique** *n.f.* tunic ; smock ; gown ; gym slip.
▷ **tunnel** *n.m.* tunnel.
▷ **turban** *n.m.* turban ['tɜːbən].
turbine *n.f.* turbine ['tɜːbaɪn].
turbopropulseur *n.m.* turboprop.
turboréacteur *n.m.* turbojet.
▷ **turbulence** *n.f.* excitement ; *(pl., Av.)* turbulence.
turbulent *adj.* excited, unruly ; rowdy.
turf *n.m.* racing ; racecourse, turf.
turfiste *n.m.* racegoer.
▷ **turpitude** *n.f.* turpitude, baseness.
▷ **turquoise** *adj. & n.* turquoise ['tɜːkwɔɪz].
tutelle *n.f.* guardianship ; *(fig.)* supervision.
tuteur *n.m.* guardian ; prop, stake ; *(Comm.)* trustee.
tuyau *n.m.* pipe ; tube ; hose (d'arrosage) ; *(fam.)* tip.
tuyauter *v.* *(fam.)* give a tip, tip off.
▷ **tympan** *n.m.* *(Anat.)* eardrum.
▷ **type** *n.m.* type ; *(fam.)* chap, bloke ; *(amér.)* guy.
▷ **typhoïde** *adj. & n.* typhoid ['taɪfɔɪd].
▷ **typhon** *n.m.* typhoon [taɪ'fuːn].
typique *adj.* typical.
typographe *n.m.* typographer, compositor.
▷ **tyran** *n.m.* tyrant ['taɪərənt].
▷ **tyrannie** *n.f.* tyranny ['tɪrənɪ].
tyrannique *adj.* tyrannical [tj'rænɪkl].
▷ **tyranniser** *v.* tyrannize, oppress.

tzigane, tsigane *n.m. & f.* gipsy, gypsy.

U

▷ **ubiquité** *n.f.* ubiquity [juː'bɪkwɪtɪ].
▷ **ulcère** *n.m.* ulcer ['ʌlsə].
▷ **ulcérer** *v. (fig.)* sicken; *(Méd.)* ulcerate.
ultérieur *adj.* later; subsequent; further.
▷ **ultimatum** *n.m.* ultimatum [,ʌltɪ'meɪtəm].
ultime *adj.* ultimate.
▷ **ultraviolet** *adj.* ultraviolet.
ululer, hululer *v.* screech, hoot.
un, une *art.* a, an.
un, une *adj. & pr.* one.
unanime *adj.* unanimous.
▷ **unanimité** *n.f.* unanimity.
uni *adj.* united; close; plain; even uniform.
▷ **unifier** *v.* unify.
▷ **uniforme** *adj.* uniform; even; regular.
▷ **uniforme** *n.m.* uniform.
uniformiser *v.* standardize.
unijambiste *adj. & n.* one-legged (man).
▷ **unilatéral** *adj.* unilateral.
▷ **union** *n.f.* union.
▷ **unique** *adj.* sole, only; unparalleled, unique.
unir *v.* unite, join; smooth, level; combine.
unir (s' —) *v.* unite.
unisson (à l'—) *loc.* in unisson.
▷ **unité** *n.f.* unity; unit; *(fig.)* agreement, concord.
▷ **univers** *n.m.* universe.
▷ **universel** *adj.* universal.
universitaire *adj. & n.* academic.
▷ **université** *n.f.* university.
Untel (monsieur) *loc.* Mr. so and so.
▷ **uranium** *n.m.* uranium [jʊ'reɪnjəm].
urbain *adj.* urban, town, city (transports...).
▷ **urbaniser** *v.* urbanize, build up.
urbanisme *n.m.* town planning.
▷ **urgence** *n.f.* urgency; emergency.
▷ **urgent** *adj.* urgent ['ɜːdʒənt].
▷ **urine** *n.f.* urine ['juərɪn].
uriner *v.* make (ou pass) water, urinate.
urinoir *n.m.* public urinal.
▲ **urne** *n.f.* urn; ballot box.
urticaire *n.f.* nettle rash.
us et coutumes *n.m.pl.* habits and customs.
⚠ **usage** *n.m.* use; custom; purpose; usage (langue, coutumes); wear.
usagé *adj.* used; worn, old; second-hand, used.
usager *v.* user, consumer.
usé *adj.* worn (out); trite, hackneyed, stale.
user *v.* wear (out); use (up); spend; make use of.
user (s'—) *v.* wear oneself out; wear away.
usine *n.* factory, works, plant.
usité *adj.* used, usual, in common use.
▷ **ustensile** *n.m.* utensil.
▷ **usuel** *adj.* everyday, common, usual.
⚠ **usure** *n.f.* wear (and tear); usury.
▷ **usurier** *n.m.* usurer.
usurper *v.* usurp.
utile *adj.* useful.
▷ **utilisation** *n.f.* use.
utiliser *v.* use; make use of.
▷ **utilitaire** *adj.* utilitarian.
▷ **utilité** *n.f.* use; usefulness, utility.
▷ **utopie** *n.f.* utopia.
utopique *adj.* utopian [juː'təʊpɪən].

V

▲ **vacance** *n.* vacancy; *(pl.)* holidays, *(amér.)* vacation.
vacancier *n.m.* holiday maker.
▷ **vacant** *adj.* vacant; empty.
vacarme *n.m.* din, uproar.
▷ **vaccin** *n.m.* vaccine ['væksiːn].
▷ **vacciner** *v.* inoculate, vaccinate.
vache *n.f.* cow; cowhide.
vaciller *v.* flicker; sway; *(fig.)* waver, falter.
va-et-vient *n.m.* coming and going.
vagabond *n.m.* tramp; *(amér.)* hobo, bum.
vagabonder *v.* wander, roam.
vagir *v.* wail, pule.
⚠ **vague** *adj.* vague; faint, hazy (idée); empty, vacant (regard).
vague *n.f.* wave.
vaillant *adj.* brave, valiant; robust, stout.
vain *adj.* fruitless, vain; empty, hollow; vainglorious.
▷ **vain (en —)** *loc.* in vain, vainly.
vaincre *v.* vanquish, defeat; *(fig.)*

overcome.
vainqueur *n.m.* victor ; *(Sp.)* winner.
vaisseau *n.m.* ship, vessel ; *(Anat.)* vessel.
vaisselier *n.m.* dresser.
vaisselle *n.f.* dishes ; washing-up.
valable *adj.* valid ; worthwhile.
valet *n.m.* servant ; farmhand ; knave (cartes).
valeur *n.f.* value ; worth ; *(Fin.)* security.
▷ **valide** *adj.* fit, well ; able-bodied ; valid.
▷ **valider** *v.* validate.
valise *n.f.* suitcase, case, bag.
valise diplomatique *n.f.* diplomatic bag.
▷ **vallée** *n.f.* valley.
vallon *n.m.* small valley, vale.
valonné *adj.* undulating.
valoir *v.* be worth ; be equal to ; hold, apply ; earn (causer).
valoriser *v.* develop.
valse *n.f.* waltz.
valser *v.* waltz.
▷ **valve** *n.f.* valve.
▷ **vampire** *n.m.* vampire.
▷ **vandale** *n.m.* vandal.
▷ **vanille** *n.f.* vanilla [və'nɪlə].
▷ **vanité** *n.f.* conceit, vanity.
vaniteux *adj.* vain(glorious), conceited.
vanne *n.f.* sluice(gate), (lock)gate.
vannerie *n.f.* basketwork.
vanter *v.* praise, speak highly of, extol.
vanter (se —) *v.* boast.
▷ **vapeur** *n.f.* vapour.
⚠ **vapeur** *n.m.* steamer.
vaporisateur *n.m.* spray.
vaporiser *v.* spray.
vaquer à *v.* go about (one's business).
varappe *n.f.* rock climbing.
▷ **varech** *n.m.* seaweed, wrack.
▷ **variable** *adj.* variable, unsettled.
▷ **variante** *n.f.* variant (mot, texte).
▷ **variation** *n.f.* variation ; change.
varice *n.f.* varicose vein.
varicelle *n.f.* chickenpox.
varier *v.* vary.
▷ **variété** *n.f.* variety.
variétés *n.f.pl.* variety show.
variole *n.f.* smallpox.
⚠ **vase** *n.m. & f.* vase, vessel ; slime, mire (boue).
vasistas *n.m.* fanlight.
▷ **vaste** *adj.* vast, huge, immense.
vaurien *n.m.* good-for-nothing.
vautour *n.m.* vulture ['vʌltʃə].
vautrer (se —) *v.* sprawl, loll ; *(fig.)* wallow.
veau *n.m.* calf ; *(Cuis.)* veal.
vedette *n.f.* *(Naut.)* launch, patrol boat ; *(Ciné.)* star.
végétal *adj.* & *n.* vegetable ['vedʒtəbl].
▷ **végétarien** *adj. & n.* vegetarian.
▷ **végétatif** *adj.* vegetative, vegetable.
▷ **végétation** *n.f.* vegetation.
⚠ **végétations** *n.f.pl.* *(Méd.)* adenoids.
▷ **végéter** *v.* vegetate ; *(fig.)* stagnate.
▷ **véhémence** *n.f.* vehemence ['viːɪməns].
▷ **véhicule** *n.m.* vehicle ['viːɪkl].
véhiculer *v.* convey.
veille *n.f.* the day before ; eve ; wakefulness, waking ; sitting up ; watch, lookout.
veiller *v.* sit up ; be awake ; watch over ; keep an eye open on ; see to ; be on watch.
veilleuse *n.f.* night light ; *(Aut.)* sidelight.
⚠ **veine** *n.f.* *(Anat.)* vein ; seam (minerai) ; *(fam.)* luck.
velléitaire *adj.* irresolute, wavering.
velléité *n.f.* vague impulse, fancy, whim.
vélomoteur *n.m.* moped ['məʊped].
velours *n.m.* velvet ; curduroy (côtelé).
velu *adj.* hairy, shaggy.
vendanger *v.* harvest (ou gather) the grapes.
vendanges *n.f.pl.* grape gathering ; grape crop.
vendeur *n.* salesman ; seller ; shop assistant.
vendre, se vendre *v.* sell.
vendre (se —) *v.* *(fig.)* give oneself away.
vendredi *n.m.* Friday.
▷ **vénérer** *v.* venerate, reveer.
vénérien(ne) *adj.* venereal (disease).
▷ **vengeance** *n.f.* revenge, vengeance.
venger *v.* revenge, avenge.
venger (se —) *v.* take one's revenge (on).
▷ **veniel** *adj.* venial ['viːnjəl].
venin *n.m.* venom.
venir *v.* come ; occur (à l'esprit).
venir de (et infinitif) *loc.* have just.
venir (faire —) *loc.* send for.
vent *n.m.* wind ; *(Méd.)* flatulence.

vente *n.f.* sale.
vente aux enchères *n.f.* auction sale.
venter *v.* be windy.
▷ **ventiler** *v.* ventilate, air.
ventouse *n.f.* cupping glass; suction pad.
ventre *n.m.* stomach, *(fam.)* tummy; *(péj.)* paunch (gros ventre); *(fig.)* belly.
▷ **ventriloque** *n.m.* ventriloquist.
ventru *adj.* potbellied; bulging, bulbous.
⚠ **venue** *n.f.* arrival, coming.
ver *n.m.* worm; maggot.
ver luisant *n.m.* glow worm.
▷ **véranda** *n.f.* veranda(h).
verbaliser *v.* report, book, *(amér.)* ticket.
▷ **verbe** *n.m.* verb; language, word; *(Rel.)* the Word.
▷ **verbeux** *adj.* verbose, wordy, long-winded.
verdeur *n.f.* vitality; crudeness (langage); greenness.
▷ **verdict** *n.m.* verdict ['vɜːdɪkt].
verdir *v.* turn (ou go) green.
verdoyant *adj.* verdant.
▷ **verdure** *n.f.* greenery; verdure.
véreux *adj.* worm-eaten; maggoty; *(fig.)* shady, fishy.
⚠ **verge** *n.m.* cane, rod; penis ['piːnɪs].
⚠ **verger** *n.m.* orchard ['ɔːtʃəd].
verglas *n.m.* black ice.
vergogne (sans —) *loc.* shamelessly.
véridique *adj.* true, genuine; authentic.
vérifier *v.* check.
vérin *n.m* jack.
véritable *adj.* true, genuine, real.
vérité *n.f.* truth.
vérité (en —) *loc.* in fact, actually.
vermeil *adj.* vermilion, bright red.
▷ **vermine** *n.f.* vermin.
vermoulu *adj.* worm-eaten.
vernir *v.* varnish; polish; glaze (poterie).
vernis *n.m.* varnish; polish; glaze; gloss, shine; *(fig.)* veneer (social).
vernissage *n.m.* preview (exposition).
vernisser *v.* glaze (poterie).
vérole *n.f.* pox.
verre *n.m.* glass; tumbler (sans pied); drink; lens (de lunette).
verrière *n.f.* glass roof.
verrou *n.m.* bolt.
verrouiller *v.* bolt; *(fig.)* seal.
verrue *n.f.* wart.
vers *prép.* toward(s), to; about, around.
vers *n.m.* verse, line (poésie).
versant *n.m.* side.
⚠ **versatile** *adj.* changeable, fickle.
versé *adj.* (well) versed (in).
versement *n.m.* payment; instalment.
verser *v.* pour; spill; upset; shed; pay.
verset *n.m.* *(Rel.)* verse; verse (poésie).
⚠ **version** *n.f.* translation; unseen; version.
verso *n.m.* back (of the page).
verso (au —) *loc.* overleaf.
vert *adj.* green; brisk, vigorous; spicy.
▷ **vert-de-gris** *n.m.* verdigris.
▷ **vertèbre** *n.f.* vertebra.
vertement *adv.* sharply, harshly, severly.
▷ **vertical** *adj.* vertical.
▷ **vertige** *n.m.* vertigo; dizziness, giddiness.
vertigineux *adj.* dizzy; breathtaking.
▷ **vertu** *n.f.* virtue; power, faculty, property.
vertu (en — de) *loc.* in accordance with.
verve *n.f.* zest, spirit.
▷ **verveine** *n.f.* verbena.
▷ **vésicule** *n.f.* vesicle.
vésicule biliaire *n.f.* gall bladder.
vessie *n.f.* bladder.
⚠ **veste** *n.f.* jacket.
vestiaire *n.m.* cloakroom; *(Sp.)* changing-room.
▷ **vestibule** *n.m.* hall; lobby, vestibule.
▷ **vestige** *n.m.* relic, remnant, vestige; mark.
veston *n.m.* jacket.
⚠ **vêtement** *n.m.* garment.
▷ **vétérinaire** *n.m.* veterinary surgeon, *(fam.)* vet.
vétille *n.f.* trifle.
vétilleux *adj.* finicky; particular.
vêtir *v.* dress, clothe.
vêtir (se —) *v.* dress, get dressed.
▷ **veto** *n.m.* veto ['viːtəʊ].
vétuste *adj.* timeworn, antiquated.
veuf *n.m.* widower.
veule *adj.* spineless, weak, feeble.
veuvage *n.m.* widowhood.
veuve *n.f.* widow.
⚠ **vexer** *v.* hurt, offend.
▷ **via** *prép.* via ['vaɪə].
⚠ **viable** *adj.* viable; practicable (chemin).

▷ **viaduc** *n.m.* viaduct ['vaɪədʌkt].
viager *adj.* for life.
⚠ **viande** *n.m.* meat.
▷ **vibrer** *v.* vibrate ; quiver.
vibromasseur *n.m.* vibrator.
⚠ **vicaire** *n.m.* curate.
▷ **vice** *n.m.* vice ; defect, fault.
▷ **vice-versa** *adv.* vice versa [,vaɪ sɪ'vɜ:sə].
vicié *adj.* foul ; tainted, corrupt.
vicieux *adj.* dissolute ; lecherous ; faulty.
vicissitudes *n.f.pl.* trials, tribulations.
⚠ **victime** *n.m.* victim ; casualty (accident).
▷ **victoire** *n.f.* victory.
▷ **victorieux** *adj.* victorious ; *(Sp.)* winning.
victuailles *n.pl.* provisions, *(vx.)* victuals.
vidange *n.f.* *(Aut.)* oil change ; waste outlet (de lavabo) ; emptying.
vidanger *v.* empty, drain.
vide *adj.* empty ; void, vacant, blank.
vide *n.m.* empty space, blank ; vacuum ; gap, hole ; emptiness ; void (néant).
vidé *adj.* *(fam.)* worn out.
vide-ordures *n.m.* (rubbish) chute.
vider *v.* empty *(fam.),* chuck out (expulser) ; gut (volaille).
vie *n.f.* life ; lifetime ; vitality ; living, livelihood ; subsistence ; spirit.
vie (en —) *loc.* alive, living.
vieillard *n.m.* old man.
vieilleries *n.f.pl.* old stuff, rubbish.
vieillesses *n.f.* old age.
vieillir *v.* grow old ; age ; become outmoded (pour les choses).
vieillot *adj.* oldish, antiquated, quaint.
vierge *adj. & n.* virgin ['vɜ:dʒɪn].
vieux *adj.* old.
vif *adj.* lively ; quick, brisk ; brusque ; keen, sharp ; bracing ; bright.
▷ **vigilant** *adj.* vigilant.
vigne *n.f.* vine ; vineyard.
vigne vierge *n.f.* Virginia creeper.
vigneron *n.m.* wine grower.
▷ **vignette** *n.f.* vignette.
vignoble *n.m.* vineyard ['vɪnjəd].
▷ **vigoureux** *adj.* vigorous, sturdy, robust.
vigueur (en —) *loc.* in(to) force.
vil *adj.* base, vile, low.
⚠ **vilain** *adj.* ugly ; naughty (enfant) ; foul.
vilebrequin *n.m.* brace.
▷ **villa** *n.f.* villa.
▷ **village** *n.m.* village ['vɪlɪdʒ].
villageois *n.m.* villager.
ville *n.f.* town ; city.
ville d'eau *n.f.* spa.
villégiature *n.f.* holiday ; holiday resort.
vin *n.m.* wine.
▷ **vinaigre** *n.m.* vinegar ['vɪnɪgə].
▷ **vindicatif** *adj.* vindictive.
vinicole *adj.* wine-growing (ou producing).
viol *n.m.* rape ; *(fig.)* violation.
violacé *adj.* purplish.
▷ **violent** *adj.* violent ; fierce (combat) ; drastic (remède) ; urgent, intense ; excessive.
violenter *v.* assault.
violer *v.* rape ; *(fig.)* break, violate.
violet *adj.* purple ['pɜ:pl].
▷ **violette** *n.f.* violet ['vaɪəlɪt].
violon *n.m.* violin ; *(fam.)* fiddle.
violoncelle *n.m.* cello, violoncello.
vipère *n.f.* adder, viper.
virage *n.m.* bend ; turn ; *(fig.)* change.
virée *n.f.* drive, run ; hike, walk ; trip.
virement *n.m.* (bank) transfer ; tacking, veering.
virer *v.* transfer ; tack ; turn ; *(fam.)* chuck out.
virevolte *n.f.* about-turn ; twirl.
virgule *n.f.* comma.
▷ **viril** *adj.* virile, male ; manly.
▷ **virtuel** *adj.* potential, virtual.
▷ **virtuose** *n.m.* virtuoso.
virulent *adj.* virulent ['vɪrʊlənt].
▷ **virus** *n.m.* virus ['vaɪrəs] ; *(fig.)* bug.
vis *n.f.* screw.
▷ **visa** *n.m.* visa ['vi:zə].
visage *n.m.* face.
vis-à-vis *prép.* opposite ; beside ; towards.
vis-à-vis *n.m.* person (ou house) opposite.
⚠ **viscéral** *adj.* *(Méd.)* visceral ; *(fig.)* deep-rooted.
visées *n.f.pl.* designs, plans ; aims.
viser *v.* aim at ; allude to ; pursue ; stamp (un document).
viseur *n.m.* *(Photo.)* viewfinder ; points (fusil).
▷ **visible** *adj.* visible ; *(fig.)* evident, obvious.
visière *n.f.* peak ; eyeshade.
▷ **vision** *n.f.* vision ; eyesight ; seeing.

visionner *v.* view.
visionneuse *n.f.* viewer.
▷ **visite** *n.f.* visit(ing); visitor; search; inspection, examination.
▲ **visiter** *v.* visit; search, inspect.
vison *n.m.* mink.
▷ **visqueux** *adj.* viscous; sticky.
visser *v.* screw.
visu (de —) *loc.* with one's own eyes.
▷ **visuel** *adj.* visual; eye (trouble...).
▷ **vital** *adj.* vital; *(fig.)* essential, vital.
▷ **vitamine** *n.f.* vitamin.
vite *adv.* fast, quickly, quick.
vitesse *n.f.* speed, quickness; *(Tech.)* gear.
viticulture *n.f.* wine growing.
vitrail *n.m.* stained-glass window.
vitre *n.f.* window (pane); *(Aut.)* window.
vitré *adj.* glass (porte...).
vitrier *n.m.* glazier ['gleɪzjə].
▷ **vitrifier** *v.* vitrify; glaze.
vitrine *n.f.* shopwindow; showcase.
▷ **vitupérer** *v.* rail (against), vituperate.
vivable *adj.* fit to live in; livable-with.
vivace *adj.* *(Bot.)* hardy; *(fig.)* steadfast.
vicacité *n.f.* liveliness; quickness; keenness; sharpness, brusqueness; vividness.
vivant *adj.* alive, living; lively.
vivant (de son —) *loc.* in his (ou her) lifetime.
vivats *n.m.pl.* cheers.
vive *interj.* long live; hurrah for.
viveur *n.m.* pleasure-seeker, rake.
vivier *n.m.* fishpond.
vivifier *v.* invigorate, refresh, enliven.
▷ **vivisection** *n.f.* vivisection.
vivoter *v.* get (ou struggle) along.
vivre *v.* live; be alive.
▷ **vocabulaire** *n.m.* vocabulary.
▷ **vocal** *adj.* vocal.
▷ **vocation** *n.f.* vocation, call(ing); authority (to).
▷ **vociférer** *v.* bawl, shout, scream, vociferate.
vœu *n.m.* wish; *(Rel.)* vow.
▷ **vogue** *n.f.* vogue, fashion, craze; rage.
voguer *v.* sail, float, drift.
voici *prép.* here is, here are; this is, these are; ago, past.
voie *n.f.* way, road; track; lane.
voilà *prép.* there is, there are; that is.
voile *n.m.* veil; *(fig.)* cover, mask, pretence.
voile *n.f.* sail; *(Sp.)* sailing.
voiler *v.* veil; warp; muffle; dim; blur; hide.
voiler (se —) *v.* cloud (ou mist) over.
voilier *n.m.* sailing boat (ou ship).
voir *v.* see; look at; decide; understand.
voire *adv.* and indeed, and even, nay.
voirie *n.f.* highway maintenance; refuse collection.
voisin *adj.* neighbouring; next door, next.
voisin *n.m.* neighbour.
voisinage *n.m.* neighbourhood; vicinity; proximity.
voiture *n.f.* car; coach, carriage (train); cart.
voix *n.f.* voice; *(Polit.)* vote; *(Mus.)* part, voice.
vol *n.m.* stealing; theft; flying; flight.
vol à voile *n.m.* gliding.
volage *adj.* fickle, inconstant.
volaille *n.f.* poultry.
vol à l'étalage *n.m.* shoplifting.
volant *n.m.* *(Aut.)* steering wheel; *(Mode)* flounce; *(Sp.)* shuttlecock.
▷ **volatile** *adj.* volatile; *(fig.)* ephemeral.
volatile *n.m.* fowl, bird.
volatiliser (se —) *v.* *(fig.)* vanish into thin air.
volcan *n.m.* volcano.
volée *n.f.* flight; brood; bevy; volley, shower.
voler *v.* fly; steal; plunder, steal.
volet *n.m.* shutter; *(Tech.)* flap.
voleter *v.* flutter.
voleur *n.m.* thief; robber; swindler, crook.
volière *n.f.* aviary ['evjərɪ].
▷ **volontaire** *adj.* voluntary; willing; wilful; intentional.
volontaire *n.m.* volunteer.
volontariat *n.m.* voluntary service.
volonté *n.f.* will(power); wish.
volonté (à —) *loc.* at will, at pleasure.
volontiers *adv.* willingly, readily.
▷ **volt** *n.m.* volt [vəʊlt].
▷ **voltage** *n.m.* voltage ['vəʊltɪdʒ].
▷ **volte-face** *n.f.* about-turn, volteface.
voltige *n.f.* acrobatics.
voltiger *v.* flutter (ou flit) about.
volubile *adj.* voluble, glib, fluent.

△ **volume** *n.m.* volume ; bulk ; solid (géométrie).
▷ **voluptueux** *adj.* sensual, voluptuous.
△ **volute** *n.f.* curl (of smoke) ; *(Arch.)* volute.
vomir *v.* throw up, vomit ; *(fig.)* loathe.
vorace *adj.* voracious ; ravenous (appétit).
vos *adj.* your.
▷ **vote** *n.m.* vote ; voting, poll(s).
voter *v.* vote.
votre *adj.* your.
vôtre(s) *pr.* yours.
vôtre (à la —) *loc.* cheers !
voué à *adj.* destined for, doomed to.
vouer *v.* dedicate (to) ; devote (to) ; vow.
vouloir *v.* want ; be willing ; will.
vouloir (en —) *v.* bear a grudge (against).
voulu *adj.* deliberate ; requisite, required.
vous *pr.* you ; to you.
vous-même(s) *pr.* yourself (yourselves).
voûte *n.f.* vault, arch.
voûté *adj.* arched, vaulted ; stooped, bent (dos).
voûter (se —) *v.* arch, vault ; stoop, bend.
△ **voyage** *n.m.* journey ; trip ; tour ; voyage (en mer) ; travel ; travelling.
voyager *v.* travel, make a journey.
voyageur *n.m.* traveller ; passenger.
voyant *adj.* gaudy, garish, loud, showy.
voyant *n.m.* (warning) light ; seer (prophète).
voyelle *n.f.* vowel.
voyou *n.m.* lout, hooligan ; street urchin.
vrac (en —) *loc.* in bulk ; in a jumble.
vrai *adj.* real ; true, genuine ; right, proper, fit ; downright.
vraiment *adv.* truly ; really ; indeed.
vraisemblable *adj.* likely, probable.
vraisemblablement *adv.* in all likelihood.
vrille *n.f.* *(Av.)* spin ; *(Tech.)* gimlet.
vriller *v.* bore ; *(Av.)* spin.
vrombir *v.* hum, buzz, whirr, purr, throb.
vu que *loc.* considering (ou seeing) that.
vue *n.f.* sight ; eyesight ; view ; design, plan
▷ **vulgaire** *adj.* coarse, crude, vulgar ; common-place, mundane.
vulgariser *v.* popularize.
▷ **vulnérable** *adj.* vulnerable.

W

△ **wagon** *n.m.* carriage, *(amér.)* car ; wagon, truck (marchandises).
wagon-lit *n.m.* sleeping car, sleeper.
wagonnet *n.m.* small truck, tip-truck.
△ **waters** *n.m.pl.* lavatory ; toilet, *(fam.)* loo.
wattman *n.m.* tram driver.

X

X (rayons —) *n.m.pl.* X-rays.
xénophobe *adj.* xenophobic.
▷ **xénophobie** *n.f.* xenophobia.
xérès *n.* sherry (vin).
▷ **xylophone** *n.m.* xylophone ['zaɪləfəʊn].

Y

y *pr.* by (ou for, in, at, to) him (ou her, it, them).
y *adv.* there ; thither ; within, at home.
▷ **yacht** *n.m.* yacht [jɒt].
yaourt *n.m.* yoghurt, yogurt ['jɒgət].
▷ **yoga** *n.m.* yoga ['jəʊgə].
youyou *n.m.* dinghy ['dɪngɪ].
▷ **yo-yo** *n.m.* yo-yo ['jəʊjəʊ].

Z

▷ **zèbre** *n.m.* zebra ['zi:brə].
zébrer *v.* streak, stripe (with).
▷ **zébu** *n.m.* zebu ['zi:bu:].
▷ **zèle** *n.m.* zeal [zi:l].
zénith *n.m.* zenith ['zenɪθ] ; *(fig.)* peak, zenith.
zéphire *n.m.* zephyr ['zefə], gentle breeze.
△ **zéro** *n.m.* nought ; zero ; *(Sp.)* nil, love (tennis) ; *(fig.)* nonentity, mere cipher.
△ **zeste** *n.m.* peel (of lemon...).

zézayer *v.* have a lisp, lisp.
zibeline *n.f.* sable ['seɪbl].
▷ **zigzag** *n.m.* zigzag.
▷ **zigzaguer** *v.* zigzag, wind [waɪnd].
⚠ **zinc** *n.m.* zinc ; *(fam.)* plane ; *(fam.)* counter, bar.
zizanie *n.f.* ill feeling, discord, bickering.
▷ **zodiaque** *n.m.* zodiac.
zona *n.m.* shingles.
⚠ **zone** *n.f.* zone, area ; slum belt (bidonville) ; sphere (influence).
zone bleue *n.f.* parking zone.
▷ **zoologie** *n.f.* zoologie.
zoologique *adj.* zoological.
▷ **zoom** *n.m.* zoom (lens).
zozoter *v.* lisp, have a lisp.
zut *interj.* dash, darn, heck.

NUMBERS NOMBRES

CARDINAL NUMBERS : NOMBRES CARDINAUX

0 zero ['zɪərəʊ], [əʊ] (dans un numéro de téléphone) ; nought [nɔːt]
1 one [wʌn]
2 two [tuː]
3 three [θriː]
4 four [fɔː]
5 five [faɪv]
6 six [sɪks]
7 seven ['sevn]
8 eight [eɪt]
9 nine [naɪn]
10 ten [ten]
11 eleven [ɪ'levn]
12 twelve [twelv]
13 thirteen [,θɜː'tiːn]
14 fourteen [,fɔː'tiːn]
15 fifteen [,fɪf'tiːn]
16 sixteen [,sɪks'tiːn]
17 seventeen [,sevn'tiːn]
18 eighteen [,eɪ'tiːn]
19 nineteen [,naɪn'tiːn]
20 twenty ['twentɪ]
21 twenty-one [,twentɪ'wʌn]
22 twenty-two [,twentɪ'tuː]
23 twenty-three [,twentɪ'θriː]
30 thirty ['θɜːtɪ]
40 fourty ['fɔːtɪ]
50 fifty ['fɪftɪ]
60 sixty ['sɪkstɪ]
70 seventy ['sevntɪ]
80 eighty ['eɪtɪ]
90 ninety ['naɪntɪ]
100 one hundred [wʌn'hʌndrəd] (aussi « a hundred ») (1)
101 one hundred and one [wʌn,hʌndrədn'wʌn]
1 000 one thousand [wʌn'θaʊzənd]
10 000 ten thousand [,ten'θaʊznd]
100 000 one hundred thousand [wʌn,hʌndrəd'θaʊznd]
1000 000 one million [wʌn'mɪljən]

1 000 000 000 *U.S.* one billion [wʌn'bɪljən] ; *G.B.* one thousand million = un milliard.

1 000 000 000 000 *U.S.* one trillion [wʌn'trɪljən] ; *G.B.* one billion = un billion.

1 000 000 000 000 000 *U.S.* one quadrillion [wʌnkwa'drɪljən] ; *G.B.* one thousand billion.

10^{18} *U.S.* one quintillion [wʌnkwɪn'tɪljən] ; *G.B.* one trillion = un trillion.

(1) « one » en tête d'un nombre peut être remplacé par « a ».

ORDINAL NUMBERS : NOMBRES ORDINAUX

1st first [fɜ:st] 1er
2nd second ['sekənd] 2^{e}
3rd third [θɜ:d] 3^{e}
4th fourth [fɔ:θ] 4^{e}
5th fifth [fɪfθ] 5^{e}
6th sixth [sɪksθ] 6^{e}
7th seventh ['sevnθ] 7^{e}
8th eighth [eɪtθ] 8^{e}
9th ninth [naɪnθ] 9^{e}
10th tenth [tenθ] 10^{e}
11th eleventh [ɪ'levnθ] 11^{e}
12th twelvth [twelvθ] 12^{e}
13th thirteenth [,θɜ:'ti:nθ] 13^{e}
14th fourteenth [,fɔ:'ti:nθ] 14^{e}
15th fifteenth [,fɪf'ti:nθ] 15^{e}
16th sixteenth [,sɪks'ti:nθ] 16^{e}
17th seventeenth [,sevn'ti:nθ] 17^{e}
18th eighteenth [eɪ'ti:nθ] 18^{e}
19th nineteenth [,naɪn'ti:nθ] 19^{e}
20th twentieth ['twentɪəθ] 20^{e}
21st twenty-first [,twentɪ'fɜ:st] 21^{e}
22nd twenty-second [,twentɪ'sekənd] 22^{e}
23rd twenty-third [,twentɪ'θɜ:d] 23^{e}
30th thirtieth ['θɜ:tɪəθ] 30^{e}
40th fortieth ['fɔ:tɪəθ] 40^{e}
50th fiftieth ['fɪftɪəθ] 50^{e}
60th sixtieth ['sɪkstɪəθ] 60^{e}
70th seventieth ['sevntɪəθ] 70^{e}
80th eightieth ['eɪtɪəθ] 80^{e}
90th ninetieth ['naɪntɪəθ] 90^{e}
100th one hundredth [wʌn'hʌndrədθ] 100^{e}
101st one-hundred and first [wʌn,hʌndrədn'fɜ:st] 101^{e}
1 000th one thousandth [wʌn'θaʊznθ] $1\ 000^{e}$
1 000 000 one millionth [wʌn'miljənθ] $1\ 000\ 000^{e}$

VULGAR FRACTIONS : FRACTIONS

1/8 one eighth [wʌn'eɪtθ] un huitième
1/4 one quarter [wʌn'kwɔ:tə] un quart
1/3 one third [wʌn'θɜ:d] un tiers
1/2 one half [wʌn'hɑ:f] un demi

DECIMAL FRACTIONS : NOMBRES DECIMAUX

0.33 (nought) point three three [,nɔ:tpɔɪntθri:'θri:] zéro virgule trente-trois.

WEIGHTS AND MEASURES

(Poids et mesures)

Linear measure (longueur)

1 inch (1 pouce)		2,54 cm
1 foot (1 pied)	12 inches	30,48 cm
1 yard (1 verge)	3 feet	91,44 cm
1 fathom (1 toise)	6 feet	1,82 m
1 rod (1 perche)	5,5 yards	5,02 m
1 furlong (1 stade)	220 yards	201,16 m
1 mile (1 mille)	8 furlongs	1,609 km
1 nautical mile (1 mille marin)	6 080 feet	1,852 km

Square measure (surface)

1 square inch, foot, yard, etc.	
1 acre ['eɪkə] (1 arpent)	40,46 ares

Cubic measure (volume)

1 cubic inch, foot, yard.

Capacity measure (capacité)

	G.B.	U.S.
1 pint (1 chopine)	0,57 l	0,47 l
1 quart (1 pinte) (= 2 pints)	1,14 l	0,94 l
1 gallon (1 gallon) (= 4 quarts)	4,54 l	3,78 l

Avoirdupois weight (Poids)

1 dram (dr.) (1 dragme)		1,77 g
1 ounce (oz.) (1 once)	16 drams	28,35 g
1 pound (lb.) (1 livre)	16 ounces	0,454 kg
1 stone (st.)	14 pounds	6,35 kg
1 quarter (1 quart)	2 stones	12,7 kg

1 short hundredweight (cwt)	100 pounds	45,4 kg
1 long hundredweight (long cwt)	4 quarters	50,8 kg
1 short ton	2 000 pounds	907,2 kg
1 long ton 20 long hundredweight		1 016 kg
(N.B. 1 metric ton		1 000 kg)

Temperature	(température)
Fahrenheit (F)	*Centigrade* (C)
212°	100°
98,6°	37°
68°	20°
50°	10°
32°	0°

Conversion : 1) de °F en °C : soustraire 32 et multiplier par 5/9
2) de °C en °F : ajouter 32 et multiplier par 9/5.

COUNTRIES AND NATIONALITIES

(Noms de pays et nationalités)

Pays	**Nationalité**		
	Adj.	**N. sing.**	**N. pl.**
Afghanistan	Afghan	Afghanistani	Afghans
Algeria	Algerian	Algerian	-s
Argentina (aussi the Argentine)	Argentinian	Argentinian	-s
Australia	Australian	Australian	-s
Austria	Austrian	Austrian	-s
Belgium	Belgian	Belgian	-s
Brazil [brə'zɪl]	Brazilian	Brazilian	-s
Canada	Canadian	Canadian	-s
Chile ['tʃɪlɪ]	Chilean	Chilean	-s
China	Chinese	Chinese	Chinese
Czechoslovakia	{ Czech	{ Czech	-s
	Czechoslovakian	Czechoslovak	-s

Denmark	Danish	Dane	-s
Egypt ['i:dʒɪpt]	Egyptian	Egyptian	-s
Finland	Finnish	Finn	Finns
France	French	Frenchman (*fém.* -woman)	{ Frenchmen The French
German Democratic Republic	East German	East German	-s
(Federal Republic of) Germany	(West) German	(West) German	-s
Great Britain (1)	British	Briton (*amér.* Britisher)	The British
Greece	Greek (⚠ Grecian, de style grec)	Greek	-s
Holland (aussi the Netherlands)	Dutch	Dutchman (*fém.* -woman)	{ Dutchmen The Dutch
Hungary	Hungarian	Hungarian	-s
India	Indian	Indian	-s
Indonesia	Indonesian	Indonesian	-s
Iran [i'rɑ:n]	Iranian	Iranian	-s
Iraq [i'rɑ:k]	Iraqi	Iraqi	-s
(The Republic of) Ireland	Irish	Irishman (*fém.* -woman)	{ Irishmen The Irish
Israel ['ɪzreɪl]	Israeli	Israeli	-s
Italy	Italian	Italian	-s
Japan [dʒə'pæn]	Japanese	Japanese	Japanese
Lebanon	Lebanese	Lebanese	Lebanese
Luxemburg	Luxemburg	Luxemburger	-s
Malta	Maltese	Maltese	Maltese
Mexico	Mexican	Mexican	-s

(1) Voir aussi le tableau spécial **The United Kingdom** page suivante.

Pays	Nationalité		
	Adj.	**N. sing.**	**N. pl.**
Morocco	Moroccan	Moroccan	-s
New Zealand	New Zealand	New Zealander	-s
Norway	Norwegian	Norwegian	-s
Poland	Polish	Pole	-s
Portugal	Portuguese	Portuguese	Portuguese
South Africa	South African	South African	-s
The Soviet Union (aussi Russia ou the U.S.S.R.)	Russian	Russian	-s
Spain	Spanish	Spaniard	-s The Spanish
Sweden	Swedish	Swede	-s
Switzerland	Swiss	Swiss	Swiss
Tunisia	Tunisian	Tunisian	-s
The United States of America	American	American	-s
Yugoslavia [jugəʊ'slɑːvɪə]	Yugoslavian	Yugoslav	-s

The United Kingdom of Great Britain and Northern Ireland

England	English	Englishman (*fém.* -woman)	Englishmen The English
Northern Ireland	Irish	Irishman (*fém.* -woman)	Irishmen The Irish
Scotland	Scottish Scots	Scotsman (*fém.* -woman) Scot	Scotsmen The Scots
	(⚠ Scotch. *Ex.* : Scotch whisky.)		
Wales	Welsh	Welshman (*fém.* -woman)	Welshmen The Welsh

VERBES IRRÉGULIERS

Infinitif	*Prétérit*	*P.-Passé*	*Traduction*
abide	**abode**	**abode**	*demeurer*
arise	**arose**	**arisen**	*se lever*
awake	{ **awoke** / **awaked**	{ **awoken** / **awaked**	*éveiller*
be, am, is, are	**was, were**	**been**	*être*
bear	**bore**	**borne** / **be born**	*porter* / *naître*
beat	**beat**	**beaten**	*battre*
become	**became**	**become**	*devenir*
befall	**befell**	**befallen**	*survenir à*
beget	**begot**	**begotten**	*engendrer*
begin	**began**	**begun**	*commencer*
behold	**beheld**	**beheld**	*contempler*
bend	**bent**	**bent**	*courber*
beseech	**besought**	**besought**	*supplier*
beset	**beset**	**beset**	*assaillir*
bet	{ **bet** / **betted**	{ **bet** / **betted**	*parier*
bid	**bade, bid**	**bade, bid** / **bidden**	*ordonner*
bind	**bound**	**bound**	*lier*
bite	**bit**	**bitten**	*mordre*
bleed	**bled**	**bled**	*saigner*
blow	**blew**	**blown**	*souffler*
break	**broke**	**broken**	*casser*
breed	**bred**	**bred**	*élever*
bring	**brought**	**brought**	*apporter*
broadcast	**broadcast**	**broadcast**	*radiodiffuser*
build	**built**	**built**	*construire*
burn	{ **burnt** (*amér.* **burned**)	{ **burnt** (*amér.* **burned**)	*brûler*
burst	**burst**	**burst**	*éclater*
buy	**bought**	**bought**	*acheter*
can	**could**		*pouvoir*
cast	**cast**	**cast**	*jeter*
catch	**caught**	**caught**	*attraper*

chide	**chid**	**chidden, chid**	*gronder*
choose [tʃu:z]	**chose** [tʃəʊz]	**chosen**	*choisir*
cling	**clung**	**clung**	*s'attacher*
come	**came**	**come**	*venir*
cost	**cost**	**cost**	*coûter*
creep	**crept**	**crept**	*ramper*
cut	**cut**	**cut**	*couper*
deal	**dealt**	**dealt**	*distribuer*
dig	**dug**	**dug**	*creuser*
do, does	**did**	**done**	*faire*
draw	**drew**	**drawn**	*tirer, dessiner*
dream	{ **dreamt** (*amér.* **dreamed**)	{ **dreamt** (*amér.* **dreamed**)	*rêver*
drink	**drank**	**drunk**	*boire*
drive	**drove**	**driven**	*conduire*
dwell	{ **dwelt** (*amér.* **dwelled**)	{ **dwelt** (*amér.* **dwelled**)	*demeurer*
eat	**ate** [et, eɪt]	**eaten**	*manger*
fall	**fell**	**fallen**	*tomber*
feed	**fed**	**fed**	*nourrir*
feel	**felt**	**felt**	*sentir*
fling	**flung**	**flung**	*lancer*
fly	**flew**	**flown**	*voler*
forbear	**forbore**	**foreborne**	*s'abstenir*
forbid	{ **forbade** **forbad**	**forbidden**	*interdire*
forecast	**forecast**	**forecast**	*prévoir*
foresee	**foresaw**	**foreseen**	*prévoir*
foretell	**foretold**	**foretold**	*prédire*
forget	**forgot**	**forgotten**	*oublier*
forgive	**forgave**	**forgiven**	*pardonner*
forsake	**forsook**	**forsaken**	*abandonner*
freeze	**froze**	**frozen**	*geler*
get	**got**	{ **got** (*amér.* **gotten**)	*obtenir, devenir*
gild	**gilt**	**gilt**	*dorer*
give	**gave**	**given**	*donner*
go	**went**	**gone**	*aller*
grind	**ground**	**ground**	*moudre*

grow	**grew**	**grown**	*croître, devenir*
hang	**hung**	**hung**	*pendre (à)*
hang	**hanged**	**hanged**	*pendre (pendaison)*
have, has	**had**	**had**	*avoir, posséder*
hear	**heard**	**heard**	*entendre*
heave	**hove**	**hove**	*poindre, apparaître*
hew	**hewed**	**hewed, hewn**	*tailler*
hide	**hid**	**hidden, hid**	*cacher*
hit	**hit**	**hit**	*frapper*
hold	**held**	**held**	*tenir*
hurt	**hurt**	**hurt**	*blesser, faire mal*
keep	**kept**	**kept**	*garder, conserver*
kneel	{ **knelt** (*amér.* **kneeled**)	{ **knelt** (*amér.* **kneeled**)	*s'agenouiller*
knit	**knitted, knit**	**knitted, knit**	*tricoter*
knit	**knit**	**knit**	*froncer (les sourcils)*
know	**knew**	**known**	*savoir, connaître*
lay	**laid**	**laid**	*poser*
lead	**led**	**led**	*mener, conduire*
lean	{ **leant** (*amér.* **leaned**)	{ **leant** (*amér.* **leaned**)	*pencher*
learn	{ **learnt** (*amér.* **learned**)	{ **learnt** (*amér.* **learned**)	*apprendre*
leave	**left**	**left**	*laisser, quitter, partir*
lend	**lent**	**lent**	*prêter*
let	**let**	**let**	*laisser (faire), louer*
lie	**lay**	**lain**	*être couché*
light	{ **lit** **lighted**	{ **lit** **lighted**	*allumer, éclairer*

lose	**lost**	**lost**	*perdre*
make	**made**	**made**	*faire, fabriquer*
may	**might**		*pouvoir (permission, probabilité)*
mean	**meant**	**meant**	*signifier, vouloir dire*
meet	**met**	**met**	*rencontrer*
mislay	**mislaid**	**mislaid**	*égarer*
mislead	**misled**	**misled**	*induire en erreur*
mistake	**mistook**	**mistaken**	*prendre (pour) par erreur*
misunder-stand	**-stood**	**-stood**	*mal comprendre*
mow	**mowed**	**mown mowed**	*faucher*
outbid	**outbid**	**outbid**	*enchérir sur*
outdo, outdoes	**outdid**	**outdone**	*surpasser*
outgrow	**outgrew**	**outgrown**	*dépasser*
overcome	**overcame**	**overcome**	*surmonter*
overdo, overdoes	**overdid**	**overdone**	*exagérer*
overhang	**overhung**	**overhung**	*surplomber*
overrun	**overran**	**overrun**	*envahir, dépasser*
oversee	**oversaw**	**overseen**	*surveiller*
oversleep	**overslept**	**overslept**	*dormir trop longtemps*
overtake	**overtook**	**overtaken**	*dépasser*
overthrow	**overthrew**	**overthrown**	*renverser, vaincre*
partake	**partook**	**partaken**	*prendre part (à)*
pay	**paid**	**paid**	*payer*
put	**put**	**put**	*mettre*
quit	{ **quitted** (*amér.* **quit**)	{ **quitted** (*amér.* **quit**)	*abandonner, arrêter*
read [ri:d]	**read** [red]	**read** [red]	*lire*

recast	**recast**	**recast**	*refondre, remanier*
redo, redoes	**redid**	**redone**	*refaire*
remake	**remade**	**remade**	*refaire*
rend	**rent**	**rent**	*déchirer*
repay	**repaid**	**repaid**	*rembourser*
rid	{ **rid** / **ridded**	{ **rid** / **ridded**	*débarrasser*
ride	**rode**	**ridden**	*monter (à cheval, à bicyclette, ...)*
ring	**rang**	**rung**	*sonner*
rise	**rose**	**risen**	*se lever*
run	**ran**	**run**	*courir*
saw	**sawed**	{ **sawn** / **sawed**	*scier*
say [seɪ]	**said** [sed]	**said** [sed]	*dire*
see	**saw**	**seen**	*voir*
seek	**sought**	**sought**	*chercher*
sell	**sold**	**sold**	*vendre*
send	**sent**	**sent**	*envoyer*
set	**set**	**set**	*placer*
sew	**sewed**	{ **sewn** / **sewed**	*coudre*
shake	**shook**	**shaken**	*secouer, trembler*
shear	**sheared**	{ **shorn** / **sheared**	*tondre*
shed	**shed**	**shed**	*verser*
shine	**shone**	**shone**	*briller*
shine	**shined**	**shined**	*cirer*
shoe	**shod**	**shod**	*chausser, ferrer*
shoot	**shot**	**shot**	*tirer, abattre*
show	**showed**	{ **shown** / **showed**	*montrer*
shrink	**shrank**	**shrunk**	*rétrécir*
shut	**shut**	**shut**	*fermer*
sing	**sang**	**sung**	*chanter*
sink	**sank**	**sunk**	*sombrer, couler*
sit	**sat**	**sat**	*être assis, siéger*

slay	**slew**	**slain**	*tuer*
sleep	**slept**	**slept**	*dormir*
slide	**slid**	**slid**	*glisser*
sling	**slung**	**slung**	*lancer*
slit	**slit**	**slit**	*fendre*
smell	**smelt**	**smelt**	*sentir*
sow	**sowed**	**sown** **sowed**	*semer*
speak	**spoke**	**spoken**	*parler*
speed	**sped** **speeded**	**sped** **speeded**	*faire hâte*
spell	**spelt** (*amér.* **spelled**)	**spelt** (*amér.* **spelled**)	*épeler,* *orthographier*
spend	**spent**	**spent**	*passer*
spill	**spilt** (amér. **spilled**)	**spilt** (*amér.* **spilled**)	*verser,* *renverser*
spin	**spun, span**	**spun**	*filer*
spit	**spat**	**spat**	*cracher*
split	**split**	**split**	*fendre*
spoil	**spoilt** (*amér.* **spoiled**)	**spoilt** (*amér.* **spoiled**)	*gâter*
spread	**spread**	**spread**	*répandre*
spring	**sprang**	**sprung**	*s'élancer*
stand	**stood**	**stood**	*être debout*
steal	**stole**	**stolen**	*voler*
stick	**stuck**	**stuck**	*coller*
sting	**stung**	**stung**	*piquer*
stink	**stank, stunk**	**stunk**	*puer*
strew	**strewed**	**strewn** **strewed**	*répandre*
stride	**strode**	**stridden** **strid**	*marcher à* *grands pas*
strike	**struck**	**struck**	*frapper*
string	**strung**	**strung**	*encorder,* *enfiler*
strive	**strove** **strived**	**striven** **strived**	*s'efforcer*
swear	**swore**	**sworn**	*jurer*
sweep	**swept**	**swept**	*balayer*

swell	**swelled**	**swollen** **swelled**	*enfler*
swim	**swam**	**swum**	*nager*
swing	**swung**	**swung**	*se balancer*
take	**took**	**taken**	*prendre*
teach	**taught**	**taught**	*enseigner*
tear	**tore**	**torn**	*déchirer*
tell	**told**	**told**	*dire, raconter*
think	**thought**	**thought**	*penser*
thrive	**throve** **thrived**	**thriven** **thrived**	*prospérer*
throw	**threw**	**thrown**	*jeter*
thrust	**thrust**	**thrust**	*lancer*
tread	**trod**	**trodden, trod**	*fouler, piétiner*
undergo	**underwent**	**undergone**	*subir*
understand	**understood**	**understood**	*comprendre*
undertake	**undertook**	**undertaken**	*entreprendre*
undo, undoes	**undid**	**undone**	*défaire*
unwind	**unwound**	**unwound**	*dérouler*
uphold	**upheld**	**upheld**	*soutenir*
upset	**upset**	**upset**	*renverser*
wake	**woke** **waked**	**woken** **waked**	*éveiller*
waylay	**waylaid**	**waylaid**	*attaquer, assaillir*
wear	**wore**	**worn**	*porter*
weave	**wove**	**woven**	*tisser*
weep	**wept**	**wept**	*pleurer*
wet	**wet** **wetted**	**wet** **wetted**	*mouiller*
win	**won**	**won**	*gagner*
wind	**wound**	**wound**	*enrouler*
withdraw	**withdrew**	**withdrawn**	*retirer*
withhold	**withheld**	**withheld**	*retenir*
withstand	**withstood**	**withstood**	*résister à*
wring	**wrung**	**wrung**	*tordre*
write	**wrote**	**written**	*écrire*

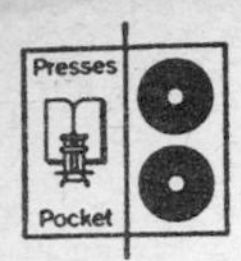

LES LANGUES POUR TOUS
Initiation et recyclage

Jo-Ann PETERS • Jean-Michel RAVIER

L'ANGLAIS POUR TOUS EN 40 LEÇONS

L'ANGLAIS POUR TOUS constitue une véritable méthode d'initiation et d'auto-apprentissage où le débutant trouvera sous forme d'unités simples et facilement assimilables :

— un exposé progressif des structures de base de la langue,

— une explication de la prononciation accessible à tous, assurant la maîtrise de la communication verbale,

— un vocabulaire et des expressions choisis pour leur haute fréquence d'usage, fidèle reflet de la langue d'aujourd'hui.

L'ANGLAIS POUR TOUS s'adresse également à ceux qui souhaitent réactiver des connaissances trop théoriques ou partiellement oubliées.

Le fractionnement des difficultés, la subdivision des unités permettent à chacun de travailler à son rythme.

L'ANGLAIS POUR TOUS : pour apprendre vraiment ce que vous ne savez pas ou ce que vous croyez savoir.

Enregistrement : 3 cassettes.

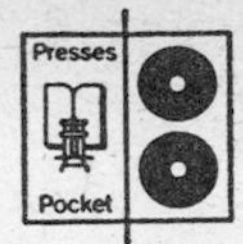

LES LANGUES POUR TOUS
Contrôle et évaluation des connaissances

J.-P. BERMAN • M. SAVIO • M. MARCHETEAU

SCORE – ANGLAIS
100 TESTS POUR AMÉLIORER ET CONTRÔLER VOTRE ANGLAIS

SCORE est une nouvelle méthode d'auto-enseignement grâce à laquelle vous pouvez vous-même contrôler vos connaissances en ANGLAIS.
Elle comporte trois parties :

La partie A, constituée de 100 tests corrigés et commentés, vous indique, sous forme de diagnostic personnalisé, votre niveau réel.

La partie B présente, explique et commente les structures de base de la langue en liaison avec les tests de la partie A.

La partie C est formée d'une nouvelle série de tests permettant de mesurer les progrès réalisés et de contrôler l'acquisition des mécanismes fondamentaux de la langue.

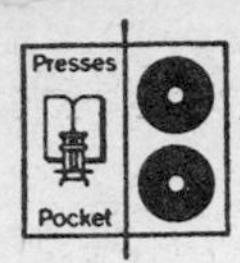

LES LANGUES POUR TOUS
Langue économique

J.-P. BERMAN • M. SAVIO • M. MARCHETEAU

L'ANGLAIS ÉCONOMIQUE ET COMMERCIAL
20 DOSSIERS SUR LA LANGUE DES AFFAIRES

Cet ouvrage s'adresse à tous ceux qui souhaitent acquérir une réelle maîtrise de l'anglais des affaires.

Toutes les activités économiques de l'entreprise sont ici présentées en 20 dossiers : animation commerciale, vie financière, informatique, comptabilité, marketing, vie syndicale, etc.

Par une alternance de dialogues pris sur le vif, de textes explicatifs, de documents commentés et de modèles de lettres, il permet au lecteur d'acquérir une *connaissance réaliste* de l'environnement des affaires.

Pour répondre aux besoins de l'*utilisateur individuel*, comme à ceux de l'enseignement collectif, tous les textes présentés sont systématiquement traduits. Toutes les particularités de la langue économique — qu'elles soient d'ordre phonétique, lexical ou conceptuel — font l'objet de notes explicatives. Une grande variété de *tests* et d'*exercices de contrôle* permet à chacun de faire le point de ses connaissances.

Enregistrement : 3 cassettes.

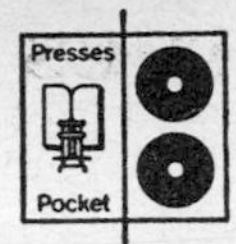

LES LANGUES POUR TOUS
Langue économique

M. MARCHETEAU • J.-P. BERMAN • C. PELLOUX • L. DAHAN • M. SAVIO

DICTIONNAIRE DE L'ANGLAIS ÉCONOMIQUE ET COMMERCIAL

Ce dictionnaire s'adresse à tous ceux qui ont à utiliser l'anglais économique et commercial ou à prendre contact avec la presse anglo-saxonne. Il donne :

1. le sens général des mots en plus de leur sens purement commercial;
2. des expressions employées quotidiennement dans la langue des media;
3. de nombreuses locutions de grande fréquence.

Le DICTIONNAIRE DE L'ANGLAIS ECONOMIQUE ET COMMERCIAL est :

• *complet et actuel :* 10 000 entrées soit 12 000 mots et expressions couvrant Production, Distribution, Banque, Bourse, Comptabilité, Vie syndicale, Informatique, Publicité, etc.

• *précis :* indique les variantes britanniques et américaines.

Il offre enfin un LEXIQUE FRANÇAIS-ANGLAIS des 1 500 termes commerciaux et économiques les plus utiles.

IMPRIMÉ EN FRANCE PAR BRODARD ET TAUPIN
7, bd Romain-Rolland - Montrouge.
Usine de La Flèche, le 30-03-1982.
6912-5 - N° Editeur 1852 - Dépôt légal avril 1982.